U0886925

经纬度·原典系列

# 资治通鉴

## 全本全注全译

第二十册

唐纪

[宋]司马光　编著
张大可　韩兆琦　等　注译

浙江人民出版社

中文简体版通过成都天鸢文化传播有限公司代理，经三民书局股份有限公司授予浙江人民出版社有限公司在中国大陆地区独家出版发行，非经书面同意，不得以任何形式，任意重制转载。

浙 江 省 版 权 局
著作权合同登记章
图字:11-2023-344号

**图书在版编目（CIP）数据**

资治通鉴全本全注全译. 第二十册 / （宋）司马光编著 ; 张大可等注译. -- 杭州 : 浙江人民出版社, 2024. 10（2025. 6重印）. -- ISBN 978-7-213-11685-8

Ⅰ. K204. 3

中国国家版本馆CIP数据核字第2024G4J619号

## 资治通鉴全本全注全译　第二十册

ZIZHI TONGJIAN QUANBEN QUANZHU QUANYI

［宋］司马光　编著　　张大可　韩兆琦　等　注译

---

出版发行：浙江人民出版社（杭州市环城北路 177 号　邮编　310006）
　　　　　市场部电话：（0571）85061682　85176516
选题策划：胡俊生
项目统筹：潘海林　魏　力
责任编辑：潘海林　方　程　杨钰霆　眘建宇　王子佳
营销编辑：杨谨瑞
责任校对：杨　帆　汪景芬　陈　春
责任印务：程　琳　幸天骄
封面设计：北京之江文化传媒有限公司
电脑制版：北京之江文化传媒有限公司
印　　刷：浙江新华数码印务有限公司
开　　本：710 毫米 ×1000 毫米　1/16　　印　　张：48.25
字　　数：942 千字　　插　　页：4
版　　次：2024 年 10 月第 1 版　　印　　次：2025 年 6 月第 2 次印刷
书　　号：ISBN 978-7-213-11685-8
定　　价：124.00 元

---

如发现印装质量问题，影响阅读，请与市场部联系调换。

# 目　　录

# 卷第二百二十三　唐纪三十九

起昭阳单阏（癸卯，公元七六三年）七月，尽旃蒙大荒落（乙巳，公元七六五年）十月，凡二年有奇。

【题解】

本卷记事起公元七六三年七月，迄公元七六五年十月，凡两年又三个月，当唐代宗广德元年到永泰元年十月。唐代宗执政十四年，此为代宗即位初的头两年，安史之乱已被平定，正是中兴大有为之时，代宗由于平庸，对安史之乱善后不当，事事姑息，是非不明，逼反仆固怀恩。形势急转，唐室再现危局。仆固怀恩两次连兵回纥、吐蕃入寇，一度攻占长安，代宗蒙尘，幸赖郭子仪被重新起用，和好回纥，大破吐蕃，才又使唐室转危为安。代宗亲信宦官，初受制于李辅国，继为程元振掌控，导致吐蕃犯阙，文武百官愤恨，赶走了程元振，又来了鱼朝恩。代宗依赖宦官是其执政的一大失误。正是由于宦官监军，郭子仪、李光弼两位中兴良将在荡平安史之乱前夕被罢职。仆固怀恩摘取胜利之果，保奏河北降将以为党援，于是河北四镇承德李宝臣、魏博田承嗣、相卫薛嵩、卢龙李怀仙，再加一个山南东道梁崇义，互为婚姻，连体相依，日渐成为割据之势。

【原文】

## 代宗睿文孝武皇帝上之下

### 广德元年（癸卯，公元七六三年）

秋，七月壬寅①，群臣上尊号曰宝应元圣文武孝皇帝。壬子②，赦天下，改元③。诸将讨史朝义者进官阶④、加爵邑⑤有差。册回纥可汗为颉咄登蜜施合俱录英义建功毗伽可汗，可敦为娑墨光亲丽华毗伽可敦，左、右杀以下皆加封赏⑥。

戊辰⑦，杨绾上贡举条目：秀才问经义二十条，对策五道。国子监举人，令博士荐于祭酒，祭酒试通者升之于省，如乡贡⑧法。明法⑨，委刑部考试。或以为明经、进士行之已久，不可遽改。事虽不行，识者是之。

以仆固玚为朔方行营节度使。

【语译】

**代宗睿文孝武皇帝上之下**

**广德元年（癸卯，公元七六三年）**

秋，七月初一日壬寅，群臣为代宗上尊号为宝应元圣文武孝皇帝。十一日壬子，大赦天下，改年号为广德。讨伐史朝义的各位将领都晋升官阶、加赐爵位、食邑各有等差。册封回纥可汗为颉咄登蜜施合俱录英义建功毗伽可汗，可敦为娑墨光亲丽华毗伽可敦，左、右杀以下官员都加封赏。

七月二十七日戊辰，杨绾奏上贡举条目：秀才科考问经书义理二十条，对策五道。国子监推举的人员，先让博士推荐给国子祭酒，经国子祭酒考试通过的人再上送到尚书省，和乡贡的办法相同。明法科，委托刑部主持考试。有人认为明经科、进士科选拔的办法实行已久，不可以匆忙改变。杨绾的主张虽然没有实行，但有识之士认为是正确的。

任命仆固玚为朔方行营节度使。

吐蕃入大震关[⑩]，陷兰[⑪]、廓[⑫]、河[⑬]、鄯[⑭]、洮[⑮]、岷[⑯]、秦[⑰]、成[⑱]、渭[⑲]等州，尽取河西、陇右之地。唐自武德[⑳]以来，开拓边境，地连西域，皆置都督、府、州、县。开元中，置朔方、陇右、河西、安西、北庭诸节度使以统之。岁发山东丁壮为戍卒，缯帛为军资，开屯田，供糗粮，设监牧[㉑]，畜马牛，军城戍逻，万里相望。及安禄山反，边兵精锐者皆征发入援，谓之行营，所留兵单弱，胡虏稍蚕食之，数年间，西北数十州相继沦没，自凤翔以西，邠州以北，皆为左衽[㉒]矣。

【段旨】

以上为第一段，写吐蕃趁安史之乱，夺取大唐西北陇右、河西数十州之地。

【注释】

①壬寅：七月初一日。②壬子：七月十一日。③改元：改元广德。④进官阶：晋升官员的阶级，授予官员更高一级的品秩。官员的阶级以品秩来表示，其品秩有九品、正从、上下之分。唐代职事官以所带的散官为本品，以散官标志其本官阶。⑤加爵邑：加赐爵位和增加实食封户。爵，封爵。邑，食邑。封爵，表示天子赐予一定的身份地位。每等爵位又有相应的食邑和品级。唐代封爵有亲王以下至开国县男共九等，亲王食邑万户、正一品，开国县男食邑三百户、从五品上。⑥左、右杀以下句：左杀封为雄朔王，右杀封为宁朔王，胡禄都督封金河王，拔览将军封静汉王，诸都督十一人并封国公。⑦戊辰：七月二十七日。⑧乡贡：唐代取士之法，出自学馆者称为“生徒”，出自州县者称为

【原文】

初，仆固怀恩受诏与回纥可汗相见于太原。河东节度使辛云京以可汗乃怀恩婿，恐其合谋袭军府[㉓]，闭城自守，亦不犒师。及史朝义既平，诏怀恩送可汗出塞，往来过太原，云京亦闭城不与相闻。怀恩怒，具表其状，不报。怀恩将朔方兵数万屯汾州[㉔]，使其子御史大夫玚将万人屯榆次[㉕]，裨将李光逸等屯祁县[㉖]，李怀光等屯晋州[㉗]，张维岳等屯沁州[㉘]。

吐蕃侵入大震关，攻陷兰州、廓州、河州、鄯州、洮州、岷州、秦州、成州、渭州等州，攻取了全部河西、陇右地区。唐朝自武德年间以来，开拓边疆，领土与西域相连，都设置了都督、府、州、县。开元时期，设置朔方、陇右、河西、安西、北庭各节度使来统治这些地区。每年都征发山东一带的少壮男子作为戍守的士卒，用丝织品作为军费开支，开荒屯田，供应军粮，设置监牧，蓄养马牛，建立军事城堡，派士卒戍守巡逻，绵延万里，前后相望。等到安禄山造反时，守边的精锐士兵都被征调回来援救朝廷，称之为行营，留下的兵力单薄虚弱，外族军队逐渐蚕食，数年时间，西北几十个州相继沦陷，从凤翔以西、邠州以北，都被外族占领了。

---

“乡贡”，出自天子下诏临时设置的科目者称为“制举”。乡贡之法，指明经、秀才、俊士、进士等科目，先由县对那些通经达理为乡闾所称道者进行考核，选送合格者由州官复试，最后送尚书省礼部考试。⑨明法：科举取士科目的一种。明法考试，据《新唐书·选举志》所载，试律七条，令三条，全部通过为甲等，通过八条为乙等。⑩大震关：关名，在今陕西陇县西境陇山顶上，大中六年（公元八五二年）防御使薛逵徙筑新关，改名安戎关。当地人谓大震关为故关，安戎关为新关。⑪兰：州名，治所在今甘肃兰州。⑫廓：州名，治所在今青海尖扎北。⑬河：州名，治所在今甘肃临夏。⑭鄯：州名，治所在今青海乐都。⑮洮：州名，治所在今甘肃临潭。⑯岷：州名，治所在今甘肃岷县。⑰秦：州名，治所在今甘肃天水。⑱成：州名，治所在今甘肃成县。⑲渭：州名，治所在今甘肃陇西县东南。⑳武德：唐高祖年号（公元六一八至六二六年）。㉑监牧：唐代在西北各地设置国家牧场。牧场的直接管理机关为牧监。每监设监、副监等官。监下有管理马群的牧长、牧尉。总统于太仆寺，后归群牧使。㉒左衽：衽，衣襟。我国古代某些少数民族的服装，前襟向左开，不同于中原一带人民的右衽。后遂称受少数民族统治为左衽。

---

**【语译】**

当初，仆固怀恩接受诏令在太原与回纥可汗相见。河东节度使辛云京因为可汗是仆固怀恩的女婿，担心他们合谋袭击军府，闭城自守，也不去犒劳他们的部队。等到史朝义被平定后，代宗下诏命仆固怀恩送可汗出塞，往来经过太原，辛云京也闭城不闻不问。仆固怀恩大怒，上表奏明这一状况，朝廷没有答复。仆固怀恩率领朔方军队几万人驻扎在汾州，派他的儿子御史大夫仆固玚率领一万人驻扎在榆次，裨将李光逸等人驻扎在祁县，李怀光等人驻扎在晋州，张维岳等人驻扎在沁州。李

怀光，本勃海靺鞨也，姓茹，为朔方将，以功赐姓。中使骆奉仙至太原，云京厚结之，为言怀恩与回纥连谋，反状已露。奉仙还，过怀恩，怀恩与饮于母前，母数让㉙奉仙曰："汝与吾儿约为兄弟，今又亲云京，何两面㉚也！"酒酣，怀恩起舞，奉仙赠以缠头彩㉛。怀恩欲酬之，曰："来日端午，当更乐饮一日。"奉仙固请行，怀恩匿其马。奉仙谓左右曰："朝来责我，又匿我马，将杀我也。"夜，逾垣而走。怀恩惊，遽以其马追还之。八月癸未㉜，奉仙至长安，奏怀恩谋反，怀恩亦具奏其状，请诛云京、奉仙。上两无所问，优诏和解之。

怀恩自以兵兴以来㉝，所在力战，一门死王事者四十六人，女嫁绝域㉞，说谕㉟回纥，再收两京，平定河南、北，功无与比，而为人构陷，愤怨殊深，上书自讼㊱，以为："臣昨奉诏送可汗归国，倾竭家赀，俾之上道。行至山北㊲，云京、奉仙闭城不出祗迎㊳，仍令潜行窃盗。回纥怨怒，亟欲纵兵，臣力为弥缝㊴，方得出塞。云京、奉仙恐臣先有奏论，遂复妄称设备，与李抱玉共相组织㊵。臣静而思之，其罪有六：昔同罗叛乱，臣为先帝扫清河曲，一也。臣男玢为同罗所虏，得间亡归，臣斩之以令众士，二也㊶。臣有二女，远嫁外夷，为国和亲，荡平寇敌，三也。臣与男玚不顾死亡，为国效命，四也。河北新附，节度使㊷皆握强兵，臣抚绥㊸以安反侧㊹，五也。臣说谕回纥，使赴急难，天下既平，送之归国，六也。臣既负六罪，诚合万诛㊺，惟当吞恨九泉㊻，衔冤千古㊼，复何诉哉！臣受恩深[1]重，夙夜㊽思奉天颜㊾。但以来瑱受诛，朝廷不示其罪，诸道节度，谁不疑惧！近闻诏追㊿数人，尽皆不至，实畏中官谗口，虚(51)受陛下诛夷。岂惟群臣不忠？正为回邪(52)在侧。且臣前后所奏骆奉仙，词情非不摭实(53)，陛下竟无处置，宠任弥深，皆由同类比周(54)，蒙蔽圣听。窃闻四方遣人奏事，陛下皆云与骠骑(55)议之，曾不委宰相可否，或稽留(56)数月不还，远近益加疑阻(57)。如臣朔方将士，功效最高，为先帝中兴主人(58)，乃陛下蒙尘(59)故吏(60)，

怀光，本来是勃海靺鞨人，姓茹，任朔方将领，因有功赐姓李。宫中使者骆奉仙到达太原，辛云京与他结交很深，对他说仆固怀恩与回纥合谋，反叛的迹象已经显露。骆奉仙回京，途中拜访了仆固怀恩，仆固怀恩和他在自己的母亲面前一起饮酒，仆固怀恩的母亲多次责备骆奉仙说："你与我儿相约成为兄弟，如今又去亲近辛云京，为什么成了两面派呢！"酒喝到兴起时，仆固怀恩起身舞蹈，骆奉仙赠送给他缠头彩。仆固怀恩想要酬谢他，说："明天是端午，我们应该再高高兴兴地喝一天。"骆奉仙一再要求启程回京，仆固怀恩把他的马藏了起来。骆奉仙对左右的人说："早上责备我，现在又藏了我的马，这是准备杀掉我啊。"到了夜晚，骆奉仙翻墙逃走了。仆固怀恩大惊，立刻追上去把他的马还给他。八月十三日癸未，骆奉仙到达长安，上奏说仆固怀恩谋反，仆固怀恩也把详情向代宗奏明，请求杀掉辛云京、骆奉仙。代宗对双方都不追究，宽容地下诏书让他们和解。

仆固怀恩自认为兴兵讨伐叛贼以来，到处奋力作战，一家为报效君王而死的就有四十六人，女儿也远嫁回纥，劝说晓谕回纥出兵，收复西京和东京，平定河南、河北地区，功劳无人可比，却被人诬陷，因此气愤怨恨极深，于是上书代宗，自我申辩，认为："臣先前奉诏令送回纥可汗回国，竭尽家中资财，才使可汗上路。来到太原，辛云京、骆奉仙紧闭城门不出来恭候迎接，让我们像盗贼一样悄悄行走。回纥人又怨又怒，急着想放纵士兵生事，臣竭力弥合补救，回纥方能太平出塞。辛云京、骆奉仙害怕臣先上奏申明，就胡乱声称是为了预设防备，和李抱玉一起对我罗织罪名。臣静心思考，自己的罪过有六项：过去同罗叛乱，臣替先帝把河曲的叛敌扫荡干净，此其一。臣的儿子仆固玢被同罗俘虏，找到机会逃回，臣把他杀了以号令将士，此其二。臣有两个女儿，远嫁外夷，为了国家去和亲，以荡平敌寇，此其三。臣与儿子仆固玚不顾生死，为国效命，此其四。河北地区新近归附，各个节度使都握有强兵，臣安抚他们使他们不再反复无常，此其五。臣劝说晓谕回纥，让他们赶去解救朝廷的危难，天下平定后，又送他们回国，此其六。臣既然背负这六项罪过，确实罪该万死，只该含恨九泉，衔冤千古，又有什么可申诉的呢！臣蒙受皇恩深重，日夜都想回朝侍奉陛下。但因来瑱被杀，朝廷却没有宣布他的罪状，各道节度使，谁不疑虑恐惧！近来听说下诏令召回几个人，他们全都不到，实在是因为害怕宦官的谗言，担心自己会无缘无故地遭受陛下诛杀。难道是群臣不忠吗？这正是因为陛下身边有邪恶的小人。再说臣前后所奏报的关于骆奉仙的事，言词和事情并非不是出于真实情况，陛下竟然不加处置，对他的宠爱信任反而更深，这都是因为同类的小人相互勾结，蒙蔽圣上的视听。臣私下听说，各地派人上奏事情，陛下总是说去和骠骑将军商议，竟不委托宰相来提出可否，有的奏报甚至拖延好几个月不给答复，使得远近官吏更加有了疑虑和隔阂。比如臣所率领的朔方将士，功劳成绩最大，是先帝中兴的主要力量，又是陛下蒙尘落难时的旧部，陛下却未曾特别给

曾不别加优奖，反信谗嫉之词。子仪先已被猜，臣今又遭诋毁。弓藏鸟尽[61]，信[62]匪虚言[63]。陛下信其矫诬[64]，何殊指鹿为马[65]！傥[66]不纳愚恳[67]，且贵因循[68]，臣实不敢保家，陛下岂能安国！忠言利行[69]，惟陛下图之。臣欲公然[70]入朝，恐将士留沮。今托巡晋、绛，于彼迁延[71]，乞陛下特遣一介至绛州问臣，臣即与之同发。"

九月壬戌[72]，上遣裴遵庆诣怀恩谕旨，且察其去就。怀恩见遵庆，抱其足号泣诉冤。遵庆为言圣恩优厚，讽令[73]入朝，怀恩许诺。副将范志诚以为不可，曰："公信其甘言，入则为来瑱，不复还矣！"明日，怀恩见遵庆，以惧死为辞，请令一子入朝，志诚又以为不可，遵庆乃还。御史大夫王翊[74]使回纥还。怀恩先与可汗往来，恐翊泄其事，遂留之。

---

**【段旨】**

以上为第二段，写仆固怀恩上奏诉冤，唐代宗无辞以对，和稀泥，君臣相猜，暗伏危机。

**【注释】**

㉓军府：节度使府衙署。㉔汾州：州名，治所在今山西汾阳。㉕榆次：县名，县治在今山西晋中市榆次区。㉖祈县：县名。祈为"祁"之误。祁县县治在今山西祁县。㉗晋州：州名，治所在今山西临汾。㉘沁州：州名，治所在今山西沁源。㉙让：责怪；责备。㉚两面：唐人称反复无常者为"两面"，与今人所说"两面派"同义。㉛缠头彩：唐人宴会，酒酣为之舞蹈，接受舞蹈礼者赠送彩色丝织物给对方，称为缠头彩。倡伎当筵舞者亦有缠头之赐。这是唐代的一种礼俗。㉜癸未：八月十三日。㉝兵兴以来：指安禄山反叛，唐室举兵讨伐，以至平定叛军这一段时期。㉞绝域：极远的地方。此指回纥。㉟说谕：劝说、晓谕。㊱自讼：为自己辩冤。㊲山北：仆固怀恩在汾州，以太原为山北。㊳祗迎：指恭候迎接。祗，恭敬。㊴弥缝：弥补缝合。㊵组织：构陷；罗织罪名。㊶二也：上面所述仆固怀恩讨同罗，复河曲；斩仆固玢以肃军纪，事均见本书卷第二百一十八肃宗至德元载（公元七五六年）。㊷节度使：指田承嗣、李宝臣、李怀仙等。㊸抚绥：安抚、绥靖。㊹反侧：反复无常。㊺万诛：千刀万剐，指罪恶极大。㊻九泉：地下深处。常指人死后埋葬的地方。㊼千古：形容年代久远。㊽夙夜：指早晚、朝夕。夙，早晨。㊾天颜：帝王的容颜。㊿诏追：以诏书召回。唐人称召为追。(51)虚：徒

以优待嘉奖，反而听信那些诽谤忌妒的话。郭子仪先前已被猜疑，臣今日又遭诋毁。鸟尽弓藏，的确不是一句虚假的话。陛下相信那些假借名义诬陷的话，这与指鹿为马有什么不同！倘若陛下不采纳我诚恳的意见，而且想要沿袭原先的做法，臣实在不敢指望能保住臣一家，陛下又怎么能安定国家呢！忠言逆耳利于行，希望陛下考虑。臣想公开入朝，但担心将士们强留阻拦。现在臣藉巡视晋州、绛州之机，在那里拖延些时日，请求陛下特派一位使者到绛州来调查臣，臣就立即与他一同出发。”

九月二十二日壬戌，代宗派裴遵庆到仆固怀恩那里去宣谕圣旨，并且观察他的去留动向。仆固怀恩见到裴遵庆，抱住他的脚号啕大哭，诉说冤枉。裴遵庆向他说圣恩优厚，委婉含蓄地劝他入朝，仆固怀恩答应了。他的副将范志诚却认为不可，说：“你如果相信他那些好听的话，入朝后就成为又一个来瑱，不会再回来了！”第二天，仆固怀恩见到裴遵庆，以怕死为借口推托，请求改由他的一个儿子入朝，但范志诚又认为不可，裴遵庆便回去了。御史大夫王翊出使回纥返回。仆固怀恩先前与回纥可汗往来，害怕王翊泄露此事，于是将他扣留下来。

---

劳；白白地。㉜回邪：邪僻；邪恶。㉝摭实：指来自真实情况。摭，采摘。㉞比周：语出《论语·为政》，“君子周而不比，小人比而不周”。比，勾结。周，忠信。此言比周，应是“比而不周”的缩语，意思是相互勾结。㉟骠骑：指宦官飞龙副使、判元帅行军司马、右监门大将军程元振。宝应元年（公元七六二年）程元振加骠骑大将军，兼内侍监。其诸衔中，骠骑大将军的官阶最高，故以此代称之。㊱稽留：拖延。㊲疑阻：疑惑。㊳主人：主体；主要力量。㊴蒙尘：蒙受尘土。多用作比喻帝王流亡或失位，遭受垢辱。㊵故吏：旧时属吏。㊶弓藏鸟尽：语出《史记·越王勾践世家》范蠡写给大夫文种的信，其中说，“蜚鸟尽，良弓藏；狡兔死，走狗烹”。意思是飞鸟被打完后，弓箭被藏了起来，狡兔死后，猎狗也将被烹杀。比喻事业完成而功臣被害。㊷信：的确；实在。㊸虚言：不实之辞；空话。㊹矫诬：假托名义，进行诬陷。㊺指鹿为马：语出《史记·秦始皇本纪》，“赵高欲为乱，恐群臣不听，乃先设验，持鹿献于二世，曰：‘马也。’二世笑曰：‘丞相误邪？谓鹿为马。’问左右，左右或默，或言马以阿顺赵高，或言鹿。高因阴中诸言鹿者以法。后群臣皆畏高”。后来便把“指鹿为马”比喻故意颠倒是非，擅作威福。㊻傥：假如。㊼愚恳：谦称自己的真诚。愚，自称的谦辞。㊽因循：守旧而不加变更。㊾忠言利行：语出《史记·留侯世家》：“且忠言逆耳利于行，毒药苦口利于病。”指忠直的话，听起来虽然不顺耳，却对处事有好处。㊿公然：公开，无所顾忌。⑪迁延：拖延。⑫壬戌：九月二十二日。⑬讽令：用委婉的话来使对方听从。⑭王翊（？至公元七六七年）：并州晋阳（今山西太原西南）人。传见《旧唐书》卷一百五十七、《新唐书》卷一百四十三。

【校记】

[1]深：据章钰校，十二行本、乙十一行本皆作“至”。

【原文】

吐蕃之初[2]入寇也，边将告急，程元振皆不以闻。冬，十月，吐蕃寇泾州，刺史高晖以城降之，遂为之乡导⑮，引吐蕃深入，过邠州，上始闻之。辛未⑯，寇奉天、武功⑰，京师震骇。诏以雍王适为关内元帅，郭子仪为副元帅，出镇咸阳以御之。

子仪闲废日久⑱，部曲离散，至是召募，得二十骑而行。至咸阳，吐蕃帅吐谷浑、党项、氐、羌二十余万众，弥漫⑲数十里，已自司竹园⑳度渭，循山而东。子仪使判官中书舍人王延昌入奏，请益兵。程元振遏之，竟不召见。癸酉㉑，渭北行营兵马使吕月将将精卒二千破吐蕃于盩厔之西。乙亥㉒，吐蕃寇盩厔，月将复与力战，兵尽，为虏所擒。

上方治兵㉓，而吐蕃已度便桥，仓猝不知所为。丙子㉔，出幸陕州，官吏藏窜，六军逃散。郭子仪闻之，遽自咸阳归长安。比至，车驾已去。上才出苑门，度浐水，射生将王献忠拥四百骑叛还长安，胁丰王珙㉕等十王西迎吐蕃。遇子仪于开远门内，子仪叱之。献忠下马，谓子仪曰："今主上东迁，社稷无主，令公㉖身为元帅，废立在一言耳。"子仪未应。珙越次㉗言曰："公何不言！"子仪责让之，以兵援㉘送行在㉙。丁丑㉚，车驾至华州，官吏奔散，无复供拟㉛，扈从将士不免冻馁。会观军容使鱼朝恩将神策军自陕来迎，上乃幸朝恩营。丰王珙见上于潼关，上不之责。退至幕中，有不逊语。群臣奏请[3]诛之，乃赐死。

戊寅㉜，吐蕃入长安，高晖与吐蕃大将马重英㉝等立故邠王守礼之孙广武王[4]承宏㉞为帝，改元，置百官，以前翰林学士于可封等为相。吐蕃剽掠府库市里，焚闾舍，长安中萧然㉟一空。苗晋卿㊱病卧

【语译】

吐蕃最初入侵时，边关将领告急，程元振都不奏报。冬，十月，吐蕃侵犯泾州，刺史高晖率全城投降，于是替吐蕃做向导，带领吐蕃军队继续深入，过了邠州，代宗才知道这事。初二日辛未，吐蕃侵犯奉天、武功，京师震惊。代宗下诏书任命雍王李适为关内元帅，郭子仪为副元帅，出兵镇守咸阳以抵御吐蕃。

郭子仪在京城闲居已久，部下离散，到这时临时招募，只召得二十骑就启程了。到达咸阳时，吐蕃率领吐谷浑、党项、氐、羌等族军队二十多万人，遍布方圆几十里地方，并已从司竹园渡过渭水，沿着山岭向东进发。郭子仪派判官中书舍人王延昌入奏，请求增加兵力。程元振加以阻挠，使其竟然没有被召见。十月初四日癸酉，渭北行营兵马使吕月将率领精锐士卒两千人在盩厔的西边打败吐蕃。初六日乙亥，吐蕃进犯盩厔，吕月将又与吐蕃奋力作战，部队打光了，他自己也被吐蕃擒获。

代宗正在训练军队，而吐蕃军队已经渡过便桥，代宗仓促之间不知道该怎么办。十月初七日丙子，代宗出城逃到陕州，官吏们躲藏逃窜，六军也四处逃散。郭子仪闻讯，急忙从咸阳返回长安。等他到达时，代宗已经离开了。代宗刚刚出了宫苑的门，渡过浐水，射生将王献忠就招集四百骑兵叛变返回长安，胁迫丰王李珙等十王向西去迎接吐蕃。在开远门内遇到郭子仪，郭子仪大声呵斥他。王献忠下马，对郭子仪说："如今主上东迁，社稷没有君主，令公您身为元帅，君主的废立就在于您的一句话罢了。"郭子仪没有回应。李珙抢上前说："你为什么不说话！"郭子仪责备他，并派兵押送他到代宗所在地去。初八日丁丑，代宗到达华州，地方官吏都已逃散，没有人再来安排供应，随从将士不免冻饿。适逢观军容使鱼朝恩率领神策军从陕州前来迎接，代宗便到了鱼朝恩的军营中。丰王李珙在潼关见到代宗，代宗没有责备他。他退回营帐中，却出言不逊。群臣奏请诛杀他，于是他被赐自尽。

十月初九日戊寅，吐蕃进入长安，高晖与吐蕃大将马重英等人拥立已故邠王李守礼的孙子广武王李承宏为皇帝，改年号，设置百官，任命前翰林学士于可封等人为宰相。吐蕃军队抢劫府库和民间的财物，焚烧民居房舍，长安城中空荡荡一片萧条。

家，遣人舆[97]入，迫胁之。晋卿闭口不言，虏不敢杀。于是六军[98]散者所在剽掠，士民避乱，皆入山谷。

辛巳[99]，上至陕，百官稍有至者。郭子仪引三十骑自御宿川[100]循山而东，谓王延昌曰："六军将士逃溃者多在商州，今速往收之，并发武关防兵，数日间，北出蓝田以向长安，吐蕃必遁。"过蓝田，遇元帅都虞候臧希让、凤翔节度使高升，得兵近千人。子仪与延昌谋曰："溃兵至商州，官吏必逃匿而人乱。"使延昌自直径[101]入商州抚谕之。诸将方纵兵暴掠[102]，闻子仪至，皆大喜听命。子仪恐吐蕃逼乘舆，留军七盘[103]，三日乃行。比至商州，行收兵，并武关防兵合四千人，军势稍振。子仪乃泣谕将士以共雪国耻，取长安，皆感激受约束。子仪请太子宾客第五琦为粮料使[104]，给军食。上赐子仪诏，恐吐蕃东出潼关，征子仪诣行在。子仪表称："臣不收京城，无以见陛下。若出兵蓝田，虏必不敢东向。"上许之。鄜延[5]节度判官段秀实说节度使白孝德引兵赴难，孝德即日大举，南趣京畿，与蒲、陕、商、华合势进击。

吐蕃既立广武王承宏，欲掠城中士、女、百工整众归国。子仪使左羽林大将军长孙全绪将二百骑出蓝田观虏势，令第五琦摄京兆尹，与之偕行，又令宝应军使[105]张知节将兵继之。全绪至韩公堆，昼则击鼓张旗帜，夜则多然[106]火，以疑吐蕃。前光禄卿殷仲卿聚众近千人保蓝田，与全绪相表里，帅二百余骑直渡浐水。吐蕃惧，百姓又绐之曰："郭令公自商州将大军不知其数至矣！"虏以为然，稍稍引军去。全绪又使射生将王甫入城阴结少年数百，夜击鼓大呼于朱雀街[107]。吐蕃惶骇，庚寅[108]，悉众遁去。高晖闻之，帅麾下三百余骑东走，至潼关，守将李日越擒而杀之。

壬辰[109]，诏以元载判元帅行军司马，以第五琦为京兆尹。癸巳[110]，以郭子仪为西京留守。甲午[111]，子仪发商州。己亥[112]，以鱼朝恩部将皇甫温为陕州刺史，周智光[113]为华州刺史。

苗晋卿因病卧床在家。吐蕃派人把他抬到朝廷，胁迫他。苗晋卿闭口不言，吐蕃也不敢杀他。此时，逃散的唐朝六军士兵也到处抢劫，士人百姓躲避战乱，都逃入山谷。

十月十二日辛巳，代宗到达陕州，百官中也有些人逐渐来到了。郭子仪带领三十名骑兵从御宿川沿着山边向东行进，他对王延昌说："逃散的六军将士大都在商州，现在要赶快前去收拢他们，并调发武关的守军，在数日之内，北出蓝田，向长安进发。吐蕃必然逃走。"经过蓝田时，遇到元帅都虞候臧希让、凤翔节度使高升，得到士兵近千人。郭子仪与王延昌谋划说："溃散的士兵到了商州，地方官吏必然逃跑躲藏，百姓一片混乱。"于是派王延昌从近路径直进入商州安抚晓谕百姓。各将领正放纵士兵强行抢掠，听说郭子仪来了，都非常高兴并听从他的命令。郭子仪害怕吐蕃进逼代宗，就把军队留在七盘山，过了三天才启程。等到达商州时，因边走边收拢散兵，连同武关的守军合起来共有四千人，军势稍稍振作了些。郭子仪于是流着泪晓谕将士要共雪国耻，夺取长安，将士们都深受感动愿受约束。郭子仪请太子宾客第五琦做粮料使，负责供给军中粮草。代宗赐郭子仪诏书，害怕吐蕃军队东出潼关，征召郭子仪到皇帝所在地去。郭子仪上表说："臣不收复京城，无法来见陛下。如果从蓝田出兵，吐蕃必定不敢东进。"代宗同意了。鄜延节度判官段秀实劝说节度使白孝德率兵赶去解救国家危难，白孝德当天就大举出兵，向南赶往京畿，与蒲州、陕州、商州、华州的军队联合起来进击吐蕃。

吐蕃拥立广武王李承宏为帝后，便想掠夺城中的士人、女子以及各类工匠，然后整顿部众回国。郭子仪派左羽林大将军长孙全绪率领二百骑兵从蓝田出发去观察敌军形势，命令第五琦代理京兆尹，和他一同去，又命令宝应军使张知节率兵跟上。长孙全绪到达韩公堆，白天就击鼓张设旗帜，夜晚就点燃很多火把，以迷惑吐蕃。前光禄卿殷仲卿聚集了近千人保卫蓝田，与长孙全绪相互呼应，率领两百多名骑兵直接渡过了浐水。吐蕃害怕了，老百姓又欺骗他们说："郭令公从商州率领大军不计其数，就要到来了！"吐蕃信以为真，渐渐带着部队离开。长孙全绪又派射生将王甫进城暗中联络少年几百人，夜晚在朱雀街击鼓大声呼叫。吐蕃惊恐，十月二十一日庚寅，全部逃走。高晖闻讯后，率领部下三百多骑兵向东逃跑，到达潼关时，守将李日越把他擒获并杀了。

十月二十三日壬辰，下诏书任命元载兼任元帅行军司马，任命第五琦为京兆尹。二十四日癸巳，任命郭子仪为西京留守。二十五日甲午，郭子仪从商州出发。三十日己亥，任命鱼朝恩的部将皇甫温为陕州刺史，周智光为华州刺史。

【段旨】

以上为第三段，写吐蕃入长安，代宗蒙尘。勤王之师驱走吐蕃，转危为安。

【注释】

⑮乡导：同“向导”，带路人。⑯辛未：十月初二日。⑰武功：县名，县治在今陕西武功。⑱闲废日久：闲散无事的时间长。指郭子仪自去年八月入朝，留京至今。⑲弥漫：布满。⑳司竹园：地名，在今陕西周至，临渭水，竹林绵延数十里。㉑癸酉：十月初四日。㉒乙亥：十月初六日。㉓治兵：调集兵力，整饬军队。㉔丙子：十月初七日。㉕丰王珙：唐玄宗第十三子，为唐代宗之叔。传见《旧唐书》卷一百七、《新唐书》卷八十二。㉖令公：郭子仪时为中书令，故称。㉗越次：逾越次序。㉘援：执。㉙行在：天子出行的所在地。㉚丁丑：十月初八日。㉛供拟：办理供应。㉜戊寅：十月初九日。㉝大将马重英:《旧唐书·李承宏传》作吐蕃宰相。㉞邠王守礼之孙广武王承宏：邠王李守礼，章怀太子李贤之子，其孙李承宏与代宗为远房堂兄弟。李承宏传见《旧唐书》卷八十六、《新唐书》卷八十一。㉟萧然：冷落萧条。㊱苗晋卿：上党壶关（今山西壶关县）人，历仕唐玄宗、肃宗、代宗三朝，官至宰相。传见《旧唐书》卷一百十三、《新唐书》卷一百四十。㊲舆：抬。㊳六军：代指王师。国家军队的总称。㊴辛巳：十

【原文】

骠骑大将军、判元帅行军司马程元振专权自恣[114]，人畏之甚于李辅国。诸将有大功者，元振皆忌疾[115]欲害之。吐蕃入寇，元振不以时奏[116]，致上狼狈[117]出幸[118]。上发诏征诸道兵，李光弼等皆忌[119]元振居中，莫有至者，中外咸切齿[120]而莫敢发言。太常博士柳伉上疏，以为：“犬戎[121]犯关度陇，不血刃[122]而入京师，劫宫闱，焚陵寝[123]，武士无一人力战者，此将帅叛陛下也。陛下疏元功[124]，委近习[125]，日引月长[126]，以成大祸。群臣在廷，无一人犯颜[127]回虑[128]者，此公卿叛陛下也。陛下始出都，百姓填然[129]，夺府库，相杀戮，此三辅叛陛下也。自十月朔[130]召诸道兵，尽四十日，无只轮[131]入关，此四方叛陛下也。内外离叛，陛下以今日之势为安邪，危邪？若以为危，岂得高枕[132]，不为天下讨罪

月十二日。⑩御宿川：汉武帝时筑离宫别馆于此，游观止宿，故名。在今陕西西安市长安区南。⑩直径：直接。⑩暴掠：强行掠夺。⑩七盘：七盘山。在今陕西蓝田南。⑩粮料使：使职名，为经理军队的食粮供给而设置的差遣官。⑩宝应军使：使职名，统领宝应军的差遣官。宝应军，英武军的称号。宝应元年（公元七六二年）英武军的射生手入禁中杀张后，平定宫廷内乱，拥代宗即位有功，赐名“宝应功臣”，故其军又号“宝应军”。⑩然：通“燃”，燃烧。⑩朱雀街：长安城正中的一条南北大街，北自皇城朱雀门，南至明德门。⑩庚寅：十月二十一日。⑩壬辰：十月二十三日。⑩癸巳：十月二十四日。⑪甲午：十月二十五日。⑪己亥：十月三十日。⑪周智光（？至公元七六七年）：以骑射从军，至节镇军帅。大历元年（公元七六六年）据同、华二州叛，漕路为之断绝，次年兵溃被杀。传见《旧唐书》卷一百十四、《新唐书》卷二百二十四上。

【校记】

［2］初：原无此字。据章钰校，十二行本、乙十一行本皆有此字，今据补。［3］请：原作“议”。据章钰校，十二行本、乙十一行本、孔天胤本皆作“请”，今从改。［4］广武王：原无此三字。据章钰校，十二行本、乙十一行本皆有此三字，今据补。［5］延：据章钰校，十二行本、乙十一行本皆作“坊”。

【语译】

骠骑大将军，兼元帅行军司马程元振专权放肆，为所欲为，人们害怕程元振比害怕李辅国更严重。对那些有大功的将领，程元振都非常忌恨，总想加害他们。吐蕃入侵，程元振不及时上奏，致使代宗狼狈外逃。代宗发诏书征调各道兵马，李光弼等人都顾忌程元振身居朝中要职，没有人来，朝廷内外都对程元振切齿痛恨，但没有人敢公开说出来。太常博士柳伉上疏，认为：“吐蕃进犯大震关，越过陇右地区，兵不血刃，进入京师，抢劫宫禁，焚烧陵寝，武士们没有一个出来奋力作战的，这是将帅背叛陛下。陛下疏远元从功臣，把政事托付身边亲幸之人，日甚一日，酿成大祸。群臣在朝廷，没有一个人敢冒犯陛下尊严使陛下回心转意的，这是公卿大臣背叛陛下。陛下刚离开都城，老百姓便成群结队地跑出来，抢夺府库财物，互相杀戮，这是三辅地区背叛陛下。从十月初一日征召各道兵马，至今已过了四十天，没有一个军车车轮入关，这是四方背叛陛下。朝廷内外都离散背叛，陛下认为今天的形势是安全呢，还是危险呢？如果认为危险，怎么还能高枕安卧，而不替天下讨伐

人乎！臣闻良医疗疾，当病饮药[133]，药不当病，犹无益也。陛下视今日之病，何繇至此乎？必欲存宗庙社稷，独斩元振首，驰告天下，悉出内使[134]隶诸州，持神策兵[135]付大臣，然后削尊号，下诏引咎，曰：'天下其许朕自新改过，宜即募士西赴朝廷。若以朕恶不悛[136]，则帝王大器[137]，敢妨圣贤[138]，其听天下所往[139]。'如此而兵不至，人不感，天下不服，臣请阖门寸斩[140]以谢陛下！"上以元振尝有保护功[141]，十一月辛丑[142]，削元振官爵，放归田里[143]。

【段旨】

以上为第四段，写宦官程元振专权自恣，诸将百官共愤，唐代宗将之放归田里。

【注释】

⑭自恣：为所欲为。⑮忌疾：忌恨；妒忌。⑯不以时奏：不及时上奏。⑰狼狈：比喻为难窘迫。⑱出幸：此指皇帝外逃。⑲忌：顾忌；畏惧。⑳切齿：咬紧牙齿，表示极端痛恨。㉑犬戎：古戎族的一支，在殷周时居于中国西部。此借指吐蕃。㉒血刃：血染刀口，指厮杀。㉓陵寝：帝王墓地的宫殿。㉔元功：指辅佐复兴帝业的元从功臣。元，开始。㉕近习：君主所亲幸的左右之人。指宦官程元振之流。㉖日引月长：指一天甚似

【原文】

王甫自称京兆尹，聚众二千余人，署置官属，暴横长安中。壬寅[144]，郭子仪至浐水西，甫按兵不出。或谓子仪城不可入，子仪不听，引三十骑徐进，使人传呼召甫。甫失据[145]，出迎拜伏，子仪斩之，其兵尽散。白孝德与邠宁节度使张蕴琦将兵屯畿县[146]，子仪召之入城，京畿遂安。

罪人呢！臣听说良医治病，对症吃药，药不对症，还是没有益处的。陛下看今天的病症，是什么原因才造成如此局面的呢？如果确实想要保存宗庙社稷，只有砍下程元振的头，驰告天下，把担任内诸司使的所有宦官全都迁出宫中，隶属于各州，把神策军交付大臣掌管，然后削去陛下的尊号，下诏书引咎自责，说：'天下的人如果允许朕改过自新，就当立即召募士兵向西奔赴朝廷。如果认为朕的罪恶不能悔改，那么帝王的大位，岂敢妨碍圣贤去坐，朕愿意听凭天下所向往的人来做帝王。'这样做了而救援的兵马还不来，人民还不受感动，天下还不服从，臣请求全家碎尸万段来向陛下谢罪！"代宗认为程元振曾经有保驾的功劳，十一月初二日辛丑，削去程元振的官职和爵位，放回乡里。

---

一天。引，延伸。⑫⑦犯颜：冒犯皇帝的尊严。⑫⑧回虑：回心，指劝谏皇帝改变主意。⑫⑨填然：形容声势很大。⑬⓪十月朔：十月初一日。⑬①只轮：指一辆军车。轮，车轮。⑬②高枕：指安卧。⑬③当病饮药：指对症下药。当，对等，相当。⑬④内使：此时宦官任内诸司使，故内使乃概指宦官。⑬⑤神策兵：当时宦官鱼朝恩领神策军。⑬⑥悛：改；悔改。⑬⑦大器：宝器，此指帝王座位。⑬⑧敢妨圣贤：意即岂敢妨碍为圣贤之人所有。⑬⑨其听天下所往：它（指帝王大器）只好听任天下人心所向往的人。⑭⓪阖门寸斩：指全家受极刑。阖，全。寸斩，极刑，犹言碎尸万段。⑭①元振尝有保护功：指宝应元年（公元七六二年），张后等人谋乱，程元振曾以兵保护太子（即代宗）即位。⑭②辛丑：十一月初二日。⑭③田里：故乡。

---

【语译】

王甫自称京兆尹，聚众两千多人，设置官员下属，在长安城中横行霸道。十一月初三日壬寅，郭子仪到达浐水西边，王甫按兵不动。有人对郭子仪说长安城不可进入，郭子仪不听，带了三十名骑兵缓缓前行，派人传呼召来王甫。王甫没了主意，只好出来迎接，伏地叩拜，郭子仪把他斩了，他的部下全都逃散。白孝德与邠宁节度使张蕴琦率兵驻扎在畿县，郭子仪召他们进城，于是京畿地区安定了下来。

宦官广州市舶使[147]吕太一发兵作乱，节度使张休弃城奔端州[148]。太一纵兵焚掠，官军讨平之。

吐蕃还至凤翔，节度使孙志直闭城拒守，吐蕃围之数日。镇西节度使马璘闻车驾幸陕，将精骑千余自河西入赴难。转斗至凤翔，值吐蕃围城，璘帅众持满[149]外向，突入城中，不解甲，背城出战，单骑先士卒奋击，俘斩千计而归。明日，虏复逼城请战，璘开悬门[150]以待之。虏引退，曰："此将军不惜死，宜避之。"遂去，居于原[151]、会[152]、成[153]、渭之地。

十二月丁亥[154]，车驾发陕州。左丞颜真卿请上先谒陵庙[155]，然后还宫。元载不从，真卿怒曰："朝廷岂堪相公再坏邪!"载由是衔之。甲午[156]，上至长安，郭子仪帅城中百官及诸军迎于浐水东，伏地待罪。上劳之曰："用卿不早，故及于此。"

以鱼朝恩为天下观军容宣慰处置使[157]，总禁兵，权宠无比。筑城于鄠县[158]及中渭桥，屯兵以备吐蕃。以骆奉仙为鄠县筑城使[159]，遂将其兵。

乙未[160]，以苗晋卿为太保，裴遵庆为太子少傅，并罢政事。以宗正卿[161]李岘为黄门侍郎、同平章事。遵庆既去，元载权益盛，以货结内侍董秀，使主书卓英倩潜与往来，上意所属，载必先知之，承意探微[162]，言无不合，上以是益[6]爱之。英倩，金州人也。

吐蕃既去，广武王承宏逃匿草野，上赦不诛。丙申[163]，放之于华州。

程元振既得罪，归三原，闻上还宫，衣妇人服，私入长安，复规[164]任用，京兆府擒之以闻。

吐蕃陷松、维、保[165]三州及云山[166]新筑二城，西川节度使高适不能救，于是剑南西山诸州[167]亦入于吐蕃矣。

宦官广州市舶使吕太一起兵作乱，节度使张休放弃城池逃往端州。吕太一放纵士兵烧杀抢掠，官军讨伐平定了他。

吐蕃回军途中到达凤翔，节度使孙志直关闭城门进行抵抗，吐蕃军队包围凤翔好几天。镇西节度使马璘听说代宗到达陕州，率领精锐骑兵一千多人从河西赶来解救危难。一路转战来到凤翔，遇上吐蕃军队围城，马璘率领部众手持满弓，面向外直指敌人，突破包围进入城中，没有卸下铠甲休息，又背靠城池出来作战。马璘单枪匹马，身先士卒，奋勇攻击，俘虏斩杀数以千计的敌人才回。第二天，敌人又逼近城下挑战，马璘打开悬门，严阵以待。敌人退了回去，说:“这位将军不怕死，应该避开他。”于是就离开了，留居在原州、会州、成州、渭州等地。

十二月十九日丁亥，代宗从陕州出发。左丞颜真卿请求代宗先拜谒陵庙，然后回宫。元载不同意，颜真卿生气地说:“朝廷哪里经受得住你再次破坏呢!”元载由此对他怀恨在心。二十六日甲午，代宗到达长安，郭子仪率城中百官及各路军队在浐水东边迎接，伏在地上等待代宗治罪。代宗慰劳他说:“朕没有及早任用你，所以才导致这种局面。”

任命鱼朝恩为天下观军容宣慰处置使，统领禁兵，权势和恩宠无人能比。在鄠县和中渭桥修筑城池，驻扎军队以防备吐蕃。任命骆奉仙为鄠县筑城使，并统率那里的军队。

十二月二十七日乙未，任命苗晋卿为太保，裴遵庆为太子少傅，都罢除政事。任命宗正卿李岘为黄门侍郎、同平章事。裴遵庆离开后，元载的权力更大，用钱财勾结内侍董秀，派主书卓英倩暗中与他往来，代宗有什么想法，元载必定最先知道，于是就顺承代宗的想法，探求代宗细微的心思，所说的话无不与代宗的心意相合，代宗因此就更加宠爱他。卓英倩，是金州人。

吐蕃离开后，广武王李承宏逃到民间躲了起来，代宗赦免不杀他。十二月二十八日丙申，把他流放到华州。

程元振因罪撤职后，回到三原，听说代宗回到宫中，他穿上女人的衣服，私自进入长安，再次谋求受到任用，京兆府抓住他奏报朝廷。

吐蕃攻陷松州、维州、保州三个州和云山新修筑的两座城，西川节度使高适不能去救援，于是剑南西山各州也落入吐蕃之手。

---

**【段旨】**

以上为第五段，写唐代宗返回长安，宦官鱼朝恩用事。

**【注释】**

⑭ 壬寅：十一月初三日。⑮ 失据：失去依靠。⑯ 畿县：唐代京都的县，在长安城内的叫京县，城外的叫畿县。⑰ 市舶使：使职名，在广州、扬州、交州等对外交通港口设置的掌管对外交通贸易的差遣官。开元初年已有市舶使的记载。广州市舶使有时由宦官充任。⑱ 端州：州名，治所在今广东肇庆。⑲ 持满：拉满弓弦。⑳ 悬门：古时城门所设的门闸，在左右开启的城门之外，平时挂起，有警时则放下，形成双重门，以此来加固防卫。㉑ 原：州名，治所在今宁夏固原。㉒ 会：州名，治所在今甘肃靖远。㉓ 成：州名，治所在今甘肃礼县西南。㉔ 丁亥：十二月十九日。㉕ 陵庙：帝王的陵墓和宗庙。㉖ 甲午：十二月二十六日。㉗ 天下观军容宣慰处置使：使职名，是以宦官充任的监视一切出征将

---

**【原文】**

**二年（甲辰，公元七六四年）**

春，正月壬寅[168]，敕称程元振变服潜行，将图不轨，长流溱州。上念元振之功，寻复令于江陵安置。

癸卯[169]，合剑南东、西川为一道，以黄门侍郎严武为节度使。

丙午[170]，遣检校刑部尚书颜真卿宣慰朔方行营。上之在陕也，颜真卿请奉诏召仆固怀恩，上不许。至是，上命真卿说谕怀恩入朝。对曰："陛下在陕，臣往，以忠义责之，使之赴难，彼犹有可来之理。今陛下还宫，彼进不成勤王[171]，退不能释众，召之，庸肯至乎！且言怀恩反者，独辛云京、骆奉仙、李抱玉、鱼朝恩四人耳，自余[7]群臣皆言其枉。陛下不若以郭子仪代怀恩，可不战而服也。"时汾州别驾李抱真[172]，抱玉之从父弟也，知怀恩有异志，脱身归京师。上方以怀恩为忧，召见抱真问计，对曰："此不足忧也。朔方将士思郭子仪，如子弟之思父兄。怀恩欺其众云，郭子仪已为鱼朝恩所杀。众信之，故为其用耳。陛下诚以子仪领朔方，彼皆不召而来耳。"上然之。

甲寅[173]，礼仪使[174]杜鸿渐奏："自今祀圜丘、方丘[175]请以太祖配，祈谷[176]以高祖配，大雩[177]以太宗配，明堂[178]以肃宗配。"从之。

帅，兼有统领指挥大权的最高军事差遣官，位高权重。⑱鄠县：县名，县治在今陕西西安市鄠邑区。⑲筑城使：使职名，主管修筑城池事务。⑳乙未：十二月二十七日。㉑宗正卿：官名，宗正寺长官，掌皇族宗室事务。㉒承意探微：秉承意旨，刺探细微。㉓丙申：十二月二十八日。㉔规：谋求。㉕松、维、保：皆州名，松州治所在今四川松潘，维州治所在今四川理县东北，保州治所在今四川理县北孟屯河中下游。㉖云山：县名，县治在今四川理县。㉗剑南西山诸州：指剑南道岷山以西的松、维、保、悉、静、当、柘、恭、奉等州。

【校记】

［6］益：据章钰校，十二行本、乙十一行本皆作“愈”。

【语译】

**二年（甲辰，公元七六四年）**

春，正月初四日壬寅，代宗下敕书说程元振改换服装偷偷出行，将要图谋不轨，将他长期流放到溱州。不久代宗念及程元振曾有保驾之功，又下令在江陵安置他。

正月初五日癸卯，把剑南东、西川合为一道，任命黄门侍郎严武为节度使。

初八日丙午，派检校刑部尚书颜真卿前去宣谕慰问朔方行营。代宗在陕州时，颜真卿请求奉诏书去征召仆固怀恩，代宗不许。到这时，代宗命颜真卿去劝说晓谕仆固怀恩入朝，颜真卿回答说：“陛下在陕州时，臣前往，用忠义的道理责备他，让他赶来解救国家的危难，他还有可以来的理由。如今陛下回到了宫中，他进说不上是出兵救援君王，退则不能向大家解释，召他来，他怎么肯来呢！况且说仆固怀恩谋反的，只有辛云京、骆奉仙、李抱玉和鱼朝恩四个人罢了，其余大臣都说他是被冤枉的。陛下不如任命郭子仪代替仆固怀恩，可以不战而使他服从。”当时汾州别驾李抱真，是李抱玉的堂弟，他知道仆固怀恩有反叛的意向，就脱身返回京师。代宗正因仆固怀恩的事感到忧虑，就召见李抱真询问对策，李抱真回答说：“这件事不值得忧虑。朔方将士思念郭子仪，就如同子弟思念父兄。仆固怀恩欺骗他的部众说，郭子仪已被鱼朝恩所杀。部众都相信了，所以为他所用。陛下如果真让郭子仪统领朔方，他们都会不召而来的。”代宗认为他说得对。

十六日甲寅，礼仪使杜鸿渐上奏说：“从今以后，祭祀圜丘、方丘时请求以太祖配祀，祈祷谷神时以高祖配祀，举行大雩祭祀时以太宗配祀，明堂祭祀时以肃宗配祀。”代宗同意了。

乙卯[179]，立雍王适为皇太子。

吐蕃之入长安也，诸军亡卒及乡曲无赖子弟相聚为盗。吐蕃既去，犹窜伏南山子午等五谷[180]，所在为患。丁巳[181]，以太子宾客薛景仙为南山五谷防御使以讨之。

魏博节度使[182]田承嗣奏名所管曰天雄军，从之。

仆固怀恩既不为朝廷所用，遂与河东都将[183]李竭诚潜谋取太原。辛云京觉之，杀竭诚，乘城[184]设备。怀恩使其子玚将兵攻之，云京出与战，玚大败而还，遂引兵围榆次。上谓郭子仪曰："怀恩父子负朕实深。闻朔方将士思公如枯旱之望雨，公为朕镇抚河东，汾上之师[185]必不为变。"戊午[186]，以子仪为关内、河东副元帅，河中节度等使。怀恩将士闻之，皆曰："吾辈从怀恩为不义，何面目见汾阳王[187]！"

癸亥[188]，以刘晏为太子宾客，李岘为詹事，并罢政事。晏坐与程元振交通；元振获罪，岘有功[8]焉，由是为宦官所疾[189]，故与晏皆罢。以右散骑常侍王缙[190]为黄门侍郎，太常卿杜鸿渐为兵部侍郎，并同平章事。

丁卯[191]，以郭子仪为朔方节度大使。二月，子仪至河中。云南子弟[192]万人戍河中，将贪卒暴，为一府患，子仪斩十四人，杖三十人，府中遂安。

癸酉[193]，上朝献太清宫。甲戌[194]，享太庙。乙亥[195]，祀昊天上帝于圜丘。

【段旨】

以上为第六段，写仆固怀恩反叛，唐代宗重新起用郭子仪为朔方节度大使以招怀旧部。

正月十七日乙卯，立雍王李适为皇太子。

吐蕃进入长安时，各军逃亡的士卒以及乡里中的无赖子弟相聚在一起做强盗。吐蕃离开后，他们仍然流窜潜伏在南山的子午谷等五个山谷中，到处祸害。正月十九日丁巳，任命太子宾客薛景仙为南山五谷防御使去讨伐他们。

魏博节度使田承嗣上奏请求把所管辖的地区取名为天雄军，代宗同意了。

仆固怀恩既然不被朝廷重用，便与河东都将李竭诚暗中谋划夺取太原。辛云京觉察到这件事，杀死了李竭诚，登城设防。仆固怀恩派他的儿子仆固玚率兵攻城，辛云京出城与他交战，仆固玚大败而回，于是带兵包围榆次。代宗对郭子仪说："仆固怀恩父子辜负朕实在很深。听说朔方将士思念你就像干枯久旱盼望下雨一样，你去替朕镇抚河东，汾州的朔方军一定不会叛变。"正月二十日戊午，任命郭子仪为关内、河东副元帅，河中节度等使。仆固怀恩的将士听说此事，都说："我们跟随仆固怀恩做不义的事，还有什么脸面去见汾阳王！"

正月二十五日癸亥，任命刘晏为太子宾客，李岘为詹事，一并停止参议国家政事。刘晏获罪是因为与程元振结交；程元振被治罪，李岘是有功的，因此被宦臣所忌恨，所以与刘晏一起罢除政事。任命右散骑常侍王缙为黄门侍郎，太常卿杜鸿渐为兵部侍郎，一并同平章事。

二十九日丁卯，任命郭子仪为朔方节度大使。二月，郭子仪到达河中。当时，云南地区当兵的年轻人一万人戍守河中，将领贪婪，士兵横暴，成为河中府的祸患，郭子仪杀了十四人，棍打三十人，河中府才安定下来。

二月初五日癸酉，代宗在太清宫举行朝献祭礼。初六日甲戌，享祭太庙。初七日乙亥，在圜丘祭祀昊天上帝。

---

**【注释】**

⑯⑧壬寅：正月初四日。⑯⑨癸卯：正月初五日。⑰⓪丙午：正月初八日。⑰①勤王：出兵救援天子。⑰②李抱真（公元七三二至七九四年）：字太云，德宗朝任昭义军节度使，勤于王事。官至检校左仆射、平章事，封义阳郡王。传见《旧唐书》卷一百三十二、《新唐书》卷一百三十八。⑰③甲寅：正月十六日。⑰④礼仪使：使职名，专掌国家礼仪的差遣官。礼仪本由太常职掌，景云元年（公元七一〇年）中书令姚元之已具礼仪使衔。天宝九载（公元七五〇年）始置使专掌。亦称礼仪祠祭使。建中元年（公元七八〇年）后不再设置，遇有南郊大礼则临时设置，礼毕即停。⑰⑤祀圜丘、方丘：圜丘，古代冬至日祭天的圆形高坛。方丘，夏至日祭地之坛。祀圜丘、方丘，即祭祀天地，都属于吉礼的大

祀。⑯祈谷：古代每年二十二种常祀之一。冬至、正月上辛举行的祭礼，以祈求五谷丰登。⑰大雩：古代每年二十二种常祀之一。在孟夏举行的祭礼，以祈求下雨。⑱明堂：季秋大享于明堂，也是古代每年二十二种常祀之一。⑲乙卯：正月十七日。⑳南山子午等五谷：南山，长安以南西接岐州、东抵虢州的秦岭群山。五谷，陕西秦岭间的五条谷道，即子午谷（古人以“子”为北，“午”为南，是由关中通汉中的南北通道，在今陕西西安市长安区南）、斜谷（在今陕西眉县西南）、骆谷（在今陕西周至西南，谷长四百余里，为关中与汉中的交通要道）、蓝田谷（在今陕西蓝田东南）、衡岭谷（不详所在）。[181]丁巳：正月十九日。[182]魏博节度使：使职名，为魏博镇的差遣长官，掌该镇军事、行政、赋税等大权。魏博，方镇名，辖魏、博、德、沧、瀛五州，广德元年（公元七六三年）置，为河北三镇之一，治所在今河北大名东北。[183]都将：武官名，权重，可单独统领兵马，类似藩镇自置的兵马使。胡三省注认为都将即都知兵马使。都知兵马使又在兵马使之上。[184]乘城：登城。[185]汾上之师：驻扎汾州（治所在今山西汾阳）的军队，指朔方军。[186]戊午：正月二十日。[187]汾阳王：指郭子仪。宝应元年（公元七六二年）封为汾阳

【原文】

仆固玚围榆次，旬余不拔。遣使急发祁县兵，李光逸尽与之。士卒未食，行不能前，十将白玉、焦晖以鸣镝[196]射其后者[197]。军士曰：“将军何乃[198]射人？”玉曰：“今从人反，终不免死。死一也，射之何伤！”至榆次，玚责其迟，胡人曰：“我乘马，乃汉卒不行耳。”玚捶汉卒，卒皆怨怒，曰：“节度使党胡人。”其夕，焦晖、白玉帅众攻玚，杀之。仆固怀恩闻之，入告其母。母曰：“吾语汝勿反，国家待汝不薄，今众心既变，祸必及我，将如之何！”怀恩不对，再拜而出。母提刀逐之，曰：“吾为国家杀此贼，取其心以谢三军！”怀恩疾走，得免，遂与麾下三百渡河北走。

时朔方将浑释之守灵州，怀恩檄至，云全军归镇。释之曰：“不然，此必众溃矣。”将拒之，其甥张韶曰：“彼或翻然[199]改图，以众归镇，何可不纳也！”释之疑未决。怀恩行速，先候者[200]而至，释之不得已纳之。张韶以其谋告怀恩，怀恩以韶为间[201]，杀释之而收其军，

郡王。⑱ 癸亥：正月二十五日。⑱ 由是为宦官所疾：李岘相肃宗，即不被李辅国所容。宦官之恨李岘，由来已久。⑲ 王缙（公元七〇〇至七八一年）：字夏卿，本太原祁（今山西祁县）人，后客居河中（府名，治今山西永济蒲州镇）。早年以文翰著名。党附元载，官至门下侍郎、中书门下平章事。传见《旧唐书》卷一百十八、《新唐书》卷一百四十五。⑲ 丁卯：正月二十九日。⑲ 云南子弟：岑仲勉先生认为，此云南断非指今之滇省，因为云南去河中极远，时南诏方叛唐，其子弟不可能万人戍河中。但又无别种史料相校，难定是否字讹。见《通鉴隋唐纪比事质疑》。⑲ 癸酉：二月初五日。⑲ 甲戌：二月初六日。⑲ 乙亥：二月初七日。

【校记】

［7］余：据章钰校，十二行本、乙十一行本皆作“外”。［8］功：据章钰校，十二行本、乙十一行本皆作“力”。

---

【语译】

仆固玚包围榆次，十几天没有攻取。派使者紧急征调祁县的部队，李光逸把祁县的部队全都交给了他。士卒因为没有吃东西，不能向前行进，十将白玉、焦晖用响箭射那些落在队伍后面的人。军士说：“将军怎么能射人？”白玉说：“如今跟着别人造反，最终免不了要死。怎么死都一样，用箭射人又有何妨！”到达榆次，仆固玚指责他们来迟了，胡人士兵说：“我们骑马，是汉人士卒走不动。”仆固玚鞭打汉人士卒，士卒们都又怨又怒，说：“节度使偏袒胡人士兵。”当天晚上，焦晖、白玉率领部众攻打仆固玚，把他杀了。仆固怀恩闻讯后回家告诉他的母亲。他的母亲说：“我告诉你不要谋反，国家待你不薄，现在众人已经变心，灾祸必然牵连到我，这将如何是好！”仆固怀恩没有回答，拜了两拜出门走了。他的母亲提着刀追赶他，说道：“我替国家杀掉这个叛贼，挖出你的心来向三军谢罪！”仆固怀恩飞快逃跑，得以脱身免死，于是便与部下三百人渡过黄河向北逃走。

当时朔方将领浑释之守卫灵州，仆固怀恩的檄文到了，说全军要返回镇所。浑释之说：“不对，这一定是部队溃败了。”准备拒绝他，他的外甥张韶说：“他也许已幡然改变想法，率领部队返回镇所，怎么可以不接纳他呢！”浑释之心中疑惑，尚未作出决定。仆固怀恩行动迅速，没等见到迎接宾客的官吏就先已到达了，浑释之不得已而接纳了他。张韶把浑释之的打算告诉了仆固怀恩，仆固怀恩把张韶当作内应，

使韶主之，既而曰："释之，舅也，彼尚负之，安有忠于我哉！"他日，以事杖之，折其胫⑳，置于弥峨城㉓而死。

都虞候张维岳在沁州，闻怀恩去，乘传㉔至汾州，抚定其众，杀焦晖、白玉而窃其功，以告郭子仪。子仪使牙官㉕卢谅至汾州，维岳赂谅，使实其言㉖。子仪奏维岳杀玚，传首诣阙。群臣入贺，上惨然不悦，曰："朕信㉗不及人，致勋臣㉘颠越㉙，深用为愧，又何贺焉！"命辇怀恩母至长安，给待[9]优厚。月余，以寿终，以礼葬之，功臣皆感叹。

戊寅㉚，郭子仪如汾州，怀恩之众数万[10]悉归之，咸鼓舞涕泣，喜其来而悲其晚也。子仪知卢谅之诈，杖杀之。上以李抱真言有验，迁殿中少监。

---

【段旨】

以上为第七段，写郭子仪入汾州，怀恩之众，涕泣归服。

【注释】

⑯鸣镝：指响箭。镝，箭头。⑰后者：落在队伍后面的人。⑱何乃：怎么能。⑲翻然：又作"幡然"，亦云"反然"，指改变。⑳候者：候人，迎送宾客的官员。㉑间：内应。㉒胫：小腿。㉓弥峨城：不详所在。㉔传：驿马。㉕牙官：节镇、州、府都有牙

---

【原文】

上之幸陕也，李光弼竟迁延不至。上恐遂成嫌隙㉑，其母在河中，数遣中使存问之。吐蕃退，除光弼东都留守，以察其去就。光弼辞以就江、淮粮运，引兵归徐州。上迎其母至长安，厚加供给，使其弟光进㉒掌禁兵，遇之加厚。

戊子㉓，赦天下[11]。

杀掉浑释之而接管了他的军队，让张韶统领，不久，仆固怀恩又认为："浑释之是他舅舅，他尚且会背弃，他怎么会对我效忠呢！"后来，仆固怀恩找了个事由拷打他，打断了他的小腿，将他弃置在弥峨城而死去。

都虞候张维岳在沁州，听说仆固怀恩离去，便乘驿马赶到汾州，安抚稳定他的部众，杀了焦晖、白玉而窃取他们的功劳，然后向郭子仪报告。郭子仪派牙官卢谅到汾州，张维岳贿赂卢谅，让他把自己所谎报的功劳说成是真实的。郭子仪于是奏报说是张维岳杀了仆固玚，把仆固玚的首级传送到宫中。群臣入朝庆贺，代宗却忧伤而并无喜悦之色，说："朕的诚意不能使人相信，致使功臣死亡，朕因此深感惭愧，又有什么值得庆贺的呢！"下令用车子把仆固怀恩的母亲接到长安，供给待遇非常优厚。一个多月后，她寿终正寝，又按照礼仪将她安葬，功臣们对此都感动赞叹。

二月初十日戊寅，郭子仪到汾州，仆固怀恩的数万部众全都归附了郭子仪，他们都既欢欣鼓舞又悲伤哭泣，高兴的是郭子仪来了，悲伤的是他来得太晚了。郭子仪得知卢谅的欺诈，施杖刑把他打死。代宗因李抱真的话得到了证实，提拔他为殿中少监。

---

官，为府衙的属官，供衙署驱使。㉖使实其言：使郭子仪相信张维岳窃功的话为实。实，信。㉗信：守信用。㉘勋臣：功臣。㉙颠越：陨落；从高处坠落。㉚戊寅：二月初十日。

【校记】

[9]待：原作"侍"。据章钰校，十二行本、乙十一行本皆作"待"，今从改。[10]数万：原无此二字。据章钰校，十二行本、乙十一行本皆有此二字，张敦仁《通鉴刊本识误》同，今据补。

---

【语译】

代宗到达陕州时，李光弼竟然拖延时间没有奉召而来。代宗担心因此形成隔阂，正好他的母亲在河中，便多次派宫中使者去慰问。吐蕃退走后，任命李光弼为东都留守，以观察他的去留动向。李光弼借口江、淮粮运事加以辞谢，带兵回到徐州。代宗接他的母亲到长安，供给丰厚，让他的弟弟李光进掌管禁兵，待遇更加优厚。

二月二十日戊子，大赦天下。

自丧乱以来，汴水㉔堙废㉕，漕运者自江、汉抵梁、洋㉖，迂险劳费㉗。三月己酉㉘，以太子宾客刘晏为河南、江、淮以来转运使，议开汴水。庚戌㉙，又命晏与诸道节度使均节㉚赋役，听从[12]便宜㉛行毕[13]以闻。时兵火之后，中外艰食㉜，关中米斗千钱，百姓挼穗㉝以给禁军，宫厨㉞无兼时㉟之积。晏乃疏浚㊱汴水，遗元载书㊲，具陈漕运利病，令中外相应。自是每岁运米数十万石以给关中。唐世称[14]漕运之能者，推晏为首，后来者皆遵其法度云。

甲子㊳，盛王琦㊴薨。

党项寇同州，郭子仪使开府仪同三司李国臣㊵击之，曰："虏得间则出掠，官军至则逃入山。宜使羸师居前以诱之，劲骑居后以覆之。"国臣与战于澄城㊶北，大破之，斩首捕虏千余人。

---

**【段旨】**

以上为第八段，写刘晏为河南江淮转运使，漕运畅通。

**【注释】**

㉑嫌隙：由猜疑而成的隔阂、仇怨。㉒光进：李光进，李光弼弟。官至太子太保，封武威郡王。传见《新唐书》卷一百三十六。㉓戊子：二月二十日。㉔汴水：古水名，隋代开通济渠，因其中自今河南荥阳至开封一段利用原来的汴水，故唐、宋人遂将自出黄河至入淮河的通济渠东段全流统称为汴水、汴河或汴渠。㉕堙废：填塞而废弃。㉖梁、洋：指梁州、洋州。梁州治所在今陕西汉中。洋州治所在今陕西洋县。㉗迂险劳费：迂回曲折，路途艰险，劳民伤财。㉘己酉：三月十二日。㉙庚戌：三月十三日。㉚均节：均平调节。㉛听从便宜：听任便宜处置。㉜艰食：食粮困难。㉝挼穗：指谷未成熟，用

---

**【原文】**

夏，五月癸丑㊷，初行《五纪历》㊸。

庚申㊹，礼部侍郎杨绾奏岁贡孝弟力田㊺无实状，及童子科㊻皆侥

自从安史之乱以来，汴水因堵塞而遭废弃，漕运都是从长江、汉水运到梁州、洋州，路途迂回曲折又很艰险，劳民伤财。三月十二日己酉，任命太子宾客刘晏为河南、江、淮以来转运使，商议开通汴水。十三日庚戌，又命刘晏与诸道节度使均平调节赋税和劳役，准他依据具体情况自行处置，事后再奏报朝廷。当时正值战乱之后，京城内外粮食匮乏，关中的米价每斗一千钱，老百姓揉搓谷穗来供应禁军，宫中厨房也没有可以连续吃两顿的存粮。刘晏便疏通汴水，写信给元载，详细说明漕运的利弊，让朝廷内外的有关官员都来配合。从此，每年运米达几十万石以供给关中。唐代漕运称道有能力的人，首推刘晏，后来从事漕运的人都遵循他的法度。

三月二十七日甲子，盛王李琦去世。

党项侵犯同州，郭子仪派开府仪同三司李国臣去攻打党项，说："党项一有机会就出来掠夺，官军到后就逃进山里。应该派疲弱的士兵在前面引诱他们，把战斗力强的骑兵放在后面去消灭他们。"李国臣在澄城北面与党项交战，大败他们，杀死并俘虏了一千多人。

---

两手揉穗以脱粒。挼，两手揉搓。穗，谷穗。㉔宫厨：皇宫中的厨房，专供御膳及宫中人员食膳。㉕兼时：两时。此指连续两顿饭。㉖浚：疏通。㉗遗元载书：刘晏于广德二年（公元七六四年）考察黄河、汴水、泗水后写给宰相元载的信。详《唐会要》卷八十七。㉘甲子：三月二十七日。㉙盛王琦：玄宗第二十一子。传见《旧唐书》卷一百七、《新唐书》卷八十二。㉚李国臣：本姓安，积功为云麾大将军，赐姓李，曾任盐州刺史。传见《新唐书》卷一百三十六。㉛澄城：县名，县治在今陕西澄城。

## 【校记】

［11］戊子，赦天下：原无此五字。据章钰校，十二行本、乙十一行本皆有此五字，张瑛《通鉴校勘记》同，今据补。［12］从：原无此字。据章钰校，十二行本、乙十一行本皆有此字，今据补。［13］毕：据章钰校，孔天胤本作"事"。［14］称：原作"推"。据章钰校，十二行本、乙十一行本皆作"称"，今从改。

---

## 【语译】

夏，五月十七日癸丑，开始实行《五纪历》。

五月二十四日庚申，礼部侍郎杨绾上奏说每年各地选送的孝弟力田科举人与实

幸，悉罢之。

郭子仪以安、史昔据洛阳，故诸道置节度使以制其要冲。今大盗已平，而所在聚兵，耗蠹㉓⑦百姓，表请罢之，仍自河中为始。六月庚辰㉓⑧[15]，敕罢河中节度及耀德军㉓⑨。子仪复请罢关内副元帅，不许。

仆固怀恩至灵武，收合散亡，其众复振。上厚抚其家。癸未㉔⓪，下诏称其“勋劳著于帝室，及于天下。疑隙之端，起自群小㉔①，察其深衷㉔②，本无他志，君臣之义，情实如初。但以河北既平，朔方已有所属，宜解河北副元帅、朔方节度等使，其太保兼中书令、大宁郡王如故。但当诣阙，更勿有疑”。怀恩竟不从。

秋，七月庚子㉔③，税天下青苗钱㉔④以给百官俸。

太尉兼侍中、河南副元帅、临淮武穆王李光弼治军严整，指顾㉔⑤号令，诸将莫敢仰视㉔⑥，谋定而后战，能以少制众，与郭子仪齐名。及在徐州，拥兵不朝，诸将田神功等不复禀畏㉔⑦。光弼愧恨㉔⑧成疾，己酉㉔⑨，薨。八月丙寅㉕⓪，以王缙代光弼都统河南、淮西、山南东道诸行营。

郭子仪自河中入朝，会泾原㉕①奏仆固怀恩引回纥、吐蕃十万众将入寇，京师震骇，诏子仪帅诸将出镇奉天。上召问方略㉕②，对曰：“怀恩无能为也。”上曰：“何故？”对曰：“怀恩勇而少恩，士心不附。所以能入寇者，因思归之士耳㉕③。怀恩本臣偏裨，其麾下皆臣部曲，必不忍以锋刃相向，以此知其无能为也。”辛巳㉕④，子仪发，赴奉天。

甲午㉕⑤，加王缙东都留守。

河中尹兼节度副使㉕⑥崔寓发镇兵西御吐蕃，为法不一。九月丙申㉕⑦，镇兵作乱，掠官府及居民，终夕㉕⑧乃定。

丙午㉕⑨，加河东节度使辛云京同平章事。

辛亥㉖⓪，以郭子仪充北道邠宁、泾原、河西以东[16]通和吐蕃使㉖①，以陈郑、泽潞节度使李抱玉充南道通和吐蕃使。子仪闻吐蕃逼邠州，甲寅㉖②，遣其子朔方兵马使晞㉖③将兵万人救之。

己未㉖④，剑南节度使严武破吐蕃七万众，拔当狗城㉖⑤。

关中虫蝗、霖雨㉖⑥，米斗千余钱。

际不符，考中童子科的也都属于侥幸，朝廷将这两科全都取消。

郭子仪认为安禄山、史思明过去占据洛阳，所以各道都设置节度使以控制交通要道。现在这些大盗已经被荡平，却仍到处聚集部队，耗费损害百姓的财力物力，所以上表请求取消各节度使，就从河中节度使开始。六月十四日庚辰，代宗敕令取消河中节度使及耀德军。郭子仪又请求罢免自己的关内副元帅职务，未被允许。

仆固怀恩到了灵武，收拢逃散的士卒，他的部队又振兴起来。代宗优厚地安抚他的家属。六月十七日癸未，颁诏称仆固怀恩“对皇室功勋卓著，惠及天下。猜疑和嫌隙的产生，来自那批小人，考察他的内心深处，本来就没有反叛的意图，君臣之间的情义，实际上仍像当初一样。只是因为河北已经被平定，朔方已有了归属，所以应当解除其河北副元帅、朔方节度使等职；他的太保兼中书令、大宁郡王等官爵照旧。只是他应当入朝，再不要迟疑。”仆固怀恩竟然不服从。

秋，七月初五日庚子，征收天下青苗钱税来供给百官俸禄。

太尉兼侍中、河南副元帅、临淮武穆王李光弼治军严整，指挥号令，各将领都十分敬畏而不敢仰视，谋划定了之后再作战，能以少胜多，与郭子仪齐名。等到在徐州时，拥兵不朝，诸将如田神功等人就不再听命和敬畏他了。李光弼愧恨交集，积郁成疾，七月十四日己酉，去世。八月初一日丙寅，任命王缙代替李光弼统帅河南、淮西、山南东道各行营。

郭子仪从河中入朝，适逢泾原上奏说仆固怀恩带领回纥、吐蕃十万之众将要入侵，京师惊恐，代宗下诏令郭子仪率众将出兵镇守奉天。代宗召见郭子仪询问方针大计和策略，郭子仪回答说：“仆固怀恩不会有什么作为的。”代宗问：“什么原因?”回答说：“仆固怀恩虽然勇猛但对部下缺少恩惠，士卒的内心并不愿归附他。之所以能来进犯，是因为有思归故里的士卒罢了。仆固怀恩本是臣的偏裨将领，他统率的原先都是臣的部下，必然不忍心兵刃相向，由此可知，仆固怀恩不会有什么作为的。”八月十六日辛巳，郭子仪发兵，奔赴奉天。

二十九日甲午，加封王缙为东都留守。

河中尹兼节度副使崔寓调镇兵向西去抵御吐蕃，执法却不统一。九月初二日丙申，镇兵作乱，抢劫官府及居民，过了一整夜才平息下来。

九月十二日丙午，加封河东节度使辛云京同平章事。

十七日辛亥，任命郭子仪充任北道邠宁、泾原、河西以东通和吐蕃使，任命陈郑、泽潞节度使李抱玉充任南道通和吐蕃使。郭子仪听说吐蕃进逼邠州，二十日甲寅，派他的儿子朔方兵马使郭晞率军万人前去救援。

二十五日己未，剑南节度使严武打败吐蕃七万人，攻下当狗城。

关中地区闹蝗灾，又连遭阴雨，米价一斗一千多钱。

仆固怀恩前军至宜禄㉗，郭子仪使右兵马使李国臣将兵为郭晞后继。邠宁节度使白孝德败吐蕃于宜禄。冬，十月，怀恩引回纥、吐蕃至邠州，白孝德、郭晞闭城拒守。

庚午㉘，严武拔吐蕃盐川城㉙。

仆固怀恩与回纥、吐蕃进逼奉天，京师戒严。诸将请战，郭子仪不许，曰："虏深入吾地，利于速战。吾坚壁以待之，彼以吾为怯，必不戒，乃可破也。若遽战而不利，则众心离矣。敢言战者斩！"辛未㉚夜，子仪出陈于乾陵㉛之南。壬申㉜未明，虏众大至。虏始以子仪为无备，欲袭之，忽见大军，惊愕，遂不战而退。子仪使裨将李怀光㉝等将五千骑追虏，至麻亭㉞而还。虏至邠州，丁丑㉟，攻之，不克。乙酉㊱，虏涉泾而遁。

怀恩之南寇也，河西节度使杨志烈发卒五千，谓监军柏文达曰："河西锐卒，尽于此矣。君将之以攻灵武，则怀恩有返顾㊲之虑，此亦救京师之一奇也！"文达遂将其[17]众击摧砂堡㊳、灵武县㊴，皆下之，进攻灵州。怀恩闻之，自永寿㊵遽归，使蕃、浑二千骑夜袭文达，大破之，士卒死者殆半。文达将余众归凉州，哭而入。志烈迎之曰："此行有安京室之功，卒死何伤！"士卒怨其言。未几，吐蕃围凉州，士卒不为用，志烈奔甘州，为沙陀㊶所杀，凉州遂陷[18]。沙陀者[19]，姓朱耶，世居沙陀碛㊷，因以为名。

【段旨】

以上为第九段，写李光弼拥兵徐州，忧愤而死。郭子仪击退仆固怀恩连兵回纥、吐蕃之入寇。

【注释】

㉜癸丑：五月十七日。㉝《五纪历》：历法名，宝应元年（公元七六二年），以《至德历》不合天象，诏司天台官属郭献之等以李淳风撰《麟德历》，参照《大衍历》，另撰新历。历成，唐代宗题名《五纪历》。行用二十余年，至建中五年（公元七八四年）

仆固怀恩的先头部队到达宜禄，郭子仪派右兵马使李国臣率军做郭晞的后续部队。邠宁节度使白孝德在宜禄打败吐蕃。冬，十月，仆固怀恩带领回纥、吐蕃的军队到达邠州，白孝德、郭晞闭城坚守。

初六日庚午，严武攻取吐蕃盐川城。

仆固怀恩与回纥、吐蕃部队进逼奉天，京师戒严。各将领请求出战，郭子仪不许，说："敌人深入我境，利在速战。我们要坚守壁垒等待，他们以为我们胆怯，必然放松戒备，这样就可以打败他们了。如果急忙出战而战局又不利的话，军心就会涣散。再有敢说出战的就斩首！"十月初七日辛未夜里，郭子仪出兵在乾陵南面列阵。初八日壬申，天还没亮，敌人的部队大批到达。敌人开始以为郭子仪没有防备，想要偷袭，忽然见到郭子仪的大军，十分吃惊，于是不战而退。郭子仪派裨将李怀光等人率五千骑兵追赶敌人，追到麻亭才回来。敌人到达邠州，十三日丁丑，攻打邠州，没有攻下。二十一日乙酉，敌人便渡过泾河逃走了。

仆固怀恩南侵时，河西节度使杨志烈调兵五千人，对监军柏文达说："河西精锐部队，全都在这里了。您率领他们去进攻灵武，这样仆固怀恩就会有后顾之忧，这也是救援京师的一条奇计！"柏文达于是率领部队去攻打摧砂堡、灵武县，都攻了下来，进而又攻打灵州。仆固怀恩听说后，从永寿县急忙回来，派蕃族、浑族骑兵二千人夜袭柏文达，大败柏文达，士卒死了近一半。柏文达率残部回到凉州，哭着进了城。杨志烈迎接他说："这次出兵有安定京城之功，士卒死了一些有什么值得悲伤的！"士卒对这种话心怀怨恨。不久，吐蕃包围凉州，士卒都不听指挥，杨志烈逃到甘州，被沙陀所杀，于是凉州陷落。沙陀姓朱耶，世代居住在沙陀碛，因此以沙陀为名。

---

废。㉞庚申：五月二十四日。㉟孝弟力田：汉代以来的察举科目。唐代制举也有孝弟力田之科。孝弟，孝顺父母、友爱兄弟。力田，努力耕田。㊱童子科：唐制，凡十岁以下，能通规定的儒经者，根据应试的成绩，给予出身或授官，称为童子科。㊲耗蠹：耗费损害。㊳庚辰：六月十四日。㊴耀德军：军镇名，乾元二年（公元七五九年）以河中节度使之军名耀德军。㊵癸未：六月十七日。㊶群小：众小人。㊷深衷：内心深处。㊸庚子：七月初五日。㊹青苗钱：地税的附加税。广德二年（公元七六四年）正月决定征天下地亩青苗钱，七月开始征收，每亩十五文，用来作百司课料。大约同时又征收青苗地头钱，是为青苗钱的附加税。宋白《续通典》载，大历五年（公元七七〇年）五月诏，青苗钱以前每亩征十五文，地头钱每亩征二十五文。自今以后，全部以青苗钱为名，每亩减五文，征三十五文。随征夏税时据数征纳。后来青苗钱也用作军费或天子

的用费。[245]指顾：手指目视。[246]仰视：抬头看。[247]禀畏：听命、敬畏。李光弼不听命于朝廷，故诸将不敬畏李光弼。[248]愧恨：羞愧悔恨。[249]己酉：七月十四日。[250]丙寅：八月初一日。[251]泾原：方镇名，治所在今甘肃泾川县北。长期辖有泾、原二州。[252]方略：计谋策略。[253]因思归之士耳：指仆固怀恩入寇，是顺应部众思归故里。由此可知，怀恩之众多关内、河东人。[254]辛巳：八月十六日。[255]甲午：八月二十九日。[256]河中尹兼节度副使：五月已罢河中节度使，此不应又言节度副使，或指前官。[257]丙申：九月初二日。[258]终夕：整晚；一夜。[259]丙午：九月十二日。[260]辛亥：九月十七日。[261]通和吐蕃使：这是以通和使之名，从河东、河南调集两支军队去西边抵御吐蕃和仆固怀恩的进攻。以"通和"为名，显然是出于策略考虑，是为了缓和与吐蕃的关系及有利于招抚仆固怀恩。[262]甲寅：九月二十日。[263]晞：郭晞（？至公元七九四年），郭子仪第三子。少善骑射，常从父征战。官至检校工部尚书、太子宾客，封赵国公。传见《旧唐书》卷一百三十、《新唐书》卷一百三十七。[264]己未：九月二十五日。[265]当狗城：城名，故址在今四川理县东南新保关西。[266]霖雨：连天阴雨。[267]宜禄：县名，县治在今陕西长武。[268]庚午：十月初六日。[269]盐川城：城名，故址在今四川理县东南新保关西北。[270]辛未：十月初七日。[271]乾陵：唐高宗与武则天的合葬墓。在今陕西乾县梁山。[272]壬申：十月初八日。[273]李怀光（公元七二九至七八五年）：勃海靺鞨人，本姓茹，其父以战功赐姓李。怀光以军功加中书令。讨伐朱泚时，因受谮愤懑而反叛被杀。传见《旧唐书》卷一百二十一、《新唐书》

**【原文】**

十一月丁未[283]，郭子仪自行营入朝。郭晞在邠州，纵士卒为暴，节度使白孝德患之，以子仪故，不敢言。泾州刺史段秀实自请补都虞候[284]，孝德从之。既署一月，晞军士十七人入市取酒，以刃刺酒翁[285]，坏酿器。秀实列卒取十七人首注槊上[286]，植市门[287]。晞一营大噪，尽甲。孝德震恐，召秀实曰："奈何？"秀实曰："无伤也，请往解之。"孝德使数十人从行，秀实尽辞去，选老躄[288]者一人持马至晞门下。甲者出，秀实笑且入，曰："杀一老卒，何甲也！吾戴吾头来矣。"甲者愕。因谕曰："常侍[289]负若属[290]邪？副元帅[291]负若属邪？奈何欲以乱败郭氏！"晞出，秀实让之曰："副元帅勋塞天地，当念始终。今常侍恣卒为暴，行且致乱[292]，乱则罪及副元帅。乱由常侍出，然则郭氏功名，其存者几卷二百二十四上。㉔麻亭：地名，在今陕西永寿西北。㉕丁丑：十月十三日。㉖乙酉：十月二十一日。㉗返顾：回顾；后顾。㉘摧砂堡：城堡名，在今宁夏固原西北。㉙灵武县：县名，县治在今宁夏永宁西南。㉚永寿：县名，县治在今陕西永寿。㉛沙陀：我国古部族名，西突厥别部，又称沙陀突厥。贞观中居金莎山（今尼赤金山）南、蒲类海（今新疆巴里坤湖）以东，其地有大碛名沙陀，故以为部族名。宪宗（公元八〇五至八二〇年在位）时内附，唐末参与镇压黄巢，五代后唐、后晋、北汉三朝皇族皆沙陀人。详《新唐书》卷二百十八。㉜沙陀碛：今新疆古尔班通古特沙漠。

## 【校记】

[15]庚辰：原无此二字。据章钰校，十二行本、乙十一行本皆有此二字，今据补。[16]以东：原误作“以来”。据章钰校，孔天胤本作“以东”，尚不误，今据以校正。〖按〗《旧唐书》卷一百二十《郭子仪传》云：“明年（广德二年）九月，以子仪守太尉，充北道邠宁、泾原、河西已东通和蕃及朔方招抚观察使。”此为“来”字乃“东”字之误的又一确证。[17]其：原无此字。据章钰校，十二行本、乙十一行本皆有此字，今据补。[18]凉州遂陷：原无此四字。据章钰校，十二行本、乙十一行本皆有此四字，张敦仁《通鉴刊本识误》、张瑛《通鉴校勘记》同，今据补。[19]者：原无此字。据章钰校，十二行本、乙十一行本皆有此字，今据补。

---

## 【语译】

十一月十四日丁未，郭子仪从行营入朝。郭晞在邠州，纵容士兵横行霸道，节度使白孝德对此深感忧虑，看在郭子仪的份上，不敢多说什么。泾州刺史段秀实请求补任自己为都虞候，白孝德同意了。任职一个月后，郭晞的军士十七人到市集上去索要酒喝，用刀刺酿酒的老人，砸坏酿酒的器具。段秀实派兵围捕，砍下这十七人的首级，插在长矛上，树立在市集的街口。郭晞全营大闹起来，士兵们都穿上铠甲。白孝德非常震惊恐慌，把段秀实叫来问：“怎么办？”段秀实说：“没有关系，请让我前去解决。”白孝德派几十个人随行，段秀实把他们全都辞了，只挑选了一个年老跛脚的人牵着他的马来到郭晞的营门前。身穿铠甲的士兵出来了，段秀实笑着走了进去，说：“杀一个老兵，何必穿着铠甲！我带着我的头来了。”甲士们十分惊愕。段秀实趁机晓谕他们说：“郭常侍对不起你们吗？副元帅对不起你们吗？为什么想要作乱来败坏郭家呢！”这时郭晞出来了，段秀实责备他说：“副元帅功满天地，应当想到善始善终。如今常侍你放纵士兵横行霸道，这样做将会导致动乱，一旦动乱获罪就会连累副元帅。乱子是由常侍你造成的，这样郭家的功名，还能留存多少呢！”话

何!”言未毕，晞再拜曰:“公幸教晞以道，恩甚大，敢不从命!”顾叱左右:“皆解甲，散还火伍㉓中，敢哗者死!”秀实因留宿军中。晞通夕不解衣，戒候卒㉔击柝㉕卫秀实。旦，俱至孝德所，谢不能，请改，邠州由是无患。

五谷防御使薛景仙讨南山群盗，连月不克，上命李抱玉讨之。贼帅高玉最强，抱玉遣兵马使李崇客将四百骑自洋州入，袭之于桃虢川，大破之，玉走成固㉖。庚申㉗，山南西道节度使张献诚擒玉，献之，余盗皆平。

十二月乙丑㉘，加郭子仪尚书令㉙。子仪以为:“自太宗为此官，累圣不复置，近皇太子亦尝为之，非微臣㉚所宜当。”固辞不受，还镇河中。

是岁，户部奏户二百九十余万，口一千六百九十余万。

上遣于阗王胜还国，胜固请留宿卫，以国授其弟曜㉛，上许之。加胜开府仪同三司，赐爵武都王。

---

**【段旨】**

以上为第十段，写段秀实智勇，申军法，大义晓谕服郭晞。

**【注释】**

㉓丁未:十一月十四日。㉔都虞候:官名，唐朝中后期节度使下置此职，负责整肃军纪。元帅、都统出征置中军都虞候一人，为军中重职。段秀实惩治郭晞市酒士卒，属于都虞候职权范围之内。㉕酒翁:酿酒者。㉖注槊上:插在长矛上。注，聚集，此为插。槊，长矛。㉗植市门:树立在市集的街口。植，树立。㉘躄:足跛。㉙常侍:指郭晞，时为左散骑常侍。㉚若属:你们。㉛副元帅:指郭子仪，时为河东副元帅。㉜行且致乱:

---

**【原文】**

**永泰元年(乙巳，公元七六五年)**

春，正月癸卯朔㉜，改元㉝，赦天下。

还没有说完，郭晞连忙拜了又拜，说："幸亏您用道义来教导我，您的恩情非常大，我怎敢不从命呢！"回头叱责左右的人说："都脱下铠甲，解散回到各自的队伍中，谁再敢闹事就处死！"段秀实于是留宿在军营中。郭晞整夜未脱衣服，告诫哨兵敲木梆守卫段秀实。天亮后，段秀实和郭晞一同来到白孝德的官署，郭晞为治军不力道歉，请求改过，邠州从此不再有这类祸害。

五谷防御使薛景仙讨伐南山的强盗，连续几个月都没有成功，代宗命李抱玉前去讨伐。强盗首领高玉实力最强，李抱玉派兵马使李崇客率四百名骑兵从洋州进山，在桃虢川发动袭击，大败高玉，高玉逃到成固。十一月二十七日庚申，山南西道节度使张献诚擒获高玉，把他献给朝廷，其余的强盗随即也都被荡平。

十二月初二日乙丑，加封郭子仪为尚书令。郭子仪认为："自从太宗担任这一官职后，历代皇帝都不再设置。近来皇太子也曾任过此职，这不是我所应该担任的。"再三辞谢不接受，又回去镇守河中。

这一年，户部奏报全国有二百九十多万户，一千六百九十多万人口。

代宗派于阗王尉迟胜回国，尉迟胜坚决请求留下在宫中值宿警卫，把国家交给他弟弟尉迟曜去治理，代宗答应了。加封尉迟胜为开府仪同三司，赐爵位为武都王。

---

将要造成动乱。"行"与"且"义同，连言犹今之"行将""将要"。㉙㉓火伍：指队伍。唐制，兵五人为一伍，十人为一火。㉙㉔候卒：侦察兵。㉙㉕柝：巡夜打更用的梆子。㉙㉖成固：县名，县治在今陕西城固。㉙㉗庚申：十一月二十七日。㉙㉘乙丑：十二月初二日。㉙㉙尚书令：官名，尚书省长官，总领百官，统率吏、户、礼、兵、刑、工六部，综理全部行政事务。唐初李世民在高祖朝居其职，其后不复授人。龙朔二年（公元六六二年）制废其官，遂以左右仆射为尚书省长官。代宗广德元年（公元七六三年），雍王适（即后来的德宗）曾一度居此职。后授郭子仪，子仪辞之。晚唐李茂贞曾僭居其位，后亦辞让。故唐代实废尚书令一职。㉚⓪微臣：自谦辞，臣对君的自称。㉚①曜：尉迟曜。其兄尉迟胜为于阗国王时，曜为叶护。至德初胜以兵赴难，曜权知本国事。至此胜让位于曜。

---

**【语译】**

**永泰元年（乙巳，公元七六五年）**

春，正月癸卯日，改换年号，大赦天下。

戊申[304]，加陈郑、泽潞节度使李抱玉凤翔、陇右节度使，以其从弟殿中少监抱真为泽潞节度副使。抱真以山东有变，上党为兵冲[305]，而荒乱之余，土瘠民困，无以赡军，乃籍民，每三丁选一壮者，免其租徭，给弓矢，使农隙习射，岁暮都试[306]，行其赏罚。比三年，得精兵二万，既不费廪给，府库充实，遂雄视[307]山东。由是天下称泽潞步兵为诸道最。

二月戊寅[308]，党项寇富平[309]，焚定陵殿[310]。

庚辰[311]，仪王璲[312]薨。

三月壬辰[313]朔，命左仆射裴冕、右仆射郭英乂等文武之臣十三人于集贤殿待制[314]。左拾遗[315]洛阳独孤及[316]上疏曰："陛下召冕等待制以备询问，此五帝[317]盛德[318]也。顷者[319]陛下虽容[320]其直，而不录[321]其言，有容下之名，无听谏之实。遂使谏者稍稍钳口[322]饱食，相招[323]为禄仕[324]。此忠鲠[325]之人所以窃叹，而臣亦耻之。今师兴不息十年矣，人之生产，空于杼轴[326]。拥兵者第馆亘街陌[327]，奴婢厌酒肉，而贫人羸饿就役，剥肤及髓[328]。长安城中白昼椎剽[329]，吏不敢诘[330]，官乱职废[331]，将堕卒暴[332]，百揆隳剌[333]，如沸粥纷麻[334]。民不敢诉于有司，有司不敢闻于陛下，茹毒饮痛[335]，穷[336]而无告。陛下不以此时思所以救之之术，臣实惧焉。今天下惟朔方、陇西有吐蕃、仆固之虞，邠、泾、凤翔之兵足以当之矣。自此而往，东洎[337]海，南至番禺，西尽巴、蜀，无鼠窃之盗而兵不为解。倾天下之货，竭天下之谷，以给不用之军，臣不知其故。假令居安思危，自可阨[338]要害之地，俾[339]置屯御[340]，悉休其余，以粮储扉屦[341]之资，充疲人贡赋，岁可减国租之半。陛下岂可持疑于改作[342]，使率土[343]之患日甚一日乎！"上不能用。

丙午[344]，以李抱玉同平章事，镇凤翔如故。

庚戌[345]，吐蕃遣使请和，诏元载、杜鸿渐与盟于兴唐寺[346]。上问郭子仪："吐蕃请盟，何如？"对曰："吐蕃利我不虞[347]。若不虞而来，国不可守矣。"乃相继遣河中兵戍奉天，又遣兵巡泾原以觇之。

是春不雨，米斗千钱。

正月十六日戊申，加封陈郑、泽潞节度使李抱玉为凤翔、陇右节度使，任命他的堂弟殿中少监李抱真为泽潞节度副使。李抱真认为山东如有变乱，上党为军事要冲，而在饥荒战乱之后，那里土地贫瘠，人民困苦，无力供给军队，于是就登记百姓户籍，每三个成年人中挑选一个身体强壮的人，免除他的租税和徭役，发给弓箭，让他们在农闲时习射，年终集中考试，进行赏罚。到了三年，得到精兵二万人，既不花费官府的给养，又使公家的仓库得以充实，于是称雄山东。从此，天下都称赞泽潞的步兵是各道最强的。

二月十六日戊寅，党项侵犯富平，焚烧了定陵的殿堂。

十八日庚辰，仪王李璲去世。

三月初一日壬辰，命左仆射裴冕、右仆射郭英乂等文武大臣十三人在集贤殿值班等候召问。左拾遗洛阳人独孤及上疏说："陛下召裴冕等人值班以备询问，这是五帝的盛德。近来陛下虽然能够容忍臣下的直率，但不采纳他们的言辞，有容忍臣下之名，无听从劝谏之实。于是使得劝谏的人渐渐闭口而只是饱食终日，相互邀请，成了只知领取俸禄的做官的人。这正是忠诚耿直的人所以私下叹息的原因，而臣也对此感到羞耻。如今兴兵不止已有十年，百姓不能生产，连纺织也停了下来。拥有军队的人的住宅客舍在街道上连成一片，他们的奴婢吃饱了酒肉，而贫穷人家又瘦又饿还要去服劳役，忍受着由肤及髓的盘剥。长安城里，光天化日之下杀人劫财，官吏不敢追究查办，官制混乱，职务废弛，将领怠惰，士卒横暴，各种政务或遭荒废或遭违逆，犹如沸腾的稀粥、纷杂的麻丝，混乱不堪。百姓不敢向有关官员申诉，有关官员也不敢报告陛下，大家都忍受着毒害和痛苦，困窘已极却无处诉说。陛下不在此时思考用以挽救这种局面的良策，臣实在感到恐惧。如今天下只有朔方、陇西有吐蕃和仆固怀恩带来的忧患，而邠州、泾州、凤翔的部队足以抵挡他们。除此之外，东到大海，南到番禺，西至巴、蜀，已经没有盗寇，然而各地的军队还不解散。倾尽天下的货物，竭尽天下的粮食，来供给用不上的军队，我不知道是什么缘故。假若是居安思危，原本可以扼守要害之地，让军队驻屯防御，其余的军队全部解散，把置办军用粮食、鞋子等的资财，用来充当贫困人家的赋税，一年可以减省国家一半的租税。陛下怎么能够对改革迟疑不决，使国家的忧患日益加重呢！"代宗没能采用他的意见。

三月十五日丙午，任命李抱玉同平章事，照旧镇守凤翔。

十九日庚戌，吐蕃派使者前来请求讲和，代宗诏令元载、杜鸿渐与吐蕃在兴唐寺订立盟约。代宗问郭子仪："吐蕃请求订盟，你看怎么样？"郭子仪回答说："我们不作防备对吐蕃有利。如果我们不作防备，他们乘虚而入，国家就守不住了。"于是相继派遣河中的部队戍守奉天，又派遣部队在泾原巡逻以侦察吐蕃的动向。

这年春天没有下雨，米价一斗一千钱。

【段旨】

以上为第十一段，写左拾遗独孤及建言裁减诸节度镇兵，省军费，轻税赋，以纾民困，唐代宗不听。

【注释】

㉚② 正月癸卯朔：正月初一日。〖按〗去年十二月甲子朔，则今年正月初一不当是癸卯。陈垣《二十史朔闰表》作“癸巳朔”为是。㉚③ 改元：改年号为永泰。㉚④ 戊申：正月十六日。㉚⑤ 兵冲：军事要冲；兵家必争之地。㉚⑥ 都试：汉代以立秋日总试骑士，称都试。此日集众讲武，设斧钺旌旗，习射御。㉚⑦ 雄视：勇武雄壮而临视之。㉚⑧ 戊寅：二月十六日。㉚⑨ 富平：县名，县治在今陕西富平东北。㉛⓪ 定陵殿：定陵，唐中宗陵墓，在今陕西富平西北龙泉山。帝陵有寝有殿，寝在后，殿在前。殿为祭祀之所。㉛① 庚辰：二月十八日。㉛② 仪王璲：李璲（？至公元七六五年），唐玄宗第十二子。传见《旧唐书》卷一百七、《新唐书》卷八十二。㉛③ 壬辰：三月初一日。㉛④ 集贤殿待制：集贤殿为唐开元年间所置殿名，殿内设书院，置学士、直学士，以宰相为知院事，有修撰、校理等官，掌刊辑经籍、搜求佚书。待制，本指等候皇帝召唤咨询。唐太宗时，命京官五品以上，轮值中书、门下两省，以备顾问。永徽（公元六五〇至六五五年）中，命弘文馆学士一人，日待制于武德殿西门。代宗永泰元年（公元七六五年），因一些功臣罢节度使，无职事，遂命待制于集贤殿，以示宠荣。待制，轮值待召问。㉛⑤ 左拾遗：官名，门下省属官，掌讽谏。凡发令举事，有不当之处，或廷争，当面直言，或上封事，书面陈述。㉛⑥ 独孤及

【原文】

夏，四月丁丑[348]，命御史大夫王翊充诸道税钱使[349]。河东道租庸、盐铁使裴谞[350]入奏事，上问：“榷酤[351]之利，岁入几何？”谞久之不对。上复问之，对曰：“臣自河东来，所过见菽粟[352]未种，农夫愁怨。臣以为陛下见臣，必先问人之疾苦，乃责臣以营利，臣是以未敢对也。”上谢之，拜左司郎中[353]。谞，宽之子也。

辛卯[354]，剑南节度使严武薨。武三镇剑南[355]，厚赋敛以穷[356]奢侈。梓州刺史章彝小不副意[357]，召而杖杀之。然吐蕃畏之，不敢犯其境。母数戒[358]其骄暴[359]，武不从，及死，母曰：“吾今始免为官婢[360]矣！”

（公元七二五至七七七年）：字至元，洛阳（今河南洛阳）人，善属文，天宝末年为与李华、萧颖士齐名的文学家。历任左拾遗、太常博士、礼部员外郎，终常州刺史。著有《毗陵集》。传见《旧唐书》卷一百六十八、《新唐书》卷一百六十二。㉛⑦五帝：相传古代有五帝，其说不一，《史记·五帝本纪》以黄帝、颛顼、帝喾、尧、舜为五帝，这是最通常的说法。㉛⑧盛德：大德。㉛⑨顷者：近来。㉜⓪容：容纳。㉜①录：录用。㉜②钳口：闭口。㉜③相招：相互邀约。招，招邀。㉜④禄仕：禄食之士，领取俸禄的做官人。㉜⑤忠鲠：忠诚鲠直。鲠，直爽、正直。㉜⑥杼轴：泛指纺织。杼，织布机上的梭子。轴，织布机上的滚筒。㉜⑦第馆亘街陌：指武官的住宅、客馆绵延于街市。第，第宅，指官僚贵族的住宅。馆，客舍。亘，连接。街陌，街道。㉜⑧剥肤及髓：剥削由肌肤而达骨髓。言被剥削之深重。㉜⑨椎剽：指杀人劫财。椎，有柄的捶击工具。㉝⓪诘：查；查办。㉝①官乱职废：官制混乱，职掌弛废。㉝②将堕卒暴：军将怠惰，士卒横暴。堕，通"惰"，怠惰。㉝③百揆隳刺：百官政务或已毁坏，或被反其道而行之。百揆，百官之事。隳，毁坏。刺，违逆。㉝④沸粥纷麻：形容乱成一团，没有头绪。沸粥，滚沸的稀饭。纷麻，乱麻。㉝⑤茹毒饮痛：犹言含恨忍痛，只能把苦楚和痛恨往肚里咽。茹，吃。㉝⑥穷：走投无路。㉝⑦洎：到；至。㉝⑧阨：卡住。㉝⑨俾：使。㉞⓪屯御：指驻兵防御。屯，驻守。㉞①屝屦：麻作的鞋叫屝，丝作的鞋叫屦。㉞②持疑于改作：对改革抱怀疑态度。改作，改革。㉞③率土：境域以内，即全国。㉞④丙午：三月十五日。㉞⑤庚戌：三月十九日。㉞⑥兴唐寺：佛寺名，在长安大宁坊东南隅。神龙元年（公元七〇五年）太平公主为武则天建造，称罔极寺，极其华丽，为京都之名寺。开元二十年（公元七三二年）改名兴唐寺。㉞⑦不虞：没有准备。

【语译】

夏，四月十六日丁丑，任命御史大夫王翊充当诸道税钱使。河东道租庸、盐铁使裴谞入朝奏报事情，代宗问："酒类专卖的钱，一年收入多少？"裴谞沉默很久没有回答。代宗又问他，他回答说："臣从河东来，沿途看到粮食作物尚未种植，农民都发愁抱怨。臣以为陛下见到臣，一定会先问百姓的疾苦，不料陛下却以营利的事情责问臣，臣因此没敢回答。"代宗向他道歉，任命他为左司郎中。裴谞，是裴宽的儿子。

四月三十日辛卯，剑南节度使严武去世。严武三度镇守剑南，横征暴敛，穷奢极欲。梓州刺史章彝稍微有点不合严武的意，就被召来用棍子打死。然而吐蕃畏惧他，不敢侵犯他的辖区。他的母亲对他的骄横残暴多次给以告诫，严武不听，等他死后，他的母亲说："我如今才可以免于受连累被罚做官府的奴婢了！"

五月癸丑(361)，以右仆射郭英乂为剑南节度使。

畿内麦稔，京兆尹第五琦请税百姓田，十亩收其一，曰：“此古什一之法(362)也。”上从之。

平卢节度使侯希逸镇淄青(363)，好游畋(364)，营塔寺，军州(365)苦之。兵马使李怀玉得众心，希逸忌之，因事解其军职。希逸与巫宿于城外，军士闭门不纳，奉怀玉为帅。希逸奔滑州，上表待罪。诏赦之，召还京师。秋，七月壬辰(366)，以郑王邈(367)为平卢、淄青节度大使，以怀玉知留后，赐名正己。时承德[20]节度使李宝臣、魏博节度使田承嗣、相卫节度使薛嵩、卢龙节度使李怀仙收安、史余党，各拥劲卒数万，治兵完城(368)，自署文武将吏，不供贡赋，与山南东道节度使梁崇义及正己皆结为婚姻，互相表里(369)。朝廷专事姑息，不能复制。虽名藩臣(370)，羁縻(371)而已。

甲午(372)，以上女升平公主(373)嫁郭子仪之子暧(374)。

太子母沈氏(375)，吴兴(376)人也。安禄山之陷长安也，掠送洛阳宫。上克洛阳，见之，未及迎归长安。会史思明再陷洛阳，遂失所在。上即位，遣使散求(377)之，不获。己亥(378)，寿州崇善寺尼广澄诈称太子母，按验(379)，乃故少阳院(380)乳母也，鞭杀之。

---

【段旨】

以上为第十二段，写河北四镇承德、魏博、相卫、卢龙节度使皆安、史旧将，再加一个山南东道梁崇义，互为婚姻，渐成割据之势。

【注释】

(348)丁丑：四月十六日。(349)御史大夫句：王翊曾兼御史中丞。《旧唐书》卷一百五十七、《新唐书》卷一百四十三有传，皆未载充诸道税钱使事。(350)裴谞（公元七一九至七九三年）：字士明，洛阳（今河南洛阳）人，先为史思明御史中丞，后事代宗、德宗，居职以宽厚和易著称。官至吏部侍郎兼御史大夫。传见《旧唐书》卷一百二十六、《新唐书》卷一百三十。(351)榷酤：指官府专利卖酒。榷，专利、专卖。酤，酒。〖按〗唐代广

五月二十二日癸丑，任命右仆射郭英乂为剑南节度使。

京畿地区的麦子成熟了，京兆尹第五琦请求向老百姓征收田税，十亩田收取一亩田的麦子作税，说："这是古代征收十分之一的税法。"代宗同意了。

平卢节度使侯希逸镇守淄青，喜好出游打猎、建造宝塔寺庙，所属军州备受其苦。兵马使李怀玉很得人心，侯希逸嫉妒他，找个事由解除了他的军职。侯希逸与巫师在城外留宿，军士们关闭城门不让他进来，尊奉李怀玉为主帅。侯希逸逃到滑州，上表等待治罪。代宗下诏赦免了他，召他回京师。秋，七月初二日壬辰，任命郑王李邈为平卢、淄青节度大使，任命李怀玉知留后，并赐名为正已。当时承德节度使李宝臣、魏博节度使田承嗣、相卫节度使薛嵩、卢龙节度使李怀仙收聚安禄山、史思明的余党，各自拥有强兵几万，他们训练部队，修缮城池，自行任命文武官员，不向朝廷进贡交纳赋税，与山南东道节度使梁崇义及李正已都结为姻亲，相互串通，彼此呼应。然而朝廷一味姑息，不能再控制他们。他们虽然名义上是藩臣，但只是维系着表面的关系而已。

七月初四日甲午，把代宗的女儿升平公主嫁给郭子仪的儿子郭暧。

太子的母亲沈氏，是吴兴人。安禄山攻陷长安时，沈氏被掳掠送到洛阳的宫中。代宗收复洛阳，见到沈氏，还没有来得及把她迎回长安。遇上史思明再次攻陷洛阳，于是就失去了她的下落。代宗即位，派使者四散寻找，没有找到。七月初九日己亥，寿州崇善寺的尼姑广澄诈称是太子的母亲，经查验，原来是以前少阳院的奶妈，用鞭子把她打死了。

---

德二年（公元七六四年）始见有征收酒税的记载。建中三年（公元七八二年）才禁止民间酤酒，而由官府设置酒店营利（《通典》卷十一）。因此，这里所言"榷酤"，不能看作已在全国实行酒的专卖。㊿②菽粟：泛指豆类与谷物。菽，豆类的总称。粟，谷子，去皮后称小米。㊿③左司郎中：官名，尚书都省的左司副官，协助左丞管理省内吏、户、礼三部政务。㊿④辛卯：四月三十日。㊿⑤武三镇剑南：严武三镇剑南，有杜甫《八哀诗·赠左仆射郑国公严公武》"三掌华阳兵"为证。考严武乾元（公元七五八至七五九年）中出任绵州刺史，上元二年（公元七六一年）迁剑南东川节度使，十二月兼西川节度使；宝应元年（公元七六二年）四月召入朝未行，六月授西川节度使；约十月还京任京兆尹、二圣山陵桥道使；广德二年（公元七六四年）正月合东西川为一道，武任剑南节度使，至卒。参见吴廷燮《唐方镇年表》及其《考证》卷下。㊿⑥穷：穷尽；极尽。㊿⑦小不副意：指稍微一点不合意愿。小，稍微、稍稍。副，相称、符合。㊿⑧戒：通"诫"，警告。㊿⑨骄

暴：骄横暴虐。㊱⓪官婢：没入官府为奴的妇女。[361]癸丑：五月二十二日。[362]什一之法：《孟子·滕文公上》曰："夏后氏五十而贡，殷人七十而助，周人百亩而彻，其实皆什一也。"指十分中一分做贡赋。[363]侯希逸镇淄青：事在上元二年（公元七六一年）。[364]游畋：出游打猎。畋，打猎。[365]军州：指平卢节度使领属的军和州。据《唐会要·节度使》和《新唐书·方镇表》，平卢节度使领平卢军、卢龙军和淄、青、齐、棣、登、莱等州。[366]壬辰：七月初二日。[367]郑王邈：李邈（？至公元七七三年），代宗第二子，封郑王，赠昭靖太子。传见《旧唐书》卷一百十六、《新唐书》卷八十二。[368]治兵完城：训练士兵，修缮城池。完，修缮。[369]互相表里：互相串通；里外呼应。[370]藩臣：藩篱大臣；护卫天子的大臣。[371]羁縻：比喻维系、控制。羁，马笼头。縻，牛鼻绳。[372]甲午：七月初四。[373]升平公主（？至公元八一〇年）：代宗长女。传见《新唐书》卷八十三。[374]暧：郭暧（公元七五三至八〇〇年），郭子仪第六子，尚代宗女，官至太常卿，袭封代国公。传见《旧唐

【原文】

九月庚寅朔[381]，置百高座[382]于资圣、西明两寺[383]，讲《仁王经》[384]，内出经二宝舆[385]，以人为菩萨、鬼神之状，导以音乐卤簿[386]。百官迎于光顺门[387]外，从至寺。

仆固怀恩诱回纥、吐蕃、吐谷浑、党项、奴剌数十万众俱入寇，令吐蕃大将尚结悉赞摩、马重英等自北道趣奉天，党项帅任敷、郑庭、郝德等自东道趣同州，吐谷浑、奴剌之众自西道趣盩厔，回纥继吐蕃之后，怀恩又以朔方兵继之。

郭子仪使行军司马赵复入奏曰："虏皆骑兵，其来如飞，不可易[388]也。请使诸道节度使凤翔李抱玉、滑濮李光庭[389]、邠宁白孝德、镇西马璘、河南郝庭玉、淮西李忠臣各出兵以扼其冲要。"上从之。诸道多不时出兵。李忠臣方与诸将击球[390]，得诏，亟命治行[391]。诸将及监军皆曰："师行必择日。"忠臣怒曰："父母有急，岂可择日而后救邪！"即日勒兵就道。

怀恩中途遇暴疾而归。丁酉[392]，死于鸣沙[393]。大将张韶代领其众，别将徐璜玉杀之，范志诚又杀璜玉而领其众。怀恩拒命三年，再引胡

书》卷一百二十、《新唐书》卷一百三十七。㊵太子母沈氏：即代宗皇后沈氏，世为吴兴冠族。开元末，以良家子选入东宫，赐予太子男广平王。天宝元年（公元七四二年）生德宗。安、史军破长安，被拘往东都掖庭，后莫知所在。德宗即位，遥尊为皇太后；贞元七年（公元七九一年），册谥曰睿真皇后。传见《旧唐书》卷五十二、《新唐书》卷七十七。㊶吴兴：郡名，即湖州，治所在今浙江湖州。㊷散求：四处寻求。散，分散。㊸己亥：七月初九日。㊹按验：审查验证。㊺少阳院：宫院名，在大明宫的史馆之北，皇太子居住处。

【校记】

［20］承德：据章钰校，十二行本、乙十一行本皆作“成德”，张敦仁《通鉴刊本识误》同。

---

【语译】

九月初一日庚寅，在资圣寺和西明寺两座寺院中设置百尺高座，宣讲《仁王经》，从宫内运出两车佛经，让人扮成菩萨、鬼神的模样，用音乐仪仗队为前导。百官在光顺门外迎接，并跟随到寺里。

仆固怀恩引诱回纥、吐蕃、吐谷浑、党项、奴剌数十万人一起入侵，命吐蕃大将尚结悉赞摩、马重英等从北路赶赴奉天，党项主帅任敷、郑庭、郝德等人从东路赶赴同州，吐谷浑、奴剌的部队从西路赶赴盩厔，回纥的部队跟随在吐蕃的部队后面，仆固怀恩又带领朔方军队跟在回纥部队的后面。

郭子仪派行军司马赵复入朝上奏说：“敌人都是骑兵，行动迅疾如飞，不可轻视。请求派各道节度使凤翔的李抱玉、滑濮的李光庭、邠宁的白孝德、镇西的马璘、河南的郝庭玉、淮西的李忠臣，各自出兵扼守军事要地。”代宗同意了他的意见。各道节度使大都不及时出兵。李忠臣正和各将领打球，得到诏令，立刻下令整装出发。各将领及监军都说：“部队出发一定要选好日子。”李忠臣气愤地说：“父母有急难，难道可以选好日子再去救助吗！”当天率领军队上路。

仆固怀恩中途得急病只好回去。九月初八日丁酉，在鸣沙死去。大将张韶代替他统领部队，别将徐璜玉杀死张韶，范志诚又杀死徐璜玉来统领部队。仆固怀恩抗

寇，为国大患，上犹为之隐[394]，前后敕制未尝言其反。及闻其死，悯然[395]曰："怀恩不反，为左右所误耳！"

吐蕃至邠州，白孝德婴城[396]自守。甲辰[397]，上命宰相及诸司[398]长官于西明寺行香设素馔[399]，奏乐。是日，吐蕃十万众至奉天，京城震恐。朔方兵马使浑瑊、讨击使白元光[400]先戍奉天，虏始列营，瑊帅骁骑二百直[21]冲之，身先士卒，虏众披靡。瑊挟虏将一人跃马而还，从骑无中锋镝[401]者。城上士卒望之，勇气始振。乙巳[402]，吐蕃进攻之，虏死伤甚众，数日，敛众[403]还营。瑊夜引兵袭之，杀千余人，前后与虏战二百余合，斩首五千级。丙午[404]，罢百高座讲。召郭子仪于河中，使屯泾阳[405]。己酉[406]，命李忠臣屯东渭桥，李光进屯云阳[407]，马璘、郝庭玉屯便桥，李抱玉屯凤翔，内侍骆奉仙、将军李日越屯盩厔，同华节度使周智光屯同州，鄜坊节度使杜冕屯坊州，上自将六军屯苑中。

庚戌[408]，下制亲征。辛亥[409]，鱼朝恩请索城中，括[410]士民私马，令城中男子皆衣皂[411]，团结为兵[412]，城门皆塞二开一。士民大骇，逾垣凿窦[413]而逃者甚众，吏不能禁。朝恩欲奉上幸河中以避吐蕃，恐群臣议论[22]不一，一旦，百官入朝，立班[414]久之，阁门[415]不开，朝恩忽从禁军十余人操白刃而出，宣言："吐蕃数犯郊畿，车驾欲幸河中，何如？"公卿皆错愕[416]不知所对。有刘给事[417]者，独出班抗声[418]曰："敕使[419]反邪？今屯军如云，不勠力捍寇[420]，而遽欲胁天子弃宗庙社稷而去，非反而何！"朝恩惊沮而退，事遂寝。

自丙午至甲寅[421]，大雨不止，故虏不能进。吐蕃移兵攻醴泉，党项西掠白水[422]，东侵蒲津。丁巳[423]，吐蕃大掠男女数万而去，所过焚庐舍、蹂禾稼殆尽。周智光引兵邀击，破之于澄城北，因逐北至鄜州。智光素与杜冕不协，遂杀鄜州刺史张麟，坑冕家属八十一人，焚坊州庐舍三千余家。

拒诏命长达三年，两次带领胡寇入侵，成为国家的大患，但代宗还是替他隐讳，前后的敕令制书都不曾说他反叛。等听到他的死讯，又哀怜地说："仆固怀恩不想反叛，是被左右的人所误啊！"

吐蕃到达邠州，白孝德闭城自守。九月十五日甲辰，代宗命宰相及各部门长官到西明寺上香摆设素食，演奏音乐。这一天，吐蕃十万大军到达奉天，京城震动恐慌。朔方兵马使浑瑊、讨击使白元光先行戍守奉天，敌人刚开始布列营寨，浑瑊就率领骁勇的骑兵二百人直冲敌人，他身先士卒，所向披靡。浑瑊抓获敌将一人，跃马奔回，随从骑兵也没有一个被兵器所伤。城墙上的士卒看到这一情景，勇气开始提振。十六日乙巳，吐蕃进攻奉天，敌兵伤亡惨重，攻了好几天，便收兵回营。浑瑊趁夜晚带兵袭击他们，杀死一千多人，前后与敌人交战二百多个回合，杀死五千人。十七日丙午，代宗罢除百尺高座。从河中征召郭子仪，让他屯驻在泾阳。二十日己酉，命令李忠臣屯驻在东渭桥，李光进屯驻在云阳，马璘、郝庭玉屯驻在便桥，李抱玉屯驻在凤翔，内侍骆奉仙、将军李日越屯驻在盩厔，同华节度使周智光屯驻在同州，鄜坊节度使杜冕屯驻在坊州，代宗亲自统率六军屯驻在禁苑中。

九月二十一日庚戌，代宗下制书要亲自出征。二十二日辛亥，鱼朝恩请求在京城里搜索，征用士民私人的马匹，下令城里的男人都穿上黑色衣服，组成民团进行训练，城门都堵塞两个只开放一个。士人和百姓十分惊慌，翻墙打洞逃跑的人很多，官吏不能禁止。鱼朝恩想要代宗驾临河中以避吐蕃，害怕群臣议论不一，一天早晨，百官入朝，分班站立了很久，阁门却没有打开，鱼朝恩忽然率领十几个禁军手持锋利的刀出来，宣布说："吐蕃多次侵犯京畿郊县地区，皇上想要驾临河中，你们觉得怎么样？"公卿大臣仓促间十分惊讶，不知道如何回答。有一位刘给事，独自走出朝班大声说："宦官想要造反吗？现在驻军云集，你不合力抵御敌寇，反而匆忙想胁迫天子放弃宗庙社稷而离去，不是造反又是什么！"鱼朝恩惊慌沮丧地退下去，于是这件事便作罢。

从九月十七日丙午到二十五日甲寅，大雨下个不停，所以敌人不能进军。吐蕃转移兵力进攻醴泉，党项向西攻掠白水，向东侵犯蒲津。二十八日丁巳，吐蕃大肆掳掠男男女女好几万人后离去，一路上焚烧房屋、践踏庄稼，摧毁殆尽。周智光率兵拦击，在澄城北面打败吐蕃，乘胜追逐溃逃的敌人直到鄜州。周智光平素就与杜冕关系不和，便杀了鄜州刺史张麟，活埋了杜冕家属八十一人，焚烧坊州房屋三千多家。

**【段旨】**

以上为第十三段，写仆固怀恩再引回纥、吐蕃连兵入寇，唐代宗下诏亲征。仆固怀恩病死。吐蕃退兵。

**【注释】**

㊱庚寅朔：九月初一日。㊲百高座：百尺高座。㊳资圣、西明两寺：佛寺名，资圣寺在长安崇仁坊，本是长孙无忌宅，龙朔三年（公元六六三年）为文德皇后追福，立为尼寺，咸亨四年（公元六七三年）复为僧寺。西明寺在延康坊，本是隋朝越国公杨素宅，贞观（公元六二七至六四九年）中赐濮王泰，泰死，便立为寺。㊴《仁王经》：佛经名，有两种译本，旧本为五胡十六国时后秦僧人鸠摩罗什译，题为《佛说仁王般若波罗蜜经》；新本为唐代不空译，题为《仁王护国般若波罗蜜经》。均为两卷，是释迦牟尼对当时印度十六大国国王宣讲佛法的经文。此指新本《仁王经》。㊵内出经二宝舆：宫内拿出两宝车《仁王经》。㊶卤簿：帝王驾出时扈从的仪仗队。㊷光顺门：宫门名，大明宫集贤殿西有南北街，街北出之门便是光顺门。外命妇朝皇后、百官上书都在此门。㊸易：轻视。㊹滑濮李光庭：据《旧唐书》之《代宗纪》和《郭子仪传》，“庭”为“进”之误。李光进为李光弼之弟，吐蕃入寇，至便桥，郭子仪任副元帅，李光进与郭英义佐之。与李怀光、田神功、李抱玉、白孝德、郝庭玉、辛京杲等皆为一时名将。传见《新唐书》卷一百三十六。㊺击球：指击球比赛，是唐代很盛行的一项体育活动。详《封氏闻见记》

---

**【原文】**

冬，十月己未[424]，复讲经于资圣寺。

吐蕃退至邠州，遇回纥，复相与入寇。辛酉[425]，至奉天。癸亥[426]，党项焚同州官廨[427]民居而去。

丙寅[428]，回纥、吐蕃合兵围泾阳，子仪命诸将严设守备而不战。及暮，二虏退屯北原[429]。丁卯[430]，复至城下。是时，回纥与吐蕃闻仆固怀恩死，已争长，不相睦，分营而居，子仪知之。回纥在城西，子仪使牙将[431]李光瓒等往说之，欲与之共击吐蕃。回纥不信，曰：“郭公固在此乎？汝绐我耳。若果在此，可得见乎？”光瓒还报，子仪曰：“今众寡不敌，难以力胜。昔与回纥契约[432]甚厚，不若挺身往说之，可不战卷六。球，古代游戏用具，以皮做成，中间以毛充实，人骑马上用棍击之以为戏娱。㊏治行：整治行装。㊐丁酉：九月初八日。㊑鸣沙：县名，县治在今宁夏吴忠西南。㊒隐：隐瞒。㊓悯然：哀怜。㊔婴城：环城。婴，围绕。㊕甲辰：九月十五日。㊖诸司：各官府部门。㊗素馔：指素食，没有肉类的食品。馔，食物。㊘白元光：突厥人，郭子仪幕府勇将，以军功官至卫尉卿，封南阳郡王。传见《新唐书》卷一百三十六。㊙锋镝：泛指兵器。锋，兵刃。镝，箭头。㊚乙巳：九月十六日。㊛敛众：聚集士卒。㊜丙午：九月十七日。㊝泾阳：县名，县治在今陕西泾阳。㊞己酉：九月二十日。㊟云阳：县名，县治在今陕西泾阳西北。㊠庚戌：九月二十一日。㊡辛亥：九月二十二日。㊢括：搜求。㊣衣皂：穿黑衣服。古代的卫士身穿黑衣。皂，黑色。㊤团结为兵：团伙相结，组织成兵。㊥逾垣凿窦：翻越城墙、挖通孔道。逾，翻越。垣，墙。窦，孔穴、通道。㊦立班：排班站立。㊧阁门：侧门。㊨错愕：仓惶惊惧。㊩刘给事：姓刘的给事中。㊪抗声：高声；大声。㊫敕使：皇帝的使者。唐人称宦官为敕使。㊬勠力捍寇：同心协力抵御敌寇。勠力，并力、合力。捍，抵御。㊭自丙午至甲寅：从九月十七日至二十五日。㊮白水：县名，县治在今陕西白水。㊯丁巳：九月二十八日。

【校记】

［21］直：原无此字。据章钰校，十二行本、乙十一行本皆有此字，今据补。［22］议论：据章钰校，乙十一行本作“论议”。

【语译】

冬，十月初一日己未，又恢复在资圣寺宣讲佛经。

吐蕃退到邠州，遇上回纥，又一起进军入侵。十月初三日辛酉，到达奉天。初五日癸亥，党项军队焚烧同州官署民居后离去。

十月初八日丙寅，回纥、吐蕃合兵围攻泾阳，郭子仪命令各将领严加防守而不要与敌军交战。等到了晚上，回纥、吐蕃两军退驻北原。初九日丁卯，又来到城下。这时，回纥与吐蕃听说仆固怀恩死了，已经开始争夺统帅位置，不相和睦，分别设营驻扎，郭子仪知道了这一情况。回纥军队在城西，郭子仪派牙将李光瓒等人前往游说，想与回纥共同攻击吐蕃。回纥不信，说：“郭公难道在这里吗？你们在欺骗我们而已。假若果真在这里，可以见一见吗？”李光瓒回来报告，郭子仪说：“现在兵力的众寡并不相当，难以凭实力取胜。过去我们与回纥结下的关系很深厚，不如我挺身前往劝说他们，可以不战而胜。”众将请求挑选铁骑五百人作为护卫随从。

而下也。”诸将请选铁骑五百为卫从。子仪曰：“此适足为害也。”郭晞扣马[433]谏曰：“彼，虎狼也，大人，国之元帅，奈何以身为虏饵！”子仪曰：“今战则父子俱死而国家危。往以至诚与之言，或幸而见从，则四海之福也！不然，则身没而家全。”以鞭击其手曰：“去！”遂与数骑开门而出。使人传呼曰：“令公来！”回纥大惊。其大帅合胡禄都督药葛罗[434]，可汗之弟也，执弓注矢[435]，立于阵前。子仪免胄释甲[436]投枪而进，回纥诸酋长相顾曰：“是也！”皆下马罗拜[437]。子仪亦下马，前执药葛罗手，让之曰：“汝回纥有大功于唐，唐之报汝亦不薄，奈何负约，深入吾地，侵逼畿县，弃前功，结怨仇，背恩德而助叛臣，何其愚也！且怀恩叛君弃母，于汝国何有！今吾挺身而来，听汝执我杀之，我之将士必致死与汝战矣！”药葛罗曰：“怀恩欺我，言天可汗已晏驾，令公亦捐馆[438]，中国无主，我是以敢与之来。今知天可汗在上都[439]，令公复总兵于此，怀恩又为天所杀，我曹[440]岂肯与令公战乎！”子仪因说之曰：“吐蕃无道，乘我国有乱，不顾舅甥之亲[441]，吞噬我边鄙，焚荡[442]我畿甸[443]，其所掠之财不可胜载，马牛杂畜，长数百里，弥漫在野，此天以赐汝也。全师而继好[444]，破敌以取富，为汝计，孰便于此！不可失也。”药葛罗曰：“吾为怀恩所误，负公诚深，今请为公尽力，击吐蕃以谢过。然怀恩之子，可敦兄弟也[445]，愿舍之勿杀。”子仪许之。回纥观者左右[23]为两翼，稍前，子仪麾下亦进。子仪挥手却之，因取酒与其酋长共饮。药葛罗使子仪先执酒为誓。子仪酹地[446]曰：“大唐天子万岁！回纥可汗亦万岁！两国将相亦万岁！有负约者，身陨陈前，家族灭绝[24]。”杯至药葛罗，亦酹地曰：“如令公誓！”于是诸酋长皆大喜曰：“向以二巫师从军，巫言此行甚安稳[25]，不与唐战，见一大人而还，今果然矣。”子仪遗之彩三千匹，酋长分以赏巫，子仪竟与定约而还。吐蕃闻之，夜，引兵遁去。回纥遣其酋长石野那等六人入见天子。

药葛罗帅众追吐蕃，子仪使白元光帅精骑与之俱。癸酉[447]，战于灵台[448]西原，大破之，杀吐蕃万计，得所掠士女四千人。丙子[449]，又破之于泾州东。

丁丑[450]，仆固怀恩将张休藏等降。

郭子仪说:“这样做恰恰足以害了我。”郭晞拉住郭子仪的马劝告说:“他们是虎狼,大人您是国家的元帅,怎么能够拿自己去做敌人的饵食呢!”郭子仪说:“如果现在交战,那么我们父子都会战死而国家依然危险。我前去用真诚的态度和他们商谈,也许有幸能使他们听从,那就是天下的福分了!如果他们不听,那么我死了但一家还能保全。”说着用马鞭抽打郭晞的手说:“走开!”就和几个骑兵打开城门出去,派人传呼说:“令公来了!”回纥大吃一惊。回纥大帅合胡禄都督药葛罗,是可汗的弟弟,拉满弓搭上箭,站在阵前。郭子仪脱下头盔、铠甲,丢下枪后前行,回纥的各酋长相互看了看说:“是他来了!”都下马列队叩拜。郭子仪也下马,上前握着药葛罗的手,责备他说:“你们回纥对唐朝有大功,唐朝回报你们也不薄,为什么要背叛约定,深入我们的地域,侵逼京畿郊县,丢弃以前的功劳,结下怨仇,背弃恩德而帮助叛臣,这是多么愚蠢啊!再说仆固怀恩背叛君主抛弃母亲,对你们国家有什么用处!今天我挺身而来,任凭你们捉住我杀掉我,但我的将士必然拼死与你们一战!”药葛罗说:“仆固怀恩骗我,说天可汗已经驾崩,令公您也去世,中国没有做主的人,我因此敢同他一起来。现在知道天可汗在京城长安,令公您再次在这里统率部队,仆固怀恩又遭天杀,我们哪里肯与您交战啊!”郭子仪趁机劝说他道:“吐蕃不讲道义,趁我国有变乱,不顾舅甥之间的亲戚关系,吞噬我边疆土地,焚烧扫荡我京畿一带,他们所掠夺的财物装都装不完,牛马及各种牲畜的队伍长达几百里,遍布原野,这是上天赐给你们的。既能保全军队又能继续以前的友好关系,打败了敌人并夺到了财富,替你们着想,还有比这更有利的事吗!机不可失啊。”药葛罗说:“我被仆固怀恩所误,实在太对不起您了,如今请求替您尽一份力,攻击吐蕃以认错道歉。然而仆固怀恩的儿子,是我们可敦的兄弟,希望放过他不要杀他。”郭子仪答应了。这时,回纥围观的人分为左右站在两边,渐渐向前靠近,郭子仪的部下也向前靠近。郭子仪挥手让他们退下,于是拿起酒与回纥酋长共饮。药葛罗让郭子仪先拿着酒起誓。郭子仪把酒浇在地上说:“大唐天子万岁!回纥可汗也万岁!两国将相也万岁!如有违背约定的,就身死阵前,家族灭绝。”酒杯递给药葛罗,他也把酒浇在地上说:“如令公的誓言一样!”于是各酋长都非常高兴地说:“出发时我们让两位巫师随军,巫师说这一趟很安稳,不会与唐朝交战,见到一位大人后回来,今天果真如此。”郭子仪送给回纥彩帛三千匹,酋长分一部分赏给巫师,郭子仪终于与回纥定好盟约而回。吐蕃闻讯后,深夜,带兵逃走。回纥派他们的酋长石野那等六个人入朝拜见天子。

药葛罗率领部队追击吐蕃,郭子仪派白元光率领精锐骑兵与他一起行动。十月十五日癸酉,在灵台西原与吐蕃交战,大败吐蕃,杀死吐蕃士兵数以万计,截获吐蕃所掳掠的士人妇女四千人。十八日丙子,又在泾州东面打败吐蕃。

十月十九日丁丑,仆固怀恩的将领张休藏等人投降。

辛巳[451]，诏罢亲征，京城解严。

初，肃宗以陕西节度使郭英乂领神策军，使内侍鱼朝恩监其军。英乂入为仆射，朝恩专将之。及上幸陕，朝恩举在陕兵与神策军迎扈[452]，悉号神策军，天子幸其营。及京师平，朝恩遂以军归禁中，自将之，然尚未得与北军齿[453]。至是，朝恩以神策军从上屯苑中，其势寖盛，分为左、右厢，居北军之右[454]矣。

郭子仪以仆固名臣、李建忠等皆怀恩骁将，恐逃入外夷[455]，请招之。名臣，怀恩之侄也，时在回纥营，上敕并旧将有功者皆赦其罪，令回纥送之。壬午[456]，名臣以千余骑来降。子仪使开府仪同三司慕容休贞以书谕党项帅郑庭、郝德等，皆诣凤翔降。

甲申[457]，周智光诣阙献捷，再宿[458]归镇。智光负专杀[459]之罪未治，上既遣而悔之。

乙酉[460]，回纥胡禄都督等二百余人入见，前后赠赉缯帛十万匹，府藏空竭，税百官俸以给之。

---

**【段旨】**

以上为第十四段，写郭子仪诚信感回纥，连兵大破吐蕃。

**【注释】**

㊷④己未：十月初一日。㊷⑤辛酉：十月初三日。㊷⑥癸亥：十月初五日。㊷⑦官廨：官署；官吏处理公务的地方。㊷⑧丙寅：十月初八日。㊷⑨北原：泾阳县北边高平地带。㊸⓪丁卯：十月初九日。㊸①牙将：郭子仪的衙前部将。㊸②契约：双方或多方同意订立的条约、文书。此泛指双方关系。㊸③扣马：拉住马；牵住马。㊸④合胡禄都督药葛罗：回纥的都督，既是部落长，又是地方政权长官。合胡禄，可能是部落名称。药葛罗，《旧唐书·回纥传》作药罗葛，可汗之姓。㊸⑤执弓注矢：手执弓，矢投弦。注，投。㊸⑥免胄释甲：取下头盔，脱去身上的铠甲。胄，头盔。甲，铠甲。㊸⑦罗拜：罗列而拜；围着下拜。㊸⑧捐馆："捐馆舍"的省称，意为舍弃所居住的屋舍，是死亡的委婉说法。㊸⑨上都：指长安。㊹⓪我曹：我辈、我们。㊹①舅甥之亲：舅父与外甥的亲戚关系。唐曾先后将宗室女文成公主和金城公主嫁与吐蕃，因此，开元时吐蕃赞普上表称："外甥是先皇帝舅宿亲。"㊹②焚荡：烧

二十三日辛巳，下诏书停止亲征，京城解除戒严。

当初，肃宗任命陕西节度使郭英乂统领神策军，派宦官鱼朝恩担任监军。郭英乂入朝任仆射，鱼朝恩便单独统领神策军。等代宗驾临陕州，鱼朝恩便率领陕州全部的部队与神策军前去迎驾扈从，都号称神策军，天子还驾临他的军营中。等到京师平定，鱼朝恩便带着军队回到宫中，亲自统率它，但其地位还不能与北门六军相并列。到了这个时候，鱼朝恩率领神策军跟随代宗屯驻禁苑中，他的势力逐渐强大，把神策军分为左、右厢，处在北门六军之上。

郭子仪认为仆固名臣、李建忠等人都是仆固怀恩的猛将，担心他们逃到外族那里，请求代宗招降他们。仆固名臣，是仆固怀恩的侄子，当时在回纥军营中，代宗敕令对仆固名臣及有功劳的旧将都赦免其罪，命回纥送他们回来。十月二十四日壬午，仆固名臣率领一千多名骑兵前来投降。郭子仪派开府仪同三司慕容休贞带着书信去晓谕党项的主帅郑庭、郝德等人，他们都前往凤翔投降。

十月二十六日甲申，周智光到朝廷来献俘虏和战利品，住了两个晚上后回到镇所。周智光有擅自杀人的罪过而没有受到惩治，代宗让他走后又有些后悔。

十月二十七日乙酉，回纥胡禄都督等二百多人入朝进见，朝廷前后赐赠的丝帛有十万匹，府库储存枯竭，只好征收百官俸禄税来供给回纥人。

---

光。㊸畿甸：泛指京城地区。古代王畿千里，王都所在千里之地曰畿；城郭外称郊，郊外称甸。㊹全师而继好：既保全军队，又继续以前的友好关系。㊺然怀恩之子二句：仆固怀恩女嫁回纥可汗，故言其子为回纥可敦的兄弟。㊻酹地：把酒洒在地上，表示祭奠，以请天地鬼神做证。㊼癸酉：十月十五日。㊽灵台：县名，县治在今甘肃灵台。㊾丙子：十月十八日。㊿丁丑：十月十九日。㉛辛巳：十月二十三日。㉜迎扈：迎接皇帝而扈从左右。扈，扈从。㉝齿：并列。㉞右：古代尊右，故以右为较尊贵的地位。㉟外夷：泛指边疆少数民族地区。㊱壬午：十月二十四日。㊲甲申：十月二十六日。㊳再宿：住宿两夜。㊴专杀：不经请示擅自杀人。㊵乙酉：十月二十七日。

## 【校记】

［23］左右：原无此二字。据章钰校，十二行本、乙十一行本皆有此二字，张瑛《通鉴校勘记》同，今据补。［24］灭绝：胡克家初刊本脱此二字，后来的补刻本已补入“灭绝”二字。据章钰校，十二行本、乙十一行本皆有此二字，张敦仁《通鉴刊本识误》同，今据增补。［25］稳：原作“隐”。据章钰校，乙十一行本、孔天胤本皆作“稳”，今据改。

## 【研析】

本卷记事为代宗即位初头两年的史事，值得研析的有以下几件大事：一、安史之乱平定后，善后失宜，留下多种隐患。二、吐蕃入长安，代宗蒙尘。三、仆固怀恩反叛。四、郭子仪诚信感回纥，再造唐室。

第一，安史之乱平，代宗善后失宜。代宗忌刻郭子仪、李光弼功臣建立奇功，平定安史之乱的收尾之战不用郭、李，而用仆固怀恩，借兵回纥。这本身就是失计。李光弼被罢除元帅，出镇临淮，心怀怨恨，以致吐蕃入长安，李光弼拥兵徐州不勤王，事后忧死，唐王朝折了一员良将，此其一失。仆固怀恩挟私智，表请河北降将分帅河北，开启了藩镇割据的先声，到代宗末年，藩镇割据的格局形成，祸及子孙，此其二失。代宗不听独孤及裁减诸镇兵员的建言，乱平而听任诸镇拥强兵，以致叛服不定，祸及自身，此其三失。解除郭子仪兵权，以朔方节度使授仆固怀恩，假兵柄于跋扈镇将，此其四失。河东节度使辛云京与仆固怀恩有隙，回纥还军，路过太原，仆固怀恩奉命护送回纥，辛云京闭门不接待，危及两国和亲，激化仆固怀恩怨愤，过在辛氏，不在仆固怀恩。辛云京自我辩护，诬奏仆固怀恩勾结回纥有异心，未有证据。仆固怀恩上奏诉冤，代宗不回答，两不过问，是非混淆，直接激起了仆固怀恩的反叛，此其五失。仆固怀恩为臣不忠，代宗为君亦不仁、不明，君臣两失。仆固怀恩之反，代宗不能辞其咎。

第二，吐蕃入长安，代宗蒙尘。吐蕃趁安史之乱夺取大唐西北陇右、河西之地，兰、河、鄯、洮、岷、秦、成、渭等州尽没入吐蕃。广德元年（公元七六三年）七月，吐蕃大举入寇，宦官程元振封锁消息，等到吐蕃过了邠州，前锋达到奉天、武功，代宗才得知，情况危急，赶紧起用郭子仪为关内副元帅出镇咸阳。郭子仪闲废日久，部曲离散，临时招募，到达咸阳才只有二十骑跟随。吐蕃二十万众，铺天盖地而来，郭子仪上奏请求增派军队，程元振又扣住不使上闻。吐蕃兵临长安，代宗匆匆出逃，到达陕州，幸鱼朝恩神策军营。代宗下诏勤王，没有人听命，拥兵徐州的李光弼也不赴难。郭子仪赶往商州，手中只有三十名骑兵。郭子仪在商州收聚散兵，又调发武关守军，总计才四千人。郭子仪大胆进兵蓝田，虚张声势，鄜延节度使白孝德引兵南趣京畿，蒲、陕、商、华合势进击，吐蕃大掠长安后退走。

代宗返长安，太常博士柳伉上书指陈时弊，柳伉说："吐蕃长驱入长安，将士纷纷逃避，这是将帅背叛朝廷。功臣被疏远，嬖幸受重任，直到大祸造成，群臣没有一个敢直言，这是公卿背叛朝廷。这次车驾刚出长安，百姓就哄抢府库，这是京城百姓背叛朝廷。十月初一，皇上下诏征兵，四十天之后，没有一兵一卒勤王，这是四方都背叛朝廷了。"柳伉指出四条严峻形势后，义正词严直问代宗："陛下以今日之势为安全呢，还是危险呢？如果认为危险，岂能高枕无忧，不惩治罪人呢？"柳伉要求代宗斩程元振，斥退宦官，神策军交付大臣统率，然后皇上下罪己诏，问天下百姓允不允许自己改过自新，如果得不到允许，皇上就该退位让贤。这是正义的抗争，可以说振聋发聩。柳伉代表了百官群臣的公意。代宗不得已罢了程元振的官，依然用鱼朝恩为天下观军容宣慰处置使，宠信宦官的热情不减。代宗还加重了奸相元载的权势，依靠他来弹压百官。昏君是不会以史为鉴的。

第三，仆固怀恩反叛。仆固怀恩，铁勒部九姓之一。贞观二十二年（公元六四八年），铁勒九姓大首领降唐，唐太宗授歌滥拔延为右武卫大将军、金微都督。仆固怀恩为拔延之孙，世袭都督。肃宗即位于灵武，仆固怀恩为郭子仪部属，从郭子仪赴行在，是郭子仪最得力的战将之一，成为副手。仆固怀恩作战英勇，一门尽力王事，战死四十六人，女为公主，远嫁回纥和亲。官军收两京，平定河南、河北，剿灭史朝义，仆固怀恩立下卓越战功。仆固怀恩为天下兵马副元帅，在郭子仪麾下，不失为忠臣良将，所建勋劳仅次于郭子仪、李光弼，是平定安史之乱的第三大功臣。代宗猜忌郭子仪、李光弼，用仆固怀恩取代，煽起了他的野心，自以为功大，不满意朝廷的待遇。而代宗照例猜忌功臣，现在轮到了猜忌仆固怀恩。辛云京、李抱玉、宦官骆奉仙、鱼朝恩，添油加醋打小报告。代宗下诏召仆固怀恩入朝，要收他的兵权，仆固怀恩称病不入朝。双方关系迅速恶化。代宗广德二年（公元七六四年），代宗用李抱玉计谋，重新任用郭子仪为朔方节度使。朔方将士听到郭子仪到任，纷纷离开仆固怀恩，欢迎郭子仪。仆固怀恩率领三百名亲兵逃到灵武，收合散兵，招引回纥、吐蕃两次大举入寇。代宗永泰元年（公元七六五年）九月，仆固怀恩第二次引回纥、吐蕃、吐谷浑三十余万大军入寇，深入奉天，京师大骇。九月初八日，仆固怀恩病死，郭子仪与回纥媾和，连兵击退吐蕃，唐王朝才转危为安。仆固怀恩，一个盖世功臣，以叛臣贼子的身份落幕，令人悲悯。代宗内心有愧，前后所下敕制，从不言仆固怀恩反叛，并在京师养其母，抚其女。代宗听到仆固怀恩死亡消息后，也怆然曰："怀恩不反，为左右所误耳。"误怀恩者，实代宗也。

第四，郭子仪诚信感回纥，再造唐室。仆固怀恩第二次引回纥、吐蕃大举入寇，郭子仪守奉天，仆固怀恩不敢与之交战，回纥、吐蕃之兵取道泾阳指向京师。长安士民惊恐。代宗下诏亲征，实欲逃往河东。在这千钧一发之关头，郭子仪驰援泾阳，立脚未稳，回纥十余万大军围迫上来，吐蕃继其后。官军人心惶惶，强行拒战，泾阳不守，一定会全军覆没。回纥与唐和亲，助唐平定安史之乱，获得唐朝丰厚回报。回纥留在长安的商人、办事人员有数千人，作奸犯科，代宗一概不问。每年互市，唐朝用重金购回纥的瘦马，维护关系。郭子仪与回纥将领并肩作战，关系友好。回纥之所以入寇，一定是仆固怀恩挑拨，而今仆固怀恩已死，挑拨的源头没有了，郭子仪决定身入虎穴，以大义说谕回纥与唐联合共击吐蕃。众将军不同意，认为冒险，一定要去，请选派五百名精骑保护。郭子仪对众将说："打硬仗是以卵击石。与回纥重申盟好，只有这一条路。担心回纥杀我，派五百人也没有用，只是增加无谓的牺牲。回纥不是豺狼虎豹，胡人讲诚信。我诚心而去，只要有一线希望，便是国家之福，如果殉职，这是军人的责任。”最后，郭子仪带领数骑，不穿甲胄而往。回纥全副武装迎接，如临大敌。郭子仪令人传呼:“令公来了。”郭子仪官拜中书令，人称“令公”。回纥见到郭子仪，大吃一惊。回纥大帅药葛罗，是回纥可汗的弟弟，也是郭子仪的老朋友。药葛罗拉弓搭箭站在队列，见郭子仪赤手空拳而来，十分感动，他扔下兵器，纳头便拜，其他卫士也高兴地拜迎郭子仪。郭子仪扶起药葛罗，既亲切又严肃地责备说:“回纥有大功于唐，唐也回报丰厚，为何有始无终，负约侵犯。仆固怀恩叛君弃母，值得回纥帮助吗？我如今挺身而来，你们可以杀我，我的将士将会和你们拼命。”药葛罗说:“仆固怀恩骗了我们，说皇帝和令公都死了，中国无主，我们才来的。现在仆固怀恩被天杀了，我们怎敢与令公交战。”郭子仪趁热说回纥，吐蕃无道，夺地掠民，抢了许多财物。回纥与唐重归于好，共同打败吐蕃，所有财物全归回纥。药葛罗于是与郭子仪执酒为誓。吐蕃听到消息，连夜逃跑。唐军与回纥并兵追击，大破吐蕃，斩首以万计，解救被吐蕃抢掠的士女四千多人。

郭子仪善用兵，懂外交，讲仁德，所以声威远播，回纥人很敬仰他，这是他的资本。李抱玉向代宗推荐郭子仪，说:“仆固怀恩反叛，不足忧虑。朔方将士想念郭子仪，如同子弟想念父兄。陛下只要起用郭子仪为朔方节度使，朔方将士不召自来。”事实果然如此。不过郭子仪与回纥行盟，毕竟是身入虎穴，不仅要有大勇，而且要有高度的爱国精神，这正是郭子仪受人敬仰的内在原因。郭子仪既讲诚信，义利分析得当，又诱以厚利，所以赢得了回纥人的信任。假如吐蕃再入长安，回纥助纣为虐，势将激起河北兵变，唐王朝真的就要完蛋了。郭子仪诚信感回纥，不仅退了吐蕃之兵，而且再造了唐室。

# 卷第二百二十四　唐纪四十

起旃蒙大荒落（乙巳，公元七六五年）闰月，尽昭阳赤奋若（癸丑，公元七七三年），凡八年有奇。

**【题解】**

本卷记事起公元七六五年闰月，迄公元七七三年，凡八年又三个月，当唐代宗永泰元年闰十月到大历八年。此时为唐代宗执政中期，宦官程元振、鱼朝恩相继用事，元载专权，代宗佞佛，政刑废弛，赋敛无度，国库仍然空虚，百官用职田之入充军粮。刘晏、第五琦、韩滉诸人掌理财赋，国用稍足，民更困矣。代宗姑息，诸镇兵将屡屡犯上逐帅，朝廷随即安抚，以致蜀中大乱，幽州兵将两度自立边帅，华州刺史周智光桀骜不驯，岭南蛮夷叛乱，举国不宁，局部变乱不断。幸赖郭子仪等良将健在，维护了国家的统一，打击吐蕃入侵，巩固了西北的边防。和亲、互市，维护了与回纥的和平。代宗平庸，不能裁减诸镇之兵，不能剪除强梁镇将，不能控御权臣，只是维持了唐朝的统治。代宗仁厚，不兴大狱，所以能维护大局平稳。

**【原文】**

**代宗睿文孝武皇帝中之上**

**永泰元年（乙巳，公元七六五年）**

闰十月乙巳[①]，郭子仪入朝。子仪以灵武初复，百姓彫弊[②]，戎落[③]未安，请以朔方军粮使[④]三原路嗣恭[⑤]镇之；河西节度使杨志烈既死，请遣使巡抚河西及置凉、甘、肃、瓜、沙等州长史。上皆从之。

丁未[⑥]，百官请纳职田[⑦]充军粮。许之。

戊申[⑧]，以户部侍郎路嗣恭为朔方节度使。嗣恭披荆棘[⑨]，立军府，威令大行。

己酉[⑩]，郭子仪还河中。

初，剑南节度使严武奏将军崔旰[⑪]为利州[⑫]刺史。时蜀中新乱，山贼塞路，旰讨平之。及武再镇剑南，赂山南西道节度使张献诚以求

【语译】

**代宗睿文孝武皇帝中之上**

**永泰元年（乙巳，公元七六五年）**

闰十月十七日乙巳，郭子仪入朝。郭子仪认为灵武刚刚收复，民生凋敝，戎族部落尚未安定，请求任用朔方军粮使三原人路嗣恭去镇抚灵武；河西节度使杨志烈已死，请求派遣使者去巡抚河西并设置凉州、甘州、肃州、瓜州、沙州等州的长史。代宗都听从了这些建议。

十九日丁未，群臣请求交纳职分田的田税以补充军粮。代宗准许了。

闰十月二十日戊申，任命户部侍郎路嗣恭为朔方节度使。路嗣恭上任后大力整治纷乱的局面，设立军府，威严的号令通行无阻。

二十一日己酉，郭子仪返回河中。

当初，剑南节度使严武奏请任命将军崔旰为利州刺史。当时蜀地刚刚发生动乱，山林盗贼阻塞道路，崔旰讨伐并平定了他们。等到严武再次出镇剑南时，贿赂山南

旰，献诚使旰移疾自解⑬，诣武。武以为汉州⑭刺史，使将兵击吐蕃于西山，连拔其数城，攘地⑮数百里。武作七宝轝⑯迎旰入成都以宠之。

武薨，行军司马杜济知军府事。都知兵马使郭英干，英乂之弟也，与都虞候郭嘉琳共请英乂为节度使。旰时为西山都知兵马使，与所部共请大将王崇俊为节度使。会朝廷已除英乂，英乂由是衔之，至成都数日，即诬崇俊以罪而诛之。召旰还成都，旰辞以备吐蕃，未可归。英乂愈怒，绝其馈饷以困之。旰转徙入深山，英乂自将兵攻之，声言助旰拒守。会大雪，山谷深数尺，士马冻死者甚众。旰出兵击之，英乂大败，收余兵，才及千人而还。

英乂为政严暴骄奢，不恤士卒，众心离怨。玄宗之离蜀也，以所居行宫为道士观⑰，仍铸金为真容⑱。英乂爱其竹树茂美，奏为军营，因徙去真容，自居之。旰宣言⑲英乂反，不然，何以徙真容自居其处！于是帅所部五千余人袭成都。辛巳⑳[1]，战于城西，英乂大败。旰遂入成都，屠英乂家，英乂单骑奔简州㉑。普州㉒刺史韩澄杀英乂，送首于旰。邛州㉓牙将柏茂琳㉔、泸州㉕牙将杨子琳㉖、剑州㉗牙将李昌巎㉘各举兵讨旰，蜀中大乱。旰，卫州人也。

华原令顾繇上言，元载子伯和等招权受贿。十二月戊戌㉙，繇坐流锦州㉚。

自安、史之乱，国子监㉛室堂颓坏，军士多借居之。祭酒萧昕上言："学校不可遂废。"

**【段旨】**

以上为第一段，写蜀中大乱。

西道节度使张献诚以便得到崔旰，张献诚让崔旰上书称病，自请解除职务，前往严武那里。严武任命他为汉州刺史，让他率领部队在西山攻打吐蕃，连续攻克吐蕃好几座城池，夺取土地好几百里。严武制作了七宝车把崔旰迎进成都以表示对他的宠爱。

严武去世后，行军司马杜济掌管军府事务。都知兵马使郭英干是郭英乂的弟弟，与都虞候郭嘉琳共同请求任命郭英乂为节度使。崔旰当时是西山都知兵马使，与他的部下共同请求任命大将王崇俊为节度使。适逢朝廷已经任命了郭英乂，郭英乂因此对崔旰等人怀恨在心，到达成都几天后，就诬陷王崇俊有罪而诛杀了他。又召崔旰回成都，崔旰推托说要防备吐蕃，不能回来。郭英乂就更加愤怒了，断绝了崔旰的粮饷供应使他陷入困境。崔旰转移到深山中，郭英乂亲自率军去攻打他，却声称是帮助崔旰防守吐蕃。碰上下大雪，山谷里积雪深达几尺，士兵马匹冻死很多。崔旰出兵攻击，郭英乂大败，搜集残兵，只有一千人，返回了成都。

郭英乂施政严酷残暴，骄横奢侈，不体恤士卒，众人离心，怨气很大。玄宗离开蜀中时，把所居住的行宫改为道士观，又用金铸了一尊真容像。郭英乂喜爱那里竹木盛美，上奏改为军营，于是迁走真容像，自己居住在那里。崔旰宣称郭英乂谋反，不然的话，为什么要迁走真容像自己居住在那里。于是率领部下五千多人袭击成都。十一月二十四日辛巳，在城西交战，郭英乂大败。崔旰便进入成都，屠杀了郭英乂一家，郭英乂单独一人骑马逃到简州。普州刺史韩澄杀死郭英乂，把他的首级送到崔旰那里。邛州牙将柏茂琳、泸州牙将杨子琳、剑州牙将李昌巙各自发兵讨伐崔旰，蜀中大乱。崔旰，是卫州人。

华原县令顾繇上书说，元载的儿子元伯和等人倚仗权势，接受贿赂。十二月十一日戊戌，顾繇获罪被流放到锦州。

自从安、史之乱以后，国子监的教室厅堂破败，军队多借居在里面。祭酒萧昕上书说："学校不能因此而荒废。"

---

【注释】

①乙巳：闰十月十七日。②彫弊：衰败零落。③戎落：指少数民族部落。④军粮使：即粮料使。使职名，掌管军粮有关事务的差遣官。⑤路嗣恭（公元七一一至七八一年）：字懿范，京兆三原（今陕西三原东北）人，初名剑客，历仕郡县，有能名，考绩为天下之最，遂赐名嗣恭。后任节度使，至兵部尚书，东都留守。传见《旧唐书》卷一百二十二、《新唐书》卷一百三十八。⑥丁未：闰十月十九日。⑦职田：文武官员按品

级所得俸禄田。⑧戊申：闰十月二十日。⑨披荆棘：指排除混乱。披，劈开。荆棘，本指丛生有刺的灌木，此比喻纷乱。⑩己酉：闰十月二十一日。⑪崔旰（公元七二三至七八三年）：赐名宁，卫州（今河南卫辉）人，代宗时仕蜀十余年，仗地险兵强，穷奢极欲，朝廷不能制。后征至京师，官至检校司空、平章事、御史大夫。为卢杞诬陷而死。传见《旧唐书》卷一百十七、《新唐书》卷一百四十四。⑫利州：州名，治所在今四川广元。⑬移疾自解：指称病自行解职离任。移疾，移病，即称病，多为居官者求退的婉辞。⑭汉州：州名，治所在今四川广汉。⑮攘地：夺地。攘，侵夺。⑯七宝轝：非常华贵的车。⑰道士观：道士住的庙宇。⑱真容：肖像。⑲宣言：宣称；扬言。⑳辛巳：十一月二十四日。㉑简州：州名，治所在今四川简阳西北。㉒普州：州名，治所在今四川安岳。㉓邛州：州名，治所在今四川邛崃。㉔柏茂琳：茂琳，《旧唐书·代宗纪》作“茂林”，《旧唐书·杜鸿渐传》作“贞节”，皆为一人。见岑仲勉《唐集质疑》。初为邛州牙将，后为邛州刺史、防御使、节度使。崔旰逐走西川郭英乂，柏茂琳曾起兵讨旰。两《唐

【原文】

**大历元年（丙午，公元七六六年）**

春，正月乙酉㉜，敕复补国子学生㉝。

丙戌㉞，以户部尚书刘晏为都畿、河南、淮南、江南、湖南、荆南、山南东道转运、常平㉟、铸钱、盐铁等使，侍郎第五琦为京畿、关内、河东、剑南、山南西道转运等使，分理天下财赋。

周智光至华州，益骄横，召之，不至，上命杜冕从张献诚于山南以避之。智光遣兵于商山㊱邀之，不获。智光自知罪重，乃聚亡命无赖子弟，众至数万，纵其剽掠以悦其心。擅留关中所漕米二万斛，藩镇贡献㊲，往往杀其使者而夺之。

二月丁亥㊳朔，释奠㊴于国子监。命宰相帅常参官㊵、鱼朝恩帅六军诸将往听讲，子弟㊶皆服朱紫㊷为诸生。朝恩既贵显，乃学讲经为文，仅能执笔辨章句㊸，遽自谓才兼文武，人莫敢与之抗。

辛卯㊹，命有司修国子监。

元载专权，恐奏事者攻讦㊺其私，乃请百官凡论事，皆先白长官，

书》无传。㉕泸州：州名，治所在今四川泸州。㉖杨子琳：即杨猷。本为泸南“贼帅”，归降后任泸州牙将、刺史。入夔州，授峡州刺史，迁澧州刺史，兼澧朗镇遏使。后授洮州刺史、陇右节度兵马使。其事散见《旧唐书》卷一百八《杜鸿渐传》、《新唐书》卷一百四十四《崔宁传》等篇。㉗剑州：州名，治所在今四川剑阁。㉘李昌巙：人名，剑州牙将，《唐历》作“李昌夔”。㉙戊戌：十二月十一日。㉚锦州：州名，治所在今湖南麻阳西。㉛国子监：唐代中央学府。贞观二年（公元六二八年）设置。长官祭酒一员，副长官司业二员，职掌儒学训导的政令，总领国子学、太学、四门学、律学、书学、算学等六学。

## 【校记】

［1］辛巳：据章钰校，十二行本、乙十一行本皆作“辛亥”。

---

## 【语译】

### 大历元年（丙午，公元七六六年）

春，正月二十九日乙酉，下敕书恢复补充国子学的生员。

正月三十日丙戌，任命户部尚书刘晏担任都畿、河南、淮南、江南、湖南、荆南、山南东道转运使，常平使，铸钱使，盐铁使等职，任命侍郎第五琦担任京畿、关内、河东、剑南、山南西道转运使等职，分别管理国家的财政赋税。

周智光到达华州，更加骄横，朝廷召他，他不来，代宗命杜冕跟随张献诚去山南以躲避他。周智光派兵在商山拦截，没有截到。周智光知道自己罪过深重，于是聚集亡命之徒及无赖子弟，人员多达几万，放纵他们去抢劫以博取他们的欢心。又擅自截留关中漕运的米二万斛，各藩镇向朝廷进贡，周智光常常杀掉其使者而夺走贡物。

二月初一日丁亥，在国子监举行释奠之礼。代宗命宰相率领常参官、鱼朝恩率领六军各将领前往听讲，子弟们都穿着红色、紫色的衣服做学生。鱼朝恩地位尊贵显要之后，就学着讲经典写文章，仅仅会拿笔辨认章节句读，就马上自以为兼有文武之才，没有哪个人敢和他对抗。

初五日辛卯，命令有关部门修缮国子监。

元载专权，害怕向代宗奏事的人攻击或揭发他的私心，于是请求百官凡是奏论

长官白宰相，然后奏闻。仍以上旨谕百官曰："比日[46]诸司奏事烦多，所言多谗毁[47]，故委长官、宰相先定其可否。"

刑部尚书颜真卿上疏，以为："郎官、御史，陛下之耳目。今使论事者先白宰相，是自掩其耳目也。陛下患群臣之为谗，何不察其言之虚实！若所言果虚宜诛之，果实宜赏之。不务为此，而使天下谓陛下厌听览[48]之烦，托此为辞，以塞谏争[49]之路，臣窃为陛下惜之！太宗著《门司式》[50]云：'其无门籍[51]人，有急奏者，皆令门司与仗家[52]引奏，无得关碍[53]。'所以防壅蔽[54]也。天宝以后，李林甫为相，深疾言者，道路以目[55]。上意不下逮[56]，下情不上达，蒙蔽喑呜[57]，卒成幸蜀之祸。陵夷[58]至于今日，其所从来[59]者渐矣。夫人主大开不讳[60]之路，群臣犹莫敢尽言；况令宰相大臣裁而抑之，则陛下所闻见者，不过三数人耳。天下之士从此钳口结舌[61]，陛下见无复言者，以为天下无事可论，是林甫复起于今日也！昔林甫虽擅权，群臣有不谘宰相辄奏事者，则托以他事阴中伤之，犹不敢明令百司奏事皆先白宰相也。陛下傥不早寤，渐成孤立，后虽悔之，亦无及矣！"载闻而恨之，奏真卿诽谤[62]，乙未[63]，贬峡州别驾。

**【段旨】**

以上为第二段，写元载专权。

**【注释】**

㉜乙酉：正月二十九日。㉝国子学生：国子学生员。国子学，国子监所领六学之一，设博士五人、助教五人、直讲四人，讲授五经等学课。国子学生员规定为文武官三品以上，国公的子孙，二品以上官的子孙、曾孙。成绩优秀要求做官的上报给国子监，能参加科试的则推荐给尚书省礼部。㉞丙戌：正月三十日。㉟常平：常平使，使职名，掌管常平法及常平仓政事的差遣官。常平之法，是官府在州府设置常平仓，谷贱时增价买入，谷贵时减价卖出，用来调节粮食供求矛盾，平稳市场价格。唐代的常平职事本由太府寺的常平署和地方的仓曹司仓参军管理。开元时，按察使、采访使已有监督各道常平钱谷

事情，都要先报告长官，长官报告宰相，然后再上奏皇上。他还以代宗的旨意晓谕百官说："近来各部门上奏事情繁杂众多，所说的大都是些诋毁或挑拨的话，所以委托各长官、宰相先决定所说的事是否可以上奏。"

刑部尚书颜真卿上疏，认为："郎官、御史，是陛下的耳目。如今让上奏论事的人先报告宰相，是自己把耳目遮盖住了。陛下担心群臣进谗言，为什么不考察群臣言论的真假虚实呢！如果所说的话真是虚假的，就应该诛杀他们；如果是真实的，就应该奖赏他们。不致力于这样做，而使天下的人认为陛下因听取和阅读奏章太多而感到厌烦，以此为借口，用来堵塞臣下直言规劝的通道，臣私下替陛下感到惋惜！太宗所著的《门司式》说：'那些没有出入宫门通行证的人，如有急事上奏，都让宫门负责人和宫内宿卫人员带领他们去奏报，不许阻碍。'这样做是为了防止阻塞言路、蒙蔽皇帝。天宝以后，李林甫做宰相，非常痛恨进言的人，人们在路上相遇不敢交谈，只能用眼神示意。致使皇帝的旨意不能下传，而下面的情况也不能上达，皇帝被蒙蔽，臣下吞声哀叹，最后酿成玄宗逃奔蜀中的大祸。国势衰落直至今日，这种局面都是逐渐积累而形成的。皇帝即使大开直言不讳之路，群臣尚且不敢畅所欲言；更何况让宰相大臣裁决并压制，那么陛下所能听到见到的人不过三两个罢了。天下的人士从此将闭口不言，陛下见不再有进言的人，便认为天下没有事情可以奏论，这是李林甫在今天重又复活了！当年李林甫虽然专权，但群臣有不向宰相咨询就奏报事情的，李林甫就找其他事情做借口暗地里来中伤他们，尚且不敢公开下令各部门奏报事情都要先报告宰相。陛下假若不早点醒悟，就会逐渐孤立，以后虽然后悔，也来不及了！"元载听说后恨透了颜真卿，上奏说颜真卿在诽谤，二月初九日乙未，将颜真卿贬为峡州别驾。

---

运用的职责。安史之乱后，第五琦、刘晏以各种使职的名义经管财政之初，都涉及常平，第五琦曾于广德二年（公元七六四年）奏请于各州置常平库使。而中央官员以常平名使，却首见于本年刘晏与第五琦分理天下财赋之时。㊱商山：山名，属秦岭山脉。在今陕西商洛市商州区东。㊲贡献：进奉；进贡。㊳丁亥：二月初一日。㊴释奠：古代学校举行的一种典礼。每年仲春、仲秋和学校始建时，陈设酒食祭奠先圣先师。国子监、太学的释奠，由祭酒、司业、博士祭献，有时皇太子和文武官员参加，并举行讲学典礼。㊵常参官：常朝日必须赴朝参见皇帝的官员。唐制，文官五品以上及中书省、门下省八品以上供奉官和监察御史、员外郎、太常博士每日参见，称常参官。武官三品以上三日一朝，称九参官。五品以上及新行折冲当番者五日一朝，号六参官。㊶子弟：指常参官和六军诸将的子弟。㊷朱紫：红色与紫色。唐代三品以上官员袍服用紫色，五品以上官员袍服

用朱色。㊸章句：古书的章节与句读。㊹辛卯：二月初五日。㊺攻讦：攻击或揭发别人短处。㊻比日：近来。㊼谗毁：说别人坏话；诋毁。㊽听览：倾听、观览。㊾谏争：以直言规劝。㊿《门司式》：《唐式》的一篇。式，是唐代四种法规（律、令、格、式）之一，是以官府为篇目而编定的行政条例，用来规范办事要求和程序。《门司式》是左右监门卫的行政条例，主要是关于进出宫禁殿门的要求和手续的规定，由左右监门卫大将军、将军及其僚属掌握执行。(51)门籍：出入宫殿门的牒籍。出入宫门的人须持有记载其姓名、年纪及所带物色的牒，经过按省，方得通行；在京各司官员要进出宫门的，须有本司具其官爵姓名的移牒，流外官还须注明其脚色、年纪、状貌，由门司报大将军检校后方得

【原文】

己亥[64]，命大理少卿杨济修好[65]于吐蕃。

壬子[66]，以杜鸿渐为山南西道、剑南东西川副元帅，剑南西川节度使，以平蜀乱[67]。

以四镇、北庭行营节度使马璘兼邠宁节度使。璘以段秀实为三使[68]都虞候。卒有能引弓重二百四十斤者，犯盗当死。璘欲生之，秀实曰："将有爱憎而法不一，虽韩、彭[69]不能为理。"璘善其议，竟杀之。璘处事或不中理[70]，秀实力争之。璘有时怒甚，左右战栗，秀实曰："秀实罪若可杀，何以怒为！无罪杀人，恐涉非道。"璘拂衣[71]起，秀实徐步而出。良久，璘置酒召秀实谢之。自是军州事皆咨秀实而后行。璘由是在邠宁声称殊美。

癸丑[72]，以山南西道节度使张献诚兼剑南东川节度使，邛州刺史柏茂琳为邛南[73]防御使。以崔旰为茂州[74]刺史，充西山防御使。三月癸未[75]，献诚与旰战于梓州，献诚军败，仅以身免，旌节皆为旰所夺。

夏，五月，河西节度使杨休明徙镇沙州。

秋，八月，国子监成。丁亥[76]，释奠。鱼朝恩执《易》升高座，讲"鼎覆𫗧[77]"以讥宰相。王缙怒，元载怡然。朝恩谓人曰："怒者常情，笑者不可测也。"

杜鸿渐至蜀境，闻张献诚败而惧，使人先达意于崔旰，许以万

通行。㊷仗家：宿卫在内廊、阁门外的警卫人员。㊸关碍：妨碍。㊹防壅蔽：防止壅塞和遮蔽。壅，壅塞、堵塞而不畅通。蔽，遮蔽、蒙蔽。㊺道路以目：语出《国语·周语》，“厉王虐，国人谤王，邵公告曰：‘民不堪命矣。’王怒，得卫巫，使监谤者，以告，则杀之。国人莫敢言，道路以目”。形容慑于暴政，敢怒而不敢言。㊻下逮：向下传达。逮，及、达到。㊼喑呜：吞声悲咽；说话喑哑不明。㊽陵夷：衰落。㊾从来：由来。㊿不讳：不隐讳。(61)钳口结舌：指闭口不敢说话。钳口，闭口。结舌，不敢说话。(62)诽谤：说人坏话。(63)乙未：二月初九日。

【语译】

二月十三日己亥，命大理少卿杨济去与吐蕃重建友好关系。

二月二十六日壬子，任命杜鸿渐为山南西道、剑南东西川副元帅，剑南西川节度使，去平定蜀中动乱。

任命四镇、北庭行营节度使马璘兼任邠宁节度使。马璘任命段秀实为三使都虞候。士卒中有一个人拉弓之力能达二百四十斤的，犯了盗窃罪本该处死。马璘想放他一条生路，段秀实说：“将领对部下有了爱憎之别，执法就会不一，即使是韩信、彭越这样的名将也不能治理好军队。”马璘认为他的意见很好，最终把那个士卒杀了。马璘处理事情有时不合道理，段秀实就会据理力争。马璘有时非常愤怒，左右的人吓得发抖，段秀实说：“我犯的罪如果可以诛杀，你为什么要发怒呢！如果没有罪而杀人，恐怕是没有道理的。”马璘气得拂袖而起，段秀实则慢慢地走了出去。过了许久，马璘设酒宴叫来段秀实表示歉意。从此军州事务都征求段秀实的意见然后再施行。马璘由此在邠宁声誉非常好。

二月二十七日癸丑，任命山南西道节度使张献诚兼任剑南东川节度使，邛州刺史柏茂琳为邛南防御使。任命崔旰为茂州刺史，兼任西山防御使。三月二十八日癸未，张献诚与崔旰在梓州交战，张献诚兵败，仅仅只身逃脱。旌旗和符节都被崔旰夺走。

夏，五月，河西节度使杨休明把镇所迁到沙州。

秋，八月，国子监修缮完成。初四日丁亥，举行释奠之礼。鱼朝恩拿着《易经》登上高座，宣讲《易经》中所说的“鼎一折足，鼎中美食就会倾覆”，以此讥讽宰相。王缙非常愤怒，元载却脸色和悦。鱼朝恩对人说：“愤怒是人之常情，而微笑却让人不可揣测啊。”

杜鸿渐到达蜀地，听说张献诚战败而有所恐惧，派人先向崔旰表达自己的意思，

全⑱。旰卑辞⑲重赂以迎之。鸿渐喜，进至成都，见旰，但接以温恭⑳，无一言责其干纪㉑，日与将佐高会[2]，州府事悉以委旰。又数荐之于朝，因请以节制让旰，以柏茂琳、杨子琳、李昌巙各为本州刺史，上不得已从之。壬寅㉒，以旰为成都尹、西川节度行军司马。

甲辰㉓，以鱼朝恩行内侍监、判国子监事。中书舍人京兆常衮㉔上言："成均㉕之任，当用名儒，不宜以宦者领之。"丁未㉖，命宰相以下送朝恩上。

京兆尹黎干㉗自南山引涧水穿漕渠入长安，功竟不成。

冬，十月乙未㉘，上生日㉙，诸道节度使献金帛、器服⑨、珍玩、骏马为寿，共直缗钱⑨二十四万。常衮上言，以为："节度使非能男耕女织，必取之于人。敛怨求媚，不可长也，请却之。"上不听。

京兆尹第五琦什一税法，民苦其重，多流亡。十一月甲子⑨，日南至，赦，改元⑨，悉停什一税法。

十二月癸卯⑨，周智光杀陕州监军张志斌。智光素与陕州刺史皇甫温不协⑨，志斌入奏事，智光馆之。志斌责其部下不肃⑨，智光怒曰："仆固怀恩不反，正由汝辈激之。我亦不反，今日为汝反矣！"叱下斩之，脔食⑨其肉。朝士举选人⑨，畏智光之暴，多自同州窃过。智光遣将将兵邀之于路，死者甚众。戊申⑨，诏加智光检校左仆射，遣中使余元仙持告身授之。智光慢骂⑩曰："智光有大功于天下国家，不与平章事而与仆射！且同、华地狭，不足展才[3]，若益以陕、虢、商、鄜、坊五州，庶犹⑩可耳。"因历数⑩大臣过失，且曰："此去长安百八十里，智光夜眠不敢舒足⑩，恐踏破长安城。至于挟天子令诸侯，惟周智光能之。"元仙股栗。郭子仪屡请讨智光，上不许。

郭子仪以河中军食常乏，乃自耕百亩，将校⑩以是为差，于是士卒皆不劝⑩而耕。是岁，河中野无旷土⑩，军有余粮。

以陇右行军司马陈少游⑩为桂管观察使。少游，博州人也，为吏强敏⑩而好贿，善结权贵，以是得进。既得桂州，恶其道远多瘴疠。宦官董秀掌枢密⑩，少游请岁献五万缗，又纳贿于元载子仲武。内外引荐，数日，改宣歙观察使。

答应他绝对安全。崔旰用谦恭的言辞和丰厚的礼物迎接他。杜鸿渐很高兴，进到成都，见了崔旰，杜鸿渐在接待中温和有礼，没有一句话责备他违法乱纪，天天和将佐会饮，州府中的事都委托给崔旰处理。又多次向朝廷推荐崔旰，而且请求把节度使的职位让给崔旰，任命柏茂琳、杨子琳、李昌巙各自做本州的刺史，代宗不得已而同意了他的建议。八月十九日壬寅，任命崔旰为成都尹、西川节度行军司马。

八月二十一日甲辰，任命鱼朝恩为内侍监并掌管国子监事务。中书舍人京兆人常衮上书说："国子监的职位，应当任用有名的儒者，不应当让宦官来主管。"二十四日丁未，代宗命宰相以下的官员送鱼朝恩上任。

京兆尹黎幹从南山引涧水开凿渠道进入长安，工程最终没有成功。

冬，十月十三日乙未，代宗生日，各道节度使进献金银玉帛、器物服装、珍宝古玩、骏马等作为寿礼，一共价值缗钱二十四万。常衮上书，认为："节度使本人并不能耕织，这些寿礼必然取之于百姓。积聚百姓的怨恨来向上献媚，这种风气不可助长，请求陛下将这些寿礼退掉。"代宗没有听从常衮的意见。

京兆尹第五琦实行十分取一的税法，百姓深受重税之苦，很多人流亡在外。十一月十二日甲子，冬至，大赦天下，改年号为大历，全部停止十分取一的税法。

十二月二十二日癸卯，周智光杀死陕州监军张志斌。周智光平素就与陕州刺史皇甫温不和，张志斌入朝奏事路过，周智光留他住在馆舍。张志斌责备周智光的部下对人不恭敬，周智光愤怒地说："仆固怀恩不想造反，正是你这样的人刺激他造反。我也不想造反，今天因为你而造反了！"大声命令部下将他斩首，并且把他身上的肉切碎吃了。朝廷官员推举的候选官吏，因惧怕周智光的残暴，大多从同州偷偷地经过。周智光派将领率兵在路上拦截，被杀死的人很多。二十七日戊申，下诏书加封周智光为检校左仆射，派宫中使者余元仙拿着委任状去授予周智光。周智光谩骂道："我周智光对国家天下立有大功，不给平章事却给仆射！况且同州、华州地方狭小，不足以施展我的才能，如果再增加陕州、虢州、商州、鄜州、坊州五个州，那还差不多可以。"于是历数大臣们的过失，并且说："这里离长安只有一百八十里，我周智光夜晚睡觉不敢伸脚，恐怕会踏破长安城。至于挟天子而令诸侯，只有我周智光能够办到。"余元仙吓得双腿发抖。郭子仪多次请求讨伐周智光，代宗不许。

郭子仪因为河中的军粮经常匮乏，就亲自耕了一百亩田，将军、校尉等武官的耕田数以此为标准而各有差别，于是士卒都无须劝说督促而自动去耕田。这一年，河中没有荒废的土地，军队也有了余粮。

任命陇右行军司马陈少游为桂管观察使。陈少游，是博州人，做官干练机敏，喜欢贿赂，善于结交权贵，因此得以升迁。得到了赴桂州的任命后，他讨厌桂州路远，又多瘴疠之气。宦官董秀掌管枢密事务，陈少游请求每年献给他五万缗钱，又向元载的儿子元仲武行贿。这样宫廷内外都推荐陈少游，几天后，就被改任为宣歙观察使。

【段旨】

以上为第三段，写华州刺史周智光桀骜不驯；元载为相排斥异己；第五琦聚敛。

【注释】

⑭ 己亥：二月十三日。⑮ 修好：重归和好。⑯ 壬子：二月二十六日。⑰ 蜀乱：指崔旰之乱。⑱ 三使：指四镇、北庭、邠宁三节度使。⑲ 韩、彭：韩信、彭越。韩信（？至公元前一九六年），淮阴（今河南周口市淮阳区）人，初从项羽，后归刘邦，拜为大将军，伐魏，举赵，降燕，定齐，围项羽于垓下，迫其自杀。为西汉开国功臣，封为楚王。后被告以谋反见杀。传见《史记》卷九十二、《汉书》卷三十四。彭越（？至公元前一九六年），字仲，昌邑（今山东金乡西北）人，秦末聚众起兵，归刘邦，略定梁地，多建奇功，封为梁王。后被告谋反，夷三族。传见《史记》卷九十、《汉书》卷三十四。⑳ 中理：符合道理。㉑ 拂衣：提衣；振衣。表示生气、不满。㉒ 癸丑：二月二十七日。㉓ 邛南：邛水之南。邛水，源出今四川荥经东南，北流至雅安，入青衣江。㉔ 茂州：州名，治所在今四川茂县。㉕ 癸未：三月二十八日。㉖ 丁亥：八月初四日。㉗ 鼎覆餗：语出《易经·鼎》，"鼎折足，覆公餗"。意思是折足之鼎，必倾鼎中之食。比喻大臣力薄，不能胜任所委重任，必至败坏国事。鼎，古代的一种烹饪器具，有三足两耳。覆，倾覆、倾倒。餗，鼎内食物。㉘ 万全：万无一失。㉙ 卑辞：谦卑之辞。㉚ 温恭：温顺恭敬。㉛ 干纪：干犯法纪。㉜ 壬寅：八月十九日。㉝ 甲辰：八月二十一日。㉞ 常衮（公元七二九至七八三年）：京兆（今陕西西安）人，天宝末举进士。文章俊拔，为时所重。任门下侍郎、同平章事。力杜卖官之路，排摈非文辞登第之人。封河内郡公。有文集六十卷，已佚。传见《旧唐书》卷一百十九、《新唐书》卷一百五十。㉟ 成均：古代的大学。后世亦用以泛称官办的

【原文】

二年（丁未，公元七六七年）

春，正月丁巳[110]，密诏郭子仪讨周智光。子仪命大将浑瑊、李怀光军于渭上，智光麾下闻之，皆有离心。己未[111]，智光大将李汉惠自同州帅所部降于子仪。壬戌[112]，贬智光澧州刺史。甲子[113]，华州牙将姚怀、李延俊杀智光，以其首来献。

淮西节度使李忠臣入朝，以收华州为名，帅所部兵大掠，自潼关

学校。武则天垂拱间曾改国子监曰成均。此指国子监。㊇丁未：八月二十四日。㊈黎幹：人名，初以善星相谶纬之术待诏翰林，官至京兆尹，以左道惑主希进。德宗时，与宦官刘忠翼谋不轨，赐死。传见《旧唐书》卷一百十八、《新唐书》卷一百四十五。㊉乙未：十月十三日。⑧⑨上生日：代宗生于开元十四年（公元七二六年）十月十三日，以这天为天兴圣节。⑨⓪器服：器皿与衣物。⑨①缗钱：即贯钱，用绳穿连成串的钱。缗，穿钱用的绳子。⑨②甲子：十一月十二日。⑨③改元：改永泰二年为大历元年。⑨④癸卯：十二月二十二日。⑨⑤不协：不和睦。⑨⑥不肃：不恭敬。⑨⑦脔食：把肉切碎来吃。脔，肉割碎。⑨⑧朝士举选人：朝士，在朝廷做官之人。选人，候选的官吏。⑨⑨戊申：十二月二十七日。⑩⓪慢骂：同"谩骂"，肆意辱骂。⑩①庶犹：还差不多。庶，将近、差不多。犹，还。⑩②历数：遍数；逐一指陈。⑩③舒足：伸展脚。⑩④将校：武官的通称。⑩⑤劝：勉励；奖励。⑩⑥旷土：空土；荒土。⑩⑦陈少游（公元七二四至七八四年）：博州博平（今山东聊城市茌平区西北）人，幼习老、庄，历官晋郑二州刺史、桂管观察使、宣歙州观察使、淮南节度使、尚书左仆射。传见《旧唐书》卷一百二十六、《新唐书》卷二百二十四上。⑩⑧强敏：有才能而且机敏。⑩⑨枢密：指枢机近密的职务，如奏表进御，旨意传宣，在皇帝与宰相之间起承接作用。玄宗时宦官高力士曾当此任。代宗、德宗时皆由宦官执掌，但无使名。宪宗元和（公元八〇六至八二〇年）时始置枢密使二人，仍由宦官担任。以致发展到枢密使与宰相共参政事，与宰相一起在延英殿同皇帝议政，插手大臣迁除、皇帝废立。

## 【校记】

［2］日与将佐高会：原无此句。据章钰校，十二行本、乙十一行本皆有此句，张瑛《通鉴校勘记》同，今据补。［3］才：原作"材"。据章钰校，十二行本、乙十一行本皆作"才"，今从改。

---

## 【语译】

### 二年（丁未，公元七六七年）

春，正月初六日丁巳，代宗秘密诏令郭子仪讨伐周智光。郭子仪命令大将浑瑊、李怀光驻军于渭水岸边，周智光部下闻讯后，都有了离散之心。初八日己未，周智光的大将李汉惠从同州率领所辖部下向郭子仪投降。十一日壬戌，代宗把周智光贬为澧州刺史。十三日甲子，华州牙将姚怀、李延俊杀死周智光，拿着他的首级前来献给朝廷。

淮西节度使李忠臣入朝，利用收复华州的名义，率领部下士兵大肆掠夺，从潼至赤水[114]二百里间，财畜殆尽，官吏有衣纸或数日不食者。己巳[115]，置潼关镇兵二千人。

壬申[116]，分剑南置东川观察使，镇遂州。

二月丙戌[117]，郭子仪入朝。上命元载、王缙、鱼朝恩等互置酒于其第，一会之费至十万缗。上礼重子仪，常谓之大臣而不名。

郭暧尝与升平公主[118]争言，暧曰："汝倚乃父为天子邪？我父薄天子不为[119]！"公主恚[120]，奔车奏之。上曰："此非汝所知。彼诚如是，使彼欲为天子，天下岂汝家所有邪！"慰谕[121]令归。子仪闻之，囚暧，入待罪。上曰："鄙谚[122]有之：'不痴不聋，不作家翁[123]。'儿女子闺房之言，何足听也！"子仪归，杖暧数十。

夏，四月庚子[124]，命宰相、鱼朝恩与吐蕃盟于兴唐寺。

杜鸿渐请入朝奏事，以崔旰知西川留后。六月甲戌[125]，鸿渐来自成都，广为贡献，因盛陈利害，荐旰才堪寄任。上亦务姑息，乃留鸿渐复知政事。秋，七月丙寅[126]，以旰为西川节度使，杜济为东川节度使。旰厚敛以赂权贵，元载擢旰弟宽至御史中丞，宽兄审至给事中。

丁卯[127]，鱼朝恩奏以先所赐庄为章敬寺[128]，以资章敬太后[129]冥福[130]。于是穷壮极丽，尽都市之财[131]不足用，奏毁曲江[132]及华清宫馆以给之，费逾万亿[133]。卫州进士高郢[134]上书，略曰："先太后圣德，不必以一寺增辉。国家永图，无宁[135]以百姓为本。舍人就寺，何福之为！"又曰："无寺犹可，无人其可乎！"又曰："陛下当卑宫室，以夏禹[136]为法，而崇塔庙踵[137]梁武[138]之风乎！"又上书，略曰："古之明王积善以致福，不费财以求福；修德以消祸，不劳人以禳祸[139]。今兴造急促，昼夜不息，力不逮者随以榜笞[140]，愁痛之声盈于道路。以此望福，臣恐不然。"又曰："陛下回正道于内心[141]，求微助于外物[142]，徇左右之过计[143]，伤皇王之大猷[144]，臣窃为陛下惜之！"皆寝不报。

始，上好祠祀，未甚重佛。元载、王缙、杜鸿渐为相，三人皆好佛，缙尤甚，不食荤血，与鸿渐造寺无穷。上尝问以"佛言报应[145]，果为有无？"载等奏以："国家运祚[146]灵长[147]，非宿植福业[148]，何以致之！

关到赤水的二百里之间，财产和牲畜几乎被抢光，官吏中有人穿着纸做的衣服，也有好几天没有饭吃。正月十八日己巳，在潼关设置镇守部队二千人。

正月二十一日壬申，从剑南节度使中分置东川观察使，镇守遂州。

二月初六日丙戌，郭子仪入朝。代宗命元载、王缙、鱼朝恩等人轮流在家里摆设酒宴款待郭子仪，一次宴会的花费就高达十万缗钱。代宗礼遇尊重郭子仪，常常称他为大臣而不称他的名字。

郭暧曾经与升平公主争吵，郭暧说："你倚仗你的父亲是天子吗？我的父亲不屑于天子的位子而不去做！"公主很生气，驱车奔回宫中奏报此事。代宗说："这不是你所能懂得的。他确实是这样，假如他想做天子，天下哪里能是你家所有的呢！"安慰晓谕一番后让她回去。郭子仪听说后，囚禁了郭暧，入宫等候治罪。代宗说："乡间谚语有这样的话：'不痴不聋，不能做家翁。'儿女闺房中的话，哪里值得听信呢！"郭子仪回去后，把郭暧痛打了几十棍。

夏，四月二十一日庚子，命宰相、鱼朝恩与吐蕃在兴唐寺订盟。

杜鸿渐请求入朝奏事，让崔旰担任西川留后。六月甲戌日，杜鸿渐从成都来，进贡了大量财物，趁机极力陈述利害关系，认为崔旰的才能完全可以托付重任。代宗也一味姑息，于是留下杜鸿渐重又让他主持政事。秋，七月十九日丙寅，任命崔旰为西川节度使，杜济为东川节度使。崔旰搜刮了很多财物来贿赂权贵，元载就提拔崔旰的弟弟崔宽为御史中丞，崔宽的哥哥崔审为给事中。

七月二十日丁卯，鱼朝恩奏请把先前所赏赐的庄园改为章敬寺，以供为章敬太后祈求冥福之用。于是章敬寺修建得极其壮丽，耗尽都市储存的木材也不够，又奏请拆卸曲江和华清宫馆舍的木料来供给，耗费超过万亿。卫州进士高郢上书，大略说："先太后的圣德，不必靠一座寺院来增添光辉。国家要长治久安，不如以百姓作为根本。不顾百姓而去修建寺院，怎么能够得福呢！"又说："没有寺院还可以，没有百姓那怎么可以呢！"又说："陛下本应当把宫室建得低一些，以夏禹为榜样，现在却修建了高大的塔庙，难道是在步梁武帝的后尘吗！"又上书，大略说："古代贤明的君王都积累善行以得福，不会浪费财物来求福；都修养德行以消除灾祸，不会劳累百姓来禳除灾祸。现在兴造十分急促，日夜不停，体力不支的人随即会遭到鞭打，道路上充满了忧愁痛苦的声音。用这种做法来希望有福，臣认为恐怕不行。"又说："陛下在内心回避正大的道义，希望通过外物求得微小的帮助，顺从身边人错误的谋划，伤害了帝王远大的谋略，臣私下为陛下感到惋惜！"这些上书都被搁下没有答复。

起初，代宗喜好立祠祭祀，并不很重视佛教。元载、王缙、杜鸿渐做宰相，这三个人都喜好佛教，王缙信奉尤深，不吃荤食，与杜鸿渐一起不停地建造寺庙。代宗曾经问："佛教说因果报应，果真有还是没有？"元载等上奏说："国家的运数福祚广远绵长，如果不是前世种下福业，怎么能够得到！福业已定，虽然有时有些

福业已定，虽时有小灾，终不能为害。所以安、史悖逆方炽[149]，而皆有子祸[150]。仆固怀恩称兵内侮，出门病死。回纥、吐蕃大举深入，不战而退。此皆非人力所及，岂得言无报应也!”上由是深信之，常于禁中饭僧百余人，有寇至则令僧讲《仁王经》以禳之，寇去则厚加赏赐。胡僧不空[151]官至卿监，爵为国公，出入禁闼[152]，势移权贵，京畿良田美利多归僧寺。敕天下无得棰曳[153]僧尼。造金阁寺于五台山[154]，铸铜涂金为瓦，所费巨亿。缙给中书符牒，令五台僧数十人散之四方，求利以营之。载等每侍上从容，多谈佛事。由是中外臣民承流相化[155]，皆废人事而奉佛，政刑日紊矣。

【段旨】

以上为第四段，写唐代宗笃信佛法，政刑废弛。

【注释】

⑩丁巳：正月初六日。⑪己未：正月初八日。⑫壬戌：正月十一日。⑬甲子：正月十三日。⑭赤水：河名，源出陕西渭南箭谷山下，下流入渭河。⑮己巳：正月十八日。⑯壬申：正月二十一日。⑰丙戌：二月初六日。⑱升平公主：永泰元年（公元七六五年）下嫁郭暧。⑲薄天子不为：意为轻视天子之位，因而不做天子。薄，轻视、鄙薄。⑳恚：恨；怒。㉑慰谕：用好话安慰劝解。㉒鄙谚：乡间谚语。㉓家翁：一家之长；家长。㉔庚子：四月二十一日。㉕甲戌：六月己卯朔，无甲戌，当为甲辰之误。甲辰，六月二十六日。㉖丙寅：七月十九日。㉗丁卯：七月二十日。㉘章敬寺：佛寺名，在长安通化门外。㉙章敬太后：代宗生母吴氏，谥“章敬”。㉚冥福：死后之福。㉛都市之财：存积在京都市场的材木。财，通“材”。㉜曲江：曲江池。在长安朱雀街东第五街、皇城东第三街升道坊龙华寺南，有天然池沼，水流曲折，故名。在今陕西西安东南。唐时筑紫云楼等殿宇楼阁亭榭于池岸，青林重复，绿水弥漫，为节日游赏胜地。每年上巳日（三月初三）玄宗赐宴臣僚，每科新进士宴集同年，都在此地。安史之乱后，建筑物圮废。文宗时重建部分楼馆。唐末池涸。㉝万亿：言数目巨大。㉞高郢（公元七四〇至八一一年）：字公楚，卫州（治今河南卫辉）人。九岁通《春秋》，能属文。官至中书侍郎、同中书门下平章事。传见《旧唐书》卷一百四十七、《新唐书》卷一百六十五。㉟无宁：宁可；不如。㊱夏禹：夏后氏部落领袖，史称禹、大禹、戎禹。姒姓。古史相传禹继承其父鲧的治水事业，采用疏导的办法，历十三年，三过

小灾，终究不能造成大害。所以安禄山和史思明叛逆气势正盛时，便都有了他们的儿子所带来的杀父之祸。仆固怀恩举兵相侵，出门就病死了。回纥、吐蕃大举进兵，深入我国境内，没有交战就撤退了。这都不是人力所能办到的。怎么能说没有因果报应呢!”代宗因此深信佛教的报应之说，经常在宫中招待一百多个僧人吃饭，有敌寇侵犯时就让僧人讲《仁王经》以禳除灾祸，敌寇离开了就大赏僧人。胡族僧人不空官位到卿监，爵位为国公，出入宫禁，威势可以撼动权贵。京畿的良田和获利大的行业大都归于僧寺。还敕令天下不得鞭打、拖拉僧尼。在五台山上建造金阁寺，铸造鎏金铜瓦，耗费的资金数以亿计。王缙还发给中书省的凭证和公文，让五台山的几十个僧人分散到全国各地，谋财求利用以营建。元载等人每当侍奉代宗有闲暇时，就常常谈论佛事。从此朝廷内外的臣子及百姓承袭这种风气互相影响，都废弃人事而信奉佛教，国家的政令和刑罚也就日益紊乱了。

---

家门而不入，水患悉平。舜死，禹继任部落联盟领袖，定都安邑（今山西夏县西北），后东巡狩至会稽而卒。事见《史记》卷二。⑬⑦踵：跟随；承袭。⑬⑧梁武：梁武帝（公元四六四至五四九年），姓萧名衍，字叔达，南兰陵（今江苏武进西北）人，南齐时为雍州刺史，永元四年（公元五〇二年）自立为帝，建国号梁。公元五〇二至五四九年在位。太清二年（公元五四八年）纳东魏叛将侯景，后侯景叛梁，次年攻下都城，武帝幽死。梁武帝长于文学、乐律、书法，有文集，已佚。迷信佛教，三次舍身同泰寺，寺院遍及梁境。事见《梁书》卷一、二、三,《南史》卷六、七。⑬⑨禳祸：消除灾祸。禳，古代以祭祷消除灾祸的一种迷信活动。⑭⓪榜笞：泛言捶打。榜，通“搒”，鞭打。笞，用竹板或荆条抽打。⑭①回正道于内心：意即正大之道回避在内心，而不加以实践。回，避。正道，大道。⑭②外物：指外来的佛教。⑭③过计：不恰当的计谋。⑭④猷：计谋；谋略。⑭⑤报应：因果报应，为佛教的基本教义之一。佛教宣扬，人们在社会中所处的地位和各种遭遇，不论是富贵贫贱、祸福灾祥，都是自己前世所作“善恶业”的结果。前世种因，今世报果，因果相应。⑭⑥运祚：命运福祚。⑭⑦灵长：广远绵长。⑭⑧宿植福业：前世身、口、意活动种下的福业。宿，隔夜，此指前世。福，古以富贵寿考等为福。业，佛教名词，指身、口、意三方面的活动。⑭⑨炽：盛；烈。⑮⓪子祸：指安禄山之子安庆绪杀其父、史思明之子史朝义杀其父。⑮①不空（公元七〇五至七七四年）：佛教密宗僧人，原籍北天竺（一说狮子国，即今斯里兰卡）。二十岁时在洛阳广福寺受戒，参加译经。与密宗僧人善无畏（公元六三七至七三五年，原籍中天竺）、金刚智（公元六六九至七四一年，原籍南天竺）被称为“开元三大士”。官至卿监，封爵国公。⑮②闼：宫中小门。⑮③棰曳：鞭打。⑮④五台山：山名，在今山西五台东北。为我国佛教四大名山之一。⑮⑤承流相化：继承流俗，相互影响。

【原文】

八月庚辰⑯，凤翔等道节度使、左仆射、平章事李抱玉入朝，固让仆射，言辞确至⑰，上许之。癸丑⑱，又让凤翔节度使，不许。

丁酉⑲，杜鸿渐饭千僧，以使蜀无恙故也。

九月，吐蕃众数万围灵州⑳，游骑至潘原㉑、宜禄㉒。诏郭子仪自河中帅甲士三万镇泾阳㉓，京师戒严。甲子㉔，子仪移镇奉天㉕。

山獠㉖陷桂州，逐刺史李良。

冬，十月戊寅㉗，朔方节度使路嗣恭破吐蕃于灵州城下，斩首二千余级，吐蕃引去。

十二月庚辰㉘，盗发郭子仪父冢，捕之，不获。人以为鱼朝恩素恶子仪，疑其使之。子仪自奉天入朝，朝廷忧其为变。子仪见上，上语及之。子仪流涕曰："臣久将兵，不能禁暴，军士多发人冢。今日及此，乃天谴，非人事也。"朝廷乃安。

是岁，复以镇西为安西㉙。

新罗王宪英㉚卒，子乾运㉛立。

【段旨】

以上为第五段，写郭子仪宽厚，不以私害公，避免兴大狱。

【注释】

⑯庚辰：八月初三日。⑰确至：指坚决恳切。⑱癸丑：八月戊寅朔，无癸丑，当为癸巳之误。癸巳，八月十六日。⑲丁酉：八月二十日。⑳灵州：治所在今宁夏灵武西南。㉑潘原：县名，县治在今甘肃平凉东。㉒宜禄：在今陕西长武。㉓泾阳：在今陕西

【语译】

八月初三日庚辰，凤翔等道节度使、左仆射、平章事李抱玉入朝，坚决辞让仆射的职位，言辞坚定恳切，代宗便同意了。癸丑日，又辞让凤翔节度使的职位，代宗没有同意。

八月二十日丁酉，杜鸿渐招待一千名僧人吃饭，因为蜀地没有祸患。

九月，吐蕃军队几万人包围了灵州，流动的骑兵到达潘原、宜禄。诏令郭子仪从河中率领士兵三万人镇守泾阳，京师戒严。十七日甲子，郭子仪移兵镇守奉天。

山獠攻陷桂州，驱逐刺史李良。

冬，十月初一日戊寅，朔方节度使路嗣恭在灵州城下打败吐蕃，杀死两千多人，吐蕃退走。

十二月初四日庚辰，盗贼挖了郭子仪父亲的坟墓，官府追捕他们，没有捕获。人们认为鱼朝恩素来厌恶郭子仪，怀疑是鱼朝恩派人干的。郭子仪从奉天入朝，朝廷担心他发生变乱。郭子仪拜见代宗，代宗谈及此事。郭子仪流着眼泪说："臣长期带兵，没能禁止暴行，士兵中有很多人去挖掘别人的坟墓。今天挖到我家，这是上天的谴责，与其他人无关。"朝廷这才安心下来。

这一年，又把镇西改为安西。

新罗王金宪英死了，他的儿子金乾运继承王位。

---

泾阳。⑯④甲子：九月十七日。⑯⑤奉天：在今陕西乾县。⑯⑥山獠：魏晋以来分布在今川、黔、滇、桂、粤、陕、湘等部分少数民族的名称，因多居山地，故名。与现代仡佬族有渊源关系。獠，今作"僚"。⑯⑦戊寅：十月初一日。⑯⑧庚辰：十二月初四日。⑯⑨复以镇西为安西：唐肃宗至德元载（公元七五六年）改安西为镇西，至是复为安西。⑰⓪新罗王宪英：金宪英（？至公元七六七年），新罗王承庆之弟，天宝二年（公元七四三年）唐册封为新罗王。⑰①乾运：金乾运（？至公元七八三年），新罗王宪英之子。大历二年（公元七六七年）国人立为王；大历三年（公元七六八年），唐册封为开府仪同三司、新罗王。多次遣使入唐朝贡。建中四年（公元七八三年）卒。

【原文】

## 三年（戊申，公元七六八年）

春，正月乙丑[172]，上幸章敬寺，度[173]僧尼千人。

赠建宁王倓为齐王。

二月癸巳[174]，商州兵马使刘洽杀防御使殷仲卿，寻讨平之。

甲午[175]，郭子仪禁无故军中走马。南阳夫人[176]乳母之子犯禁，都虞候[177]杖杀之。诸子泣诉于子仪，且言都虞候之横，子仪叱遣之。明日，以事语僚佐而叹息曰："子仪诸子，皆奴材也。不赏父之都虞候，而惜母之乳母子，非奴材而何！"

庚子[178]，以后宫独孤氏[179]为贵妃。

三月乙巳[180]朔，日有食之。

夏，四月戊寅[181]，山南西道节度使张献诚以疾举从父弟[182]右羽林将军献恭[183]自代，上许之。

壬寅[184]，西川节度使崔旰入朝。

初，上遣中使征李泌于衡山。既至，复赐金紫[185]，为之作书院于蓬莱殿[186]侧，上时衣汗衫、蹑屦[187]过之，自给、舍[188]以上及方镇除拜[189]、军国大事，皆与之议。又使鱼朝恩于白花屯为泌作外院，使与亲旧相见。

上欲以泌为门下侍郎、同平章事，泌固辞。上曰："机务[190]之烦，不得晨夕相见，诚不若且居密近，何必署敕然后为宰相邪！"后因端午王、公、妃、主各献服玩，上谓泌曰："先生何独无所献？"对曰："臣居禁中，自巾至履皆陛下所赐，所余惟〔4〕一身耳，何以为献！"上曰："朕所求正在此耳。"泌曰："臣身非陛下有，谁则有之？"上曰："先帝欲以宰相屈卿而不能得。自今既献其身，当惟朕所为，不为卿有矣！"泌曰："陛下欲使臣何为？"上曰："朕欲卿食酒肉，有室家[191]，受禄位，为俗人。"泌泣曰："臣绝粒[192]二十余年，陛下何必使臣隳其志乎！"上曰："泣复何益！卿在九重[193]之中，欲何之？"乃命中使为泌葬二亲，又为泌娶卢氏女为妻，资费皆出县官[194]。赐第于光福坊[195]，令泌数日宿第中，数日宿蓬莱院。

【语译】

**三年（戊申，公元七六八年）**

春，正月二十日乙丑，代宗驾临章敬寺，主持仪式剃度僧尼一千名。

追赠建宁王李倓为齐王。

二月十八日癸巳，商州兵马使刘洽杀死防御使殷仲卿，不久便被讨伐平定。

十九日甲午，郭子仪禁止无缘无故在军中跑马。南阳夫人奶妈的儿子违犯禁令，都虞候用棍子把他打死。郭子仪的几个儿子哭着向郭子仪告状，并且说都虞候专横，郭子仪斥责并打发走了他们。第二天，郭子仪把这件事告诉僚属并且叹息道："我郭子仪的几个儿子，都是不成器的家伙，他们不赞赏父亲的都虞候，却去怜惜母亲奶妈的儿子，这不是不成器的家伙又是什么！"

二十五日庚子，册封后宫的独孤氏为贵妃。

三月初一日乙巳，日食。

夏，四月初四日戊寅，山南西道节度使张献诚因为有病推举堂弟右羽林将军张献恭代替自己，代宗同意了。

二十八日壬寅，西川节度使崔旰入朝。

当初，代宗派宫中使者到衡山征召李泌。李泌到后，又赐给他金鱼袋和紫袍，为他在蓬莱殿侧修建了一所书院，代宗时常穿着平日家居的衣衫、拖着鞋去看望他。从给事中、中书舍人以上的官职到各方镇节度使的任命以及军国大事，都和李泌商议。又派鱼朝恩在白花屯为李泌修建外院，让他在那里与亲朋故旧相见。

代宗想任命李泌为门下侍郎、同平章事，李泌坚决辞谢。代宗说："机要事务十分繁重，我们不能早晚相见，实在不如暂且住得近一些，何必要下敕书任命然后才成为宰相呢！"后来因为过端午节，王、公、妃子、公主各自都向代宗进献服用和玩赏的物品，代宗对李泌说："先生为什么独独没有进献什么东西呢？"李泌回答说："臣居住在宫中，从头巾到鞋子都是陛下所赐，所剩下的只有我的一个身躯而已，拿什么来进献呢！"代宗说："朕需要的正是您这个人。"李泌说："臣的身躯如果不属陛下所有，那归谁所有呢？"代宗说："先帝想要用宰相的职位来请您屈就而未能办到。从今以后，您既然将自身献了出来，就应当只能为朕所用，而不归您自己所有了！"李泌说："陛下想让臣做什么？"代宗说："朕想让您吃肉喝酒，有妻子和家庭，接受俸禄爵位，做一个俗人。"李泌哭着说："臣不吃五谷已有二十多年，陛下为什么一定要让臣毁了自己的志向呢！"代宗说："哭又有什么用处！您已在深宫之中，还想到哪里去呢？"于是命宫中使者替李泌安葬他的双亲，又替李泌娶卢氏女子为妻，所有费用都出自朝廷。还赏赐给他一所在光福坊的宅第，让李泌在这个宅第里住几天，然后在蓬莱院住几天。

上与泌语及齐王倓，欲厚加褒赠[196]，泌请用岐、薛故事[197]赠太子。上泣曰："吾弟首建灵武之议[198]，成中兴之业，岐、薛岂有此功乎！竭诚忠孝，乃为谗人所害。向使尚存，朕必以为太弟[199]。今当崇以帝号，成吾夙志。"乙卯[200]制，追谥倓曰承天皇帝，庚申[201]，葬顺陵[202]。

崔旰之入朝也，以弟宽为留后，泸州刺史杨子琳帅精骑数千乘虚突入成都。朝廷闻之，加旰检校工部尚书，赐名宁，遣还镇。

【段旨】

以上为第六段，写代宗招李泌入京，付与军国大事，优礼有加。

【注释】

⑰乙丑：正月二十日。⑰度：剃度，佛教名词。指信徒把头发剃去，接受戒条的一种仪式。佛教宣称，剃发出家是度越生死之因，故名剃度。⑰癸巳：二月十八日。⑰甲午：二月十九日。⑰南阳夫人：郭子仪之妻封南阳夫人。⑰都虞候：军中执法官，为整肃军纪的重要职官。⑰庚子：二月二十五日。⑰独孤氏：代宗贞懿皇后独孤氏（？至公元七七五年），以美丽被选入宫，甚受宠爱，册为贵妃，生韩王迥、华阳公主，大历十年（公元七七五年）死。传见《旧唐书》卷五十二、《新唐书》卷七十七。⑱乙巳：三月初一日。⑱戊寅：四月初四日。⑱从父弟：堂弟。⑱献恭：张献恭，幽州节度使张守珪之弟守瑜之子，累有军功，官至检校吏部尚书。传见《旧唐书》卷一百二十二、《新唐书》卷一百三十三。⑱壬寅：四月二十八日。⑱复赐金紫：金紫，金鱼袋和紫服。唐章服之制，三品以上官服紫，佩金鱼袋（盛鱼符的金饰袋）。不及三品的可特赐紫，也就例赐金鱼袋。李泌初从肃宗在灵武时，已特赐金紫；还归衡山后，给以三品禄俸。此次回朝，复赐金紫。⑱蓬莱殿：在大明宫紫宸殿北。蓬莱殿北有太液池，池中有蓬莱山。⑱衣汗

【原文】

六月壬辰[203]，幽州兵马使朱希彩[204]、经略副使昌平朱泚[205]、泚弟滔[206]共杀节度使李怀仙，希彩自称留后。闰月，成德军节度使李宝臣

代宗和李泌谈及齐王李倓，想要给齐王以厚重的褒扬和追赠，李泌请求采用岐王李范和薛王李业受追赠的先例追赠齐王为太子。代宗哭着说："我的弟弟首先提出先帝北上灵武的建议，成就了中兴的大业，岐王、薛王哪里有这样的功劳呢！他诚心诚意竭尽忠孝，却被进谗言的小人所害。假使他还活着，朕一定要让他做皇太弟。现在应当用皇帝的称号来尊崇他，以完成我的夙愿。"五月十二日乙卯颁下制书，追谥李倓为承天皇帝，十七日庚申，将他安葬在顺陵。

崔旰入朝时，让他的弟弟崔宽担任留后。泸州刺史杨子琳率领精锐骑兵几千人乘虚突然进入成都。朝廷闻讯后，加封崔旰为检校工部尚书，赐名为宁，派他回去镇守成都。

---

衫、蹑屩：穿着平居的衣衫、便鞋。汗衫，又称中衣、中单，即内衣。蹑，踩、登。屩，用麻、葛等制成的鞋。⑱⑧给舍：指给事中、中书舍人，皆为五品官。⑱⑨除拜：授官。⑲⓪机务：机要的事务，多指军国大事。⑲①室家：有妻子、家庭。⑲②绝粒：不吃谷米，只吃水果蔬菜，这是道家修炼的长生之术，称为辟谷。⑲③九重：指宫禁。⑲④县官：指天子。⑲⑤光福坊：长安城坊之一，在朱雀大街东安仁坊之南。⑲⑥褒赠：嘉赏追封。⑲⑦岐、薛故事：指岐、薛二王死后册赠太子的成例。岐，岐王李范，睿宗第四子，玄宗册赠惠文太子。薛，薛王业，睿宗第五子，玄宗册赠惠宣太子。⑲⑧吾弟首建灵武之议：吾弟，指齐王李倓。首建灵武之议，指至德元载（公元七五六年），玄宗出逃至马嵬，父老遮道请留，乃令太子（肃宗）留后宣慰，建宁王倓执鞚谏请太子收西北守兵，召郭、李并力讨贼，收复两京。太子遂自奉天北上灵武，终成中兴大业。⑲⑨太弟：皇帝尊其弟的称呼。一般指皇帝诸弟中被定为继承皇位的人。⑳⓪乙卯：五月十二日。据岑仲勉《通鉴隋唐纪比事质疑》，"乙卯"上应补"五月"二字。⑳①庚申：五月十七日。⑳②顺陵：武则天母杨氏之陵园，在今陕西咸阳北原上。

## 【校记】

［4］惟：据章钰校，十二行本、乙十一行本皆作"独"。

---

## 【语译】

六月二十日壬辰，幽州兵马使朱希彩、经略副使昌平人朱泚以及朱泚的弟弟朱滔一起杀死了节度使李怀仙，朱希彩自称留后。闰六月，成德军节度使李宝臣派将

遣将将兵讨希彩，为希彩所败，朝廷不得已宥之。庚申[207]，以王缙领卢龙节度使。丁卯[208]，以希彩领[5]幽州留后。

崔宽与杨子琳战，数不利。秋，七月，崔宁妾任氏出家财数十万，募兵得数千人，帅以击子琳，破之，子琳走。

乙亥[209]，王缙如幽州，朱希彩盛兵严备以逆[210]之。缙晏然而行，希彩迎谒甚恭。缙度终不可制，劳军，旬余日而还。

回纥可敦卒，庚辰[211]，以右散骑常侍萧昕为吊祭使[212]。回纥庭诘[213]昕曰："我于唐有大功，唐奈何失信，市我马，不时归其直[214]？"昕曰："回纥之功，唐已报之矣。仆固怀恩之叛，回纥助之，与吐蕃连兵入寇，逼我郊畿。及怀恩死，吐蕃走，然后回纥惧而请和。我唐不忘前功，加惠而纵之。不然，匹马不归矣。乃回纥负约，岂唐失信邪！"回纥惭，厚礼而归之。

丙戌[215]，内出盂兰盆[216]赐章敬寺。设七庙神座，书尊号于幡[217]上，百官迎谒于光顺门[218]。自是岁以为常。

八月壬戌[219]，吐蕃十万众寇灵武。丁卯[220]，吐蕃尚赞摩二万众寇邠州，京师戒严，邠宁节度使马璘击破之。

庚午[221]，河东节度使、同平章事辛云京薨。以王缙领河东节度使，余如故。

九月壬申[222]，命郭子仪将兵五万屯奉天，以备吐蕃。

丁丑[223]，济王环[224]薨。

壬午[225]，朔方骑将白元光击吐蕃，破之。壬辰[226]，元光又破吐蕃二万众于灵武。凤翔节度使李抱玉使右军都将临洮李晟[227]将兵五千击吐蕃，晟曰："以力则五千不足用，以谋则太多。"乃将千人兼行[6]，出大震关，至临洮，屠吐蕃定秦堡[228]，焚其积聚，虏堡帅慕容谷种而还。吐蕃闻之，释灵州之围而去。戊戌[229]，京师解严。

颍州刺史李岵[230]以事忤滑亳节度使令狐彰，彰使节度判官姚奭按行[231]颍州，因代岵领州事，且曰："岵不受代，即杀之。"岵知之，因激怒将士，使杀奭，与奭同死者百余人。岵走依河南节度使田神功于汴州。冬，十月乙巳[232]，彰表言其状，岵亦上表自理，上命给事中贺若察往按之。

领率兵讨伐朱希彩，被朱希彩打败，朝廷不得已而宽恕了他。十八日庚申，任命王缙兼任卢龙节度使。二十五日丁卯，任命朱希彩兼任幽州留后。

崔宽与杨子琳交战，多次失利。秋，七月，崔宁的妾任氏拿出自家钱财几十万，招募士兵得到几千人，率领这些士兵去进击杨子琳，打败了他，杨子琳逃走。

七月初四日乙亥，王缙到幽州，朱希彩部署了很多部队，戒备森严地迎接他。王缙安然前行，朱希彩迎接拜谒非常谦恭有礼。王缙考虑到终究不能控制他，于是慰劳军队，十多天就回去了。

回纥可敦死了，七月初九日庚辰，任命右散骑常侍萧昕为吊祭使。回纥当庭责问萧昕说："我们对唐朝有大功，唐朝为什么失信，买我们的马，不按时交付马钱?"萧昕说："回纥的功劳，唐朝已经报答了。仆固怀恩反叛时，回纥帮助他，又与吐蕃连兵入侵，逼近我京畿郊县地区。等到仆固怀恩一死，吐蕃军队退走，然后回纥感到害怕而请求讲和。我唐朝没有忘记回纥以前的功劳，施予恩惠放你们回去。不然的话，你们连一匹马也回不去了。这是回纥负约，哪里是我唐朝失信呢!"回纥感到惭愧，厚加礼遇而让萧昕回去了。

七月十五日丙戌，从宫内拿出盂兰盆赐给章敬寺。代宗设置七庙神灵牌座，把祖先的尊号都写在旗幡上，百官在光顺门前迎拜。从此每年都以此为常例。

八月二十一日壬戌，吐蕃十万大军侵犯灵武。二十六日丁卯，吐蕃尚赞摩率两万大军侵犯邠州，京城戒严，邠宁节度使马璘打败了吐蕃军队。

二十九日庚午，河东节度使、同平章事辛云京去世。任命王缙兼任河东节度使，其余的官职照旧。

九月初一日壬申，命郭子仪率军五万屯驻在奉天，以防备吐蕃。

初六日丁丑，济王李环去世。

十一日壬午，朔方骑兵将领白元光攻打吐蕃，打败了他们。二十一日壬辰，白元光又在灵武打败吐蕃军队两万人。凤翔节度使李抱玉派右军都将临洮人李晟率军五千人攻打吐蕃，李晟说："靠武力的话五千人是不够用的，用智谋的话五千人就太多了。"于是率领一千人兼程行军，从大震关出兵，到了临洮，屠灭了吐蕃的定秦堡，焚烧了他们积聚的物资，俘虏了城堡的主帅慕容谷种而回。吐蕃闻讯后，解除对灵州的包围而撤走了。二十七日戊戌，京师解除戒严。

颍州刺史李岵因事触犯了滑亳节度使令狐彰，令狐彰派节度判官姚奭巡视颍州，就此替代李岵掌管州中事务，并且说："李岵如果不接受替代，就立即杀掉他。"李岵知道后，借机激怒将士，让他们杀死姚奭，与姚奭一同被杀死的有一百多人。李岵往汴州投靠河南节度使田神功。冬，十月初五日乙巳，令狐彰上表说明这一情况，李岵也上表替自己申辩，代宗命给事中贺若察前往调查此事。

丁卯㉝，郭子仪自奉天入朝。

十一月丁亥㉞，以幽州留后朱希彩为节度使。

郭子仪还河中。元载以吐蕃连岁入寇，马璘以四镇兵屯邠宁，力不能拒。而郭子仪以朔方重兵镇河中，深居腹中无事之地，乃与子仪及诸将议，徙璘镇泾州，而使子仪以朔方兵镇邠州，曰："若以边土荒残，军费不给，则以内地租税及运金帛以助之。"诸将皆以为然。十二月己酉㉟，徙马璘为泾原节度使，以邠、宁、庆㊱三州隶朔方。璘先往城泾州，以都虞候段秀实知邠州留后。

初，四镇、北庭兵远赴中原之难，久羁旅㊲，数迁徙，四镇历汴、虢、凤翔，北庭历怀、绛、鄜然后至邠，颇积劳弊。及徙泾州，众皆怨诽㊳。刀斧兵马使㊴王童之谋作乱，期以辛酉㊵旦警严㊶而发。前夕，有告之者。秀实阳召掌漏者㊷，怒之，以其失节㊸，令每更㊹来白，辄延之数刻，遂四更而曙㊺，童之不果发。秀实欲讨之，而乱迹未露，恐军中疑其冤。告者又云："今夕欲焚马坊草，因救火谋作乱。"中夕，火果起，秀实命军中行者皆止，坐者勿起，各整部伍，严守要害。童之白请救火，不许。及旦，捕童之及其党八人，皆斩之。下令曰："后徙者族，流言者刑！"遂徙于泾。

癸亥㊻，西川破吐蕃万余众。

平卢行军司马许杲将卒三千人驻濠州不去，有窥淮南意。淮南节度使崔圆令副使元城张万福㊼摄濠州刺史，杲闻，即提卒去，止当涂㊽。是岁，上召万福，以为和州刺史、行营防御使，讨杲。万福至州，杲惧，移军上元㊾，又北至楚州大掠，淮南节度使韦元甫㊿命万福追讨之，未至淮阴，杲为其将康自劝所逐。自劝拥兵继掠，循淮而东，万福倍道追而杀之，免者什二三。元甫将厚赏将士，万福曰："官健(251)常虚费衣粮，无所事。今方立小功，不足过赏，请用三分[7]之一。"

十月二十七日丁卯，郭子仪从奉天入朝。

十一月十七日丁亥，任命幽州留后朱希彩为节度使。

郭子仪返回河中。元载认为吐蕃连年入侵，马璘率四镇兵力屯驻在邠宁，力量无法与吐蕃对抗。而郭子仪率朔方重兵镇守河中，深居在内地没有战事的地方，就与郭子仪及各将领商议，把马璘移去镇守泾州，而让郭子仪率朔方兵镇守邠州，元载说："如果觉得边疆土地荒芜残破，军费不足，那么就用内地的租税以及运送金银财帛来帮助。"各将领都认为这个办法好。十二月初九日己酉，代宗移任马璘为泾原节度使，把邠州、宁州、庆州三个州隶属朔方。马璘先动身前去修建泾州城，任命都虞候段秀实主管邠州留后。

当初，四镇、北庭的部队老远地赶赴中原去解救危难，长期客居他乡，多次迁徙，四镇的部队迁到过汴州、虢州、凤翔，北庭的部队迁到过怀州、绛州、鄜州，然后又到邠州，辛劳疲惫，累积已多。等迁到泾州，大家都心怀怨恨牢骚满腹。刀斧兵马使王童之谋划作乱，约定在十二月二十一日辛酉天快亮时击警夜的更鼓为号而发难。前一天晚上，有人告发了这个阴谋。段秀实假装召见掌管漏壶报时的人，对他们大发脾气，认为他们报时有失准确，命令他们今晚每一更都来报告，每一更都故意延长几刻时间，于是到四更时天已大亮，王童之的发难没能实现。段秀实想讨伐他们，但因叛乱的痕迹还没有暴露，恐怕军中的人会怀疑他们冤枉。告发者又说："他们今晚想要焚烧马坊草，趁救火时图谋作乱。"半夜里，火果然烧起来了，段秀实命令军中走动的人都停下脚步，坐着的人不要起来，各自整理好队伍，严守要害地方。王童之报告请求救火，段秀实不许。等天亮后，抓捕了王童之及其党羽八人，把他们都杀了。下令说："落在后面迁移的人要族灭，散布流言的要用刑！"于是部队迁到泾州。

十二月二十三日癸亥，在西川打败吐蕃军队一万多人。

平卢行军司马许杲率领士卒三千人驻扎在濠州不离去，有窥伺淮南的意图。淮南节度使崔圆命令副使元城人张万福代理濠州刺史，许杲听说后，立刻带领士卒离开濠州，停留在当涂。这一年，代宗召见张万福，任命他为和州刺史、行营防御使，去讨伐许杲。张万福到达和州，许杲害怕了，把军队移到上元，又向北到楚州大肆掠夺，淮南节度使韦元甫命张万福追上去讨伐，还没有到淮阴，许杲就被他的部将康自劝所驱逐。康自劝聚集士卒继续掠夺，沿淮河向东，张万福兼程追上去把他们杀了，能够免于被杀的不过十分之二三。韦元甫准备对将士大加奖赏，张万福说："官军常常白白耗费公家的衣服粮食，没有做什么事。现在刚立了些小功，不能过分奖赏，请用原赏的三分之一来奖赏。"

【段旨】

以上为第七段，写吐蕃屡次犯边，唐代宗调整西北边防部署，以郭子仪朔方兵镇邠州。

【注释】

⑳③壬辰：六月二十日。⑳④朱希彩（？至公元七七二年）：初为幽州节度使李怀仙的兵马使，后杀怀仙自称留后，朝廷优宥之。官至御史大夫、幽州节度使，封高密郡王。后为部下所杀。事见《旧唐书》卷一百四十三。⑳⑤朱泚（公元七四三至七八五年）：幽州昌平（今北京市昌平区南）人，幼从军。大历七年（公元七七二年），幽州节度使朱希彩被杀，朝廷拜泚为幽州节度使；德宗即位，加泚太尉，以其弟谋反，留京师。建中四年（公元七八三年）十月，泾原兵叛，德宗出逃奉天，泚乘机反于京师，称大秦皇帝。次年，为部下所杀。传见《旧唐书》卷二百下、《新唐书》卷二百二十五中。⑳⑥滔：朱滔（公元七四六至七八五年），朱泚之弟，任幽州卢龙军节度使。建中三年（公元七八二年）自称大冀王，署百官。朱泚反，立为皇太弟；泚死，上表请罪。传见《旧唐书》卷一百四十三、《新唐书》卷二百十二。⑳⑦庚申：闰六月十八日。⑳⑧丁卯：闰六月二十五日。⑳⑨乙亥：七月初四日。㉑⓪逆：迎；迎接。与“送”相对。㉑①庚辰：七月初九日。㉑②吊祭使：使职名，少数民族首领逝世，奉命至王庭表示吊唁的差遣官。㉑③庭诘：于殿堂前质问。㉑④直：通“值”，指马价钱。㉑⑤丙戌：七月十五日。㉑⑥盂兰盆：梵语 Ullambana 的音译，意译为救倒悬。《盂兰盆经》说，目连以其母死后极苦，如处倒悬，求佛救度。佛叫他在相当于夏历七月十五日这天，准备百味果食，供养十方僧众，这样便可以解脱。梁武帝时依此创设盂兰盆会。这里所说宫内拿出的盂兰盆似指《盂兰盆经》。㉑⑦幡：挑起来直挂着的长条形旗子。㉑⑧光顺门：在紫宸门西。光顺门内则为明义殿、承欢殿。㉑⑨壬戌：八月二十一日。㉒⓪丁卯：八月二十六日。㉒①庚午：八月二十九日。㉒②壬申：九月初一日。㉒③丁丑：九月初六日。㉒④济王环：李环（？至公元七六八年），玄宗第二十二子。

【原文】

## 四年（己酉，公元七六九年）

春，正月丙子[252]，郭子仪入朝，鱼朝恩邀之游章敬寺。元载恐其相结，密使子仪军吏告子仪曰：“朝恩谋不利于公。”子仪不听。吏亦告诸将，将士请衷甲[253]以从者三百人。子仪曰：“我，国之大臣，彼无天初名溢，开元二十三年（公元七三五年）更名环。传见《旧唐书》卷一百七、《新唐书》卷八十二。㉕壬午：九月十一日。㉖壬辰：九月二十一日。㉗李晟（公元七二七至七九三年）：字良器，临洮（今甘肃临潭）人，唐德宗时名将。击吐蕃，平叛镇，屡有战功，官至副元帅、中书令，封西平王。传见《旧唐书》卷一百三十三、《新唐书》卷一百五十四。㉘定秦堡：吐蕃所筑城堡名，在今甘肃临潭西南。㉙戊戌：九月二十七日。㉚李岵：唐宗室。大历四年（公元七六九年）以专擅生杀被赐自尽。其事散见《旧唐书》卷十一《代宗纪》、《新唐书》卷一百四十八《令狐彰传》等篇。㉛按行：巡行。㉜乙巳：十月初五日。㉝丁卯：十月二十七日。㉞丁亥：十一月十七日。㉟己酉：十二月初九日。㊱庆：庆州，州名，治所在今甘肃庆阳。㊲羁旅：寄居作客。此指离开本土，转战他乡。㊳怨诽：怨恨、非议。㊴刀斧兵马使：节度使幕将，领刀斧兵。㊵辛酉：十二月二十一日。㊶旦警严：天将亮之前严鼓警众。警，警号。严，严鼓。㊷掌漏者：掌管漏壶的人，也就是报时者。漏，即漏壶，古计时器。㊸失节：更点之节有失准确。㊹更：古代夜间计时单位。一夜分为五更，一更约今两小时。每更又分为五点，每点约今二十多分钟。更以击鼓为节，点以击钟为节。㊺四更而曙：本来五更天明，因延迟漏刻，故四更天曙。㊻癸亥：十二月二十三日。㊼张万福（公元七一五至八〇四年）：元城（今河北大名东）人，幼学骑射，从军累有功，着威名于江淮，代宗赐名张正，德宗复赐原名。官至右金吾将军，以左散骑常侍致仕。传见《旧唐书》卷一百五十二、《新唐书》卷一百七十。㊽当涂：县名，县治在今安徽当涂。㊾上元：县名，县治在今江苏南京。㊿韦元甫（？至公元七七一年）：传见《旧唐书》卷一百十五。(251)官健：官府所养健儿。指被官府召募，终身从军的士兵。

【校记】

［5］领：据章钰校，十二行本、乙十一行本皆作“知”。［6］兼行：原无此二字。据章钰校，十二行本、乙十一行本皆有此二字，张敦仁《通鉴刊本识误》同，今据补。［7］分：据章钰校，十二行本、乙十一行本皆无此字。

---

【语译】

**四年（己酉，公元七六九年）**

春，正月初七日丙子，郭子仪入朝，鱼朝恩邀请他游览章敬寺。元载害怕他们相互结交，暗中让郭子仪的军吏去告诉郭子仪说：“鱼朝恩图谋采取对您不利的举动。”郭子仪不听。军吏把这个消息也告诉了各位将领，有三百名将士请求衣内穿铠甲跟随郭子仪前往。郭子仪说：“我是国家的大臣，他没有天子的命令，怎么敢害我！

子之命，安敢害我！若受命而来，汝曹欲何为！”乃从家僮数人而往。朝恩迎之，惊其从者之约[254]。子仪以所闻告，且曰：“恐烦公经营[255]耳。”朝恩抚膺捧手流涕曰：“非公长者[256]，能无疑乎！”

壬午[257]，流李岵于夷州。

乙酉[258]，郭子仪还河中。

辛卯[259]，赐李岵死。

二月壬寅[260]，以京兆之好畤，凤翔之麟游[261]、普润[262]隶神策军，从鱼朝恩之请也。

杨子琳既败还泸州，招聚亡命，得数千人，沿江东下，声言入朝。涪州守捉使王守仙伏兵黄草峡[263]，子琳悉擒之，击守仙于忠州，守仙仅以身免。子琳遂杀夔州别驾张忠，据其城。荆南节度使卫伯玉欲结以为援，以夔州许之，为之请于朝。阳曲人刘昌裔[264]说子琳遣使诣阙请罪，子琳从之。乙巳[265]，以子琳为峡州团练使。

初，仆固怀恩死，上怜其有功，置其女宫中，养以为女。回纥请以为可敦，夏，五月辛卯[266]，册为崇徽公主，嫁回纥可汗。壬辰[267]，遣兵部侍郎李涵送之，涵奏祠部郎中虞乡董晋[268]为判官。六月丁酉[269]，公主辞行，至回纥牙帐。回纥来言曰：“唐约我为市，马既入，而归我贿[270]不足，我于使人[271]乎[272]取之。”涵惧，不敢对，视晋，晋曰：“吾非无马而与尔为市，为尔赐不既多乎！尔之马岁至，吾数皮而归资[273]。边吏请致诘[274]也，天子念尔有劳，故下诏禁侵犯。诸戎畏我大国之尔与[275]也，莫敢校[276]焉。尔之父子宁[277]而畜马蕃[278]者，非我谁使之！”于是其众皆环晋拜，既又相帅南面序拜，皆举两手曰：“不敢有意[279]大国。”

戊申[280]，王缙表让副元帅、都统、行营使，许之[8]。

辛酉[281]，郭子仪自河中迁于邠州，其精兵皆自随，余兵使裨将将之，分守河中、灵州。军士久家河中，颇不乐徙，往往自邠逃归。行军司马严郢[282]领留府，悉捕得，诛其渠帅[283]，众心乃定。

秋，九月，吐蕃寇灵州。丁丑[284]，朔方留后常谦光击破之。

如果他接受天子的命令而来，你们又想干什么!”于是就让几个家童跟随着就去了。鱼朝恩迎接郭子仪，看到随从人员这样少而很惊讶。郭子仪把所听说的事告诉鱼朝恩，并且说:“怕要麻烦你周旋一番了。”鱼朝恩拍打着胸脯，握着郭子仪的手流泪说:“如果不是您这样的长者，能不怀疑我吗!”

正月十三日壬午，把李岵流放到夷州。

十六日乙酉，郭子仪返回河中。

二十二日辛卯，赐李岵自尽。

二月初三日壬寅，把京兆的好畤、凤翔的麟游和普润隶属于神策军，这是依从了鱼朝恩的请求。

杨子琳失败后回到泸州，招集亡命之徒，得到几千人，沿长江向东行进，声称要带兵入朝。涪州守捉使王守仙在黄草峡埋伏部队，杨子琳把这些伏兵全都擒获了，在忠州向王守仙发起攻击，王守仙仅仅只身逃脱。杨子琳于是杀了夔州别驾张忠，占据了夔州城。荆南节度使卫伯玉想要结交杨子琳作为自己的外援，就把夔州许给他，为他向朝廷请求。阳曲人刘昌裔劝说杨子琳派使者到朝廷去请罪，杨子琳听从了。二月初六日乙巳，任命杨子琳为峡州团练使。

当初，仆固怀恩死时，代宗怜惜他有功劳，把他的女儿安置在宫中收养，当成自己的女儿。回纥请求把她嫁给可汗做可敦。夏，五月二十四日辛卯，册封她为崇徽公主，嫁给回纥可汗。二十五日壬辰，派兵部侍郎李涵护送她，李涵奏请让祠部郎中虞乡人董晋担任判官。六月初一日丁酉，公主辞行，到达回纥的牙帐。回纥派人来说:“唐朝约我们做买卖，我们的马已经给了唐朝，但唐朝付给我们的钱不够，我们要向使者索取。”李涵害怕了，不敢回答，看着董晋，董晋说:“我们唐朝并不是没有马才与你们做买卖，我们所给予你们的不是已经很多了吗!你们的马每年送到以后，我们仅仅清点一下马匹的数量而不管是死是活，就付钱给你们。守边的官员请求追问此事，但天子考虑到你们有过功劳，所以就下诏令禁止触犯你们。各戎族害怕我们这样的大国与你们结好，都不敢与你们较量。你们的父子安宁，牲畜马匹蕃息，不是我大唐，谁能使你们这样!”于是回纥众人都围着董晋下拜，后来又相互跟着向南面唐朝的方向有序下拜，都举起双手说:“我们不敢对大国有所图谋。”

六月十二日戊申，王缙上表辞让副元帅、都统、行营使的职位，代宗答应了。

二十五日辛酉，郭子仪从河中迁到邠州，他让精锐部队都跟随自己，其余的部队让裨将带领，分别守卫河中、灵州。军士们长期在河中安家，很不乐意迁移，往往从邠州逃回来。行军司马严郢负责河中留守，将这些逃回来的人全部抓获，杀掉了他们的首领，军心才得以稳定。

秋，九月，吐蕃军队侵犯灵州。十二日丁丑，朔方留后常谦光打败了他们。

河东兵马使王无纵、张奉璋等恃功骄蹇，以王缙书生，易之，多违约束。缙受诏发兵诣盐州[285]防秋，遣无纵、奉璋将步骑三千赴之。奉璋逗遛不进，无纵托他事擅入太原城，缙悉擒斩之，并其党七人，诸将悍戾[286]者殆尽，军府始安。

冬，十月，常谦光奏吐蕃寇鸣沙，首尾四十里。郭子仪遣兵马使浑瑊将锐兵五千救灵州，子仪自将进至庆州，闻吐蕃退，乃还。

黄门侍郎、同平章事杜鸿渐以疾辞位。壬申[287]，许之。乙亥[288]，薨。鸿渐病甚，令僧削发[289]，遗令为塔以葬[290]。

丙子[291]，以左仆射裴冕同平章事。初，元载为新平[292]尉，冕尝荐之，故载举以为相，亦利其老病易制。受命之际，蹈舞仆地[293]。载趋而扶之，代为谢词。十二月戊戌[294]，冕薨。

---

【段旨】

以上为第八段，写郭子仪光明磊落，不听元载挑拨。唐代宗养仆固怀恩之女为公主，与回纥和亲。

【注释】

㉜丙子：正月初七日。㉝衷甲：衣内穿甲。㉞约：简约；少。㉟经营：周旋；往来。㊱长者：指性情谨厚，有德行的人。㊲壬午：正月十三日。㊳乙酉：正月十六日。㊴辛卯：正月二十二日。㊵壬寅：二月初三日。㊶麟游：县名，县治在今陕西麟游。㊷普润：县名，县治在今陕西宝鸡市凤翔区北。㊸黄草峡：又称黄葛峡。在今重庆长寿东。㊹刘昌裔（？至公元八一三年）：太原阳曲（今山西定襄）人。历任营田副使、陈州刺史、陈许行军司马、代节度使。传见《旧唐书》卷一百五十一、《新唐书》卷一百七十。㊺乙巳：二月初六日。㊻辛卯：五月二十四日。㊼壬辰：五月二十五日。㊽董晋（公元七二四至七九九年）：字混成，虞乡（今山西永济）人，官至检校左仆射、同平章事，为宣武军节度使。传见《旧唐书》卷一百四十五、《新唐书》卷一百五十一。㊾丁酉：

河东兵马使王无纵、张奉璋等人仗恃有功，骄横不驯，认为王缙是个书生，轻视他，多次不听管束。王缙接受诏令调兵到盐州去加强守卫以防秋高马肥时外敌入侵，派王无纵、张奉璋率领步兵、骑兵三千人奔赴那里。张奉璋逗留不进，王无纵借口其他的事情擅自进入太原城，王缙把他们全都抓起来杀了，还有他们的七个同党也一起杀掉，那些蛮横凶暴的将领几乎都清除了，军府才开始安宁。

冬，十月，常谦光上奏说吐蕃侵犯鸣沙，队伍首尾长达四十里。郭子仪派兵马使浑瑊率精锐部队五千人去救援灵州，郭子仪亲自率军进到庆州，听说吐蕃军队已撤退，这才返回。

黄门侍郎、同平章事杜鸿渐因为有病请求辞去相位。十一月初八日壬申，代宗同意了。十一日乙亥，杜鸿渐去世。杜鸿渐病重时，让僧人给他剃去头发，留下遗嘱自己死后要建塔来安葬。

十一月十二日丙子，任命左仆射裴冕为同平章事。当初，元载做新平县尉时，裴冕曾经推荐过他，所以元载推举裴冕为宰相，同时也因为裴冕年老多病，便于控制，对自己有利。裴冕接受任命，行舞蹈礼时摔倒在地。元载快步上前扶起他，代他致谢辞。十二月初四日戊戌，裴冕去世。

---

六月初一日。㉗⓪赇：财物；钱财。㉗①使人：使者。㉗②乎：语气词，无实义。㉗③数皮而归资：对马匹不计生死，清点马皮后给钱。㉗④致诘：前去追问。㉗⑤与：同盟；结好。㉗⑥校：对抗；较量。㉗⑦宁：安宁；平静。㉗⑧蕃：繁殖；滋生。㉗⑨有意：图谋。㉘⓪戊申：六月十二日。㉘①辛酉：六月二十五日。㉘②严郢：字叔敖，华州华阴（今陕西华阴）人，大历末任京兆尹，以抚穷疾恶、持法严明著称。官至御史大夫。传见《新唐书》卷一百四十五。㉘③渠帅：首领。㉘④丁丑：九月十二日。㉘⑤盐州：州名，治所在今陕西定边。㉘⑥悍戾：凶暴、横蛮。㉘⑦壬申：十一月初八日。㉘⑧乙亥：十一月十一日。㉘⑨削发：剃发为僧。㉙⓪为塔以葬：塔，梵文Stupa或巴利文Thupa的音译。原为葬佛舍利（火葬后的残余骨烬）之所，故建塔以葬成为佛教的葬俗。㉙①丙子：十一月十二日。㉙②新平：县名，县治在今陕西彬州。㉙③蹈舞仆地：施行舞蹈礼仪时跌倒在地。㉙④戊戌：十二月初四日。

## 【校记】

［8］许之：原无此二字。据章钰校，十二行本、乙十一行本皆有此二字，张瑛《通鉴校勘记》同，今据补。

【原文】

## 五年（庚戌，公元七七〇年）

春，正月己巳[295]，羌酋白对蓬等各帅部落内属[296]。

观军容宣慰处置使、左监门卫大将军兼神策军使、内侍监鱼朝恩专典禁兵，宠任无比。上常与议军国事，势倾朝野。朝恩好于广座[297]恣谈[298]时政，陵侮宰相。元载虽强辩[299]，亦拱默[300]不敢应。

神策都虞候刘希暹[301]、都知兵马使王驾鹤[302]皆有宠于朝恩，希暹说朝恩于北军[303]置狱，使坊市恶少年罗告[304]富室，诬以罪恶，捕系地牢，讯掠[305]取服，籍没其家赀入军，并分赏告捕者。地在禁密，人莫敢言。朝恩每奏事，以必允为期。朝廷政事有不豫[306]者，辄怒曰："天下事有不由我者邪！"上闻之，由是不怿。

朝恩养子令徽尚幼，为内给使[307]，衣绿[308]，与同列[309]忿争，归告朝恩。朝恩明日见上曰："臣子官卑，为侪辈[310]所陵，乞赐之紫衣。"上未应，有司已执紫衣于[9]前，令徽服之，拜谢。上强笑[311]曰："儿服紫，大宜称。"心愈不平。

元载测知上指[312]，乘间奏朝恩专恣不轨，请除之。上亦知天下共怨怒，遂令载为方略。朝恩每入殿，常使射生将周皓将百人自卫，又使其党陕州节度使皇甫温握兵于外以为援。载皆以重赂结之，故朝恩阴谋密语，上一一闻之，而朝恩不之觉也。

辛卯[313]，载为上谋，徙李抱玉为山南西道节度使，以温为凤翔节度使，外重其权，实内温以自助也。载又请割郿[314]、虢[315]、宝鸡[316]、鄠、盩厔隶抱玉，兴平[317]、武功、天兴[318]、扶风隶神策军。朝恩喜于得地，殊不以载为虞，骄横如故。

壬辰[319]，加河南尹张延赏[320]为东京留守，罢河南等道副元帅，以其兵属留守。延赏，嘉贞之子也。

二月戊戌[321]，李抱玉徙镇盩厔，军士愤怒，大掠凤翔坊市，数日乃定。

刘希暹颇觉上意异，以告鱼朝恩，朝恩始疑惧。然上每见之，恩

【语译】

**五年（庚戌，公元七七〇年）**

春，正月初五日己巳，羌族酋长白对蓬等人各自率领本部落归附唐朝。

观军容宣慰处置使、左监门卫大将军兼神策军使、内侍监鱼朝恩专门掌管禁军，受到的宠幸信任无人可比。代宗经常和他商议军国大事，权势盖过朝野其他人。鱼朝恩喜好在大庭广众面前肆意谈论时事政事，侮辱宰相。元载虽然善辩，也只好拱手沉默，不敢回应。

神策都虞候刘希暹、都知兵马使王驾鹤都受到鱼朝恩的宠爱，刘希暹劝说鱼朝恩在北军中设置监狱，唆使街市上的无赖少年罗织罪名告发富有人家，诬蔑他们有罪，把他们逮捕起来关进地牢，审讯拷打使他们服罪，没收他们的家产归北军所有，并分出一些赏给诬告和搜捕的人。地牢在宫中的隐秘处，人们都不敢说。鱼朝恩每次奏事，就期望必然会得到代宗的允许。朝廷的政事如果有他没有参与的，他就发怒说："天下的事情有不由我决定的吗！"代宗听说后，由此很不高兴。

鱼朝恩的养子鱼令徽年龄还小，做内给使，却穿绿色官服，他与同事争吵，回家告诉了鱼朝恩。鱼朝恩第二天拜见代宗说："臣的儿子官职卑微，受同辈欺压，乞求赐给他紫衣。"代宗还没有答应，有关部门已经拿着紫衣送到面前，鱼令徽穿上紫衣，向代宗拜谢。代宗勉强笑着说："这孩子穿上紫衣还很合适。"但心里更加不平。

元载猜测到代宗的心思，乘机上奏鱼朝恩专横放肆，图谋不轨，请求除掉他。代宗也知道天下人都对鱼朝恩心怀怨恨和愤怒，就命元载策划。鱼朝恩每次入殿，常常让射生将周皓率一百人保卫自己，又让他的党羽陕州节度使皇甫温在外掌握部队作为后援。元载都送了大量财物结交他们，因此鱼朝恩的阴谋和机密的谈话，代宗一一了解，而鱼朝恩并没有察觉。

正月二十七日辛卯，元载为代宗谋划，把李抱玉迁任为山南西道节度使，任命皇甫温为凤翔节度使，从外表上看是加重他的权力，实际上是引入皇甫温以帮助朝廷。元载又请求割出鄜、虢、宝鸡、鄠、盩厔等县隶属李抱玉管辖，割出兴平、武功、天兴、扶风等县隶属神策军管辖。鱼朝恩对得到地盘很高兴，完全不去戒备元载，仍像过去一样骄横。

二十八日壬辰，加封河南尹张延赏为东京留守，罢免河南等道的副元帅，把他们的部队归属留守。张延赏，是张嘉贞的儿子。

二月初五日戊戌，李抱玉迁移镇守盩厔，军士们都很愤怒，大肆抢掠凤翔的街市，过了好几天才平定下来。

刘希暹发觉代宗对鱼朝恩似乎另有打算，就告诉了鱼朝恩，鱼朝恩开始有所怀疑和恐惧。然而代宗每次见到他，恩泽礼遇更加隆重，鱼朝恩也因此而自己安下心

礼益隆，朝恩亦以此自安。皇甫温至京师，元载留之未遣，因与温及周皓密谋诛朝恩。既定计，载白上。上曰：“善图之，勿反受祸。”

三月癸酉[322]，寒食[323]，上置酒宴贵近[324]于禁中，载守中书省。宴罢，朝恩将还营，上留之议事，因责其异图。朝恩自辩，语颇悖慢[325]。皓与左右擒而缢杀[326]之，外无知者。上下诏，罢朝恩观军容等使，内侍监如故。诈云朝恩受诏乃自缢，以尸还其家，赐钱六百万以葬。

丁丑[327]，加刘希暹、王驾鹤御史中丞，以慰安北军之心。丙戌[328]，赦京畿[10]系囚[329]，命尽释朝恩党与[330]，且曰：“北军将士，皆朕爪牙，并宜仍旧。朕今亲御禁旅，勿有忧惧。”

己丑[331]，罢度支使及关内等道转运、常平、盐铁使，其度支事委宰相领之。

敕皇甫温还镇于陕。

元载既诛鱼朝恩，上宠任益厚，载遂志气骄溢，每众中大言，自谓有文武才略，古今莫及，弄权舞智[332]，政以贿成[333]，僭侈无度[334]。吏部侍郎杨绾典选平允[335]，性介直[336]，不附载。岭南节度使徐浩[337]贪而佞，倾南方珍货以赂载。辛卯[338][11]，载以绾为国子祭酒，引浩代之。浩，越州人也。载有丈人[339]自宣州来，从载求官。载度其人不足任事，但赠河北一书而遣之。丈人不悦，行至幽州，私发书视之，书无一言，惟署名而已。丈人大怒，不得已试谒院僚[340]。判官闻有载书，大惊，立白节度使，遣大校以箱受书，馆之上舍，留宴数日，辞去，赠绢千匹。其威权动人如此。

夏，四月庚子[341]，湖南兵马使臧玠杀观察使崔灌。澧州刺史杨子琳起兵讨之，取赂而还。

泾原节度使马璘屡诉本镇荒残，无以赡军。上讽李抱玉以郑、颍二州让之。乙巳[342]，以璘兼郑颍节度使。

庚申[343]，王缙自太原入朝。

癸未[344]，以左羽林大将军辛京杲为湖南观察使。

荆南节度使卫伯玉遭母丧，六月戊戌[345]，以殿中监王昂[346]代之。伯玉讽大将杨铢[347]等拒昂留己。甲寅[348]，诏起复伯玉镇荆南[12]如故。

来。皇甫温到京师，元载就留下他没让他走，于是与他及周皓密谋诛杀鱼朝恩。计谋定好后，元载向代宗报告。代宗说："好好地去谋划，不要反受其祸。"

三月初十日癸酉，寒食节，代宗在宫中摆酒席宴请显贵近臣，元载守候在中书省。宴会结束后，鱼朝恩准备回营，代宗留下他商议事情，乘机责备他有不轨的图谋。鱼朝恩自我辩解，言语颇为悖逆傲慢。周皓和左右的人捉住他把他勒死，外面没有人知道。代宗下诏书，罢免鱼朝恩的观军容使等职务，内侍监一职照旧保留。对外谎称说鱼朝恩接受诏命后上吊自杀了，把他的尸体送回家，赐钱六百万来安葬。

十四日丁丑，加封刘希暹、王驾鹤为御史中丞，以抚慰安定北军的人心。二十三日丙戌，赦免京畿在押的囚犯，命令释放鱼朝恩所有党羽，并且说："北军将士，都是朕的亲信，一切仍按过去的办。朕如今亲自掌管禁军，大家不要忧虑害怕。"

二十六日己丑，罢除度支使及关内等道的转运使、常平使、盐铁使，有关度支事务委托宰相管理。

敕令皇甫温依旧回去镇守陕州。

元载诛杀鱼朝恩后，代宗对他的宠爱信任更深了。元载于是扬扬得意，骄横放肆，每每当众说出大话，自称有文武才略，古往今来没有人能比得上，他玩弄权术和智谋，施政办事全靠贿赂完成，僭越礼制，生活奢侈，毫无节制。吏部侍郎杨绾掌管选举事务公平得当，性情耿直，不依附元载。岭南节度使徐浩贪婪而善谄媚讨好，竭尽南方的珍宝财货来贿赂元载。三月二十八日辛卯，元载让杨绾改任国子祭酒，引荐徐浩代替杨绾任吏部侍郎。徐浩是越州人。元载有位长辈从宣州来，找元载要官做。元载估计这个人不能委以职事，就只给他一封带到河北的信把他打发走了。这位长辈很不高兴，走到幽州时，私自打开信来看，发现信上没有一句话，只有元载的署名而已。这位长辈非常愤怒，不得已试着去拜谒节度使院的僚属。节度判官听说有元载的信，大吃一惊，立即报告节度使，派将领用箱子来盛放元载的信，招待这位长辈住在上等的馆舍里，留下宴请他好几天。临走时，又送给他绢帛一千匹。元载的威势和权力就是如此惊人。

夏，四月初八日庚子，湖南兵马使臧玠杀了观察使崔灌。澧州刺史杨子琳起兵讨伐他，接受贿赂后就回去了。

泾原节度使马璘多次向朝廷诉说本镇的土地荒芜残破，无法供给军队。代宗暗示李抱玉把郑州、颍州两个州让给他。十三日乙巳，任命马璘兼任郑颍节度使。

四月二十八日庚申，王缙从太原入朝。

五月二十一日癸未，任命左羽林大将军辛京杲为湖南观察使。

荆南节度使卫伯玉遇到母亲的丧事，六月初七日戊戌，任命殿中监王昂代替他。卫伯玉暗示大将杨钵等人拒绝接受王昂而留下自己。二十三日甲寅，诏令卫伯玉起复镇守荆南照旧。

秋，七月，京畿饥，米斗千钱。

刘希暹内常自疑[349]，有不逊语，王驾鹤以闻。九月辛未[350]，赐希暹死。

吐蕃寇永寿[351]。

冬，十一月，郭子仪入朝。

上悉知元载所为，以其任政日久，欲全始终，因独见，深戒之。载犹不悛[352]，上由是稍恶之。

载以李泌有宠于上，忌之，言“泌常与亲故宴于北军，与鱼朝恩亲善，宜知其谋”。上曰：“北军，泌之故吏[353]也，故朕使之就见亲故。朝恩之诛，泌亦预谋，卿勿以为疑。”载与其党攻之不已。会江西观察使魏少游求参佐[354]，上谓泌曰：“元载不容卿，朕今匿卿于魏少游所。俟朕决意除载，当有信报卿，可束装来。”乃以泌为江西判官，且属少游使善待之。

---

【段旨】

以上为第九段，写元载设谋诛除了鱼朝恩，更加飞扬跋扈，排挤李泌出京。

【注释】

㉕己巳：正月初五日。㉖内属：内附，臣附于内地唐王朝。㉗广座：众人聚会的场所；大庭广众。㉘恣谈：肆无忌惮地谈论。㉙强辩：能言善辩。㉚拱默：拱手沉默。㉛刘希暹（？至公元七七〇年）：宦官。出自戎伍，以骑射闻名，为宦官鱼朝恩所用，官至太仆卿，封交河郡王。传见《旧唐书》卷一百八十四。㉜王驾鹤：曾任神策军都知兵马使、神策军使，掌禁军十余年，权倾一时；德宗即位，始去职。其事散见《旧唐书》卷一百三十《关播传》、《新唐书》卷二百七《鱼朝恩传》等篇。㉝北军：北衙禁军。此时包括有左右羽林军、左右龙武军、左右神武军和神策军。㉞罗告：罗织罪名而诬告。㉟讯掠：审问拷打。㊱不豫：不参与。㊲内给使：内侍省宫闱局属员。唐制，凡宦官无官品者，称内给使，无常员，掌诸门进物出物。㊳衣绿：唐制，官三品以上服紫，四五品服绯，六七品服绿，八九品服青。鱼朝恩养子为内给使无官品而穿六七品官服。㊴同列：同事。㊵侪辈：同辈。㊶强笑：勉强地笑。㊷指：旨意；意图。㊸辛卯：正月二十七日。㊹鄜：县

秋，七月，京畿地区饥荒，米价一斗值一千钱。

刘希暹内心经常自己起疑，说些不恭顺的话，王驾鹤报告了代宗。九月十二日辛未，赐刘希暹自杀。

吐蕃侵犯永寿。

冬，十一月，郭子仪入朝。

代宗对元载的所作所为全都知道，因为元载执政的时间很长，想保全他让他善始善终，因此单独召见他，深切地告诫他。但元载还是不改，代宗因此逐渐讨厌他了。

元载因李泌得到代宗的宠爱，就很嫉妒他，说“李泌常常与亲友故旧在北军举行宴会，与鱼朝恩亲近友好，应该知道他们的阴谋”。代宗说：“北军诸将是李泌的旧部，所以朕让李泌去北军见见这些亲友故旧。鱼朝恩被诛杀，李泌也参与谋划，你不要怀疑他。”但元载和他的党羽还是不停地攻击李泌。适逢江西观察使魏少游要一个参谋辅佐的官员。代宗对李泌说：“元载容不下你，朕如今把你藏匿在魏少游那里。等朕下决心除掉元载后，就会有信来通报你，到时你可整装前来。”于是任命李泌为江西观察判官，并且嘱咐魏少游要善待李泌。

---

名，县治在今陕西眉县。㉛⑮虢：县名，县治在今陕西宝鸡。㉛⑯宝鸡：县名，县治在今陕西宝鸡。㉛⑰兴平：县名，县治在今陕西兴平。㉛⑱天兴：县名，县治在今陕西宝鸡市凤翔区。㉛⑲壬辰：正月二十八日。㉜⑳张延赏（公元七二七至七八七年）：开元宰相张嘉贞之子。本名宝符，开元末年，玄宗召见，赐名延赏，取“延赏于世”之意。博涉经史，达于政事，官至左仆射、同中书门下平章事。传见《旧唐书》卷一百二十九、《新唐书》卷一百二十七。㉜①戊戌：二月初五日。㉜②癸酉：三月初十日。㉜③寒食：节令名，在农历清明前一二日。相传春秋时晋国介之推辅佐重耳（晋文公）回国后，隐于山中，重耳烧山逼他出来，之推抱树而死。文公为悼念他，禁止在之推死日生火煮食，只吃冷食。以后相沿成俗，称为寒食禁火。可是，《周礼·司烜氏》已载有“仲春以木铎修火禁于国中”，证明仲春（二月）之末禁火早已是周代的旧制。关于介之推与寒食的联系，始于两晋南朝，当为时人的附会。㉜④贵近：居贵要之位而接近于君王的人。㉜⑤悖慢：违逆傲慢。㉜⑥缢杀：绞死；勒死。㉜⑦丁丑：三月十四日。㉜⑧丙戌：三月二十三日。㉜⑨系囚：在押的囚犯。㉝⑩党与：同党；同伙。㉝①己丑：三月二十六日。㉝②弄权舞智：玩弄权术与智谋。㉝③政以贿成：指国家政事依靠贿赂的手段来完成。政，政治、政事。贿，贿赂。㉝④僭侈无度：无限度地越分奢侈。僭，越分、超越身份、冒用在上者的职权行事。㉝⑤典选平允：主掌选举事务公平得当。㉝⑥介直：耿介直率。㉝⑦徐浩（公元七〇三至七八二年）：

字季海，越州（今浙江绍兴）人，工草隶，以文学知名于世。官至吏部侍郎。传见《旧唐书》卷一百三十七、《新唐书》卷一百六十。㉝㊳ 辛卯：三月二十八日。㉝㊴ 丈人：古为尊老之称。此指父辈的老人。㉞㊵ 院僚：指节度使院的僚属。㉞㊶ 庚子：四月初八日。㉞㊷ 乙巳：四月十三日。㉞㊸ 庚申：四月二十八日。㉞㊹ 癸未：五月二十一日。㉞㊺ 戊戌：六月初七日。㉞㊻ 王昂（？至公元七七七年）：出自戎旅，贪纵不法，党附元载，官至检校刑部尚书知省事。事见《旧唐书》卷一百十八。㉞㊼ 杨钵：曾任怀州刺史、荆南节度使大将。其事略载《新唐书》卷一百五十五《马燧传》。㉞㊽ 甲寅：六月二十三日。㉞㊾ 刘希暹内常自疑：刘希暹党附鱼朝恩，鱼朝恩死，故常自疑。㉟㊿ 辛未：九月十二日。(351) 永寿：县名，县治在今陕西永寿北。(352) 不悛：不悔改。悛，改、悔改。(353) 北军二句：李泌跟随肃宗从灵武到凤翔，军政大事皆预谋其中，故言北军将校皆其故吏。(354) 参佐：僚属；部下。

【原文】

**六年（辛亥，公元七七一年）**

春，二月壬寅(355)，河西、陇右、山南西道副元帅兼泽潞、山南西道节度使李抱玉上言："凡所掌之兵，当自训练。今自河、陇达于扶、文(356)，绵亘二千余里，抚御至难。若吐蕃道岷(357)、陇俱下[13]，臣保固汧、陇，则不救梁、岷；进兵扶、文，则寇逼关辅(358)。首尾不赡，进退无从。愿更择能臣，委以山南，使臣得专备陇坻(359)。"诏许之。

郭子仪还邠州。

岭南蛮酋梁崇牵自称平南十道大都统，据容州，与西原蛮张侯、夏永等连兵攻陷城邑，前容管经略使元结(360)等皆寄治苍梧(361)。经略使王翃(362)至藤州，以私财募兵，不数月，斩贼帅欧阳珪，驰诣广州，见节度使李勉，请兵以复容州，勉以为难。翃曰："大夫(363)如未暇出兵，但乞移牒诸州，扬言出千兵为援，冀藉声势，亦可成功。"勉从之。翃乃与义州(364)刺史陈仁璀、藤州(365)刺史李晓庭等结盟讨贼。翃募得三千余人，破贼数万众。攻容州，拔之，擒梁崇牵，前后大小百余战，尽复容州故地。分命诸将袭西原蛮，复郁林(366)等诸州。

先是，番禺贼帅冯崇道、桂州叛将朱济时皆据险为乱，陷十余州，

## 【校记】

［9］于：据章钰校，十二行本、乙十一行本皆作“在”。［10］畿：据章钰校，十二行本、乙十一行本皆作“城”。［11］辛卯：原无此二字。据章钰校，十二行本、乙十一行本皆有此二字，张敦仁《通鉴刊本识误》、张瑛《通鉴校勘记》同，今据增补。［12］荆南：原误作“京南”。据章钰校，十二行本、乙十一行本皆作“荆南”，今据校正。〖按〗卫伯玉原任荆南节度使，见上文。

---

## 【语译】

### 六年（辛亥，公元七七一年）

春，二月十五日壬寅，河西、陇右、山南西道副元帅兼泽潞、山南西道节度使李抱玉上书说：“凡是所掌管的军队，都应当亲自训练。如今从河西、陇右直到扶州、文州，绵延二千多里，安抚控制非常困难。如果吐蕃军队取道岷州、陇州同时进犯，臣保卫固守汧阳、陇州，就不能援救梁州、岷州；进兵扶州、文州，那么敌寇就会进逼关中畿辅地区。首尾不能呼应相助，进退无所适从。希望另外选择能干大臣，把山南委托给他，使臣能够专心防备陇山一带。”代宗下诏同意了他的建议。

郭子仪返回邠州。

岭南蛮族酋长梁崇牵自称平南十道大都统，占据容州，与西原蛮族的张侯、夏永等人连兵攻陷城邑，前容管经略使元结等人都把治所寄设在苍梧。经略使王翃到藤州，用私人财产招募士兵，不到几个月，就斩杀了贼兵统帅欧阳珪。王翃驱马奔赴广州，拜见节度使李勉，请求出兵收复容州，李勉认为很难。王翃说：“大夫如果无暇出兵，只请求发公文到各州，扬言要派出千名士兵作为援兵，希望凭借这样的声势，也可以成功。”李勉同意了。王翃于是与义州刺史陈仁璀、藤州刺史李晓庭等人结盟讨伐贼兵。王翃招募到三千多人，打败贼兵好几万人。又攻打容州，把它攻了下来，活捉梁崇牵，前后经大小一百多次战斗，全部收复容州以前的辖地。又分别命令诸将袭击西原蛮族，收复了郁林等各州。

先前，番禺贼兵统帅冯崇道、桂州反叛将领朱济时都占据险要地方作乱，攻陷

官军讨之，连年不克。李勉遣其将李观[367]与翃并力攻讨，悉斩之。三月，五岭皆平。

河北旱，米斗千钱。

夏，四月己未[368]，澧州刺史杨子琳入朝[369]。上优接之，赐名猷。

庚申[370]，以典内[371]董秀为内常侍。

吐蕃请和。庚辰[372]，遣兼御史大夫吴损使于吐蕃。

成都司录[373]李少良[374]上书言元载奸赃阴事，上置少良于客省。少良以上语告友人韦颂，殿中侍御史陆珽以告载，载奏之。上怒，下少良、颂、珽御史台狱。御史奏少良、颂、珽凶险比周，离间君臣。五月戊申[375]，敕付京兆，皆杖死。

秋，七月丙午[376]，元载奏，凡别敕除文、武六品以下官，乞令吏部、兵部无得检勘[377]，从之。时载所奏拟多不遵法度，恐为有司所驳故也。

八月丁卯[378]，淮西节度使李忠臣将兵二千屯奉天防秋[379]。

上益厌元载所为，思得士大夫之不阿附者为腹心，渐收载权。丙子[380]，内出制书[381]，以浙西观察使李栖筠为御史大夫，宰相不知。载由是稍绌[382]。

九月，吐蕃下青石岭[383]，军于那城[384]。郭子仪使人谕之，明日，引退。

是岁，以尚书右丞韩滉[385]为户部侍郎、判度支。自兵兴以来，所在赋敛无度，仓库出入无法，国用虚耗。滉为人廉勤，精于簿领[386]，作赋敛出入之法，御下严急，吏不敢欺。亦值连岁丰穰，边境无寇，自是仓库蓄积始充。滉，休之子也。

了十多个州，官军讨伐他们，连年都未能成功。李勉派他的部将李观与王翃合力进攻讨伐，把他们全都杀了。三月，五岭全部平定。

河北干旱，米价一斗值一千钱。

夏，四月初三日己未，澧州刺史杨子琳入朝。代宗接见时待遇优厚，给他赐名为猷。

初四日庚申，任命典内董秀为内常侍。

吐蕃请求讲和。四月二十四日庚辰，派遣兼御史大夫吴损出使吐蕃。

成都司录李少良上书揭发元载奸邪贪赃的秘事，代宗把李少良安置在客省。李少良把代宗的话告诉了友人韦颂，殿中侍御史陆珽又把这件事告诉了元载，元载奏报代宗。代宗很生气，把李少良、韦颂、陆珽关进御史台监狱。御史上奏说李少良、韦颂、陆珽凶狠阴险，结党营私，离间君臣关系。五月二十三日戊申，代宗敕令交付京兆尹，都用棍子打死。

秋，七月二十二日丙午，元载上奏说，凡是特别下敕令任命文、武六品以下的官员，请求命令吏部、兵部不得进行检验勘核，代宗准许了。这是因为当时元载所上奏拟定的官员任命大都不遵照法度，他担心被有关部门驳回。

八月十四日丁卯，淮西节度使李忠臣率领士兵二千人屯驻奉天以防秋季外敌入侵。

代宗越来越讨厌元载的所作所为，想得到士大夫中不迎合依附元载的人作为心腹，慢慢收回元载的权力。八月二十三日丙子，从宫内颁布制书，任命浙西观察使李栖筠为御史大夫，宰相事先不知道。元载的权力从此渐渐有所减弱。

九月，吐蕃攻下青石岭，驻军在那城。郭子仪派人晓谕吐蕃，第二天，吐蕃军队退走。

这一年，任命尚书右丞韩滉为户部侍郎、判度支。自从战乱发生以来，各处征收赋税毫无节制，仓库财物的进出无法可依，国家财用枯竭。韩滉为人廉洁勤勉，精于账簿登记管理，制定了征收赋税及仓库财物进出的法规，管理部下严厉峻急，官吏不敢欺骗。同时又遇到连年丰收，边境没有敌寇侵扰，从此仓库积蓄开始充实起来。韩滉，是韩休的儿子。

---

**【段旨】**

以上为第十段，写李勉讨平岭南蛮夷叛乱，代宗渐收元载之权。

**【注释】**

[355]壬寅：二月十五日。[356]扶、文：扶州、文州。扶州治所在今四川九寨沟东，文州治所在今甘肃文县西。[357]岷：州名，治所在今甘肃岷县。[358]关辅：唐首都长安所在的关中地区。辅，古称京城附近的地区为辅。[359]陇坻:陇山。此指陇右地区。坻，山坡。[360]元结（公元七一九至七七二年）：字次山，河南（治今河南洛阳）人，官至容管经略使。善属文，有《元次山集》，尚存。传见《新唐书》卷一百四十三。[361]苍梧：郡名，治所在今广西梧州。[362]王翃（公元七三三至八〇二年）：字宏肱，并州晋阳（今山西太原西南）人，有文武才，累官至大理卿、福建观察使。卒于东海留守。传见《旧唐书》卷一百五十七、《新唐书》卷一百四十三。[363]大夫：李勉时任岭南节度观察使，所带朝职为御史大夫。[364]义州：州名，治所在今广西岑溪市东。[365]藤州：州名，治所在今广西藤县。[366]郁林：州名，治所在今广西玉林西北。[367]李观（？至公元七八八年）：洛阳（今河南洛阳）人，少习武艺，有将帅识度。官至少府监、检校工部尚书。传见《旧唐书》卷一百四十四、《新唐书》卷一百五十六。[368]己未：四月初三日。[369]杨子琳入朝：杨子琳入朝至京师，在大历九年（公元七七四年）五月（见本书卷二百二十五）。此“入朝”疑为上表请入朝。[370]庚申：四月初四日。[371]典内：官名，太子内坊局（内坊初隶东宫；开元二十七年隶内侍省，为内坊局，改典内曰令）长官，宦官充任，掌东宫阁内的禁令及宫人粮廪赐与出入等事务。[372]庚辰：四月二十四日。[373]司录：司录参军，州府僚佐，职掌纠举功、仓、户、兵、法、士六曹，整肃州政。[374]李少良（？至公元七七一年）：曾官殿中

**【原文】**

**七年（壬子，公元七七二年）**

春，正月甲辰[387]，回纥使者擅出鸿胪寺，掠人子女。所司禁之，殴击所司，以三百骑犯金光、朱雀门[388]。是日，宫门皆闭。上遣中使刘清潭谕之，乃止。

三月，郭子仪入朝。丙午[389]，还邠州。

夏，四月，吐蕃五千骑至灵州，寻退。

五月乙未[390]，赦天下。

秋，七月癸巳[391]，回纥又擅出鸿胪寺，逐长安令邵说[392]至含光门[393]街，夺其马。说乘他马而去，弗敢争。

侍御史。事见《旧唐书》卷一百十八、《新唐书》卷一百四十五。㉟戊申：五月二十三日。㊱丙午：七月二十二日。㊲检勘：唐代文武六品以下官选授程序之一，又称南曹检勘。当州府把应选人状文（包括乡里名籍、任官资历、父祖官名、内外族姻、年龄形貌、考课优劣、谴负刑犯等项）解送尚书都省后，分别转到吏、兵二部进行检勘。检勘是把解状与吏、兵部所存的档案（称甲历）进行检验勘核，看是否符合当年的选格，是否有伪滥，以决定是否有资格参加当年铨选。这是常规选授的情况。如皇帝特敕除授的六品以下官，其他程序减免，但检勘似仍要进行。至此，才有元载奏请废除。㊳丁卯：八月十四日。㊴防秋：每年秋高马肥时，吐蕃数入内地抢掠，唐每年都调发关东之兵屯京西防御，谓之防秋。㊵丙子：八月二十三日。㊶内出制书：唐代中后期有翰林学士和中书舍人分掌内外制命。所谓内出制书，就是由翰林学士草拟的不经过中书门下而直接从禁中发出的制书。内制一般是较为重要的诏书。㊷绌：减损。㊸青石岭：在今甘肃泾川县西北。㊹那城：地名，在今宁夏固原东南。㊺韩滉（公元七二三至七八七年）：字太仲，开元宰相韩休之子。廉洁耿直，精于吏道，生活节俭。官至润州刺史、镇海军节度使、检校左仆射、同平章事，加度支、诸道转运盐铁使，封晋国公。传见《旧唐书》卷一百二十九、《新唐书》卷一百二十六。㊻簿领：登记的文簿。此指以簿籍记载财物出纳的技能。

## 【校记】

［13］若吐蕃道岷、陇俱下：据章钰校，此句十二行本、乙十一行本皆作“若吐蕃两道俱下”。

---

## 【语译】

### 七年（壬子，公元七七二年）

春，正月二十二日甲辰，回纥的使者擅自走出鸿胪寺，抢夺百姓子女。主管官员出面禁止，他们殴打官员，还率领三百名骑兵进犯金光门和朱雀门。这一天，宫门全都关闭。代宗派宫中使者刘清潭去晓谕回纥人，骚乱方始停止。

三月，郭子仪入朝。二十五日丙午，返回邠州。

夏，四月，吐蕃五千名骑兵到达灵州，不久就退走了。

五月十五日乙未，大赦天下。

秋，七月十四日癸巳，回纥人又擅自走出鸿胪寺，追逐长安令邵说到含光门街，夺走他的马。邵说只好乘坐别的马离开，不敢和他们相争。

卢龙节度使朱希彩既得位，悖慢朝廷，残虐将卒。孔目官李怀瑗因众怒，伺间杀之，众未知所从。经略副使朱泚营于城北，其弟滔将牙内兵，潜使百余人于众中大言曰："节度使非朱副使不可。"众皆从之。泚遂权知留后，遣使言状。冬，十月辛未[394]，以泚为检校左常侍[395]、幽州卢龙节度使。

十二月辛未[396]，置永平军于滑州。

【段旨】

以上为第十一段，写幽州再度兵乱，自立节度，唐代宗姑息听之。

【注释】

㊲甲辰：正月二十二日。㊳金光、朱雀门：长安城门名。金光门，长安城西面中门。

【原文】

八年（癸丑，公元七七三年）

春，正月，昭义节度使[397]、相州刺史薛嵩薨。子平[398]，年十二，将士胁以为帅，平伪许之。既而让其叔父崿[399]，夜奉父丧，逃归乡里。壬午[400]，制以崿知留后。

二月壬申[401]，永平节度使令狐彰薨。彰承滑、亳离乱之后，治军劝农，府廪充实。时藩镇率皆跋扈[402]，独彰贡赋未尝阙[403]。岁遣兵三千诣京西防秋，自赍粮食，道路供馈皆不受，所过秋豪不犯[404]。疾亟，召掌书记高阳齐映[405]与谋后事。映劝彰请代人，遣子归私第。彰从之，遗表称："昔鱼朝恩破史朝义，欲掠滑州，臣不听，由是有隙。及朝恩诛，值臣寝疾，以是未得入朝，生死愧负[406]。臣今必不起，仓库畜牧，先已封籍[407]，军中将士，州县官吏，按堵[408]待命。伏见吏部尚书刘晏、工部尚书李勉可委大事，愿速以代臣。臣男建等，今勒归东都私第。"

卢龙节度使朱希彩得到官位后，对朝廷违逆不敬，残酷虐待将士。孔目官李怀瑗利用众人的愤怒，找机会把他杀了，众人不知道该跟着谁。经略副使朱泚在城北扎营，他的弟弟朱滔统领牙内兵，暗中派了一百多人在众人中大声宣称："节度使非朱副使当不可。"众人都听从了。朱泚于是暂时代理留后，派使者到朝廷说明情况。冬，十月二十四日辛未，任命朱泚为检校左常侍、幽州卢龙节度使。

十二月二十五日辛未，在滑州设置永平军。

---

朱雀门，宫城南面中门。㊴丙午：三月二十五日。㊵乙未：五月十五日。㊶癸巳：七月十四日。㊷邵说（？至公元七八二年）：相州安阳（今河南安阳）人，陷于史思明。史朝义败，入郭子仪幕府，累迁长安令、秘书少监。德宗时官至吏部侍郎。传见《旧唐书》卷一百三十七、《新唐书》卷二百三。㊸含光门：西内宫城之外为皇城，南面三门，含光门在西侧。㊹辛未：十月二十四日。㊺左常侍：即左散骑常侍。㊻辛未：十二月二十五日。

---

【语译】

**八年（癸丑，公元七七三年）**

春，正月，昭义节度使、相州刺史薛嵩去世。他的儿子薛平，年方十二岁，将士们胁迫他做主帅，薛平假装答应了。不久就把主帅的位置让给他的叔叔薛崿，趁夜护送父亲的灵柩，逃回乡里。初六日壬午，下制书任命薛崿任留后。

二月二十七日壬申，永平节度使令狐彰去世。令狐彰在滑州、亳州刚经历了战乱之后上任，整治军队，鼓励农耕，因此仓廪充实。当时各藩镇一般都骄横强暴，唯独令狐彰从未缺过上交朝廷的赋税。每年派兵三千人到京西去防备秋季外敌入侵，自带粮食，沿途各方供给和馈赠的东西都不接受，所经过的地方秋毫无犯。病重时，召见掌书记高阳人齐映和他商量后事。齐映劝令狐彰向朝廷请求派替代自己的人，让儿子回到自己的私宅去。令狐彰听从了这一建议，写下遗表说："以前鱼朝恩打败史朝义，想要掠夺滑州，臣没有听从，由此有了嫌隙。等到鱼朝恩被诛杀时，臣正重病不起，因此未能入朝，生前死后都感到惭愧对不起陛下。臣如今病重一定不会再好，仓库的财物以及牧养的牲畜都先已登记封存，军中将士、州县官吏，安居待命。臣个人觉得吏部尚书刘晏、工部尚书李勉可以委任大事，希望赶快让他们来代替臣。臣的儿子令狐建等人，如

彰薨，将士欲立建，建誓死不从，举家西归。三月丙子[409]，以李勉为永平节度使。

吏部侍郎徐浩、薛邕，皆元载、王缙之党。浩妾弟侯莫陈忿[410]为美原尉，浩属京兆尹杜济虚以知驿[411]奏优[412]，又属邕拟长安尉。忿参台[413]，御史大夫李栖筠劾奏其状，敕礼部侍郎万年于邵[414]等按之。邵奏邕罪在赦前，应原除，上怒。夏，五月乙酉[415]，贬浩明州别驾，邕歙州刺史。丙戌[416]，贬济杭州刺史，邵桂州长史，朝廷稍肃[417]。

辛卯[418]，郑王邈[419]薨，赠昭靖太子。

回纥自乾元以来，岁求和市，每一马易四十缣[420]，动至数万匹，马皆驽瘠[421]无用。朝廷苦之，所市多不能尽其数，回纥待遣、继至者常不绝于鸿胪。至是，上欲悦其意，命尽市之。秋，七月辛丑[422]，回纥辞归，载赐遗及马价，共享车千余乘。

---

【段旨】

以上为第十二段，写永平节度使令狐彰恪尽职守，唐用重金买回纥瘦弱无用之马以维护和平。

【注释】

㊱昭义节度使：又名泽潞节度使，使职名，为泽潞等州差遣长官。至德元载（公元七五六年）置泽潞沁节度使，治潞州（今山西长治）。广德元年（公元七六三年）又置相、卫、贝、邢、洺、磁节度使，治相州（今河南安阳）。大历元年（公元七六六年）赐号昭义军节度使。大历十二年（公元七七七年）昭义军节度使与泽潞节度使合为一镇。长期领有泽、潞、磁、邢、洺五州。[398]平：薛平（公元七五二至八三一年），昭义军节度使薛嵩之子。在南衙任将军三十年，出任郑滑、平卢、河中等镇节度使，有能名，至加司徒，拜太子太傅，封魏国公。传见《旧唐书》卷一百二十四、《新唐书》卷一百十一。[399]崿：薛崿（？至公元七七五年），或作"薛萼"，薛嵩弟。嵩死，崿为相卫节度留后，大历十年（公元七七五年）被镇兵驱逐。传见《旧唐书》卷一百二十四。[400]壬午：正月初六日。[401]壬申：二月二十七日。[402]跋扈：骄横强暴。[403]阙：空缺；缺漏。[404]秋豪不犯：指一点也不侵犯。秋豪，

今已勒令他们回到东都私宅。”令狐彰去世后，将士们想要拥立令狐建，令狐建誓死不从，带领全家西归东都。三月初一日丙子，任命李勉为永平节度使。

吏部侍郎徐浩、薛邕，都是元载、王缙的党羽。徐浩小妾的弟弟侯莫陈忩是美原县尉，徐浩嘱托京兆尹杜济虚称侯莫陈忩掌管驿站事务并奏报他成绩优异，又嘱托薛邕拟任用他为长安县尉。侯莫陈忩参拜御史台，御史大夫李栖筠弹劾了他并奏明他的情况。代宗敕令礼部侍郎万年人于邵等人审查此事。于邵上奏说薛邕的罪过在大赦之前，应该原谅免除。代宗很生气。夏，五月十一日乙酉，把徐浩贬为明州别驾，把薛邕贬为歙州刺史。十二日丙戌，又把杜济贬为杭州刺史，把于邵贬为桂州长史，朝廷的纲纪逐渐受到整肃。

五月十七日辛卯，郑王李邈去世，追赠为昭靖太子。

回纥自乾元年间以来，每年都请求唐朝议价购买他们的马匹，每一匹马换四十匹细绢，动不动就是几万匹马，而这些马又都瘦劣无用。朝廷感到很苦恼，往往不能尽数购买，因此在鸿胪寺等待回去和接踵而来的回纥人经常不断。到了这时，代宗想要让他们满意，命令把他们的马全都买下来。秋，七月二十八日辛丑，回纥人告辞回去，运载朝廷赏赐和卖马得到的财物，一共用了一千多辆车子。

---

同“秋毫”。本指鸟兽换毛，至秋天重长新毛，细而尖。故以秋毫指细微的东西。⑷⓪⑤ 齐映（公元七四八至七九五年）：高阳（今河北高阳东）人，官至中书舍人、同平章事。传见《旧唐书》卷一百三十六、《新唐书》卷一百五十。⑷⓪⑥ 愧负：惭愧负疚。⑷⓪⑦ 封籍：封存、登记。⑷⓪⑧ 按堵：同“安堵”，安居。⑷⓪⑨ 丙子：三月初一日。⑷①⓪ 侯莫陈忩：人名，时任美原尉，吏部侍郎徐浩小妾之弟。其事略见《新唐书》卷一百四十六《李栖筠传》。⑷①① 知驿：执掌驿站事务。⑷①② 奏优：奏报成绩优异。所谓“优”，即邮驿往来，供给车马、薪刍、粮用皆无缺乏，好于其他县。⑷①③ 参台：亦称台参。唐代御史台与京兆府县官员之间禀奉临制之礼仪，凡御史台有新除授的大夫、中丞，京兆府的府尹、少尹和长安、万年两县县令要到台参见。太和九年（公元八三五年）御史台奏请获准，凡有新除三院（台院、殿院、察院）御史，京兆尹、少尹和两县令也要就廊下参见。⑷①④ 于邵（公元七一四至七九四年）：字相门，京兆万年（今陕西西安东）人，天宝末年进士，官至礼部侍郎。有文集四十卷，已佚。传见《旧唐书》卷一百三十七、《新唐书》卷二百三。⑷①⑤ 乙酉：五月十一日。⑷①⑥ 丙戌：五月十二日。⑷①⑦ 肃：整肃；严肃。⑷①⑧ 辛卯：五月十七日。⑷①⑨ 郑王邈：李邈（？至公元七七三年），代宗第二子。好读书，以儒行称。既死，代宗惜其才早夭，册赠昭靖太子。传见《旧唐书》卷一百十六、《新唐书》卷八十二。⑷②⓪ 缣：细绢。⑷②① 驽瘠：指瘦劣的马。驽，劣马。⑷②② 辛丑：七月二十八日。

【原文】

八月己未[423]，吐蕃六万骑寇灵武，践秋稼而去。

辛未[424]，幽州节度使朱泚遣弟滔将五千精骑诣泾州防秋。自安禄山反，幽州兵未常[14]为用。滔至，上大喜，劳赐甚厚。

壬申[425]，回纥复遣使者赤心[426]以马万匹来求互市。

九月壬午[427]，循州[428]刺史哥舒晃杀岭南节度使吕崇贲，据岭南反。

癸未[429]，晋州男子郇模[430]以麻辫发[431]，持竹筐苇席，哭于东市。人问其故，对曰："愿献三十字，一字为一事，若言无所取，请以席裹尸，贮筐中，弃于野。"京兆以闻。上召见，赐新衣，馆于客省[432]。其言"团"者，请罢诸州团练使也；"监"者，请罢诸道监军使也。

魏博节度使田承嗣为安、史父子立祠堂[433]，谓之四圣，且求为相。上令内侍孙知古因奉使讽令毁之。冬，十月甲辰[434]，加承嗣同平章事以褒之。

灵州破吐蕃万余众。吐蕃众十万寇泾、邠，郭子仪遣朔方兵马使浑瑊将步骑五千拒之。庚申[435]，战于宜禄。瑊登黄菼[436]原望虏，命据险布拒马[437]，以备其驰突。宿将[438]史抗、温儒雅等意轻瑊，不用其命。瑊召使击虏，则已醉矣。见拒马，曰："野战，乌[439]用此为！"命撤之。叱骑兵冲虏陈，不能入而返。虏蹑而乘之，官军大败，士卒死者什七八，居民为吐蕃所掠千余人。

甲子[440]，马璘与吐蕃战于盐仓[441]，又败。璘为虏所隔，逮暮未还，泾原兵马使焦令谌等与败卒争门而入。或劝行军司马段秀实乘城拒守，秀实曰："大帅未知所在，当前击虏，岂得苟自全乎！"召令谌等让之曰："军法，失大将，麾下皆死，诸君忘其死邪！"令谌等惶惧[15]拜请命。秀实乃发城中兵未战者悉出，陈于东原，且收散兵，为将力战状。吐蕃畏之，稍却。既夜，璘乃得还。

郭子仪召诸将谋曰："败军之罪在我，不在诸将。然朔方兵精闻天下，今为虏败，何策可以雪耻？"莫对。浑瑊曰："败军之将，不当复

【语译】

八月十六日己未，吐蕃六万名骑兵侵犯灵武，践踏秋季的庄稼后离去。

二十八日辛未，幽州节度使朱泚派他的弟弟朱滔率领五千名精锐骑兵到泾州防备秋季外敌入侵。从安禄山反叛之后，幽州的军队不曾被朝廷所调用。朱滔到后，代宗非常高兴，慰劳赏赐极为优厚。

二十九日壬申，回纥又派使者赤心带一万匹马前来要求与唐朝交易。

九月初十日壬午，循州刺史哥舒晃杀死岭南节度使吕崇贲，占据岭南反叛。

十一日癸未，晋州男子郇模用麻线编发辫，手持竹筐苇席，在长安东市痛哭。人们问他这样做的缘故，他回答说："我愿献上三十个字，一个字反映一件事，如果我所说的一无可取，请求用苇席裹住我的尸体，装进竹筐中，抛弃到野外去。"京兆府把这件事奏报代宗。代宗召见郇模，赐给他新衣服，让他住在客省里。他说"团"字，是请求罢除各州团练使；说"监"字，是请求罢除各道监军使。

魏博节度使田承嗣为安禄山、史思明父子建立祠堂，称他们为四圣，并且请求做宰相。代宗命令内侍孙知古利用奉命出使的机会婉言劝说让他拆毁祠堂。冬，十月初二日甲辰，加封田承嗣同平章事来褒奖他。

吐蕃军队一万多人在灵州被打败。吐蕃军队十万人侵犯泾州、邠州，郭子仪派朔方兵马使浑瑊率领步兵、骑兵五千人抵御他们。十月十八日庚申，双方在宜禄交战。浑瑊登上黄萯原瞭望敌人，命令占据险要地方布置防御战具拒马，以防备敌人驰马冲击。老将史抗、温儒雅等人心里瞧不起浑瑊，不服从他的命令。浑瑊叫他们去攻击敌人，他们却已喝醉了。他们看见拒马说："野外作战，哪里用得着这东西！"命令把它撤掉。叱令骑兵冲向敌人阵地，未能冲入而退了回来。敌人紧跟在后乘机进攻，官军大败，士卒死了十分之七八，居民被吐蕃抢走一千多人。

十月二十二日甲子，马璘与吐蕃在盐仓交战，又败了。马璘被敌人阻隔，到了黄昏还没有回来，泾原兵马使焦令谌等与打了败仗的士卒争着进入城门。有人劝行军司马段秀实登上城墙守卫抵御，段秀实说："大帅不知道在哪里，应当冲向前去攻打敌人，怎么能够苟且地只顾保全自己呢！"把焦令谌等人叫来责备说："按照军法，失去大将，部下都要死，各位忘记了自己的死罪吗！"焦令谌等人惶恐不安，跪拜向段秀实请示应该怎么去做。段秀实于是调动城中还没有出战的士兵全部出城，在东原布下阵势，并且收拢散失的士兵，做出准备奋力作战的样子。吐蕃害怕了，稍稍后撤。入夜以后，马璘才得以返回。

郭子仪召集诸将谋划说："军队战败的罪责在我，不在诸位将领身上。然而朔方军队精锐闻名天下，如今被敌人打败，有什么良策可以雪耻？"没有人回答。浑瑊说："败军之将，本不当再参与商议。但我还是愿意说一说今天的事情，此事只

预议。然愿一言今日之事，惟理⑷⑷⑵臧罪，不则⑷⑷⑶再见任。”子仪赦其罪，使将兵趣朝那⑷⑷⑷。虏既破官军，欲掠汧、陇。盐州刺史李国臣曰：“虏乘胜必犯郊畿，我掎其后，虏必返顾。”乃引兵趣秦原⑷⑷⑸，鸣鼓而西。虏闻之，至百城⑷⑷⑹返，浑瑊邀之于隘，尽复得其所掠。马璘亦出精兵袭虏辎重于潘原⑷⑷⑺，杀数千人，虏遂遁去。

乙丑⑷⑷⑻，以江西观察使路嗣恭兼岭南节度使[16]，讨哥舒晃。

初，元载尝为西州⑷⑷⑼刺史，知河西、陇右山川形势。是时，吐蕃数为寇，载言于上曰：“四镇、北庭既治泾州，无险要可守。陇山高峻，南连秦岭，北抵大河。今国家西境尽潘原，而吐蕃戍摧沙堡⑷⑸⑽，原州居其中间，当陇山之口，其西皆监牧故地，草肥水美。平凉⑷⑸⑴在其东，独耕一县，可给军食，故垒⑷⑸⑵尚存，吐蕃弃而不居。每岁盛夏，吐蕃畜牧青海⑷⑸⑶，去塞甚远。若乘间筑之，二旬可毕。移京西军戍原州，移郭子仪军戍泾州，为之根本，分兵守石门、木峡⑷⑸⑷，渐开陇右，进达安西，据吐蕃腹心，则朝廷可高枕⑷⑸⑸矣。”并图地形献之，密遣人出陇山商度⑷⑸⑹功用⑷⑸⑺。会汴宋节度使田神功入朝，上问之，对曰：“行军料敌，宿将所难，陛下奈何用一书生语，欲举国从之乎！”载寻得罪，事遂寝。

有司以回纥赤心马多，请市千匹。郭子仪以为如此，逆其意太甚，自请输一岁俸为国市之，上不许。十一月戊子⑷⑸⑻，命市六千匹。

---

**【段旨】**

以上为第十三段，写吐蕃入侵，大败而返。

**【注释】**

⑷⑵⑶己未：八月十六日。⑷⑵⑷辛未：八月二十八日。⑷⑵⑸壬申：八月二十九日。⑷⑵⑹赤心：又叫康赤心，回纥人，曾为和市使者入唐卖马；大历十年（公元七七五年），回纥人在长安街市杀人被拘囚，赤心作为回纥人首领入狱劫囚而出。其事散见《旧唐书》卷一百九

该治我的罪，否则就再派我去战斗。”郭子仪赦免他的罪过，让他率兵赶赴朝那。敌人打败官军后，想要夺取汧阳、陇州。盐州刺史李国臣说：“敌人乘胜必然进犯京畿郊县地区，我在他们后面进行牵制，敌人一定会回头照看。”于是就带兵赶赴秦原，一路上击鼓西行。敌人闻讯后，刚到百城就往回撤。浑瑊在险要之处进行截击，把敌人所掠夺的人员财物全都夺了回来。马璘也派出精锐部队在潘原袭击敌人的辎重，杀死好几千人，敌人于是逃走。

十月二十三日乙丑，命令江西观察使路嗣恭兼岭南节度使，讨伐哥舒晃。

当初，元载曾任西州刺史，了解河西、陇右的山川地势。此时，吐蕃多次侵犯，元载对代宗说：“四镇、北庭已经在泾州设立治所，没有险要之地可以防守。陇山高峻，南连秦岭，北抵黄河。如今国家西方的边境到潘原为止，而吐蕃戍守摧沙堡，原州夹在中间，正当陇山的山口，他的西面都是设监放牧的旧地，草肥水美。平凉在他的东面，是原州唯一的农耕县，可以供给军用粮食，过去的堡垒还保存着，吐蕃人却放弃了这些堡垒而不去居住。每年的盛夏，吐蕃人在青海放牧，离开边塞很远。如果乘机修筑城墙，二十天就可完毕。调京西的军队去戍守原州，调郭子仪的军队去戍守泾州，以此作为御敌的根本，再分兵把守石门关、木峡关，逐渐开辟陇右，进而到达安西，占据吐蕃的腹地，那么朝廷就可以高枕无忧了。”元载并画了一幅地形图献给代宗，暗中还派人出陇山估算工程效用。适逢汴宋节度使田神功入朝，代宗询问他对此事的看法，田神功回答说：“用兵打仗，预料敌情，就是有经验的老将也会感到困难，陛下为什么采用一介书生的话，想让全国上下都听从他呢！”元载不久获罪，这件事也就搁置作罢。

有关部门认为回纥使者赤心所带来的马匹太多，请求购买一千匹。郭子仪认为如果这样，跟回纥人的意愿抵触太大，请求拿出自己一年的俸禄替国家买下回纥人的马，代宗不同意。十一月十七日戊子，代宗命令购买六千匹马。

---

十五、《新唐书》卷二百十七上《回纥传》。㊼壬午：九月初十日。㊽循州：州名，治所在今广东惠州东。㊾癸未：九月十一日。㊿郇模：《旧唐书》作“郇谟”，晋州（今山西临汾）人，以哭谏闻名。事见《旧唐书》卷一百十八。431以麻辫发：用麻来编织发辫。麻为古人服丧所用，故以麻辫发示其抱必死之心。432客省：当时在银台门置客省，宿留四方奏计未遣者、上书言事忤旨者、蕃客未报者，常有数百人之多。433祠堂：旧时祭祀祖宗或贤能有功德者的庙堂。434甲辰：十月初二日。435庚申：十月十八日。436黄菆：草名，其地覆盖黄菆草，因以名为黄菆原，在宜禄县界，今陕西长武。宜禄，县名，故治

在今陕西长武。㊲拒马：古代防御战具。用来布阵立营、拒险塞要，使对方人马不得奔突，故名拒马。㊳宿将：老将。㊴乌：副词。哪里；怎么。㊵甲子：十月二十二日。㊶盐仓：地名，在今甘肃泾川县西。㊷理：惩治。㊸不则：不然的话。㊹朝那：县名，县治在今甘肃灵台西南。㊺秦原：秦亭的原野。秦亭，地名，在今甘肃清水县东北。㊻百城：即百里城。地名，在今甘肃灵台西。㊼潘原：县名，县治在今甘肃平凉东。㊽乙丑：十月二十三日。㊾西州：州名，贞观十四年（公元六四〇年）灭麹氏高昌以其地置，治所在今新疆吐鲁番东南。㊿摧沙堡：地名，在今宁夏固原西北。(451)平凉：县名，县治在今甘肃平凉西。(452)故垒：昔日的军营壁垒。(453)青海：即青海湖。(454)石门、木峡：皆为关名。石门关，在今宁夏固原北。木峡关，在今宁夏固原西南，当陇山之口。(455)高枕：安然而卧，无所忧虑。(456)商度：测量；计划。(457)功用：效能。(458)戊子：十一月十七日。

## 【校记】

［14］常：据章钰校，十二行本、乙十一行本皆作“尝”。〖按〗二字通。［15］惧：据章钰校，十二行本、乙十一行本皆作“恐”。［16］兼岭南节度使：原无此句。据章钰校，十二行本、乙十一行本皆有此句，今据补。

## 【研析】

本卷记载代宗中期执政，八年有余。安史之乱平定后，唐王朝应有一番中兴气象，由于代宗昏而庸，懦而阴，猜忌功臣，宠信宦官，放任权臣，姑息藩镇，祸乱不断，无善政可言。但代宗不兴大狱，不滥杀无辜，维持政局相对稳定，也算一个中庸之君。本卷研析代宗可以称述的一些中庸事务。

代宗之女升平公主下嫁郭子仪之子郭暧，小夫妻有口舌之争。有一次，郭暧气愤，口无遮拦，大言说：“你仗势老子是皇帝吗？我的父亲看不起皇帝之位才不做。”此言大逆不道，有杀身之祸。升平公主也不思后果，耍孩子脾气，气急败坏入宫上奏，可是代宗没有护短听信儿女私情的话，平心静气教导公主，说：“你不懂事，你老公说得对，他的老子要当天子，皇帝还是你家的吗？”代宗安抚公主一番，打发她回家。郭子仪知道了，把郭暧抓起来，入宫请罪。代宗开导说：“俗话说，‘不呆不聋，做不了公公’，儿女私房语，不要去听。”代宗极为清醒明白，公主仗势，才有驸马发怒，从容地与郭子仪聊家常，在诙谐之中保护了功臣。就事论事，代宗不失为一个明主。代宗临终，嘱咐太子李适，国家有急，郭子仪堪大用。代宗昏庸，猜忌心扭曲了他的人性。清醒时，却又明智可爱。

代宗宠信宦官，放纵奸相元载，他两用权臣与宦官，保持权力平衡。宦官李辅国、程元振、鱼朝恩，权臣元载，该诛除时就诛除，元恶止其身，不兴大狱，不滥杀无辜，在当时乱世环境，亦不失为明智之举。权臣元载不容李泌，代宗不想立即诛除元载，于是外放李泌为江西判官，保护起来。代宗对李泌说："等朕决意除掉元载后，再找你回来。"代宗直到后期大历十二年（公元七七七年）才诛杀元载，籍没家产，单是胡椒就有八百石，其他珍宝不计其数。第二年，代宗召回李泌，对李泌说，好不容易过了八年才杀了元载这个贼臣。李泌说："臣下有罪，应该及早处置，不要宽容太过。"代宗说："做事应该十全，不可轻发。"通过这些谈话，可见代宗把优柔看作智谋，自以为是，不可救药，过了几天，代宗又听了宰相常衮的话，又把李泌外放做州刺史，考察他的行政能力。李泌本来就不是可做宰相百里之臣的人。代宗耳根子软，有人说东就是东，有人说西就是西，心无定见，这也是昏庸的一种表现。

代宗也擅长权谋，诛除鱼朝恩，用心细密。吐蕃入长安，代宗蒙尘入鱼朝恩神策军营，鱼朝恩自以为功大，权势日隆，贪心越来越大。鱼朝恩不满足于军功显贵，还胁迫代宗任命他为国子监，附庸风雅，还自吹自擂文武双全，毫无自知之明而登坛讲《易经》。鱼朝恩当众讥讽宰相元载等人，狂妄声称："决定天下事不能没有我鱼朝恩。"鱼朝恩在神策军府私设牢狱，唆使京城恶少诬告京城富室，捕入牢狱，拷打成罪，然后没收富人资财，巧取豪夺，市民称其牢狱为"地牢"。万年县吏贾明观依靠鱼朝恩撑腰，捕人收财，家资巨万。鱼朝恩骄恣，甚至不把代宗放在眼里。鱼朝恩为他的养子求高官，有一次鱼朝恩在殿上对代宗说："臣的儿子官小，遭到小青年的凌辱，乞赐紫衣。"代宗还没有说话，有人就拿紫衣披在鱼朝恩养子鱼令徽身上。代宗很尴尬，苦笑着说："儿服紫，大宜称。"心里很不畅快。元载抓住机会，指控鱼朝恩专恣不轨，请求诛除。代宗嘱咐元载说："善图之，勿反受祸。"因为鱼朝恩不仅握有神策军，还有藩镇亲信，同华节度使周智光、陕州节度使皇甫温、凤翔节度使李抱玉，都近在咫尺，代宗不能不小心。大历二年（公元七六七年），代宗密诏郭子仪征讨同华，杀了周智光。大历五年（公元七七〇年），元载又收买了皇甫温以及鱼朝恩的身边侍从卫士长周皓，完全掌握了鱼朝恩的动向。为了麻痹鱼朝恩，表面上又把兴平、武功、天兴、扶风等地划归神策军。鱼朝恩喜得地盘，骄横如故。大历五年三月寒食节，代宗设宴于禁中，宴会后，代宗留下鱼朝恩议事，周皓将其擒获缢杀。论诡谲权诈，代宗超过了肃宗。

# 卷第二百二十五　唐纪四十一

起阏逢摄提格（甲寅，公元七七四年），尽屠维协洽（己未，公元七七九年）七月，凡五年有奇。

**【题解】**

本卷记事起公元七七四年，迄公元七七九年七月，凡五年又七个月，当唐代宗大历九年到大历十四年七月。此时期为代宗晚年执政，比前期欲有一番作为。卢龙节度使朱泚听命入朝，带兵防秋。魏博节度使田承嗣骄慢，代宗征调九节度使征讨，虽然无功，却表现了朝廷反对割据的姿态。平定了汴宋留后李灵曜的叛乱。裁撤诸州团练使，额定诸州守兵，统一京师以及地方各级官吏的俸禄，清理积弊，法制初定。诛杀了权臣元载。吐蕃在西北、西南全线频繁入侵，也为诸镇边兵击退。但代宗终非中兴之主，平庸姑息如故，田承嗣战事不利，上表服罪，只是一句空话，代宗不问。田承嗣死，田悦继位，代宗听之，藩镇割据之势不可逆转。代宗崩，德宗立，锐意兴革，释禁苑走兽，出宫女，治刑狱，倡节俭，罢奉献，禁中使向地方求索。德宗还整顿京师秩序，拆毁逾制豪宅，约束回纥商人，罢天下榷酒收利，中外皆悦，天下以为太平之治庶几可望。

**【原文】**

**代宗睿文孝武皇帝中之下**

**大历九年（甲寅，公元七七四年）**

春，正月壬寅[①]，田神功薨于京师。

澧朗镇遏使[②]杨猷[③]自澧州沿江而下，擅出境至鄂州，诏听入朝。猷遂溯汉江而上，复州、郢州皆闭城自守，山南东道节度使梁崇义发兵备之。

二月辛未[④]，徐州军乱，刺史梁乘逾城走。

谏议大夫吴损使吐蕃[⑤]，留之累年，竟病死虏中。

庚辰[⑥]，汴宋兵防秋者千五百人盗库财溃归，田神功薨故也。己丑[⑦]，以神功弟神玉[⑧]知汴宋留后。

癸巳[⑨]，郭子仪入朝，上言："朔方，国之北门，中间战士耗散，

【语译】

**代宗睿文孝武皇帝中之下**

**大历九年（甲寅，公元七七四年）**

春，正月初三日壬寅，田神功在京师去世。

澧朗镇遏使杨猷从澧州沿长江而下，擅自出了辖境到达鄂州，代宗下诏让他入朝。杨猷于是溯汉江而上，复州、郢州全都闭城自守，山南东道节度使梁崇义调兵防备他。

二月初二日辛未，徐州军队叛乱，刺史梁乘翻越城墙逃走。

谏议大夫吴损出使吐蕃，被留在那里多年，最后病死在吐蕃。

二月十一日庚辰，汴宋调去防备秋季外敌入侵的部队一千五百人盗窃仓库财物溃散逃归，这是田神功去世的缘故。二十日己丑，任命田神功的弟弟田神玉为汴宋留后。

二月二十四日癸巳，郭子仪入朝，向代宗进言说："朔方是国家的北大门，那里

什才有一。今吐蕃兼河、陇之地，杂羌、浑⑩之众，势强十倍。愿更于诸道各发精卒，成四五万人，则制胜之道必矣。”

三月戊申⑪，以皇女永乐公主许妻魏博节度使田承嗣之子华⑫。上意欲固结其心，而承嗣益骄慢⑬。

戊午⑭[1]，以澧朗镇遏使杨猷为洮州刺史、陇右节度兵马使。

夏，四月甲申⑮，郭子仪辞还邠州，复为上言边事，至涕泗交流。

壬辰⑯，赦天下。

五月丙午⑰，杨猷自澧州入朝⑱。

泾原节度使马璘入朝，讽将士为己表求平章事。丙寅⑲，以璘为左仆射。

六月，卢龙节度使朱泚遣弟滔奉表请入朝，且请自将步骑五千防秋。上许之，仍为先筑大第于京师以待之。

癸未⑳，兴善寺胡僧不空卒，赠开府仪同三司、司空，赐爵肃国公，谥曰大辩正广智不空三藏㉑和尚。

京师旱，京兆尹黎幹作土龙㉒祈雨，自与巫觋更舞。弥月不雨，又祷于文宣王㉓。上闻之，命撤土龙，减膳节用。秋，七月戊午㉔，雨。

朱泚入朝，至蔚州，有疾，诸将请还，俟间㉕而行。泚曰：“死则舆尸而前！”诸将不敢复言。九月庚子㉖，至京师，士民观者如堵㉗。辛丑㉘，宴泚及将士于延英殿㉙，犒赏之盛，近时未有。

壬寅㉚，回纥擅出鸿胪寺，白昼杀人，有司擒之，上释不问。

甲辰㉛，命郭子仪、李抱玉、马璘、朱泚分统诸道防秋之兵㉜。

冬，十月壬申㉝，信王瑝㉞薨。

乙亥㉟，梁王璿㊱薨。

魏博节度使田承嗣诱昭义㊲将吏使作乱。

的战士消耗流散，只剩下十分之一。如今吐蕃兼有河、陇地区，加上杂居的羌族、吐谷浑的部众，势力增强了十倍。希望从各道再分别调派精兵，组成一支四五万人的部队，那么就一定是克敌制胜的方法。”

三月初九日戊申，将皇帝女儿永乐公主许配给魏博节度使田承嗣的儿子田华为妻。代宗的本意是想要牢固地得到田承嗣的忠心，而田承嗣却更加骄横傲慢。

三月十九日戊午，任命澧朗镇遏使杨猷为洮州刺史、陇右节度兵马使。

夏，四月十六日甲申，郭子仪告辞返回邠州，又向代宗谈论边疆事情，以致涕泪交流。

二十四日壬辰，大赦天下。

五月初八日丙午，杨猷从澧州入朝。

泾原节度使马璘入朝，暗示将士为自己上表请求担任平章事的职位。二十八日丙寅，任命马璘为左仆射。

六月，卢龙节度使朱泚派他的弟弟朱滔奉表请求入朝，并且请求亲自率领步兵、骑兵五千人去防备秋季外敌侵掠。代宗同意了，还为他先在京师修了一幢高大的宅第等待他回来。

六月十五日癸未，兴善寺的胡族僧人不空去世，追赠他为开府仪同三司、司空，赐爵号为肃国公，谥号为大辩正广智不空三藏和尚。

京师大旱，京兆尹黎幹制作了一条土龙求雨，亲自与男女巫师交替舞蹈。过了一个月仍然没有下雨，又向文宣王孔子祈祷。代宗听说后，命令撤掉土龙，减少膳食，节约费用。秋，七月二十一日戊午，天下雨。

朱泚入朝，到达蔚州时，生了病，众将领请求他回去，等病好了再出发。朱泚说：“如果我病死，就用车子载着我的尸体前行！”众将领不敢再说什么了。九月初四日庚子，到达京师，士人、百姓出来观看的很多，像是排成了一堵墙那样。初五日辛丑，在延英殿宴请朱泚及其将士，犒劳赏赐之盛大，是近年来所没有的。

九月初六日壬寅，回纥人擅自走出鸿胪寺，在大白天杀人，官府有关部门抓了他们，代宗竟予以释放而不加追究。

九月初八日甲辰，命令郭子仪、李抱玉、马璘、朱泚分别统领各道防备秋季外敌入侵的部队。

冬，十月初六日壬申，信王李瑝去世。

初九日乙亥，梁王李璿去世。

魏博节度使田承嗣诱使昭义的将领官吏作乱。

【段旨】

以上为第一段，写郭子仪入朝言边事，卢龙节度使朱泚带兵防秋。

【注释】

①壬寅：正月初三日。②镇遏使：使职名，领军镇守一个地方或城镇的军事差遣官，临时随事设置，与镇守使略同。③杨猷：杨子琳，赐名猷。见本书卷第二百二十四大历六年四月己未条。④辛未：二月初二日。⑤吴损使吐蕃：大历六年（公元七七一年）四月，吴损被遣使吐蕃。见本书上卷。⑥庚辰：二月十一日。⑦己丑：二月二十日。⑧神玉：田神玉（？至公元七七六年），先为曹州刺史，其兄田神功去世后，为汴宋节度使留后。传见《旧唐书》卷一百二十四、《新唐书》卷一百四十四。⑨癸巳：二月二十四日。⑩羌、浑：羌，指党项。浑，即吐谷浑。⑪戊申：三月初九日。⑫华：田华，田承嗣之子。官拜太常少卿、驸马都尉，尚代宗女永乐公主，后又尚新都公主。见《旧唐书》卷一百四十一、《新唐书》卷二百十。⑬骄慢：骄横傲慢。唐代宗宽仁，边将益骄，可见田承嗣狼子野心，不可以恩结。⑭戊午：三月十九日。⑮甲申：四月十六日。⑯壬辰：四月二十四日。⑰丙午：五月初八日。⑱杨猷自澧州入朝：杨猷自澧州沿江东下以来，至今才抵京师。⑲丙寅：五月二十八日。⑳癸未：六月十五日。㉑三藏：梵文 Tripitaka 的意译。佛教经典的总称。佛教经典共分为经（佛的说教）、律（戒律）、论（对经的论述或注解）三类，故名。通晓三藏的僧人，尊称为三藏法师或三藏和尚。㉒土龙：土制

【原文】

## 十年（乙卯，公元七七五年）

春，正月丁酉㊳，昭义兵马使裴志清逐留后薛崿，帅其众归承嗣。承嗣声言救援，引兵袭相州，取之。崿奔洺州，上表请入朝，许之。

辛丑㊴，郭子仪入朝。

壬寅㊵，寿王瑁㊶薨。

乙巳㊷，朱泚表请留阙下，以弟滔知幽州、卢龙留后，许之。

昭义裨将薛择为相州刺史，薛雄㊸为卫州刺史，薛坚为洺州刺史，皆薛嵩之族也。戊申，上命内侍孙知古[2]如魏州谕田承嗣，使各守封疆㊹。承嗣不奉诏，癸丑㊺，遣大将卢子期取洺州，杨光朝攻卫州。

的龙。古代用来求雨。㉓文宣王：即孔子，唐开元二十三年（公元七三五年）追谥孔子为文宣王。㉔戊午：七月二十一日。㉕间：病痊愈或好转。㉖庚子：九月初四。㉗堵：土墙。㉘辛丑：九月初五日。㉙延英殿：在大明宫紫宸殿西。上元（公元六七四至六七六年）以来置，天子非时见宰臣之所。在正规时间之外，宰相欲有奏对，或者天子欲有咨询，则在延英殿。㉚壬寅：九月初六日。㉛甲辰：九月初八日。㉜诸道防秋之兵：据《旧唐书》卷十一《代宗纪》大历九年（公元七七四年）五月庚戌诏，诸道防秋兵数为：淮南四千，浙西三千，魏博四千，昭义二千，成德三千，山南东道三千，荆南二千，湖南三千，山南西道二千，剑南西川三千，东川二千，鄂岳一千五百，宣歙三千，福建一千五百。㉝壬申：十月初六日。㉞信王瑝：李瑝（？至公元七七四年），唐玄宗第二十三子。初名沔，开元二十三年（公元七三五年）更名瑝。传见《旧唐书》卷一百七、《新唐书》卷八十二。㉟乙亥：十月初九日。㊱梁王璿：《旧唐书》作“凉王璿”，李璿（？至公元七七四年），唐玄宗第二十九子。初名漎，开元二十四年（公元七三六年）更名璿。传见《旧唐书》卷一百七、《新唐书》卷八十二。㊲昭义：即昭义军节度使，大历元年（公元七六六年）相卫六州节度赐号昭义军节度。

【校记】

［1］戊午：原无此二字。据章钰校，十二行本、乙十一行本皆有此二字，张瑛《通鉴校勘记》同，今据补。

---

【语译】

## 十年（乙卯，公元七七五年）

春，正月初三日丁酉，昭义兵马使裴志清驱逐留后薛崿，率领他的部众归附田承嗣。田承嗣声称去救援，带兵袭击相州，攻了下来。薛崿逃到洺州，上表请求入朝，代宗同意了。

正月初七日辛丑，郭子仪入朝。

初八日壬寅，寿王李瑁去世。

正月十一日乙巳，朱泚上表请求留在京师，并让他弟弟朱滔担任幽州、卢龙留后，代宗同意了。

昭义副将薛择为相州刺史，薛雄为卫州刺史，薛坚为洺州刺史，他们都是薛嵩的族人。正月十四日戊申，代宗命内侍孙知古到魏州去晓谕田承嗣，让他们各自守在自己的疆界内。田承嗣不接受诏令，十九日癸丑，派大将卢子期攻取洺州，派杨光朝攻打卫州。

乙卯[46]，西川节度使崔宁奏破吐蕃数万于西山，斩首万级，捕虏数千人。

丙辰[47]，诏："诸道兵有逃亡者，非承制敕，无得辄召募。"

二月乙丑[48]，田承嗣诱卫州刺史薛雄，雄不从，使盗杀之，屠其家，尽据相、卫四州[49]之地，自置长吏，掠其精兵良马，悉归魏州。逼孙知古与共巡磁、相二州，使其将士割耳剺面，请承嗣为帅。

辛未[50]，立皇子述[51]为睦王，逾[52]为郴王，连[53]为恩王，遘[54]为鄜王，迅[55]为随王，造[56]为忻王，暹[57]为韶王，运[58]为嘉王，遇[59]为端王，遹[60]为循王，通[61]为恭王，达[62]为原王，逸[63]为雅王。

丙子[64]，以华州刺史李承昭[65]知昭义留后。

河阳三城使[66]常休明苛刻少恩，其军士防秋者归，休明出城劳之，防秋兵与城内兵合谋攻之。休明奔东都，军士奉兵马使王惟恭为帅，大掠，数日乃定。上命监军冉庭兰慰抚之。

三月甲午朔[67][3]，陕州军乱，逐兵马使赵令珍。观察使李国清不能禁，卑辞遍拜将士，乃得脱去，军士大掠库物。会淮西节度使李忠臣入朝过陕，上命忠臣按之。将士畏忠臣兵威，不敢动。忠臣设棘围[68]，令军士匿名投库物，一日，获万缗，尽以给其从兵为赏。

乙巳[69]，薛崿、常休明皆诣阙请罪，上释不问。

初，成德节度使李宝臣、淄青节度使李正己皆为田承嗣所轻。宝臣弟宝正娶承嗣女，在魏州，与承嗣子维[70]击球，马惊，误触维死。承嗣怒，囚宝正，以告宝臣。宝臣谢教敕[71]不谨，封杖[72]授承嗣，使挞之。承嗣遂杖杀宝正，由是两镇交恶。及承嗣拒命，宝臣、正己皆上表请讨之，上亦欲因其隙讨承嗣。夏，四月乙未[73]，敕贬承嗣为永州[74]刺史，仍命河东、成德、幽州、淄青、淮西、永平、汴宋、河阳、泽潞诸道发兵前临魏博，若承嗣尚或稽违[75]，即令进讨，罪止承嗣及其侄悦[76]，自余将士弟侄苟能自拔，一切不问。

时朱滔方恭顺，与宝臣及河东节度使薛兼训攻其北，正己与淮

正月二十一日乙卯，西川节度使崔宁奏报说在西山打败吐蕃军队几万人，杀死一万人，俘虏几千人。

正月二十二日丙辰，颁布诏令："各道士兵有逃亡的，没有接到朕的制书敕命，不得随便招募。"

二月初一日乙丑，田承嗣引诱卫州刺史薛雄，薛雄不服从，就派强盗把薛雄杀了，并杀光了他的全家，完全占据了相州、卫州等四个州的地方，擅自设置长官，抢夺这些地方的精兵良马，全都归属于魏州。又逼迫孙知古和他一起巡视磁州、相州两个州，让那里的将士用刀割耳划脸，请求田承嗣来担任主帅。

二月初七日辛未，代宗立皇子李述为睦王，李逾为郴王，李连为恩王，李遘为鄜王，李迅为随王，李造为忻王，李暹为韶王，李运为嘉王，李遇为端王，李遹为循王，李通为恭王，李达为原王，李逸为雅王。

二月十二日丙子，任命华州刺史李承昭为昭义留后。

河阳三城使常休明对部下苛刻又缺少恩惠，他的军士防备秋季外敌入侵归来，常休明出城去慰劳他们，这些军士与城内的士兵合谋攻打常休明。常休明逃往东都洛阳，军士们拥立兵马使王惟恭为主帅，大肆抢掠，过了好几天才平定下来。代宗命令监军冉庭兰前往慰问安抚他们。

三月初一日甲午，陕州军队作乱，驱逐兵马使赵令珍。观察使李国清不能禁止，只好低三下四地说好话，到处求拜将士，这才得以脱身，军士们大肆抢夺仓库财物。适逢淮西节度使李忠臣入朝经过陕州，代宗命令李忠臣去制止他们。陕州将士慑于李忠臣的军威，不敢有所动作。李忠臣用荆棘围出一块地方，命令军士不必报出姓名，将所抢夺的仓库财物投放在里面。一天的时间，就获得万缗的财物，李忠臣全部拿来分给他的随从士兵作为奖赏。

三月十二日乙巳，薛崿、常休明都到朝廷来请罪，代宗放过他们不加追究。

当初，成德节度使李宝臣、淄青节度使李正已都被田承嗣所瞧不起。李宝臣的弟弟李宝正娶田承嗣的女儿为妻，身在魏州。一次与田承嗣的儿子田维打马球，马受了惊，误将田维撞死。田承嗣发怒，囚禁了李宝正，并将此事告诉李宝臣。李宝臣为自己教育训诫不严表示歉意，将棍杖封好交给田承嗣，让他责打李宝正。田承嗣于是用棍杖将李宝正打死，从此两镇结下怨仇。等到田承嗣抗拒诏令，李宝臣、李正已都上表请求讨伐他，代宗也想利用他们之间的嫌隙讨伐田承嗣。夏，四月乙未日，敕令把田承嗣贬为永州刺史，并令河东、成德、幽州、淄青、淮西、永平、汴宋、河阳、泽潞各道派兵进逼魏博，假如田承嗣还要拖延违抗的话，让他们立即进军讨伐，只惩治田承嗣和他的侄儿田悦的罪行，其他将士及其兄弟侄儿如能自拔的话，一律不追究。

当时朱滔正很恭顺，他与李宝臣及河东节度使薛兼训攻打田承嗣的北面，李正

西节度使李忠臣等攻其南。五月乙未⑦，承嗣将霍荣国以磁州降。丁未⑱，李正己攻德州，拔之。李忠臣统永平、河阳、怀、泽步骑四万进攻卫州。六月辛未⑲，田承嗣遣其将裴志清等攻冀州，志清以其众降李宝臣。甲戌⑳，承嗣自将围冀州，宝臣使高阳军㉑使张孝忠㉒将精骑四千御之，宝臣大军继至，承嗣烧辎重而遁。孝忠，本奚也。

田承嗣以诸道兵四合，部将多叛而惧。秋，八月，遣使奉表，请束身㉓归朝。

辛巳㉔，郭子仪还邠州。子仪尝奏除州县官一人，不报。僚佐相谓曰："以令公勋德，奏一属吏而不从，何宰相之不知体！"子仪闻之，谓僚佐曰："自兵兴以来，方镇武臣多跋扈，凡有所求，朝廷常委曲从之。此无他，乃疑之也。今子仪所奏事，人主以其不可行而置之，是不以武臣相待而亲厚之也。诸君可贺矣，又何怪焉！"闻者皆服。

己丑㉕，田承嗣遣其将卢子期寇磁州。

九月戊申㉖，回纥白昼刺市人肠出。有司执之，系万年狱。其酋长赤心驰入县狱，斫伤狱吏，劫囚而去。上亦不问。

壬子㉗，吐蕃寇临泾㉘。癸丑㉙，寇陇州及普润，大掠人畜而去，百官往往遣家属出城窜匿。丙辰㉚，凤翔节度使李抱玉奏破吐蕃于义宁㉛。

李宝臣、李正己[4]会于枣强㉜，进围贝州，田承嗣出兵救之。两军各飨士卒，成德赏厚，平卢赏薄。既罢，平卢士卒有怨言。正己恐其为变，引兵退，宝臣亦退。李忠臣闻之，释卫州，南渡河，屯阳武㉝。宝臣与朱滔攻沧州，承嗣从父弟庭玠守之，宝臣不能克。

吐蕃寇泾州，泾原节度使马璘破之于百里城。戊午㉞，命卢龙节度使朱泚出镇奉天行营。

冬，十月辛酉㉟朔，日有食之。

卢子期攻磁州，城几陷。李宝臣与昭义留后李承昭共救之，大破子期于清水㊱，擒子期送京师，斩之。河南诸将又大破田悦于陈留，田承嗣惧。

初，李正己遣使至魏州，承嗣囚之。至是，礼而遣之，遣使尽籍

己与淮西节度使李忠臣等人攻打田承嗣的南面。五月初三日乙未，田承嗣的部将霍荣国率磁州城投降。十五日丁未，李正己攻打德州，把它攻克。李忠臣统率永平、河阳、怀、泽等地的步兵、骑兵四万人进攻卫州。六月初九日辛未，田承嗣派他的部将裴志清等人攻打冀州，裴志清带领他的部下投降了李宝臣。十二日甲戌，田承嗣亲自率兵包围冀州，李宝臣派高阳军使张孝忠率领精锐骑兵四千人前去抵御，李宝臣的大军随后赶到，田承嗣烧毁辎重逃走了。张孝忠，本是奚族人。

田承嗣因为各道军队四面会合进讨，部将又多叛变而感到害怕。秋，八月，派使者上表，愿自缚其身回朝请罪。

八月二十日辛巳，郭子仪返回邠州。郭子仪曾经奏请任命州县官一人，没有得到答复。僚属们互相议论说："以令公的功勋和德行，奏请任命一个下属官吏而不被批准，宰相怎么这样不识大体！"郭子仪听说后，对僚属说："自从战乱以来，方镇武臣大都骄横强暴，凡是有所请求，朝廷常常勉强迁就依从。这没有别的原因，只是对他们抱有疑虑。如今我上奏的事情，君主认为不可行而搁置起来，这表明不把我当其他武臣那样看待而对我表示亲厚。各位可以为我祝贺，又有什么好责怪的呢！"听到这番话的人都很服气。

八月二十八日己丑，田承嗣派他的部将卢子期侵犯磁州。

九月十七日戊申，回纥人在大白天刀刺市民，把他的肠子都刺出来了。有关部门逮捕了凶手，把他关在万年县的牢狱里。回纥酋长赤心驰马闯入牢狱，砍伤狱吏，把那个囚犯劫走。代宗也不追究。

九月二十一日壬子，吐蕃侵犯临泾。二十二日癸丑，侵犯陇州及普润，大肆掠夺人员牲畜后离去，百官往往送家属出城逃避躲藏。二十五日丙辰，凤翔节度使李抱玉奏报在义宁打败吐蕃。

李宝臣、李正己在枣强会合，进兵包围贝州，田承嗣派兵前去救援。两军分别犒赏士兵，成德军的犒赏丰厚，平卢军的犒赏微薄。事后，平卢军的士卒有怨言。李正己害怕他们发生变乱，便带领部队撤退了，李宝臣也撤退了。李忠臣闻讯后，就放弃围攻卫州，向南渡过黄河，屯驻在阳武。李宝臣与朱滔一起进攻沧州，田承嗣的堂弟田庭玠守在那里，李宝臣不能攻克。

吐蕃侵犯泾州，泾原节度使马璘在百里城打败吐蕃。九月二十七日戊午，命卢龙节度使朱泚出京城去镇守奉天行营。

冬，十月初一日辛酉，日食。

卢子期攻打磁州，州城几乎被攻陷。李宝臣与昭义留后李承昭共同去援救，在清水大败卢子期，并把卢子期擒获送往京师，卢子期被斩首。河南众将又在陈留大败田悦，田承嗣感到很害怕。

当初，李正己派使者到魏州，田承嗣把使者囚禁起来。到此时，他礼待使者并

境内户口、甲兵、谷帛之数以与之，曰：“承嗣今年八十有六[97]，溘[98]死无日。诸子不肖，悦亦孱弱[99]，凡今日所有，为公守耳，岂足以辱公之师旅乎！”立使者于庭，南向，拜而授书。又图正己之像，焚香事之。正己悦，遂按兵不进，于是河南诸道兵皆不敢进。承嗣既无南顾之虞，得专意北方。

上嘉李宝臣之功，遣中使马承倩赍诏劳之。将还，宝臣诣其馆，遗之百缣。承倩诟詈[100]，掷出道中，宝臣惭其左右[101]。兵马使王武俊[102]说宝臣曰：“今公在军中新立功，竖子[103]尚尔，况寇平之后，以一幅诏书召归阙下，一匹夫耳，不如释承嗣以为己资。”宝臣遂有玩寇[104]之志。

承嗣知范阳宝臣乡里，心常欲之，因刻石作谶云：“二帝同功势万全，将田为侣入幽燕”，密令瘗[105]宝臣境内，使望气者言彼有王气，宝臣掘而得之。又令客说之曰：“公与朱滔共取沧州，得之，则地归国，非公所有。公能舍承嗣之罪，请以沧州归公，仍愿从公取范阳以自效。公以精骑前驱，承嗣以步卒继之，蔑[106]不克矣！”宝臣喜，谓事合符谶，遂与承嗣通谋，密图范阳，承嗣亦陈兵境上。

宝臣谓滔使者曰：“闻朱公仪貌如神，愿得画像观之。”滔与之。宝臣置于射堂[107]，与[5]诸将共观之，曰：“真神人也！”滔军于瓦桥[108]，宝臣选精骑二千，通夜驰三百里袭之，戒曰：“取貌如射堂者。”时两军方睦，滔不虞有变，狼狈出战而败，会衣他服得免。宝臣欲乘胜取范阳，滔使雄武军[109]使昌平刘怦[110]守留府，宝臣知有备，不敢进。

承嗣闻幽、恒兵交，即引军南还，使谓宝臣曰：“河内有警，不暇从公。石上谶文，吾戏为之耳。”宝臣惭怒而退。宝臣既与朱滔有隙，以张孝忠为易州刺史，使将精骑七千以备之。

丙寅[111]，贵妃独孤氏薨。丁卯[112]，追谥贞懿皇后。

十一月丁酉[113]，田承嗣将吴希光以瀛州降。

岭南节度使路嗣恭擢流人孟瑶、敬冕为将，讨哥舒晃。瑶以大军

送使者回去，还派人把境内的户口、甲兵、粮食和布帛的数目全部登记造册后交给使者，说道：“我田承嗣今年八十六岁，不知哪一天会突然死去。我的几个儿子都不成器，田悦也懦弱无能，我今天所有的这一切，都不过是为李公看守罢了，难道还值得有劳李公兴兵前来吗！”田承嗣让使者站在庭中，自己面向南方，拜过之后才把书信交给使者。又画了李正己的肖像，烧香供奉。李正己非常高兴，便按兵不进，于是河南各道的军队都不敢前进。田承嗣既然没有了南顾之忧，就专心对付北方。

代宗为嘉奖李宝臣的功劳，派宫中使者马承倩带着诏书前去慰劳。马承倩准备返回时，李宝臣来到他住的馆舍，送他一百匹细绢。马承倩一顿辱骂，把细绢扔到了路上，李宝臣环顾左右的人，感到很惭愧。兵马使王武俊劝李宝臣说：“如今您在军中新立了战功，这个小子尚且这样对您，更何况敌寇平定之后，只需要用一道诏书就把您召归朝廷，您仅仅是一个匹夫而已，不如放过田承嗣作为自己日后的资本。”李宝臣于是就有了消极对敌让他为己所用的意图。

田承嗣知道范阳是李宝臣的家乡，心里经常想要得到范阳，因此在石头上刻了两句谶语：“二帝同功势万全，将田为侣入幽燕。”秘密让人埋在李宝臣的辖境之内，让那种望云气附会人事吉凶的人说那里有帝王之气，李宝臣就派人挖掘而得到了这块石头。田承嗣又派人去游说李宝臣说：“您与朱滔共同攻取沧州，如果攻下，土地归于国家，不是归您所有。您如果能不再追究田承嗣的罪过，则请求将沧州归您所有，还愿跟着您为攻取范阳而效力。您以精锐的骑兵做前锋，田承嗣率领步兵跟进，没有攻不下来的！”李宝臣非常高兴，认为此事符合谶语，于是与田承嗣共同策划，秘密谋取范阳，田承嗣也陈兵边境。

李宝臣对朱滔的使者说：“听说朱公仪表容貌如同神仙，希望能得到他的画像看看。”朱滔就把画像给了他。李宝臣把画像挂在射堂里，和众将一起观看，说：“真是一个神人啊！”朱滔驻军在瓦桥，李宝臣挑选精锐骑兵二千人，一夜疾驰三百里去袭击朱滔，并告诫将士们说：“捉拿容貌如射堂上画像的人。”当时两军关系和睦，朱滔没有想到有变。狼狈出来应战而被打败，恰巧朱滔穿着别的衣服才得以脱身。李宝臣想要乘胜攻取范阳，朱滔派雄武军使昌平人刘怦守卫留府，李宝臣得知有所防备，不敢前进。

田承嗣听说幽州、恒州交战，立即率军回南方，派人对李宝臣说：“河内有警报，没有工夫跟随您出战范阳。石头上的谶语，是我开玩笑刻的。”李宝臣既惭愧又愤怒地退兵了。李宝臣既已与朱滔有了嫌隙，就任命张孝忠为易州刺史，让他率领精锐的骑兵七千人去防备朱滔。

十月初六日丙寅，贵妃独孤氏去世。初七日丁卯，追赠谥号为贞懿皇后。

十一月初七日丁酉，田承嗣的部将吴希光率瀛州投降。

岭南节度使路嗣恭提拔被流放的孟瑶、敬冕为将领，讨伐哥舒晃。孟瑶率领大

当其冲，冕自间道[114]轻入，丁未[115]，克广州，斩哥舒晃及其党万余人。

嗣恭之讨晃也，容管经略使王翃遣将将兵助之。西原贼帅覃问乘虚袭容州，翃伏兵击擒之。

十二月，回纥千骑寇夏州，州将梁荣宗破之于乌水[116]。郭子仪遣兵三千救夏州，回纥遁去。

元载、王缙奏魏州盐贵，请禁盐入其境以困之，上不许，曰："承嗣负朕，百姓何罪！"

田承嗣请入朝，李正己屡为之上表，乞许其自新。

---

【段旨】

以上为第二段，写唐代宗征九节度使之兵讨魏博节度使田承嗣，无果而终，朝廷威望受损。

【注释】

㊳丁酉：正月初三日。㊴辛丑：正月初七日。㊵壬寅：正月初八日。㊶寿王瑁：唐玄宗第十八子。传见《旧唐书》卷一百七、《新唐书》卷八十二。㊷乙巳：正月十一日。㊸薛雄（？至公元七七五年）：昭义节度使薛嵩族子，官至卫州刺史。为魏博节度使田承嗣所杀。传见《旧唐书》卷一百二十四。㊹封疆：疆界。㊺癸丑：正月十九日。㊻乙卯：正月二十一日。㊼丙辰：正月二十二日。㊽乙丑：二月初一日。㊾相卫四州：指相州、卫州、磁州、洺州。磁，洺二州虽未下，田承嗣已据其地。相、卫两州，从此属魏博。㊿辛未：二月初七日。51述：李述（？至公元七九一年），唐代宗第四子，大历十年（公元七七五年）封为睦王。传见《旧唐书》卷一百十六、《新唐书》卷八十二。52逾：李逾（？至公元八二〇年），代宗第五子，大历十年封郴王。传见《旧唐书》卷一百十六、《新唐书》卷八十二。53连：李连（？至公元八一七年），代宗第六子，大历十年封恩王。传见《旧唐书》卷一百十六、《新唐书》卷八十二。54遘：李遘（？至公元八〇九年），代宗第八子，大历十年封鄜王。传见《旧唐书》卷一百十六、《新唐书》卷八十二。55迅：李迅（？至公元七八四年），代宗第十子，大历十年封随王。传见《旧唐书》卷一百十六、《新唐书》卷八十二。56造：李造（？至公元八一一年），代宗第十三子，大历十年封忻王。传见《旧唐书》卷一百十六、《新唐书》卷八十二。57暹：李

军占据交通要道，敬冕从小道轻装进军，十一月十七日丁未，攻克广州，杀了哥舒晃及其党羽一万多人。

路嗣恭讨伐哥舒晃时，容管经略使王翃派将领率兵助战。西原叛贼主帅覃问乘虚袭击容州，王翃埋伏部队攻击并活捉了他。

十二月，回纥一千骑兵侵犯夏州，州将梁荣宗在乌水打败回纥骑兵。郭子仪派兵三千人救援夏州，回纥部队逃走。

元载、王缙上奏说魏州的盐很贵，请求禁止将盐运入魏州境内以使田承嗣处于困境，代宗不同意，说："田承嗣对不起朕，老百姓又有什么罪过！"

田承嗣请求入朝，李正已也多次为他上表，请求允许他悔过自新。

---

暹（？至公元七九六年），代宗第十四子，大历十年（公元七七五年）封韶王。传见《旧唐书》卷一百十六、《新唐书》卷八十二。㊽运：李运（？至公元八〇一年），代宗第十五子，大历十年封嘉王。传见《旧唐书》卷一百十六、《新唐书》卷八十二。㊾遇：李遇（？至公元七九一年），代宗第十六子，大历十年封端王。传见《旧唐书》卷一百十六、《新唐书》卷八十二。㊿適：李適，代宗第十七子，大历十年封循王。传见《旧唐书》卷一百十六、《新唐书》卷八十二。(61)通：李通，代宗第十八子，大历十年封恭王。传见《旧唐书》卷一百十六、《新唐书》卷八十二。(62)达：李达（？至公元八三二年），两《唐书》作李逵。代宗第十九子，大历十年封原王。传见《旧唐书》卷一百十六、《新唐书》卷八十二。(63)逸：李逸（？至公元七九九年），代宗第二十子，大历十年封雅王。传见《旧唐书》卷一百十六、《新唐书》卷八十二。(64)丙子：二月十二日。(65)李承昭：曾任山南采访使、福建观察使、礼部尚书、华相二州刺史、昭义军兵马使。大历十年，大败魏博节度使田承嗣。其事散见《旧唐书》卷一百四十一、《新唐书》卷二百十《田承嗣传》等。(66)河阳三城使：使职名，掌领河阳三城防守事务的差遣官。河阳三城，北魏始筑在黄河孟津两岸及河中沙洲上的三城，即北中城、中潬城（在北中城南河中沙洲上）和南城（黄河南岸，三面临河）。三城当洛阳北面津要，黄河流贯其间，以河桥相连，北朝以来，常为军事重镇。河阳，县名，县治在今河南孟州南。(67)甲午朔：三月初一日。(68)棘围：用荆棘围成的特定场所。(69)乙巳：三月十二日。(70)维：田维。传见《旧唐书》卷一百四十一。(71)教敕：教导、告诫。(72)封杖：盖有封印的棍杖。(73)乙未：四月癸亥朔，无乙未，当为乙丑之误。乙丑，四月初三日。(74)永州：州名，治所在今湖南永州市零陵区。(75)稽违：违背。(76)悦：田悦（？至公元七八四年），魏博节度使田承嗣之侄，骁勇，残忍好乱。田承嗣死，朝廷以悦为节度留后，官加至检校尚书右仆射，封济

阳王。建中（公元七八〇至七八三年）年间叛乱，自称魏王，后为其堂弟所杀。传见《旧唐书》卷一百四十一、《新唐书》卷二百十。⑦ 乙未：五月初三日。⑱ 丁未：五月十五日。⑲ 辛未：六月初九日。⑳ 甲戌：六月十二日。㉑ 高阳军：戍军名，治所在今河北高阳东。㉒ 张孝忠（公元七三〇至七九一年）：奚族乙失活部落人，以勇闻名。本名张阿劳，初事安、史，后归朝廷，肃宗赐名孝忠。数讨叛藩，官至检校司空。谥曰贞武，追封上谷郡王。传见《旧唐书》卷一百四十一、《新唐书》卷一百四十八。㉓ 束身：缚身，比喻归顺。㉔ 辛巳：八月二十日。㉕ 己丑：八月二十八日。㉖ 戊申：九月十七日。㉗ 壬子：九月二十一日。㉘ 临泾：县名，县治在今甘肃镇原。㉙ 癸丑：九月二十二日。㉚ 丙辰：九月二十五日。㉛ 义宁：义宁军。军镇名，大历八年（公元七七三年）于今甘肃华亭置。㉜ 枣强：县名，县治在今河北枣强东。㉝ 阳武：县名，县治在今河南原阳。㉞ 戊午：九月二十七日。㉟ 辛酉：十月初一日。㊱ 清水：县名，县治在今山西平遥东。据《新唐书》卷二百十《田承嗣传》，"清水"当作"临水"。临水，县名，属磁州，县治在今河北磁县西北。㊲ 今年八十有六：田承嗣大历十三年（公元七七八年）卒时年七十五。此言八十六，乃欺骗李正己。㊳ 溘：忽然；突然。㊴ 孱弱：懦弱。⑽ 诟詈：辱骂。⑾ 惭其左右：回顾左右之人而自感惭愧。《旧唐书》卷一百四十二《王武俊传》作"顾左右有愧色"。⑿ 王武俊（公元七三五至八〇一年）：契丹怒皆部落人，初号没若干，能骑射，事李宝臣。宝臣死，子惟岳拒命，武俊杀惟岳。朝廷以武俊为恒州刺史、恒冀团练观察使。建中（公元七八〇至七八三年）年间，以兵反叛，自称赵王，署百官。兴元元年（公

**【原文】**

## 十一年（丙辰，公元七七六年）

春，正月壬辰[117]，遣谏议大夫杜亚[118]使魏州宣慰。

辛亥[119]，西川节度使崔宁奏破吐蕃四节度及突厥、吐谷浑、氐、羌群蛮众二十余万，斩首万余级。

二月庚辰[120]，田承嗣复遣使上表，请入朝。上乃下诏，赦承嗣罪，复其官爵，听与家属入朝，其所部拒朝命者，一切不问。

辛巳[121]，增朔方五城[122]戍兵，以备回纥。

三月戊子[123]，河阳军乱，逐监军冉庭兰出城，大掠三日。庭兰成备[124]而入，诛乱者数十人，乃定。

元七八四年）归顺朝廷，授成德节度使，兼幽州、卢龙两道节度使，官加司空、同中书门下平章事，封琅邪郡王。后加检校太尉，兼中书令。传见《旧唐书》卷一百四十二、《新唐书》卷二百十一。⑩竖子：对人的鄙称，犹言“小子”。⑭玩寇：消极抗敌。玩，玩弄。⑮瘗：埋。⑯蔑：无；没有。⑰射堂：行射礼或习射的地方。⑱瓦桥：又称瓦桥关。在今河北雄县南。⑲雄武军：军镇名，在今天津市蓟州区北、河北兴隆南长城所在处。⑩刘怦（公元七二七至七八五年）：昌平（今北京市昌平区西）人，朱滔的表兄弟，以宽缓得人心，继朱滔为幽州卢龙节度副大使知节度事。传见《旧唐书》卷一百四十三、《新唐书》卷二百十二。⑪丙寅：十月初六日。⑫丁卯：十月初七日。⑬丁酉：十一月初七日。⑭间道：小路。⑮丁未：十一月十七日。⑯乌水：河名，无定河上游一支流，在今陕西榆林市横山区境。

## 【校记】

［2］孙知古：原作“魏知古”。据章钰校，十二行本、乙十一行本皆作“孙知古”，张瑛《通鉴校勘记》同，今据改。〖按〗《旧唐书》卷一百四十一《田承嗣传》亦作“孙知古”。本卷下文“孙知古”，原亦作“魏知古”，今一并校改。［3］朔：原无此字。据章钰校，十二行本、乙十一行本皆有此字，今据补。［4］李正己：原无“李”字。据章钰校，十二行本、乙十一行本皆有“李”字，张敦仁《通鉴刊本识误》同，今据补。［5］与：据章钰校，十二行本、乙十一行本皆作“命”。

## 【语译】

**十一年（丙辰，公元七七六年）**

春，正月初三日壬辰，派谏议大夫杜亚出使魏州宣抚慰问。

二十二日辛亥，西川节度使崔宁奏报，打败了吐蕃的四节度以及突厥、吐谷浑、氐、羌等蛮族部众二十多万人，杀死一万多人。

二月二十二日庚辰，田承嗣又派使者上表，请求入朝。代宗于是下诏书，赦免田承嗣的罪过，恢复他的官职爵位，允许他和家属入朝，他的部下曾经抗拒朝廷命令的，一律不追究。

二十三日辛巳，增加朔方五城的戍守兵力来防备回纥。

三月初一日戊子，河阳军队作乱。驱逐监军冉庭兰出城，大肆掠夺了三天。冉庭兰做好准备后进入城内，杀死作乱的好几十人，使局势平定了下来。

五月，汴宋留后田神玉卒。都虞候李灵曜[125]杀兵马使、濮州刺史孟鉴，北结田承嗣为援。癸巳[126]，以永平节度使李勉兼汴、宋等八州留后。乙未[127]，以灵曜为濮州刺史，灵曜不受诏。

六月戊午[128]，以灵曜为汴宋留后，遣使宣慰。

秋，七月[6]，田承嗣遣兵寇滑州，败李勉。

吐蕃寇石门[129]，入长泽川[130]。

八月丙寅[131]，加卢龙节度使朱泚同平章事。

李灵曜既为留后，益骄慢，悉以其党为管内八州刺史、县令，欲效河北诸镇。甲申[132]，诏淮西节度使李忠臣、永平节度使李勉、河阳三城使马燧讨之。淮南节度使陈少游、淄青节度使李正己皆进兵击灵曜。

汴宋兵马使、摄节度副使李僧惠，灵曜之谋主也。宋州牙门将刘昌遣曾神表[7]潜说僧惠，僧惠召问计，昌为之泣陈逆顺。僧惠乃与汴宋牙将高凭、石隐金遣神表奉表诣京师，请讨灵曜。九月壬戌[133]，以僧惠为宋州刺史，凭为曹州刺史，隐金为郓州刺史。

乙丑[134]，李忠臣、马燧军于郑州，灵曜引兵逆战。两军不意其至，退军荥泽[135]，淮西军士溃去者什五六。郑州士民皆惊，走入东都。忠臣将归淮西，燧固执不可，曰："以顺讨逆，何忧不克，奈何自弃功名！"坚壁不动。忠臣闻之，稍收散卒，数日皆集，军势复振。

戊辰[136]，李正己奏克郓、濮二州。壬申[137]，李僧惠败灵曜兵于雍丘。冬，十月，李忠臣、马燧进击灵曜，忠臣行汴[138]南，燧行汴北，屡破灵曜兵。壬寅[139]，与陈少游前军合，与灵曜大战于汴州城西。灵曜败，入城固守。癸卯[140]，忠臣等围之。

田承嗣遣田悦将兵救灵曜，败永平、淄青兵于匡城[141]，乘胜进军汴州，乙巳[142][8]，营于城北数里。丙午[143]，忠臣遣裨将李重倩将轻骑数百夜入其营，纵横贯穿，斩数十人而还，营中大骇。忠臣、燧因以大军乘之，鼓噪而入。悦众不战而溃，悦脱身北走，将士死者相枕藉[144]，不可胜数。灵曜闻之，开门夜遁，汴州平。重倩，本奚也。丁未[145]，灵曜至韦城[146]，永平将杜如江擒之。

五月，汴宋留后田神玉去世。都虞候李灵曜杀死兵马使、濮州刺史孟鉴，勾结北面的田承嗣作为后援。初七日癸巳，任命永平节度使李勉兼汴州、宋州等八个州的留后。初九日乙未，任命李灵曜为濮州刺史，李灵曜不接受诏令。

六月初二日戊午，任命李灵曜为汴宋留后，派使者宣抚慰问。

秋，七月，田承嗣派兵侵犯滑州，打败了李勉。

吐蕃侵犯石门，进入长泽川。

八月十一日丙寅，加封卢龙节度使朱泚同平章事。

李灵曜做了留后以后，更加骄横傲慢，全部用他的党羽担任他管辖范围内八个州的刺史、县令，想要仿效河北各镇的做法。八月二十九日甲申，诏令淮西节度使李忠臣、永平节度使李勉、河阳三城使马燧去讨伐李灵曜。淮南节度使陈少游、淄青节度使李正已也都进兵攻击李灵曜。

汴宋兵马使、摄节度副使李僧惠，是为李灵曜谋划的主要人物。宋州牙门将刘昌派曾神表暗中劝说李僧惠，李僧惠召见刘昌询问该怎么做，刘昌哭着向他陈述了叛逆和归顺的利害关系。李僧惠于是与汴宋牙将高凭、石隐金一起派曾神表携带奏表前往京师，请求讨伐李灵曜。九月初八日壬戌，任命李僧惠为宋州刺史、高凭为曹州刺史、石隐金为郓州刺史。

九月十一日乙丑，李忠臣、马燧驻军郑州，李灵曜带兵迎战。李忠臣和马燧两军没有料到李灵曜会此刻到来，就把军队后退到荥泽，淮西军士溃散逃走的有十分之五六。郑州的士人百姓都很惊慌，纷纷逃入东都。李忠臣打算返回淮西，马燧坚持认为不能这样，说："用正义之师来讨伐叛逆之人，何必担心不能战胜，为什么要自己放弃建立功名的机会！"他坚守壁垒，毫不动摇。李忠臣听说后，渐渐收拢逃散的士卒，几天后全都会集，士气重又振作起来。

九月十四日戊辰，李正已奏报攻克郓、濮二州。十八日壬申，李僧惠在雍丘击败李灵曜的部队。冬，十月，李忠臣、马燧进兵攻击李灵曜，李忠臣在汴水南行动，马燧在汴水北行动，多次打败李灵曜的部队。十八日壬寅，与陈少游前锋部队会合，在汴州城西与李灵曜大战。李灵曜被打败，入城固守。十九日癸卯，李忠臣等人包围了汴州。

田承嗣派田悦率军救援李灵曜，在匡城打败了永平、淄青的部队，乘胜进军汴州，十月二十一日乙巳，在城北几里的地方扎营。十月二十二日丙午，李忠臣派副将李重倩率轻骑几百人趁夜突入田悦的军营，横冲直撞，杀敌数十后返回，田悦营中大为惊骇。李忠臣、马燧乘机率大军进攻，击鼓呐喊杀入敌营。田悦的部众不战而溃，田悦向北逃脱，部下将士的尸体横七竖八倒在地上，数也数不清。李灵曜闻讯后，打开城门连夜逃走，汴州平定。李重倩，本是奚族人。二十三日丁未，李灵曜跑到韦城，永平将领杜如江把他擒获。

燧知忠臣暴戾，以己功让之，不入汴城⑭⑦，引军西屯板桥⑭⑧。忠臣入城，果专其功。宋州刺史李僧惠与之争功，忠臣因会击杀之。又欲杀刘昌，昌遁逃得免。

甲寅⑭⑨，李勉械送⑮⓪李灵曜至京师，斩之。

十二月丁亥⑮①，李正己、李宝臣并加同平章事。

泾原节度使马璘疾亟，以行军司马段秀实知节度事，付以后事。秀实严兵以备非常。丙申⑮②，璘薨，军中奔哭者数千人，喧咽⑮③门屏，秀实悉不听入。命押牙马頔⑮④治丧事于内，李汉惠接宾客于外，妻妾子孙位于堂，宗族位于庭，将佐位于前，牙士卒哭于营伍，百姓各守其家。有离立⑮⑤偶语于衢路⑮⑥，辄执而囚之，非护丧从行者无得远送。致祭⑮⑦拜哭，皆有仪节⑮⑧，送丧近远，皆有定处⑮⑨，违者以军法从事。都虞候史廷幹、兵马使崔珍、十将⑯⓪张景华谋因丧作乱，秀实知之，奏廷幹入宿卫，徙珍屯灵台，补景华外职，不戮一人，军府晏然。

璘家富有无筭，治第京师，甲于勋贵⑯①，中堂⑯②费二十万缗，他室所减无几。其子孙无行⑯③，家赀寻尽。

戊戌⑯④，昭义节度使李承昭表称疾笃，以泽潞行军司马李抱真兼知磁、邢两州留后。

庚戌⑯⑤，加淮西节度使李忠臣同平章事，仍领汴州刺史，徙[9]治汴州。

---

**【段旨】**

以上为第三段，写官军平定汴宋留后李灵曜之乱。

**【注释】**

⑪⑦壬辰：正月初三日。⑪⑧杜亚（公元七二五至七九八年）：字次公，京兆（今陕西西安）人，少颇涉学，善言事物之理及历代成败事。屡望为宰相而不成，官至检校吏部尚书、充东都留守。传见《旧唐书》卷一百四十六、《新唐书》卷一百七十二。⑪⑨辛亥：

马燧知道李忠臣残暴凶狠，就把自己的功劳让给他，不进入汴州城，率领部队向西屯驻在板桥。李忠臣进城后，果然把功劳都归到他一人身上。宋州刺史李僧惠和他争功，李忠臣借会面的机会把他杀了。又想杀刘昌，刘昌逃走才得以幸免。

十月三十日甲寅，李勉给李灵曜戴上刑具押送到京师，朝廷杀了李灵曜。

十二月初四日丁亥，李正己、李宝臣同时被加封为同平章事。

泾原节度使马璘病势沉重，让行军司马段秀实掌管节度事务，并把后事托付给他。段秀实整饬部队以防备不测。十二月十三日丙申，马璘去世，军中奔丧痛哭的有好几千人，门庭屏墙间一片哀哭之声，段秀实一概不许他们入内。命令押牙马頔在里面办理丧事，李汉惠在外面接待宾客，妻妾子孙位于灵堂，宗族之人位于庭中，将领佐吏位于门前，卫队士卒留在军营里哭丧，老百姓各自留守家中。如果有两个以上的人并立街头相对私语，就捉拿囚禁起来，不是护丧而跟在丧葬队伍后面的人不得远送。吊祭哭拜，都有仪式礼节，送丧远近，都有规定，违者以军法论处。都虞候史廷幹、兵马使崔珍、十将张景华阴谋利用丧事作乱，段秀实知道了，奏请史廷幹入京师宿卫，让崔珍移军屯驻灵台，将张景华补任外职，不杀一个人，节度军府安然无事。

马璘家很富有，家资多得没法计算，在京师建造了宅第，在功臣权贵中首屈一指，建一个中堂就花费了二十万缗钱，建其他居室的费用也少不了多少。但他的子孙品行不端，没过多久就把家产败光了。

十二月十五日戊戌，昭义节度使李承昭上表称病重，任命泽潞行军司马李抱真兼任磁州、邢州两州留后。

二十七日庚戌，加封淮西节度使李忠臣同平章事，仍兼领汴州刺史，徙治汴州。

---

正月二十二日。⑳ 庚辰：二月二十二日。㉑ 辛巳：二月二十三日。㉒ 朔方五城：朔方自开元以来辖有六城，即中、西、东三受降城和振武（在今内蒙古和林格尔西北）、丰安（在今宁夏中卫西）、定远（在今宁夏平罗南）三城。故开元二十九年（公元七四一年）朔方节度使始兼六城水运使，至大历十四年（公元七七九年）朔方节度使仍兼六城水运使（《旧唐书·德宗纪》）。其中振武于乾元元年（公元七五八年）析置节度使，广德二年（公元七六四年）罢隶朔方，至大历十四年再析置振武节度使（《新唐书·方镇表一》）。此大历十一年（公元七七六年）时，朔方当仍辖六城无疑，而《通鉴》于此所言五城，疑指朔方所辖诸城中关系回纥之五城。㉓ 戊子：三月初一日。㉔ 成备：完成诛乱的准备工作。㉕ 李灵曜：两《唐书》中或作“李灵耀”。初为汴宋节度使田神功麾下将领。大历

十一年汴宋留后田神玉死，灵曜杀兵马使，据其镇。朝廷初授以濮州刺史，不受诏，又以为汴宋八州节度留后。不久，据汴州叛，朝廷命将讨伐，灵曜兵败被斩。其事散见《旧唐书》卷一百五十二《刘昌传》、《新唐书》卷一百五十五《马燧传》等。(126)癸巳：五月初七日。(127)乙未：五月初九日。(128)戊午：六月初二日。(129)石门：即石门关，在今宁夏固原西北。(130)长泽川：地名，在今宁夏固原北。(131)丙寅：八月十一日。(132)甲申：八月二十九日。(133)壬戌：九月初八日。(134)乙丑：九月十一日。(135)荥泽：县名，县治在今河南郑州西北。(136)戊辰：九月十四日。(137)壬申：九月十八日。(138)汴：指汴水。(139)壬寅：十月十八日。(140)癸卯：十月十九日。(141)匡城：县名，县治在今河南长垣西南。(142)乙巳：十月二十一日。(143)丙午：十月二十二日。(144)枕藉：纵横相枕而卧。(145)丁未：十月二十三日。(146)韦城：县名，县治在今河南长垣北。(147)汴城：即汴州城。在今河南开封。(148)板桥：地名，在今河南中牟东北。旧为赴开封的交通要道。(149)甲寅：十月三十日。(150)械送：戴上刑具押送。械，枷锁、镣铐之类刑具。(151)丁亥：十二月初四日。(152)丙申：十二月十三日。(153)喧咽：哀哭不止。喧，通“咺”。(154)押牙马岫：押牙，又作押衙，为都押牙之省称，节度使的武幕僚，职司衙内警卫。马岫，人名，泾原节度使都押牙。事略见《新唐书》卷一百

---

**【原文】**

## 十二年（丁巳，公元七七七年）

春，三月乙卯[166]，兵部尚书，同平章事，凤翔、怀泽潞、秦陇节度使李抱玉薨，弟抱真仍领怀泽潞留后。

癸亥[167]，以河东行军司马鲍防[168]为河东节度使。防，襄州人也。

田承嗣竟不入朝，又助李灵曜，上复命讨之。承嗣乃复上表谢罪，上亦无如之何。庚午[169]，悉复承嗣官爵，仍令不必入朝。

中书侍郎、同平章事元载专横，黄门侍郎、同平章事王缙附之，二人俱贪。载妻王氏[170]及子伯和[171]、仲武[172]，缙弟、妹及尼出入者，争纳贿赂。又以政事委群吏，士之求进者不结其子弟及主书卓英倩等无由自达。上含容[173]累年，载、缙不悛。上欲诛之，恐左右漏泄，无可与言者，独与左金吾大将军吴凑[174]谋之。凑，上之舅也。会有告载、缙夜醮[175]图为不轨者。庚辰[176]，上御延英殿，命凑收载、缙于政事

五十三《段秀实传》。⑮ 离立：两相并立。⑯ 衢路：衢道、路口。⑰ 致祭：表达祭祀之意。⑱ 仪节：法度和礼节。仪，法度。⑲ 定处：一定的处理和安排。⑳ 十将：唐朝元帅、都统、节度使、招讨使属官，位在兵马使之下。《新唐书》卷一百五十三《段秀实传》把"兵马使崔珍"与"十将张景华"统称之为裨将，可见兵马使与十将均在裨将之列。⑯ 甲于勋贵：指在功臣权贵中居首位。甲，居于首位。勋贵，功臣权贵。⑯ 中堂：住宅的正堂。⑯ 无行：无善行。⑯ 戊戌：十二月十五日。⑯ 庚戌：十二月二十七日。

## 【校记】

［6］七月：原作"九月"。据章钰校，十二行本、乙十一行本、孔天胤本皆作"七月"，张敦仁《通鉴刊本识误》同，今据改。［7］曾神表：原作"僧神表"。严衍《通鉴补》改作"曾神表"，当是，今从改。〖按〗《旧唐书》卷一百五十二《刘昌传》作"曾神表"。［8］乙巳：原无此二字。据章钰校，十二行本、乙十一行本皆有此二字，张敦仁《通鉴刊本识误》同，今据补。［9］徙：原无此字。据章钰校，十二行本、乙十一行本皆有此字，张敦仁《通鉴刊本识误》同，今据补。

---

## 【语译】

### 十二年（丁巳，公元七七七年）

春，三月初三日乙卯，兵部尚书，同平章事，凤翔、怀泽潞、秦陇节度使李抱玉去世，他的弟弟李抱真仍兼任怀泽潞留后。

三月十一日癸亥，任命河东行军司马鲍防为河东节度使。鲍防，是襄州人。

田承嗣终究没有入朝，还帮助李灵曜，代宗又命令讨伐他。田承嗣于是再次上表谢罪，代宗对他也无可奈何。三月十八日庚午，全部恢复田承嗣的官职爵位，还命令他不必入朝。

中书侍郎、同平章事元载专横，黄门侍郎、同平章事王缙依附他，两人都很贪婪。元载的妻子王氏及其儿子元伯和、元仲武，王缙的弟弟、妹妹及出入他家的一些尼姑，都争相收受贿赂。元载、王缙又把政事委托给官吏们办理，士人想要进身为官的如果不结交他们的子弟及主书卓英倩等人，便无法表达自己的意愿。代宗容忍了多年，但元载、王缙仍不悔改。代宗想要诛杀他们，担心左右的人泄露消息，又没有可以商议的人，只有与左金吾大将军吴凑谋划。吴凑，是代宗的舅舅。正好有人控告元载、王缙夜里请道士设坛做法事，图谋不轨。三月二十八日庚辰，代宗驾临延英殿，命令吴凑把元载、王缙收押在政事堂，又把元仲武及卓英倩等人收押

堂[177]，又收仲武及卓英倩等系狱。命吏部尚书刘晏与御史大夫李涵等同鞫之，问端[178]皆出禁中，仍遣中使诘以阴事[179]，载、缙皆伏罪。

是日，先杖杀左卫将军、知内侍省事董秀于禁中，乃赐载自尽于万年县。载请主者："愿得快死！"主者曰："相公须受少污辱，勿怪！"乃脱秽袜[180]塞其口而杀之。王缙初亦赐自尽，刘晏谓李涵等曰："故事，重刑覆奏，况大臣乎！且法有首从[181]，宜更禀进止。"涵等从之。上乃贬缙栝州刺史。载妻王氏，忠嗣之女也，及子伯和、仲武、季能皆伏诛。有司籍载家财，胡椒[182]至八百石，他物称是。

夏，四月壬午[183]，以太常卿杨绾为中书侍郎，礼部侍郎常衮为门下侍郎，并同平章事。绾性清俭简素[184]，制下之日，朝野相贺。郭子仪方宴客，闻之，减坐中声乐五分之四。京兆尹黎幹驺从甚盛，即日省之，止存十骑。中丞崔宽第舍宏侈，亟毁撤之。

癸未[185]，贬吏部侍郎杨炎[186]、谏议大夫韩洄[187]、包佶[188]、起居舍人韩会等十余人[10]，皆载党也。炎，凤翔人。载常引有文学才望者一人亲厚之，异日欲以代己，故炎及于贬。洄，滉之弟。会，南阳人也。上初欲尽诛炎等，吴凑谏救百端[189]，始贬官。

丁酉[190]，吐蕃寇黎、雅州，西川节度使崔宁击破之。

元载以仕进者多乐京师，恶其逼己，乃制俸禄，厚外官而薄京官，京官不能自给，常从外官乞贷。杨绾、常衮奏京官俸太薄，己酉[191]，诏加京官俸[192]，岁约十五万六千余缗。

---

**【段旨】**

以上为第四段，写唐代宗诛除元载。

入狱。命令吏部尚书刘晏与御史大夫李涵等人一同审理此案，起诉文书都出自宫中，还派宫中使者来追问那些隐秘的事情，元载、王缙都认罪。

当天，先用棍棒在宫中打死左卫将军、知内侍省事董秀，然后赐令元载在万年县自尽。元载请求主持行刑的官员说："希望能让我快点死！"主持行刑的人说："相公你还须受点侮辱，请不要见怪！"于是脱下臭袜子塞进他口里而把他杀死。王缙起初也被赐令自尽，刘晏对李涵等人说："按照惯例，施用重刑的都要再次详细审核，重行上奏，何况大臣呢！而且法律上有首犯和从犯之别，应当再次禀告皇上听候处置。"李涵等人听从了刘晏的意见。代宗于是把王缙贬为栝州刺史。元载的妻子王氏，是王忠嗣的女儿，她和儿子元伯和、元仲武、元季能都被处死。有关部门登记元载的家产，仅胡椒就多达八百石，其他物品的数量也与此相当。

夏，四月初一日壬午，任命太常卿杨绾为中书侍郎，礼部侍郎常衮为门下侍郎，两人一并为同平章事。杨绾为人清廉节俭而简朴，任职制书下达之日，朝野上下相互祝贺。郭子仪正在宴请宾客，闻讯后，便将在座席旁表演声乐的人员减少了五分之四。京兆尹黎幹随从人马很多，即日起加以减省，只留下十名骑从。中丞崔宽宅第房舍宏大奢侈，也赶紧毁掉拆除。

四月初二日癸未，吏部侍郎杨炎、谏议大夫韩洄、包佶、起居舍人韩会等十余人都被贬官，他们都是元载的党羽。杨炎，是凤翔人。元载总想推举一位有文学才望的人，亲近、厚待他，打算以后让这个人来代替自己，所以杨炎也遭到贬黜。韩洄，是韩滉的弟弟。韩会，是南阳人。代宗当初想要全部杀掉杨炎等人，吴凑百般劝谏解救，他们才受到贬官的处置。

四月十六日丁酉，吐蕃侵犯黎州、雅州，西川节度使崔宁打败了他们。

元载因为进入仕途的人大都喜欢在京师任职，厌恶这些人威胁自己，于是规定俸禄制度，出任外官的俸禄优厚，任京官的俸禄微薄，致使京官不能自给，经常向外官告贷。杨绾、常衮上奏说京官的俸禄太微薄，四月二十八日己酉，下诏增加京官的俸禄，每年大约增加十五万六千余缗钱。

---

【注释】

⑯⑥乙卯：三月初三日。⑯⑦癸亥：三月十一日。⑯⑧鲍防（公元七二二至七九〇年）：字子慎，襄州襄阳（今湖北襄阳）人。善属文，天宝末年进士，知人善政而不长于治兵。官至工部尚书。传见《旧唐书》卷一百四十六、《新唐书》卷一百五十九。⑯⑨庚午：三月十八日。⑰⓪王氏：元载妻，开元中河西节度使王忠嗣之女，素以凶横暴戾著称。大历十

二年（公元七七七年）与元载及诸子同被赐死。⑰伯和：元伯和（？至公元七七七年），元载长子。传见《旧唐书》卷一百十八。⑰仲武：元仲武（？至公元七七七年），元载次子。传见《旧唐书》卷一百十八。⑰含容：包含容忍。⑰吴凑（公元七三〇至八〇〇年）：代宗生母章敬皇后之弟。因外戚之故，且小心谨慎，头脑敏锐，为政勤俭，办事有方，颇受代、德二宗信任。官至兵部尚书。传见《旧唐书》卷一百八十三、《新唐书》卷一百五十九。⑰醮：古代祭祀、祈祷神灵的迷信活动。后来专指道教供斋祭神禳除灾祟的一种宗教仪式。⑰庚辰：三月二十八日。⑰政事堂：唐制，宰相议事于门下省，谓之政事堂。中宗时裴炎为中书令，执政事笔，故徙政事堂于中书省。⑰问端：即问头，对罪犯的起诉文书。⑰阴事：隐秘事，此指图谋不轨之事。⑱秽袜：脏袜子。⑱首从：指主犯和从犯。⑱胡椒：胡椒科，多年生藤本植物。原产热带亚洲，我国南方亦有栽培。果实有黑白二种，作香辛调味品。中医学上以未成熟的果实入药，可温中散寒，治胃寒腹痛、呕吐等症。⑱壬午：四月初一日。⑱清俭简素：清廉节俭、简约朴素。⑱癸未：四月初二日。⑱杨炎（公元七二七至七八一年）：字公南，凤翔（今陕西宝鸡市凤翔区）人，文藻雄丽。作两税法。官至中书侍郎、同平章事。传见《旧唐书》卷一百十八、

【原文】

五月辛亥[193]，诏自都团练使外，悉罢诸州团练守捉使。又令诸使非军事要急，无得擅召刺史及停其职务，差人[194]权摄。又定诸州兵，皆有常数，其召募给家粮、春冬衣者，谓之“官健”；差点土人，春夏归农、秋冬追集[195]、给身粮酱菜者，谓之“团结”。

自兵兴以来，州县官俸给不一，重以元载、王缙随情徇私，刺史月给或至千缗、或数十缗。至是，始定节度使以下至主簿、尉俸禄，掊多益寡[196]，上下有叙，法制粗立。

庚午[197]，上遣中使发元载祖父墓，斫[198]棺弃尸，毁其家庙，焚其木主[199]。戊寅[200]，卓英倩等皆杖死。英倩之用事也，弟英璘横于乡里。及英倩下狱，英璘遂据险作乱，上发禁兵讨之。乙巳[201]，金州刺史孙道平击擒之。

上方倚杨绾，使厘革弊政。会绾有疾，秋，七月己巳[202]，薨。上痛悼之甚，谓群臣曰：“天不欲朕致太平，何夺朕杨绾之速！”

《新唐书》卷一百四十五。⑱⑦韩洄（公元七三二至七九四年）：字幼深，京兆长安（今陕西西安西）人，曾任户部侍郎、判度支、兵部侍郎、京兆尹等官。传见《旧唐书》卷一百二十九、《新唐书》卷一百二十六。⑱⑧包佶（？至公元七九二年）：字幼正，润州延陵（治今江苏丹阳延陵镇）人，官至秘书监，封丹阳郡公。传见《新唐书》卷一百四十九。⑱⑨百端：千方百计。⑲⓪丁酉：四月十六日。⑲①己酉：四月二十八日。⑲②加京官俸：大历十二年（公元七七七年）加京官俸钱，文官上自三师、三公、侍中、中书令每月一百二十贯文，下至诸王府丞尉、诸总监主簿各一贯九百一十七文；武官自左右金吾大将军各四十五贯文，至诸卫及六军执戟及长上各一贯九百一十七文。详《唐会要》卷九十一。

## 【校记】

［10］十余人：原无此三字。据章钰校，十二行本、乙十一行本皆有此三字，张瑛《通鉴校勘记》同，今据补。

## 【语译】

五月初一日辛亥，下诏除都团练使外，各州团练守捉使一律取消。又命令各使如果不是军情重要紧急，不得擅自召见刺史及停止其职务，派人代理。又规定各州军队，都有一定的人数，那种招募的供给家人粮食、春季冬季衣服的士兵，称为“官健”；那种差遣点召当地人，春夏回乡种田、秋冬召集训练、由官府供给本人粮食酱菜的，称为“团结”。

自从战乱以来，州县官吏俸禄供给不一，加上元载、王缙任意徇私，刺史一个月的俸禄有的多达千缗，有的只有几十缗。到这时，才开始规定节度使以下到主簿、县尉的俸禄数额，减多补少，上下有序，有关的法令制度粗略地建立了起来。

五月二十日庚午，代宗派宫中使者挖了元载祖父的坟墓，砍开棺材，扔掉尸体，毁掉他的家庙。焚烧他祖先的木制牌位。二十八日戊寅，卓英倩等人都被棍棒打死。卓英倩当权时，他的弟弟卓英璘横行于乡里。等到卓英倩被关进监狱，卓英璘便占据险要地方作乱，代宗调动禁军去讨伐他。六月二十五日乙巳，金州刺史孙道平打败并活捉了卓英璘。

代宗正依靠杨绾，让他革除弊政。不巧杨绾生病，秋，七月二十日己巳去世。代宗非常悲痛伤感，对群臣说：“上天不想让朕得到天下太平吗，为什么这么快就从朕这里夺走了杨绾！”

八月癸未㉓,赐东川节度使鲜于叔明姓李氏。

元载、王缙之为相也,上日赐以内厨御馔,可食十人,遂为故事。癸卯㉔,常衮与朱泚上言:"餐钱㉕已多,乞停赐馔。"许之。衮又欲辞堂封㉖,同列不可而止。时人讥衮,以为:"朝廷厚禄,所以养贤。不能,当辞位,不当辞禄。"

臣光曰:"君子耻食浮于人㉗。衮之辞禄,廉耻存焉,与夫固位且[11]贪禄㉘者,不犹愈㉙乎!《诗》云:'彼君子兮,不素餐兮㉚!'如衮者,亦未可以深讥㉛也。"

杨绾、常衮荐湖州刺史颜真卿,上即日召还。甲辰㉜,以为刑部尚书。绾、衮又荐淮南判官汲人关播㉝,擢为都官员外郎㉞。

九月辛酉㉟,以四镇、北庭行营兼泾原、郑颍节度副使段秀实为节度使。秀实军令简约㊱,有威惠,奉身清俭㊲,室无姬妾,非公会,未尝饮酒听乐。

---

【段旨】

以上为第五段,写唐代宗裁撤诸州团练,额定诸州守兵,统一各级政府官吏俸禄,厘革弊政,法制粗立。

【注释】

⑲辛亥:五月初一日。⑲差人:派人。⑲追集:招集;追回来聚集在一起。⑲掊多益寡:指捧去多的,增加少的。掊,掬、以手捧物。⑲庚午:五月二十日。⑲斫:砍;削。⑲木主:神主。为死者立的木制牌位。⑳戊寅:五月二十八日。⑳乙巳:六月二十五日。⑳己巳:七月二十日。⑳癸未:八月初四日。⑳癸卯:八月二十四日。⑳餐钱:食料钱。唐官员于月俸之外,每月尚有食料钱。据开元二十四年(公元七三六年)规定,食料钱一品一千八百文,二品一千五百文,三品一千一百文,四品七百文,五品六百文,六品四百文,七品三百五十文,八品三百文,九品二百五十文。⑳堂封:宰相的食实户。

八月初四日癸未，赐东川节度使鲜于叔明姓李氏。

元载、王缙做宰相时，代宗每天赏赐他们宫内厨房所做的御用佳肴，可供十人食用，于是成为惯例。八月二十四日癸卯，常衮与朱泚进言说："宰相的膳食费已经不少了，请求停止赏赐御馔。"代宗同意了。常衮又想辞去宰相的封邑，同僚认为不可，这才作罢。当时的人讥刺常衮，认为："朝廷优厚的俸禄，是用来供养贤才的。如果没有才能，就应当辞去职位，而不应当辞去俸禄。"

臣司马光说："君子觉得所得俸禄超过这个人的才能是可耻的。常衮辞去俸禄，说明他心存廉耻，与那些只知保住官位，并且贪求俸禄的人相比，不是强多了吗！《诗经》上说：'那些君子们啊，可不是吃闲饭啊！'像常衮这样的人，也不可以过分地讥刺。"

杨绾、常衮推荐湖州刺史颜真卿，代宗当天就召他回京。八月二十五日甲辰，任命他为刑部尚书。杨绾、常衮又推荐淮南判官汲县人关播，把他提拔为都官员外郎。

九月十三日辛酉，任命四镇、北庭行营兼泾原、郑颍节度副使段秀实为节度使。段秀实军令简明扼要，既有威严，也有恩惠，持身清廉节俭，家无姬妾，不是因公聚会，从不饮酒听音乐。

---

《新唐书》卷一百二十七《源乾曜传》载：源乾曜为黄门侍郎、同中书门下三品，进位侍中。玄宗纳议者崇异褒功之言，"乃诏中书、门下共食实户三百，堂封自此始"。⑳⑦君子耻食浮于人：语出《礼记·坊记》，"君子与其使食浮于人也，宁使人浮于食"。食，指俸禄。浮，超过、多余。人，指人的才能。食浮于人，指所得俸禄超过自己的才能。⑳⑧固位且贪禄：固守官位，并且贪求俸禄。⑳⑨愈：胜过；超过。㉑⓪彼君子兮二句：语出《诗经·伐檀》。这句话意为你们这些所谓君子大人，不是都在不劳而食吗。素餐，不劳而食，后多指无功食禄。㉑①深讥：多加指责。㉑②甲辰：八月二十五日。㉑③关播（公元七一九至七九七年）：字务元，汲（今河南卫辉）人，天宝末年进士。为政清静简惠，官至中书侍郎、同中书门下平章事。传见《旧唐书》卷一百三十、《新唐书》卷一百五十一。㉑④都官员外郎：官名，尚书省刑部都官司副官，协助郎中掌管官奴婢的配役和赦免等事务。㉑⑤辛酉：九月十三日。㉑⑥简约：简单不烦琐；简明扼要。㉑⑦奉身清俭：持身清廉节俭。

【校记】

［11］且：原无此字。据章钰校，十二行本、乙十一行本皆有此字，今据补。

【原文】

吐蕃八万众军于原州北长泽监㉑⑧，己巳㉑⑨，破方渠㉒⓪，入拔谷。郭子仪使裨将李怀光救之，吐蕃退。庚午㉒①，吐蕃寇坊州㉒②。

冬，十月乙酉㉒③，西川节度使崔宁奏大破吐蕃于望汉城㉒④。

先是，秋霖㉒⑤，河中府池盐㉒⑥多败㉒⑦。户部侍郎判度支韩滉恐盐户减税，丁亥㉒⑧，奏雨虽多，不害盐㉒⑨，仍有瑞盐㉓⓪生。上疑其不然，遣谏议大夫义兴蒋镇㉓①往视之。

吐蕃寇盐、夏州，又寇长武，郭子仪遣将拒却之。

以永平军㉓②押牙匡城刘洽㉓③为宋州刺史。仍以宋、泗二州隶永平军。

京兆尹黎幹奏秋霖损稼，韩滉奏幹不实，上命御史按视。丁未㉓④，还奏所损凡三万余顷。渭南㉓⑤令刘澡阿附㉓⑥度支㉓⑦，称县境苗独不损。御史赵计奏与澡同。上曰："霖雨溥博㉓⑧，岂得渭南独无！"更命御史朱敖视之，损三千余顷。上叹息久之，曰："县令，字人之官㉓⑨，不损犹应言损，乃不仁㉔⓪如是乎！"贬澡南浦㉔①尉，计澧州司户，而不问滉。

十一月壬子㉔②，山南西道节度使张献恭奏破吐蕃万余众于岷州。

丙辰㉔③，蒋镇还，奏言"瑞盐实如韩滉所言"，仍上表贺，请宣付史臣，并置神祠［12］，锡㉔④以嘉名。上从之，赐号宝应灵应池㉔⑤，时人丑之。

十二月丙戌㉔⑥，朱泚自泾州还京师。

丁亥㉔⑦，崔宁奏破吐蕃十余万众，斩首八千余级。

庚子㉔⑧，以朱泚兼陇右节度使，知河西、泽潞行营。

平卢节度使李正己先有淄、青、齐、海、登、莱、沂、密、德、棣十州之地，及李灵曜之乱，诸道合兵攻之，所得之地，各为己有。正己又得曹、濮、徐、兖、郓五州，因自青州徙治郓州，使其子前淄

【语译】

吐蕃军队八万人驻扎在原州北面的长泽监，九月二十一日己巳，攻破方渠县，侵入拔谷。郭子仪派副将李怀光去援救，吐蕃撤退。二十二日庚午，吐蕃侵犯坊州。

冬，十月初七日乙酉，西川节度使崔宁奏报在望汉城大败吐蕃军队。

此前，秋季久雨，河中府的池盐大多遭毁坏。户部侍郎判度支韩滉唯恐盐户减税，十月初九日丁亥，上奏说雨水虽然很多，但并不妨害产盐，仍然有被看作祥瑞的好盐产生。代宗怀疑情况不是这样，派谏议大夫义兴人蒋镇前往视察。

吐蕃侵犯盐州、夏州，又侵犯长武，郭子仪派遣部将抵御并打退了他们。

任命永平军押牙匡城人刘洽为宋州刺史，仍让宋州、泗州二州隶属永平军。

京兆尹黎幹上奏说秋季久雨损害庄稼，韩滉上奏说黎幹所奏情况不实，代宗命御史去视察核查。十月二十九日丁未，御史回来上奏说所损害的庄稼共有三万多顷。渭南县令刘澡曲意附和度支韩滉，声称渭南县境内的禾苗却独独没有受到损害。御史赵计上奏与刘澡的说法相同。代宗说："久下的秋雨范围很广，渭南怎么会独独无雨！"再命御史朱敖去视察，发现损害的庄稼有三千多顷。代宗叹息了很久，说："县令，是抚养百姓的官员，没有损害尚且应该说有损害，但他们竟然不爱护百姓到这种地步！"于是把刘澡贬为南浦县尉，把赵计贬为澧州司户，但没有追究韩滉。

十一月初四日壬子，山南西道节度使张献恭奏报说在岷州打败吐蕃军队一万多人。

十一月初八日丙辰，蒋镇返回，上奏说"被看作祥瑞的好盐的产生确实如韩滉所说的那样"，还上表祝贺，请求宣告交付史官记录，并且设置神祠，赐以美名。代宗同意了，给盐池赐号为宝应灵应池。当时人认为这是件丑事。

十二月初八日丙戌，朱泚从泾州返回京师。

初九日丁亥，崔宁奏报说打败吐蕃军队十几万人，杀死八千多人。

二十二日庚子，任命朱泚兼任陇右节度使，掌管河西、泽潞行营。

平卢节度使李正己原先已有淄、青、齐、海、登、莱、沂、密、德、棣十州地方，等到李灵曜作乱，各道部队联合攻打李灵曜，所攻得的地方，都各自占为己有。李正己又得到曹、濮、徐、兖、郓五州，因此把自己的治所从青州移到郓州，派他

州刺史纳㉔⑨守青州。癸卯㉕⓪，以纳为青州刺史[13]。正己用刑严峻，所在不敢偶语。然法令齐一，赋均而轻，拥兵十万，雄据东方，邻藩皆畏之。是时田承嗣据魏、博、相、卫、洺、贝、澶七州，李宝臣据恒、易、赵、定、深、冀、沧七州，各拥众五万。梁崇义据襄、邓、均、房、复、郢六州，有众二万。相与根据蟠结㉕①，虽奉事朝廷而不用其法令，官爵、甲兵、租赋、刑杀皆自专之。上宽仁，一听其所为。朝廷或完㉕②一城，增一兵，辄有怨言，以为猜贰㉕③，常为之罢役，而自于境内筑垒缮兵无虚日。以是虽在中国名藩臣，而实如蛮貊㉕④异域焉。

【段旨】

以上为第六段，写吐蕃在西北、西南沿边不断侵扰，为诸镇边兵击破。平卢、魏博、山南东道诸镇，不行朝廷政令，名为藩臣，实为异国。

【注释】

㉘长泽监：长泽川的国家养马场，在今陕西靖边西。㉙己巳：九月二十一日。㉚方渠：县名，县治在今甘肃环县南方渠镇。㉛庚午：九月二十二日。㉜坊州：州名，治所在今陕西黄陵南。㉝乙酉：十月初七日。㉞望汉城：吐蕃在西山筑城，用来探望蜀汉动向，故名。㉟霖：久雨。㊱河中府池盐：河中府所管安邑、解县有盐池五，总名两池，年产盐万斛，供应京师。㊲败：毁坏。㊳丁亥：十月初九日。㊴害盐：妨害盐的生产。㊵瑞盐：好盐；灵瑞之盐。㊶蒋镇：义兴（在今江苏宜兴）人。传见《旧唐书》卷一百二十七、《新唐书》卷二百二十四下。㊷永平军：戍军名，大历七年（公元七七二年）十二月于滑州置。㊸刘洽（公元七三〇至七八七年）：匡城（今河南长垣南）人，性豪侈，轻财重义，以破叛臣李希烈，德宗赐名玄佐，官至副元帅、检校司空。传见《旧唐书》卷一百四十五、《新唐书》卷二百十四。㊹丁未：十月二十九日。㊺渭南：县名，

【原文】

十三年（戊午，公元七七八年）

春，正月辛酉㉕⑤，敕毁白渠支流碾硙㉕⑥以溉田。升平公主有二硙，

的儿子前淄州刺史李纳镇守青州。十二月二十五日癸卯，任命李纳为青州刺史。李正己使用刑法严酷，人们在各处都不敢相聚交谈。然而他执法整齐划一，赋税平均而且轻微，拥兵十万，雄踞东方，邻近的藩镇都很畏惧他。这时田承嗣占据魏、博、相、卫、洺、贝、澶七州，李宝臣占据恒、易、赵、定、深、冀、沧七州，各拥有军队五万人。梁崇义占据襄、邓、均、房、复、郢六州，有军队两万人。他们相互勾连，盘根错节，虽然表面上侍奉朝廷但不用朝廷的法令，官爵、士兵、租赋、刑杀都由自己专擅。代宗宽容仁慈，完全听任他们的所作所为。朝廷有时要修缮一座城，增加一个士兵，他们就有怨言，认为朝廷在猜忌他们，事情经常因此而作罢，而他们自己却在辖境内天天修筑城垒、完善军备。因此，他们虽然处于中原地区，名为藩镇大臣，而实际上同异域蛮夷一样。

---

县治在今陕西渭南市。㉓⑥阿附：曲意附和。㉓⑦度支：指度支使韩滉。㉓⑧溥博：周遍广远。溥，通“普”，普遍。博，博大。㉓⑨字人之官：哺养人民之官。字，哺育。㉔⓪不仁：不爱护人民。㉔①南浦：县名，县治在今重庆市万州区。㉔②壬子：十一月初四日。㉔③丙辰：十一月初八日。㉔④锡：通“赐”。赐给。㉔⑤宝应灵应池：即安邑盐池。在今山西运城境。㉔⑥丙戌：十二月初八日。㉔⑦丁亥：十二月初九日。㉔⑧庚子：十二月二十二日。㉔⑨纳：李纳（公元七五二至七八五年），李正己之子，建中（公元七八〇至七八三年）初年，与父反叛。其父死，纳继续为乱，称齐王。兴元元年（公元七八四年）归附朝廷，继任平卢节度使，迁至郓州大都督府长史、检校司空。传见《旧唐书》卷一百二十四、《新唐书》卷二百十三。㉕⓪癸卯：十二月二十五日。㉕①根据蟠结：盘踞连结；盘根错节。㉕②完：修缮。㉕③猜贰：疑忌。㉕④蛮貊：泛指少数民族。

【校记】

［12］并置神祠：原无此四字。据章钰校，十二行本、乙十一行本皆有此四字，张瑛《通鉴校勘记》同，今据补。［13］癸卯，以纳为青州刺史：原无此九字。据章钰校，十二行本、乙十一行本皆有此九字，张敦仁《通鉴刊本识误》、张瑛《通鉴校勘记》同，今据补。

---

【语译】

## 十三年（戊午，公元七七八年）

春，正月十四日辛酉，敕令拆毁白渠支流上的碾子、水磨，以利灌溉田地。升

入见于上，请存之。上曰："吾欲以利苍生，汝识吾意，当为众先。"公主即日毁之。

戊辰[257]，回纥寇太原，河东押牙泗水李自良[258]曰："回纥精锐远来求斗，难与争锋。不如筑二垒于归路，以兵戍之。虏至，坚壁勿与战，彼师老[259]自归，乃出军乘之，二垒抗其前，大军蹙其后，无不捷矣。"留后鲍防不从，遣大将焦伯瑜等逆战。癸酉[260]，遇虏于阳曲[261]，大败而还，死者万余人。回纥纵兵大掠。二月，代州都督张光晟击破之于羊武谷[262]，乃引去。上亦不问回纥入寇之故，待之如初。

己亥[263]，吐蕃遣其将马重英帅众四万寇灵州，夺填汉、御史、尚书三渠[264]水口以弊屯田。

三月甲戌[265]，回纥使还，过河中，朔方军士掠其辎重，因大掠坊市。

夏，四月甲辰[266]，吐蕃寇灵州，朔方留后常谦光击破之。

六月戊戌[267]，陇右节度使朱泚献猫鼠同乳不相害者以为瑞，常衮帅百官称贺。中书舍人崔祐甫[268]独不贺，曰："物反常为妖。猫捕鼠，乃其职也，今同乳，妖也，何乃贺为！宜戒法吏之不察奸、边吏之不御寇者，以承天意。"上嘉之。祐甫，沔之子也。秋，七月壬子[269][14]，以祐甫知吏部选事。祐甫数以公事与常衮争，由是恶之。

戊午[270]，郭子仪奏以回纥犹在塞上，边人恐惧，请遣邠州刺史浑瑊将兵镇振武军[271]，从之。回纥始去。

辛未[272]，吐蕃将马重英二万众寇盐、庆二州，郭子仪遣河东[15]朔方都虞候李怀光击却之。

八月乙亥[273]，成德节度使李宝臣请复姓张，许之。

吐蕃二万众寇银、麟州[274]，略党项杂畜，郭子仪遣李怀光等[16]击破之。

上悼念贞懿皇后[275]不已，殡于内殿，累年不忍葬。丁酉[276]，始葬于庄陵[277]。

九月庚午[278]，吐蕃万骑下青石岭[279]，逼泾州，诏郭子仪、朱泚与段秀实共却之。

平公主有两个水磨，她入宫面见代宗，请求保留。代宗说："我想以此为苍生谋利，你能懂我的意思，应当带头去做。"升平公主当天就拆毁了她的水磨。

正月二十一日戊辰，回纥人侵犯太原，河东押牙泗水人李自良说："回纥精锐部队远道前来挑战，难以同他们争斗而决出胜负。不如在他们返回的路上修筑两座堡垒，派兵戍守。敌人来了，坚守堡垒不与他们交战，他们斗志衰退后自己就会撤回，这时我们再乘机出兵，两座堡垒的士兵在前面抵抗，大部队在后面进逼，就不会不取得胜利。"留后鲍防不听，派大将焦伯瑜等人迎战。二十六日癸酉，在阳曲县遇到敌人，大败而回，死了一万多人。回纥纵兵大肆抢掠。二月，代州都督张光晟在羊武谷打败回纥，回纥才带兵离去。代宗也不询问回纥入侵的原因，对待他们像当初一样。

二月二十二日己亥，吐蕃派其将领马重英率领部队四万人侵犯灵州，夺取了填汉、御史、尚书三条渠道的出水口，以破坏唐朝的屯田。

三月二十八日甲戌，回纥使者返回时，路过河中，朔方军士抢夺了他们的辎重，回纥人因而大肆掠夺街坊市井。

夏，四月二十八日甲辰，吐蕃侵犯灵州，朔方留后常谦光打败了他们。

六月二十四日戊戌，陇右节度使朱泚进献同乳却不相害的猫鼠，认为这是祥瑞之兆，常衮率领百官道贺。中书舍人崔祐甫独独不去道贺，他说："事物反常就是妖怪。猫捉老鼠，是它的职责，如今猫鼠同乳，分明是妖怪，为什么要道贺！应当告诫那些不明察奸邪的法官以及不抵御敌寇的边防官吏，以顺承天意。"代宗称赞了他。崔祐甫，是崔沔的儿子。秋，七月初八日壬子，任命崔祐甫掌管吏部选事。崔祐甫多次因公事与常衮发生争执，常衮因此厌恶他。

七月十四日戊午，郭子仪上奏说，回纥人还在塞上，边塞的百姓恐惧不安，请派邠州刺史浑瑊率兵镇守振武军，代宗同意了。回纥人这才离去。

七月二十七日辛未，吐蕃将领马重英率二万大军侵犯盐州、庆州两个州，郭子仪派河东朔方都虞候李怀光打退他们。

八月初二日乙亥，成德节度使李宝臣请求恢复姓张，代宗答应了。

吐蕃两万大军侵犯银州、麟州，掠夺党项人的各种牲畜，郭子仪派李怀光等人打败了他们。

代宗对贞懿皇后悼念不已，灵柩停放在内殿，多年不忍心安葬。八月二十四日丁酉，才安葬于庄陵。

九月二十七日庚午，吐蕃一万骑兵从青石岭下来，进逼泾州，诏令郭子仪、朱泚与段秀实共同退敌。

冬，十二月丙戌[280]，以吏部尚书、转运、盐铁等使刘晏为左仆射，知三铨[281]及使职如故。

郭子仪入朝，命判官京兆杜黄裳[282]主留务。李怀光阴谋代子仪，矫为诏书，欲诛大将温儒雅等。黄裳察其诈，以诘怀光，怀光流汗服罪。于是诸将之难制者，黄裳矫子仪之命，皆出之于外，军府乃安。

以给事中杜亚为江西观察使。

上召江西判官李泌入见，语以元载事，曰："与卿别八年，乃能诛[17]此贼。赖太子发其阴谋，不然，几不见卿。"对曰："臣昔日固尝言之。陛下知群臣有不善，则去之，含容太过，故至于此。"上曰："事亦应十全，不可轻发。"上因言："朕面属[283]卿于路嗣恭，而嗣恭取载意，奏卿为虔州[284]别驾。嗣恭初平岭南，献琉璃盘，径九寸，朕以为至宝。及破载家，得嗣恭所遗载琉璃盘[285]，径尺。俟其至，当与卿议之。"泌曰："嗣恭为人小心，善事人，畏权势，精勤吏事而不知大体。昔为县令，有能名，陛下未暇知之，而为载所用，故为之尽力。陛下诚知而用之，彼亦为陛下尽力矣。虔州别驾，臣自欲之，非其罪也。且嗣恭新立大功，陛下岂得以一琉璃盘罪之邪！"上意乃解，以嗣恭为兵部尚书。

郭子仪以朔方节度副使张昙性刚率[286]，谓其以武人轻己，衔之。孔目官[287]吴曜为子仪所任，因而构之。子仪怒，诬奏昙扇动军众，诛之。掌书记高郢[288]力争之，子仪不听，奏贬郢猗氏[289]丞。既而僚佐多以病求去，子仪悔之，悉荐之于朝，曰："吴曜误我。"遂逐之。

常衮言于上曰："陛下久欲用李泌，昔汉宣帝[290]欲用人为公卿，必先试理人。请且以为刺史，使周知人间利病，俟报政[291]而用之。"

冬，十二月十四日丙戌，任命吏部尚书、转运、盐铁等使刘晏为左仆射，主管三铨和使职依旧。

郭子仪入朝，任命判官京兆人杜黄裳主持留守事务。李怀光阴谋取代郭子仪，诈称有诏书，想杀掉大将温儒雅等人。杜黄裳察觉李怀光有诈，责问他，他汗流浃背，连忙服罪。于是对那些难以驾驭的将领，杜黄裳假借郭子仪的命令，把他们都派到外地去，军府这才安然无事。

任命给事中杜亚为江西观察使。

代宗召江西判官李泌入朝相见，对他谈起元载的事，说："与你分别八年，才能杀掉此贼。幸亏太子发现他的阴谋，要不然，几乎见不到你了。"李泌回答说："臣以前原本曾说过的。陛下如果知道群臣中有不干好事的，就除掉他，由于陛下过分宽容忍耐，所以才到了这种地步。"代宗说："考虑事情也应该周全，不能轻举妄动。"代宗于是又说道："朕曾当面将你嘱托给路嗣恭，路嗣恭却按元载的心意，上奏让你担任虔州别驾。路嗣恭平定岭南之初，曾献上一个琉璃盘，直径九寸，朕以为是至宝，等到抄没元载家产时，得到路嗣恭送给元载的琉璃盘，直径竟有一尺。等他来后，我要跟你商议一下怎样处置他。"李泌说："路嗣恭为人谨慎小心，善于侍奉别人，畏惧权势，做官精明勤勉但不识大局。过去做县令，有能干的名声，陛下没有时间去了解他，而被元载所利用，所以为元载尽力。陛下如果真能了解他而加以任用，他也会为陛下尽力的。虔州别驾的职位，是我自己想要的，不算是他的罪过。况且路嗣恭新立大功，陛下怎么能因一个玻璃盘而治他的罪呢!"代宗心中的不满这才有所消解，任命路嗣恭为兵部尚书。

郭子仪因为朔方节度副使张昙性格刚强直率，认为他因自己是武人而轻视自己，因而怀恨在心。孔目官吴曜是郭子仪所信任的人，趁机从中挑拨诬陷。郭子仪很愤怒，诬奏张昙煽动军队作乱，把他杀了。掌书记高郢竭力争辩，郭子仪不听，上奏把高郢贬为猗氏县丞。不久郭子仪的许多僚属佐吏纷纷称病要求离去，郭子仪非常后悔，把他们全部推荐给朝廷，并说："吴曜害了我。"于是将吴曜赶走。

常衮对代宗说："陛下早就想起用李泌，以前汉宣帝想起用人做公卿，必定先试试他治理百姓的才能。请暂且任命他为刺史，让他广泛了解民间的利弊，等政绩上报后再重用他。"

---

【段旨】

以上为第七段，写唐代宗召回李泌，试用为刺史。郭子仪知过则改。

## 【注释】

㉕⑤ 辛酉：正月十四日。㉕⑥ 碾硙：粮食加工装置。碾，碾子，由碾台、碾槽、碾架等构成，用来碾去谷壳。硙，磨子，用作脱壳或磨粉。碾硙用人力、畜力或水力转动。此指水力转动的碾硙。㉕⑦ 戊辰：正月二十一日。㉕⑧ 李自良（公元七三三至七九五年）：泗水（今山东泗水县）人，性谨慎有谋略。任河东节度使，简俭守职。传见《旧唐书》卷一百四十六、《新唐书》卷一百五十九。㉕⑨ 师老：军队势衰力竭。㉖⓪ 癸酉：正月二十六日。㉖① 阳曲：县名，县治在今山西太原北阳曲镇。㉖② 羊武谷：又作扬武谷。在今山西原平西北。㉖③ 己亥：二月二十二日。㉖④ 填汉、御史、尚书三渠：为灵州屯田所开灌溉堰渠。㉖⑤ 甲戌：三月二十八日。㉖⑥ 甲辰：四月二十八日。㉖⑦ 戊戌：六月二十四日。㉖⑧ 崔祐甫：字贻孙，开元名臣崔沔之子。举进士，性刚直。官至中书侍郎、平章事。有文集三十卷（已佚）。传见《旧唐书》卷一百十九、《新唐书》卷一百四十二。㉖⑨ 壬子：七月初八日。㉗⓪ 戊午：七月十四日。㉗① 振武军：军镇名，在今内蒙古托克托城南。㉗② 辛未：七月二十七日。㉗③ 乙亥：八月初二日。㉗④ 银、麟州：皆为州名。银州治所在今陕西榆林东南，麟州治所在今陕西神木北。㉗⑤ 贞懿皇后：即贵妃独孤氏，大历十年（公元七七五年）十月丙寅卒，追谥为贞懿皇后。㉗⑥ 丁酉：八月二十四日。㉗⑦ 庄陵：陵墓名，贞懿皇后陵墓在今陕西三原东北。㉗⑧ 庚午：九月二十七日。㉗⑨ 青石岭：地名，在今甘肃泾川县西北。㉘⓪ 丙戌：十二月十四日。㉘① 三铨：唐制，吏部主文选，兵部主武选，皆为三铨。尚

---

## 【原文】

### 十四年（己未，公元七七九年）

春，正月壬戌[292]，以李泌为澧州刺史。

二月癸未[293]，魏博节度使田承嗣薨。有子十一人，以其侄中军兵马使悦为才，使知军事，而诸子佐之。甲申[294]，以悦为魏博留后。

淮西节度使李忠臣贪残好色，将吏妻女美者，多逼淫之，悉以军政委妹婿节度副使张惠光。惠光挟势暴横，军州苦之。忠臣复以惠光子为牙将，暴横甚于其父。左厢都虞候李希烈[295]，忠臣之族子也，为众所服。希烈因众心怨怒，三月丁未[296]，与大将丁暠等杀惠光父子而逐忠臣，忠臣单骑奔京师。上以其有功[297]，使以检校司空、同平章事留京师，以希烈为蔡州刺史、淮西留后。以永平节度使李勉兼汴州刺史，

书掌六品和七品选，称尚书铨；侍郎二人，分掌八品和九品选，称为中铨、东铨。合称三铨。㉘杜黄裳（公元七三八至八〇八年）：字遵素，性雅淡宽恕。元和（公元八〇六至八二〇年）初期的著名宰相，封邠国公。传见《旧唐书》卷一百四十七、《新唐书》卷一百六十九。㉘属：通"嘱"，嘱托。㉘虔州：州名，治所在今江西赣州。㉘琉璃盘：胡三省注认为此琉璃盘为天然琉璃宝石制成的盘子。但天然宝石不可能有径九寸、一尺大的。程大昌解释为早期的玻璃器，当是。㉘刚率：刚强直率。㉘孔目官：处理日常事务的副官，谓一孔一目细事皆所综理。㉘高郢（公元七四〇至八一一年）：字公楚，卫州（治今河南卫辉）人，官至中书侍郎、同中书门下平章事。传见《旧唐书》卷一百四十七、《新唐书》卷一百六十五。㉘猗氏：县名，县治在今山西临猗。㉙汉宣帝：刘询（公元前九一至前四九年），汉武帝曾孙。公元前七三至前四九年在位。事见《汉书》卷八。㉙报政：陈报政绩。

【校记】

［14］壬子：原无此二字。据章钰校，十二行本、乙十一行本皆有此二字，今据补。［15］河东：原无此二字。据章钰校，十二行本、乙十一行本皆有此二字，今据补。［16］等：原无此字。据章钰校，十二行本、乙十一行本皆有此字，今据补。［17］诛：据章钰校，十二行本、乙十一行本皆作"除"。

【语译】

十四年（己未，公元七七九年）

春，正月二十一日壬戌，任命李泌为澧州刺史。

二月十二日癸未，魏博节度使田承嗣去世。他有十一个儿子，他认为担任中军兵马使的侄子田悦有才能，所以让他主持军务，而让儿子们辅佐他。十三日甲申，任命田悦为魏博留后。

淮西节度使李忠臣贪婪残暴而又好色，将领佐吏的妻子女儿有长得漂亮的，多被他逼迫奸淫，他把军务政事全部委托给妹夫节度副使张惠光。张惠光依仗权势，强暴专横，军队和州县深受其苦，李忠臣又任命张惠光的儿子为牙将，其强暴专横胜过他父亲。左厢都虞候李希烈，是李忠臣的族侄，为众人所信服。李希烈利用众人内心怨恨愤怒，三月初六日丁未，与大将丁暠等人杀死张惠光父子而赶走了李忠臣，李忠臣只身骑马逃往京师。代宗因他有功劳，让他以检校司空、同平章事的身份留在京师，又任命李希烈为蔡州刺史、淮西留后。任命永平节度使李勉兼任汴州

增领汴、颍二州，徙镇汴州。

辛酉[298]，以容管经略使王翃为河中少尹、知府事。河东副元帅留后部将凌正暴横，翃抑之。正与其徒乘夜作乱，翃知之，故缩漏水数刻以差其期，贼惊溃走，擒正诛之，军府乃安。

成德节度使张宝臣既请复姓，又不自安，更请赐姓。夏，四月癸未[299]，复赐姓李。

---

**【段旨】**

以上为第八段，写田悦、李希烈非其道得任节度使，其后成为割据藩镇。

**【注释】**

[292] 壬戌：正月二十一日。[293] 癸未：二月十二日。[294] 甲申：二月十三日。[295] 李希烈

---

**【原文】**

五月癸卯[300]，上始有疾。辛酉[301]，制皇太子监国。是夕，上崩于紫宸[302]之内殿，遗诏以郭子仪摄冢宰[303]。癸亥[304]，德宗即位，在谅阴[305]中，动遵礼法，尝召韩王迥食，食马齿羹[306]，不设盐、酪[307]。

常衮性刚急，为政苛细[308]，不合众心。时群臣朝夕临[309]，衮哭委顿[310]，从吏或扶之。中书舍人崔祐甫指以示众曰："臣哭君前，有扶礼乎？"衮闻，益恨之。会议群臣丧服，衮以为："礼，臣为君斩衰三年。汉文权制，犹三十六日[311]。高宗以来，皆遵汉制。及玄宗、肃宗之丧，始服二十七日。今遗诏云：'天下吏人，三日释服。'古者卿大夫从君而服，皇帝二十七日而除，在朝群臣亦当如之。"祐甫以为："遗诏无朝臣、庶人之别。朝野内外[18]，莫非天下！凡百执事，孰非吏人！皆应三日[19]释服[312]。"相与力争，声色陵厉[313]。衮不能堪，乃奏祐甫率情

刺史，增加统领汴州、颍州两个州，并将治所移至汴州。

三月二十日辛酉，任命容管经略使王翃为河中少尹，主管府中事务。河东副元帅留后的部将凌正残暴专横，王翃抑制他。凌正和他的党徒想乘夜作乱，王翃知道了此事，故意缩减漏水计时器上的时刻数，使约定的时间发生差错，叛贼大惊溃散逃走，凌正被活捉并被处死，军府这才安然无事。

成德节度使张宝臣请求恢复姓张后，自己又感到不能安心，再次请求代宗赐姓。夏，四月十三日癸未，再次赐他姓李。

---

（？至公元七八六年）：燕州辽西（今北京市顺义区西北）人，初为裨将，逐李忠臣而为淮西节度使。以军功至检校右仆射、同平章事。建中三年（公元七八二年）与朱滔、田悦、王武俊、李纳等藩镇共叛朝廷，自称建兴王，署百官。后为部将药死。传见《旧唐书》卷一百四十五、《新唐书》卷二百二十五中。㉖丁未：三月初六日。㉗上以其有功：吐蕃犯京师，李忠臣在诸镇之前赴援，又有平李灵曜之功。㉘辛酉：三月二十日。㉙癸未：四月十三日。

---

## 【语译】

五月初三日癸卯，代宗开始生病。二十一日辛酉，下制书让皇太子监国。当天晚上，代宗在紫宸殿的内殿驾崩，遗诏任命郭子仪为冢宰，总领群臣。二十三日癸亥，德宗即位，在居丧期间，举止遵循礼法，德宗曾经召韩王李迥前来进餐，吃的是马齿苋羹，不放盐和奶酪。

常衮性情刚强急躁，为政苛刻琐细，不合众人心意，当时群臣早晚哭吊，常衮痛哭不已极度疲困，随从官吏中有人去扶他。中书舍人崔祐甫指着他们让大家看，说："臣子在君主灵前哭吊，有搀扶的礼节吗？"常衮听到后，就更加痛恨崔祐甫。适逢讨论群臣丧服的事情，常衮认为："按丧礼，臣子为君主服丧三年。汉文帝临时制定的丧礼，也有三十六天。高宗以来，都遵照汉制。等到玄宗、肃宗治丧时，才开始服丧二十七天。如今遗诏上说：'天下的官吏百姓，三天后就除丧。'自古以来公卿大夫跟随君主服丧，皇帝是二十七天除丧，在朝的群臣也应当如此。"崔祐甫认为："遗诏中并没有区别朝臣和百姓。朝野内外，无不属于同一个天下！所有各种任职管事的人，哪一个不是朝廷的官吏！都应该三天后除丧。"他们相互竭力争辩，声色俱厉，咄咄逼人。常衮感到受不了，就上奏说崔祐甫任性改变礼法，请求把他贬为潮

变礼[314]，请贬潮州刺史。上以为太重，闰月壬申[315]，贬祐甫为河南少尹。

初，肃宗之世，天下务殷[316]，宰相常有数人，更直[317]决事。或休沐[318]各归私第，诏直事者[319]代署其名而奏之，自是踵为故事。时郭子仪、朱泚虽以军功为宰相，皆不预朝政，衮独居政事堂，代二人署名奏祐甫。祐甫既贬，二人表言其非罪，上问："卿向言可贬，今云非罪，何也？"二人对，初不知。上初即位，以衮为欺罔[320]，大骇。甲辰[321]，百官衰绖[322]，序立[323]于月华门[324]，有制，贬衮为潮州刺史，以祐甫为门下侍郎、同平章事，闻者震悚。祐甫至昭应[325]而还。既而群臣丧服竟用衮议。

上时居谅阴，庶政皆委于祐甫，所言无不允。初，至德以后，天下用兵，诸将竞论功赏，故官爵不能无滥。及永泰以来，天下稍平，而元载、王缙秉政，四方以贿求官者相属[326]于门，大者出于载、缙，小者出于卓英倩等，皆如所欲而去。及常衮为相，思革其弊，杜绝侥幸，四方奏请，一切不与，而无所甄别[327]，贤愚同滞。崔祐甫代之，欲收时望，推荐引拔[328]，常无虚日，作相未二百日，除官八百人，前后相矫[329]，终不得其适。上尝谓祐甫曰："人或谤卿，所用多涉亲故，何也？"对曰："臣为陛下选择百官，不敢不详慎。苟平生[330]未之识，何以谙[331]其才行而用之！"上以为然[332]。

臣光曰："臣闻用人者，无亲疏新故之殊，惟贤不肖之为察。其人未必贤也，以亲故而取之，固非公也。苟贤矣，以亲故而舍之，亦非公也。夫天下之贤，固非一人所能尽也，若必待素识[333]熟其才行而用之，所遗亦多矣。古之为相者则不然，举之以众，取之以公[334]。众曰贤矣，己虽不知其详，姑用之，待其无功，然后退之，有功则进之；所举得其人则赏之，非其人则罚之。进退赏罚，皆众人所共然也，己不置豪发[335]之私于其间。苟推是心以行之，又何遗贤旷官[336]之足病哉！"

州刺史。德宗认为处罚太重，闰五月初三日壬申，将崔祐甫贬为河南少尹。

当初，在肃宗时代，天下事务繁多，宰相常常有几个人，轮班处理日常事务。有时遇上休假，各自回家，便诏令值班宰相代他们署名上奏，从此沿袭下来成为惯例。此时郭子仪、朱泚虽然以军功而出任宰相，但都不参与朝政，只有常衮一个人在政事堂里，他便代郭子仪、朱泚署名奏告崔祐甫。崔祐甫被贬官后，郭、朱二人上表说他无罪，德宗问道："你们先前说他可以贬官，现在又说他无罪，这是为什么？"二人回答说，他们起初并不知道这件事。德宗刚即位，便认为常衮是在欺骗蒙蔽他，大为震惊。甲辰日，群臣身着丧服，依次序站立在月华门前，德宗颁下制令，将常衮贬为潮州刺史，任命崔祐甫为门下侍郎、同平章事，听到这个消息的人都十分震惊惶恐。崔祐甫到达昭应县后就返回京师。不久，群臣丧服一事采用的还是常衮的建议。

德宗此时正在居丧，各种政务都委托给崔祐甫，对他所说的事没有不同意的。当初，至德年以后，天下不断用兵，各将领竞相论功邀赏，所以官职爵位不能不杂滥。等到永泰年以来，天下渐渐平定，而元载、王缙当政，各地到他那里行贿求官的人络绎不绝，大官出自元载、王缙之手，小官出自卓英倩等人之手，求官的人都能如愿离去。等到常衮做宰相，想要革除这种弊病，杜绝侥幸得官的现象，凡各地奏请任命官员的，一律不给，而不加以鉴别，致使贤能与蠢材同样被滞留。崔祐甫代替了常衮，想要拉拢人心，提高声望，推荐提拔官员，每天不断，做宰相不到二百天，就授官八百人。前后两任宰相都想矫正前任的做法，终究没有找到一种合适的办法。德宗曾经对崔祐甫说："有人指责你，说你所任用的人大多涉及亲朋故旧，这是为什么？"崔祐甫回答说："臣为陛下选择百官，不敢不审慎。如果是平素不认识的人，凭什么熟悉他的才能德行而任用他呢！"德宗认为他说得对。

臣司马光说："我听说任用官员，没有亲疏新旧之别，只应考察他是贤能还是不成才。其人不一定贤能，因为是亲朋故旧而选取了他，这固然不公允。如果其人贤能，因为是亲朋故旧而舍弃了他，这也是不公允的。天下的贤才，本不是一个人所能全都知道的，如果必须等平素就认识并熟悉其才能德行然后才加以任用，那么所遗漏的人才也就太多了。古代做宰相的人就不是这样做的，而是由众人推荐，然后以公允的态度来选取。众人都说某人贤能，自己虽然不知道他的详细情况，也姑且试用，等到他没有什么成绩，然后再黜退他，如果有成绩，就提拔他；所推荐的人确实是人才，就奖赏推荐的人，否则，就惩罚推荐的人。提拔、黜退、奖赏、惩罚，都要众人所公认，宰相本人不在中间添加丝毫的私意。假如推广这种态度来任用官员，又怎么会遗漏贤才或才能不能胜任官职，而足以让人诟病呢！"

【段旨】

以上为第九段，写代宗崩，德宗立，崔祐甫代常衮为首辅，用人唯亲。

【注释】

㉚癸卯：五月初三日。㉛辛酉：五月二十一日。㉜紫宸：紫宸殿。在大明宫宣政殿北紫宸门内。㉝冢宰：又称大宰、太宰，相传殷朝已置，周朝为六卿之首，总领百官。此处谓以郭子仪代理冢宰之职，总摄群臣，辅佐朝政。㉞癸亥：五月二十三日。㉟谅阴：亦称谅暗，居丧时所住的房子。因其寒凉幽暗，故曰谅暗。多借指天子居丧。㊱马齿羹：用野菜马齿苋做成的羹汤。㊲酪：奶酪，用牛马羊等乳制成的乳浆。㊳苛细：苛刻琐细。㊴临：哭。㊵委顿：疲乏狼狈。㊶汉文权制二句：指汉文帝临死，不愿天下父子长老百姓久哀伤身，遗诏葬后服丧大功十五日、小功十四日、纤（穿细布者，指官吏）七日，共三十六日，然后除丧。见本书卷第十五《汉纪》文帝后七年（公元前一五七年）。汉文，即汉文帝刘恒（公元前二〇二至前一五七年），汉高祖刘邦子，公元前一七九至前一五七年在位。事见《史记》卷十《孝文本纪》、《汉书》卷四《文帝纪》。㊷释服：脱去丧服，指除丧。㊸声色陵厉：谓声色俱厉，咄咄逼人。㊹率情变礼：任性地改变礼法。㊺壬申：闰五月初三日。㊻务殷：事情繁多。㊼更直：轮流值班。直，通

---

【原文】

诏罢省四方贡献之不急者，又罢梨园使㊲及乐工三百余人，所留者悉隶太常。

郭子仪以司徒、中书令领河中尹，灵州大都督，单于、镇北大都护，关内、河东副元帅，朔方节度，关内支度、盐池㊳、六城㊴水运大使，押蕃部并[20]营田及河阳道观察等使，权任既重，功名复大，性宽大，政令颇不肃。代宗欲分其权而难之，久不决。甲申㊵，诏尊子仪为尚父㊶，加太尉兼中书令，增实封满二千户，月给千五百人粮、二百马食，子弟、诸婿迁官者十余人，所领副元帅诸使悉罢之。以其裨将河东、朔方都虞候李怀光为河中尹，邠、宁、庆、晋、绛、慈、隰节度使，以朔方留后兼灵州长史常谦光为灵州大都督，西受降城、定远、

“值”，值班。318 休沐：官吏休息沐浴，指休假。唐代官吏十日一休沐，称为旬休。319 直事者：值班人。320 欺罔：欺骗蒙蔽。321 甲辰：闰五月庚午朔，无甲辰，当为甲戌之误。甲戌，闰五月初五日。322 衰绖：此作动词用，指百官士大夫穿着丧服。衰，古代的丧服名；绖，用麻做的丧带，系在腰上或头上。323 序立：按班而立。324 月华门：西京大明宫宣政殿前两廊各自有门，东为日华门，西为月华门；宫城内甘露殿门外亦有日华门（东）、月华门（西）；东京宫城内乾元门外亦有日华门（东）、月华门（西）。此指西京大明宫的月华门。325 昭应：县名，天宝七载（公元七四八年）以会昌县改名，治所在今陕西西安市临潼区。326 相属：连续不断。327 甄别：鉴别。328 引拔：引用、提拔。329 相矫：互相纠正。330 平生：平时；平素。331 谙：熟悉。332 上以为然：德宗赞同崔祐甫的用人原则。崔氏为任人唯亲辩解，受到司马光的批评。333 素识：平时认识。334 举之以众二句：大众推举人才，然后用公允的态度取人。335 豪发：同“毫发”，即毛发。犹言些许、一点点，极言其少。336 旷官：旷废职守，才不堪其任。

【校记】

［18］内外：据章钰校，十二行本、乙十一行本皆作“中外”。［19］三日：原无此二字。据章钰校，十二行本、乙十一行本皆有此二字，张瑛《通鉴校勘记》同，今据补。

【语译】

诏令取消或减省各地进贡的那些非急需的物品，又取消梨园使及乐工三百多人，所留下的人全都归属于太常。

郭子仪以司徒、中书令的身份兼河中尹，灵州大都督，单于、镇北大都护，关内、河东副元帅，朔方节度，关内支度、盐池、六城水运大使，押蕃部并营田及河阳道观察等使，权力和职责既重，功名也大，而他性情宽容大度，政策法令执行不严格。代宗想分散他的权力而又感到为难，长期以来难以决定。闰五月十五日甲申，下诏书尊郭子仪为尚父，加封太尉兼中书令，增加实封满二千户，每月供给他一千五百人的粮食、两百匹马的食料，他的子弟、女婿升官的有十几个人，郭子仪所兼任的副元帅与诸使职全部免去。任命他的裨将河东、朔方都虞候李怀光为河中尹，邠、宁、庆、晋、绛、慈、隰等州节度使，任命朔方留后兼灵州长史常谦光为灵州大都督，西受降

天德㉜、盐、夏、丰等军州节度使，振武军使浑瑊为单于大都护，东中二受降城、振武、镇北、绥、银、麟、胜等军州节度使，分领其任。

丙戌㉝，诏曰："泽州刺史李鹖上《庆云㉞图》。朕以时和年丰为嘉祥㉟，以进贤显忠㊱为良瑞㊲。如卿云、灵芝、珍禽、奇兽、怪草、异木，何益于人？布告㊳天下，自今有此，无得上献。"内庄宅使㊴上言诸州有官租万四千余斛，上令分给所在充军储。先是，诸国屡[21]献驯象，凡四十有二，上曰："象费豢养㊵而违物性㊶，将安用之！"命纵于荆山之阳㊷，及豹、貀㊸、斗鸡、猎犬之类，悉纵之。又出宫女数百人。于是中外皆悦，淄青军士，至投兵㊹相顾曰："明主出矣，吾属犹反乎？"

戊子㊺，以淮西留后李希烈为节度使。

辛卯㊻，以河阳镇遏使马燧为河东节度使。河东承百井之败㊼，骑士单弱。燧悉召牧马厮役㊽，得数千人，教之数月，皆为精骑。造甲必为长短三等，称其所衣㊾，以便进趋㊿。又造战车，行则载兵甲，止则为营陈，或塞险以遏奔冲(361)，器械无不精利。居一年，得选兵(362)三万。辟兖州人张建封(363)为判官，署李自良代州刺史，委任之。

兵部侍郎黎幹狡险谀佞(364)，与宦官特进刘忠翼相亲善，忠翼本名清潭，恃宠贪纵，二人皆为众所恶。时人或言幹、忠翼尝劝代宗立独孤贵妃为皇后，妃子韩王迥为太子。上即位，幹密乘轝诣忠翼谋事，事觉。丙申(365)，幹、忠翼并除名长流，至蓝田，赐死。

以户部侍郎判度支韩滉为太常卿，以吏部尚书刘晏判度支。先是，晏、滉分掌天下财赋(366)，晏掌河南[22]、山南、江淮、岭南，滉掌关内、河东、剑南。至是，晏始兼之。上素闻滉掊克(367)过甚，故罢其利权，寻出为晋州刺史。

至德初，第五琦始榷盐以佐军用。及刘晏代之，法益精密。初岁入钱六十万缗，末年所入逾十倍，而人不厌苦。大历末，计一岁征赋[23]所入总一千二百万缗，而盐利居其太半。以盐为漕佣，自江、淮至渭桥，率万斛佣七千缗，自淮以北，列置巡院(368)，择能吏主之，不烦州县而集事。

城、定远、天德、盐、夏、丰等军州节度使，任命振武军使浑瑊为单于大都护，东中二受降城、振武、镇北、绥、银、麟、胜等军州节度使，分别承担郭子仪原先的职务。

闰五月十七日丙戌，下诏书说："泽州刺史李鹖上《庆云图》。朕把天气和顺庄稼丰收看作吉祥，把引荐贤士显扬忠臣看作良兆。至于像卿云、灵芝、珍禽、奇兽、怪草、异木，对人有什么益处？特布告天下，从今以后，凡有这类东西，都不许向上进献。"内庄宅使上奏说各州所收的官租有一万四千多斛，德宗下令分给各地当作军粮储备。先前，各国多次进献驯象，共有四十二头，德宗说："豢养驯象需要花费，而且违反了生物的天性，又有什么用处！"下令把驯象放生到荆山南边，另外所养的豹、貀、斗鸡、猎犬之类，也全都放归山林。同时又放了好几百个宫女出宫。于是朝野内外都心怀喜悦，淄青的军士，甚至扔下兵器，相互看着说："圣明的君主出现了，我们这些人还要造反吗？"

闰五月十九日戊子，任命淮西留后李希烈为节度使。

闰五月二十二日辛卯，任命河阳镇遏使马燧为河东节度使。河东在百井之战失败后，骑兵部队力量单薄。马燧征召所有牧马的奴仆，得到几千人，把他们训练了几个月，使他们都成为精锐的骑兵。制作铠甲一定要分为长短不同的三种尺寸，使骑士们穿着合身，以便快速前进。又制造战车，行进时装载武器，停息时便列为营阵，有时用来堵塞险要地方以遏制敌人奔驰冲击，各种军用器械无不精锐锋利。过了一年，得到经过挑选的士兵三万人。征召兖州人张建封为判官，任命李自良为代州刺史，委以重任。

兵部侍郎黎幹狡猾阴险，善于阿谀逢迎，与宦官特进刘忠翼亲近，关系很好，刘忠翼本名刘清潭，倚仗德宗宠幸而贪婪放纵，这两个人都被众人所厌恶。当时有人说黎幹和刘忠翼曾经劝代宗立独孤贵妃为皇后，立贵妃的儿子韩王李迥为太子。德宗即位后，黎幹秘密乘车到刘忠翼那里谋划事情，被发觉。闰五月二十七日丙申，黎幹、刘忠翼同时被除名永久流放，到达蓝田，被赐自尽。

任命户部侍郎判度支韩滉为太常卿，任命吏部尚书刘晏为判度支。此前，刘晏、韩滉分别掌管天下财赋，刘晏掌管河南、山南、江淮、岭南，韩滉掌管关内、河东、剑南。到这时，开始由刘晏一人兼管。德宗平时听说韩滉搜刮赋税过于厉害，所以罢除了他的财政大权，不久又将他调出京城做晋州刺史。

至德初年，第五琦开始实行食盐专卖以补充军事费用。等到刘晏代替他以后，专卖的办法更加精细完善。开始时一年收入的钱有六十万缗，到后期一年收入超过十倍，而老百姓并不感到厌恶痛苦。大历末年，统计一年的征赋收入总共有一千二百万缗，而食盐专卖的收入占了其中的一大半。将食盐的收入作为漕运雇工的费用，从江、淮地区运到渭桥，大约运一万斛粮食的工钱是七千缗，从淮河以北，沿路设置巡院，选择有能力的官吏主管，不烦劳州县而把事情办好了。

【段旨】

以上为第十段，写德宗初即位，锐意兴革，释放禁苑珍禽走兽，出宫女数百归民，整顿武备财赋，初露明主风采。

【注释】

㉝㉗梨园使：使职名，开元二年（公元七一四年）置。掌梨园弟子教习事务。㉝㉘盐池：朔方节度所领诸州中灵州、夏州、盐州皆有盐池。㉝㉙六城：朔方塞下有六城。㉞⓪甲申：闰五月十五日。㉞①尚父：周武王推尊吕尚为尚父，意谓可尊尚之父。德宗亦效仿周武王，尊礼郭子仪为尚父。㉞②天德：戍军名，即天德军，由天安军改名。在今内蒙古乌拉特前旗东北。㉞③丙戌：闰五月十七日。㉞④庆云：又作“景云”“卿云”，即五色云。古以为祥瑞之气。㉞⑤嘉祥：好兆头。㉞⑥进贤显忠：褒进贤良、显扬忠臣。㉞⑦良瑞：吉兆。㉞⑧布告：对众宣告；公告。㉞⑨内庄宅使：使职名，掌管皇室庄田。以宦官充任。㉟⓪豢养：喂养；饲养。㉟①物性：生物的天性、本性。㉟②荆山之阳：荆山南面。荆山，山名，在陕西富平西南。㉟③貀：动物名，即豽。似狗豹斑纹，有角，两脚。㉟④投兵：扔下兵器。㉟⑤戊子：闰五月十九日。㉟⑥辛卯：闰五月二十二日。㉟⑦百井之败：指去年正月河东留后鲍防不采纳押牙李自良之策，在百井被回纥军大败，死万余人。百井，即百井镇，在今山西阳曲东北柏井村。㉟⑧厮役：奴仆。㉟⑨称其所衣：所衣合身。称，相称、合适。㊱⓪进趋：向前快奔。㊱①奔冲：奔驰冲突。㊱②选兵：从士卒中选拔出来的精干兵士。㊱③张建封（公

【原文】

六月己亥[369]朔，赦天下。

西川节度使崔宁、永平节度使李勉并同平章事。

诏：“天下冤滞[370]，州府不为理，听诣三司使[371]，以中丞、舍人、给事中各一人，日于朝堂受词[372]。推决尚未尽者，听挝登闻鼓[373]。自今无得复奏置寺观及请度僧尼。”于是挝登闻鼓者甚众。右金吾将军裴谞上疏，以为“讼者所争皆细故，若天子一一亲之，则安用吏理乎？”上乃悉归之有司。

制：“应山陵制度[374]，务从优厚，当竭帑藏[375]，以供其费。”刑部员外郎令狐峘[376]上疏谏，其略曰：“臣伏读遗诏，务从俭约。若制度优

元七三五至八〇〇年）：字本立，邓州南阳（今河南南阳）人，客隐兖州（在今山东兖州）。少喜文章，好谈论。性宽厚，亦不妄自曲法宥人。镇徐州十年，加官至检校右仆射。传见《旧唐书》卷一百四十、《新唐书》卷一百五十八。㊹狡险谀佞：狡猾阴险，善阿谀奉承、巧言谄媚。㊺丙申：闰五月二十七日。㊻晏、滉分掌天下财赋：据《旧唐书·食货志》，大历五年（公元七七〇年）第五琦被贬后，刘晏与韩滉分领关内、河东、山剑（山南西道和剑南）租庸使和青苗使。㊼掊克：以苛税搜刮民财。掊，搜刮、聚敛。㊽巡院：盐铁转运使下属机构，刘晏设置，其任务是禁捕私盐，防止奸盗，并有审判处罚甚至处死私盐犯的权力，发展盐业生产和招徕商人，推销官盐；经管各地租调税物的转运，推行常平法，并有察访赋税方面不法之事的权力。刘晏初置的巡院有十三个，后来还逐渐增多。详《新唐书》卷五十四。

## 【校记】

［20］并：原作“及”。据章钰校，十二行本、乙十一行本皆作“并”，今从改。［21］屡：据章钰校，十二行本、乙十一行本、孔天胤本皆作“累”。［22］河南：原作“江南”。据章钰校，十二行本、乙十一行本皆作“河南”，张瑛《通鉴校勘记》同，今据改。〖按〗据《旧唐书》卷一百二十三、《新唐书》卷一百四十九《刘晏传》，晏掌天下财赋，所领区域包括东都、河南、江淮等地，作“河南”是。［23］征赋：原无此二字。据章钰校，十二行本、乙十一行本皆有此二字，今据补。

---

## 【语译】

六月初一日己亥，大赦天下。

西川节度使崔宁、永平节度使李勉同时为同平章事。

德宗下诏说：“天下积留的冤狱，如果州府不予受理，听任人们到三司使申诉，让御史中丞、中书省舍人、门下省给事中各一人，每天在朝堂接受讼词。如果通过审判还有未能理清冤情的，听任他们敲击登闻鼓。从今以后不许再上奏请求设置寺观以及剃度和尚、尼姑。”其时敲击登闻鼓的人很多。右金吾将军裴谞上疏，认为“诉讼的人所争论的都是些细小事情，如果天子一一亲自过问，那何必要用官吏去审理案子呢？”德宗这才将诉讼事务全部交给有关部门处理。

德宗颁下制令：“所有帝陵修建制度，务必从优从厚，应当竭尽国库财物，以提供修建费用。”刑部员外郎令狐峘上疏劝谏，大意是说：“臣拜读遗诏，先帝要求务从

厚，岂顾命[377]之意邪！”上答诏，略曰：“非唯中朕之病，抑[378]亦成朕之美，敢不闻义而徙！”峘，德棻[379]之玄孙也。

庚子[380]，立皇子诵[381]为宣王，谟[382]为舒王，谌[383]为通王，谅[384]为虔王，详[385]为肃王。乙巳[386]，立皇弟迺[387]为益王，傀[388]为蜀王。

丙午[389]，举先天[390]故事，六品以上清望官[391]，虽非供奉、侍卫之官，日令二人更直待制，以备顾问。

庚戌[392]，以朱泚为凤翔尹。

代宗优宠宦官，奉使四方者，不禁其求取。尝遣中使赐妃族，还，问所得颇少，代宗不悦，以为轻我命。妃惧，遽以私物偿之。由是中使公求赂遗，无所忌惮。宰相尝贮钱于阁中，每赐一物，宣一旨，无徒还者。出使所历州县，移文[393]取货，与赋税同，皆重载而归。上素知其弊。遣中使邵光超赐李希烈旌节，希烈赠之仆、马及缣七百匹、黄茗[394]二百斤。上闻之，怒，杖光超六十而流之。于是中使之未归者，皆潜弃所得于山谷，虽与之，莫敢受。

甲子[395]，以神策都知兵马使、右领军大将军王驾鹤为东都园苑使[396]，以司农卿白琇珪[397]代之，更名志贞。驾鹤典禁兵十余年，权行中外，诏下[24]，上恐其生变。崔祐甫召驾鹤与语，留连久之，琇珪已视事矣。

李正己畏上威名，表献钱三十万缗。上欲受之恐见欺，却之则无辞。崔祐甫请遣使慰劳淄青将士，因以正己所献钱赐之，使将士人人戴上恩。又诸道闻之，知朝廷不重货财。上悦，从之。正己大惭服。天下以为太平之治，庶几可望焉。

俭省节约。如果修建制度从优从厚，哪里是先帝遗命的用意呢!”德宗回诏书，大意是说:“这不仅正说中朕的过失，而且也成朕之美，朕哪敢不听到大义而就改正呢!”令狐峘，是令狐德棻的玄孙。

六月初二日庚子，立皇子李诵为宣王，李谟为舒王，李谌为通王，李谅为虔王，李详为肃王。初七日乙巳，立德宗的弟弟李迺为益王，李傀为蜀王。

六月初八日丙午，依照先天年间的成例，六品以上的清望官，虽然不是供奉官、侍卫官，每天也命令两个人轮流值班等候诏令，以备咨询。

六月十二日庚戌，任命朱泚为凤翔尹。

代宗优待宠爱宦官，对奉命出使四方的宦官，都不禁止他们求取财物。代宗曾经派宫中使者去赏赐某妃子的家族，回来后，询问得知所得到的酬谢很少，代宗很不高兴，认为这是轻视他的命令。那个妃子害怕了，连忙把自己的私房拿出来作为补偿。从此，宫中使者公开求取贿赂，无所忌惮。宰相们都曾经把钱存放在省阁中，每次德宗派宦官来赏赐一物，或宣读一道圣旨，都没有空着手回去的。宦官出使经过各州县，发送公文来收取财物，就如同征收赋税一样，都是重载而归。德宗平时就知道这个弊病。派宫中使者邵光超赏赐李希烈旌节，李希烈便送给他仆人、马匹以及缣七百匹、黄茗二百斤。德宗听说此事，十分生气，打了邵光超六十棍后把他流放。于是那些还没有回朝的宫中使者，都偷偷把所索得的财物丢弃在山谷里，即使有人给他们东西，他们也不敢接受。

六月二十六日甲子，任命神策都知兵马使、右领军大将军王驾鹤为东都园苑使，任命司农卿白琇珪代替王驾鹤，并改名为白志贞。王驾鹤掌管禁军十几年，权势通行于朝廷内外，诏令颁下后，德宗担心他发生变乱。为此崔祐甫召见王驾鹤与他谈话，有意拖延了很长时间，白琇珪那边已经接管任职了。

李正己畏惧德宗的威名，上表表示要进献三十万缗钱。德宗想接受又怕被欺骗，想推辞却没有借口。崔祐甫请求派遣使者慰劳淄青将士，乘机把李正己所献的钱赏赐给他们，这样使得将士们人人都对德宗感恩戴德。而且各道听说后，也知道朝廷是不看重财物的。德宗很高兴，听从了崔祐甫的建议。李正己非常惭愧，也很佩服。天下人认为太平之治，差不多就可以看到了。

---

【段旨】

以上为第十一段，写唐德宗治刑狱，倡节俭，罢奉献，严禁中使向地方求索，表现中兴气象。

【注释】

⑲己亥：六月初一日。⑳冤滞：滞留未申的冤狱。㉑三司使：唐制，大狱由刑部、御史台、大理寺推案，谓之大三司使。如果所按并非长官，则由侍御史与刑部郎中、员外郎以及大理司直、评事审讯，谓之小三司。唐中叶以后史书所说三司使，皆指刑部、御史台、大理寺三官。㉒受词：接受讼词。㉓挝登闻鼓：敲击登闻鼓。古代帝王为了表示听取臣民申诉冤情，悬鼓于朝堂外，许击鼓上闻，称之为登闻鼓。唐代长安、洛阳均设有登闻鼓。㉔山陵制度：指陵墓大小高下以及纳藏明器等规定。山陵，帝王的陵墓。㉕帑藏：国库的金帛。㉖令狐峘（？至公元八〇五年）：或作"令孤峘"，据两《唐书》本传，"孤"应作"狐"。令狐峘，天宝末进士，官至右庶子，参与修撰《玄宗实录》《代宗实录》。传见《旧唐书》卷一百四十九、《新唐书》卷一百二。㉗顾命：天子临终的遗命，或称天子遗诏。㉘抑：连词，表示轻微的转折。㉙德棻：令狐德棻（公元五八三至六六六年），宜州华原（今陕西铜川市耀州区）人，博涉文史。官至太常卿。勤于著述，参与修撰《艺文类聚》《周书》《梁书》《陈书》《北齐书》《隋书》《新礼》《氏族志》《晋书》《五代史志》《高宗实录》等书。传见《旧唐书》卷七十三、《新唐书》卷一百二。㊱庚子：六月初二日。㊲诵：李诵，即唐顺宗（公元七六一至八〇六年），唐德宗长

【原文】

秋，七月戊辰[398]朔，日有食之。

礼仪使、吏部尚书颜真卿上言："上元[399]中，政在宫壶[400]，始增祖宗之谥；玄宗末，奸臣窃命，累圣[401]之谥，有加至十一字[402]者。按周之文、武，言[25]文不称武，言武不称文，岂盛德所不优乎？盖群臣称其至者故也。故谥多不为褒，少不为贬。今累圣谥号太广，有逾古制。请自中宗以上皆从初谥[403]，睿宗曰圣真皇帝，玄宗曰孝明皇帝，肃宗曰宣皇帝，以省文尚质[404]，正名敦本[405]。"上命百官集议，儒学之士，皆从真卿议，独兵部侍郎袁傪，官以兵进，奏言："陵庙玉册[406]、木主皆已刊勒[407]，不可轻改。"事遂寝。不知陵中玉册所刻，乃初谥也。

初，代宗之世，事多留滞，四夷使者及四方奏计，或连岁不遣，

子，公元八〇五年在位。事见《旧唐书》卷十四、《新唐书》卷七。㊳㉜谟：李谟（？至公元八〇五年），唐代宗第三子李邈之子，因最年幼，德宗命为己子，更名谊，封舒王。传见《旧唐书》卷一百五十、《新唐书》卷八十二。㊳㉝谌：李谌，德宗第三子，封通王。传见《旧唐书》卷一百五十、《新唐书》卷八十二。㊳㉞谅：李谅，德宗第四子，封虔王。传见《旧唐书》卷一百五十、《新唐书》卷八十二。㊳㉟详：李详（公元七七九至七八二年），德宗第五子，封肃王。传见《旧唐书》卷一百五十、《新唐书》卷八十二。㊳㊱乙巳：六月初七日。㊳㊲迺：李迺，唐代宗第九子，封益王。传见《旧唐书》卷一百十六、《新唐书》卷八十二。㊳㊳傀：李傀，《旧唐书》作李遂，当是。系代宗第十二子，封蜀王。传见《旧唐书》卷一百十六、《新唐书》卷八十二。㊳㊴丙午：六月初八日。㊳㊵先天：唐玄宗年号（公元七一二至七一三年）。㊳㊶清望官：指台省侍御等官。以得参侍从，廉洁有人望，故名。㊳㊷庚戌：六月十二日。㊳㊸移文：发布文书。㊳㊹黄茗：黄茶。㊳㊺甲子：六月二十六日。㊳㊻东都园苑使：使职名，主管东都宫苑。㊳㊼白琇珪（？至公元七八七年）：太原（今山西太原）人，德宗赐名志贞。传见《旧唐书》卷一百三十五、《新唐书》卷一百六十七。

## 【校记】

［24］诏下：原无此二字。据章钰校，十二行本、乙十一行本皆有此二字，今据补。

---

## 【语译】

秋，七月初一日戊辰，日食。

礼仪使、吏部尚书颜真卿进言说："上元年间，武后当政，开始增加祖宗的谥号。玄宗末年，奸臣盗用国家的权柄，历朝皇帝的谥号，有增加到十一个字的。按周代的文王和武王，称文就不称武，称武就不称文，难道他们的大德就不崇高吗？这是因为群臣称呼的是他们最突出的那种功德。所以，谥号的字多并不意味着褒扬，字少也不意味着贬低。如今历朝皇帝的谥号字数太多，超出了古代的制度。请求自中宗以上的皇帝，都依从最初的谥号，中宗以下，睿宗称圣真皇帝，玄宗称孝明皇帝，肃宗称宣皇帝，以求减省文采，崇尚质朴，辨正名分，注重根本。"德宗命令会集百官讨论，儒学之士，都同意颜真卿的建议，只有兵部侍郎袁傪，因军功而加官，他上奏说："陵庙中的玉册、神主牌位都已经刊刻，不可轻易改动。"这事便搁置起来。殊不知皇陵中玉册所刻的本来就是最初的谥号。

当初，在代宗时代，朝廷的许多事情都拖延未办，四夷的使者以及各地报送登记户口、赋税等簿籍的官员，有的接连好几年都不被安排回去，于是在右银台门

乃于右银台门置客省以处之。及上书言事孟浪⑱者[26]、失职未叙者[27]，亦置其中，动经十岁。常有数百人，并部曲、畜产动以千计，度支廪给，其费甚广。上悉命疏理⑲，拘者⑳出之，事竟者遣之，当叙者任之，岁省谷万九千二百斛。

壬申㉑，毁元载、马璘、刘忠翼之第。初，天宝中，贵戚第舍虽极奢丽，而垣屋高下，犹存制度，然李靖家庙已为杨氏马厩矣。及安、史乱后，法度堕弛，大臣、将帅、宦官[28]竞治第舍，各穷其力而后止，时人谓之木妖。上素疾之，故毁其尤者，仍命马氏献其园，隶宫司㉒，谓之奉成园㉓。

癸丑㉔，减常贡宫中服用锦千匹、服玩数千事。

庚辰㉕，诏回纥诸胡在京师者，各服其服，无得效华人。先是，回纥留京师者常千人，商胡伪服而杂居者又倍之，县官日给饔饩㉖，殖赀产，开第舍，市肆美利皆归之，日纵贪[29]横，吏不敢问。或衣华服，诱取妻妾，故禁之。

辛卯㉗，罢天下榷酒收利。

上之在东宫也，国子博士河中张涉㉘为侍读，即位之夕，召涉入禁中，事无大小皆咨之。明日，置于翰林为学士，亲重无比。乙未㉙，以涉为右散骑常侍，仍为学士。

---

**【段旨】**

以上为第十二段，写德宗大刀阔斧处理积案，拆毁权臣达官逾制的住宅，整顿京师秩序，约束回纥商人。

**【注释】**

㊳戊辰：七月初一日。㊴上元：高宗年号（公元六七四至六七六年）。㊵政在宫壸：指武则天执政。宫壸，宫中。㊶累圣：各位圣人。此指先帝。㊷十一字：天宝十三载（公元七五四年），加祖宗谥号与庙号皆为九字，群臣上玄宗尊号共十四字。所说十一字，

设置客省安置他们。还有上书议事轻率鲁莽的、失去职位没有再任命的，也安置在客省里，动辄一住就有十年。住在那里的经常有好几百人，再加上随从、牲畜，动辄就是数以千计，由度支供给粮食饲料，费用很大。德宗下令全面清理，被扣留的放出来，事情办完了的安排回去，应当按次第任用的就任命，一年就节省粮食一万九千二百斛。

七月初五日壬申，拆毁元载、马璘、刘忠翼的宅第。起初，在天宝年间，贵戚的宅第房舍虽然极其奢侈华丽，但围墙房屋的高低，还符合有关的制度，然而李靖的家庙已经成了杨氏的马厩了。等到安、史之乱以后，法令制度遭废弛，大臣、将帅、宦官竞相修建宅第房舍，各人都竭尽自己的力量才罢休，当时人称为木妖。德宗平素就很痛恨这种做法，所以拆毁其中特别奢华的，还命马氏献出他的园林，归宫司掌管，称之为奉成园。

癸丑日，减少日常贡奉宫中服用的锦缎一千匹，其他服用与玩赏的物品好几千件。

七月十三日庚辰，诏令在京师的回纥及各族胡人，各自穿本民族的服装，不得效仿汉人。先前，滞留在京师的回纥人常常有上千人，而经商的胡人穿着回纥服装与回纥人杂居的又多出一倍，朝廷每天要供给他们大量的肉类食物，他们却添置产业，修筑宅第房舍，市场上丰厚的利润都归他们所得，他们日益放纵、贪婪、横暴，官吏不敢追究。还有人穿着汉人的衣服，骗娶妻妾，因此下令禁止他们乱穿服装。

七月二十四日辛卯，取消天下通过酒的专卖来获得税利。

德宗在东宫做太子时，国子博士河中人张涉做他的侍读，德宗即位的当晚，就把张涉召进宫中，事情无论大小都向他咨询。第二天，就安排他在翰林做学士，对他的亲近与重视无人可比。七月二十八日乙未，任命张涉为右散骑常侍，仍然担任学士。

---

不知何据。⑷⓪③中宗以上皆从初谥：其初谥高祖为太武皇帝、太宗为文皇帝、高宗为天皇大帝、中宗为孝和皇帝。⑷⓪④省文尚质：去掉华美的文采，崇尚素朴笃实。文，文采。质，朴实。⑷⓪⑤正名敦本：辨正名分，注重根本。⑷⓪⑥玉册：玉制的简册。古代帝王以玉册祭告、封禅，也用于册命皇太子及后妃。⑷⓪⑦刊勒：刊刻。⑷⓪⑧孟浪：指言语疏略不精，或做事鲁莽轻率。⑷⓪⑨疏理：清理。⑷①⓪拘者：被扣留者。⑷①①壬申：七月初五日。⑷①②宫司：主管宫廷禁掖园苑的官府。⑷①③奉成园：在长安东市之南的安邑坊。⑷①④癸丑：据下文有“庚辰”“辛卯”，则此“癸丑”应为“癸酉”之误。癸酉，七月初六日。⑷①⑤庚辰：七月十三日。⑷①⑥饔饩：饔，熟肉。饩，活牲口。⑷①⑦辛卯：七月二十四日。⑷①⑧张涉：蒲州（今山西永济西）人，家世儒者，能为文。为国子博士时，曾请有司日试万言，时呼张万言。官至散骑常侍。传见《旧唐书》卷一百二十七。⑷①⑨乙未：七月二十八日。

## 【校记】

［25］言：原作“称”。据章钰校，十二行本、乙十一行本皆作“言”，今从改。［26］孟浪者：原无此三字。据章钰校，十二行本、乙十一行本皆有此三字，张瑛《通鉴校勘记》同，今据补。［27］者：原无此字。据章钰校，十二行本、乙十一行本皆有此字，张瑛《通鉴校勘记》同，今据补。［28］宦官：原无此二字。据章钰校，十二行本、乙十一行本皆有此二字，今据补。［29］贪：据章钰校，十二行本、乙十一行本皆作“暴”。

## 【研析】

本卷记载代宗晚年执政和德宗初即位，共五年又七个月。本卷研析代宗晚年的作为与德宗初即位的兴革。

王夫之论高宗有言：“至弱之主，必有暴怒；至暗之主，必有微明。”（《读通鉴论》卷二十一）代宗姑息藩镇，含容权臣元载，晚年一奋而起，讨魏博，诛李灵曜，杀元载，表现了中唐皇权仍有控制朝政的能力。魏博节度使田承嗣是河北诸镇中最为骄慢的割据者。代宗为了笼络田承嗣，把皇女永乐公主许妻田承嗣之子田华，代宗为此是要拉近与田承嗣的关系，可是田承嗣不买账，更加骄慢。田承嗣不听朝廷号令，不入朝，不派防秋兵。当时吐蕃经常寇边，常于秋天扰乱收割，朝廷征兵诸镇防秋。代宗大历九年（公元七七四年），幽州卢龙节度使朱泚入朝，亲自带领五千名士卒防秋，代宗给予很高礼遇。朱泚表请留阙下，推荐其弟朱滔知幽州卢龙留后，代宗听之，朱滔效顺。又成德节度使李宝臣、淄青节度使李正己，两人皆为田承嗣所轻视，上表请求讨伐田承嗣。代宗于是利用诸镇之间的矛盾，在大历十年（公元七七五年）四月初三日乙未下诏贬田承嗣为永州刺史，征调河东、成德、幽州、淄青、淮西、永平、汴宋、河阳、泽潞等九节度使之兵，大举讨伐田承嗣。这是朝廷平定安史之乱以来的最大规模用兵。代宗此举，志在必得。朝廷无权威良将统率诸镇，没有统帅，诸镇各自为战，田承嗣分化瓦解，各个击破，拉拢李正已中立，挑起了朱滔与李宝臣交斗，其余诸镇各自退兵。田承嗣上表谢罪，代宗就势下坡，征讨田承嗣不了了之。随后汴宋留后李灵曜反叛，北连田承嗣。代宗命李忠臣、马燧进讨，又反正了汴宋兵马使李僧惠，授命李僧惠为宋州刺史。李僧惠是李灵曜的谋主，李僧惠反戈一击，李灵曜军心瓦解。诸军进击，十月汴州城破，诛杀了李灵曜。李灵曜之死，替朝廷挽回了一些面子。

田承嗣上表入朝，李正已随后上表替田承嗣说情，请求允许他自新改过。两人配合演双簧，田承嗣终究没有入朝，又帮助李灵曜反叛，代宗再次下令征讨，田承嗣又上表谢罪。代宗没有办法，只好下诏，恢复田承嗣官爵，免其入朝。此时郭子仪健在，代宗刻忌功臣而不用，是以建功不成。代宗刻忌功臣，又表现了一个昏君的常态。

奸相元载专横纳贿，黄门侍郎、同平章事王缙党附。元载妻王氏，元载之子元伯和、元仲武，以及王缙之弟、妹，争纳贿赂。士人求进，百官晋升，都要通过元载、王缙两人的子弟及主书卓英倩等纳贿办事，否则无由仕进。大历十二年（公元七七七年）三月，代宗单独与左金吾大将军吴凑密谋诛元载。吴凑是代宗的舅舅。谋定使人上告元载、王缙图谋不轨。三月二十八日庚辰，代宗驾临延英殿，命吴凑到政事堂逮捕元载、王缙，及其同党。元载及卓英倩等被诛，王缙贬官为栝州刺史。

代宗诛杀元载后，清理积弊，额定百官俸禄，裁撤诸州团练使，又定员诸州守兵，皆有常数，史称“法制粗立”。

大历十四年（公元七七九年）五月二十一日辛酉，代宗崩，德宗即位。

德宗即位，时年三十八岁，参加了平定安史之乱，年富力强，阅历已久，即位之初，表现了励精图治之志。居丧期间，下诏罢四方贡献，又罢梨园及乐工三百余人，释放禁苑走兽归山林，出宫女数百人。又下诏天下各州平反冤狱，不准全国各地增修寺观，不准剃度增加僧尼，禁止外出中使向地方求索。德宗派中使邵光超赐淮西节度使李希烈旌节，李希烈送给邵光超仆从、良马，以及缣七百匹、黄茗茶二百斤。德宗大怒，处邵光超杖刑二百，流放边地。其他各道中使无人再敢接受馈赠。于是中外大悦，认为明主出世，天下庶几可治。其实德宗仍是一个昏君。肃宗、代宗处事优柔寡断，姑息藩镇，只求苟安。德宗处事举重若轻，急躁妄动，刚愎自用，即位旬日之间就表现出来。朝廷为代宗治丧，群臣议丧服。宰相常衮主张按惯例服丧二十七日除服，中书舍人崔祐甫主张依从代宗遗诏，三日除服。两人争执，恶语相加。常衮上奏德宗说崔祐甫任意变更丧礼，请求贬为潮州刺史。德宗认为太重，于闰五月初三日壬申，贬崔祐甫为河南少尹。常衮的上奏，有郭子仪、朱泚两人副署。两人以军功为宰相，并不到政事堂办事。唐肃宗时，事务繁多，宰相有好几个人，轮流值班。有时有宰相休假，值班宰相奏事，代休假宰相署名上奏，成为惯例。这次常衮上奏，代郭子仪、朱泚署名，合于惯例。常衮刚直，得罪了许多人，这些人抓住这件事做文章，德宗也想树立一下威望，加罪常衮欺君，贬常衮为潮州刺史。常衮欲贬崔祐甫为潮州刺史，德宗用在了常衮自己身上，然后把崔祐甫召回来代替了常衮的位置。而丧服礼却按照常衮的意见执行。唐德宗五月二十三日即位，十天后于闰五月初三日贬崔祐甫，第三天闰五月初五倒过来贬宰相常衮。德宗和乃父，乃祖肃、代二宗大相径庭，急躁轻率，唐朝在他的统治下，结束了苟安，但接下来的不是治世，而是动荡危难。急躁的昏君比宽厚的昏君更容易偾事。肃宗、代宗、德宗，本质上都是昏君，昏聩的最大特点就是忠奸不分，猜忌功臣。德宗对功臣的猜忌，更甚于乃父、乃祖，要弄的小聪明也甚于乃父、乃祖。德宗初即位，就免去郭子仪的一切军职，用郭子仪的三个部将李怀光、常谦光、浑瑊分掌兵权。代宗想分郭子仪的兵权，久久不能决定，临终也没有办成。德宗一上台便办了，表面上却尊崇郭子仪为尚父，给予优厚的生活待遇，增加封邑到二千户，事权却剥夺殆尽，包括郭子仪的子侄。中唐昏君，刻忌功臣，仿佛有基因遗传，一代甚过一代。

# 卷第二百二十六　唐纪四十二

起屠维协洽（己未，公元七七九年）八月，尽重光作噩（辛酉，公元七八一年）五月，凡一年有奇。

【题解】

本卷记事起公元七七九年八月，迄公元七八一年五月，凡一年又十个月，当唐代宗大历十四年八月到唐德宗建中二年五月。这是唐德宗初即位，欲有一番大作为的时期。德宗即位之年三十八岁，正当盛壮年富力强之时。安史之乱平定后，经代宗十余年的休养生息，唐朝恢复了一定的国力。天下税户三百八十五万余，籍兵七十六万余，税钱一千又八十九万余缗，谷二百七十万余斛。德宗重整朝纲，有一定的实力。德宗革除积弊，采纳杨炎建议，在建中元年实施两税法，这是中国财政史上的一次大变革。德宗又将宦官所掌管的天下财赋转归户部左藏管理，惩贪，罢贡奉，节制方镇，和好吐蕃，确实有了一番新气象。但所用非人，德宗的革新大打折扣。杨炎入相大权独揽之后就专以报仇害人为能事，冤杀理财家刘晏是唐朝政治的一大损失。不久卢杞入相，奸诈误国，德宗朝政治很快走了下坡路。德宗性偏执，因曾受回纥之辱，即皇帝位后指使振武节度使张光晟滥杀九姓回纥商人，是外交上的一大败笔。

【原文】

## 代宗睿文孝武皇帝下

### 大历十四年（己未，公元七七九年）

八月甲辰①，以道州②司马③杨炎④为门下侍郎⑤，怀州⑥刺史乔琳⑦为御史大夫⑧，并同平章事⑨。上方励精求治⑩，不次用人⑪，卜相于崔祐甫⑫，祐甫荐炎器业⑬，上亦素⑭闻其名，故自迁谪⑮中用之。琳，太原⑯人，性粗率⑰，喜诙谐⑱，无他长，与张涉⑲善，涉称其才可大用，上信涉言而用之，闻者无不骇愕⑳。

代宗之世，吐蕃数遣使求和，而寇盗㉑不息，代宗悉留其使者，前后八辈㉒，有至老死不得归者。俘获其人，皆配㉓江、岭㉔。上欲以德怀之，乙巳㉕，以随州㉖司马韦伦㉗为太常少卿，使于吐蕃，悉集其俘五百人，各赐袭衣㉘而遣之。

【语译】

**代宗睿文孝武皇帝下**

**大历十四年（己未，公元七七九年）**

八月初七日甲辰，任命道州司马杨炎为门下侍郎，怀州刺史乔琳为御史大夫，一并授予同平章事职衔。德宗正励精图治，破格用人，为选择宰相咨询崔祐甫，崔祐甫推荐杨炎有器识和业绩，德宗也一向听说杨炎的名声，所以从降职处分中任用了杨炎。乔琳是太原人，性情粗疏随意，喜欢开玩笑，没有其他特长，和张涉是好朋友，张涉称赞乔琳有才干，可以重用，德宗相信了张涉的话而任用了乔琳，听到这一消息的人无不惊诧。

在代宗朝，吐蕃多次派遣使臣求和，却又侵扰不止，代宗便全部扣留了他的使臣，前后共有八批，有的使者直到老死都没能回归。在交战中俘虏的吐蕃人，全部流配到大江以南或五岭以外。德宗想用恩德来感化他们，八月初八日乙巳，任命随州司马韦伦为太常少卿，出使吐蕃，集中所有吐蕃俘虏五百人，赐予每人一套衣服，把他们遣送回去。

协律郎㉙沈既济㉚上选举议㉛，以为："选用之法，三科㉜而已，曰德也、才也、劳㉝也[1]。今选曹㉞皆不及㉟焉，考校之法㊱，皆在书判㊲、簿历㊳、言词㊴、俯仰㊵而已。夫安行徐言㊶，非德也；丽藻芳翰㊷，非才也；累资积考，非劳也㊸。执此以求天下之士，固未尽矣。今人未土著，不可本于乡闾㊹；鉴不独明㊺，不可专于吏部。臣谨详酌古今，谓五品以上及群司长官㊻，宜令宰臣㊼进叙，吏部、兵部㊽得参议㊾焉。其六品以下或僚佐之属㊿，许州府辟用51，其牧守52、将帅53或选用非公，则吏部、兵部得察而举之54，罪其私冒55。不慎举者，小加谴黜56，大正刑典57。责成授任，谁敢不勉58！夫如是，则贤者不奖而自进，不肖者不抑而自退，众才咸得而官无不治矣。今选法皆择才于吏部，试职于州郡。若才职不称59，紊乱无任60，责于刺史，则曰命官61出于吏曹，不敢废也；责于侍郎62，则曰量63书判、资考而授之，不保其往64也；责于令史65，则曰按由历66、出入而行之，不知其他也。黎庶徒弊67，谁任其咎！若牧守自用，则罪将焉逃！必州郡之滥68，独换一刺史则革69矣。如吏部之滥，虽更其侍郎无益也。盖人物浩浩70，不可得而知，法使之然，非主司之过。今诸道节度、都团练、观察、租庸等使71，自判官72、副将以下，皆使自择，纵其间或有情故73，大举其例，十犹七全74。则辟吏之法，已试于今，但未及于州县耳。利害之理，较然可观75。向令76诸使僚佐尽受于选曹，则安能镇方隅之重77，理财赋之殷乎！"既济，吴78人也。

【段旨】

以上为第一段，写杨炎入相；沈既济上奏选举议案。

【注释】

①甲辰：八月初七日。②道州：州名，隋置，州治永阳县。入唐改名营州，后复为道州，治所在今湖南道县西。③司马：此指州司马，为州刺史僚佐，禄厚无职任，一般为安排贬退官员和宗室的闲职。④杨炎（公元七二七至七八一年）：唐理财家，代宗时

协律郎沈既济上奏选举人才的建议，沈既济认为：“选拔任用人才的办法，只考察三方面就行了，就是德操、才学和劳绩。现在吏部选曹都没有考虑到这三方面，他们考核人才的办法，全都在于书法文理、资历档案、言辞表达、仪态举止而已。稳步慢语，不是有德行；辞藻华丽，书法流芳，不是有才干；资历深长，屡经考核，不是有功绩。用这些标准来选拔天下之士，实在是不能令人完全满意。现在有些人长期不在家乡，乡里的评价不能作为根据；镜子不是一面独明，甄选不能单单由吏部操持。臣下谨慎仔细地斟酌古今，认为五品以上的官员和中央各官署内的主要官员，应当下令由宰相推荐叙用，吏部和兵部可以参与讨论。六品以下官员和幕僚佐吏一类的人员，允许州、府辟举任用，如果州牧郡守和将帅或选任不公，那么吏部和兵部可以查核举报，徇私伪冒的要入罪。不能谨慎推荐人才的官员，轻的加以申斥贬官，重的刑法处置。委任官员时要责令他完成任务，谁还敢不勤勉努力呢！这样一来，贤能之士不需要奖励就会自求进取，无才无德的人也不需要压制就会被淘汰，各种人才都可以为官任职，那么就没有什么治理不好的。现在的铨选办法，都是由吏部选拔人才，送到州郡试用。如果才能和职务不相称，办事杂乱，不能胜任，责备刺史，刺史就会说他所任用的官员出自吏部，不敢弃而不用；责备吏部侍郎，吏部侍郎就会推脱责任说他完全是考量书法文章、资历考绩而任命的，不能保证他以后如何；责备令史，令史就会说是根据他的经历和为官出入情况来执行的，不知道其他的事情。黎民百姓白受其害，谁来承担罪责呢！如果不称职的官员是州牧郡守自己任用的，那么他们怎能逃避罪责呢！如果肯定是州牧郡守的过失，只要更换刺史就可革除弊端了。如果是吏部的过失，即使更换了吏部侍郎也无益于事。人物茫茫，不可能都了解，是制度不当造成如此情形，不是主管官员的过错。当今各道节度使、都团练使、观察使、租庸使等，从判官、副将以下，都让他们自己选拔，纵使中间可能夹有人情世故，但大体的比例，十人之中犹有七人称职。而征辟官吏的办法，现在已经试行，但还没有普及到州县。利弊上的道理，可以看得十分清楚。假使诸使、僚佐都由吏部选派，他们怎么能够承担起镇守一方的重任，管理殷实的财赋呢！”沈既济是吴县人。

---

官至吏部侍郎。大历十二年（公元七七七年），坐与元载同党，贬为道州司马；德宗即位，拜为门下侍郎同平章事，建中元年（公元七八〇年）改税制为两税法。次年，为卢杞陷害，赐死。传见《旧唐书》卷一百十八、《新唐书》卷一百四十五。⑤门下侍郎：门下省长官侍中之副官。大历以后，侍中虚位，侍郎即为门下省长官，加同平章事，即为总理政务的宰相。⑥怀州：州名，州治河内，在今河南沁阳。⑦乔琳：怀州刺史，德宗

征为御史大夫、同平章事，不称职，免，除工部尚书；朱泚之乱，出任伪职为吏部尚书，官军复京师，被杀。传见《旧唐书》卷一百二十七。⑧御史大夫：御史台长官，掌监察执法。⑨同平章事：职衔，同中书门下平章事之省称。唐制，加此衔为宰相职。大历后，多以门下侍郎或中书侍郎为之。⑩求治：图治。⑪不次用人：不按资历深浅及职位高低用人，即破格用人。⑫卜相于崔祐甫：德宗向崔祐甫征询宰相人选。卜，询问、征求意见。崔祐甫，历仕肃宗、代宗、德宗三朝，官至宰相。时为中书舍人，荐杨炎。传见《旧唐书》卷一百十九、《新唐书》卷一百四十二。⑬器业：器识和业绩。器，指人的器度、器识、才能。⑭素：一向。⑮迁谪：指杨炎被贬。⑯太原：府名，治所晋阳，在今山西太原。⑰粗率：直率。⑱诙谐：说话敏捷，滑稽有趣。⑲张涉：儒者，为国子博士。德宗为太子时，张涉曾为太子侍读，讲授经学。德宗即位，咨以政事，涉谬荐乔琳，又受贿事发被免官。传见《旧唐书》卷一百二十五。⑳骇愕：惊诧。㉑寇盗：侵犯边境。㉒八辈：八批。㉓配：发配；流放。㉔江岭：指长江、五岭。唐时，湖南、两广地区尚未被充分开发，常为贬谪、流放罪人之地。这里指唐俘获的吐蕃人，流放于江南及五岭之外。㉕乙巳：八月初八日。㉖随州：州名，州治随县，在今湖北随州。㉗韦伦（公元七一六至七九八年）：唐名臣。肃宗时官至山南东道节度使，因不事宦官，屡为中官所排，连遭贬黜为随州司马。德宗即位，征为太常少卿，出使吐蕃。称旨而返，终官太子少师。传见《旧唐书》卷一百三十八、《新唐书》卷一百四十三。㉘袭衣：衣一袭，一套衣服。㉙协律郎：太常寺属官，掌和律吕。㉚沈既济：沈传师之父，父子二人博通群籍，并历官德宗朝史馆修撰。见《旧唐书》卷一百四十九、《新唐书》卷一百四十二。㉛上选举议：上奏关于选拔人才的议案。㉜三科：指品德、才干、资历三条标准。㉝劳：政绩；劳绩。㉞选曹：指吏部各司。㉟不及：未能顾及。㊱考校之法：考选校核人才的方法。唐时考核官吏士人的内容，包括身、言、书、判四个方面。身，要求体貌丰伟；言，要求词辨雅正；书，要求楷法遒美；判，要求文理优长。考绩载于簿籍，以为升迁依据。下文书判、簿历、言辞、俯仰，即是对考校之法四个方面的具体描述。㊲书判：书，指书法。判，指拟写的判词。㊳簿历：记载资历考绩的簿册，即如今之行状档案。此指资历是否深长。㊴言词：指语言表达便捷流利。㊵俯仰：行为举止要得体。㊶安行徐言：行为稳重，言语沉静。㊷丽藻芳翰：辞藻华丽，书法优美。翰，用鸟羽制作的笔，此指书写的字。㊸累资积考二句：谓年资长，屡经考核，并不是劳绩。㊹今人未土著二句：

**【原文】**

初，衡州[79]刺史曹王皋[80]有治行[81]，湖南[82]观察使辛京杲[83]疾[84]之，陷以法[85]，贬潮州[86]刺史。时杨炎在道州，知其直，及入相，复擢为衡土著，附着于土，即世代居于固定的乡土。乡闾，邻里。古代考选，十分重视乡闾地方官及社会贤达的推荐，而唐代经安史之乱以后，人物播迁，非世居土著，不可于本乡邻里中求得考评。㊺鉴不独明：谓镜子不是一面独明。㊻群司长官：中央各部属司级以上之长官。㊼宰臣：职司宰相之臣。唐代中书左、右仆射，门下左、右侍郎，以及加同平章事之大臣，皆为宰臣。㊽吏部、兵部：唐朝中枢机关尚书省下设吏、户、礼、兵、刑、工六部。吏部掌职官考选。兵部掌兵政及武职考选。㊾参议：参与评议。㊿僚佐之属：中央各部、司及地方州、府等机关下属六品以下官员。51辟用：征用。52牧守：州牧郡守等地方大员。此指州、府以上长官。53将帅：将军一级以上高级武职。高级长官才有不经吏部铨叙而直接辟举用人之权。54察而举之：监察检举。此指州牧、将帅所辟用的人不称职，则吏部、兵部将监察劾举。55私冒：徇私假冒。56谴黜：谴责贬黜。57大正刑典：按法律加大力度治罪。58勉：奋勉；努力。59才职不称：其才能与所任之职不相称。此指小才大用。称，相称、相当。60紊乱无任：政事紊乱，不能胜任。61命官：奉朝命为官。62责于侍郎：指斥责吏部侍郎。63量：考量；依据。64往：往后；将来。65令史：掌管文书案牍事务的吏员，无品秩。唐三省（中书省、门下省、尚书省）与六部皆有令史。此指尚书省吏部令史。66由历：经历；履历。67黎庶徒弊：唯有老百姓遭害。68滥：过失。69革：革除；去掉。70人物浩浩：人才济济。浩浩，繁多。71节度、都团练、观察、租庸等使：各级地方大员。节度，即节度使，为安史之乱后的唐代最高地方军政长官。都团练，即都团练使，始置于安史之乱时，掌地方军事，多以观察使兼领。观察，即观察使，原为采访使，每道一人，掌监察州县官吏。唐乾元元年（公元七五八年）改采访使为观察使，兼理民政，成为不设节度使的一道行政长官。租庸使，唐玄宗时始置，掌催征各地租税及军用资粮。72判官：节度使、都团练使、观察使等官之僚属，佐理军务。73情故：人情故旧。74大举其例二句：大略概其比例，十分之七的官吏尚可称职。75利害之理二句：利与害的道理，显明地可以看出。76向令：假使。77镇方隅之重：担任独当一方的重任。78吴：县名，县治在今江苏苏州。

## 【校记】

［1］曰德也、才也、劳也：“才”字上原有“曰”字，涉上文“曰”字衍，今删。

## 【语译】

当初，衡州刺史曹王李皋有政绩，湖南观察使辛京杲嫉恨他，设圈套使他触犯刑律，贬为潮州刺史。当时杨炎在道州，知道李皋正直，等到杨炎入朝做了宰相，

州刺史。始，皋之遭诬在治[87]，念[88]太妃[89]老，将惊而戚[90]，出则囚服就辩[91]，入则拥笏垂鱼[92]，即贬于潮，以迁入贺[93]。及是，然后跪谢告实[94]。皋，明之玄孙也。

朔方、邠宁[95]节度使李怀光[96]既代郭子仪，邠府宿将[97]史抗、温儒雅、庞仙鹤、张献明、李光逸功名素出怀光右[98]，皆怏怏[99]不服。怀光发兵防秋[100]，屯长武城[101]，军期[102]进退，不时应令[103]。监军[104]翟文秀[105]劝怀光奏令宿卫[106]。怀光遣之[2]。既离营，使人追捕，诬以他罪[107]，且曰："黄萯之败[108]，职尔之由！"尽杀之。

九月甲戌[109]，改淮西[110]曰淮宁。

西川[111]节度使、同平章事崔宁[112]，在蜀十余年，恃[113]地险兵强，恣为淫侈，朝廷患之而不能易。至是，入朝，加司空，兼山陵使[114]。

南诏[115]王阁罗凤卒，子凤迦异前死，孙异牟寻立。

冬，十月丁酉朔[116]，吐蕃与南诏合兵十万，三道入寇，一出茂州[117]，一出扶、文[118]，一出黎、雅[119]，曰："吾欲取蜀以为东府[120]。"崔宁在京师，所留诸将不能御，虏连陷州县，刺史弃城走，士民窜匿山谷。上忧之，趣宁归镇。宁已辞，杨炎言于上曰："蜀地富饶，宁据有之，朝廷失其外府，十四年矣。宁虽入朝，全师尚守其后，贡赋不入，与无蜀同。且宁本与诸将等夷，因乱得位，威令不行。今虽遣之，必恐无功。若其有功，则义不可夺。是蜀地败固失之，胜亦不得也，愿陛下熟察。"上曰："然则奈何？"对曰："请留宁，发朱泚[121]所领范阳[122]兵数千人，杂禁兵[123]往击之，何忧不克！因而得内亲兵于其腹中，蜀将必不敢动，然后更授他帅，使千里沃壤复为国有，是因小害而收大利也。"上曰："善！"遂留宁。

初，马璘[124]忌泾原[125]都知兵马使[126]李晟[127]功名，遣入宿卫，为右神策都将[128]。上发禁兵四千人，使晟将之，发邠、陇、范阳兵[129]五千，使金吾大将军[130]安邑曲环[131]将之，以救蜀。东川[132]出兵，自江油[133]趋白坝[134]，与山南[135]兵合击吐蕃、南诏，破之。范阳兵追及于七盘[136]，又

重新提拔李皋做了衡州刺史。最初，李皋在受诬就审期间，担心母亲郑氏太妃年老，知道此事后会受惊吓而替自己担忧，所以出庭受审时就身着囚服进行申辩，回家后就手持笏板、身佩金鱼袋，即使被贬潮州，也仍说自己升迁而向母亲报喜。到了这时，才跪在母亲面前认错并说出实情。李皋，是曹王李明的玄孙。

朔方、邠宁节度使李怀光取代了郭子仪之后，邠宁府的旧将史抗、温儒雅、庞仙鹤、张献明、李光逸等人，功绩名望一向都在李怀光之上，都对李怀光怏怏不服。李怀光调兵保护秋收，驻扎于长武城，调发军队，老将们都不按命令规定的时间执行。监军翟文秀建议李怀光奏请朝廷，下令将他们调作宫廷宿卫。李怀光打发他们走。等他们离开军营后，便派人抓捕，给他们捏造了别的罪状，并且说："黄萯原之败，完全是这伙人造成的！"于是将他们全部杀掉了。

九月初七日甲戌，改淮西节度使为淮宁军。

西川节度使、同平章事崔宁在蜀地十多年，倚仗地险兵强，肆意奢侈荒淫，朝廷虽然认为他是祸患，却无法更换他。直到此时，崔宁入朝，才趁机给崔宁加授司空衔，兼山陵使。

南诏王阁罗凤去世，儿子凤迦异死在阁罗凤之前，孙子异牟寻立为南诏王。

冬，十月初一日丁酉，吐蕃与南诏合兵十万，分三路侵犯唐室，一路出兵茂州，一路出兵扶州、文州，一路出兵黎州、雅州，并且声称："我们要攻下蜀地作为东府。"这时崔宁在京城，留守的众将领无法抵挡，吐蕃与南诏接连攻陷州、县，刺史弃城逃亡，士人平民逃匿山谷。德宗很忧愁，催促崔宁归蜀镇守。崔宁已向德宗辞行，杨炎对德宗说："蜀地富饶，崔宁据为已有，朝廷丧失这所京外的府库，至今已经有十四年了。现在崔宁虽然在朝为官，但他的全部军队还留守在后方，贡物和赋税不上缴，朝廷实际上等于没有蜀地一样。况且崔宁的地位本来与其他将领差不多，由于乘乱夺得高位，因无威望命令也难以执行。现在虽然将崔宁派遣回去，一定也不会有什么成效。假如他能退敌建功，那么按理就不能罢免他的职务。因此，蜀地作战失败，固然要丧失它，即使取胜，朝廷实际也不能得到它，希望陛下深思熟虑。"德宗问："既然如此，那该怎么办？"杨炎回答说："请把崔宁留在京城，调发朱泚率领的几千范阳兵，编入宫廷的禁卫军一起前往抗击敌人，还怕不能克敌！这样还能将亲信的禁卫军安插在蜀地的腹地，蜀地将领一定不敢妄动，然后另外任命蜀地统帅，使千里沃壤重新为国家所有，这正是乘小害而获大利。"德宗说："好！"于是把崔宁留在京城。

当初，因马璘妒忌泾原都知兵马使李晟功高名重，派遣李晟入朝宿卫，担任禁卫军右神策都将。德宗调发禁卫军四千人让李晟统领，又调集邠宁、陇右、范阳之兵五千人，由金吾大将军安邑人曲环率领，用以援救蜀地。他们从东川出兵，从江油奔往白坝，与山南守军合击吐蕃、南诏，打败了他们。范阳军追击到七盘，又打

破之，遂克维[137]、茂二州。李晟追击于大渡河外，又破之。吐蕃、南诏饥寒陨于崖谷死者八九万人。吐蕃悔怒，杀诱导使之来者。异牟寻惧，筑苴咩城[138]，延袤[139]十五里，徙居之。吐蕃封之为日东王。

上用法严，百官震悚。以山陵[140]近，禁人屠宰。郭子仪[141]之隶人潜杀羊，载以入城，右金吾将军裴谞[142]奏之。或谓谞曰："郭公有社稷大功，君独不为之地[143]乎？"谞曰："此乃吾所以为之地也。郭公勋高望重，上新即位，以为群臣附之者众，吾故发其小过，以明郭公威权不足畏也。如此，上尊天子，下安大臣，不亦可乎！"

己酉，葬睿文孝武皇帝于元陵[144]，庙号代宗。将发引[145]，上送之，见辒辌车[146]不当驰道，稍指丁未之间[147]。问其故，有司对曰："陛下本命在午[148]，不敢冲也。"上哭曰："安有枉灵驾而谋身利乎！"命改辕直午而行。肃宗、代宗皆喜阴阳鬼神，事无大小，必谋之卜祝，故王屿、黎幹皆以左道[149]得进。上雅不之信[150]，山陵但取七月之期，事集而发，不复择日。

---

**【段旨】**

以上为第二段，写唐军击退吐蕃、南诏进犯西州的联军。德宗安葬代宗。

**【注释】**

⑲衡州：州名，治所在今湖南衡阳。⑳曹王皋：曹王李皋，为唐太宗第十四子曹王李明之玄孙。传见《旧唐书》卷一百三十一、《新唐书》卷八十。㉑治行：政绩。㉒湖南：方镇名，唐代宗广德二年（公元七六四年）始置，治所衡州；大历四年（公元七六九年）徙治潭州，在今湖南长沙。㉓辛京杲：辛云京从弟。大历五年（公元七七〇年），辛京杲为湖南观察使。传见《新唐书》卷一百四十七。㉔疾：忌恨。㉕陷以法：设置圈套使之触犯法律。陷，陷阱。㉖潮州：州名，治所在今广东潮州。㉗在治：在受审讯时。㉘念：考虑；担心。㉙太妃：李皋之母郑氏，曹王李戢之妃。㉚戚：悲哀。㉛出则囚服就辩：离家后就穿着囚衣去接受御史的审讯。出，离家。㉜拥笏垂鱼：手执笏板，腰垂金鱼袋。笏，上朝用的笏板。鱼，郡王、嗣王佩戴的金鱼袋。㉝以迁入贺：把左迁

败敌人，于是攻克了维州、茂州。李晟率军追击到大渡河外，又打了一次胜仗。吐蕃、南诏的军队饥寒交迫，掉下悬崖深谷而死的达八九万人。吐蕃军悔怒之下，杀死当初引诱他们进攻蜀地的人。异牟寻惧怕，构筑苴咩城，周长十五里，迁徙居住到城里。吐蕃封他为日东王。

德宗实施法令严厉，百官震恐。因为临近大行皇帝代宗陵寝，所以禁止屠宰牲畜。郭子仪的仆人悄悄地宰羊，把羊运进京城，右金吾将军裴谞把此事上奏了朝廷。有人对裴谞说："郭公有保卫社稷的大功，难道就你一个人不给他留余地吗？"裴谞说："我这样做，就是为他留余地！郭公勋高望重，皇上刚继位，认为大臣中依附郭公的人很多，我故意揭发他的小过错，借以表明郭公的威望权势并不足以让人生畏。这样一来，就能上尊天子，下安群臣，这样做不也是可以的吗！"

十月十三日己酉，安葬睿文孝武皇帝于元陵，庙号代宗。灵柩即将启行，德宗出来送丧，发现辒辌车不是朝向驰道的中间，稍微有点偏西。询问原因，主管官员回答说："陛下的本命在午，方向为南，不敢冲犯啊。"德宗哭着说："哪有委屈先帝的灵驾而谋求自身利益的事呢！"命令把灵车对准子午方向行进。肃宗、代宗都喜欢阴阳鬼神之类，事情无论大小，都一定要求神问卜，因此王屿、黎幹都凭借旁门左道而受擢用。德宗向来不相信阴阳鬼神，先帝下葬，只按丧礼停殡七个月，在各种事务都办好之后就出殡，而不另外选择吉日。

---

潮州说成是升迁，向太妃辞行道贺。⑭及是二句：及是，指李皋得到昭雪复为衡州刺史事。然后在太妃面前下跪请罪，告以实情。⑮朔方、邠宁：皆方镇名。朔方节度使，唐玄宗开元九年（公元七二一年）置。治所灵州，在今宁夏灵武西南。邠宁节度使，肃宗乾元二年（公元七五九年）置。治所汾州，在今陕西彬州。⑯李怀光：郭子仪旧将。此时兼朔方、邠宁两镇节度使。传见《旧唐书》卷一百二十一。⑰宿将：有功的旧将、老将。⑱功名素出怀光右：史抗、温儒雅、庞仙鹤、张献明、李光逸等人与李怀光原来都是朔方节度使郭子仪的旧将，德宗即位，忌郭子仪功名太盛，以部属中资望较浅的李怀光代郭子仪为节度使，诸将不服。右，尊贵。这里指资望较高。⑲怏怏：不满意的样子。⑳发兵防秋：部署军队护秋。㉑长武城：长武县城，在今陕西长武。㉒军期：军队行动的预定时间。㉓不时应令：不依军令按时行动。㉔监军：官名，唐开元中，玄宗始以中官为监军，监督诸将，为皇帝耳目，其后遂成定制。㉕翟文秀：监督李怀光的宦官。㉖奏令宿卫：上奏朝廷，请求调温儒雅等老将宿卫京师。㉗诬以他罪：捏造其他罪名。㉘黄萯之败：代宗大历八年（公元七七三年），吐蕃十万寇泾、邠，败官兵于黄萯原。事见本书卷二百二十四代宗大历九年（公元七七四年）。㉙甲戌：九月初七日。㉚淮西：

方镇名，肃宗至德元载（公元七五六年）置，治颍川郡。领州及治所经常变动，长期领有申、光、蔡三州。大历十四年（公元七七九年）复治蔡州，在今河南汝南县。是年改称淮宁军。⑪西川：方镇名，剑南西川之省称，唐肃宗至德二载（公元七五七年）分剑南节度使西部地置。治所成都府，在今四川成都。⑫崔宁（公元七二三至七八四年）：本名崔旰，大历三年（公元七六八年）代宗赐名宁。传见《旧唐书》卷一百十七、《新唐书》卷一百四十四。⑬恃：凭借；依仗。⑭山陵使：营建皇陵之专使。⑮南诏：唐属国名，全盛时据有今云南全省及川、黔部分地区。王都太和城，在今云南大理南太和村。⑯丁酉朔：十月初一日。⑰茂州：州名，治所在今四川阿坝藏族羌族自治州。⑱扶、文：皆州名，扶州治所在今四川阿坝藏族羌族自治区，文州治所在今甘肃文县西南。⑲黎、雅：皆州名，黎州治所在今四川汉源西北，雅州治所在今四川雅安。⑳东府：东边的府库。西川在吐蕃之东，吐蕃欲并之为其东部的国土，因西川富庶，称其为东府。㉑朱泚（公元七四二至七八四年）：幽州昌平（今北京市昌平区西南）人，与弟朱滔并为李怀仙部将。朱泚历官幽州留后、陇右节度副大使，加官中书令，进太尉。唐德宗建中四年（公元七八三年）叛，称大秦皇帝，兴元元年（公元七八四年）为唐将李晟等讨平。传见《旧唐书》卷二百下、《新唐书》卷二百二十五中。㉒范阳：方镇名，即幽州节度使。唐玄宗开元二年（公元七一四年）置，天宝元年（公元七四二年）更名范阳节度使。治所幽州，在今北京市。㉓杂禁兵：参入禁卫兵，即将神策军编入其中。㉔马璘（公元七二二至七七六年）：岐州扶风（今陕西扶风）人，官至邠宁节度使，爵扶风郡王。传见《旧唐书》卷一百五十二、《新唐书》卷一百三十八。㉕泾原：方镇名，唐代宗大历三年置。治所泾州，在今甘肃泾川县。㉖都知兵马使：官名，节度使高级衙将，掌兵权。肃宗至德后实为藩镇储将。㉗李晟（公元七二七至七九三年）：字良器，洮州临潭（今甘肃临潭）人，唐中期名将，讨平朱泚、朱滔及李怀光等叛臣的主要功臣。历官凤翔、陇右节度等使，封西平郡王。传见《旧唐书》卷一百三十三、《新唐书》卷一百五十四。㉘右神策都将：

---

**【原文】**

十一月丁丑[151]，以晋州刺史韩滉为苏州刺史，浙江东、西[152]观察使。

乔琳衰老耳聩[153]，上或时访问，应对失次[154]，所谋议复疏阔[155]。壬午[156]，以琳为工部尚书，罢政事。上由是疏张涉。

杨炎既留崔宁，二人由是交恶。炎托以北边须大臣镇抚，癸巳[157]，以京畿观察使[158]崔宁为单于、镇北大都护[159]，朔方节度使，镇坊州[160]。以荆南[161]节度使张延赏[162]为西川节度使。又以灵盐[163]节度都虞候[164]醴禁卫右神策军主将。⑫⑨ 发邠、陇、范阳兵：征调邠宁、陇右、范阳三镇之兵。⑬⑩ 金吾大将军：武官名，唐府兵十六卫将军之一，有左右金吾卫大将军。⑬① 曲环（公元七二六至七九九年）：陕州安邑（今山西运城东北）人，官至邠陇行营节度使、陈许节度使，封晋昌郡王。传见《旧唐书》卷一百二十二、《新唐书》卷一百四十七。⑬② 东川：方镇名，剑南东川之省称。唐肃宗至德二载（公元七五七年）置。治所梓州，在今四川三台。⑬③ 江油：县名，县治在今四川江油东北。⑬④ 白坝：镇名，在今四川广元西北。⑬⑤ 山南：道名，唐贞观十道之一，辖境当今四川嘉陵江流域以东及陕西秦岭、甘肃嶓冢山以南、河南伏牛山西南、湖北涢水以西地区。开元时分为东、西道，此指山南西道。西道治所梁州，在今陕西汉中。⑬⑥ 七盘：县名，县治在今四川巴中西北。⑬⑦ 维：维州，治所在今四川理县东北。⑬⑧ 苴咩城：在今云南大理境。⑬⑨ 延袤：方圆宽广。⑭⑩ 山陵：此指唐代宗皇室陵寝。此时代宗尚未下葬。⑭① 郭子仪：唐肃宗时平定安史之乱的名将，封汾阳王。传见《旧唐书》卷一百二十、《新唐书》卷一百三十七。⑭② 裴谞：河南洛阳人。安史之乱被史思明抓捕。后奉代、德二帝，多有建言。官至兵部侍郎、河南尹、东都副留守。传见《旧唐书》卷一百二十六、《新唐书》卷一百三十。⑭③ 不为之地：谓不留余地。⑭④ 元陵：唐代宗陵，在今陕西富平西北檀山上。⑭⑤ 发引：指灵车启动。⑭⑥ 辒辌车：一种封闭严密而又有通风功能的卧车。因秦始皇棺曾载辒辌车，后世遂为皇帝丧车。⑭⑦ 丁未之间：胡三省注曰，"《考异》曰：按车指丁未之间，则行出道外矣。盖出门，欲斜就道西，不当道中间行耳"。⑭⑧ 本命在午：生年在午。德宗生于唐玄宗天宝元年（公元七四二年）壬午年，故云。⑭⑨ 左道：邪道。⑮⑩ 雅不之信：向来不相信迷信禁忌。雅，向来。

## 【校记】

［2］怀光遣之：此四字原无。据章钰校，十二行本、乙十一行本皆有此四字，张瑛《通鉴校勘记》同，今据补。

## 【语译】

十一月十一日丁丑，任命晋州刺史韩滉为苏州刺史和浙江东、西观察使。

乔琳体衰失聪，德宗有时因事咨询，乔琳应答语无伦次，谋划和建议又多迂阔虚空。十一月十六日壬午，任命乔琳为工部尚书，罢免了他处理朝政的职权。德宗从此疏远了举荐乔琳的张涉。

杨炎将崔宁留在京城后，两人因此结下仇怨。杨炎以北部边疆须派大臣镇抚为理由，十一月二十七日癸巳，改任京畿观察使崔宁为单于、镇北大都护、朔方节度使，镇守坊州。改任荆南节度使张延赏为西川节度使。又任命灵盐节度都虞候醴泉泉杜希全[165]知灵、盐州留后[166]，代州刺史张光晟[167]知单于、振武[168]等城，绥、银、麟、胜州留后，延州刺史李建徽[169]知鄜、坊、丹州留后。时宁既出镇，不当更置留后。炎欲夺宁权，且窥其所为，令三人皆得特奏事，仍讽之使伺宁过失。

【段旨】

以上为第三段，写杨炎裁制崔宁。

【注释】

⑮丁丑：十一月十一日。⑫浙江东、西：方镇名，浙江东道、浙江西道之简称，皆置于唐肃宗乾元元年（公元七五八年）。东道治所越州，在今浙江绍兴；西道治所杭州，即今杭州。⑬耳聩：耳聋。⑭失次：没有条理。⑮疏阔：迂腐而不切合事理。⑯壬午：十一月十六日。⑰癸巳：十一月二十七日。⑱观察使：唐肃宗乾元元年（公元七五八年）改采访使为观察使，职司一道或数州的监察，后兼理民政，为不设节度地区的最高行政长官。⑲镇北大都护：镇北大都护府行政长官，从二品，职司北方少数民族事务。⑳坊州：州名，治所在今陕西黄陵。㉑荆南：方镇名，唐肃宗至德二载（公元七五七年）置，治所荆州，在今湖北江陵。㉒张延赏：历仕玄、肃、代三帝，博涉经史，达于政事，德

【原文】

十二月乙卯[170]，立宣王诵[171]为皇太子。

旧制，天下金帛皆贮于左藏[172]，太府[173]四时上其数，比部[174]覆[175]其出入。及第五琦[176]为度支[177]、盐铁使[178]，时京师多豪将，求取无节，琦不能制，乃奏尽贮于大盈内库[179]，使宦官掌之，天子亦以取给为便，故久不出。由是以天下公赋为人君私藏，有司不复得窥其多少，校其赢缩[180]，殆二十年。宦官领其事者三百余员，皆蚕食其中，蟠结根据[181]，牢不可动。杨炎顿首于上前曰："财赋者，国之大本，生民之命，重轻安危，靡不由之。是以前世皆使重臣掌其事，犹或耗乱不集[182]。今独使

人杜希全兼代灵州、盐州留后，代州刺史张光晟兼代单于、振武等城和绥州、银州、麟州、胜州留后，延州刺史李建徽兼代鄜州、坊州、丹州留后。当时崔宁已经上任，按常规不应该在辖区内再置留后。杨炎这样做，就是要剥夺崔宁的权力，而且还可以监视崔宁的行动，因此给予杜希全、张光晟、李建徽三人直接向朝廷奏事的特权，还暗示他们要窥察崔宁的过失。

---

宗时官至宰相。传见《旧唐书》卷一百二十九、《新唐书》卷一百二十七。⑯灵盐：方镇名，领灵、盐二州，治所灵州，在今宁夏灵武西南。⑯都虞候：虞候为藩镇所置军法官，主官为都虞候。⑯杜希全：京兆醴泉（今陕西礼泉）人，郭子仪部将，积功至朔方节度使。传见《旧唐书》卷一百四十四、《新唐书》卷一百五十六。⑯留后：官名，唐中期以后，节度使自择将吏，或父死子继，或亲将继承，留主后务。事后多由朝廷追任为节度使。⑯张光晟：京兆盩厔（今陕西周至）人，德宗时叛唐受朱泚所署节度使兼宰相伪职。朱泚败，复归唐被杀。传见《旧唐书》卷一百二十七。⑯振武：方镇名，肃宗乾元元年（公元七五八年）分朔方节度使置振武军节度使。大历十四年（公元七七九年），张光晟为振武节度使兼绥、银、麟、胜等州留后，辖境当今宁夏东部及陕北等地。⑯李建徽：以延州刺史代领鄜、坊、丹三州留后。延州治所在今陕西延安，鄜州治所在今富县，坊州治所在今黄陵，丹州治所在今宜川县。

---

【语译】

十二月十九日乙卯，册立宣王李诵为皇太子。

按旧例，征收的天下金银绢帛都储备在左藏中，由太府四季上报储藏数量，由比部审核收支。到第五琦担任度支和盐铁使，由于当时京城中有众多居功自傲的将领，索要钱物毫无节制，第五琦不能约束，于是奏请把财赋全部贮藏在大盈内库中，指派宦官管理。天子也认为这样取用比较方便，所以财赋长期都贮藏在内库而无支出。这样一来，就把公赋当作了君主的私财，主管官署不能得知财赋多少，无法核实收支盈亏，这种情况持续了近二十年。掌理内库的宦官有三百多人，都蚕食其中，他们盘根错节，牢不可动。杨炎在德宗面前磕头进言说："财赋，是国家的根本，是民众生命所系，国家的盛衰安危，无不由它引发。因此前朝都是指派重臣掌管其事，

中人出入，盈虚大臣皆不得知，政之蠹敝[183]，莫甚于此。请出之以归有司。度宫中岁用几何，量数奉入，不敢有乏。如此，然后可以为政。”上即日下诏：“凡财赋皆归左藏，一用旧式，岁于数中择精好者三五千匹[184]，进入大盈。”炎以片言移人主意，议者称之。

丙寅晦[185]，日有食之。

湖南贼帅王国良阻山为盗，上遣都官员外郎[186]关播[187]招抚之。辞行，上问以为政之要。对曰：“为政之本，必求有道贤人与之为理。”上曰：“朕比以下诏求贤[188]，又遣使臣广加搜访[189]，庶几可以为理乎？”对曰：“下诏所求及使者所荐，惟得文词干进之士耳，安有有道贤人肯随牒举选[190]乎！”上悦。

崔祐甫有疾，上令肩舆入中书[191]，或休假在第[192]，大事令中使[193]咨决。

---

**【段旨】**

以上为第四段，写杨炎善谏，为国家从宦官手中夺回财赋。

**【注释】**

⑰⓪乙卯：十二月十九日。⑰①宣王诵：德宗长子，名诵，即位后为唐顺宗。⑰②左藏：京师府库名，有左、右藏。⑰③太府：官署名，太府寺之省称，唐九寺之一，掌财货帑藏，包括京师四市、左右藏、常平仓等署。⑰④比部：官署名，尚书省刑部四司之一。设郎中、员外郎等官，掌稽核簿籍，审计财赋出入。⑰⑤覆：覆按；审校。⑰⑥第五琦（公元七二九至七九九年）：字禹珪，唐京兆长安（今陕西西安）人，著名理财家，唐肃宗至德二载（公元七五七年）创置盐铁专卖，以供军国之用，以度支使兼领唐第一任盐铁使。肃宗乾元二年（公元七五九年）官至宰相。传见《旧唐书》卷一百二十三、《新唐书》卷一百四

即使如此，仍难免虚耗和混乱。如今却完全指派宦官掌管收支，其盈亏大臣们都不知道，朝政的败坏，没有比这更严重的了。请皇上将财赋大权重归主管官署。预算宫中全年所需费用，让主管官署按数额纳入，一定不敢使宫中用度缺乏。只有这样，才能治理国家政事。”德宗当天颁布诏令：“凡是财赋都归左藏储存，一切都依老规矩办，每年从中选择精美的布帛三五千匹，送进大盈内库。”杨炎用三言两语便改变了德宗的想法，议论这件事的人都称赞杨炎。

十二月三十日丙寅，发生了日食。

湖南贼帅王国良凭借山势险要做强盗，德宗派遣都官员外郎关播去招抚。关播辞行，德宗询问治理国家的要领。关播回答说：“治国的根本，在于必须求得德才兼备的人，让他参与治理。”德宗说：“我近来颁诏求贤，又派使臣各处寻访，这样大概可以把天下治理好了吧?”关播回答说：“陛下颁诏征求的和使臣推荐的，只是一些凭文辞求取官职的士人，哪有深怀高德的贤人愿意应州县的文牒而被推举的呢!”德宗听了很高兴。

崔祐甫患病，德宗命令用轿子将他抬进中书省议事，有时崔祐甫在府第休假，遇有大事，就派宦官去向崔祐甫咨询处理的办法。

---

十九。⑰度支：官署名，本户部第二司，主官为郎中，掌财赋。中唐后，多由他官加判度支事、知度支事或度支使衔，总领财政。⑱盐铁使：掌盐铁专卖。德宗时，职掌漕运的转运使与盐铁使合二为一，称盐铁转运使。⑲大盈内库：百宝大盈库之省称，唐玄宗始置，为皇宫内库，宦官掌领。⑱校其赢缩：清点每年出入的盈亏。⑱蟠结根据：盘根错节。蟠，盘曲，形容树根委积。⑱耗乱不集：国库被消耗散乱，不能集中使用。⑱蠹敝：腐蚀；败坏。⑱三五千匹：指帛。⑱丙寅晦：十二月三十日。⑱都官员外郎：刑部第二司副长官。刑部都官司职掌官奴婢及战俘，给衣粮医药，审理诉狱。⑱关播（公元七〇七至七八五年）：字务元，卫州汲（今河南卫辉）人，官至宰相。传见《旧唐书》卷一百三十、《新唐书》卷一百五十一。⑱比以下诏求贤：近来已下诏征求贤才。比，近。以，通“已”。⑱搜访：寻访。⑲随牒举选：应州县文牒而被推举为官。⑲肩舆入中书：乘轿入中书省办公。⑲休假在第：休假居家中。⑲中使：宫中使臣，宦官充任。

【原文】

## 德宗神武孝文皇帝⑲一

### 建中元年（庚申，公元七八〇年）

春，正月丁卯朔⑮，改元。群臣上尊号曰圣神文武皇帝，赦天下。始用杨炎议，命黜陟使⑯与观察、刺史约百姓丁产⑰，定等级，改作两税法⑱。比来⑲新旧征科色目⑳，一切罢之。二税外辄率一钱㉑者，以枉法论。

唐初，赋敛之法曰租、庸、调㉒，有田则有租，有身则有庸，有户则有调。玄宗之末，版籍浸坏㉓，多非其实。及至德兵起㉔，所在赋敛㉕，迫趣取办㉖，无复常准㉗。赋敛之司㉘增数而莫相统摄㉙，各随意增科㉚，自立色目㉛，新故相仍，不知纪极㉜。民富者丁多，率为官、为僧以免课役㉝，而贫者丁多，无所伏匿，故上户优而下户劳。吏因缘蚕食㉞，民[3]旬输月送㉟，不胜困弊，率皆逃徙为浮户㊱，其土著百无四五。至是，炎建议作两税法，先计州县每岁所应费用及上供之数而赋于人，量出以制入㊲。户无主、客㊳，以见居为簿㊴。人无丁、中㊵，以贫富为差。为行商者，在所州县税三十之一，使与居者均，无侥利㊶。居人之税㊷，秋夏两征之。其租、庸、调杂傜悉省㊸，皆总统于度支㊹。上用其言，因赦令行之。

初，左仆射㊺刘晏㊻为吏部尚书㊼，杨炎为侍郎，不相悦㊽。元载㊾之死，晏有力焉。及上即位，晏久典利权，众颇疾之，多上言转运使可罢，又有风言㊿晏尝密表劝代宗立独孤妃[231]为皇后者。杨炎为宰相，欲为元载报仇，因为上流涕言："晏与黎幹、刘忠翼[232]同谋，臣为宰相不能讨，罪当万死！"崔祐甫言："兹事暧昧，陛下已旷然[233]大赦，不当复究寻虚语。"炎乃建言："尚书省，国政之本，比置诸使，分夺其权，今宜复旧。"上从之。甲子[234][4]，诏天下钱谷皆归金部、仓部[235]，罢晏转运、租庸[236]、青苗[237]、盐铁等使。

【语译】

## 德宗神武孝文皇帝一

### 建中元年（庚申，公元七八〇年）

春，正月初一日丁卯，更改年号。群臣给皇帝上尊号称神圣文武皇帝，大赦天下。德宗开始采用杨炎的建议，命令黜陟使与观察使、刺史估算百姓的成丁和田地财产数量，定出民户等级，改行两税法。近些年出现的各种税收名目，一律予以取消。在两税之外官吏擅自滥收百姓一文钱的，以违犯国法论处。

唐朝初期，征收的赋税有租、庸、调三种，有田地的就有“租”，有丁口的就有“庸”，有家庭户口的就有“调”。玄宗末年，田产图册与户口簿籍逐渐废毁，大多与实际情况不符。到了至德年间，战乱发生，各地的赋敛，官吏催办，不再有固定标准。征税机构数目增加，不相统摄，各机构任意增加赋税的数额，自行设立赋税的种类，新旧相重，不知道极限。富有而人丁多的家庭，大部分都得到官员或者寺院的庇护而免除赋役，而穷人丁口多，没有地方隐藏，所以大户轻松而小户劳顿。官吏们乘机从中不断蚕食，百姓租赋十天一送，一月一缴，百姓不胜其弊，大多逃亡流徙为浮户，真正定居在本土的，一百户中不到四五户。到这时，杨炎建议实行两税法，先计算州县每年应支出的费用和应上缴给中央政府的数额，而后向百姓征收赋税。核算国家的支出以制定赋税收入。户不分主户、客户，都以现居住地登记户籍。人口不分成丁、半成丁，只按贫富状况区别等级。外出买卖经商的，于所在州县内纳三十分之一的税，使他们与定居户均等纳税，没有侥幸之利。定居户的赋税，在夏秋两季征收。以前规定的租、庸、调和各种杂役一律免除，赋税征收全部由度支负责管理。德宗采纳了杨炎的建议，于是颁布赦令免去百姓以前未缴的赋税，推行两税法。

当初，左仆射刘晏任吏部尚书，杨炎任吏部侍郎，两人相处不融洽。元载之所以被处死，是因为刘晏曾暗中使劲。等到德宗即位时，刘晏长久掌管财赋大权，大家很怨恨他，很多人建议撤销转运使，又有流言说刘晏曾密本上奏劝代宗册立独孤妃为皇后。杨炎当上宰相，想要替元载报仇，便痛哭流涕地对德宗说：“刘晏与黎幹、刘忠翼同谋叛逆，臣身为宰相而无法讨伐他们，罪该万死！”崔祐甫对德宗说：“这事真相暧昧不清，既然陛下已宽宏大量地赦免了他们，就不应该再去追寻那些流言蜚语。”杨炎便建议：“尚书省是治理国政的最紧要机构，近来设置诸使，分散夺去了尚书省的权力，现在应该恢复旧制。”德宗听从了杨炎的意见。甲子日，德宗诏令天下所有钱粮事务都归金部、仓部掌管，免去了刘晏转运使、租庸使、青苗使、盐铁使等职务。

【段旨】

以上为第五段，写杨炎施行两税法，刘晏被罢官。

【注释】

⑭德宗神武孝文皇帝：即李适，代宗李豫长子，公元七七九至八〇五年在位。庙号德宗，谥曰神武孝文。⑮丁卯朔：正月初一日。⑯黜陟使：钦差大臣之一，出使巡察地方，罢黜贪吏，升赏廉吏，问民疾苦，赈济穷乏。⑰约百姓丁产：估算统计百姓的成丁与产业。⑱两税法：杨炎推行的税制，以纳钱代实物租税。全国税额以大历十四年（公元七七九年）垦田数为标准，一年按两次征税，夏税无过六月，秋税无过十一月。⑲比来：近来。⑳新旧征科色目：新颁以及旧有的各种征税科目。㉑辄率一钱：擅自多征一文钱。辄，专擅、擅自。㉒租、庸、调：租，田租。庸，代役钱。调，户口税。租庸调与均田制相适应。丁男授田一百亩，每年纳粟二石或稻三石为租。岁输绢二匹，绫、绝各二丈，绵三两为调。非蚕乡则纳布二丈五尺，麻三斤。役力，每丁每年二十日，闰月加二日，如不服役，每日纳庸绢三尺或布三尺七寸五分，谓之庸。中唐后，均田制被破坏，租庸调法大弊，故改行两税法。㉓版籍浸坏：田产图册与户口簿籍逐渐坏弛。浸，逐渐。㉔至德兵起：指安史之乱。至德，唐肃宗年号。至德元载（公元七五六年），安史之乱爆发。㉕所在赋敛：指全国各地的赋税征收。所在，凡征税之地。㉖迫趣取办：官吏催促办理。㉗无复常准：谓不再按常规征租庸调。㉘赋敛之司：主管征税的部门。㉙莫相统摄：唐初租庸调由户部度支司总管征纳，安史之乱以后，度支使权重于户部，又有盐铁使掌盐铁税收，互不统属。㉚随意增科：随意增加税额。㉛自立色目：自行设立征税名目、种类。色目，征税名目、名称，即种类。㉜纪极：极限。㉝课役：课赋差役。㉞吏因缘蚕食：主管税收的官吏，利用租庸调的弊病而蚕食刻剥百姓。因缘，钻空子。㉟旬输月送：谓百姓一年之中纳税不断，每十天半月就要纳税一次。㊱浮户：游户；流民。㊲量出以制入：核算国家总支出以制定赋税总额；反过来则是量入为出，按总收

---

【原文】

二月丙申朔[238]，命黜陟使十一人分巡天下。先是，魏博[239]节度使田悦[240]事朝廷犹恭顺，河北黜陟使洪经纶[241]不晓时务，闻悦军七万人，符[242]下，罢其四万，令还农。悦阳顺命，如符罢之。既而集应罢者，激怒之曰："汝曹久在军中，有父母妻子，今一旦为黜陟使所罢，将何

入来规划总支出。㉑⑧主客：州县有主户、客户。㉑⑨以见居为簿：以当前所居地登记户籍。见，通“现”。簿，户籍。㉒⓪丁中：丁，成丁。中，半成丁。唐玄宗天宝三载（公元七四四年），令民十八岁以上为中男，二十三岁以上为成丁。㉒①无侥利：没有侥幸之利。指行商在外者，于所在州县登记纳税，不得逃税获侥幸之利。㉒②居人之税：农民纳税。居，居家的本地农民。此指户籍所居。㉒③悉省：一切杂税尽行免除。㉒④皆总统于度支：一切税收都由度支总管。㉒⑤左仆射：官名，执行政务的尚书省长官。尚书省长官本为尚书令，副手有左、右仆射。因唐太宗曾为尚书令，后例不复置，仆射即为尚书省长官。㉒⑥刘晏（公元七一五至七八〇年）：字士安，曹州南华（今山东东明）人，唐理财家，历任户部侍郎、尚书，充度支、盐铁、转运、租庸等使，理财达二十余年。一度拜相。德宗初即位，杨炎用事，构陷刘晏下狱死。传见《旧唐书》卷一百二十三、《新唐书》卷一百四十九。㉒⑦吏部尚书：吏部长官，掌考选。㉒⑧不相悦：不融洽。㉒⑨元载：代宗朝宰相。传见《旧唐书》卷一百十八、《新唐书》卷一百四十五。㉓⓪风言：流言。㉓①独孤妃：代宗贞懿皇后独孤氏。传见《旧唐书》卷五十二、《新唐书》卷七十七。㉓②黎幹、刘忠翼：代宗宠臣。黎幹为京兆尹，刘忠翼为宦官特进。二人狡险谀佞，曾劝代宗立独孤贵妃为皇后，贵妃子韩王李迥为太子，几危德宗太子地位。杨炎构陷刘晏曾与二人同谋。黎幹传见《旧唐书》卷一百十八、《新唐书》卷一百四十五，刘忠翼传见《旧唐书》卷一百十八。㉓③旷然：宽宏大量。㉓④甲子：正月丁卯朔，无甲子。㉓⑤金部、仓部：官署名。金部为户部第三司，掌库藏钱货出纳。仓部为户部第四司，掌仓储。㉓⑥租庸：即租庸使，官名，唐玄宗开元十一年（公元七二三年）设置，掌催征各地租庸赋税。㉓⑦青苗：即青苗使，官名，唐肃宗时设置，掌收田赋附加税青苗钱。

## 【校记】

［3］民：此字原无。据章钰校，十二行本、乙十一行本皆有此字，张敦仁《通鉴刊本识误》同，今据补。［4］甲子：据张敦仁《通鉴刊本识误》，“甲子”作“甲午”。甲午，正月二十八日。

---

## 【语译】

二月初一日丙申，朝廷命令黜陟使十一人分巡全国。先前，魏博节度使田悦对朝廷还算恭顺，河北黜陟使洪经纶不懂政务，听说田悦统率的军队达七万人，便下命令，裁减部队四万人，命令他们回家务农。田悦表面上接受命令，依令裁军。马上召集应当被裁部众，激怒他们说：“你们长期在军队中，有父母妻儿，如今一旦被

资以自衣食乎！”众大哭。悦乃出家财以赐之，使各还部伍，于是军士皆德悦而怨朝廷。

崔祐甫以疾多不视事，杨炎独任大政，专以复恩仇为事，奏用元载遗策城原州[243]，又欲发两京[244]、关内[245]丁夫浚[246]丰州陵阳渠[247]，以兴屯田。上遣中使[248]诣泾原[249]节度使段秀实[250]，访以利害，秀实以为“今边备尚虚，未宜兴事以召寇”。炎怒，以为沮己[251]，征秀实为司农卿[252]。丁未[253]，邠宁节度使李怀光[254]兼四镇、北庭[255]行营、泾原节度使，使移军原州，以四镇、北庭留后刘文喜为别驾[256]。京兆尹[257]严郢[258]奏：“按朔方五城，旧屯沃饶之地。自丧乱以来，人功不及，因致荒废，十不耕一。若力可垦辟，不俟浚渠。今发两京、关辅人于丰州浚渠营田，计所得不补所费，而关辅之人不免流散，是虚畿甸[259]而无益军储也。”疏奏，不报。既而陵阳渠竟不成，弃之。

上用杨炎之言，托以奏事不实，己酉[260]，贬刘晏为忠州[261]刺史。

癸丑[262]，以泽潞[263]留后李抱真[264]为节度使。

杨炎欲城原州以复秦、原[265]，命李怀光居前督作，朱泚、崔宁各将万人翼其后。诏下泾州为城具[266]，泾之将士怒曰：“吾属为国家西门之屏，十余年矣。始居邠州[267]，甫营耕桑，有地著之安。徙屯泾州[268]，披荆榛[269]，立军府，坐席未暖，又投之塞外[270]，吾属何罪而至此乎！”李怀光始为邠宁帅，即诛温儒雅等[271]，军令严峻。及兼泾原，诸将皆惧，曰：“彼五将何罪而为戮？今又来此，吾属能无忧乎！”刘文喜因众心不安，据泾州，不受诏，上疏复求段秀实为帅，不则[272]朱泚。癸亥[273]，以朱泚兼四镇、北庭行营、泾原节度使，代怀光。

三月，翰林学士[274]、左散骑常侍[275]张涉[276]受前湖南[277]观察使辛京杲[278]金，事觉。上怒，欲置于法。李忠臣[279]以检校司空、同平章事、奉朝请[280]言于上曰：“陛下贵为天子，而先生以乏财犯法，以臣愚观之，非先生之过也。”上意解[281]，辛未[282]，放涉归田里[283]。辛京杲以私忿杖杀部曲[284]，有司奏京杲罪当死，上将从之。李忠臣曰：“京杲当死久矣！”上问其故，忠臣曰：“京杲诸父兄弟皆战死，独京杲至今尚存，

黜陟使裁减，将靠什么穿衣吃饭呢！”众人大哭。田悦于是拿出家财分赐给他们，让他们各归原队。因此，军士们都感恩田悦而怨恨朝廷。

崔祐甫因有病，基本上不问政事，杨炎独掌朝政，只把报恩复仇当作正事，奏请采用元载生前提出的修筑原州城的计划，又想征发两京、关内的壮丁夫役疏浚丰州的陵阳渠，以便兴办屯田。德宗派宦官为使者去见泾原节度使段秀实，咨询利害关系，段秀实认为“当今边防还比较虚弱，不适宜大兴工程招致敌人”。杨炎大怒，认为他诋毁自己，于是召回段秀实担任司农卿。二月十二日丁未，朝廷命令邠宁节度使李怀光兼任四镇、北庭行营、泾原节度使，并命他移军原州，任命四镇、北庭留后刘文喜为别驾。京兆尹严郢上奏说：“考察朔方五城，原先屯垦的肥饶之地。自战乱以来，劳动力不足，因而导致荒废，被耕种的土地还不到十分之一。如果有足够的劳力耕垦，就不必等疏通渠道扩展屯田了。现在如果调发两京、关内的人力去丰州通渠垦荒，算来所得不补所费，而关内一带的老百姓免不了因此逃亡流散，这样会造成京师周边人丁空虚，也无益于增加军粮储备。”奏疏呈上，没有答复。后来疏通陵阳渠的工程最终也没能完成，废弃了修渠工程。

德宗采纳了杨炎的意见，以刘晏奏事不实为借口，二月十四日己酉，贬刘晏为忠州刺史。

十八日癸丑，任命泽潞留后李抱真为节度使。

杨炎打算修筑原州城恢复秦州、原州，命令李怀光前往监工，朱泚、崔宁各领军万人在后辅助。德宗下诏命泾州准备筑城器具，泾州将士愤怒地说：“我们是捍卫国家西门的屏障，已经十余年了。最初屯驻邠州，刚刚开始经营农桑，有就地著籍之安。又调我们往泾州屯田，我们披荆斩棘，建立军营，可是座席未暖，又要将我们投放塞外，我们犯了什么罪而这样折腾我们！”李怀光刚就任邠宁节度使，就处死了温儒雅等人，军令严厉。等到兼任泾原节度使，各位将领都很恐惧，他们说：“那五位将领犯了什么罪而遭杀戮？现在他又来这里，我们能不心忧吗！”刘文喜趁众心不安，占据了泾州，不接受诏令，上奏还是请朝廷派段秀实担任统帅，否则就请派任朱泚。二月二十八日癸亥，朝廷任命朱泚兼任四镇、北庭行营、泾原节度使，取代李怀光。

三月，翰林学士、左散骑常侍张涉收受了前任湖南观察使辛京杲的贿赂，事情被发觉。德宗震怒，准备依法惩治。李忠臣以检校司空、同平章事、奉朝请的身份进言德宗说：“陛下贵为天子，而您的老师却因为缺少钱财而犯法，依臣下愚见，这并非您老师的过错。”德宗的怒气消了许多，初六日辛未，德宗将张涉解职放回原籍。辛京杲因为私愤用杖刑打死了一个下属，有关官署奏请按照法律应将辛京杲判死罪，德宗准备依奏处理。李忠臣对德宗说：“辛京杲早就该死了！”德宗询问他其中缘故，李忠臣说：“辛京杲的父辈和兄弟们都战死了，唯独辛京杲一人至今还活着，

臣故以为当死久矣。”上悯然[285]，左迁[286]京杲诸王傅。忠臣乘机[287]救人，多此类。

杨炎罢[288]度支、转运使，命金部、仓部代之。既而省职久废[289]，耳目不相接[290]，莫能振举[291]，天下钱谷无所总领[292]。癸巳[293]，复以谏议大夫[294]韩洄[295]为户部侍郎、判度支，以金部郎中万年杜佑[296]权[297]江、淮水陆转运使，皆如旧制。

刘文喜又不受诏，欲自邀旌节[298]。夏，四月乙未朔[299]，据泾州叛，遣其子质于吐蕃以求援。上命朱泚、李怀光讨之，又命神策军使[300]张巨济将禁兵二千助之。

吐蕃始闻韦伦[301]归其俘，不之信。及俘入境，各还部落，称：“新天子出宫人，放禽兽，英威圣德，洽[302]于中国。”吐蕃大悦，除道[303]迎伦。赞普[304]即发使随伦入贡，且致赙赠[305]。癸卯[306]，至京师，上礼接之。既而蜀将上言：“吐蕃豺狼，所获俘不可归。”上曰：“戎狄犯塞则击之，服则归之。击以示威，归以示信。威信不立，何以怀远！”悉命归之[307]。

代宗之世，每元日[308]、冬至[309]、端午[310]、生日[311]，州府于常赋之外竞为贡献[312]，贡献多者则悦之。武将、奸吏缘此[313]侵渔[314]下民。癸丑[315]，上生日，四方贡献皆不受。李正己[316]、田悦[317]各献缣[318]三万匹，上悉归之度支以代租赋。

---

【段旨】

以上为第六段，写德宗锐意兴革，惩贪、罢贡奉、节制方镇，所用非人，得失参半。

【注释】

㉓⑧丙申朔：二月初一日。㉓⑨魏博：方镇名，唐代宗广德元年（公元七六三年）置。治所魏州，在今河北大名东北。㉔⓪田悦（公元七五一至七八四年）：代宗大历十四年（公元七七九年）继田承嗣为魏博节度使。传见《旧唐书》卷一百四十一、《新唐书》卷二百十。㉔①洪经纶：朱泚反，授经纶太常少卿，后被李晟处死。传见《旧唐书》卷一百二

因此我认为辛京杲早就该死了。”德宗心怀哀怜，将辛京杲降职为诸王师傅。李忠臣常在关键时刻救人，大多是这种情况。

杨炎撤销了度支和转运使，由金部和仓部取代其职责。不久，因为尚书省职事久废，上下接应不上，没有人能把工作开展起来，以致天下钱粮无人统筹处置。三月二十八日癸巳，又任命谏议大夫韩洄为户部侍郎，管理度支事务，任命金部郎中万年人杜佑代理江、淮水陆转运使，全部恢复先前的制度。

刘文喜再度不服从诏命，打算自任泾原节度使。夏，四月初一日乙未，刘文喜占据泾州反叛朝廷，派遣儿子去吐蕃做人质请求援助。德宗命令朱泚、李怀光讨伐刘文喜，又派神策军使张巨济统领禁卫军二千人前去增援。

吐蕃起初听说韦伦要把战俘送还吐蕃，不肯相信。等到战俘回到境内，各自返回原来的部落，到处宣传：“新皇帝放出宫女回家，放走禽兽回归山林，皇上英明威武神圣仁德，使中国一派和谐、安定。”吐蕃非常高兴，洒扫道路迎接韦伦。吐蕃赞普随即派出使者跟随韦伦入朝进贡，并且为代宗致送丧葬礼品。四月初九日癸卯，吐蕃使者到达京城，德宗按礼仪接见了吐蕃使者。不久，蜀地的守将上奏说：“吐蕃如豺狼，俘虏的人不能放回去。”德宗说：“戎狄侵犯边塞就回击他，顺服了就放回他。回击是用以显示威力，归还战俘是用以显示诚信。如果不建威立信，用什么去怀柔远方的夷狄呢!”命令放回所有战俘。

在代宗朝，每逢正月初一、冬至、端午、皇上的生日，各州府在规定的赋税之外竞相向皇上进贡，进贡数额多的皇上就喜欢。武将、奸吏趁机侵夺百姓。四月十九日癸丑，是德宗的生日，全国各地进贡的礼物德宗一概不接受。李正己、田悦每人给皇帝献上细绢三万匹，德宗全部交付给度支用来充当租赋。

---

十七。㉒符：符令；法令。㉓元载遗策城原州：原州治所高平，在今宁夏固原，当陇山之口，为遏制吐蕃入侵的军事要冲。唐代宗大历八年（公元七七三年），元载请筑城戍原州，未果，今杨炎复奏，请用其遗策。㉔两京：西京长安、东京洛阳。㉕关内：即关中。㉖浚：开凿。㉗陵阳渠：在丰州九原县。丰州治所即九原，在今内蒙古五原南。㉘中使：由宫中派出的宦官使者。㉙泾原：方镇名，唐代宗大历三年（公元七六八年）置。治所泾州，在今甘肃泾川县。㉚段秀实（公元七二〇至七八四年）：字成公，姑臧（今甘肃武威）人，官至司农卿。朱泚反，秀实骂贼而死。传见《旧唐书》卷一百二十八、《新唐书》卷一百五十三。㉛沮己：败坏自己，故意作对。㉜司农卿：官名，司农寺长官。司农寺，唐中央九寺之一，掌仓储及农林园苑事务。㉝丁未：二月十二日。㉞李怀光（公元七三〇至七八四年）：郭子仪部将，积功官至邠宁节度使。传见《旧唐书》卷一

百二十一、《新唐书》卷二百二十四。㉕⑤四镇北庭：方镇名。四镇，即安西都护府四镇，唐贞观二十二年（公元六四九年）设于西域的四个军镇，为龟兹、疏勒、于阗、焉耆，在今新疆天山南部。北庭，即北庭都护府，唐玄宗先天元年（公元七一二年）始置，在伊州之西，故又称伊西，辖伊、西、庭三州。开元后北庭与四镇时分时合。授李怀光兼领四镇、北庭行营使，只是一个加衔。㉕⑥别驾：节度别驾，节度使佐官，无实职。㉕⑦京兆尹：京师行政长官。㉕⑧严郢：官至御史大夫。与卢杞共构陷杨炎。传见《新唐书》卷一百四十五。㉕⑨畿甸：京畿，指关中。㉖⓪己酉：二月十四日。㉖①忠州：州名，治所在今重庆市忠县。㉖②癸丑：二月十八日。㉖③泽潞：方镇名，唐肃宗至德元载（公元七五六年）置。治所潞州，在今山西长治。㉖④李抱真：唐名将李抱玉堂弟，官至昭义节度使，封义阳王。传见《旧唐书》卷一百三十二、《新唐书》卷一百三十八。㉖⑤秦、原：秦州、原州。秦州治所在今甘肃甘谷东北，原州治所在今宁夏固原。㉖⑥为城具：治办筑城之具。㉖⑦邠州：州名，治所新平，在今陕西彬州。㉖⑧徙屯泾州：代宗大历三年（公元七六八年）邠宁节度使马璘徙屯泾州。㉖⑨披荆榛：开荒垦辟。披，开垦。㉗⓪投之塞外：指代宗广德元年（公元七六三年）吐蕃入寇，弃原州不守，故云投之塞外。㉗①李怀光始为邠宁帅二句：温儒雅、史抗、庞仙鹤、张献明、李光逸等五将，皆郭子仪部属名将。代宗大历十四年（公元七七九年），李怀光始为邠宁节度使，诸将不服，李怀光尽诛之，大失众心。㉗②不则：否则。不，通“否”。㉗③癸亥：二月二十八日。㉗④翰林学士：唐初为待诏文士，备应对顾问，草拟文诏，安史之乱以后参决谋议，有宰相之权。㉗⑤左散骑常侍：门下省属官，侍从皇帝，规谏过失，以备顾问。㉗⑥张涉：蒲州人，其家世代为儒。涉为国子监博士，德宗为太子时，受经于涉。德宗即位，涉居翰林，恩礼甚厚。涉荐乔琳为相，琳不称职，德宗由是疏涉。贪赃事发，免官归乡里。传见《旧唐书》卷一百二十七。㉗⑦湖南：方镇名，唐代宗广德二年（公元七六四年）置湖南观察使，治衡州，大历四年（公元七六九年）徙治潭州，在今长沙。唐僖宗中和三年（公元八八三年），更名为钦化军节度使。㉗⑧辛京杲（？至公元七八四年）：官至工部尚书致仕。传见《新唐书》卷一百四十七。㉗⑨李忠臣（？至公元七八四年）：原名董秦，安禄山部将，归唐后战功卓著，赐名李忠臣。历任蔡州刺史、汴州刺史，加检校司空、同平章事、奉朝请，封西平郡王。朱泚反逆，忠臣受伪职，朱泚败，忠臣被斩。传见《旧唐书》卷一百四十五、《新唐书》卷二百二十四下。㉘⓪检校司空、同平章事、奉朝请：中唐后，带检校的相职，皆为加

---

【原文】

五月戊辰[319]，以韦伦为太常卿[320]。乙酉[321]，复遣伦使吐蕃。伦请上自为载书[322]，与吐蕃盟。杨炎以为非敌[323]，请与郭子仪辈为载书以闻，令

官，仅示官品高下，不掌职事。李忠臣任蔡州刺史时加官司空、同平章事，后为李希烈所逐，闲居京师为奉朝请。奉朝请，散官名，带此衔可定期朝见皇帝，春曰朝，秋为请。㉘①解：怒气消散。㉘②辛未：三月初六日。㉘③放涉归田里：张涉被罢官，回归乡里。放，放回，罢官的委婉说法。㉘④部曲：部属。㉘⑤悯然：哀怜。㉘⑥左迁：降职。㉘⑦乘机：利用关键时机；见机。㉘⑧罢：裁撤。㉘⑨省职久废：指尚书省户部财政各司度支、金部、仓部等失其职已久。今罢度支使、转运使，财权归还户部，运转不灵。㉙⓪耳目不相接：上下隔绝，情报不通。㉙①莫能振举：没人能把工作开展起来。莫能，没人能。㉙②无所总领：无人总管、统筹。㉙③癸巳：三月二十八日。㉙④谏议大夫：官名，初隶门下省，德宗贞元四年（公元七八八年）分左右置，各四员，分属门下、中书，掌谏议。㉙⑤韩洄：历官户部侍郎、判度支、兵部侍郎、京兆尹。传见《旧唐书》卷一百二十九、《新唐书》卷一百二十六。㉙⑥杜佑（公元七三五至八一二年）：字君卿，京兆万年（今西安东）人，历任岭南、淮南等节度使，封岐国公。精通史学，著有《通典》行于世。传见《旧唐书》卷一百四十七、《新唐书》卷一百六十六。㉙⑦权：权知之省称。唐制，临时任职、代理称权知。㉙⑧自邀旌节：自任节度使。旌节，此指节度使旌节。㉙⑨乙未朔：四月初一日。㉚⓪神策军使：神策军监军使。神策军，本为天宝末陇右节度使哥舒翰在临洮（今甘肃岷县）西所置的边镇军，安史之乱，勤王京师，因置为禁卫军，由宦官掌领。㉚①韦伦：开元、天宝间朔方节度使韦光乘之子，京兆（今陕西西安）人，历官山南东道节度使、太常少卿。两度出使吐蕃称旨，封郢国公。传见《旧唐书》卷一百三十八、《新唐书》卷一百四十三。㉚②洽：和谐；安定。㉚③除道：整修、洒扫道路。㉚④赞普：吐蕃君长之称。㉚⑤致赙赠：韦伦为告哀使，故赞普致代宗以丧葬礼品。赙，致丧礼物。㉚⑥癸卯：四月初九日。㉚⑦悉命归之：命令各节度诸将所获吐蕃俘虏尽数遣归。㉚⑧元日：正月初一日。㉚⑨冬至：中国阴历二十四节气之一，在阳历的十二月二十二日或二十三日。㉛⓪端午：阴历五月初五日。㉛①生日：指当今皇帝生日。㉛②贡献：自唐代宗迄于五代，州县于元日、冬至、端午、诞辰皆向皇帝致贺礼，称为四时贡献。㉛③缘此：借此机会。缘，因缘、借机。㉛④侵渔：侵夺。渔，渔猎。引申为夺取。㉛⑤癸丑：四月十九日。德宗李适生于天宝元年（公元七四二年）四月十九日。建中元年（公元七八〇年）四月十九日为癸丑。㉛⑥李正己：淄青节度使。传见《旧唐书》卷一百二十四、《新唐书》卷二百十三。㉛⑦田悦：魏博节度使。传见《旧唐书》卷一百四十一、《新唐书》卷二百十三。㉛⑧缣：细绢。

## 【语译】

五月初五日戊辰，朝廷任命韦伦为太常卿。二十二日乙酉，又派遣韦伦出使吐蕃。韦伦请求皇帝亲笔写一份盟誓文书，与吐蕃结盟。杨炎认为吐蕃与唐朝的地位不对等，请求与郭子仪等人拟定文书后上奏，由德宗认可就行了，德宗采纳上画可而已，从之。

朱泚等围刘文喜于泾州，杜其出入[324]，而闭壁不与战，久之不拔。天方旱，征发馈运，内外骚然，朝臣上书请赦文喜以苏疲人[325]者，不可胜纪。上皆不听，曰："微孽[326]不除，何以令天下！"文喜使其将刘海宾[327]入奏。海宾言于上曰："臣乃陛下藩邸部曲[328]，岂肯附叛臣，必为陛下枭其首以献。但文喜今所求者节而已，愿陛下姑与之，文喜必怠，则臣计得施矣。"上曰："名器不可假人[329]，尔能立效固善，我节不可得也。"使海宾归以告文喜，而攻之如初。减御膳以给军士，城中将士当受春服者，赐予如故。于是众知上意不可移。时吐蕃方睦于唐，不为发兵，城中势穷。庚寅[330]，海宾与诸将共杀文喜，传首[331]，而原州竟不果城[332]。

自上即位，李正己内不自安，遣参佐入奏事。会泾州捷奏至，上使观文喜之首而归。正己益惧。

六月甲午朔[333]，门下侍郎、同平章事崔祐甫薨。

术士桑道茂[334]上言："陛下不出数年，暂有离宫之厄[335]。臣望奉天有天子气，宜高大其城，以备非常。"辛丑[336]，命京兆发丁夫[337]数千，杂六军[338]之士，筑奉天城。

初，回纥[339]风俗朴厚，君臣之等不甚异，故众志专一，劲健无敌。及有功于唐[340]，唐赐遗甚厚，登里可汗[341]始自尊大，筑宫殿以居，妇人有粉黛文绣之饰。中国为之虚耗，而虏俗亦坏。及代宗崩，上遣中使梁文秀往告哀，登里骄不为礼。九姓胡[342]附回纥者，说登里以中国富饶，今乘丧伐之，可有大利。登里从之，欲举国入寇。其相顿莫贺达干，登里之从父兄也，谏曰："唐，大国也，无负于我。吾前年侵太原[343]，获羊马数万，可谓大捷。而道远粮乏，比归，士卒多徒行者。今举国深入，万一不捷，将安归乎！"登里不听。顿莫贺乘人心之不欲南寇也，举兵击杀之，并九姓胡二千人，自立为合骨咄禄毗伽可汗[344]，遣其臣聿达干与梁文秀俱入见[345]，愿为藩臣，垂发不翦，以待诏命。乙卯[346]，命京兆少尹[347]临漳源休[348]册顿莫贺为武义成功可汗。

了杨炎的建议。

朱泚等将领把刘文喜围在泾州，封锁了他的进出道路，而刘文喜却关闭城门不与朱泚交战，朱泚久攻不下。当时正值天旱，征发百姓，运输粮饷，朝野骚动，朝廷大臣上书德宗请求赦免刘文喜，以此来缓解军疲民困的状况，上奏的人多得不可胜数。德宗一概不采纳，并且说："小小的孽臣都不能消灭，用什么来号令天下!"刘文喜派手下将领刘海宾入朝上奏。刘海宾对德宗说："臣子本是陛下从前藩镇行营中的部属，哪肯依附叛逆皇上的罪臣呢？我一定会为陛下砍下刘文喜的头献上。但刘文喜现在所求的，不过是一个旌节而已，希望陛下姑且给他，他一定会因此懈怠，而我的计划就能够实施了。"德宗说："名位与相应的礼器不可以随便给人，你能为朝廷效劳立功，固然是好事，但我的节度使符节刘文喜是得不到的。"让刘海宾返回将话转告刘文喜，同时与最初一样围攻泾州。德宗省减御膳来供给将士的军费，城中将士应发春季服装的，也照旧赐予。因此大家都知道德宗消灭刘文喜的意志是不可改变的。当时吐蕃正与唐朝建立睦邻关系，不肯为刘文喜派援兵，泾州城内势单力穷。五月二十七日庚寅，刘海宾与各位将领一起杀了刘文喜，将他的首级传送京城，因为这场战事，原州城最终没有建起来。

自德宗继位以来，李正己心里就惶惶不安，派遣幕僚佐吏入朝奏事。正碰上攻破泾州的捷报传来，德宗让他看了刘文喜的首级后回去。李正己更加恐惧。

六月初一日甲午，门下侍郎、同平章事崔祐甫去世。

术士桑道茂向德宗进言说："陛下在几年之内，暂时会有离开宫城的危难。臣子观察奉天一带有天子气，应当加高加大这座城池，用以防备意外。"六月初八日辛丑，朝廷命令京兆地区征发壮丁数千名，加入六军士兵，修筑奉天城。

当初，回纥风俗朴实淳厚，君臣间的等级差别不大，因此众心统一，勇猛强健所向无敌。等到后来有功于唐，唐朝赏赐和赠送非常丰厚，登里可汗开始妄自尊大，修建宫殿居住，宫内妇人粉饰打扮，绣服华美。唐朝因此财力虚耗，而回纥的风俗也变坏了。等到代宗去世，德宗派遣宫中使者梁文秀前往回纥报丧，登里可汗傲慢无礼。有归附回纥的九姓胡，劝说登里可汗，认为唐朝物产丰富，如今趁国丧出兵征伐唐朝，可获很大利益。登里可汗听从了这一建议，想出动全国力量进犯唐朝。回纥宰相顿莫贺达干，是登里可汗的堂兄，劝谏登里可汗说："唐朝，是个大国，没有对不起我们的地方。我们前年进犯太原，获得几万羊马，可以称得上大胜。但是路途遥远粮草匮乏，等到返回时，士卒大多徒步而行。现在举国深入唐境，万一不胜，将如何返回呢!"登里可汗不听。顿莫贺乘人心不想南下犯唐，发兵杀死登里可汗，兼并九姓胡二千人，自立为合骨咄禄毗伽可汗，派遣大臣聿达干与梁文秀一同入朝晋见皇帝，表示愿归顺朝廷作为藩臣，并且披散头发不加修剪，以等待诏命。六月二十二日乙卯，朝廷命令京兆少尹临漳人源休册封顿莫贺为武义成功可汗。

秋，七月丙寅[349]，邵州[350]贼帅王国良降。国良本湖南牙将，观察使辛京杲使戍武冈[351]，以捍西原蛮[352]。京杲贪暴，国良家富，京杲以死罪加之，国良惧，据县叛，与西原蛮合，聚众千人，侵掠州县，濒湖千里，咸被其害。诏荆、黔、洪、桂[353]诸道合兵讨之，连年不能克。及曹王皋[354]为湖南观察使，曰："驱疲甿[355]，诛反仄，非策之得者也。"乃遗国良书，言："将军非敢为逆，欲救死耳。我与将军俱为辛京杲所构[356]，我已蒙圣朝湔洗，何心复加兵刃于将军乎！将军遇我，不速降，后悔无及。"国良且喜且惧，遣使乞降，犹疑未决。皋乃假为使者[357]，从一骑，越五百里，抵国良壁，鞭其门，大呼曰："我曹王也，来受降！"举军大惊。国良趋出，迎拜请罪。皋执其手，约[358]为兄弟，尽焚攻守之具，散其众，使还农。诏赦国良罪，赐名惟新。

辛巳[359]，遥尊上母沈氏为皇太后[360]。

荆南节度使庾准[361]希杨炎指[362]，奏忠州刺史刘晏与朱泚书求营救，辞多怨望；又奏召[363]补州兵，欲拒朝命，炎证成之。上密遣中使就忠州缢杀[364]之。己丑[365]，乃下诏赐死。天下冤之。

---

**【段旨】**

以上为第七段，写德宗和好吐蕃、回纥，讨平叛逆，冤杀刘晏。

**【注释】**

⑲戊辰：五月初五日。⑳太常卿：太常寺长官，掌宗庙、礼乐、郊祀、医药、卜筮等事务。㉑乙酉：五月二十二日。㉒载书：会盟时所订立的誓约文字。用以指盟誓之书。㉓非敌：品级地位不相匹敌。㉔杜其出入：四面包围，阻断出入。杜，阻隔。㉕苏疲人：宽缓疲于军旅劳役之人。苏，宽缓。㉖微孽：小小妖孽。指刘文喜。㉗刘海宾：泾原兵马将。刘文喜叛泾州，刘海宾父子阳奉而心归唐。诛刘文喜后，刘海宾受封乐平郡王。传见《新唐书》卷一百五十三。㉘藩邸部曲：藩王府旧部。德宗初以雍王为天下兵马元帅，讨史朝义，故刘海宾称其为旧部。部曲，泛指行伍部曲。㉙名器不可假人：

秋，七月初四日丙寅，邵州叛贼首领王国良投降。王国良原是湖南驻军的一个亲随将领，观察使辛京杲派遣他戍守武冈，用以抵御西原蛮。辛京杲生性贪婪残暴，因王国良家中富有，辛京杲给他加了一条死罪，王国良非常害怕，占据武冈县城反叛，与西原蛮联合起来，聚众一千人，侵扰劫掠州县，沿湖一带上千里的地方，都遭受其害。德宗诏令荆南节度使、黔中观察使、江南西道观察使、桂管经略观察使等联合出兵讨伐，连年不能取胜。到曹王李皋担任湖南观察使时，李皋认为："驱使疲惫的百姓诛讨反叛的人，这并不是正确的策略。"于是给王国良写了封信，信中说："将军你并不敢反叛朝廷，不过是想救自己的命。我和将军都被辛京杲所诬陷，我已蒙皇恩昭雪，怎忍心再用武力来对付将军呢！将军你遇到我而不立即投降，将会后悔莫及。"王国良读信后既高兴又害怕，便派使者求降，但还犹豫不决。于是李皋假扮前去劝降的使者，带着一个随从，骑马跨越五百里，抵达王国良的营垒，用鞭抽打营门，大声呼喊说："我是曹王，快来受降！"全军大惊。王国良急忙跑出来，迎拜请罪。李皋拉着王国良的手，与他结拜为兄弟，把攻守兵器全部烧光，遣散了王国良的士兵，让他们返乡务农。德宗颁诏赦免了王国良的罪过，赐名为惟新。

七月十九日辛巳，德宗遥望东都尊崇母亲沈氏为皇太后。

荆南节度使庾准迎合杨炎的意向，向德宗上奏说忠州刺史刘晏写信给朱泚请求他营救自己，信中有许多埋怨朝廷的话；又奏称刘晏招兵补充忠州的兵员，打算抗拒朝廷的命令，杨炎旁证而使冤案成立。德宗秘密派遣中使到忠州绞杀刘晏。七月二十七日己丑，德宗下诏赐死刘晏。天下人都认为刘晏死得冤枉。

---

《左传》成公二年孔子言曰："唯器与名不可以假人。"名，名分。器，象征等级名分的礼器。这两样东西是王权的象征，不可随便给予逆臣。这里指节度使之名分及符节不能给刘文喜。㉚庚寅：五月二十七日。㉛传首：将刘文喜之头驿传至京师。㉜竟不果城：最终未筑原州城。㉝甲午朔：六月初一日。㉞桑道茂：善预言的方术士。传见《旧唐书》卷一百九十一、《新唐书》卷二百四。㉟离宫之厄：离开宫城的危难，即天子蒙尘之灾。㊱辛丑：六月初八日。㊲发丁夫：征发成丁。㊳六军：北衙禁军之名。指左右羽林军、左右龙武军、左右神武军。㊴回纥：唐代西北塞外民族名，又作"回鹘"。㊵有功于唐：唐平安史之乱，曾借兵回纥。㊶登里可汗：公元七五九至七七九年在位。可汗，回纥君主之称。事迹见《旧唐书》卷一百九十五《回纥传》、《新唐书》卷二百十七上《回鹘传上》。㊷九姓胡：回纥有九姓部落，为药罗葛、胡咄葛、咄罗勿、貊歌息讫、阿勿嘀、葛萨、斛嗢素、药勿葛、奚耶勿等九姓。㊸前年侵太原：指大历十三年（公元七七

八年）正月回纥入侵太原。㉞合骨咄禄毗伽可汗：公元七八〇至七八九年在位。事迹见《旧唐书》卷一百九十五《回纥传》、《新唐书》卷二百十七上《回鹘传上》。㉟入见：入中国朝见德宗皇帝。㊱乙卯：六月二十二日。㊲京兆少尹：京师行政副长官。㊳源休：相州临漳（今河北临漳西南）人，历官京兆尹、光禄卿。奉朱泚为大秦皇帝，受伪职宰相。朱泚败，源休为其部曲所杀。传见《旧唐书》卷一百二十七、《新唐书》卷二百二十五。㊴丙寅：七月初四日。㊵邵州：州名，治所在今湖南邵阳。㊶武冈：县名，县治在今湖南武冈。㊷西原蛮：古代民族名。唐时居于今广西南部及越南境内。㊸荆、黔、洪、桂：荆，荆南节度使，治荆州，在今湖北江陵。黔，黔中观察使，治黔州，在今重庆市彭水苗族土家族自治县。洪，江南西道观察使，治洪州，在今江西南昌。桂，桂管经略

【原文】

初，安、史之乱，数年间，天下户口什亡八九，州县多为藩镇所据，贡赋不入，朝廷府库耗竭。中国多故，戎狄每岁犯边，所在宿重兵[366]，仰给县官[367]，所费不赀[368]，皆倚办于晏。晏初为转运使[369]，独领陕东诸道[370]，陕西皆度支领之，末年兼领，未几而罢。

晏有精力，多机智，变通有无，曲尽其妙。常以厚直[371]募善走者，置递相望[372]，觇报[373]四方物价，虽远方，不数日皆达使司[374]，食货[375]轻重之权[376]，悉制在掌握，国家获利而天下无甚贵甚贱之忧。常以为“办集众务，在于得人，故必择通敏、精悍、廉勤之士而用之。至于句检簿书[377]，出纳钱谷[378]，事虽至细[5]，必委之士类。吏惟书符牒[379]，不得轻出一言”。常言：“士陷赃贿[380]，则沦弃于时[381]，名重于利，故士多清修[382]。吏虽洁廉，终无显荣，利重于名，故吏多贪污。”然惟晏能行之，他人效者终莫能逮。其属官虽居数千里外，奉教令如在目前，起居语言，无敢欺绐。当时权贵，或以亲故属之者，晏亦应之，使俸给多少，迁次缓速[383]，皆如其志，然无得亲职事[384]。其场院要剧之官[385]，必尽一时之选[386]。故晏没之后，掌财赋有声者，多晏之故吏也。

观察使，治桂州，在今广西桂林。354 曹王皋：唐太宗子曹王李明之第四代孙李皋，历官湖南观察使、江西节度使、荆南节度使等职。传见《旧唐书》卷一百三十一、《新唐书》卷八十。355 疲甿：疲困的老百姓。甿，古称农夫为甿隶。356 构：陷害。357 假为使者：曹王李皋乔装为唐军使者。358 约：结拜。359 辛巳：七月十九日。360 遥尊上母沈氏为皇太后：沈氏，德宗母，代宗睿真皇后，吴兴（今浙江吴兴）人。安史之乱，沈皇后陷贼于东都洛阳，唐军收复东都，不知其所在，故德宗遥尊为皇太后。传见《旧唐书》卷五十二、《新唐书》卷七十七。361 庾准：为司农卿，谄媚杨炎得为荆南节度使，构陷刘晏。传见《旧唐书》卷一百十八、《新唐书》卷一百四十五。362 希杨炎指：迎合杨炎旨意。指，通“旨”。363 召：通“招”。364 缢杀：绞杀。365 己丑：七月二十七日。

---

**【语译】**

当初，安、史之乱时，几年间，天下户口损失十之八九，州县多被藩镇控制，赋税不上缴国库，朝廷的府库耗费一空。国内变故多次发生，周边的戎狄每年都进犯边疆，朝廷在边塞驻扎重兵，后勤给养全赖朝廷供给，所耗费的钱财无法计算，都倚仗刘晏筹办。刘晏当初担任转运使，只管理陕东各道的财政，陕西各道都归度支掌管，刘晏任职后期才兼管陕西各道，不久便被罢官了。

刘晏精力充沛，颇多机智，变通有无，曲尽其妙。他常用高薪招募善于行走的人，设置传递消息的驿站，前后相望，探访各地物价并上报，虽在远方，没有几天消息就可送达转运使司，粮食、货物价格涨跌的权衡，全都在掌控之中，国家获得了利益而天下民众也没有物价暴涨暴跌的担忧。刘晏常认为“要办好各项事务，根本在于选用合适的人才，所以必须选择通达敏捷、精明干练、廉洁勤奋之士加以任用。至于核查账簿，钱财谷物的进出，虽然是极细小的事务，一定委任谨慎的士人。胥吏只能干些缮写文书的事，不能随便发表意见”。刘晏常常说：“士人沦落到贪赃受贿，就会被当世抛弃，对他们来说声誉重于财利，所以士人大多以清廉自修。胥吏即使廉洁奉公，但最终也不会有显赫的荣耀，对他们来说实际利益重于名誉，所以胥吏大多会贪污。”然而只有刘晏能够这样推行，别人效仿，最终也不能做到。刘晏的属官即使身在数千里之外，遵奉刘晏的教令就像在刘晏的眼前一样，生活起居、举止言行，没有人敢蒙骗。当时的权贵，有把亲戚故旧拜托给刘晏以求官职的，刘晏也应承下来，而且这些人薪俸多少，升迁官职的快慢，都能满足权贵们的愿望，然而就是不能亲历职事。那些码头、货栈的重要官职，一定选择当世最杰出的人才担任。所以刘晏去世以后，掌管财赋且有声望的人，大多是刘晏以前的部属。

晏又以为户口滋多，则赋税自广，故其理财常以养民为先[6]。诸道各置知院官㊳㊲，每旬月具㊳㊳州县雨雪丰歉之状白使司㊳㊴，丰则贵籴㊳㊵，歉则贱粜㊳㊶，或以谷易杂货供官用，及于丰处卖之。知院官始见不稔之端㊳㊷，先申㊳㊸，至某月须如干㊳㊹蠲免，某月须如干救助，及期，晏不俟州县申请，即奏行之，应民之急，未尝失时，不待其困弊、流亡、饿殍然后赈之也。由是民得安其居业，户口蕃息。晏始为转运使，时天下见户不过二百万，其季年乃三百余万。在晏所统则增，非晏所统则不增也。其初财赋岁入不过四百万缗㊳㊺，季年乃千余万缗。

晏专用榷盐法㊳㊻充军国之用。时自许、汝、郑、邓之西㊳㊼，皆食河东池盐，度支主之。汴、滑、唐、蔡之东㊳㊽，皆食海盐，晏主之。晏以为官多则民扰，故但于出盐之乡置盐官，收盐户所煮之盐转鬻㊳㊾于商人，任其所之，自余州县不复置官。其江岭间㊵⓪去盐乡㊵①远者，转官盐于彼贮㊵②之。或商绝盐贵，则减价鬻之，谓之常平盐，官获其利而民不乏盐。其始江、淮盐利不过四十万缗，季年㊵③乃六百余万缗，由是国用充足而民不困弊。其河东盐利，不过八十万缗，而价复贵于海盐。

先是，运关东㊵④谷入长安者，以河流湍悍㊵⑤，率一斛得八斗至者，则为成劳，受优赏。晏以为江、汴、河、渭㊵⑥，水力不同，各随便宜，造运船，教漕卒，江船达扬州㊵⑦，汴船达河阴㊵⑧，河船达渭口㊵⑨，渭口[7]达太仓㊶⓪，其间缘水置仓㊶①，转相受给㊶②。自是每岁运谷或至百余万斛，无斗升沉覆㊶③者。船十艘为一纲，使军将领之，十运无失，授优劳，官其人。数运之后，无不斑白㊶④者。晏于扬子㊶⑤置十场造船，每艘给钱千缗。或言所用实不及半，虚费㊶⑥太多。晏曰："不然，论大计者固不可惜小费，凡事必为永久之虑。今始置船场㊶⑦，执事者至多，当先使之私用无窘，则官物坚牢矣。若遽㊶⑧与之屑屑校计锱铢㊶⑨，安能久行乎！异日㊷⓪必有患吾所给多而减之者。减半以下犹可也，过此则不能运矣。"其后五十年，有司果减其半。

刘晏又认为国家的户口增多，那么赋税自然增多，因此他理财常把养民放在首位。在各道都设置知院官，每十天或一月，都要将各州县下雨降雪和收成丰歉的情况详尽上报转运使司，丰年就高价买入粮食，歉收就低价卖出，或者用粮食向民众换取各种物品供应官府的需用，到粮食丰收的地方出卖这些物品。知院官在开始发现有不能丰收的苗头时，先要向转运使司申报，到某月需要朝廷免除多少赋税，某月需要提供多少救济。到那时，刘晏不等州县向朝廷申请，就上奏施行，及时解救百姓的危急，不曾错过时机，不等到百姓困厄、流亡、饿死然后才去救济。因此百姓得以安居乐业，户口蕃息。刘晏最初担任转运使，当时天下现有户口不超过二百万，到他任职后期竟有三百多万。在刘晏所辖地区户口就增长，不是刘晏所辖地区户口就没有增加。他任转运使之初国家财赋每年收入不超过四百万缗，到他任职的后期竟有一千多万缗。

刘晏用榷盐法筹集经费供军国之用。当时，自许州、汝州、郑州、邓州以西地区，居民吃的都是河东的池盐，由度支掌管。汴州、滑州、唐州、蔡州以东地区，吃的都是海盐，由刘晏掌管。刘晏认为官员多了百姓就受到滋扰，所以只在产盐地设置盐官，收购盐户煮制的食盐转卖给商人，听任商人运往各地，其余州县不再设置盐官。那些江岭一带远离产盐区的地方，把官盐转运到那里储存起来。如果盐商贩运断绝而盐价腾贵，就将官盐减价出售，这种盐称为常平盐，官府获得了卖盐的利益而百姓又不会缺盐。当初江、淮一带每年的食盐利润不超过四十万缗，刘晏任职后期每年竟达到六百余万缗，因此国家用度充足而百姓无困弊之苦。而河东池盐之利，每年不过八十万缗，价格还比海盐贵。

此前，将关东的谷物运往长安，因河流湍急凶险，大约运一斛有八斗到达目的地的，就算很有成效了，要受到优厚的奖赏。刘晏认为长江、汴河、黄河、渭水，水势不尽相同，各自视情况方便与否，建造运船，培训行船运输的士卒。由长江来的运船抵达扬州，汴河来的运船抵达河阴，黄河来的运船抵达渭河入黄河的河口，渭河来的运船到达太仓，这中间在沿河岸边设置粮仓，在各仓库之间装卸转运。从此每年运送粮食到京有时达到百余万斛，没有一斗一升翻沉到江河中的。运船每十艘编为一纲，派军队将领带队，运输十次没有损失的，厚加慰劳，授予其人官职。经过数次运送后，押运者没有不头发花白的。刘晏在扬子江沿岸设置十个造船场，每艘船付给工钱一千缗。有人说造船所用的钱实际上不到所付的一半，白花的钱太多。刘晏说："不对。考虑大事的人本来就不吝惜小的花费。凡事一定要做长远打算。现今刚刚设置造船场，操持造船事务的人非常多，应先让他们私人不缺钱用，造出的官船才会牢固耐用。如果立刻同他们斤斤计较，造出的船怎么能够长期使用呢！日后一定有不满我多给钱而要减少的人。减少的数额不超过一半还可以，超过了一半，造出的船就不能运粮了。"在他之后五十年，主管官署果然将经费减少了一半。

及咸通[421]中，有司计费以给之，无复羡余[422]，船益脆薄[423]易坏，漕运遂废矣。

晏为人勤力，事无闲剧[424]，必于一日中决之，不使留宿，后来言财利者皆莫能及之。

【段旨】

以上为第八段，回顾刘晏理财政绩。

【注释】

㊱所在宿重兵：边防要塞驻留重兵。宿，驻留、戍守。㊲仰给县官：依靠朝廷供给。县官，指代朝廷，犹言官家。㊳不赀：数量庞大，不能以资财计算。㊴晏初为转运使：宝应元年（公元七六二年），刘晏始任度支、转运等使。㊵独领陕东诸道：广德二年（公元七六四年），刘晏为河南、江、淮以东转运使，疏浚汴水以通漕，遂掌陕东诸道财赋。陕，陕州，治所在今河南三门峡市峡州区。陕东，指陕州以东黄河中下游地域。㊶厚直：高价。㊷置递相望：设置传递情报的驿站，一站接一站。㊸觇报：侦察物情上报。㊹使司：转运使司。㊺食货：粮食及百工之物。㊻轻重之权：轻重，最早由《管子》一书所阐述的一种经济理论，指国家权衡轻重所采取的一系列政治经济措施，如调盈济虚、平衡物价、抑制兼并等。权，权变，根据实际情况加以变通。㊼句检簿书：稽查审核账簿。㊽出纳钱谷：钱谷的进与出。㊾书符牒：书写公文。㊿赃贿：贪赃受贿。[381]沦弃于时：当世遭唾弃。时，当世。[382]清修：清廉洁身。[383]迁次缓速：官职升迁快慢。次，等次、级别。缓，指升迁慢。速，指升迁快。[384]亲职事：亲历职事；有职有权。请托之官，只给名义和俸禄，但不给实权，不得亲行职事。[385]场院要剧之官：掌握物资的重要官员。场院，指码头、货栈。[386]尽一时之选：选拔出当世最杰出的人才。[387]知院官：职掌诸道巡院之官，如今之情报官员。[388]具：一一地；详尽地。[389]白使司：上报转运使司。白，报告、上报。[390]丰则贵籴：丰收年，官家用一定的高价购买农产品。[391]歉则贱粜：歉收年，官家平价卖出谷物。[392]不稔之端：指水旱之灾的苗头。不稔，不丰收。[393]先申：对灾情做出估计先行申报。[394]如干：若干。[395]缗：铜钱一千文为一缗，俗谓一贯。[396]榷盐

到了咸通年间，主管官署核算造船费用按数支付，没有一点赚头，造出来的船更加脆薄易坏，漕运事务便废弛了。

刘晏为人勤恳努力，事情不论轻重缓急，一定要在一天之内处理，不使过夜，后来执掌财政的人没有一个能赶上他。

---

法：盐业专卖专运。㊱许、汝、郑、邓之西：唐朝的西北部。许、汝、郑、邓，皆州名，许州治所在今河南许昌，汝州治所在今河南汝州，郑州治所在今郑州，邓州治所在今河南邓州。㊲汴、滑、唐、蔡之东：唐朝的东南部。汴、滑、唐、蔡，皆州名，汴州治所在今河南开封，滑州治所在今河南滑县，唐州治所在今河南泌阳，蔡州，即豫州，避代宗讳于宝应元年（公元七六二年）改，治所在今河南汝阳。㊳转鬻：转卖。㊴江岭间：长江中游与五岭之间，即今两湖地区。㊵盐乡：产盐地区。㊶贮：蓄积；储备。㊷季年：指刘晏为盐铁转运使之末年，即大历后期。㊸关东：潼关以东，泛指中原。中唐以后，京师长安仰给江淮，此关东着重指江淮。㊹湍悍：急流汹涌。㊺江、汴、河、渭：长江、汴水、黄河、渭水。㊻扬州：唐时为江都城，扬州治所，江南物资的集散中心。江船达扬州，入淮。㊼河阴：县名，在今河南郑州西北黄河南岸。㊽渭口：渭水入黄河之口。㊾太仓：京师粮仓。㊿缘水置仓：沿河岸设置转运粮仓。㊿转相受给：沿河各仓辗转运输。㊿沉覆：沉没翻船。㊿无不斑白：没有人不头发花白的。漕运辛苦所致。㊿扬子：扬子江，长江别名。㊿虚费：白白地多花钱。㊿船场：造船的工场。㊿遽：急速。㊿屑屑校计锱铢：斤斤计较细小的利益。屑屑，细碎。校计，盘算。锱铢，古时重量单位，二十四分之一两为一铢，六铢为一锱。锱铢喻极微小的数量。㊿异日：他日；今后。㊿咸通：唐懿宗年号（公元八六〇至八七四年）。㊿羡余：赢余。㊿脆薄：造船的木板薄而脆。㊿剧：事务繁重。

## 【校记】

［5］事虽至细：此四字原无。据章钰校，十二行本、乙十一行本皆有此四字，今据补。［6］常以养民为先：原作“以爱民为先”。据章钰校，十二行本、乙十一行本皆作“常以养民为先”，于义较长，今据改。［7］渭口：《四库全书》本《通鉴》同。上文云“江船”“汴船”“河船”，此当云“渭船”，“口”字有误。

---

【原文】

八月甲午㊷㊵，振武㊷㊶留后张光晟㊷㊷杀回纥使者董突[8]等九百余人。董突者，武义可汗之叔父也。代宗之世，九姓胡常冒回纥之名，杂居京师，殖货㊷㊸纵暴，与回纥共为公私之患。上即位，命董突尽帅其徒归国，辎重甚盛。至振武，留数月，厚求资给，日食肉千斤，他物称是㊷㊹，纵樵牧者暴践果稼㊸⓪，振武人苦之。光晟欲杀回纥，取其辎重，而畏其众强，未敢发。九姓胡闻其种族为新可汗所诛，多道亡，董突防之甚急。九姓胡不得亡，又不敢归，乃密献策于光晟，请杀回纥。光晟喜其党自离，许之。上以陕州之辱㊸①，心恨回纥。光晟知上旨，乃奏称："回纥本种非多，所辅以强者，群胡耳。今闻其自相鱼肉，顿莫贺新立，移地健㊸②有孽子，及国相、梅录㊸③各拥兵数千人相攻，国未定。彼无财则不能使其众，陛下不乘此际除之，乃归其人，与之财，正所谓借寇兵赍盗粮者㊸④也。请杀之。"三奏，上不许。光晟乃使副将过其馆门，故不为礼。董突怒，执而鞭之数十。光晟勒兵掩击，并群胡尽杀之，聚为京观㊸⑤。独留一胡，使归国为证，曰："回纥鞭辱大将，且谋袭据振武，故先事诛之。"上征光晟为右金吾将军，遣中使王嘉祥往致信币。回纥请得专杀者㊸⑥以复仇，上为之贬光晟为睦王㊸⑦傅，以慰其意。

丁未[9]，加卢龙、陇右、泾原节度使朱泚兼中书令，卢龙、陇右节度如故。以舒王谟㊸⑧为四镇、北庭行军㊸⑨、泾原节度大使，以泾州牙前兵马使㊹⓪河中姚令言㊹①为留后。谟，邈之子也，早孤，上子之。

癸丑㊹②，诏赠太后父、祖、兄、弟官，及自余宗族男女拜官封邑者告第告身㊹③，凡百二十有七通，中使以马负而赐之。

## 【语译】

八月初三日甲午，振武留后张光晟杀了回纥的使臣董突等九百多人。董突是武义可汗的叔父。在代宗朝，九姓胡经常冒充回纥的身份，杂居京城，做买卖恣纵横暴，与回纥人一起成为官府和百姓的共同祸害。当今皇上继位后，命令董突率领所有的部众返还回纥居住地，他们装载的各种物品非常多。到了振武，滞留了好几个月，要求官府大量供应钱物，每天吃肉一千斤，别的耗费也和这差不多，董突放纵砍柴和放牧的部属对果树庄稼横加践踏，振武人苦不堪言。张光晟想杀了这些回纥人，夺取他们的物资，但怕他们人多势大，不敢行动。九姓胡人听说本族的人被新可汗所杀，他们大多在途中逃亡，董突对他们严加防范。九姓胡人不能逃跑，又不敢随董突一道返回，于是秘密地向张光晟献计，请求杀死这些回纥人。张光晟非常高兴董突徒众自行分裂，便答应了九姓胡的请求。德宗因在陕州受辱，对回纥心怀痛恨。张光晟知道德宗的心意，于是上奏说："回纥中本种落的人并不多，协助回纥使之强大的，是其他种落的胡人。如今听说他们自相鱼肉，顿莫贺新立为可汗，登里可汗移地健还留有一个孽子，以及回纥国相、梅录将军各自拥有士兵几千人，相互攻杀，国中局势不稳定。他们没有财物就不能驱使自己的部下，陛下不乘此机会除掉回纥，却放回他们的人马，给予他们财物，这正所谓将兵器借给敌寇，将粮食送给盗贼。请允许我杀掉他们。"三次奏请，德宗均未允许。张光晟于是指使他的副将经过回纥使臣所住客馆门前，故意失礼。董突大怒，把这名副将抓去打了几十鞭。张光晟率兵突袭，将回纥人和其他胡人全都杀掉，把尸首堆积成高大坟丘。只留下一个胡人，让他回国为这件事做证，对这人说："回纥使臣鞭辱我大将，并且策划袭据振武，因此我们先行杀了他们。"德宗征召张光晟为右金吾将军，派遣中使王嘉祥前往回纥送达信件和钱财。回纥可汗请求得到擅自杀死董突的人以报仇，德宗为此将张光晟贬为睦王傅来安抚回纥可汗。

八月十六日丁未，朝廷给卢龙、陇右、泾原节度使朱泚加官兼中书令，仍旧担任卢龙、陇右节度使。任命舒王李谟为四镇、北庭行营、泾原节度大使，任命泾州军队中的牙前兵马使河中人姚令言为泾原留后。李谟是李邈的儿子，早年就丧父，德宗把李谟收作养子。

八月二十二日癸丑，德宗颁诏赠太后的父亲、祖父、兄弟们官职，以及给宗族中其余的男女们授官封邑，都颁给策命和委任状，共有一百二十七件，由中使用马驮着分赐给他们。

【段旨】

以上为第九段，写振武节度使张光晟杀跋扈作歹的回纥使臣而滥及经商的九姓回纥。

【注释】

[425]甲午：八月初三日。[426]振武：方镇名，唐肃宗乾元元年（公元七五八年）分朔方节度使置。治所在今内蒙古和林格尔。[427]张光晟：官至太仆卿。朱泚反唐，受伪宰相。朱泚败，被杀。传见《旧唐书》卷一百二十七。[428]殖货：做买卖。[429]它物称是：耗费的其他物品价值与上千斤的肉相等。称，相当、相等。是，代词，指上千斤的肉钱。[430]暴践果稼：粗暴地践毁果木禾稼。[431]陕州之辱：陕州治所陕县城，在今河南三门峡市西黄河南岸。陕州城对岸有河北县。代宗宝应元年（公元七六二年），时德宗李适为皇太子，兼天下兵马大元帅，借回纥之兵讨史朝义，李适会回纥登里可汗于河北城，登里可汗以叔父（唐天子与可汗约为兄弟）自居，责令李适跪拜，是为陕州之辱。[432]移地健：登里可汗之名。[433]梅录：回鹘将军之号。[434]借寇兵赍盗粮者：供兵器给敌人，送粮食给盗贼。

【原文】

九月壬午[444]，将作[445]奏宣政殿廊坏，十月魁冈[446]，未可修。上曰：“但不妨公害人，则吉矣，安问时日！”即命修之。

大历以前，赋敛出纳俸给皆无法，长吏得专之，重以元、王秉政[447]，货赂公行，天下不按赃吏[448]者殆二十年。惟江西观察使路嗣恭[449]按虔州刺史源敷翰[450]，流之。上以宣歙[451]观察使薛邕文雅旧臣，征为左丞[452]。邕去宣州[453]，盗隐[454]官物以巨万[455]计，殿中侍御史[456]员寓发之[457]。冬，十月己亥[458]，贬连山尉[459]。于是州县始畏朝典，不敢放纵。

上初即位，疏斥宦官，亲任朝士，而张涉以儒学入侍，薛邕以文雅登朝，继以赃败。宦官武将得以借口，曰：“南牙文臣[460]赃动至巨万，而谓我曹浊乱天下，岂非欺罔邪！”于是上心始疑，不知所倚仗矣。

中书舍人[461]高参请分遣诸沈[462]访求太后。庚寅[463]，以睦王述为奉迎使[464]，工部尚书[465]乔琳副之，又命诸沈四人为判官[466]，与中使分行诸语出李斯《谏逐客书》。㊺京观：聚尸堆成高大坟墓以夸耀武功。京，高丘。观，如阙形。㊻专杀者：专擅杀人者，指张光晟。㊼睦王：代宗子，德宗弟李述。传见《旧唐书》卷一百十六、《新唐书》卷八十二。㊽舒王谟：德宗弟李邈之子。李邈代宗大历八年（公元七七三年）薨，德宗抚孤，以谟为己子，更名谊，大历十四年（公元七七九年）封为舒王。传见《旧唐书》卷一百五十、《新唐书》卷八十二。㊾行军：胡三省注认为当作"行营"。㊿牙前兵马使：即衙前兵马使，藩镇所属统兵官。牙，通"衙"。(441)姚令言：官至泾原节度使，建中四年（公元七八三年）祸乱京师的主将，又拥立朱泚为帝，朱泚败，姚令言被诛杀。传见《旧唐书》卷一百二十二、《新唐书》卷二百二十五中。(442)癸丑：八月二十二日。(443)告第告身：胡三省注，"第，恐当作'策'"。告策，封爵策文。告身，拜官委任状。

【校记】

［8］董突：张敦仁《通鉴刊本识误》作"突董"。［9］丁未：此二字原无。据章钰校，十二行本、乙十一行本有此二字，今据补。丁未，八月十六日。

【语译】

九月二十一日壬午，将作监上奏称宣政殿的廊庑损坏，而十月份正值天冈、河魁禁忌，不宜兴工修建。德宗说："只要不妨碍公务、危害众人，那就是吉利，哪管是什么日子！"当即下令缮修。

大历年间以前，关于赋税收支和官吏薪俸都没有一定的章程，主管官吏得以擅自做主，再加上元载、王缙把持朝政，贿赂公行，天下将近二十年不惩治贪官污吏。只有江西观察使路嗣恭惩治了虔州刺史源敷翰，将他流放了。德宗认为宣歙观察使薛邕是温文尔雅的老臣，征召为左丞。薛邕离开宣州时，盗窃吞没官府的财物以亿万计，这件事被殿中侍御史员寓揭发出来。冬，十月初九日己亥，把薛邕贬谪为连山县尉。从此，州县官吏才开始畏惧朝廷的法典，不敢放纵。

德宗刚刚继位时，疏远排斥宦官，亲近任用朝中文官，而张涉凭借通晓儒学入侍皇帝，薛邕凭借文采优雅登上朝堂，相继以受贿贪赃落马。宦官、武将以此作为借口，说："朝臣贪赃受贿的数目动不动就高达亿万，却说我们这些人扰乱了天下，这不是欺骗蒙蔽吗！"从此德宗心中始生疑惑，不知道该依靠哪些人了。

中书舍人高参请求德宗分头派遣皇太后沈氏族人寻访太后。庚寅日，任命睦王李述为奉迎使，工部尚书乔琳为奉迎副使，又任命四位沈氏族人为判官，与中使分

道求之。

十一月，初令待制官㊼外，更引朝集使二人，访以时政得失，远人㊽疾苦。

先是，公主下嫁者，舅姑㊾拜之，妇不答。上命礼官定公主拜见舅、姑及婿之诸父、兄、姊之仪，舅、姑坐受于中堂，诸父[10]、兄、姊立受于东序⑳，如家人礼㉑。有县主㉒将嫁，择用丁丑㉓。是日，上之从父妹㉔卒，命罢之。有司奏："供张已备㉕，且殇㉖服不足废事。"上曰："尔爱其费，我爱其礼。"卒罢之。至德以来㉗，国家多事，公主、郡县主㉘多不以时嫁㉙，有华发㊀者。虽居禁中，或十年不见天子。上始引见诸宗女，尊者致敬，卑者存慰，悉命嫁之。所赍小大之物㊁，必经心目㊂。己卯、庚辰二日㊃，嫁岳阳等凡[11]十一县主㊄。

吐蕃见韦伦再至㊅，益喜。十二月辛卯朔㊆，伦还，吐蕃遣其相论钦明思等入贡。

是岁，册太子母王氏为淑妃㊇。

天下税户三百八万五千七十六，籍兵㊈七十六万八千余人，税钱一千八十九万八千余缗，谷二百一十五万七千余斛。

【段旨】

以上为第十段，写德宗和好吐蕃，嫁公主，治职弊，此时天下户口繁息，国库充盈。

【注释】

㊹壬午：九月二十一日。㊺将作：即将作监，掌宫殿陵寝等工程，长官为将作令、将作大监。㊻魁冈：阴阳家的禁忌，有天冈、河魁。凡属魁冈之月则忌建作。胡三省注引史炤曰："魁冈者，北斗魁星之气，十月在戌，为魁冈。"又引宋白曰："阴阳氏书，谓是岁孟冬为魁冈，不利修作。"㊼元王秉政：指大历宰相元载、王缙当权之时。㊽不按赃吏：不检举纠治贪官。按，揭发惩治。㊾路嗣恭：字懿范，京兆三原（今陕西富平西南）人，仕代宗、德宗两朝，历官江西观察使、岭南节度使、河阳三城节度使、东都畿

行诸道寻访沈太后。

十一月，朝廷首次命令除待制官以外，另外任用两名朝集使，访询朝政得失，以及边远地区民众的疾苦。

此前，公主下嫁到丈夫家的，公婆向新媳妇下拜，新媳妇不需回礼。德宗命令礼官制定公主下嫁夫家时拜见公婆和丈夫的父辈、哥哥、姐姐们的礼仪，规定公婆坐在中堂受礼，丈夫的父辈、哥哥、姐姐站在中堂东边接受行礼，如同百姓家人之礼。有位县主即将出嫁，选择的吉日为十一月十七日丁丑。这一天，德宗的堂妹去世，命令暂停婚礼。主管官员奏称："所有的陈设都已安置齐全，而且未成年的丧事不足以废止婚事。"德宗说："你爱惜花费，我爱惜的是礼仪。"最终还是取消了婚礼。从至德年间以来，国家多事，公主、郡主、县主大多不能够适龄出嫁，有的头发都花白了。虽然居住宫中，有的十年也见不到天子。德宗开始接见各位宗室女性，对辈分高、年龄大的，便致以敬意，对辈分低、年纪轻的，便表示安慰，命令她们全部出嫁。她们陪嫁的大小物件，德宗一定精心过目。十一月十九日己卯、二十日庚辰两天，嫁出岳阳等总共十一位县主。

吐蕃首领见韦伦再次以唐使身份来到吐蕃，更加高兴。十二月初一日辛卯，韦伦回国，吐蕃首领派遣国相论钦明思等入朝进贡。

这一年，册封皇太子的生母王氏为淑妃。

全国本年的纳税户有三百零八万五千零七十六户，在籍士兵有七十六万八千余人，税钱有一千零八十九万八千余缗，谷物有二百一十五万七千余斛。

---

观察使等职。传见《旧唐书》卷一百二十二、《新唐书》卷一百三十八。㊿源敷翰：人名，源氏贵族后裔。《新唐书》卷七十五《宰相世系表》作源敷幹。㉛宣歙：方镇名，唐肃宗乾元元年（公元七五八年）置。治所宣城，在今安徽宣城。㉜左丞：官名，尚书仆射副手，有左右丞，分别总领尚书六部事务。左丞领吏、户、礼三部，右丞领兵、刑、工三部。㉝宣州：州名，治所宣城。㉞盗隐：盗窃吞没。㉟巨万：犹言万万，形容数目巨大。㊱殿中侍御史：官名，唐制，御史台设殿中侍御史六员，掌殿廷礼仪。㊲员寓发之：员寓检举揭发了薛邕盗窃公物的事。㊳己亥：十月初九日。㊴连山尉：连山县尉，掌县兵、捕盗等事。连山，县名，县治在今广东连州西南。㊵南牙文臣：泛指朝官。唐代宦官居长安城北，朝廷官署省、台、寺、监均设在宫城之南的皇城内，总称南衙或南司。后来宦官权重，所处之北司与南衙对抗，史书对举南衙北司。牙，通"衙"。㊶中书舍人：官名，中书省属官，定员六人，分掌诏书制诰。㊷诸沈：沈皇太后外家。㊸庚寅：十月辛卯朔，无庚寅。庚寅，十一月三十日。㊹奉迎使：使职名，专事访求沈太后，又称奉

迎太后使。[465]工部尚书：官名，尚书省工部长官，掌天下百工屯田山泽之政。[466]判官：掌理文书之官。唐制，凡派出处理特殊政务之官，以及节度、观察等使皆例置判官。[467]待制官：唐太宗即位，命京官五品以上，更宿中书、门下两省，以备访问，称待制官。德宗即位初，崔祐甫为相，建议文官一品以上更值待制。其后著于令，正衙待制官日二人。[468]远人：边远地区之人。[469]舅姑：夫婿父母称舅、姑。[470]东序：中堂东侧。[471]家人礼：百姓家人之礼；按血缘伦理关系施礼。[472]县主：唐制，亲王之女封县主。[473]择用丁丑：择用吉日出嫁，是日为丁丑。丁丑，十一月十七日。[474]从父妹：堂妹。从父，叔父。[475]供张已备：指县主出嫁的酒席与礼仪已具办。[476]殇：早死。年十九至十六岁死为长殇，十五至十二岁死为中殇，十一至八岁死为下殇。[477]至德以来：谓安史之乱以来。至德元载（公元七五六年），安史之乱起。[478]公主、郡县主：皇帝之女封公主，太子之女封郡主，诸侯王之女封县主。[479]不以时嫁：当嫁之年，不能出嫁。[480]华发：白发。[481]所赍小大之物：所陪嫁的大小物品，即嫁妆。赍，送物与人。[482]必经心目：一定经心过目。[483]己卯、庚辰二日：十一月十九日、二十日两天。[484]嫁岳阳等凡十一县主：据《旧唐书》

---

**【原文】**

## 二年（辛酉，公元七八一年）

春，正月戊辰[489]，成德[490]节度使李宝臣[491]薨。宝臣欲以军府[492]传其子行军司马[493]惟岳[494]，以其年少暗弱，豫诛[495]诸将之难制者深州[496]刺史张献诚[497]等，至有十余人同日死者。宝臣召易州[498]刺史张孝忠[499]，孝忠不往，使其弟孝节召之。孝忠使孝节谓宝臣曰："诸将何罪，连颈受戮！孝忠惧死，不敢往，亦不敢叛，正如公不入朝之意耳。"孝节泣曰："如此，孝节必死。"孝忠曰："往则并命[500]，我在此，必不敢杀汝。"遂归，宝臣亦不之罪也。兵马使[501]王武俊[502]位卑而有勇，故宝臣特亲爱之，以女妻其子士真，士真复厚结其左右，故孝忠、武俊独全。

及薨，孔目官[503]胡震、家僮王他奴劝惟岳匿丧二十余日，诈为宝臣表，求令惟岳继袭。上不许，遣给事中[504]汲人班宏[505]往问宝臣疾，且谕之。惟岳厚赂宏，宏不受，还报。惟岳乃发丧，自为留后，使将佐共奏求旌节[506]，上又不许。

初，宝臣与李正己、田承嗣、梁崇义相结[507]，期以土地传之子孙。

卷十二《德宗纪上》及卷一百五十《德宗顺宗诸子传》，十一位县主为岳阳、信宁、宜芳、永顺、朗陵、阳安、襄成、德清、南华、元城、新乡。㊽吐蕃见韦伦再至：是年五月，韦伦再使吐蕃。㊾辛卯朔：十二月初一日。㊿册太子母王氏为淑妃：太子母王氏，即唐顺宗李诵之母，贞元三年（公元七八七年）进位为皇后。传见《旧唐书》卷五十二、《新唐书》卷七十七。册，通“策”，即策封。淑妃，嫔妃之号，位次皇后。488籍兵：著于兵籍之兵。

【校记】

［10］诸父：此二字原脱。据章钰校，十二行本、乙十一行本皆有此二字，张瑛《通鉴校勘记》同，今据补。〖按〗据上文“婿之诸父、兄、姊之仪”云云，此处当有“诸父”二字。［11］凡：原误作“九”，形近致讹。据章钰校，十二行本、乙十一行本皆作“凡”，今据校正。

---

【语译】

**二年（辛酉，公元七八一年）**

春，正月初九日戊辰，成德节度使李宝臣去世。李宝臣打算将节度使的职权传给他的儿子行军司马李惟岳，因为儿子年轻庸弱，便先杀了属下将领中难以控制的深州刺史张献诚等人，甚至有十几个将领在同一天被杀死。李宝臣召易州刺史张孝忠回恒州，张孝忠不来，便派张孝忠的弟弟张孝节去召请。张孝忠让孝节对李宝臣说：“各位将领有什么罪，把他们一起杀戮！我张孝忠怕死，不敢前往，也不敢背叛，正如您不入朝晋见皇帝的想法一样。”张孝节哭着说：“这样一来，我一定会死。”张孝忠说：“我要前去，我们俩一同丧命，我留在这里，李宝臣一定不敢杀你。”于是张孝节返回恒州，李宝臣也没有降罪张孝节。兵马使王武俊这个人，地位卑微但十分勇武，所以李宝臣特别亲近喜爱他，把自己的女儿嫁给他的儿子王士真为妻，王士真又深交李宝臣身边的亲信，所以唯独张孝忠、王武俊两人保全了性命。

等到李宝臣死时，孔目官胡震和李氏家仆王他奴劝李惟岳秘不发丧二十余天，伪托李宝臣的奏表，请求让李惟岳承袭节度使的职位。德宗不同意，派遣给事中汲县人班宏前往恒州探视李宝臣的病情，并晓以大义。李惟岳用重礼贿赂班宏，班宏不接受，返回朝廷上报情况。李惟岳这才发丧，自封为留后，指使属下将官僚佐一起上奏求取节度使旌节，德宗又没有同意。

当初，李宝臣与李正己、田承嗣、梁崇义互相结为同党，希望把辖地传给子孙。

故承嗣之死[508]，宝臣力为之请于朝[509]，使以节授田悦，代宗从之。悦初袭位，事朝廷礼甚恭，河东[510]节度使马燧[511]表其必反，请先为备。至是悦屡为惟岳请继袭，上欲革前弊，不许。或谏曰："惟岳已据父业，不因而命之，必为乱。"上曰："贼本无资[512]以为乱，皆藉我土地，假我位号，以聚其众耳。向日[513]因其所欲而命之多矣，而乱日益滋，是爵命不足以已乱[514]而适足以长乱也。然则惟岳必为乱，命[515]与不命等耳。"竟不许。悦乃与李正己各遣使诣惟岳，潜谋勒兵拒命。

魏博节度副使田庭玠谓悦曰："尔藉伯父遗业，但谨事朝廷，坐享富贵，不亦善乎！奈何无故与恒、郓[516]共为叛臣！尔观兵兴以来，逆乱者谁能保其家乎？必欲行尔之志，可先杀我，无使我见田氏之族灭也。"因称病卧家。悦自往谢之，庭玠闭门不内，竟以忧卒。

成德判官邵真[517]闻李惟岳之谋，泣谏曰："先相公受国厚恩，大夫[518]衰绖[519]之中，遽欲负国，此甚不可。"劝惟岳执李正己使者送京师，且请讨之，曰："如此，朝廷嘉大夫之忠，则旄节庶几可得。"惟岳然之，使真草奏。长史[520]毕华曰："先公与二道结好二十余年，奈何一旦弃之！且虽执其使，朝廷未必见信。正己忽来袭我，孤军无援，何以待之！"惟岳又从之。

前定州[521]刺史谷从政[522]，惟岳之舅也，有胆略，颇读书，王武俊等皆敬惮之，为宝臣所忌，从政乃称病杜门[523]。惟岳亦忌之，不与图事，日夜独与胡震、王他奴等计议，多散金帛以悦将士。从政往见惟岳曰："今海内无事，自上国[524]来者，皆言天子聪明英武，志欲致太平，深不欲诸侯子孙专地。尔今首违诏命，天子必遣诸道致讨。将士受赏之际[12]，皆言为大夫尽死，苟一战不胜，各惜其生，谁不离心！大将有权者，乘危伺便[525]，咸思取尔以自为功矣。且先相公所杀高班大将[526]，殆[527]以百数，挠败[528]之际，其子弟欲复仇者，庸[529]可数乎？又相公与幽州[530]有隙，朱滔兄弟常切齿[531]于我，今天子必以为将。滔与吾击柝相闻[532]，计其闻命疾驱，若虎狼之得兽也，何以当之！昔田承嗣从安、

因此田承嗣死后，李宝臣为田承嗣全力向朝廷请求，让代宗把节度使职授给田悦，代宗依了李宝臣。田悦刚承袭节度使时，侍奉朝廷之礼非常恭顺，河东节度使马燧上表朝廷，认为田悦一定会反叛，请求事先加以防备。到这时，田悦屡次请求朝廷让李惟岳承袭节度使，德宗想革除以前的弊政，不同意他的请求。有人劝谏德宗说："李惟岳事实上已经据有了他父亲的权势，不顺势任命他，他一定会叛乱。"德宗说："叛贼们本来没有什么资本来反叛朝廷，都是借我的土地，借我所赐的权位与名号，来聚集他们的党羽罢了。从前为顺从他们的欲望而任命的事很多，可是混乱的时间更长了，这是授命封爵不足以阻止祸乱，反而会助长祸乱。既然李惟岳必定要反叛，任命与不任命他都一样。"最后还是没有同意。田悦便与李正己各自派出使者前往李惟岳那儿，暗中策划率兵抗拒朝廷的命令。

魏博节度副使田庭玠对田悦说："你凭借伯父田承嗣的遗业，只是恭谨地侍奉朝廷，坐享荣华富贵，不也是很好的吗！为何无缘无故地与成德节度使、淄青节度使共同去当叛臣！你看自战乱发生以来，反叛朝廷的谁能保全他的家庭呢？你一定要按照你的想法行动，可以先杀我，不要让我看到田氏被灭族。"于是称病卧床在家。田悦亲自前往田庭玠家认错，田庭玠闭门拒见，最终因忧虑过度而死。

成德判官邵真得悉李惟岳的计划，流着眼泪规劝李惟岳说："你的先公蒙受国家的厚恩，而你正在居丧期间，立刻就想要背叛朝廷，这样做极为不妥。"劝李惟岳把李正己的使者抓起来送交朝廷，并请求朝廷让自己讨伐李正己，说："这样，朝廷嘉许你的忠诚，而节度使的旌节差不多可以得到。"李惟岳赞成邵真的说法，就让邵真草拟奏章。长史毕华说："先公与成德、淄青二道结好二十多年，怎能一旦之间抛弃他们！而且即使抓了他们的来使，朝廷也未必信任你。李正己突然前来袭击我们，我们孤军无援，用什么来对付呢！"李惟岳又听从了毕华的意见。

前定州刺史谷从政，是李惟岳的舅父，有胆有谋，读过很多书，王武俊等人都敬畏他，因而被李宝臣所嫉恨，谷从政于是称病闭门不出。李惟岳也嫉恨谷从政，不同他商量事情，日夜只与胡震、王他奴等商议，在将士身上大把花钱以取悦他们。谷从政去见李惟岳，说："当今天下平安无事，从京城来的人，都说皇帝聪明英武，立志要做到天下太平，非常不希望各地诸侯的子孙割地专权。你现在第一个违抗诏令，皇帝一定会派遣各道大军前来讨伐。你的将士受赏之际，都说要为你拼死效力，假如一仗不能取胜，他们各自吝惜自己的生命，谁不与你离心离德！有权的大将，乘情况危急，窥伺有利机会，都想取得你的头来使自己立功。而且先公所杀的那些高级将领，大约数以百计，在你遭受挫败的时候，他们的子弟想复仇的，岂能计数？还有，先公与幽州留后朱滔有矛盾，朱滔兄弟时时对我们咬牙切齿，当今皇上必定选朱滔为主将率兵前来。朱滔与我们更声相闻，料想朱滔接到命令就会快速赶来，就像虎狼捕捉猎物一样，我们如何抵御！往年田承嗣追随安禄山、史思明

史父子同反，身经百战，凶悍闻于天下，违诏举兵，自谓无敌。及卢子期就擒，吴希光归国㉝，承嗣指天垂泣，身无所措。赖先相公按兵不进，且为之祈请，先帝㉞宽仁，赦而不诛，不然，田氏岂有种乎！况尔生长富贵，齿发尚少，不更艰危，乃信左右之言，欲效承嗣所为乎！为尔之计，不若辞谢将佐，使惟诚㉟摄领军府㊱，身自入朝，乞留宿卫㊲，因言惟诚且留摄事，恩命决于圣志㊳。上必悦尔忠义，纵无大位，不失荣禄，永无忧矣。不然，大祸将至，悔之何及[13]。吾亦知尔素疏忌我，顾以舅甥之情，事急，不得不言耳！”惟岳及左右[14]见其言切㊴，益恶之。从政乃复归，杜门称病。惟诚者，惟岳之庶兄也，谦厚㊵好书，得众心，其母妹为李正己子妇㊶。是日，惟岳送惟诚于正己，正己使复姓张㊷，遂仕淄青。惟岳遣王他奴诣从政家，察其起居，从政饮药而卒。且死，曰：“吾不惮死，哀张氏今族灭矣！”

刘文喜之死也，李正己、田悦等皆不自安。刘晏死，正己等益惧，相谓曰㊸：“我辈罪恶，岂得与刘晏比乎！”会汴州城隘㊹，广之㊺，东方人讹言㊻：“上欲东封㊼，故城汴州。”正己惧，发兵万人屯曹州㊽。田悦亦完聚㊾为备，与梁崇义、李惟岳遥相应助，河南士民骚然惊骇。

永平㊿旧领汴、宋、滑、亳、陈、颍、泗七州，丙子[551]，分宋、亳、颍别为节度使[552]，以宋州刺史刘洽[553]为之。以泗州[554]隶淮南[555]，又以东都[556]留守[557]路嗣恭为怀、郑、汝、陕四州，河阳[558]三城节度使。旬日[559]，又以永平节度使李勉[560]都统洽、嗣恭二道，仍割郑州[561]隶之，选尝为将者为诸州刺史，以备正己等。

**【段旨】**

以上为第十一段，写成德、魏博、淄青、襄州等四镇勾结要维护节度世袭制，德宗要革除积弊，因李宝臣之死为导火索，加深朝廷与四镇之间的矛盾，双方备战，大战一触即发。

父子一起反叛，身经百战，以凶悍闻名天下，违抗诏命起兵，自以为天下无敌。等到卢子期束手就擒，吴希光归附朝廷，田承嗣仰天垂泣，无立身之地。全靠先公按兵不进，并且为他祈请朝廷，先皇帝宽厚仁慈，赦免而不杀他，不然，田氏哪还有后嗣啊！何况你生长在荣华富贵中，年龄还小，没有经历过艰难困危，就相信左右亲信的话，打算效仿田承嗣的行为吗！为你筹划，不如告别你的将领、僚属，让你兄长李惟诚代理成德节度使，自己赴京入朝，请求留在京城宿卫，乘机说明李惟诚是暂时代理职务，任命谁做节度使，取决于皇帝。皇帝对你的忠义一定会感到高兴，即使你没有高官，也不会失去荣耀禄位，永远无忧。否则，大祸即将临头，后悔也来不及了。我也知道你一贯疏远、嫉恨我，但以舅甥情分，事情危急，我不得不说这些话！”李惟岳和他身边人见谷从政说得直切，更加厌恶他。于是谷从政又回到家里，闭门称病不出。李惟诚是李惟岳同父异母的庶出兄长，为人谦厚，爱好读书，深得民心，同母异父的妹妹是李正己的儿媳。当天，李惟岳将李惟诚送往李正己那里，李正己让惟诚恢复张姓，于是李惟诚留在淄青为官。李惟岳派王他奴到谷从政家，观察他的生活起居，谷从政喝毒药死去。他在快要死时，说：“我不怕死，是哀伤张氏今天要被灭族了！”

刘文喜死时，李正己、田悦等人都感到不安。刘晏被赐死，李正己等人更加害怕，李正己与田悦互相通话说：“我们这些人的罪恶，哪能与刘晏相提并论呢！”正好汴州城狭窄，加以扩建，京东人散布谣言说：“皇上想扩展对东边疆域的控制，所以扩建汴州城。”李正己恐惧，调动军队一万人屯驻曹州。田悦也修整城池，集中兵马，进行防备，与梁崇义、李惟岳遥相呼应，河南士民百姓骚动，惊恐不已。

永平军原来统辖汴、宋、滑、亳、陈、颍、泗七州，正月十七日丙子，朝廷把宋州、亳州、颍州分出来另设节度使，任命宋州刺史刘洽为节度使。把泗州隶属淮南军，又任命东都留守路嗣恭为怀州、郑州、汝州、陕州等四州及河阳等三城的节度使。旬日之内，又派永平节度使李勉统领刘洽、路嗣恭管辖的两道，还分出郑州隶属李勉，选择曾经当过将领的人担任上述各州的刺史，用来防备李正己等人。

---

【注释】

⑷⑻⑼ 戊辰：正月初九日。⑷⑼⓪ 成德：方镇名，唐代宗宝应二年（公元七六三年）置，辖恒、赵、深、定、易五州。治所恒州，在今河北正定。⑷⑼① 李宝臣（公元七一八至七八一年）：字为辅，本范阳内属奚人，原名张忠志，安禄山旧将。归唐后赐姓及名为李宝臣，封赵国公，为成德军节度使。传见《旧唐书》卷一百四十二、《新唐书》卷二百十一。⑷⑼② 军

府：指成德军节度使府。⑷⑼⑶ 行军司马：节度使主要属官，掌本镇军符号令、军籍、兵械、粮廪等事，权任甚重。德宗以后，常继任节度使。⑷⑼⑷ 惟岳：李宝臣子，与其父同传。⑷⑼⑸ 豫诛：诸将未叛而事先诛之。⑷⑼⑹ 深州：州名，治所陆泽，在今河北深州。⑷⑼⑺ 张献诚：张守珪之子，官至山南西道节度使兼剑南东川节度使，病卒。两《唐书》有传。据本传，张献诚非李宝臣所杀，所杀大将为辛忠义、卢俶、定州刺史张南容、赵州刺史张彭老、许崇俊等二十余人。⑷⑼⑻ 易州：州名，治所易县，在今河北易县。⑷⑼⑼ 张孝忠（公元七二九至七九〇年）：为李宝臣将。李惟岳反，张孝忠归唐为义武军节度使。传见《旧唐书》卷一百四十一、《新唐书》卷一百四十八。⑸⑽⑽ 并命：一同丧命。⑸⑽⑴ 兵马使：节度使府总兵官。⑸⑽⑵ 王武俊（公元七三五至八〇一年）：字符英，李宝臣部将。后杀李惟岳归唐，官至幽州、卢龙节度使。传见《旧唐书》卷一百四十二、《新唐书》卷二百十一。⑸⑽⑶ 孔目官：职掌文书档案的官员。⑸⑽⑷ 给事中：官名，门下省属官，掌封驳审议。⑸⑽⑸ 班宏：卫州汲（今河南卫辉）人，官至户部尚书、度支使。传见《旧唐书》卷一百二十三、《新唐书》卷一百四十九。⑸⑽⑹ 求旌节：请求予以节度使之旌旗符节。⑸⑽⑺ 相结：互相结成同党。两《唐书》李宝臣本传载，李宝臣与田承嗣、李正己、梁崇义等互相结为婚姻，相连为表里，共同对抗朝廷，维护传子制。李正己，淄青节度使。田承嗣，魏博节度使。梁崇义，襄州节度使，镇襄阳。⑸⑽⑻ 承嗣之死：事在代宗大历十四年（公元七七九年），遗命由其侄田悦继魏博节度使。⑸⑽⑼ 宝臣力为之请于朝：李宝臣力请朝廷正式任命田悦为魏博节度使，代宗许诺，于是开节度使传子的先例。⑸⑴⑽ 河东：方镇名，唐玄宗开元十八年（公元七三〇年）改太原以北诸军节度使为河东节度使。治所太原府，在今山西太原。⑸⑴⑴ 马燧（公元七二四至七九三年）：字洵美，中唐名将，平定河北诸镇的主将。官至河东节度使，封北平郡王。传见《旧唐书》卷一百三十四、《新唐书》卷一百五十五。⑸⑴⑵ 资：凭借；资本。下文“藉”“假”，与“资”同义。⑸⑴⑶ 向日：先前。⑸⑴⑷ 已乱：止乱。⑸⑴⑸ 命：任命。⑸⑴⑹ 恒、郓：州名，代指成德、淄青两镇。恒州为成德军节度使治所，郓州为淄青节度使治所。⑸⑴⑺ 邵真：谏惟岳而死。传见《旧唐书》卷一百八十七下《忠义传》。⑸⑴⑻ 大夫：对李惟岳之敬称。⑸⑴⑼ 衰绖：子为父服丧。衰，丧服。绖，服丧所披之麻。⑸⑵⑽ 长史：藩镇幕僚长，掌理日常事务。⑸⑵⑴ 定州：州名，治所在今河北定州。⑸⑵⑵ 谷从政：任定州刺史，封清江郡王，谏惟岳不听，仰药死。传见《新唐书》卷一百九十八。⑸⑵⑶ 杜门：闭门不出。⑸⑵⑷ 上国：指京师。当时藩镇割据，自比古诸侯，谓京师为上国。⑸⑵⑸ 乘危伺便：趁危难之时伺机取方便。谓乘机夺权，出卖李惟岳以为功。⑸⑵⑹ 高班大将：高级上将。⑸⑵⑺ 殆：大略；差不多。⑸⑵⑻ 挠败：挫败。⑸⑵⑼ 庸：岂；难道。⑸⑶⑽ 幽州：此指代幽州节度使朱滔。代宗大历十年（公元七七五年），李宝臣袭幽州，结怨朱泚、朱滔兄弟。㉛切齿：痛恨之极。㉜击柝相闻：打更之声互相听闻。谓成德与幽州两镇相邻。㉝卢子期就擒二句：卢子期、吴希光皆田承嗣之将。大历十年（公元七七五年），田承嗣叛唐，遣卢子期攻磁州，兵败被擒；吴希光又以瀛州归国。田承嗣始惧，请罪自新。㉞先帝：指代宗。㉟惟诚：李惟岳异母兄。㊱摄领军府：代领成德军节度府。摄，临时代理。㊲宿卫：为皇帝侍从。㊳决于圣志：由皇上按自己的心意来决断。㊴切：直切。㊵谦厚：谦虚宽厚。㊶为李正己子妇：为李正己的儿媳。李正己子名李纳。㊷复姓张：李宝臣本名张忠志。故下文谷从政亦曰："哀张氏今族灭矣。"㊸相谓曰：李正己与田悦派人互相通话。㊹汴州城隘：汴州城狭小。汴州城，即浚仪城，为汴州治所，即今河南开封。㊺广之：加宽加高汴州城墙。㊻讹言：错误之流言。㊼东封：向东开拓封疆。封，疆土，用作动词，使之成为疆内之地。㊽曹州：州名，属淄青节度，与汴州相邻。治所济阴，在今山东菏泽市定陶区西。㊾完聚：修缮城郭，集中百姓。㊿永平：方镇名，唐代宗大历七年（公元七七二年）赐号滑亳节度使为永平军节度使，领滑、亳、陈三州，大历十一年（公元七七六年）增领宋、泗二州，大历十四年（公元七七九年）增领汴、颍二州，共七州。治所从滑州移治汴州。至是，又加析置。551丙子：正月十七日。552分宋、亳、颍别为节度使：分永平军宋、亳、颍三州置宋亳颍节度使，治所宋州，在今河南商丘。553刘洽：又名刘玄佐。传见《旧唐书》卷一百四十五、《新唐书》卷二百十四。554泗州：州名，治所临淮，在今江苏盱眙。555淮南：方镇名，唐肃宗至德元载（公元七五六年）置。治所扬州，在今江苏扬州。556东都：洛阳。557留守：官名，陪都洛阳最高行政长官。558河阳：方镇名，全称河阳三城节度使，领孟、怀二州，治所孟州河阳城，在今河南孟州。河阳，地处要冲，为唐军事重镇，筑南、北、中三城，故称河阳三城。559旬日：十日。这里用来表示时间短，犹言几天之内、旬日之内。560李勉：封汧国公。传见《旧唐书》卷一百三十一、《新唐书》卷一百三十一。561郑州：州名，在今河南郑州。

## 【校记】

[12]之际：原无此二字。据章钰校，十二行本、乙十一行本皆有此二字，张敦仁《通鉴刊本识误》、张瑛《通鉴校勘记》同，今据补。[13]大祸将至，悔之何及：此二句原作"大祸将及"。据章钰校，十二行本、乙十一行本皆作"大祸将至，悔之何及"，张敦仁《通鉴刊本识误》、张瑛《通鉴校勘记》同，今据校补。[14]及左右：原无此三字。据章钰校，十二行本、乙十一行本皆有此三字，张敦仁《通鉴刊本识误》同，今据补。

【原文】

初，高力士有养女嫠居[562]东京，颇能言宫中事。女官李真一意其为沈太后，诣使者[563]具言其状。上闻之，惊喜。时沈氏故老已尽，无识太后者。上遣宦官、宫人往验视之，年状颇同。宦官、宫人不审识[564]太后，皆言是。高氏辞称实非太后，验视者益疑之，强迎入上阳宫[565]。上发宫女百余人，赍乘舆服御物[566]就上阳宫供奉。左右诱谕百方，高氏心动，乃自言是。验视者走马入奏[567]，上大喜。二月辛卯[568]，上以偶日[569]御殿，群臣皆入贺。诏有司草仪奉迎[570]。高氏弟承悦在长安，恐不言，久获罪，遽自言本末。上命力士养孙樊景超往覆视，景超见高氏居内殿，以太后自处，左右侍卫甚严。景超谓高氏曰："姑何自置身于俎[571]上！"左右叱景超使下。景超抗声[572]曰："有诏，太后诈伪，左右可下。"左右皆下殿。高氏乃曰："吾为人所强，非己出也。"以牛车载还其家[573]。上恐后人不复敢言太后，皆不之罪，曰："吾宁受百欺，庶几得之。"自是四方称得太后者数四，皆非是，而真太后竟不知所之[574]。

【段旨】

以上为第十二段，写德宗千方百计寻找生母沈太后，高力士养女几乎被强行冒名顶替。

【注释】

[562]嫠居：寡居。[563]使者：指上年所遣寻访沈太后的奉迎使。[564]审识：详识；熟识。[565]上

【原文】

御史中丞卢杞[575]，奕[576]之子也，貌丑，色如蓝，有口辩[577]。上悦之，

【语译】

当初，高力士有个养女寡居在东京洛阳，很能说些皇宫中的事情。女官李真一怀疑她是沈太后，就到奉迎使那里详细地讲了这一情况。德宗听到消息，又惊又喜。当时沈家同太后有交往的长辈们都去世了，没有认识太后的人。德宗派遣宦官、宫人前往洛阳审验，年龄和容貌都很相似。宦官和宫女不认识真太后，都说这人就是太后。高氏推却说自己确实不是太后，审验的人更加怀疑而不信她的话，强行把她迎进上阳宫。德宗派了一百多名宫女，备办车舆、衣服和各种皇室用的东西到上阳宫供奉她。左右侍从千方百计地诱导劝谕她，高氏动心了，就自称是太后。负责审验的人快马入朝奏报，德宗非常高兴。二月初二日辛卯，德宗在双日登殿临朝，文武群臣都入朝祝贺。德宗下令有关官署拟定礼仪来奉迎皇太后。高氏的弟弟高承悦在长安，担心不说出真情，天长日久要获罪，自己马上说明了此事的前后经过。德宗命令高力士的养孙樊景超前往洛阳复查，樊景超看见高氏住在内殿，以皇太后的身份自居，左右侍从警卫森严。樊景超对高氏说："姑妈您为什么自己置身于刀俎之上！"侍卫大声呵斥樊景超让他下去。樊景超大声说："皇帝有诏令，皇太后是欺诈冒充的，侍卫可以退下。"侍卫全都退下大殿。高氏便说："我是被人强迫的，不是我自己要这样做的。"樊景超用牛车把高氏载回家里。德宗担心以后人们不再敢说寻找太后，对所有的人员都不怪罪。德宗说："我宁愿受一百次蒙骗，也许有一次真能找到太后。"从此以后各地声称找到太后的事情有好几次，但都不是，而真太后最终也不知道去哪里了。

---

阳宫：洛阳宫名，唐高宗时兴建。566 赍乘舆服御物：送来皇帝所用的专车、服饰、器用物。567 走马入奏：跑马入宫奏报德宗。568 辛卯：二月初二日。569 偶日：双日。唐制，天子以单日受朝贺，今喜得太后，故以双日二月初二上殿受朝贺。570 草仪奉迎：起草迎接太后的礼仪。571 俎：刀砧板。高氏诈称太后，如置身刀砧板上。572 抗声：高声。573 以牛车载还其家：用牛车载，以示贫贱。574 所之：所往。

---

【语译】

御史中丞卢杞是卢奕的儿子，相貌丑陋，面色深青，能言善辩。德宗喜欢他，

丁未[578]，擢为大夫[579]，领京畿观察使。郭子仪每见宾客，姬妾不离侧。杞尝往问疾，子仪悉屏[580]侍妾，独隐几[581]待之。或问其故，子仪曰："杞貌陋[582]而心险[583]，妇人辈见之必笑。他日杞得志，吾族无类[584]矣。"

杨炎既杀刘晏，朝野侧目。李正己累表请晏罪[585]，讥斥朝廷。炎惧，遣腹心分诣诸道，以宣慰为名，实使之密谕节度使云："晏昔朋附奸邪，请立独孤后，上自恶而杀之。"上闻而恶之，由是有诛炎之志，隐而未发。乙巳[586]，迁炎为中书侍郎，擢卢杞为门下侍郎，并同平章事，不专任炎[587]矣。杞蕞陋[588]，无文学[589]，炎轻之，多托疾不与会食[590]，杞亦恨之。杞阴狡[591]，欲起势立威，小不附者必欲置之死地，引太常博士[592]裴延龄[593]为集贤殿直学士，亲任之。

丙午[594]，更汴宋军曰宣武。

振武节度使彭令芳苛虐，监军刘惠光贪婪，乙卯[595]，军士共杀之。

发京西防秋兵[596]万二千人戍关东。上御望春楼[597]宴劳将士，神策军士独不饮。上使诘[598]之，其将杨惠元对曰："臣等发奉天，军帅张巨济戒之曰：'此行大建功名，凯还之日，相与为欢[599]。苟未捷，勿饮酒[15]。'故不敢奉诏。"及行，有司缘道[600]设酒食，独惠元所部瓶罂不发[601]。上深叹美，赐书劳之。惠元，平州[602]人也。

三月，置滁州于郾城[603]。

辛巳[604]，以汾州[605]刺史王翃为振武军使，镇北、绥、银等州留后。

遣殿中少监[606]崔汉衡[607]使于吐蕃。

梁崇义[608]虽与李正己等连结，兵势寡弱，礼数最恭。或劝其入朝，崇义曰："来公[609]有大功于国，上元[610]中为阉宦所谗，迁延稽命[611]。及代宗嗣位，不俟驾入朝，犹不免族诛。吾岁久衅积[612]，何可往也！"淮宁[613]节度使李希烈[614]屡请讨之，崇义惧，益修武备。流人郭昔[615]告崇义为变，崇义闻之，请罪，上为之杖昔，远流之，使金部员外郎[616]李舟诣襄州[617]谕旨以安之。舟尝奉使诣刘文喜，为陈祸福，文喜囚之，

二月十八日丁未，卢杞被提拔为御史大夫，兼任京畿观察使。郭子仪每次会见宾客，姬妾不离身边。卢杞曾经去郭子仪那里探视病情，郭子仪让所有的侍妾都回避，独自靠在几案后接待卢杞。有人问他缘故，郭子仪说："卢杞相貌丑陋而内心险恶，妇人们见了他定会讥笑。有朝一日卢杞得志，我们郭家就没有人能活命了。"

杨炎杀死刘晏以后，朝野官员都不敢正视杨炎。李正己屡次上表请问朝廷刘晏有何罪名，对朝廷讽刺指责。杨炎很害怕，派遣心腹分别前往各道，借宣抚安慰的名义，实际上是让他们暗中告诉节度使说："刘晏以前朋比为奸，请立独孤氏做皇后，是皇帝自己恨刘晏而将他杀了。"德宗知道此事后非常厌恶杨炎，由此有了除掉杨炎的想法，想法藏在心里没有发作。二月十六日乙巳，将杨炎调任中书侍郎，提拔卢杞为门下侍郎，给两人都授予同平章事的头衔，不再只专门任用杨炎了。卢杞身矮貌丑，没有经学学识，杨炎瞧不起他，经常假称有病而不同卢杞一起进餐，卢杞也痛恨杨炎。卢杞阴毒狡猾，想发展自己的势力，建立自己的威望，稍有不顺从他的人，一定想法置之死地。卢杞推荐太常博士裴延龄为集贤殿直学士，对他亲近信任。

二月十七日丙午，改称汴宋军为宣武军。

振武节度使彭令芳苛刻暴虐，监军刘惠光为人贪婪，二十六日乙卯，军士们一齐杀了这两个人。

调动驻扎在京西的防秋士兵一万二千人戍守关东。德宗亲临望春楼设宴慰劳将士，唯独神策军将士们不喝酒。德宗派人查问原因，神策军将领杨惠元回答说："我们从奉天出发时，军帅张巨济告诫我们说：'这次出兵如果能大建功名，凯旋那天，我们共同欢庆。如果没有获胜，不要饮酒。'所以不敢奉诏饮酒。"等到部队出发，有关官署沿途摆设酒食，只有杨惠元所部不打开酒坛。德宗大为赞赏，亲笔写信慰问。杨惠元，是平州人。

三月，在郾城设置溵州。

二十二日辛巳，任命汾州刺史王翃为振武军使和镇北、绥、银等州留后。

派遣殿中少监崔汉衡出使吐蕃。

梁崇义虽然与李正己等人相互联合，但因兵少势弱，对朝廷的礼数最为恭顺。有人劝梁崇义入京朝见德宗，梁崇义说："来瑱公对国家立有大功，上元年间被宦官谗言诬陷，肃宗延缓了来瑱的生命。等到代宗继承皇位时，来瑱不等车马备好就入朝晋见，尚且免不了族诛之祸。我与朝廷多年积下嫌隙，哪里还能够入朝！"淮宁节度使李希烈多次请求朝廷讨伐梁崇义，梁崇义十分害怕，更加整饬军事防备。犯罪遭流徙之人郭昔告发梁崇义叛乱，梁崇义知道了这件事，奏请朝廷治郭昔诬告罪，德宗因此杖击郭昔，将他远远地流放了，派金部员外郎李舟到襄州传达谕旨安慰梁崇义。李舟曾作为朝廷使者到泾州刘文喜处，陈说违旨和顺命的祸福利害，刘文喜把李舟囚禁起来，正好碰上刘文喜的部将杀了刘文喜投降朝廷，各道中那些跋扈的

会帐下杀文喜以降，诸道跋扈者闻之，谓舟能覆城杀将。至襄州，崇义恶之。舟又劝崇义入朝，言颇切直，崇义益不悦。及遣使宣慰诸道，舟复诣襄州，崇义拒境不内，上言“军中疑惧，请易以他使”。时两河⑱诸镇方猜阻⑲，上欲示恩信以安之，夏，四月庚寅⑳，加崇义同平章事，妻子悉加封赏，赐以铁券㉑，遣御史㉒张著赍手诏征之㉓，仍以其裨将㉔蔺杲为邓州㉕刺史。

五月丙寅㉖，以军兴㉗增商税为什一㉘。

田悦卒㉙与李正己、李惟岳定计，连兵拒命㉚，遣兵马使孟祐㉛将步骑五千北助惟岳。薛嵩㉜之死也，田承嗣盗据洺、相二州㉝，朝廷独得邢、磁二州及临洺县㉞。悦欲阻山为境，曰：“邢、磁如两眼，在吾腹中，不可不取。”乃遣兵马使康愔将八千人围邢州，别将杨朝光将五千人栅㉟于邯郸㊱西北以断昭义救兵，悦自将兵数万围临洺，邢州刺史李共[16]、临洺将张伾㊲坚壁拒守。

贝州刺史邢曹俊，田承嗣旧将也，老而有谋，悦宠信牙官㊳扈崿而疏之。及攻临洺，召曹俊问计，曹俊曰：“兵法十围五攻㊴。尚书㊵以逆犯顺，势更不侔㊶。今顿兵坚城之下，粮竭卒尽，自亡之道也。不若置万兵于崞口㊷，以遏西师㊸，则河北二十四州㊹皆为尚书有矣。”诸将恶其异己，共毁之，悦不用其策。

---

【段旨】

以上为第十三段，写卢杞入相。河北、山东方镇成德、魏博、淄青联兵反叛朝廷。

【注释】

575 卢杞：字子良，滑州灵昌（今河南滑县西南）人，德宗建中二年（公元七八一年）由御史中丞升为宰相，陷害杨炎、颜真卿等，是唐代著名的奸相。后被贬，死于澧州。传见《旧唐书》卷一百三十五、《新唐书》卷二百二十三下。576 奕：卢奕，卢杞之父，玄宗时官至御史中丞。天宝十四载（公元七五五年），安禄山之乱时，骂贼而死。传见

节度使得悉此事，都说李舟能攻陷城池，手刃将领。因此李舟到达襄州时，梁崇义很厌恶李舟。李舟又劝说梁崇义入朝，语气相当直率急切，梁崇义更加不高兴。到后来朝廷遣使各道慰问安抚，李舟再次前往襄州，梁崇义拒之于州境外而不接纳，上奏朝廷说“军中对李舟心怀疑惧，请改派一位使者”。当时河南、河北各镇互相猜疑有隔阂，德宗想通过表示恩义和诚信来安抚他们。夏，四月初二日庚寅，德宗加授梁崇义同平章事，对梁崇义的妻儿也都加了封赏，赐给梁崇义铁券，派遣御史张著带着德宗亲笔诏书去征召梁崇义入朝，还任命梁崇义的副将蔺杲为邓州刺史。

五月初八日丙寅，因为发生战争，把商税提高到十税一。

田悦终于与李正己、李惟岳商定计策，把兵力联合起来违抗朝廷的命令，田悦派兵马使孟祐率领步兵、骑兵五千人北去协助李惟岳。薛嵩死时，田承嗣窃据洺、相二州，朝廷只得到了邢州、磁州和临洺县。田悦打算依山为境，说：“邢州、磁州就像朝廷的两只眼睛，在我的心腹中，不能不攻取。”于是派兵马使康愔率领八千人包围邢州，派别将杨朝光率领五千人马在邯郸西北竖立木栅，用以阻断昭义军派出的救兵。田悦自己率领几万士兵包围临洺，邢州刺史李共、临洺守将张伾加固营垒，坚守抗击。

贝州刺史邢曹俊，是田承嗣的旧将，年老而有计谋，田悦宠信牙官扈崿而疏远邢曹俊。等到进攻临洺时，田悦召见邢曹俊询问计策，邢曹俊说：“据兵法，十倍于敌则包围，五倍于敌则进击。尚书你以逆犯顺，势力又不相等。如今我方顿兵坚城之下，粮食光了，兵也没了，这是一条自取灭亡的道路。不如在崞口放上一万士兵，以阻断朝廷西边来的救兵，那么，黄河以北的二十四州都为尚书你所有了。”众将领都讨厌邢曹俊的意见与自己不同，便一起说邢曹俊坏话，田悦没有采用邢曹俊的计策。

---

《新唐书》卷一百九十一。577 有口辩：有口才。口辩，指能言善辩。578 丁未：二月十八日。579 大夫：御史大夫。580 屏：回避。581 隐几：靠着案桌。582 貌陋：貌丑。583 心险：心地险恶；心眼坏。584 吾族无类：我们郭家没有遗类。即被族灭。585 累表请晏罪：连续上奏表章请问朝廷刘晏有何罪。586 乙巳：二月十六日。此处追述杨炎失宠之因，故书乙巳于丁未之后。587 不专任炎：唐制，中书省起草诏令，门下省审议封驳。今杨炎为德宗恶，由门下侍郎转中书侍郎，卢杞为门下侍郎以对抗杨炎，为杀杨炎伏笔。588 杞蕞陋：卢杞矮小丑陋。蕞，小。589 无文学：不通经术。文学，指经学。590 不与会食：杨炎不与卢杞同桌吃饭。唐制，宰相办公，会食于政事堂。591 阴狡：阴险狡猾。592 太常博士：官名，太常寺属官，掌朝廷礼仪顾问。593 裴延龄：为人奸佞，历官集贤殿直学士、司农少卿。

传见《旧唐书》卷一百三十五、《新唐书》卷一百六十六。594 丙午：二月十七日。595 乙卯：二月二十六日。596 京西防秋兵：驻于京师长安西奉天（今陕西乾县）防御吐蕃秋天入掠秋粮之兵。时唐与吐蕃通好，而关东河南、河北诸镇连兵拒命，故调西线边兵东讨。597 望春楼：在长安灞水之西。598 诘：询问。599 相与为欢：共同欢庆。600 缘道：沿路。601 瓶罂不发：不打开酒坛。602 平州：州名，治所在今河北卢龙。603 郾城：县名，为新置溵州治所，在今河南漯河市郾城区。604 辛巳：三月二十二日。605 汾州：州名，治所隰城，在今山西汾阳。606 殿中少监：官名，殿中省副长官，助长官殿中监掌皇帝衣食住行生活事务。607 崔汉衡：官至晋慈隰观察使。传见《旧唐书》卷一百二十二、《新唐书》卷一百四十三。608 梁崇义：从来瑱官至右兵马使。来瑱被诛，梁崇义继任山南东道节度使，与河北诸镇勾结谋反，兵败被诛。传见《旧唐书》卷一百二十一、《新唐书》卷二百二十四上。609 来公：对来瑱的尊称。来瑱，邠州永寿（今陕西永寿）人，历淮西、山南东道等镇节度使，多有战功。代宗立，被宦官程元振构陷蒙冤赐死。传见《旧唐书》卷一百十四、《新唐书》卷一百四十四。610 上元：肃宗年号（公元七六〇至七六一年）。611 迁延稽命：拖延留下生命。谓肃宗没有立即诛杀来瑱，延缓了来瑱的生命。来瑱已被忌，迁延至代宗广德元年（公元七六三年）赐死，籍其家。稽，留下、延缓。612 衅积：嫌隙积累很深。613 淮宁：方镇名，即淮西节度使。大历以后治所蔡州，在今河南汝南。614 李希烈（？至公元七八六年）：燕州辽西（今北京市顺义区西北）人，德宗时为淮宁节度使，奉命讨伐河北三镇之乱，反与淄青叛镇李讷勾结，自称天下都元帅、建兴王。建中四年（公元七八四年）攻入汴州称楚帝，后被部将陈仙奇毒死。传见《旧唐书》卷一百四十五、《新唐书》卷二百二十五。615 流人郭昔：郭昔因告梁崇义而得流罪，故称“流人”。616 金部员外郎：官名，户部第二司金部副长官，金部掌绵帛库藏出纳之事。617 襄州：州名，治所在今湖北襄阳。618 两河：指河南道、河北道。淄青镇属河南道。魏博、成德两镇属河北道。619 猜阻：猜疑隔绝。620 庚寅：四月初二日。621 铁券：以铁为符信以赐功臣，凭此本人及直系家属犯罪后可得赦免。622 御史：御史台属官，职司监察。623 赍手诏征之：指张著带着德宗的亲笔诏书征召梁崇义入朝。624 裨将：偏将；副将。625 邓州：州名，治所在今河南邓州。626 丙寅：五月初八日。627 军兴：发生军事行动，即战事爆发。628 增商税为什一：杨炎定两税法，商贾纳三十分之一的税，今增为纳十分之一的税以助军。629 卒：终于。630 连兵拒命：军队联合起来违抗朝命。631 孟祐：魏博镇田悦之将。632 薛嵩（？至公元七七二年）：安、史部将，归唐后任昭义军节度使，封高平郡王。传见《旧唐书》卷一百二十四、《新唐书》卷一百十一。633 洺、相二州：洺州治所永年，在今河北邯郸东北。相州治所安阳，在今河南安阳。634 邢、磁二州及临洺县：邢州治所龙冈，在今河北邢台。磁州治所滏阳，在今河北磁县。临洺县县治在今河北永年。临洺县在当时洺州西偏北三十五里。635 栅：编排竖木为栅，用来阻挡敌人。636 邯郸：县名，在今河北邯郸。637 张伾：坚守临洺，以功迁泗州刺史，官至右金吾卫大将军。传见《旧唐书》卷一百八十七下、《新唐书》卷一百九十三。638 牙官：牙将、亲将。㊴兵法十围五攻：按兵法，十倍于敌则包围之，五倍于敌则攻击之。《孙子·谋攻》曰："故用兵之法，十则围之，五则攻之。"㊵尚书：对田悦的敬称。田悦加官检校工部尚书。㊶不侔：不等。㊷崞口：在相州（今河南安阳）西，太行山口，遏制泽潞、河东之师东出的冲要山口。㊸西师：西面之师，即河东节度使马燧等率领的唐军。㊹河北二十四州：玄宗时河朔二十四郡，肃宗时改郡为州，安史之乱后河北又有分置之州，此时河北不止二十四州，邢曹俊沿用习俗说法，泛指河北诸州之地。

## 【校记】

［15］苟未捷，勿饮酒：此二句原无。据章钰校，十二行本、乙十一行本皆有此二句，张瑛《通鉴校勘记》同，今据补。［16］李共：严衍《通鉴补》校改为"李洪"。〖按〗《旧唐书》卷一百三十四《马燧传》、卷一百四十一《田悦传》，以及《新唐书》卷一百五十五《马燧传》皆作"李洪"。

## 【研析】

本卷研析三大史事。刘晏理财，杨炎行两税，张光晟杀九姓回纥。

第一，刘晏理财。刘晏，字士安，曹州南华县（今山东东明）人。刘晏是历仕中唐肃宗、代宗、德宗三朝的理财家，勋劳卓著。刘晏理财，"广军国之用"而"未尝有搜求苛敛于民"（王夫之语，《读通鉴论》卷二十四）。安史之乱，天下户口十亡八九，州县多为藩镇所据，贡赋入不敷出。肃宗任命刘晏为转运使，当时国家掌控户口只有二百万户，岁入四百万缗，到刘晏被罢官的德宗初年，户口增加到三百余万户，财政岁入一千二百余万缗，其中盐利近半。刘晏上任时江淮地区盐利岁入只有八十万缗，季年达六百万缗。肃宗、代宗两朝的军国之用，皆倚办于晏。同代的人都称赞刘晏能干，把他与管仲、萧何相提并论。他的理财方针和用人原则，是我国古代文化的一笔宝贵遗产。

与刘晏同时的一些理财大臣，都是些不管人民死活的聚敛之臣，他们的办法是巧立名目，强征暴取，乃至逼良为盗。刘晏的理财方针，与此相反，以爱民为先，用发展生产的办法，主要从市场筹钱，安定社会。具体措施是改革漕运，整顿盐法，转买谷物，平抑物价。唐初漕运是国家用行政办法强迫地方负担，沉重的费用和徭役都摊派在农民身上，人不堪命，皆离乡为盗。刘晏改为政府造船，招募船工，组成专业运输船队，把农民从沉重的漕运负担中解放出来，安心生产。造船及运输的经费，从盐利收入中解决。唐初任民煮盐自售，每斗盐值十文钱。后来官卖食盐，每斗盐一百到二百文，涨了十多倍，贫苦农民只好淡食。销路萎缩，盐利寡少，大部为盐官耗费，抬高盐价，销路更窄，成了恶性循环。刘晏决心改革，他大量裁撤盐官，减少开支，官卖食盐改为官办漕运、商卖食盐，政府掌控的食盐运往各地作为平价储备。刘晏不是抬高盐价，而是平抑盐价，扩大销路，扩大生产，政府从生产利润和税收中得利。这个办法是“官获其利，而民不乏盐”，而国家收入增加了近十倍。为了防止谷贱伤农，水旱民散，刘晏多购谷物转运各地，“丰则贵籴，歉则贱粜”。这个办法，既救了灾，又不损国用，还刺激了生产。刘晏从实践中总结经验说：“王者爱人，不在赐与，当使之耕耘织纴，常岁平敛之，荒年国救之。”（《新唐书·刘晏传》）刘晏还扩大常平仓的储粮，他所管辖的州县，保持储粮三百万石，以作备灾备荒之用。

有了好的理财方针，还要有精明强干的人来执行。刘晏说：“办集众务，在于得人。”刘晏的用人原则是“择通敏、精悍、廉勤之士而用之”，即精明能干，忠于职守，廉洁奉公。至于各部门的负责官吏要求更高，必须具有声望，“其场院要剧之官，必尽一时之选”。场官，是管理盐场的“盐监”。院官是刘晏在各地设置的了解市场经济情报的“知院官”。这些官员，不仅仅是管理，还要懂得技术，用今天的话说是专业人才。刘晏选用的人才，大多为新进之士，年轻有为、积极创新的人才。刘晏理财成绩的奥秘之一就是选拔人才，委用专家。至于权贵请托，以及故旧庸官，刘晏用高薪把他们养起来，按时升迁，但不准他们干预生产。这样的用人原则，说起来简单，做起来甚难，只有公忠体国的人才能做到。所以史称刘晏用人的办法，只有他才能做到。刘晏所任使的后进，如韩洄、元琇、裴腆、李衡、包佶、卢徵、李若初等，都是一时之选。刘晏理财，培养了一大批专家。刘晏死后，掌财赋有声望的人，大多是刘晏的故吏。总括为一句话：“屏绝权贵干挠，坚持任才使能。”这一用人原则，虽简单，却难办，直到今天仍有借鉴意义。

如上所述，刘晏是一个实干家，又廉洁奉公，身为财政大臣，却两袖清风。但在专制制度下，往往功高犯忌，廉洁遭妒。宰相常衮就忌晏有公望而排挤他，杨炎则视刘晏为仇。公元七八〇年，刘晏被罢官贬为忠州刺史，接着又诬以“谋反”赐死。刘晏死时年六十五岁。家属流放岭南，被牵连这一冤案的有数十人，天下皆以为冤。司马光用大篇幅在本卷记载刘晏的理财功绩，是刘晏应得的褒奖，历史不应忘记。

第二，杨炎行两税。杨炎，字公南，凤翔天兴县（今陕西宝鸡市凤翔区）人。代宗朝宰相元载与杨炎同郡，元载提拔杨炎任吏部侍郎，时刘晏任吏部尚书是正长官。刘晏弹劾元载罢相，杨炎以元载同党被贬为道州司马。德宗即位，宰相崔祐甫推荐，公元七八〇年，杨炎入相，改革税制实施两税法，得到德宗宠信，杨炎借此报仇害人，使刘晏蒙冤，这是杨炎执政的一大败笔。杨炎也因此受到诟病，卢杞借机排挤，第二年就被罢相贬死，算是罪有应得。

杨炎很有才干，善著文，书法也好，美姿容，两税法的成功，使他名声很高。但他心胸狭窄，害人害己，十分可惜。

唐初推行均田制，征税称租庸调，以丁男为中心。男子二十一至五十九岁为丁。成丁农民授田一百亩，其中八十亩为口分田，二十亩为永业田。丁男每年向国家交纳粟二石，称作租。交纳绢二丈、绵三两或布二丈五尺、麻三斤，称为调。每丁每年服徭役二十天，如不服役，每天输绢三尺或布三尺七寸五分，称作庸。官僚贵族享有租庸调的蠲免权。由此可见租庸调只问丁身，不问财产。其后人口增加，土地集中于官吏地主之手，均田制无法推行。特别是安史战乱，大批农民流离失所或死亡，按丁征税无法维持。为了军国之用，政府巧立名目，各种苛捐杂税兴起，财赋制度十分混乱。初唐各地设置的义仓演变成为地税。代宗朝依据资产分天下户为九等，按户纳税为户税。为了合理分摊，增加国库收入，使财税走上正轨，保障社会生产，杨炎向德宗建言实行两税法，只按资产征税，不以丁身为本。基本内容如次：其一，取消租庸调及各种杂税，只保留户税和地税。其二，量出制入。政府预算开支，以此确定征税总额。其三，户税按户等高低征税，户等分为上上至下下共九等。一品官准上上户，九品准下下户。达官贵人，也一律纳税。其四，地税按地亩征收谷物。其五，无论户税和地税均按夏秋两季征收，夏税限六月纳毕，秋税限十一月纳毕，所以新税制称为两税法。商贾征三十税一，后改为征十分之一。

两税法的改革具有重大意义。首先按资产征税，资产多者税多，资产少者税少，无产者无税，不仅使人民负担合理，而且扩大了征税面，国库增加。推行两税法之前，国家岁入一千二百万缗，其中盐利居其半，推行两税法，单是两税就达到一千三百万缗。这为德宗的用兵河北创造了条件。其次，按资产征税，不按丁身，减轻了农民的人身负担，也是一大进步。再次，两税改实物为货币，具有深远意义。杨炎是中国财政史上著名的理财家。

起初推行两税，国家规定，地方官吏在两税之外多征一文钱以枉法论。但是这一局面没有维持多久，随后德宗用兵，各种苛捐杂税卷土重来，加之钱重物轻，人民的负担成倍增加，生活比以前更加困苦。

第三，张光晟杀九姓回纥。唐回纥有九姓部落，称九姓胡。九姓胡在代宗朝冒回纥之名，杂居京师，经营商业，横暴京师。代宗宝应元年（公元七六二年），德宗李适时为太子，任天下兵马元帅，回纥登里可汗入援唐军征讨史思明。李适与回纥可汗在陕州相见，回纥可汗声称与代宗结为兄弟，是德宗之叔，要德宗以侄礼相见，拜舞于庭。德宗不肯，回纥可汗杖责从官药子昂、韦少华、魏琚等。韦少华、魏琚因榜捶而死。德宗认为奇耻大辱，对回纥怀恨在心，不顾国家安危，一心结和吐蕃，进攻回纥。当时形势，回纥势衰，吐蕃正盛，是唐朝西边的最大敌国。德宗为报私仇，做了许多蠢事。德宗即位，回纥使臣突董是武义可汗的叔父，驻留京师。德宗命突董率领全部九姓胡商九百多人回国，途经振武，留后张光晟秉承德宗之意旨，将突董和九姓胡商全部杀灭。回纥责问，索要专杀者，德宗贬张光晟为睦王傅，搪塞责任。当时回纥一心要与唐和好，才没有扩大事态。德宗心胸如此褊狭与任性，贻误许多军国大事，也就不言而喻了。

# 卷第二百二十七　唐纪四十三

起重光作噩（辛酉，公元七八一年）六月，尽玄黓阉茂（壬戌，公元七八二年），凡一年有奇。

【题解】

本卷记事起公元七八一年六月，迄公元七八二年，凡一年又七个月，当唐德宗建中二年六月到建中三年。此期间德宗讨伐河北叛逆，战火蔓延河南、淮西，这是中唐继安史之乱以后又一次朝廷与地方割据的大冲突。河北魏博田承嗣、成德李宝臣，与山东淄青李正己相约节度使职传子，相互勾结对抗朝廷。代宗大历十四年（公元七七九年），田承嗣死，田悦继位，代宗姑息，加以任命。德宗建中二年，成德李宝臣死，其子李惟岳继位，德宗正当锐意兴革关头，不予准许。田悦、李正己、李惟岳联合对抗朝廷，襄州梁崇义遥相呼应。德宗大发诸镇兵讨伐叛逆，这是一场决定性的大战役，朝廷取胜，将抑制地方割据，朝廷失败，则

---

【原文】

## 德宗神武圣文皇帝二

### 建中二年（辛酉，公元七八一年）

六月庚寅[①]，以浙江东、西观察使，苏州[②]刺史韩滉为润州[③]刺史，浙江东、西节度使，名其军曰镇海[④]。

张著至襄阳，梁崇义益惧，陈兵而见之。蔺杲[⑤]得诏不敢发，驰见崇义请命。崇义对著号泣，竟不受诏，著复命。

癸巳[⑥]，进李希烈爵南平郡王[⑦]，加汉南、汉北[⑧]兵马招讨使，督诸道兵讨之。杨炎谏曰："希烈为董秦养子，亲任无比，卒逐秦而夺其位[⑨]。为人狼戾无亲，无功犹倔强不法，使平崇义，何以制之！"上不听。炎固争之，上益不平。

荆南[⑩]牙门将吴少诚[⑪]以取梁崇义之策干李希烈，希烈以少诚为前锋。少诚，幽州潞人也。

藩镇割据不可逆转。起初德宗讨伐河北、山东三镇，意气很盛，一心进攻，不惜开辟两线战场，使淮西李希烈等讨梁崇义。公元七八一年，李希烈讨平梁崇义，居功狂悖而野心勃发，朝廷去一狼而生一虎。公元七八二年官军打败田悦，成德归顺，淄青李纳战败请降，官军两条战线均取得胜利。德宗处置失当，田悦未灭，立即又爆发了朱滔、王武俊的背叛，李纳也重整旗鼓。叛军声势更大，叛臣相约称王。朱滔自称冀王，田悦称魏王，王武俊称赵王，李纳称齐王，朱滔为盟主。四人称王，表示不再是唐朝的叛臣，此举标志唐藩镇割据正式形成。

---

**【语译】**

**德宗神武圣文皇帝二**

**建中二年（辛酉，公元七八一年）**

六月初三日庚寅，任命浙江东、西道观察使兼苏州刺史韩滉为润州刺史兼浙江东、西道节度使，命名他的军镇为镇海军。

张著到达襄阳后，梁崇义更加畏惧，陈兵列阵来接见张著。蔺杲接到德宗的诏令后不敢出发去邓州赴任，驱马急驰襄阳面见梁崇义请示。梁崇义对着张著放声号哭，始终不接受诏书，张著只好回朝复命。

六月初六日癸巳，给李希烈进爵南平郡王，加授汉南、汉北兵马招讨使，督率各道军队讨伐梁崇义。杨炎劝谏德宗说："李希烈为董秦的养子，董秦对他无比的亲信重用，最终他还是驱逐了董秦而夺取了他的节度使职位。他为人凶狠暴戾，六亲不认，在无功的时候尚且倔强不守法度，假如他平定了梁崇义，还能用什么办法来钳制他！"德宗不听从杨炎的意见。杨炎坚决争辩，德宗心中更加愤愤不平。

荆南牙门将吴少诚以攻灭梁崇义的计策去求见李希烈，李希烈委任他为前锋。吴少诚，是幽州潞县人。

时内自关中，西暨蜀、汉，南尽江、淮、闽、越，北至太原，所在出兵。而李正己遣兵扼徐州甬桥[12]、涡口[13]，梁崇义阻兵襄阳[14]，运路皆绝，人心震恐。江、淮进奉船千余艘，泊涡口，不敢进。上以和州刺史张万福为濠州[15]刺史。万福驰至涡口，立马岸上，发进奉船，淄青将士停岸睥睨不敢动。

辛丑[16]，汾阳忠武王郭子仪薨。子仪为上将，拥强兵，程元振、鱼朝恩[17]谗毁百端，诏书一纸征之，无不即日就道，由是谗谤不行。尝遣使至田承嗣所，承嗣西望拜之曰："此膝不屈于人若干年矣！"李灵曜据汴州作乱[18]，公私物过汴者皆留之，惟子仪物不敢近，遣兵卫送出境。校中书令考凡二十四[19]，月入俸钱二万缗，私产不在焉，府库珍货山积。家人三千人，八子[20]、七婿皆为朝廷显官。诸孙数十人，每问安，不能尽辩，颔之而已。仆固怀恩、李怀光、浑瑊皆出麾下，虽贵为王公，常颐指役使，趋走于前，家人亦以仆隶视之。天下以其身为安危殆三十年[21]，功盖天下而主不疑，位极人臣而众不疾，穷奢极欲而人不非之，年八十五而终。其将佐至大官为名臣者甚众。

壬子[22]，以怀、郑、河阳节度副使李艽[23]为河阳、怀州节度使，割东畿五县[24]隶焉。

北庭、安西自吐蕃陷河、陇[25]，隔绝不通，伊西、北庭节度使李元忠[26]、四镇留后郭昕[27]帅将士闭境拒守，数遣使奉表，皆不达，声问绝者十余年。至是，遣使间道历诸胡自回纥中来，上嘉之。秋，七月戊午朔[28]，加元忠北庭大都护，赐爵宁塞郡王。以昕为安西大都护、四镇节度使，赐爵武威郡王。将士皆迁七资。元忠姓名，朝廷所赐也，本姓曹，名令忠。昕，子仪弟也[29]。

李希烈以久雨未进军，上怪之。卢杞[30]密言于上曰："希烈迁延[31]，以杨炎故也。陛下何爱炎一日之名而堕大功？不若暂免炎相以悦之，事平复用，无伤[32]也。"上以为然。庚申[33]，以炎为左仆射，罢政事。以前永平节度使张镒[34]为中书侍郎、同平章事。镒，齐丘之子也。以朔方节度使崔宁为右仆射。

当时内地自关中，西到蜀、汉，南到江、淮、闽、越，北到太原，所到之地都出动了军队。但李正己派兵扼守徐州甬桥、涡口，梁崇义兵断襄阳，运输道路都被阻绝，人心震动惶恐。江、淮进贡物品的船只一千多艘，停泊在涡口，不敢前进。德宗以和州刺史张万福为濠州刺史。张万福驰骑赶到涡口，立马河岸，催发进贡的船只，李正己的将士呆站河岸，眼睁睁望着船队经过而不敢动手。

六月十四日辛丑，汾阳忠武王郭子仪逝世。郭子仪为上将，拥有强大的军队，程元振、鱼朝恩千方百计地诬蔑毁谤郭子仪，只要皇帝一纸诏书征召，郭子仪没有不当天上路的，因此那些诬蔑毁谤不再出现。郭子仪曾派使者到田承嗣那里，承嗣遥望西方向郭子仪跪拜说："我的双膝不屈身下跪已有好多年了！"李灵曜占据汴州作乱，经过汴州的公私钱财货物，全都扣留下来，唯有郭子仪的货物他不敢靠近，还派兵护送出境。郭子仪担任中书令共二十四年，每月收入官俸二万缗，私有财产不包括在内，家中仓库里珍宝奇货堆积如山。郭子仪有三千名家人，八个儿子和七个女婿都担任朝廷显要高官。孙子辈的有几十人，每次来问安，郭子仪不能完全辨认，只能点点头而已。仆固怀恩、李怀光、浑瑊都出自郭子仪的帐下，他们虽然贵为王公，但郭子仪常对他们颐指气使，他们奔走效命于郭子仪跟前，郭子仪家里的人也把他们当作家仆一样看待。天下安危系于郭子仪一人前后将近有三十年，功盖天下，而皇上不加怀疑，位极人臣，而大家都不嫉恨，穷奢极欲，而人们并不非议，年八十五而终。他的部将僚佐位至高官，成为朝中名臣的人很多。

六月二十五日壬子，任命怀州、郑州、河阳节度副使李艽为河阳、怀州节度使，划割东都地区的五县隶属于他。

自从吐蕃攻占了河西、陇右之后，北庭、安西交通隔绝，不通音讯。伊西、北庭节度使李元忠、四镇留后郭昕率领将士封闭边塞拒守，多次派遣使者入朝上奏，都没送到，断绝音讯十余年。直到此时，派使臣抄小路经过诸胡地区，取道回纥抵达京城，德宗非常赞赏他们。秋，七月初一日戊午，加授李元忠为北庭大都护，赐爵宁塞郡王。任命郭昕为安西大都护、四镇节度使，赐爵武威郡王。将士都提升七级。李元忠的姓和名，都是朝廷所赐，他本姓曹，名令忠。郭昕，是郭子仪的弟弟。

李希烈因久雨，军队没有进发，德宗对此困惑不解。卢杞秘密地向德宗进言："李希烈拖延进军，是杨炎的缘故。陛下何必爱惜杨炎一时之名，而丧失平叛的大功呢？还不如暂时免除杨炎的宰相职务来取悦李希烈，平定了梁崇义，再重新任用杨炎，也没有什么妨害。"德宗认为卢杞说得正确。七月初三日庚申，命令杨炎担任左仆射，免除了他主持朝政的权力。任命前永平节度使张镒为中书侍郎、同平章事。张镒，是张齐丘的儿子。任命朔方节度使崔宁为右仆射。

**【段旨】**

以上为第一段，写唐中兴名将郭子仪辞世，卢杞构陷杨炎。

**【注释】**

①庚寅：六月初三日。②苏州：州名，治所在今江苏苏州。③润州：州名，治所在今江苏镇江市。④镇海：方镇名，即浙江东道，德宗建中二年（公元七八一年）升为镇海军。治所杭州，在今浙江杭州。⑤蔺杲：山南东道节度使梁崇义副将，张著以朝命授蔺杲邓州刺史。⑥癸巳：六月初六日。⑦爵南平郡王：南平，县名，属渝州，在今重庆市东南南川区。李希烈为淮宁节度使，进爵南平郡王，遥领荣衔。⑧汉南、汉北：泛指汉水南北地区。诸道兵讨梁崇义于襄阳，进兵汉水南北，均受李希烈节制，故加李为汉南、汉北兵马招讨使。⑨逐秦而夺其位：事见本书卷第二百二十五代宗大历十四年（公元七七九年）。⑩荆南：方镇名，唐肃宗至德二载（公元七五七年）置。治所荆州，在今湖北江陵。⑪吴少诚（公元七五九至八一九年）：幽州潞县（在今北京市通州东）人，官至淮西节度使。传见《旧唐书》卷一百四十五、《新唐书》卷二百十四。⑫甬桥：汴水桥，在徐州南界汴水上。⑬涡口：涡水入淮之口，在今安徽怀远。⑭阻兵襄阳：拥兵襄阳，阻遏漕运。⑮濠州：州名，治所在今安徽凤阳东。涡口为濠州属县。⑯辛丑：六月十四日。⑰程元振、鱼朝恩：代宗朝用事宦官，同传。见《旧唐书》卷一百八十四、《新唐书》卷二百七。⑱李灵曜据汴州作乱：汴州，州治在今河南开封，当运河冲要。汴宋留后李灵曜据汴州作乱，事见本书卷第二百二十五代宗大历十一年（公元七七六年）。⑲校

---

**【原文】**

丙子㉟，赠故伊州㊱刺史袁光庭㊲工部尚书。光庭天宝末为伊州刺史，吐蕃陷河、陇，光庭坚守累年，吐蕃百方诱之不下。粮竭兵尽，城且陷，光庭先杀妻子，然后自焚。郭昕使至，朝廷始知之，故赠官。

辛巳㊳，以邠宁节度使李怀光兼朔方节度使。

癸未㊴，河东节度使马燧、昭义节度使李抱真、神策先锋都知兵马使李晟大破田悦于临洺㊵。

时悦攻临洺，累月不拔，城中食且尽，府库竭，士卒多死伤。张伾饰其爱女，使出拜将士曰："诸君守战甚苦，伾家无他物，请鬻此女

中书令考凡二十四：核查统计，郭子仪担任中书令总共二十四年。校考，核查统计。⑳八子：郭子仪八子之名为：曜、晞、旰、晞、晤、暧、曙、映。㉑殆三十年：差不多三十年。郭子仪于肃宗至德元载（公元七五六年）奋自朔方，至德宗建中二年（公元七八一年）卒，总计二十六年。三十年举其成数。殆，近、差不多。㉒壬子：六月二十五日。㉓李艽：两《唐书》本传作李芃，字茂初。传见《旧唐书》卷一百三十二、《新唐书》卷一百四十七。㉔东畿五县：本属东都洛阳的五个县。两《唐书》本传作汜水等五县。《资治通鉴》胡三省注为河阳、河清、济源、温、王屋等五县。㉕吐蕃陷河、陇：吐蕃陷河西、陇右事见本书卷第二百二十三代宗广德元年（公元七六三年）。㉖李元忠：本姓曹，名令忠，朝廷赐姓名李元忠。官至北庭大都护。传见《旧唐书》卷一百二十。㉗郭昕：唐名将郭子仪之侄，官至四镇节度使。传见《旧唐书》卷一百二十、《新唐书》卷一百三十七。㉘戊午朔：七月初一日。㉙昕二句：据《旧唐书》卷一百二十、《新唐书》卷一百三十七《郭子仪传》，昕为郭子仪之弟幼明之子，《资治通鉴》记载有误。㉚卢杞：字子良，滑州灵昌（今河南滑县西南）人，建中初由御史中丞升为宰相，陷害杨炎、颜真卿，排斥宰相张镒等。建中四年（公元七八三年），泾原兵变，京师不守，朔方节度使李怀光上疏斥其罪恶，因遭贬而死于澧州。传见《旧唐书》卷一百三十五、《新唐书》卷二百二十三。㉛迁延：拖延。㉜无伤：指无损杨炎之名。此为卢杞排斥杨炎的遁辞。㉝庚申：七月初三日。㉞张镒：苏州人，玄宗朝朔方节度使张齐丘之子。镒为政清直，德宗用为宰相，为卢杞所忌，出为凤翔陇右节度使。建中四年为乱兵所害。传见《旧唐书》卷一百二十五、《新唐书》卷一百五十二。

---

**【语译】**

七月十九日丙子，追赠已故伊州刺史袁光庭为工部尚书。袁光庭在天宝末年任伊州刺史，吐蕃攻陷河西、陇右，袁光庭坚守伊州达数年之久，吐蕃千方百计引诱他，都没有投降。当粮竭兵尽，城池将要被攻破时，袁光庭先杀了妻儿，然后自焚。郭昕派的使者抵达京师，朝廷才知道此事，因此给他赠官。

二十四日辛巳，朝廷任命邠宁节度使李怀光兼任朔方节度使。

七月二十六日癸未，河东节度使马燧、昭义节度使李抱真、神策先锋都知兵马使李晟在临洺大败田悦。

当时田悦攻打临洺，累月不拔，城中的粮食快要耗尽，府库储备已用完，士兵大多死伤。张伾将自己女儿打扮好，带她出来向将士们行礼说："各位守城作战很辛苦，我家已没有别的东西，让我卖了这个女儿，作为各位一天的费用。"众将士都哭

为将士一日之费。”众皆哭，曰：“愿尽死力，不敢言赏。”李抱真告急于朝，诏马燧将步骑二万与抱真讨悦，又遣李晟将神策兵与之俱，又诏幽州留后朱滔讨惟岳㊶。

燧等军未出险㊷，先遣使持书谕悦，为好语㊸，悦谓燧畏之，不设备。燧与抱真合兵八万，东下壶关㊹，军于邯郸，击悦支军，破之。悦方急攻临洺，分李惟岳兵五千助杨朝光㊺。明日，燧等进攻朝光栅，悦将万余人救之，燧命大将李自良等御之于双冈㊻，令之曰：“悦得过，必斩尔！”自良等力战，悦军却㊼。燧推火车焚朝光栅，斩朝光，获首虏五千余级。居五日，燧等进军至临洺。悦悉众力战，凡百余合，悦兵大败，斩首万余级。悦引兵夜遁，邢州㊽围亦解。

时平卢节度使李正己已薨，子纳秘之，擅领军务㊾。悦求救于纳及李惟岳，纳遣大将卫俊将兵万人，惟岳遣兵三千人救之。悦收合㊿散卒，得二万余人，军于洹水[51]。淄青军其东，成德军其西，首尾相应。马燧帅诸军进屯邺[52]，奏求河阳兵自助[53]。诏河阳节度使李艽将兵会之。

八月，李纳始发丧，奏请袭父位，上不许。

梁崇义发兵攻江陵，至四望[54]，大败而归，乃收兵襄、邓。李希烈引军循汉而上，与诸道兵会。崇义遣其将翟晖、杜少诚逆战于蛮水[55]，希烈大破之。追至疏口[56]，又破之。二将请降，希烈使将其众先入襄阳慰谕军民。崇义闭城拒守，守者开门争出，不可禁。崇义与妻赴井死，传首京师。

范阳节度使朱滔将讨李惟岳，军于莫州[57]。张孝忠将精兵八千守易州[58]，滔遣判官蔡雄说孝忠曰：“惟岳乳臭儿，敢拒朝命，今昭义、河东军已破田悦，淮宁李仆射克襄阳，计河南诸军，朝夕北向，恒、魏[59]之亡，可伫立而须[60]也。使君诚能首举易州以归朝廷，则破惟岳之功自使君始，此转祸为福之策也。”孝忠然之，遣牙官[61]程华诣滔，遣录事参军董稹奉表诣阙[62]，滔又上表荐之，上悦。九月辛酉[63]，以孝忠为成德节度使。命惟岳护丧归朝，惟岳不从。孝忠德滔，为子茂和娶滔女，深相结。

壬戌[64]，加李希烈同平章事。

了，说：“愿拼死坚守城池，不敢提奖赏。”李抱真向朝廷告急，德宗颁诏让马燧率领步骑兵二万人与李抱真共同讨伐田悦，又派李晟率领神策军与他们一起去，又诏令幽州留后朱滔率兵讨伐李惟岳。

马燧等人的军队还没有开出壶关险要之地，先派使者带着书信去劝谕田悦，信中说了不少好话，田悦以为马燧畏惧自己，不加防备。马燧与李抱真合兵八万人，东进壶关，驻扎在邯郸，攻击田悦的一支部队，打败了他们。这时田悦正急攻临洺，分出李惟岳援兵中的五千人支援杨朝光。第二天，马燧等向杨朝光的营寨发起进攻，田悦率领一万多人救援杨朝光，马燧命令大将李自良等在双冈防御，命令李自良说：“如果田悦得过双冈，一定砍你的头！”李自良等人拼力死战，田悦的军队撤退。马燧推着燃烧的车辆焚烧杨朝光的营栅，杀了杨朝光，获敌首级五千多人。过了五天，马燧等进军到临洺。田悦出动全军力战，总共交手一百多个回合，田悦的军队大败，被斩首一万多级。田悦带领残部连夜逃遁，邢州之围随即也被解除。

当时平卢节度使李正己已经逝世，儿子李纳隐瞒此事，擅自统领军务。田悦向李纳和李惟岳求救，李纳派大将卫俊率兵一万人，李惟岳派兵三千人救援田悦。田悦收编散兵，共计得到二万多人，驻扎在洹水县。李纳军驻扎在东边，李惟岳军驻扎在西边，首尾呼应。马燧率领各部进驻邺县，奏请朝廷令河阳的军队就地援助。德宗下诏令河阳节度使李艽率部与马燧会合。

八月，李纳才为父发丧，便奏请自己承袭父位，德宗没有应允。

梁崇义发兵进攻江陵，到达四望山，被打得大败而归，于是集结部队，驻扎在襄阳和邓州。李希烈领军沿汉水而上，与各道的军队会合。梁崇义派将领翟晖、杜少诚在蛮水迎战，被李希烈打得大败。李希烈乘胜追击到疏口，又打败了他们。翟晖和杜少诚请求投降，李希烈让翟、杜二人带领残部先进襄阳去安抚晓谕军民。梁崇义闭城拒守，但守城的士兵打开城门争着出逃，无法禁止。梁崇义和妻子投井自杀，梁崇义的头颅被砍下传送到了京城。

范阳节度使朱滔即将发兵讨伐李惟岳，军队驻扎在莫州。张孝忠统领精兵八千据守易州，朱滔派判官蔡雄劝说张孝忠：“李惟岳乳臭未干，竟敢抗拒朝命，现在昭义军、河东军已打败田悦，淮宁节度使李希烈仆射攻克了襄阳城，估计在河南的各路军队，朝夕之间就会向北挺进，李惟岳和田悦的灭亡已指日可待。假使你真的能够领头率易州归顺朝廷，那么打败李惟岳的头功便是你的，这是你转祸为福的良策啊。”张孝忠认为他说得对，派牙官程华去见朱滔，派录事参军董稹奉表入朝，朱滔也上表推荐他，德宗对此十分喜悦。九月初六日辛酉，朝廷任命张孝忠为成德节度使。又命令李惟岳护送其父的灵柩回朝，李惟岳不从。张孝忠非常感激朱滔，为儿子张茂和娶了朱滔的女儿，双方建立起深厚的关系。

九月初七日壬戌，加授李希烈同平章事。

初，李希烈请讨梁崇义，上对朝士亟称其忠。黜陟使[65]李承[66]自淮西还，言于上曰："希烈必立微功，但恐有功之后，偃蹇不臣[67]，更烦朝廷用兵耳。"上不以为然。

希烈既得襄阳，遂据之为己有，上乃思承言。时承为河中尹[68]，甲子[69]，以承为山南东道节度使。上欲以禁兵送上，承请单骑赴镇。至襄阳，希烈置之外馆，迫胁万方，承誓死不屈，希烈乃大掠阖境[70]所有而去。承治之期年[71]，军府稍完。希烈留牙将于襄州，守其所掠财，由是数有使者往来。承亦遣其腹心臧叔雅往来许、蔡[72]，厚结希烈腹心周曾等，与之阴图希烈。

初，萧嵩[73]家庙临曲江[74]。玄宗以娱游之地，非神灵所宅，命徙之。杨炎为相，恶京兆尹[75]严郢[76]，左迁大理卿[77]。卢杞欲陷炎，引郢为御史大夫。先是，炎将营家庙，有宅在东都[78]，凭[79]河南尹[80]赵惠伯卖之，惠伯买以为官廨[81]。郢按之，以为有羡利[82]。杞召大理正[83]田晋议法，晋以为律[84]，监临官[85]市买有羡利，以乞取论[86]，当夺官[87]。杞怒，贬晋衡州司马。更召他吏议法，以为监主自盗，罪当绞[88]。炎庙正直萧嵩庙地，杞因谮炎，云"兹地有王气，故玄宗令嵩徙之。炎有异志，故于其地建庙"。冬，十月乙未[89]，炎自左仆射贬崖州[90]司马，遣中使护送[1]，未至崖州百里，缢杀之。惠伯自河中尹贬费州多田尉[91]，寻亦杀之。

---

**【段旨】**

以上为第二段，写马燧率领官军解临洺之围，大败田悦叛军。李希烈讨平襄州梁崇义，居功狂悖而野心勃发，朝廷去一狼而生一虎。德宗信卢杞谗言杀杨炎。

当初，李希烈请求征讨梁崇义，德宗对满朝大臣盛赞李希烈的忠心。黜陟使李承从淮西回朝，对德宗说："李希烈一定能建小功，只是怕他在有功之后，恃功自傲而不服从朝廷，又要烦劳朝廷对他用兵了。"德宗不以为然。

李希烈攻取襄阳后，就把它据为己有，德宗这才想到李承的话。当时李承正担任河中尹，九月初九日甲子，任命李承为山南东道节度使。德宗打算派禁卫军护送他上任，李承请求单骑前往镇所。到达襄阳后，李希烈将他安置在外面的驿馆，千方百计地威胁逼迫，李承誓死不屈，李希烈无奈，只好对襄阳全境大肆掠夺后离开。李承治理了整整一年时间，军府才逐渐复原。李希烈把一个牙将留在襄州，守护抢得的财物，因此常有使者往来。李承也派遣亲信臧叔雅往来于许州、蔡州，深交李希烈的亲信周曾等人，与他们暗中图谋对付李希烈。

起初，萧嵩的家庙面临曲江。唐玄宗认为曲江是娱乐游览之地，不适作神灵居所，命令将家庙迁走。杨炎任宰相后，厌恶京兆尹严郢，将他降职为大理卿。卢杞想陷害杨炎，推荐严郢担任了御史大夫。此前，杨炎准备修建家庙，有座宅院在东都洛阳，委托河南尹赵惠伯把它卖掉，赵惠伯买下后用作官舍。严郢检举此事，认为杨炎谋得了厚利。卢杞召大理正田晋来讨论如何处理，田晋认为按照法律，主管官员采买东西而从中渔利，以勒索贿赂论罪，罪当撤职。卢杞大怒，将田晋贬为衡州司马。转而召集别的官员讨论处罚事，他们认为主管官监守自盗，论罪当处绞刑。杨炎修建的家庙正当萧嵩家庙原址，卢杞因此毁谤杨炎说："那个地方有帝王之气，所以玄宗命令萧嵩将家庙迁走。而杨炎有异心，所以在那里修建家庙。"冬，十月初十日乙未，杨炎从左仆射被贬为崖州司马，朝廷派遣中使护送，赴任途中离崖州还有一百里，朝廷下令绞死了他。赵惠伯也从河中尹被贬为费州多田县尉，没多久也被处死了。

---

【注释】

㉟丙子：七月十九日。㊱伊州：州名，治所在今新疆哈密。㊲袁光庭：河西戍将，官终伊州刺史。伊州，地当西域交通咽喉。代宗朝他扼守伊州抗击吐蕃，以身殉职，德宗追赠为工部尚书。传见《旧唐书》卷一百八十七下、《新唐书》卷一百九十三。㊳辛巳：七月二十四日。㊴癸未：七月二十六日。㊵临洺：县名，故治在今河北邯郸市永年区临洺镇。㊶讨惟岳：讨伐成德李惟岳。㊷出险：越过山险，此指从山西壶关东出越太行山至邯郸之间的山险之地。㊸谕悦二句：开谕田悦归顺朝廷。㊹东下壶关：马燧将太原之兵与李抱真潞州之兵东出壶关，越太行趋邯郸，地势西高东低，故称东下。壶关，

即今山西壶关，潞州东边门户。㊺杨朝光：魏博将，驻兵于邯郸西北以遮昭义即潞州之兵。㊻双冈：又名卢家疃，在邯郸西北，临洺县之东。李自良率唐兵于双冈阻击田悦入援杨朝光。㊼却：败退。㊽邢州：州名，邢州在洺州西北。治所在今河北邢台。五月，田悦遣魏博将康愔围邢州。㊾擅领军务：不请朝命，擅自接管了平卢节度使军务。㊿收合：收聚。(51)洹水：县名，属魏州。县治在今河北魏县西南。(52)邺：县名，属相州。县治在洹水西，今河北磁县东南，为河北军事重镇。(53)自助：援助自己。马燧请求河阳兵入援。(54)四望：山名，在湖北南漳东南。(55)蛮水：即今蛮河。(56)疏口：疏水入汉之口，在襄阳南。(57)莫州：州名，治所莫县，在今河北雄县南白洋淀东岸。(58)易州：州名，治所在今河北易县。(59)恒、魏：恒，指成德李惟岳，驻节恒州。魏，指魏博田悦，驻节魏州。(60)伫立而须：站立等待。形容时间短暂，败亡立待。(61)牙官：即牙将。衙前供差遣的将领或官员。(62)奉表诣阙：奉归降表于朝廷。(63)辛酉：九月初六日。(64)壬戌：九月初七日。(65)黜陟使：使职名，奉诏巡察四方，升免官员。(66)李承（公元七二二至七八三年）：赵郡高邑（今河北高邑）人，官至检校工部尚书，兼湖南都团练观察使。传见《旧唐书》卷一百十五、《新唐书》卷一百四十三。(67)偃蹇不臣：骄横傲慢不守臣节之道。(68)河中尹：官名，河中府行政长官。府治在今山西永济西。(69)甲子：九月初九

---

【原文】

辛巳(92)，册太子妃萧氏。

癸卯(93)，祫(94)太庙。先是，太祖(95)既正东向之位，献、懿二祖(96)皆藏西夹室，不飨(97)。至是，复奉献祖东向而飨之。

徐州刺史李洧，正己之从父兄也。李纳(98)寇宋州(99)，彭城令太原白季庚说洧举州归国。洧从之，遣摄巡官(100)崔程奉表诣阙，且使口奏，并白宰相，以“徐州不能独抗纳，乞领徐、海、沂三州观察使，况海、沂二州，今皆为纳有。洧与刺史王涉、马万通素有约，苟得朝廷诏书，必能成功”。程自外来(101)，以为宰相一也(102)，先白张镒，镒以告卢杞。杞怒其不先白己，不从其请。戊申(103)，加洧御史大夫，充招谕使。

十一月戊午(104)，以永乐公主适检校比部郎中田华(105)，上不欲违先志故也。

日。⑳闔境：山南东道所属全境。㉑期年：一周年。㉒许、蔡：皆州名。蔡州治所汝阳，在今河南汝南。许州治所在今河南许昌。㉓萧嵩：玄宗朝宰相。传见《旧唐书》卷九十九、《新唐书》卷一百一。㉔曲江：池名，京师近郊游乐之所，在今陕西西安东南。㉕京兆尹：官名，京师行政长官，列班朝臣，与六部尚书等列。㉖严郢：官至御史大夫。传见《新唐书》卷一百四十五。㉗大理卿：大理寺长官，主刑狱。㉘东都：唐以洛阳为东都。㉙凭：通过；依靠。㉚河南尹：河南府行政次官，从三品。河南牧（从二品）缺，则行牧事，为河南府实际长官。㉛官廨：官署。㉜羡利：余利。指杨炎与赵惠伯合谋，赵用官钱高价购买了杨炎住宅。㉝大理正：大理寺属官。掌复审刑狱。㉞律：依照刑律。㉟监临官：主管官。㊱以乞取论：按索贿罪判决。乞取，索取。论，判罪。㊲当夺官：判决罢官。当，判决、裁定。夺官，罢官。㊳监主自盗二句：主管官员自盗公物，论罪当处绞刑。㊴乙未：十月初十日。㊵崖州：州名，治所在今海南海口东南。㊶多田尉：官名，多田县县尉。多田县治所在今贵州思南西。

【校记】

［1］遣中使护送：原无此句。据章钰校，十二行本、乙十一行本皆有此句，今据补。

---

【语译】

十月辛巳日，册立萧氏为太子妃。

十八日癸卯，在太庙合祭列祖列宗。此前，太祖的灵位已经供奉在正东向，献、懿二祖的灵位都藏在太庙的西夹室，没有四时祭祀。到这时，重新把献祖供奉在太庙东向而四时祭祀。

徐州刺史李洧是李正己的堂兄。李纳劫掠宋州，彭城县令太原人白季庚游说李洧率徐州归附朝廷。李洧听从了，派遣摄巡官崔程奉表入朝，并让他口头上奏，同时禀告宰相，说“单凭徐州的力量不能抵抗李纳，请求兼理徐州、海州、沂州三州观察使，何况海、沂二州，目前都被李纳占有。李洧和海、沂二州刺史王涉、马万通一直有约定，如果得到朝廷诏书，一定能和徐州一起抵抗李纳”。崔程由外地来朝廷，误以为各个宰相的权位都是一样的，便先向张镒汇报，张镒再将此事转告卢杞。卢杞对不先禀告自己十分恼怒，因此不接受李洧的请求。十月二十三日戊申，朝廷加授李洧御史大夫，充当招谕使。

十一月初四日戊午，德宗把永乐公主嫁给检校比部郎中田华，这是德宗不想违背先帝意愿的缘故。

蜀王傀更名遂[106]。

辛酉[107]，宣武[108]节度使刘洽[109]、神策都知兵马使曲环[110]、滑州[111]刺史襄平李澄[112]、朔方大将唐朝臣大破淄青、魏博之兵于徐州。

先是，李纳遣其将王温会魏博将信都崇庆共攻徐州，李洧遣牙官温人王智兴[113]诣阙告急。智兴善走，不五日而至。上为之发朔方[114]兵五千人，以朝臣将之，与洽、环、澄共救之。时朔方军资装不至，旗服弊恶，宣武人嗤之曰："乞子[115]能破贼乎！"朝臣以其言激怒士卒，且曰："都统[116]有令，先破贼营者，营中物悉与之。"士皆愤怒争奋。

崇庆、温攻彭城，二旬[117]不能下，请益兵[118]于纳。纳遣其将石隐金将万人助之，与刘洽等相拒于七里沟[119]。日向暮，洽引军稍却。朔方马军使杨朝晟[120]言于唐朝臣[121]曰："公以步兵负山而陈[122]，以待两军[123]，我以骑兵伏于山曲。贼见悬军[124]势孤，必搏之。我以伏兵绝其腰[125]，必败之。"朝臣从之。崇庆等果将骑二千逾桥而西，追击官军，伏兵发，横击之[126]。崇庆等兵中断，狼狈而返，阻桥以拒官军[127]。其兵有争桥不得，涉水而渡[128]者。朝晟指之曰："彼可涉，吾何为不涉！"遂涉水击，据桥者皆走[129]，崇庆等兵大溃。洽等乘之[130]，斩首八千级，溺死过半。朔方军尽得其辎重，旗服鲜华，乃谓宣武人曰："乞子之功，孰与宋多[131]？"宣武人皆惭。官军乘胜逐北，至徐州城下，魏博、淄青军解围走，江、淮漕运始通。

己巳[132]，诏削李惟岳官爵，募所部降者，赦而赏之。

甲申[133]，淮南节度使陈少游[134]遣兵击海州[135]，其刺史王涉以州降。

十二月，李纳密州[136]刺史马万通乞降。丁酉[137]，以为密州刺史。

崔汉衡[138]至吐蕃，赞普以敕书称贡献及赐，全以臣礼见处[139]。又云州之西，当以贺兰山为境[140]，邀汉衡更请之。丁未[141]，汉衡遣判官与吐蕃使者入奏。上为之改敕书、境土，皆如其请。

加马燧魏博招讨使。

蜀王李傀改名叫李遂。

十一月初七日辛酉，宣武节度使刘洽、神策军都知兵马使曲环、滑州刺史襄平人李澄、朔方军大将唐朝臣等，将淄青节度使、魏博节度使的军队打得大败。

此前，李纳派遣将领王温会同魏博的将领信都崇庆一起进攻徐州，李洧派牙官温县人王智兴到朝廷告急。王智兴擅长行走，不到五日就到达了。德宗为徐州调发朔方兵士五千人，命令唐朝臣率领，与刘洽、曲环、李澄共同援救李洧。当时朔方军的军用物资还没有及时运到，旗帜和服装破烂不堪，宣武军官兵嗤笑他们说："叫花子能去消灭敌人吗！"唐朝臣用这些话激怒部下，并且说："李都统下了命令，先破敌营的人，营中的财物全部给他。"士兵们无不愤怒而奋勇。

崇庆、王温攻打彭城，二十天还未能夺取，请求李纳增兵。李纳派遣将领石隐金率兵一万援助，与刘洽等在七里沟对峙。天快黑的时候，刘洽率军稍稍后撤。朔方军的马军使杨朝晟对唐朝臣说："唐公你率步兵背山列阵，以待魏博、淄青两军，我领骑兵在山坳埋伏。敌人见你们孤军势弱，一定向你进攻。我率伏兵拦腰截击，一定会打败他们。"唐朝臣听从了这个建议。崇庆等人果然率领骑兵二千人过桥往西，追击官兵，伏兵出动，拦腰突击。崇庆等人的军队首尾中断，只得狼狈逃回，扼守桥头来抵抗官军。没有挤上桥头的叛军，只能涉水渡河。杨朝晟指着叛军说："他们可以涉水，我们为什么不可以涉水！"于是涉水攻击敌人，据守桥头的叛军都逃跑了，崇庆等的军队溃不成军。刘洽等乘机追击，斩首八千人，溺死的超过一半。朔方军缴获了敌军所有的辎重，旗帜和军服都鲜艳华美了，于是对宣武军说："叫花子立的功劳，与宋军相比究竟谁多？"宣武军的士兵都觉得惭愧。各支官军乘胜追击，到达徐州城下，魏博、淄青的军队解除对徐州的包围逃走，江、淮的漕运才又开始通畅。

十一月十五日己巳，德宗下诏削夺李惟岳的官职爵位，招募李惟岳的部属中投降朝廷的将士，一律赦免并给予奖赏。

三十日甲申，淮南节度使陈少游派军队攻打海州，海州刺史王涉率领海州归降。

十二月，李纳部下的密州刺史马万通向朝廷求降。十三日丁酉，任命马万通为密州刺史。

崔汉衡到达吐蕃，赞普认为德宗的敕书用语称贡献和赐等，完全用对待臣属的礼仪对吐蕃。又认为云州的西边，应以贺兰山为边界，请求崔汉衡再次代为请求朝廷加以确认。十二月二十三日丁未，崔汉衡派遣判官与吐蕃的使者入奏朝廷。德宗为吐蕃修改了敕书的措辞和云州西部边界，都满足了赞普的请求。

加授马燧魏博招讨使。

【段旨】

以上为第三段，写官军大败淄青李纳叛军，疏通了江淮漕运。

【注释】

⑨②辛巳：十月丙戌朔，无辛巳。疑为辛丑，十月十六日。⑨③癸卯：十月十八日。⑨④祫：祭礼名，合祭远近祖先神灵。古代帝王三年一祫，在太庙进行。⑨⑤太祖：唐高祖李渊之祖李虎，追尊景皇帝，庙号太祖。⑨⑥献、懿二祖：献祖，为李虎之祖李熙，追尊宣皇帝，庙号献祖。懿祖李天锡，为李虎之父，追尊光皇帝，庙号懿祖。献、懿、太三祖为唐远祖，唐初享于太庙。睿宗文明元年（公元六八四年），唐太宗、唐高宗祔庙，始迁宣皇帝于西夹室，代宗宝应二年（公元七六三年），唐玄宗、唐肃宗祔于太庙，迁献、懿二祖于西夹室，以太祖当东向位。⑨⑦不飨：指献、懿祖，不在昭穆正位受祭飨。⑨⑧李纳：李正己之子，自领淄青节度使，与田悦、李惟岳等合兵叛乱，兴元元年（公元七八四年）归顺。传见《旧唐书》卷一百二十四、《新唐书》卷二百十三。⑨⑨宋州：州名，治所在今河南商丘。⑩⓪摄巡官：节镇所设巡按官。⑩①程自外来：指崔程从地方入朝。⑩②以为宰相一也：认为宰相是一体、一样。⑩③戊申：十月二十三日。⑩④戊午：十一月初四日。⑩⑤田华：魏博节度使田承嗣之子，官至太常少卿。尚代宗女、德宗之妹永乐公主。⑩⑥蜀王傀更名遂：蜀王李遂，代宗第十二子，大历十四年（公元七七九年）封蜀王，至是建中二年（公元七八一年）改名李遡。严衍《通鉴补》作“蜀王遂更名遡”，与两《唐书》本传合。《资治通鉴》做两次更名，建中三年（公元七八二年）再次由遂更名遡，当别有所据。传见《旧唐书》卷一百十六、《新唐书》卷八十二。⑩⑦辛酉：十一月初七日。⑩⑧宣武：方镇名，玄宗天宝十四载（公元七五五年）初置称河南，广德后称汴宋，德宗建中二年号宣武军。治所汴州，在今河南开封。⑩⑨刘洽：时为宋州刺史，兴元元年（公元七八四年）官至宣武节度使，赐名玄佐。此以其后任高职称。传见《旧唐书》卷一百四十五、《新唐书》卷二百十四。⑪⓪曲环：陕州安邑（今山西夏县西北）人。平定安史之乱，抵御吐

【原文】

三年（壬戌，公元七八二年）

春，正月，河阳节度使李艽[142]引兵逼卫州[143]，田悦守将任履虚诈降，既而复叛。

马燧等诸军屯于漳滨[144]。田悦遣其将王光进筑月城[145]以守长桥[146]，

蕃，屡建战功，历任金吾大将军、御史中丞、都知兵马使等职。传见《旧唐书》卷一百二十二、《新唐书》卷一百四十七。⑪ 滑州：州名，治所滑县，在今河南滑县。⑫ 李澄：襄平（今辽宁辽阳北）人，官至永平军、义成军节度使。传见《旧唐书》卷一百三十二、《新唐书》卷一百四十一。⑬ 王智兴：字匡谏，怀州温县（今河南温县西）人，归国后长期为徐州镇将，官至武宁军节度使。⑭ 朔方：方镇名，又称灵盐、灵武、灵州。唐玄宗开元元年（公元七一三年）置，为玄宗时边防十节度之一。治所灵州，在今宁夏灵武西。朔方兵强悍善战。⑮ 乞子：乞丐，俗称叫花子。⑯ 都统：指李勉，字玄卿，时为汴宋（宣武军）节度使，兼河南、汴宋、滑亳、河阳四道讨逆军都统。刘洽即为李勉所遣，与朔方军共救徐州李洧。⑰ 二旬：二十天。⑱ 请益兵：请求增派救兵。⑲ 七里沟：地名，在徐州运河岸边。⑳ 杨朝晟：朔方军名将，字叔明，夏州朔方（今陕西靖边北）人，官至邠宁节度使。传见《旧唐书》卷一百二十二、卷一百四十四，《新唐书》卷一百五十六。㉑ 唐朝臣：官至鄜坊节度使。两《唐书》无传。㉒ 负山而陈：靠山为阵。㉓ 以待两军：迎击信都崇庆与王温两军。㉔ 悬军：孤军。㉕ 绝其腰：拦腰截断。㉖ 横击之：从侧面（拦腰）冲击敌军。㉗ 阻桥以拒官军：扼守桥头阻拦官军渡河。㉘ 涉水而渡：涉水过河。骑兵渡河，紧急时可策马渡河。㉙ 走：奔逃。㉚ 乘之：乘胜追击敌军。㉛ 乞子之功二句：叫花子的战功，与宋兵比较哪一个多。宋，即刘洽所统宣武军宋州之兵。时刘洽为宋州刺史。㉜ 己巳：十一月十五日。㉝ 甲申：十一月三十日。㉞ 陈少游：博州（今山东聊城东北）人。传见《旧唐书》卷一百二十六、《新唐书》卷二百二十四上。㉟ 海州：州名，为淄青李纳巡属。治所在今江苏连云港市西南。㊱ 密州：州名，治所在今山东诸城。㊲ 丁酉：十二月十三日。㊳ 崔汉衡：历仕代宗、德宗两朝，多次出使吐蕃，官至兵部尚书。传见《旧唐书》卷一百二十二、《新唐书》卷一百四十三。㊴ 全以臣礼见处：完全是以臣属之礼对待。唐朝皇帝给予吐蕃的国书用敕书形式，并在书中使用贡献、赐给等用语，故吐蕃国王赞普认为唐以臣属之礼待吐蕃。㊵ 云州之西二句：赞普对唐提出边界要求，在云州西边，应当以贺兰山为界。云州治所云中，在今山西大同。其西界贺兰山，绵延至灵武保静县，在今宁夏东北部。㊶ 丁未：十二月二十三日。

---

**【语译】**

**三年（壬戌，公元七八二年）**

春，正月，河阳节度使李艽领兵进逼卫州，田悦指派驻守卫州的将领任履虚诈降，不久又叛变了。

马燧等各支官兵驻扎在漳水之滨。田悦派遣将领王光进修筑月形城来守卫长诸军不得渡。燧以铁锁连车数百，实以土囊，塞其下流，水浅，诸军涉渡。时军中乏粮，悦等深壁不战。燧命诸军持十日粮，进屯仓口⑭⑦，与悦夹洹水而军⑭⑧。李抱真、李艽问曰："粮少而深入，何也?"燧曰："粮少则利速战，今三镇⑭⑨连兵不战，欲以老我师⑮⓪。我若分军击其左右，悦必救之，则我腹背受敌，战必不利。故进军逼悦，所谓攻其所必救也。彼苟出战，必为诸君破之。"乃为三桥逾洹水⑮①，日往挑战⑮②。悦不出。燧令诸军夜半起食，潜师⑮③循洹水直趋魏州，令曰："贼至，则止为陈⑮④。"留百骑击鼓鸣角于营中，仍抱薪持火，俟诸军毕发⑮⑤，则止鼓角匿其旁⑮⑥，俟悦军毕度⑮⑦，焚其桥。军行十里所，悦闻之，帅淄青、成德步骑四万逾桥掩其后⑮⑧，乘风纵火，鼓噪而进⑮⑨。燧按兵不动，先除其前草莽百步为战场⑯⓪，结陈以待之⑯①，募勇士五千余人为前列。悦军至，火止，气衰⑯②，燧纵兵⑯③击之，悦军大败。神策、昭义、河阳军小却⑯④，见河东军⑯⑤捷，还斗，又破之。追奔至，三桥⑯⑥已焚，悦军乱，赴水溺死不可胜纪，斩首二万余级，捕虏三千余人，尸相枕藉⑯⑦三十余里。

悦收余兵千余人走魏州⑯⑧。马燧与李抱真不协⑯⑨，顿兵平邑浮图⑰⓪，迁延不进[2]。悦夜至南郭⑰①，大将李长春闭关不内⑰②，以俟官军。久之，天且明，长春乃开门内之。悦杀长春，婴城⑰③拒守。城中士卒不满数千，死者亲戚号哭满街。悦忧惧，乃持佩刀，乘马立府门⑰④外，悉集军民，流涕言曰："悦不肖，蒙淄青、成德二丈人⑰⑤保荐，嗣守伯父⑰⑥业。今二丈人即世，其子不得承袭。悦不敢忘二丈人大恩，不量其力，辄拒朝命，丧败至此，使士大夫肝脑涂地，皆悦之罪也。悦有老母，不能自杀，愿诸公以此刀断悦首，持出城降马仆射⑰⑦，自取富贵，无为与悦俱死也!"因从马上自投地⑰⑧。将士争前抱持悦曰："尚书⑰⑨举兵徇义，非私己也。一胜一负，兵家之常。某辈累世受恩，何忍闻此!愿奉尚书一战，不胜则以死继之。"悦曰："诸公不以悦丧败而弃之，悦虽死，敢忘厚意于地下!"乃与诸将各断发，约为兄弟，誓同生死。

桥，各支官兵不能渡河。马燧用铁链将几百辆车连接，装满土袋，填塞长桥下游，河水变浅，各路人马涉水渡过漳水。当时朝廷军队缺乏粮食，田悦等叛军加固营垒坚守不战。马燧命令各支官兵带上十天的粮食，进驻仓口，与田悦的部队隔洹水对峙。李抱真、李艽问马燧："我军粮少而深入敌人腹地，为什么呢？"马燧说："粮食少，只有速战速决才有利，眼下魏博、淄青、成德三镇集结军队而不出战，想让我们疲惫。我们如果分兵向田悦军的左右出击，田悦一定会援救，那么我们将腹背受敌，作战必然不利。因此进军逼迫田悦，这就是所谓的攻其必救。田悦如果出兵迎战，一定会被你们打败。"于是建造三座桥使军队过洹水，天天到田悦军前挑战。田悦坚守不出。马燧命令各部半夜起来吃饭，悄悄地沿着洹水直接向魏州城进发，命令各军："敌军一到，就停止前进，列阵迎敌。"留下一百名骑兵在兵营中击鼓鸣号，仍像往日一样抱来柴草，打着火把，等各路军队都出发，就停止击鼓吹号，隐藏在旁边，等田悦的军队完全过了河，就将桥烧毁。马燧等率军行进到十里左右的地方，田悦得到这一情况，就率领淄青、成德两镇的步兵、骑兵共四万人过桥尾随马燧，借助风势一路纵火，喊叫着向前进攻。马燧按兵不动，先将前方一百步内的树木杂草清除作为战场，列阵以待，又招募五千余名勇士为前锋。田悦的军队到达时，火已熄灭，士气已衰退，马燧挥军出击，田悦军大败。神策、昭义、河阳三军受挫稍退，看到马燧的河东军打了胜仗，便回过头重新投入战斗，再次把田悦的军队打败。追击逃兵到洹水边，河上的三座桥已被烧毁，田悦军大乱，跳河而被溺死的无法统计，官军斩获敌人首级二万多，俘虏三千多人，死尸相叠长达三十余里。

田悦收拾残兵一千多人逃往魏州。马燧与李抱真关系不和，官军停留在平邑的寺庙中，拖延不进。田悦连夜逃到魏州南门外，大将李长春关闭城门不让他进入，想等待官军到来。时间过了很久，天就要亮了，李长春才开了城门接纳田悦进入。田悦杀了李长春，紧闭城门固守。魏州城内的士兵不足几千人，战死将士的亲属满街号哭。田悦既担心又害怕，就手持佩刀，骑马伫立军府门外，集合城中所有军民，痛哭流涕地说："我不成器，承蒙淄青、成德两位老前辈保荐，继承守护我伯父的大业。现在两位老前辈都已去世，他们的公子都无法承袭节度使的职位。我不敢忘记两位老前辈的大恩，自不量力，就违抗朝廷的命令，失败到这种地步，造成士大夫们肝脑涂地，都是我田悦的罪过。我有年迈的母亲，不能自杀，只希望诸位用这把刀把我的头砍下，拿着出城向马燧仆射投降，自己取得荣华富贵，不要同我一起去死！"于是从马上翻身滚在地上。将士们纷纷争着上前抱持田悦说："田尚书你起兵行义，不是只为自己。打仗有胜有负，是兵家常事。我等世代受你家的恩惠，怎能忍心听这样的话！我们愿意跟随尚书你再决一战，打不了胜仗就以死相拼。"田悦说："各位不因我田悦溃败而抛弃我，我田悦即便死掉，九泉之下也不敢忘记你们的深情厚谊！"于是与众将领各自剪断头发，结为兄弟，立誓同生共死。拿出府库储藏的所

悉出府库所有及敛富民之财，得百余万，以赏士卒，众心始定。复召贝州刺史邢曹俊，使之整部伍，缮守备，军势复振。

李纳军于濮阳⑱，为河南军⑱所逼，奔还濮州⑱，征援兵于魏州。田悦遣军使符璘将三百骑送之。璘父令奇谓璘曰："吾老矣，历观安、史辈叛乱者，今皆安在？田氏能久乎？汝因此弃逆从顺，是汝扬父名于后世也。"啮臂而别。璘遂与其副李瑶帅众降于马燧。悦收族其家，令奇慢骂而死。瑶父再春以博州降，悦从兄昂以洺州降，王光进以长桥⑱降。悦入城旬余日⑱，马燧等诸军始至城下，攻之，不克。

【段旨】

以上为第四段，写魏博招讨使马燧在卫州大破田悦军，却因官军将领失和，未能追歼穷寇，田悦逃至魏州，得以喘息，死灰复燃。

【注释】

⑭李艽：当作"李芃"，传见《旧唐书》卷一百三十二、《新唐书》卷一百四十七。⑭卫州：州名，魏博巡属。治所在今河南卫辉。⑭漳滨：漳水岸边。⑭月城：半圆形的护桥城。⑭长桥：漳水桥，田悦将王光进筑月城于漳水桥北岸阻挡官军。长桥在邺城东，仓口西。⑭仓口：在漳水长桥下游。⑭夹洹水而军：洹水，在漳河之东，因水道变迁，马燧与田悦夹洹水处今已为漳河。此段洹水在今河北大名北，唐时在魏州西。军，驻扎下来。⑭三镇：指叛军魏博田悦、淄青李纳、成德李惟岳之军。⑮老我师：使我军士气衰竭。老，疲倦；士气衰老。⑮乃为三桥逾洹水：于是造三座浮桥渡过洹水。⑮日往挑战：每天向田悦挑战。⑮潜师：秘密出兵。⑮贼至二句：敌兵到来，则停止行进而准备战斗。⑮毕发：各军全部出发。⑮匿其旁：埋伏于浮桥之旁。⑮俟悦军毕度：等到田悦大军完全渡河后。⑮逾桥掩其后：指田悦为救魏州，将大军调出坚壁，也渡过洹水到北岸，尾随官军追击。⑮乘风纵火二句：田悦军顺风放火以助军威，击鼓喊杀而进。⑯先除其前草莽百步为战场：马燧按兵不动，先把军前百步之内的野草丛莽铲除作

有东西和向富户征敛的钱财，共有一百多万，全部赏给兵士，众人之心才安定下来。田悦又召来贝州刺史邢曹俊，让他负责整饬军队，修缮武器和工事，加强军备，军势再次振作起来。

李纳驻军在濮阳，受到河南军的逼迫，逃回濮州，向魏州请求派兵增援。田悦派军使符璘领三百名骑兵送往李纳军中。符璘的父亲符令奇对符璘说："我已老了，挨个看安禄山、史思明那一伙叛乱之人，如今还有哪个活着？田氏能长久吗？你如果因此看清形势弃叛从顺，就是你把父亲的名声传扬后世了。"说完咬着儿子的臂膀作别。于是符璘与副手李瑶统领部众向马燧投降。田悦收捕符璘的族人全部杀死，符令奇不住地辱骂田悦而死。李瑶的父亲李再春率领博州军民投降朝廷，田悦的堂兄李昂率领洺州军民投降，王光进率领长桥军民投降。田悦退入魏州城十几天后，马燧等率领的各路人马才到达魏州城下，攻打魏州城，没有攻下来。

---

为战场，同时用以截断田悦顺风放火。⑯结陈以待之：结成作战队列，等待田悦军。⑯气衰：士气低落。田悦军借火势为威，因火熄灭，见官军整列，因而气衰。⑯纵兵：全线出击。⑯小却：支援马燧的友军神策、昭义、河阳都向后稍退。⑯河东军：即马燧军。⑯三桥：洹水上的三座浮桥。⑯尸相枕藉：尸首横躺竖卧，互相堆积。⑯走魏州：奔逃回魏州。⑯不协：不和。⑰顿兵平邑浮图：官兵屯驻在平邑县佛寺中。平邑，地名，在魏州南，今河南南乐境。⑰南郭：魏州南城。⑰闭关不内：关闭城门不收纳田悦。⑰婴城：紧闭城门。⑰府门：节度使衙门。⑰二丈人：指淄青李正己、成德李宝臣，田悦以丈人事之。丈人，老人之通称，此指老前辈。⑰伯父：指田承嗣。⑰马仆射：指马燧。因临洺之战，以功迁尚书右仆射。⑰自投地：指田悦从马上自己跳到地下，表示甘愿受刑。⑰尚书：指田悦。因田悦加官检校工部尚书，故将士尊称尚书。⑱濮阳：县名，县治在今河南濮阳西南。⑱河南军：指刘洽所领汴宋军。⑱濮州：州名，治所在今山东鄄城南。⑱长桥：指王光进守漳水的长桥之兵。⑱旬余日：十几天。十天为一旬。

**【校记】**

［2］迁延不进：此句原无。据章钰校，十二行本、乙十一行本皆有此句，张敦仁《通鉴刊本识误》、张瑛《通鉴校勘记》同，今据补。

---

【原文】

丙寅[185]，李惟岳遣兵与孟祐守束鹿[186]，朱滔、张孝忠攻拔之，进围深州。惟岳忧惧，掌书记[187]邵真[188]复说惟岳，密为表，先遣弟惟简入朝，然后诛诸将之不从命者，身自入朝，使妻父冀州刺史郑诜权知[189]节度事，以待朝命。惟简既行，孟祐知其谋，密遣告田悦。悦大怒，使衙官扈岌往见惟岳，让[190]之曰："尚书举兵，正为大夫求旌节耳，非为己也。今大夫乃信邵真之言，遣弟奉表，悉以反逆之罪归尚书，自求雪身[191]，尚书何负于大夫而至此邪！若相为斩邵真，则相待如初，不然，当与大夫绝矣。"判官毕华言于惟岳曰："田尚书以大夫之故陷身重围，大夫一旦负之，不义甚矣。且魏博、淄青兵强食富，足抗天下，事未可知，奈何遽为二三之计[192]乎！"惟岳素怯，不能守前计，乃引[193]邵真，对[194]扈岌斩之，发成德兵万人，与孟祐俱围束鹿。丙寅[195]，朱滔、张孝忠与战于束鹿城下，惟岳大败，烧营而遁。

兵马使[196]王武俊[197]为左右所构[198]，惟岳疑之，惜其才，未忍除也。束鹿之战，使武俊为前锋，私自谋曰："我破朱滔，则惟岳军势大振，归，杀我必矣。"故战不甚力而败。

朱滔欲乘胜攻恒州[199]，张孝忠引军西北，军于义丰[200]。滔大惊[201]，孝忠将佐皆怪之。孝忠曰："恒州宿将尚多，未易可轻。迫之则并力死斗，缓之则自相图。诸君第[202]观之，吾军义丰，坐待惟岳之殄灭耳。且朱司徒[203]言大而识浅，可与共始，难与共终也。"于是滔亦屯束鹿，不敢进。

惟岳将康日知[204]以赵州归国，惟岳益疑王武俊，武俊甚惧。或谓惟岳曰："先相公[205]委腹心于武俊，使之辅佐大夫，又有骨肉之亲[206]。武俊勇冠三军，今危难之际，复加猜阻[207]，若无武俊，欲使谁为大夫却敌[208]乎！"惟岳以为然，乃使步军使卫常宁与武俊共击赵州，又使王士真将兵宿府中以自卫。

癸未[209]，蜀王遂更名遡。

【语译】

正月十二日丙寅，李惟岳派兵与孟祐同守束鹿县城，朱滔、张孝忠攻克了束鹿城，进兵包围深州。李惟岳既担心又害怕，掌书记官邵真再次规劝李惟岳，秘密上表表示归顺，先派弟弟李惟简进京入朝，然后诛杀众将领中不听从命令的人，亲自入朝，让岳父冀州刺史郑诜代理节度使，等待朝廷的命令。李惟简已经出发，孟祐得知邵真的计划，秘密派人告诉了田悦。田悦大怒，派衙官扈岌前去见李惟岳，责备李惟岳说："田尚书起兵，完全是为大夫你求得节度使职务而已，不是为了自己。现在大夫你竟然听信邵真的话，派弟弟奉表入朝，完全把反叛的罪名归于田尚书，为自己开脱，田尚书有什么地方对不住你，以至于你如此做呢！如果你为田尚书杀了邵真，那么田尚书会像以往一样对待你，不然，必将与大夫你绝交。"判官毕华对李惟岳说："田尚书因为你的缘故而身陷重围，大夫你一旦背叛田尚书，那就太不讲义气了。何况魏博、淄青二镇兵强粮足，足以与天下抗衡，事情的成败还难以预料，为什么突然采取三心二意的下策呢！"李惟岳一向怯懦，不能坚持已定计划，竟将邵真召来，当着扈岌的面斩首，调动成德镇一万兵马，与孟祐一起包围束鹿城。十二日丙寅，朱滔、张孝忠与李惟岳的军队在束鹿城下交战，李惟岳大败，焚烧营寨而逃。

兵马使王武俊被李惟岳身边的亲信所诬陷，李惟岳便对他心存猜疑，只是爱惜他的才干，才不忍心除掉。束鹿之战，李惟岳指派王武俊为前锋，而王武俊私下盘算说："我打败朱滔，李惟岳军势就会大振，回去后，李惟岳一定会杀掉我。"因此在战斗中不太卖力，被打败了。

朱滔打算乘胜攻恒州，张孝忠带领所部往西北进发，驻军义丰县。朱滔大惊，张孝忠的将佐也都感到奇怪。张孝忠解释说："恒州还有很多老将，不能轻视。我们进逼恒州，他们就会齐心协力拼死一战；暂缓进攻，他们内部就会相互算计。各位等着瞧吧，我军驻扎义丰，坐待李惟岳军被消灭就是了。况且朱司徒只会说大话而见识浅陋，可以与他在开始时合作，难以坚持到最后。"于是朱滔也驻军束鹿，不敢贸然进攻。

李惟岳的将领康日知率赵州归附朝廷，李惟岳更加猜疑王武俊，王武俊非常恐惧。有人对李惟岳说："您的先公把王武俊当作心腹，让王武俊辅佐大夫您，而且又有骨肉之亲。王武俊勇冠三军，时下正是危难之际，还对他猜忌和限制，如果没有王武俊，那可以派谁来为您击退敌军呢！"李惟岳觉得此话有理，于是指派步军使卫常宁与王武俊共同进击赵州，又指派王武俊的儿子王士真带兵在军府中值宿保卫自己。

正月二十九日癸未，蜀王李遂改名为李遡。

淮南节度使陈少游[210]拔海、密二州，李纳复攻陷之。

王武俊既出恒州，谓卫常宁曰："武俊今幸出虎口，不复归矣，当北归张尚书[211]。"常宁曰："大夫暗弱，信任左右，观其势终为朱滔所灭。今天子有诏，得大夫首者，以其官爵与之。中丞[212]素为众所服，与其出亡，曷若倒戈以取大夫，转祸为福，特反掌耳。事苟不捷[213]，归张尚书未晚也。"武俊深以为然。会惟岳使要藉谢遵至赵州城下，武俊引遵同谋取惟岳。遵还，密告王士真。闰月甲辰，武俊、常宁自赵州引兵还袭惟岳，遵与士真矫惟岳命，启城门内之。黎明，武俊帅数百骑突入府门，士真应之于内，杀十余人。武俊令曰："大夫叛逆，将士归顺，敢违拒者族！"众莫敢动。遂执惟岳，收郑诜、毕华、王他奴等，皆杀之。武俊以惟岳旧使之子，欲生送之长安。常宁曰："彼见天子，将复以叛逆之罪归咎于中丞。"乃缢杀之，传首京师。深州刺史杨荣国，惟岳姊夫也，降于朱滔，滔使复其位。

复榷天下酒[214]，惟西京不榷。

---

**【段旨】**

以上为第五段，写成德叛军首领李惟岳被部属王武俊所杀，田悦困守魏州，河北叛乱基本平定。

**【注释】**

⑱⑤丙寅：正月十二日。⑱⑥束鹿：县名，为深州巡属，在深州之西。县治在今河北辛集东北。⑱⑦掌书记：节度使府的幕僚，掌起草朝觐、聘问、祭祀、祈祝、号令及使府升黜事。⑱⑧邵真：恒州节度使李宝臣判官，累加检校司封郎中兼御史中丞，专掌文翰。劝谏李惟岳反正被害。传见《旧唐书》卷一百八十七下。⑱⑨权知：代理。⑲⓪让：责问。⑲①雪身：洗脱自身罪责。⑲②二三之计：三心二意的计谋，指背叛同盟的计谋。⑲③引：召出。⑲④对：对面；当面。⑲⑤丙寅：正月十二日。⑲⑥兵马使：节度使所置统兵官。⑲⑦王武俊：契丹人，曾建国，称赵王。后归顺朝廷，官至幽州卢龙军节度使，加检校工部尚

淮南节度使陈少游攻克海、密二州，李纳又攻取回来。

王武俊离开恒州，对卫常宁说："我王武俊今日有幸逃出虎口，是不想再回去了，我将北上归附张孝忠尚书。"卫常宁说："李惟岳大夫昏庸怯弱，信任身边人，观察今日态势，最终会被朱滔所灭。现今皇帝有诏书，凡能得到李大夫首级的人，就把李惟岳的官职和爵位给他。中丞你一向为众人所信服，与其出走逃亡，还不如倒戈杀了李大夫，转祸为福，这不过是易如反掌罢了。若是事情不成功，投奔张孝忠尚书也不算晚。"王武俊认为这话非常有理。适逢李惟岳指派衙前要藉官谢遵来到赵州城下，王武俊便将谢遵请来共同策划除掉李惟岳。谢遵回到恒州，把这一计划密告王士真。闰正月二十一日甲辰，王武俊、卫常宁从赵州带领军队返回恒州袭击李惟岳，谢遵与王士真诈称李惟岳有令，打开城门将他们接纳进城。黎明，王武俊率领几百名骑兵冲进节度使军府大门；王士真在府内接应，杀死十几个人。王武俊命令说："李惟岳大夫反叛，将士们已归顺朝廷，谁敢违抗就灭掉全族！"大家都不敢轻举妄动。于是抓住了李惟岳，逮捕了郑诜、毕华、王他奴等人，将他们全都杀了。王武俊因为李惟岳是已故节度使李宝臣的儿子，打算将他活着送往长安。卫常宁说："李惟岳见到皇帝，将会把反叛的罪责又推到中丞你的头上。"于是王武俊绞杀了李惟岳，把首级传送到京城。深州刺史杨荣国是李惟岳的姐夫，杨荣国向朱滔投降，朱滔便让杨荣国官复原职。

朝廷恢复了全国酒的专卖制度，唯有西京长安不实行。

---

书。传见《旧唐书》卷一百四十二、《新唐书》卷二百十一。⑲⑧ 构：陷害。⑲⑨ 恒州：州名，为成德军驻节之所。治所真定，在今河北正定。⑳⓪ 义丰：县名，为定州巡属，在恒州西北。⑳① 滔大惊：朱滔见张孝忠不会兵于恒州而大惊。⑳② 第：但。⑳③ 朱司徒：即朱滔。建中二年（公元七八一年）破李惟岳，以功加检校司徒，故称。⑳④ 康日知：李惟岳将，赵州刺史。归顺朝廷后官至奉诚军节度使，累加检校尚书左仆射。传见《新唐书》卷一百四十八。⑳⑤ 先相公：指李惟岳父李宝臣，加官检校司空、同中书门下平章事，故称相公。⑳⑥ 骨肉之亲：王武俊子王士真为李宝臣之婿，即李惟岳的妹夫，故言。⑳⑦ 猜阻：猜忌掣肘。⑳⑧ 却敌：退敌。⑳⑨ 癸未：正月二十九日。⑳⑩ 陈少游：博州（今山东聊城东北）人，淮南节度使，加检校左仆射。传见《旧唐书》卷一百二十六、《新唐书》卷二百二十四上。⑳⑪ 张尚书：指张孝忠。归国后充成德军节度使，加检校工部尚书。⑳⑫ 中丞：指王武俊。时王武俊官衔御史中丞，充本军先锋兵马使。⑳⑬ 事苟不捷：指诛李惟岳之事如果不成功。⑳⑭ 复榷天下酒：恢复全国酒的专卖。榷，专卖。罢榷酒见本书卷卷二百二十五代宗大历四年（公元七六九年）七月，今复。

**【原文】**

二月戊午[215]，李惟岳所署定州刺史杨政义降。时河北略定，惟魏州[216]未下。河南诸军攻李纳于濮州，纳势日蹙。朝廷谓天下不日可平，甲子[217]，以张孝忠为易、定、沧三州节度使，王武俊为恒冀都团练观察使，康日知为深赵都团练观察使，以德、棣二州隶朱滔[218]，令还镇。滔固请深州，不许，由是怨望，留屯深州。王武俊素轻张孝忠，自以手诛李惟岳，功在康日知上，而孝忠为节度使，己与康日知俱为都团练使，又失赵、定二州，亦不悦。又诏以粮三千石给朱滔，马五百匹给马燧。武俊以为朝廷不欲使故人[219]为节度使，魏博既下，必取恒冀，故分其粮马以弱之，疑，未肯奉诏。

田悦闻之，遣判官王侑、许士则间道至深州，说朱滔曰："司徒奉诏讨李惟岳，旬朔之间，拔束鹿，下深州，惟岳势蹙[220]，故王大夫因司徒胜势，得以枭惟岳之首，此皆司徒之功也。又天子明下诏书[221]，令司徒得惟岳城邑，皆隶本镇，今乃割深州以与日知，是自弃其信也。且今上志欲扫清河朔，不使藩镇承袭，将悉以文臣代武臣。魏亡，则燕、赵为之次矣[222]；若魏存，则燕、赵无患。然则司徒果有意矜魏博之危而救之，非徒得存亡继绝之义，亦子孙万世之利也。"又许以贝州赂滔[223]。滔素有异志[224]，闻之，大喜，即遣王侑归报魏州，使将士知有外援，各自坚。又遣判官王郅与许士则俱诣恒州，说王武俊曰："大夫出万死之计，诛逆首[225]，拔乱根，康日知不出赵州[226]，岂得与大夫同日论功！而朝廷褒赏略同，谁不为大夫愤邑[227]者！今又闻有诏支粮马与邻道[228]，朝廷之意，盖以大夫善战无敌[3]，恐为后患，先欲贫弱军府，俟平魏之日，使马仆射北首[229]，朱司徒南向[230]，共相灭耳。朱司徒亦不敢自保，使郅等效愚计，欲与大夫共救田尚书[231]而存之。大夫自留粮马以供军。朱司徒不欲以深州与康日知，愿以与大夫，请早定刺史[232]以守之。三镇[233]连兵，若耳目手足之相救，则他日[234]永无患矣。"武俊亦喜，许诺，即遣判官王巨源使于滔，且令知深州事[235]，相与刻日[236]举兵南向。滔又遣人说张孝忠，孝忠不从。

【语译】

二月初五日戊午，李惟岳委任的定州刺史杨政义投降。当时河北地区基本上平定，仅有魏州没有攻下。河南各官军在濮州进攻李纳，李纳的形势日益窘迫。朝廷认为天下不久就可平定，十一日甲子，朝廷任命张孝忠为易、定、沧三州节度使，任命王武俊为恒冀都团练观察使，任命康日知为深赵都团练观察使，将德州、棣州划归朱滔，命令朱滔回到幽州本镇驻守。朱滔向朝廷坚持要求将深州划归自己，未获允许，因此怨恨朝廷，仍驻军深州。王武俊一直瞧不起张孝忠，自以为亲手杀了李惟岳，功劳要比康日知大，然而张孝忠当了节度使，自己与康日知都只担任都团练使，另外又失去了赵州、定州，心里也不高兴。德宗又下诏让王武俊送三千石粮食给朱滔，送五百匹马给马燧。王武俊以为这是朝廷不想让叛军旧将做节度使，当平定田悦的魏博镇叛军后，一定会夺取恒冀，所以调运他的粮食和马匹，削弱他的实力，由于有此疑虑，王武俊不肯听从诏令。

田悦得悉此事，便派遣判官王侑、许士则抄小路前往深州，游说朱滔说："朱司徒您奉皇帝诏令征讨李惟岳，十天半月之内，攻克了束鹿城，夺取了深州，李惟岳日渐窘困，所以王武俊便借助司徒您不断取胜的优势，才能得到李惟岳的首级，这完全是司徒您的功劳。另外，皇上明确地下诏，命令朱司徒夺得的李惟岳的城池，都要隶属您管辖，现在竟然割取深州送给康日知，这是自己背信弃义。而且当今皇帝立志要扫清河朔，不让藩镇世袭，将要全部用文臣取代武臣。战国时魏国灭亡，那么燕国和赵国就相次灭亡；如果魏国存在，那么燕国和赵国就会安然无患。要是朱司徒您果然有意怜悯魏博镇的危难而想救援，不仅仅是得到存亡继绝的义名，也是给自己的子孙留下万世的利益啊。"田悦还许诺把贝州送给朱滔。朱滔一贯存有反叛朝廷的念头，听了这番话，大为高兴，立即就派遣王侑回魏州报信，使魏州将士知道有外援，各自坚守。又派遣判官王郅与许士则一起前往恒州，向王武俊说："王大夫您定下九死一生的计谋，杀了反叛的罪魁祸首，拔除了祸乱根源，康日知不出赵州一步，怎能与大夫您的功劳同日而语！然而朝廷对你们的褒奖封赏差不多，谁不为您怨愤！如今又听说有诏令将您的粮食和马匹调派给邻道，朝廷的用意，大概是认为大夫您善战无敌，害怕成为后患，打算先削弱您军府的实力，等到平定魏州之日，再派马燧仆射率军向北，朱滔司徒率兵向南，南北夹击来消灭您罢了。朱滔司徒也不敢自保，派我王郅等人来向您献上愚笨的计策，打算与大夫您一起救助田悦尚书而保存他的势力。大夫您把粮食和马匹自己留下供给军用。朱滔司徒不想将深州交给康日知，愿意交给您，请您尽早确定刺史去镇守。范阳、恒冀、魏博三镇联合起来，就像耳目手足一样彼此救助，那么今后就永无忧患了。"王武俊听后也很欢喜，便同意了，随即派遣判官王巨源出使到朱滔那里，并命令王巨源兼深州刺史，与朱滔约定时间率兵南下。朱滔又派人游说张孝忠，而张孝忠没有听从。

【段旨】

以上为第六段，写河北风云突变，由于德宗刚愎自用，善后失计，田悦策反朱滔，河北方镇又联兵对抗朝廷。

【注释】

㉑⑤戊午：二月初五日。㉑⑥魏州：指田悦。㉑⑦甲子：二月十一日。㉑⑧以德、棣二州隶朱滔：朱滔为幽州卢龙军节度使，欲就近得深州，而朝廷以偏远之德、棣二州属朱滔，故朱滔怨怒。㉑⑨故人：王武俊自谓，指为李宝臣旧将。武俊未全得李惟岳旧境，失赵、定二州，又不得节钺，亦怨怒。㉒⓪蹙：形势急迫、窘困。㉒①天子明下诏书：德宗征朱滔兵南讨，许以深州隶属卢龙镇。㉒②魏亡二句：田悦以唇亡齿寒之理说朱滔反唐。魏、燕、赵均战国时六国之名，为秦次第所灭。这里以魏、燕、赵当魏博、范阳、恒冀三

【原文】

宣武节度使刘洽攻李纳于濮州，克其外城。纳于城上涕泣求自新，李勉又遣人说之，癸卯[237]，纳遣其判官房说以其母弟经及子成务入见。会中使宋凤朝称纳势穷蹙[238]，不可舍，上乃囚说等于禁中，纳遂归郓州[239]，复与田悦等合。朝廷以纳势未衰，三月乙未[240]，始以徐州刺史李洧兼徐、海、沂都团练观察使。海、沂已为纳所据，洧竟无所得。

李纳之初反也，其所署德州刺史李西华备守甚严。都虞候李士真密毁[241]西华于纳，纳召西华还府，以士真代之。士真又以诈召[242]棣州刺史李长卿，长卿过德州，士真劫之，与同归国[243]。夏，四月戊午[244]，以士真、长卿为二州刺史。士真求援于朱滔[245]，滔已有异志，遣大将李济时将三千人声言助士真守德州，且召士真诣深州议军事，至则留之，使济时领州事。

【段旨】

以上为第七段，写征讨淄青的官军大破叛军之后，因朝廷不接受李纳投降，功亏一篑。

镇。㉓以贝州赂滔：田悦说朱滔若合纵，则赠以贝州。赂，赠送。㉔异志：异心，指背叛朝廷。㉕逆首：叛逆之首领。指李惟岳。㉖康日知不出赵州：指康日知以赵州归顺朝廷，未有出战之功。㉗愤邑：愤郁不平。㉘有诏支粮马与邻道：指德宗下诏王武俊以粮三千石供给朱滔，马五百匹供给马燧。支，支付。㉙马仆射北首：马仆射，指马燧之军。北首，首向北，即向北进军。㉚朱司徒南向：指朱滔之军向南进攻。㉛共救田尚书：指朱滔与王武俊合纵共救田悦。㉜请早定刺史：请王武俊及早派出深州刺史。朱滔欲得深州，为了策反王武俊而让出深州。㉝三镇：指范阳朱滔、恒冀王武俊、魏博田悦。㉞他日：今后。㉟令知深州事：令王巨源兼深州刺史。㊱刻日：约定日期。

## 【校记】

［3］无敌：此二字原无。据章钰校，十二行本、乙十一行本皆有此二字，张敦仁《通鉴刊本识误》、张瑛《通鉴校勘记》同，今据补。

---

## 【语译】

宣武节度使刘洽进攻濮州的李纳，攻克濮州外城。李纳站在城墙上哭泣请求改过自新，李勉又派人去规劝，二月癸卯日，李纳派手下的判官房说带着胞弟李经和儿子李成务入京朝见德宗。正遇上中使宋凤朝回京说李纳已势衰力竭，不能放过李纳，德宗便把房说等拘押在宫禁中，李纳于是逃到郓州，再次与田悦等人聚集在一起。朝廷认为李纳的势力并没有衰减，三月十三日乙未，才任命徐州刺史李洧兼任徐、海、沂三州都团练观察使。海州、沂州已被李纳占据，李洧最终一无所得。

李纳当初反叛时，他所委任的德州刺史李西华备战防守非常严密。都虞候李士真暗中在李纳面前诋毁李西华，李纳召李西华回府，让李士真替代他。李士真又假传李纳的命令召见棣州刺史李长卿，李长卿经过德州，李士真劫持了他，与李长卿一起归附朝廷。夏，四月初六日戊午，朝廷任命李士真、李长卿分别为德州、棣州刺史。李士真向朱滔求援，当时朱滔已有反叛的意图，就派遣大将李济时率兵三千，声言去帮助李士真守德州，而且召李士真前往深州商议军事，李士真到达深州，便遭朱滔扣留，而指派李济时代理德州刺史。

---

## 【注释】

㊲癸卯：二月甲寅朔，无癸卯。疑为己卯，二月二十六日。㊳穷蹙：力竭困顿。㊴郓州：州名，治所须昌，在今山东东平西北。㊵乙未：三月十三日。㊶密毁：暗中诽谤，

说坏话。㉜诈召：此谓李士真假传李纳之命宣召李长卿。㉝归国：回归朝廷。㉞戊午：四月初六日。㉟士真求援于朱滔：诏书以德、棣二州划属朱滔，故李士真求援于朱滔以抗李纳。

【原文】

庚申㊱，吐蕃归向日所俘掠兵民八百人。

上遣中使发㊲卢龙㊳、恒冀㊴、易定㊵兵万人诣魏州讨田悦。王武俊不受诏，执使者送朱滔。滔言于众曰："将士有功者，吾奏求官勋，皆不遂。今欲与诸君敕装㊶共趋魏州，击破马燧以取温饱，何如？"皆不应。三问，乃曰："幽州之人，自安、史之反，从而南者㊷无一人得还，今其遗人㊸痛入骨髓。况太尉、司徒㊹皆受国宠荣，将士亦各蒙官勋，诚且愿保目前，不敢复有侥冀㊺。"滔默然而罢。乃诛大将数十人，厚抚循其士卒。

康日知闻其谋，以告马燧，燧以闻。上以魏州未下，王武俊复叛，力未能制滔，壬戌㊻，赐滔爵通义郡王，冀以安之。滔反谋益甚，分兵营于赵州，以逼康日知，以深州授王巨源㊼，武俊以其子士真为恒、冀、深三州留后，将兵围赵州。

涿州刺史刘怦㊽与滔同县人，其母，滔之姑也，滔使知幽州留后[4]。闻滔欲救田悦，以书谏之曰："今昌平故里，朝廷改为太尉乡、司徒里，此亦丈夫不朽之名也。但以忠顺自持，则事无不济。窃思近日务大乐战㊾，不顾成败而家灭身屠者，安、史是也。怦忝密亲，默而无告，是负重知㊿。惟司徒图之，无贻后悔。"滔虽不用其言，亦嘉其尽忠，卒无疑贰。

滔将起兵，恐张孝忠为后患，复遣牙官蔡雄往说之。孝忠曰："昔者司徒发幽州，遣人语孝忠曰'李惟岳负恩为逆'，谓孝忠归国即为忠臣。孝忠性直，用司徒之教。今既为忠臣矣，不复助逆也。且孝忠与武俊皆出夷落(261)，深知其心最喜翻覆(262)。司徒勿忘鄙言，他日必相念(263)矣！"雄

**【语译】**

四月初八日庚申，吐蕃送回了过去俘掠的兵民八百人。

德宗派遣中使征调卢龙、恒冀、易定三镇兵力一万人前往魏州讨伐田悦。王武俊不服从诏令，把使者抓起来送给朱滔。朱滔向大家说："将士中有功劳的人，我向朝廷奏请官爵，都没有能实现。我现在打算与你们整装同赴魏州，打败马燧来求得温饱，大家看怎么样？"大家都不回答。问了三遍，才有人说："幽州的人，自从安禄山、史思明反叛以来，随他们南下的没有一个人能活着回来，现在他们的遗属仍然痛入骨髓。何况太尉和司徒您都受到国家的恩宠荣耀，将士们也都蒙受朝廷赐予的官勋，我们实在只求保持现状，不敢再有什么侥幸的想法。"朱滔当时沉默作罢。而随即杀了数十位大将，对部属士兵厚加安抚。

康日知得知朱滔的阴谋，便告诉马燧，马燧立即奏报朝廷。德宗认为魏州还没有攻下，王武俊再次反叛，没有力量去制服朱滔，四月初十日壬戌，赐朱滔通义郡王爵位，希望以此来稳住他。朱滔的反叛活动更加厉害，分兵驻扎赵州来威逼康日知，把深州交给了王巨源，王武俊任命儿子王士真为恒州、冀州、深州三州的留后，自己率兵马去包围赵州。

涿州刺史刘怦与朱滔是同县人，他的母亲是朱滔之姑，朱滔派刘怦为幽州留后。刘怦获悉朱滔想去救助田悦，就写信规劝说："如今你的故乡昌平，朝廷已改称为太尉乡、司徒里，这也是大丈夫不朽的功名了。你只要保持对朝廷忠顺，就没有办不成的事。我私下考虑，你近来一心务求大举，乐于战争，不顾成败最终导致家破身亡的，就是安禄山、史思明这样的人。我刘怦忝与司徒你亲密，保持沉默不提醒你，就有负你对我的知遇。但愿司徒你周详考虑，不要后悔不及。"朱滔虽然没有听从刘怦的劝告，但也赞赏刘怦对自己的尽忠，始终都没有怀疑刘怦有二心。

朱滔将要发兵，担心张孝忠成为后患，就又派遣牙官蔡雄去劝说张孝忠。张孝忠说："过去朱司徒从幽州出兵，派人对我说'李惟岳辜负皇恩叛逆'，就是说，只要我张孝忠归顺朝廷就是忠臣。我张孝忠耿直，一直遵从朱司徒的教导。如今我既然已经做了忠臣，就不再帮助逆贼。何况我张孝忠和王武俊都是夷狄部族人，非常了解王武俊最爱反复无常。但愿朱司徒不要忘记我这些浅陋的话，将来必有一天您

复欲以巧辞说之，孝忠怒，欲执送京师。雄惧，逃归。滔乃使刘怦将兵屯要害以备之。孝忠完城砺兵[264]，独居强寇之间，莫之能屈。

滔将步骑二万五千发深州，至束鹿。诘旦[265]将行，吹角未毕[266]，士卒忽大乱，喧噪[267]曰："天子令司徒归幽州，奈何违敕南救田悦！"滔大惧，走入驿后堂避匿。蔡雄与兵马使宗顼等矫谓士卒[268]曰："汝辈勿喧，听司徒传令。"众稍止。雄又曰："司徒将发范阳，恩旨令得李惟岳州县即有之，司徒以幽州少丝纩[269]，故与汝曹竭力血战以取深州，冀得其丝纩以宽汝曹赋率[270]。不意国家无信，复以深州与康日知。又，朝廷以汝曹有功，赐绢人十匹，至魏州西境，尽为马仆射所夺。司徒但处范阳，富贵足矣，今兹南行，乃为汝曹，非自为也。汝曹不欲南行，任自归北，何用喧悖[271]，乖失军礼[272]！"众闻言，不知所为，乃曰："敕使[273]何得不为军士守护赏物！"遂入敕使院[274]，擘裂杀之[275]。又呼曰："虽知司徒此行为士卒，终不如且奉诏归镇。"雄曰："然则汝曹各还部伍，诘朝复往深州，休息数日，相与归镇耳。"众然后定。滔即引军还深州，密令诸将访察唱率[276]为乱者，得二百余人，悉斩之，余众股栗[277]，乃复引军而南，众莫敢前却[278]。进取宁晋[279]，留屯以待王武俊。武俊将步骑万五千取元氏[280]，东趣宁晋。

武俊之始诛李惟岳也，遣判官孟华入见[281]，上问以河朔利害[5]。华性忠直，有才略，应对慷慨[282]。上悦，以为恒冀团练副使。会武俊与朱滔有异谋，上遽遣华归谕旨。华至，武俊已出师。华谏曰："圣意于大夫甚厚，苟尽忠义，何患官爵之不崇[283]，土地之不广！不日天子必移康中丞[284]于它镇，深、赵终为大夫之有，何苦遽[285]自同于逆乱乎！异日无成，悔之何及。"华向[286]在李宝臣幕府，以直道已为同列所忌，至是为副使，同列尤疾之，言于武俊曰："华以军中阴事[287]奏天子，请为内应，故得超迁。是将覆大夫之军，大夫宜备之。"武俊以其旧人，不忍杀，夺职，使归私第。

田悦恃援兵将至，遣其将康愔将万余人出城西，与马燧等战于御河[288]上，大败而还。

会想起来的!”蔡雄还想花言巧语地游说张孝忠，张孝忠很生气，准备将蔡雄押送京城。蔡雄恐惧，逃回去了。朱滔派刘怦率兵驻扎在要害之地防备张孝忠。张孝忠修缮城墙，磨砺兵器，独自处在强大的叛军之间，没有人能让他屈服。

朱滔统领步兵和骑兵二万五千人从深州出发，到达束鹿。第二天清晨准备继续前进，出发的号角还没有停止，队伍忽然大乱，士兵们吵闹说:“皇上命令朱司徒返回幽州，为什么违抗敕令南进救田悦!”朱滔很恐惧，跑到驿站后堂躲避。蔡雄和兵马使宗项等人哄骗士兵们说:“你们不要喧哗，听候司徒传达命令。”众人渐渐安静下来。蔡雄又说:“朱滔司徒在范阳发兵时，皇上下旨答应谁攻占李惟岳州县，所占州县就属谁，朱司徒因为幽州缺少丝绵，所以与你们一起竭力血战攻取深州，希望得到深州的丝绵，以减轻你们的赋税。没料到国家不讲信用，又把深州划归康日知。另外，朝廷因为你们有功，赏赐每人绢十匹，运送到魏州西部的时候，全部被马燧仆射所抢夺。朱司徒只在范阳，就足以荣华富贵，如今他南下，正是为了你们，不是为了自己。你们不愿意南下，尽可以回北方，用不着喧闹抵触，违抗军纪!”大家听了这番话，不知应该怎么办，就说:“传敕令的使臣为何不为我们士兵守护好皇帝赏赐的东西!”于是闯进敕使院，将敕使撕裂杀死。又高呼道:“虽然知道司徒南下是为了士兵，终究不如暂且遵诏回幽州。”蔡雄说:“那么你们各自归队，明早再前往深州，休息几天，再一起返回幽州。”大家这才安定。朱滔马上率军返回深州，密令各将领明察暗访带头制造混乱的人，一共查得二百多人，将他们全部问斩，其余的人都吓得双腿颤抖，于是又率领军队南下，大家不敢上前阻拦。一路进军，攻克宁晋县，就地驻扎等待王武俊。王武俊率领步兵和骑兵一万五千人攻克元氏县，东奔赴宁晋。

王武俊当初杀了李惟岳，就派判官孟华入朝见德宗，德宗询问他河朔地区的利害。孟华忠诚耿直，有才能而通谋略，应对德宗慷慨沉稳。德宗很高兴，任命他为恒冀团练副使。正遇上王武俊与朱滔想反叛，德宗立即派遣孟华回去传达谕旨。孟华到达恒州，王武俊已经率军出发。孟华劝谏说:“圣上对王大夫你寄予厚望，假如你尽忠尽义，还怕官职爵位不高，统辖的土地不广！不久皇上定会将康日知中丞调往他镇，深州、赵州最终会为大夫你所有，何苦这么快就自己与叛逆同流呢！往后事情不成功，你将追悔莫及。”孟华从前在李宝臣幕府，由于为人正直，被同僚忌妒，到这时做了团练副使，同僚们更加嫉恨，对王武俊说:“孟华把我军的秘密奏报皇上，请求充当内应，因此越级提拔。他的这些主意，是想消灭大夫您的军队，大夫应该多加戒备。”王武俊因为孟华是自己的旧属，不忍心杀掉，只是褫夺了职务，让他回家。

田悦自恃援兵就要到达，派遣大将康愔统领士兵万余人出了城西，与马燧等人的军队在御河岸边交战，大败而还。

【段旨】

以上为第八段，写朱滔、王武俊挟制部属反叛朝廷，朱滔为其罪魁。

【注释】

㉔⑥庚申：四月初八日。㉔⑦发：征发。㉔⑧卢龙：指朱滔。㉔⑨恒冀：指王武俊。㉕⓪易定：指张孝忠。㉕①敕装：整装，此指全副武装。敕，通“饬”。㉕②从而南者：指幽州将士追随安、史为乱，南向征战。㉕③遗人：指战死将士的家属。㉕④太尉、司徒：指朱泚、朱滔兄弟。时朱滔兄朱泚镇凤翔，加官太尉。㉕⑤侥冀：侥幸。㉕⑥壬戌：四月初十日。㉕⑦以深州授王巨源：朱滔将深州交割给王巨源以践前约。㉕⑧刘怦：朱滔姑之子，与朱滔同籍贯，幽州昌平（今北京市昌平区）人，继朱滔为卢龙节度使。传见《旧唐书》卷一百四十三、《新唐书》卷二百十二。㉕⑨务大乐战：贪大而乐于战争。指朱滔欲广地而不惜反叛朝廷发动战争。㉖⓪负重知：辜负对我的器重。㉖①皆出夷落：都出自夷人部落。张孝忠本奚乞失活种人，王武俊出自契丹怒皆部。㉖②翻覆：反复无常。㉖③相念：会想起。㉖④完城砺兵：修缮城墙，磨砺兵器。㉖⑤诘旦：明晨。㉖⑥吹角未毕：吹军号集合队伍，尚未整列之

---

【原文】

时两河[289]用兵，月费百余万缗，府库不支数月。太常博士韦都宾、陈京建议，以为“货利所聚，皆在富商。请括富商钱，出万缗者，借其余以供军[290]。计天下不过借一二千商，则数年之用足矣”。上从之。甲子[291]，诏借商人钱，令度支条上[292]。判度支[293]杜佑[294]大索长安中商贾所有货，意其不实，辄加搒捶，人不胜苦，有缢死者，长安嚣然[295]如被寇盗。计所得才八十余万缗。又括僦柜质钱[296]，凡蓄积钱帛粟麦者，皆借四分之一[297]，封其柜窖[298]。百姓为之罢市，相帅[299]遮宰相马自诉，以千万数。卢杞始慰谕之，势不可遏[300]，乃疾驱自他道归。计并借商所得，才二百万缗，人已竭矣。京，叔明[301]之五世孙也。

---

时。㉗喧噪：杂乱呼叫。㉘矫谓士卒：欺骗士兵。㉙丝纩：丝绵。纩，絮。㉚宽汝曹赋率：减轻你们的赋税负担。赋率，指收入与纳税之间的比率。㉛喧悖：无理哄闹。㉜乖失军礼：违乱军纪。乖，违背。㉝敕使：奉朝命的使者。㉞敕使院：专门接待朝廷使者的宾馆。㉟擘裂杀之：将朝廷使者撕裂致死。㊱唱率：闹事的带头人。㊲股栗：两腿发抖。㊳前却：上前阻拦。㊴宁晋：县名，县治在今河北高邑东。㊵元氏：县名，县治在今河北元氏。宁晋、元氏，二县皆赵州巡属。㊶入见：入京朝见。㊷慷慨：意气激昂。㊸崇：高位之官。㊹康中丞：指康日知。㊺遽：匆忙；突然地。㊻向：从前。㊼阴事：隐秘事。㊽御河：魏州城西运河。

【校记】

［4］与滔同县人，其母，滔之姑也，滔使知幽州留后：此十八字原脱。据章钰校，十二行本、乙十一行本皆有此十八字，张敦仁《通鉴刊本识误》、张瑛《通鉴校勘记》同，今据补。［5］上问以河朔利害：此句原脱。据章钰校，十二行本、乙十一行本皆有此句，张敦仁《通鉴刊本识误》、张瑛《通鉴校勘记》同，今据补。

---

【语译】

当时朝廷对河南、河北用兵，每月军费一百多万缗，国库已有几个月不能支付。太常博士韦都宾、陈京提出建议，认为“交易得利都集中在富商手中，请下令搜求富商的钱财。财产超出一万缗钱的，超出部分全部借来供应军用。估算全国不过借用一二千个富商的钱，足可供军队几年的用度”。德宗接受了这一建议。四月十二日甲子，下诏向商人借钱，让度支登记上报朝廷。任判度支的杜佑在长安的商人中大肆调查所有财物数量，怀疑商人有瞒报，就对他们进行拷打，商人们无法忍受这种痛苦，竟有上吊自杀的，长安城一片混乱，像遭到敌寇和强盗劫掠一样。总共得到八十多万缗。又搜索钱庄和当铺，凡是储积钱币、衣帛、粟麦的人，都得借出储积的四分之一，并查封了他们的柜台和窖藏。百姓为此罢市，相互邀约拦住宰相的坐骑告状，人数成千上万。宰相卢杞开始还安慰晓谕拦路的人，但声势难以阻遏，只好急忙驱马改道回府。朝廷总共才得到二百多万缗，商人已钱尽财竭。陈京，是陈叔明的五世孙。

---

【段旨】

以上为第九段，写两河用兵，朝廷滥征苛税以足军用。

【注释】

㉘⑨两河：指河南、河北。河南用兵讨梁崇义、李纳，河北用兵讨李惟岳、田悦。㉙⓪出万缗者二句：商人资本超过一万缗的，征借其万缗之外的钱财以供军用。㉙①甲子：四月十二日。㉙②令度支条上：命令度支条陈征借富商钱财的办法上奏。度支，户部第二司，

【原文】

甲戌㉚②，以昭义节度副使、磁州刺史卢玄卿为洺州刺史兼魏博招讨副使。

初，李抱真为泽潞节度使，马燧领河阳三城。抱真欲杀怀州刺史杨钵，钵奔燧，燧纳之，且奏其无罪，抱真怒。及同讨田悦，数以事相恨望，二人怨隙遂深，不复相见。由是诸军逗桡㉚③，久无成功。上数遣中使和解之。及王武俊逼赵州，抱真分麾下二千人戍邢州。燧大怒曰："余贼未除，宜相与戮力，乃分兵自守其地，我宁得独战邪[6]！"欲引兵归。李晟说燧曰："李尚书㉚④以邢、赵连壤，分兵守之，诚未有害。今公遽自引去，众谓公何？"燧悦㉚⑤，乃单骑造抱真垒，相与释憾结欢㉚⑥。会洺州刺史田昂请入朝，燧奏以洺州隶抱真，请玄卿为刺史，兼充招讨之副㉚⑦。李晟军先隶抱真，又请兼隶燧，以示协和。上皆从之。

卢龙节度行军司马㉚⑧蔡廷玉恶判官㉚⑨郑云逵，言于朱泚[7]，奏贬莫州参军。云逵妻，朱滔之女也，滔复奏为掌书记㉛⓪。云逵深构㉛①廷玉于滔，廷玉又与检校大理少卿㉛②朱体微言于泚曰："滔在幽镇，事多专擅，其性非长者，不可以兵权付之。"滔知之，大怒，数与泚书，请杀二人㉛③者，泚不从，由是兄弟颇有隙。及滔拒命，上欲归罪于廷玉等以悦滔，甲子㉛④，贬廷玉柳州㉛⑤司户㉛⑥，体微万州㉛⑦南浦尉㉛⑧。

掌理钱财及军国预算。㉓判度支：以大臣总理度支事务。㉔杜佑（公元七三四至八一二年）：字君卿，京兆万年（今陕西西安东）人，中唐著名理财家、历史学家，著《通典》行于世。官至宰相，封岐国公。传见《旧唐书》卷一百四十七、《新唐书》卷一百六十六。㉕嚣然：民怨沸腾的样子。㉖括僦柜质钱：征收典当铺的利钱。括，搜刮、征收。僦柜质钱，指典当铺所收的典当子钱，即利钱。质，典当。㉗借四分之一：凡是存有钱帛粮食的人家，征收其存有量的四分之一。㉘封其柜窖：对被强征的人，先封存他的钱柜及粮窖。㉙相帅：互相邀约。㉚势不可遏：声势不可阻止。㉛叔明：陈叔明，陈宣帝之子。

**【语译】**

四月二十二日甲戌，朝廷任命昭义节度副使、磁州刺史卢玄卿为洺州刺史兼魏博招讨副使。

当初，李抱真担任泽潞节度使，马燧兼管河阳三城。李抱真想杀掉怀州刺史杨钵，杨钵投奔马燧，马燧收留了他，并且上奏称杨钵无罪，李抱真十分恼怒。等到他们一同征讨田悦，彼此多次因事相互怨恨，二人裂痕越来越深，不再见面。因此各军互相观望，以致很久没有战功。德宗多次派中使去让二人和解。到王武俊率军进逼赵州，李抱真将麾下分出二千人去戍守邢州。马燧大怒说："残贼还没有扫除，大家应当紧密合作，全力以赴，他竟然分兵守护自己的地盘，我难道能独自作战吗！"马燧打算率兵撤回本镇。李晟劝马燧说："李抱真尚书因为邢州、赵州接壤，分兵防守邢州，确实没有什么害处。此时您如果仓促撤兵，众人会如何说您呢？"马燧转怒为喜，于是独自驱马前往李抱真的兵营，两人释嫌结好。适逢洺州刺史田昂请求入朝，马燧便上奏将洺州划归李抱真，又请求派卢玄卿为洺州刺史，兼任招讨副使。李晟部先前隶属李抱真，又请求同时隶属于马燧，以显示双方融洽。皇上应允了这些请求。

卢龙节度行军司马蔡廷玉厌恶判官郑云逵，对朱泚说了，奏请朝廷将他贬为莫州参军。郑云逵的妻子，是朱滔的女儿，朱滔又向朝廷奏请任命郑云逵为掌书记。郑云逵在朱滔面前竭力诬陷蔡廷玉，蔡廷玉又与检校大理少卿朱体微向朱泚诉说："朱滔在幽州军镇，处理事务大多独断专行，这种性情不是长者风度，不能把兵权交给他。"朱滔知道此事后大怒，多次给朱泚写信，请他杀了这两人，朱泚都没有听从，因此兄弟之间矛盾很大。后来朱滔违抗朝命，皇上打算归罪于蔡廷玉等人来取悦朱滔，四月十二日甲子，贬蔡廷玉为柳州司户，朱体微为万州南浦县尉。

宣武节度使刘洽攻李纳之濮阳，降其守将高彦昭。

朱滔遣人以蜡书⑲置髻中⑳遗朱泚，欲与同反。马燧获之，并使者送长安，泚不之知。上驿召泚于凤翔，至，以蜡书并使者示之，泚惶恐顿首请罪。上曰："相去千里，初不同谋，非卿之罪也。"因留之长安私第㉑，赐名园、腴田、锦彩、金银甚厚，以安其意，其幽州、卢龙节度、太尉、中书令并如故。

**【段旨】**

以上为第十段，写河北叛军联兵救田悦，大敌当前，官军统帅马燧与李抱真释嫌言和，协力讨逆，官军摆脱危机。

**【注释】**

㉚甲戌：四月二十二日。㉛逗挠：避敌而观望。逗，曲行。挠，顾望。㉜李尚书：指李抱真，因加官检校工部尚书，故称。㉝燧悦：马燧很高兴，折服于李晟所说的道理。㉞相与释憾结欢：互相捐弃前嫌，重新交好。㉟会洺州刺史田昂请入朝四句：此补充甲戌诏令的本由。马燧奏请李抱真的副手卢玄卿为洺州刺史、行营副统帅，于是有甲戌之诏令。㊱行军司马：节度使属官，掌军籍部伍、号令印信，类似现在的参谋长。㊲判官：节度使属官，掌兵马钱粮事务。蔡廷玉为卢龙行军司马，被朱泚所亲信。郑云逵是朱滔女婿。㊳掌书记：节度使府掌表奏的属官，如今日秘书长之职。㊴深构：极力陷害。㊵大理少卿：大理寺（掌刑狱）副长官。朱体微为检校大理少卿，唐代加"检

**【原文】**

上以幽州兵在凤翔㉒，思得重臣代之。卢杞忌张镒忠直，为上所重，欲出之于外，己得专总朝政，乃对曰："朱泚名位素崇㉓，凤翔将校班秩已高，非宰相信臣㉔，无以镇抚，臣请自行。"上俯首㉕未言。杞又曰："陛下必以臣貌寝㉖，不为三军所伏㉗，固惟陛下神算㉘。"上乃顾镒曰："才兼文武，望重内外，无以易卿。"镒知为杞所排，而无

宣武节度使刘洽攻打李纳的濮阳，收降了濮阳守将高彦昭。

朱滔写了一封蜡书，派人藏在发髻中送交朱泚，想与他一同反叛。马燧抓住了这个使者并搜出书信，把信件连同使者押送到长安，朱泚并不知道这件事。皇上通过驿传从凤翔召朱泚入朝。朱泚到了朝廷，德宗将蜡书和使者展示在他面前，朱泚惶恐地顿首请罪。皇上说："你们兄弟相距千里，一开始就不是同谋，这并非你的罪过。"于是将朱泚留在他长安的私宅中，赏赐著名的园林、肥沃的田地、绫罗锦缎和大量的金银财宝，来稳定朱泚的情绪，朱泚所担任的幽州和卢龙节度使、太尉、中书令等职务仍旧保留。

---

校"二字即为加官荣衔。朱体微为朱泚幕僚。⑬请杀二人：朱滔写信给朱泚，要求杀掉蔡廷玉与朱体微两人。⑭甲子：四月十二日。⑮柳州：州名，州治马平县，在今广西柳州西南马平。⑯司户：官名，知州僚佐，掌参军事及户口，上州从七品下，下州从八品下。⑰万州：州名，治所南浦县，在今重庆市万州区。⑱南浦尉：官名，南浦县县尉，掌县军事。⑲蜡书：藏在蜡丸中的书信。⑳置髻中：古代男人亦蓄发挽髻，故蜡丸可藏于发髻中。㉑留之长安私第：德宗软禁朱泚于长安私宅中，以解其兵权。代宗大历九年（公元七七四年）朱泚入朝，代宗为之筑豪华住宅于京师。事见本书卷第二百二十五。

【校记】

[6]我宁得独战邪：此句原无。据章钰校，十二行本、乙十一行本皆有此句，张敦仁《通鉴刊本识误》、张瑛《通鉴校勘记》同，今据补。[7]言于朱泚：此句原无。据章钰校，十二行本、乙十一行本皆有此句，张敦仁《通鉴刊本识误》、张瑛《通鉴校勘记》同，今据补。

---

【语译】

皇上因幽州军驻扎在凤翔，考虑得派权重大臣去取代朱泚。卢杞嫉妒张镒忠诚耿直，受到皇上倚重，打算把他排挤到朝廷之外，自己能够专擅朝政，于是就对德宗说："朱泚的名望和地位向来很高，驻扎在凤翔的将校们级别也已高出一般军镇，不是宰相这样的朝中亲信大臣，是无法镇抚他们的，我请求去兼任朱泚的职务。"皇上低头不言。卢杞又说："陛下一定认为我丑陋，不会被三军将士所信服，那就只有请陛下英明决断。"皇上于是看着张镒说："身兼文武之才，朝廷内外都有威望，没有人能取代你。"

辞以免，因再拜受命。戊寅㉙，以镒兼凤翔尹、陇右节度等使。

初，卢杞与御史大夫严郢共构杨炎、赵惠伯之狱，炎死，杞复忌郢。会蔡廷玉等贬官，殿中侍御史㉚郑詹误递文符至昭应㉛送之，廷玉等行已至蓝田㉜，召还而东㉝，廷玉等以为执己送朱滔，至灵宝㉞西，赴河死㉟。上闻之，骇异，卢杞因奏："朱泚必疑以为诏旨，请遣三司使㊱案詹。"又言："御史所为，必禀大夫㊲，请并郢案之。"狱未具，壬午，杞奏杖杀詹于京兆府，贬郢费州刺史，卒于贬所。

上初即位，崔祐甫为相，务崇宽大，故当时政声蔼然㊳，以为有贞观之风。及卢杞为相，知上性多忌，因以疑似离间群臣，始劝上以严刻御下㊴，中外失望㊵。

淮南节度使陈少游奏本道㊶税钱每千请增二百。五月丙戌㊷，诏增他道税钱皆如淮南，又盐每斗价皆增百钱。

朱滔、王武俊自宁晋南救魏州。辛卯㊸，诏朔方节度使李怀光㊹将朔方及神策步骑万五千人东讨田悦，且拒滔等。滔行至宗城㊺，掌书记郑云逵、参谋田景仙弃滔来降。

丁酉㊻，加河东节度使马燧同平章事。

辛亥㊼，置义武军节度于定州，以易、定、沧三州隶之。

张光晟之杀突董㊽也，上欲遂绝回纥，召册可汗使㊾源休㊿还太原。久之，乃复遣休送突董及翳密施、大小梅录等四丧(351)还其国，可汗遣其宰相颉子斯迦等迎之。颉子斯迦坐大帐，立休等于帐前雪中，诘以杀突董之状，欲杀者数四(352)，供待甚薄(353)。留五十余日，乃得归。可汗使人谓之曰："国人皆欲杀汝以偿怨(354)，我意则不然。汝国已杀突董等，我又杀汝，如以血洗血，污(355)益甚耳。今吾以水洗血，不亦善乎！唐负(356)我马直(357)绢[8]百八十万匹，当速归(358)之。"遣其散支将军康赤心随休入见，休竟不得见可汗而还。己卯[9]，至长安，诏以帛十万匹、金银十万两偿其马直。休有口辩，卢杞恐其见上得幸，乘其未至，先除光禄卿(359)。

张镒明知被卢杞排挤，而又没有理由推辞受命，只得再三拜谢接受任命。四月二十六日戊寅，任命张镒兼任凤翔尹、陇右节度使。

当初，卢杞与御史大夫严郢共同制造了杨炎、赵惠伯的冤狱，杨炎死后，卢杞又忌恨严郢。正遇上蔡廷玉等人遭贬官，殿中侍御史郑詹误将文书传到昭应派人解送，蔡廷玉等已行进到蓝田，又被召回向东行进，蔡廷玉等以为是解送自己给朱滔，走到灵宝县西境，都投入黄河自杀了。皇上得悉此事，惊奇不已，卢杞乘机上奏说："朱泚一定会怀疑这是陛下的旨意，请派三司使审讯郑詹。"又说："御史所做的事，一定向御史大夫禀报，请将严郢一并审讯。"案情还没有完全弄清，四月三十日壬午，卢杞奏请在京兆府中用杖刑杀死了郑詹，贬严郢为费州刺史，严郢后死在费州。

皇上即位之初，崔祐甫担任宰相，为政崇尚宽大，因此当时政治的声誉很好，被认为有贞观之风。等到卢杞担任宰相，知道皇上生性多疑，于是利用疑似的事情离间君臣，开始劝皇上用严厉手段统御群臣，朝廷内外都很失望。

淮南节度使陈少游奏请本道税钱每一千钱再增加二百钱。五月初四日丙戌，下诏各道都用淮南道的标准征税，另外每斗食盐的价钱都增加一百钱。

朱滔、王武俊统领兵马从宁晋南下援救魏州。五月初九日辛卯，下诏朔方节度使李怀光统领朔方和神策军的一万五千名步骑兵东讨田悦，同时阻挡朱滔等军。朱滔进军到宗城，掌书记郑云逵、参谋田景仙背弃朱滔向朝廷投降。

五月十五日丁酉，加授河东节度使马燧为同平章事。

二十九日辛亥，在定州设立义武军节度使，把易州、定州、沧州三州隶属义武军。

张光晟杀掉突董以后，皇上打算随即与回纥断绝交往，宣召册封可汗的使臣源休返回太原。过了很久，才又派遣源休把突董以及翳密施、大梅录、小梅录等四人的尸体送往回纥，可汗派宰相颉子斯迦等迎接。颉子斯迦坐在大帐里面，让源休等站在大帐前的雪地中，责问杀死突董的情状，多次想杀掉源休，对这些唐使的生活供给和招待都很菲薄。扣留他们五十多天，才让其返回。可汗派人对源休说："国人都想杀掉你来报仇，我的想法就不是这样。你的国家已经杀了突董等人，我又杀了你，就如同用血来洗涤血污，越洗越不干净。现今我用水来洗血污，不也是很好的吗！唐朝欠我们的马匹款相当绢一百八十万匹，应当迅速归还。"派遣散支将军康赤心随同源休入长安朝见，源休竟没能见到可汗一面就返回朝廷。六月二十八日己卯，源休一行抵达长安，德宗下诏用绢帛十万匹、金银十万两充抵买马钱。源休有口才，卢杞担心他见了皇上而受到宠信，乘源休还没到长安，就抢先授予他光禄卿的职务。

【段旨】

以上为第十一段，写奸相卢杞专权，排斥朝中大臣。回纥主动结好于唐。

【注释】

㉒幽州兵在凤翔：朱泚入朝所带的防秋兵屯驻于凤翔。㉓名位素崇：名位一直很高。朱泚加官太尉、中书令，皆高位。㉔信臣：亲信之臣。㉕俯首：低头。㉖貌寝：貌丑。㉗伏：通“服”。㉘神算：神机妙算。㉙戊寅：四月二十六日。㉚殿中侍御史：御史大夫属官，察举非法。㉛昭应：县名，县治在今陕西西安市临潼区。㉜蓝田：县名，县治在今陕西蓝田。㉝召还而东：蔡廷玉等贬所柳州、万州，本应从长安南行经蓝田出武关。由于侍御史郑詹误将关防文书投到昭应，经昭应乃东行，故召还蔡廷玉等回京师向东行。㉞灵宝：县名，县治在今河南灵宝。㉟赴河死：投入黄河自杀。㊱三司使：唐审大狱，刑部尚书或侍郎、御史中丞、大理卿为大三司使；刑部郎官、侍御史、大理评事或司直为小三司使；太子监国，詹事、左庶子、右庶子为三司使。此处似谓大三司使。㊲大夫：指御史大夫严郢。卢杞诬陷郑詹的误投文牒为有意作弊，是受严郢的支使，故请求并审严郢。㊳蔼然：和乐的样子。德宗初即位，政治宽松，赢得了很高的声誉，被认为有贞观之治的风采。贞观，唐太宗年号。㊴以严刻御下：用严厉苛刻的手腕控制

【原文】

朱滔、王武俊军至魏州，田悦具牛酒出迎，魏人欢呼动地。滔营于惬山㊵[10]。是日，李怀光军亦至，马燧等盛军容迎之。滔以为袭己，遽出陈。怀光勇而无谋，欲乘其营垒未就击之。燧请且休将士，观衅而动。怀光曰：“彼营垒既立，将为后患，此时不可失也。”遂击滔于惬山之西，杀步卒千余人，滔军崩沮㊶。怀光按辔观之，有喜色，士卒争入滔营取宝货。王武俊引二千骑横冲怀光军，军分为二。滔引兵继之，官军大败，蹙㊷入永济渠溺死者不可胜数㊸，人相蹈藉㊹，其积如山㊺，水为之不流，马燧等各收军保垒。是夕，滔等堰㊻永济渠入王莽故河㊼，绝官军粮道及归路，明日，水深三尺余。马燧惧，遣使卑辞谢滔㊽，求与诸节度归本道，奏天子，请以河北事委五郎㊾处

臣下。㉞中外失望：朝廷内外、朝野上下都感到失望。㉞本道：淮南所辖巡属。中唐时淮南道统扬、楚、滁、和、濠、庐、寿、舒等州。㉞丙戌：五月初四日。㉞辛卯：五月初九日。㉞李怀光（公元七二七至七八五年）：渤海靺鞨人，本姓茹，因战功赐姓李，为朔方名将。兴元受诏平朱泚之乱，遭卢杞等人构陷而反，贞元元年（公元七八五年）为部将所杀。传见《旧唐书》卷一百二十一、《新唐书》卷二百二十四上。㉞宗城：县名，属魏州，县治在今河北威县。㉞丁酉：五月十五日。㉞辛亥：五月二十九日。㉞张光晟之杀突董：振武留后张光晟杀回纥使突董。事见上卷德宗建中元年（公元七八〇年）。㉞册可汗使：册封回纥可汗的专使。㉟源休：官至御史中丞。朱泚反，源休为其谋主，泚败，休为其部曲所杀。传见《旧唐书》卷一百二十七、《新唐书》卷二百二十五中。㉟四丧：突董等四人尸首。㉟数四：多次；再三再四。㉟供待甚薄：招待十分菲薄。㉟偿怨：抵偿突董等人被杀的仇怨。㉟污：指行为污秽、卑劣。㉟负：拖欠。㉟马直：马价。㉟归：还；偿付。㉟光禄卿：官名，掌郊祀、朝会酒食供应。

【校记】

［8］绢：此字原无。据章钰校，十二行本、乙十一行本皆有此字，张敦仁《通鉴刊本识误》、张瑛《通鉴校勘记》同，今据补。［9］己卯：据张敦仁《通鉴刊本识误》，“己”上脱“六月”二字。己卯，六月二十八日。

【语译】

朱滔、王武俊的军队到达魏州，田悦置办牛酒出城迎接，魏州人欢呼声震天动地。朱滔驻扎在惬山。这一天，李怀光的军队也到了，马燧等军排着整齐的队列隆重迎接。朱滔以为他们要袭击自己，急忙调兵布阵。李怀光勇而无谋，打算趁朱滔的营寨还没有修建好就去攻击。马燧请他暂且休整士卒，静观敌变而伺机行动。李怀光说：“如果他们把营寨修建好，就将成为后患，眼下的机会不能丧失。”于是在惬山之西向朱滔发动进攻，杀掉敌人步兵一千多人，朱滔的军队溃不成军。李怀光勒马观看，面有喜色，士卒争相进入朱滔营寨抢掠金银财宝。王武俊带领两千名骑兵朝李怀光军阵中部横冲，把李怀光的部队拦腰截成两段。朱滔紧随王武俊之后进攻，官军大败，被逼得跳入永济渠淹死的人不可胜数，自己人互相践踏，尸体堆积如山，渠水阻塞不流，马燧等各自收拾残部，退入营垒自保。这天晚上，朱滔等率军筑坝断水，把永济渠水引入王莽故河，断绝官军的粮道和退路。第二天，官军驻地周围的水深已达三尺多。马燧非常害怕，派使者低声下气地向朱滔赔罪道歉，请求朱滔放自己与各位节度使各自退回本道，并奏报德宗，请求将河北地区都交付朱五郎处

之。滔欲许之，王武俊以为不可，滔不从。秋，七月，燧与诸军涉水而西，退保魏县[370]以拒滔，滔乃谢武俊，武俊由是恨滔。后数日，滔等亦引兵营魏县东南，与官军隔水相拒。

李纳求救于滔等，滔遣魏博兵马使信都承庆将兵助之。纳攻宋州[371]，不克，遣兵马使李克信、李钦遥戍[372]濮阳、南华以拒刘洽。

---

【段旨】

以上为第十二段，写李怀光轻敌，导致官军在魏州惨败。从此，河北方镇割据形势，不可逆转。

【注释】

[360]惬山：山名，在魏州城西永济渠岸边。[361]崩沮：崩溃。[362]蹙：被压迫。[363]不可胜数：无法计算；不知有多少。胜，尽。[364]蹈藉：践踏。[365]其积如山：堆积如山。[366]堰：

---

【原文】

甲辰[373]，以淮宁节度使李希烈兼平卢[374]、淄青、兖郓、登莱、齐州节度使，讨李纳。又以河东节度使马燧兼魏博、澶相节度使，加朔方、邠宁节度使李怀光同平章事。

神策行营招讨使李晟请以所将兵北解赵州之围，与张孝忠分势图范阳[375]，上许之。晟自魏州引兵北趋赵州，王士真解围去。晟留赵州三日，与孝忠合兵北略恒州。

演州[376]司马李孟秋举兵反，自称安南[377]节度使。安南都护辅良交讨斩之。

八月丁未[378]，置河[11]东、西水陆运、两税、盐铁使二人[379]，度支总其大要而已[380]。辛酉[381]，以泾原留后姚令言为节度使。

卢杞恶太子太师颜真卿[382]，欲出之于外。真卿谓杞曰："先中丞[383]传

理。朱滔打算答应他，王武俊认为不可以，朱滔没有听从。秋，七月，马燧与各道军队涉水西进，退守魏县抵挡朱滔，朱滔这才向王武俊致歉，王武俊因此对朱滔怀恨在心。过后几天，朱滔等人也带领人马扎营在魏县东南，与官军隔水对峙。

李纳向朱滔等请求救兵，朱滔派遣魏博镇兵马使信都承庆领兵助战。李纳攻打宋州，没有攻克，派遣兵马使李克信、李钦远赴濮阳县、南华县戍守以防御刘洽。

---

筑堤。㊂㊅㊆王莽故河：永济渠北岸的故道，王莽时堙塞，故称。㊂㊅㊇卑辞谢滔：用谦恭的词句向朱滔致歉。㊂㊅㊈五郎：朱滔排行第五，尊称五郎。㊂㊆〇魏县：县名，在今河北大名。㊂㊆①宋州：州名，治所宋城，在今河南商丘。宋州为宣武军巡属。㊂㊆②遥戍：远戍。为遥应攻宋州之兵以分宣武之众，李纳遣将远戍濮阳、南华。濮阳县属濮州，县治在今河南濮阳西南。南华县属曹州，县治在今山东东明东南。

## 【校记】

［10］恒山：严衍《通鉴补》改作“连箧山”。

---

## 【语译】

七月二十三日甲辰，任命淮宁节度使李希烈兼任平卢、淄青、兖郓、登莱、齐州节度使，征讨李纳。又任命河东节度使马燧兼任魏博、澶相节度使，加授朔方、邠宁节度使李怀光同平章事。

神策行营招讨使李晟请求率部北进解除赵州之围，与张孝忠分兵图谋夺取范阳，皇上同意了这一意见。李晟从魏州领兵北赴赵州，王士真解除了对赵州的包围，撤走了军队。李晟在赵州逗留了三天，与张孝忠合兵向北进攻恒州。

演州司马李孟秋举兵反叛，自称安南节度使。安南都护辅良交发兵讨伐，杀了李孟秋。

八月丁未日，设置河东和河西的水陆转运、两税、盐铁使二人，度支只是从总体上加以管理而已。

十一日辛酉，朝廷任命泾原留后姚令言为节度使。

卢杞憎恶太子太师颜真卿，打算把他调出朝廷外任。颜真卿对卢杞说：“令尊先

首至平原，真卿以舌舐面血，今相公忍不兼容乎？”杞矍然起拜，然恨之益甚。

九月癸卯[384]，殿中少监崔汉衡自吐蕃归，赞普遣其臣区颊赞随汉衡入见。

冬，十月辛亥[385]，以湖南观察使曹王皋为江南西道节度使。皋至洪州，悉集将佐，简阅其才，得牙将伊慎[386]、王锷[387]等，擢为大将，引荆襄判官许孟容[388]置幕府。慎，兖州人。孟容，长安人也。

慎常从李希烈讨梁崇义，希烈爱其才，欲留之，慎逃归。希烈闻皋用慎，恐为己患，遗慎七属甲[389]，诈为复书，坠之境上。上闻之，遣中使即军中斩慎。皋为之论雪，未报。会江贼三千余众入寇，皋遣慎击贼自赎。慎击破之，斩首数百级而还，由是得免。

卢杞秉政，知上必更立相[390]，恐其分己权，乘间荐吏部侍郎关播[391]儒厚，可以镇风俗[392]。丙辰[393]，以播为中书侍郎、同平章事。政事皆决于杞，播但敛衽无所可否[394]。上尝从容与宰相论事，播意有所不可，起立欲言，杞目之而止。还至中书[395]，杞谓播曰：“以足下端悫[396]少言，故相引至此，向者奈何发口欲言邪！”播自是不复敢言。

戊辰[397]，遣都官员外郎河中[12]樊泽使于吐蕃，告以结盟之期。

丙子[398]，肃王详[399]薨。

---

**【段旨】**

以上为第十三段，写官军在魏州战败后，朝廷重新部署全国讨逆事宜。吐蕃遣使和好唐朝。

中丞首级传到平原，我颜真卿用舌头舐他脸上的血迹，现在相公你忍心不容我吗?”卢杞左右顾盼，起身下拜，但越加痛恨颜真卿。

九月二十三日癸卯，殿中少监崔汉衡从吐蕃返回，赞普派遣使臣区颊赞随崔汉衡入朝拜见。

冬，十月初二日辛亥，任命湖南观察使曹王李皋为江南西道节度使。李皋到达洪州，召集所有的将领和佐吏，考核他们的才能，发现了牙将伊慎、王锷等人，就将他们提拔为大将，延请荆襄判官许孟容作为幕府的成员。伊慎，是兖州人。许孟容，是长安人。

伊慎曾经跟随李希烈征讨梁崇义，李希烈爱惜伊慎的才干，打算留下他，伊慎不愿意，逃回洪州。李希烈得知李皋重用伊慎，担心他成为自己的祸患，赠予伊慎七领犀甲，冒充伊慎的名义写回信，故意将信丢弃在伊慎驻地。皇上听到这件事，派中使去李皋军中要将伊慎斩首。李皋为伊慎申诉清白，没有得到德宗的答复。正遇上长江中的盗贼三千多人入境劫掠，李皋派遣伊慎攻打盗贼赎罪。伊慎打败了盗贼，斩首数百级，于是免于一死。

卢杞掌管朝廷政事，知道皇上一定会再任命宰相，担心新任宰相瓜分自己的权力，乘机推荐吏部侍郎关播儒雅仁厚，可以整肃风习。十月初七日丙辰，任命关播为中书侍郎、同平章事。一切政务都由卢杞决定，关播只是袖手端坐，遇事不置可否。有一次皇上闲暇时与宰相谈论事情，关播有些不同意见，起身想说出来，卢杞用眼色制止了关播。两人回到中书省，卢杞对关播说：“因为你端庄稳重，不多说话，我才引荐你位至宰相，刚才你为什么想要开口说话呢!”此后关播不敢再说话了。

十月十九日戊辰，派遣都官员外郎河中人樊泽出使吐蕃，告诉双方缔结盟约的日期。

二十七日丙子，肃王李详逝世。

---

## 【注释】

㊳㊸ 甲辰：七月二十三日。㊳㊹ 平卢：方镇名，唐玄宗开元七年（公元七一九年）升平卢军使置，为开元时十节度之一。治所营州，在今辽宁辽阳。肃宗上元二年（公元七六一年）平卢节度使侯希逸为安、史所逼，举众南迁淄青，号淄青平卢节度使。今德宗加李希烈兼平卢淄青节度使，将兖、郓、登、莱、齐诸州划属，令其攻李纳。㊳㊺ 分势图范阳：李晟与张孝忠分兵进攻，用以分贼人之势，图取范阳。㊳㊻ 演州：州名，安南节度巡属，治所在今越南境内。㊳㊼ 安南：方镇名，唐初置安南都护府，肃宗乾元二年（公元七

五九年）升安南管内经略使置安南节度使。治所宋平，在今越南河内。⑱丁未：八月辛亥朔，无丁未。丁未，九月二十七日。⑲置河东、西水陆运、两税、盐铁使二人：设置河东、河西掌管水陆运输、征两税及专卖盐铁使两人。唐京师长安，东有黄河，又有函谷关，故河之东称河东，又称关东。此言河东、河西，即关东、关西。⑳度支总其大要而已：度支只总理大要而已。度支，指户部所属度支司，原是唐代最高财务机关。现在财政权由两专使掌握，度支只备员而已。㉑辛酉：八月十一日。㉒颜真卿：唐著名书法家，忠诚耿直，骂李希烈而死。传见《旧唐书》卷一百二十八、《新唐书》卷一百五十三。㉓先中丞：指卢杞之父卢奕。官至御史中丞，在洛阳为安禄山所害。安禄山传首卢奕于河北诸县，时颜真卿为平原太守，杀安禄山使者，棺葬卢奕等人。事见本书卷二百十七玄宗天宝十四载（公元七五五年）。㉔癸卯：九月二十三日。㉕辛亥：十月初二日。㉖伊慎：官至奉义军节度使，加检校右仆射。传见《旧唐书》卷一百五十一、《新唐书》卷一百七十。㉗王锷：官至左仆射，受节钺历容管、淮南、河中、太原诸镇凡二十

---

【原文】

十一月己卯朔[401]，加淮南节度使陈少游同平章事。

田悦德朱滔之救，与王武俊议奉滔为主，称臣事之。滔不可，曰："惬山之捷，皆大夫二兄[401]之力，滔何敢独居尊位！"于是幽州判官李子千、恒冀判官郑濡等共议："请与郓州李大夫[402]为四国，俱称王而不改年号[403]，如昔诸侯奉周家正朔。筑坛同盟[404]，有不如约者，众共伐之。不然，岂得常为叛臣，茫然无主，用兵既无名，有功无官爵为赏，使将吏何所依归乎！"滔等皆以为然。滔乃自称冀王，田悦称魏王，王武俊称赵王，仍请李纳称齐王。是日，滔等筑坛于军中，告天而受之。滔为盟主，称孤，武俊、悦、纳称寡人。所居堂曰殿，处分曰令[405]，群下上书曰笺[406]。妻曰妃，长子曰世子。各以其所治州为府[407]，置留守兼元帅，以军政委之。又置东西曹，视中书、门下省[408]；左右内史，视侍中、中书令[409]。余官皆仿天朝而易其名。

武俊以孟华为司礼尚书，华竟不受，呕血死。以兵马使卫常宁为内史监[410]，委以军事。常宁谋杀武俊，武俊腰斩之。武俊遣其将张终葵寇赵州，康日知击斩之。

余年。在两《唐书》与伊慎同传。㊳⑧许孟容：官至东都留守。传见《旧唐书》卷一百五十四、《新唐书》卷一百六十二。㊳⑨遗慎七属甲：李希烈赠送七领犀牛甲给伊慎。又伪造回信，欲加害伊慎。㊳⑩更立相：卢杞排挤走张镒，故知德宗必立新相。㊳⑪关播：天宝末进士，善言物理，精释氏之学，为人儒雅忠厚。传见《旧唐书》卷一百三十、《新唐书》卷一百五十一。㊳⑫镇风俗：整肃风俗。㊳⑬丙辰：十月初七日。㊳⑭敛衽无所可否：整日端坐，对事不置可否。敛衽，收束衣襟，表示恭敬。㊳⑮中书：此指中书省政事堂。㊳⑯端悫：端庄忠厚。㊳⑰戊辰：十月十九日。㊳⑱丙子：十月二十七日。㊳⑲肃王详：德宗子，四岁夭亡。

## 【校记】

［11］河：据章钰校，十二行本、乙十一行本、孔天胤本皆作"汴"。［12］河中：此二字原无。据章钰校，十二行本、乙十一行本皆有此二字，今据补。

## 【语译】

十一月初一日己卯，加授淮南节度使陈少游同平章事。

田悦感激朱滔的救援，与王武俊商议拥戴朱滔为君，自称臣来侍奉他。朱滔不同意，说："惬山之捷，都是大夫您与王二兄的力量，我朱滔岂敢独居帝王之尊！"于是幽州判官李子千、恒冀判官郑濡等人共同商议："请与郓州李纳大夫一起成立四国，都称王而不更改唐王朝的年号，就像过去诸侯国奉周王朝为正统一样。筑坛设祭结为同盟，有不遵守誓约的，大家一起来讨伐他。否则，岂能总是做叛臣，茫然无主，用兵既无名义，有功又无官爵奖赏，让将吏没有归宿！"朱滔等人都认为有道理。朱滔于是就自称冀王，田悦称魏王，王武俊称赵王，还敦请李纳称齐王。这一天，朱滔等在军营中筑坛，祭告上天而拜受王号。朱滔为盟主，自称孤，王武俊、田悦、李纳都自称寡人。他们的居所称为殿，处理事务的文书称为令，众部属上书称为笺。他们的妻子称妃，长子称世子。各以其辖州所在地为府，设置留守兼元帅，把军政委托给他们管理。又设置东曹、西曹，比照中书省、门下省；设置左右内史，比照侍中、中书令。其余的各级官员都仿照朝廷而只是更改名称。

王武俊委任孟华为司礼尚书，孟华最终不肯接受，吐血而死。任命兵马使卫常宁为内史监，把军事委托给他。卫常宁谋杀王武俊，王武俊腰斩了卫常宁。王武俊派遣将领张终葵进犯赵州，康日知击杀了张终葵。

李希烈帅所部三万徙镇许州[411]，遣所亲诣李纳，与谋共袭汴州[412]。遣使告李勉[413]，云已兼领淄青，欲假道之官。勉为之治桥、具馔[414]以待之，而严为之备。希烈竟不至，又密与朱滔等交通，纳亦数遣游兵度汴以迎希烈。由是东南转输者皆不敢由汴渠[415]，自蔡水[416]而上。

十二月丁丑[417]，李希烈自称天下都元帅、太尉、建兴王。时朱滔等与官军相拒累月，官军有度支馈粮，诸道益兵，而滔与王武俊孤军深入，专仰给于田悦，客主[418]日益困弊。闻李希烈军势甚盛，颇怨望，乃相与谋遣使诣许州，劝希烈称帝，希烈由是自称天下都元帅。

司天少监徐承嗣请更造《建中正元历》，从之。

【段旨】

以上为第十四段，写公元七八二年，朱滔、田悦、王武俊、李纳结盟称王，标志唐后期藩镇割据正式形成。

【注释】

⑩己卯朔：十一月初一日。[401]二兄：尊称王武俊，因其排行第二。[402]郓州李大夫：指困守郓州的李纳。[403]不改年号：仍用唐室年号，即尊唐皇帝为共主，而自称王。[404]筑坛同盟：建造祭拜天地的神坛，发誓同盟。[405]处分曰令：对事情的处置称为令。即王谕手诏，不称制、敕、诏而称令，以示称王与称皇帝有别。其余称谓皆仿天子之制而别其名。[406]笺：奏疏。[407]所治州为府：各镇所巡属之州，一律升为府。[408]又置东西曹二句：又设置东曹、西曹，用来比附中书省、门下省。视，比照、比附。[409]左右内史二句：又置左史、右史，比附侍中、中书令。[410]内史监：位在左、右史之上，职掌军政。[411]许州：州名，治所长社，在今河南许昌。[412]汴州：州名，为宣武军镇所，治所在今河南开封。[413]李勉：唐宗室，幼通经史，宗于玄虚。肃宗时曾拜监察御史、京兆尹等职，又任多州节度使、观察使。时任汴宋（即宣武军）节度使。传见《旧唐书》、《新唐书》卷一百三十一。[414]治桥具馔：整修桥梁道路，备办牛酒饮食。[415]汴渠：经开封、徐州的运河，为唐代江南至京师的漕运主道。[416]蔡水：蔡河。唐时承汴水于汴州郭下之浚仪县西（今河南开封东），南流经陈州州治宛丘县（今河南淮阳），东南至陈州项城县（今河南沈丘）入颍水。汴渠受阻，江南漕运改走淮水，转入颍水，再转入蔡水至汴州。[417]丁丑：十二月二十九日。[418]客主：朱滔、王武俊为客军，田悦为主军。

李希烈统领所部将士三万人移驻许州，派遣心腹去见李纳，与他共同策划袭击汴州。又派使者去通报李勉，说自己已兼任淄青节度使，打算借道赴任。李勉为李希烈架设桥梁、准备好饮食等他，而又严密布防加强戒备。李希烈最终没有去，又秘密与朱滔等联络，李纳也多次派遣小股部队渡过汴河迎接李希烈。因此由东南地区转运物资的都不敢经过汴渠，而改道蔡水北上。

十二月二十九日丁丑，李希烈自称天下都元帅、太尉、建兴王。这时朱滔等与官军对峙已几个月，官军有度支负责运送粮草，各道派遣兵马增援，而朱滔与王武俊都是孤军深入，一切供应只依赖田悦，宾主双方都日益困敝。他们听说李希烈军势非常强盛，都很怨恨他，于是就相互商量派使者前往许州，劝李希烈称帝，李希烈因此自称天下都元帅。

司天少监徐承嗣请求重编《建中正元历》，德宗听从了这一意见。

---

**【研析】**

德宗用兵河北，志在消除割据，结果是：军事胜利，政治失败，河北风云突变，爆发更大的动乱，叛逆四镇称王，割据形势反而不可逆转。风云突变的原因，是本卷研析的重点。

第一，德宗用兵河北。代宗时淄青节度使李正己、魏博节度使田承嗣、成德节度使李宝臣、襄州节度使梁崇义四镇互相结成死党，通婚相连，共同对抗朝廷，维护传子制。大历十四年（公元七七九年），田承嗣死，田悦继位，李宝臣为之代请节度旌节，代宗应允。建中元年（公元七八〇年），德宗继位，李宝臣死，其子李惟岳继位，田悦为之代请节度旌节，德宗不允许，志在削除藩镇割据。其时，刘晏整顿盐利与杨炎推行两税法，国家财政岁入近两千万缗，国库充盈，加之新君即位，德宗表现出革除积弊的锐气，决心用兵河北。田悦、李正己、李惟岳联兵反叛朝廷，坚决维护传子制，实现藩镇割据。叛军以田悦为首，魏博兵力最强。官军以河东节度使马燧、昭义节度使李抱真、神策先锋都知兵马使李晟等为主力征讨叛军。双方在临洺城展开大战。战事方起，李正己死，其子李纳继位，德宗当然不允许。李纳兵围徐州，要切断江淮漕运，官军以宣武节度使刘洽、朔方大将唐朝臣、神策都知兵马使曲环为主力救徐州。德宗又命淮宁节度使李希烈讨伐梁崇义。一场围绕中央统一与藩镇割据的大战役就这样全面展开。这是一场决定性的大战争，如果官军胜利，割据势力就大为削弱，反之，则割据势力不可逆转。当时官军占有绝对优势，马燧、李抱真、李晟、唐朝臣等都是良将，朝廷财力雄厚，官军兵力众多，交战顺利，官军全线取胜。马燧在临洺大破田悦军，田悦退保邺城，马燧等官军进围邺城。

范阳节度使朱滔奉命南下征讨成德，成德易州刺史张孝忠反正。随后成德大将王武俊杀李惟岳归顺朝廷，成德叛乱被平定。马燧乘胜再次大破田悦于邺城，魏博精锐丧失殆尽，田悦领残兵退保魏州。南线，李希烈平定梁崇义，官军又大破李纳于徐州，李纳退逃濮州请降。官军讨逆，不到一年，河北叛乱基本被平定。由于朝政腐败，德宗昏庸，风云突变，战争出人意料地扩大，形势逆转。官军的局部胜利，不能改变唐王朝整个局面的大破败。德宗把唐王朝带入了安史之乱以来更大的危困局面，未做亡国之君，实属万幸。

第二，德宗躁急，军事胜利，政治失败。德宗是一个轻躁冒进的昏君，与肃宗、代宗两个昏君有所不同。昏君的共同点是没有自信，犯忌功臣，不用人才用奴才，唐代宦官得势，原因在此。德宗聪明能干，有魄力，举重若轻，敢做大手笔，这是他的优点，行两税，大举讨叛，肃、代二宗做不到。肃、代二宗被史家称为“温仁”“宽厚”，而两代皇帝用姑息办法维持局面。德宗刚愎自用，偏狭固执，猜忌心尤为突出，又死不改过，于是优点转化为缺点。举重若轻，变成了轻躁冒进。德宗讨逆，并无周密的计划，也没有长远的考虑。李希烈是一个背主的野心家，用他讨伐梁崇义，是去一狼而生一虎。朝臣建言，德宗不听，果然自食恶果。德宗猜忌功臣，河北官军不设统帅。马燧与李抱真失和，官军邺城大胜没有乘胜追讨，放纵田悦逃回魏州，得以喘息。更大的失策，是德宗自己践踏人伦诚信的道德底线，违背承诺，对河北三镇的处置失宜，导致政治大失败，立即招来更大的战争。

德宗处置成德降将，以最听话的张孝忠为易、定、沧三州节度使，以王武俊为恒、冀二州都团练观察使，以另一降将康日知为赵、深二州都团练观察使。王武俊杀李惟岳，自认为功大，又素来位在张孝忠、康日知之上，今地位反在张孝忠之下，耻与康日知为伍。德宗的如意算盘是分散成德旧势力，目的太明显，王武俊抗命。朱滔南讨，德宗许以割深州为奖励，而今深州划归康日知，以德、棣二州代替。德、棣二州远离范阳，朱滔不答应。田悦乘机游说朱滔、王武俊反叛。德宗不接受李纳请降，李纳困兽犹斗。于是田悦、王武俊、李纳与朱滔联兵反叛，形成新的更大的反叛集团。朱滔、王武俊救魏州，德宗令朔方节度使李怀光入援马燧。李怀光轻敌，官军在魏州吃了大败仗。叛军声势复振，共推朱滔为盟主，相约称王，表示不再是唐臣，也就不再是叛臣，而要与唐王朝分庭抗礼。朱滔称冀王，田悦称魏王，王武俊称赵王，李纳称齐王。四王又向淮西李希烈劝进，拥护他做皇帝。李希烈接受推戴，反叛朝廷，先自称天下都元帅。李希烈兵强，又挡在漕运之侧，威胁唐朝的生命线。朝廷于是罢兵河北征讨，北守南攻，战场转移到河南。德宗锐气尽失，从一心进攻转为一心防守，遥控军事，遭致一连串的失败，以致蒙尘出逃。

第三，马燧与李抱真释嫌言和，苦撑河北战局。早先，李抱真为泽潞节度使，马燧领河阳三镇，两人为邻。李抱真要杀所属怀州刺史杨钵，杨钵逃到河阳请求马燧保护，马燧接受杨钵请求，于是与李抱真结仇。两人会兵讨伐河北叛逆，又多次意见相左。两人不和，官军久无战功。德宗任命马燧为招讨使，李抱真意更不平。官军邺城大胜，两人不能协力，官军没有乘胜追击田悦，功亏一篑。河北四镇反叛，王武俊兵围赵州，李抱真分兵守邢州。马燧大怒，也要撤兵回河东。在这危急关头，李晟劝马燧顾全大局，与李抱真释嫌共赴危难。马燧不愧为大将风度，单骑拜访李抱真军营，李抱真被马燧的真诚感动，两人结欢。碰巧魏博洺州刺史田昂请求归顺朝廷，洺州与邢州接壤，马燧借花献佛，上奏朝廷把洺州划归李抱真，并请求朝廷任命卢玄卿为副招讨使。李晟受命为李抱真节制，至此，李晟上表兼隶马燧，表示接受两人的节制。德宗一一批准。马燧、李抱真、李晟三大良将，在紧急关头团结起来，虽然苦撑，却也牢牢控制了河北战局，双方处于相持。李抱真还策动王武俊归顺朝廷，对抗朱滔。不久，京师动乱，朱泚称帝，河北未为大害，三大将的团结起了至关重要的作用。

# 卷第二百二十八　唐纪四十四

起昭阳大渊献（癸亥，公元七八三年）正月，尽十月，不满一年。

**【题解】**

本卷记事起公元七八三年正月，迄当年十月，共十个月，当德宗建中四年正月到十月。本卷记事不足一年，正表明这是一个动荡的年份，德宗蒙尘，出逃奉天，唐王朝处于危亡的紧急关头。田悦等叛乱四王向淮西节度使李希烈劝进，李希烈反叛，先称天下都元帅，战火扩大到河南，并成为重要战场。德宗遥控战局，导致汴军大败，襄城危急。陆贽上疏论治国之要，提出重根本、重民生，即加强京师防务，不要滥征苛税。陆贽还建议调整讨逆方略。德宗皆不采纳。其时，国库空竭，朝廷强征间架税和除陌钱，民怨沸腾。泾原兵东调河南，途经京师，因犒赏菲薄而兵乱，陆贽的担忧不幸言中。德宗仓皇出逃奉天，朱泚借乱兵僭号称帝，兵围奉天，赖浑瑊城守，德宗才没被俘虏。奸臣卢杞误国，他趁李希烈之叛，借刀杀人，上奏德宗派颜真卿为宣慰使招抚李希烈，等于是以肉投饿虎，时人都知颜真卿不返。到了奉天，卢杞仍唆使德宗诛杀忠良。陆贽上疏论乱由人为而非天命，隐喻卢杞误国，德宗充耳不闻。正当朱泚急攻奉天之时，河北官军撤退勤王，叛军却内部有隙，王武俊因与朱滔不和而反正，西川节度使韦皋从叛军手中攻克凤翔，李怀光入援奉天，朱泚兵败，唐王室才转危为安。

**【原文】**

**德宗神武圣文皇帝三**

**建中四年（癸亥，公元七八三年）**

春，正月丁亥①，陇右②节度使张镒与吐蕃尚结赞盟于清水③。

庚寅④，李希烈遣其将李克诚袭陷汝州⑤，执别驾李元平。元平，本湖南判官，薄有⑥才艺，性疏傲，敢大言，好论兵⑦。关播[1]奇之，荐于上，以为将相之器，以汝州距许州⑧最近，擢元平为汝州别驾⑨，知州事⑩。元平至汝州，即募工徒治城⑪。希烈阴⑫使壮士应募执役⑬，入数百人⑭，元平不之觉。希烈遣克诚将数百骑突至城下⑮，应募者应之于内，缚元平驰去。元平为人眇小⑯，无须⑰，见希烈恐惧，便液⑱污地。希烈骂之曰："盲宰相⑲以汝当我，何相轻也！"以判官⑳周晃为汝州刺史，又遣别将董待名等四出抄掠，取尉氏㉑，围郑

【语译】

**德宗神武圣文皇帝三**

**建中四年（癸亥，公元七八三年）**

春，正月初十日丁亥，陇右节度使张镒和吐蕃尚结赞在清水县缔结盟约。

正月十三日庚寅，李希烈派遣他的将领李克诚袭击并攻陷了汝州城，抓获了汝州别驾李元平。李元平原本是湖南判官，略有才艺，性情疏阔傲慢，敢说大话，喜好议论军事。关播认为李元平是奇才，推荐给皇帝，认为李元平有将相的器度。因为汝州离许州最近，提拔李元平任汝州别驾，代理汝州事务。李元平到达汝州，立刻招募工匠役夫修城筑墙。李希烈暗中派壮士应李元平的招募去服役修城，进来了好几百人，李元平全然不知。李希烈派遣李克诚带领几百名骑兵突然到达汝州城下，乔装民工应募入城的人在城内接应，把李元平绑缚疾驰而去。李元平身材矮小，没有胡须，见到李希烈十分恐惧，大小便失禁，污秽满地。李希烈骂李元平道："瞎了眼的宰相，竟把你派来与我对抗，为什么这么轻视我！"任命判官周晃为汝州刺史，又派遣别将董待名等人四出抢掠，夺取了尉氏县，包围郑州，朝廷军队屡次被打败。

州㉒，官军数为所败。逻骑㉓西至彭婆㉔，东都㉕士民震骇，窜匿山谷。留守郑叔则入保西苑㉖。

上问计于卢杞㉗，对曰："希烈年少骁将㉘，恃功㉙骄慢，将佐莫敢谏止。诚得儒雅重臣，奉宣圣泽，为陈逆顺祸福，希烈必革心悔过，可不劳军旅而服。颜真卿三朝旧臣㉚，忠直刚决，名重海内，人所信服，真其人也！"上以为然。甲午㉛，命真卿诣许州宣慰希烈。诏下，举朝失色。

---

【段旨】

以上为第一段，写李希烈反叛，卢杞上奏德宗派颜真卿为宣慰使招抚李希烈，实乃借刀杀人，其为人阴险如此。

【注释】

①丁亥：正月初十日。②陇右：方镇名，唐玄宗开元元年（公元七一三年）置。治所鄯州，在今青海乐都。辖境当今青海湖以东及甘肃东南部地区。安史之乱入吐蕃。张镒出镇凤翔，为凤翔陇右节度使。③清水：县名，县治在今甘肃清水县。④庚寅：正月十三日。⑤汝州：州名，治所梁县，在今河南汝州。⑥薄有：稍有；略有。⑦好论兵：喜欢谈论军事。⑧许州：李希烈驻节之州，治所在今河南许昌。⑨别驾：州刺史佐吏，中唐以后多为安排朝廷贬逐大臣的闲散官。⑩知州事：代理州事。知，低职代理高职。此指李元平以别驾之职代理州刺史事。⑪治城：修筑城墙。⑫阴：暗中。⑬执役：服役。⑭入数百人：指李希烈部卒以役丁身份混进汝州的有数百人。入，进入汝州城。⑮突

---

【原文】

真卿乘驿至东都，郑叔则曰："往必不免，宜少留，须后命㉜。"真卿曰："君命也，将焉避之！"遂行。李勉㉝表言："失一元老，为国家羞，请留之。"又使人邀㉞真卿于道[2]，不及。真卿与其子书，但敕以"奉家庙、抚诸孤㉟"而已。至许州，欲宣诏旨，希烈使其养子㊱千

叛军巡逻的骑兵往西边到了彭婆镇，东都洛阳的士民非常惊恐，逃入山谷隐藏。东都留守郑叔则退保洛阳西苑。

皇上向卢杞询问对策，卢杞回答说："李希烈是个年轻骁勇的将领，恃功傲慢，将校和僚佐没有人敢对他进行劝阻。如果能够有一名儒雅重臣，去对他宣谕陛下的圣旨，说明反叛的祸患和归顺的好处，李希烈一定会革心悔过，就可以不必烦劳军旅把他制服。颜真卿是玄宗、肃宗、代宗三朝的元老旧臣，忠直刚毅，名重海内，被人们所信服，真是办理此事的合适人选啊！"德宗认为说得对。正月十七日甲午，派遣颜真卿前往许州宣谕德宗的旨意安抚李希烈。诏书下达，满朝文武大惊失色。

---

至城下：轻装急进，突然兵临城下。⑯眇小：矮小。⑰须：胡须。⑱便液：屎尿。⑲盲宰相：瞎了眼的宰相。⑳判官：唐采访、节度、观察、招讨、支度等使府均置。掌综理本使日常事务，权重事剧，为幕僚上佐。此为节度府高级幕僚。㉑尉氏：汴州属县，县治在今河南尉氏。㉒郑州：州名，治所在今河南郑州。㉓逻骑：巡逻侦哨骑兵。㉔彭婆：镇名，属洛阳县。㉕东都：即洛阳。㉖西苑：洛阳城西禁苑。郑叔则退守洛阳西苑，表明心无斗志，随时准备向西逃窜。㉗卢杞：字子良，德宗时权奸，官至丞相，陷害杨炎、颜真卿，排斥宰相张镒等。建中四年（公元七八三年），京师失守，卢杞被贬，死于澧州。传见《旧唐书》卷一百三十五、《新唐书》卷二百二十三。㉘骁将：勇将。㉙恃功：仗恃平梁崇义之功。㉚三朝旧臣：颜真卿历仕玄宗、肃宗、代宗三朝。㉛甲午：正月十七日。

## 【校记】

［1］关播：张敦仁《通鉴刊本识误》认为此二字上脱"中书侍郎"四字。

---

## 【语译】

颜真卿乘驿车到达东都，郑叔则对颜真卿说："你去许州，一定难以免祸，最好稍微逗留，等待随后的命令。"颜真卿说："这是国君的命令，怎么能回避！"于是启程。李勉上表说："失去一位元老，就是国家的羞耻，请将他留下。"又派人在道路上拦截颜真卿，没有赶上。颜真卿写给儿子的书信，只是要儿子"供奉祖庙，抚育孤弱"而已。颜真卿到了许州，想宣谕圣旨，李希烈指使一千多名养子围住颜真卿谩

余人环绕慢骂，拔刃拟㊲之，为将剸啖㊳之势。真卿足不移，色不变。希烈遽以身蔽之，麾众令退，馆真卿而礼之。希烈欲遣真卿还，会李元平在座，真卿责之，元平惭而起，以密启㊴白希烈。希烈意遂变，留真卿不遣。

朱滔、王武俊、田悦、李纳各遣使诣希烈，上表称臣，劝进㊵。使者拜舞于希烈前，说希烈曰："朝廷诛灭功臣，失信天下。都统㊶英武自天，功烈盖世，已为朝廷所猜忌，将有韩、白之祸㊷，愿亟称尊号，使四海臣民知有所归。"希烈召颜真卿示之曰："今四王㊸遣使见推，不谋而同。太师观此事势，岂吾独为朝廷所忌无所自容邪！"真卿曰："此乃四凶，何谓四王！相公㊹不自保功业，为唐忠臣，乃与乱臣贼子相从，求与之同覆灭邪！"希烈不悦，扶真卿出。他日，又与四使同宴，四使曰："久闻太师㊺重望，今都统将称大号而太师适至，是天以宰相赐都统也。"真卿叱之曰："何谓宰相！汝知有骂安禄山而死者颜杲卿㊻乎？乃吾兄也。吾年八十，知守节而死耳，岂受汝辈诱胁㊼乎！"四使不敢复言。希烈乃使甲士十人守真卿于馆舍，掘坎㊽于庭，云欲坑㊾之。真卿怡然，见希烈曰："死生已定，何必多端！亟以一剑相与，岂不快公心事邪！"希烈乃谢之。

---

**【段旨】**

以上为第二段，写颜真卿痛责李希烈背叛朝廷。

**【注释】**

㉜后命：追发的命令。郑叔则言此，示意他将上奏朝廷废止前令，追还颜真卿。㉝李勉（公元七一七至七八八年）：唐宗室，幼通经史，及长宗于玄虚。肃宗朝曾拜监察御史、京兆尹等职，历任多州刺史、观察使。时为汴宋节度使。传见《旧唐书》卷一百三十一、《新唐书》卷一百三十一。㉞邀：半路拦阻。㉟奉家庙抚诸孤：供奉家庙，抚育幼子。这是颜真卿给儿子书信的内容概括。㊱养子：李希烈所养壮士，皆赐姓李为子属，以致其死力。㊲拟：比画。㊳剸啖：脔割活人而吞食其肉。剸，用刀割。㊴密启：密

骂，拔出刀剑比画威胁，做出要把他剁碎吃掉的架势。颜真卿脚跟不移，面不改色。李希烈突然上前用身体遮住颜真卿，命令众养子退下，把颜真卿请进馆舍，按礼节接待。李希烈打算放颜真卿回长安，正巧李元平在座，颜真卿谴责李元平，李元平感到惭愧，起身离去，写了封密函将此事告诉李希烈。李希烈于是改变了主意，把颜真卿扣留，不让他回长安。

朱滔、王武俊、田悦、李纳各派使者拜见李希烈，上表称臣，劝他即位皇帝。各位使者在李希烈面前行叩拜舞蹈礼，劝告李希烈说："朝廷诛灭功臣，失信天下。都统您英武天赋，功业盖世，已经被朝廷猜忌，将有如同韩信、白起那样的祸患，希望您赶紧称帝，使四海臣民知道有所依归。"李希烈召来颜真卿，让他看朱滔等四人的章表，说："现在四王派遣使者来推戴我，他们不谋而合。太师您已看到这种形势，难道是我一个人做出被朝廷猜忌而无地自容的事吗！"颜真卿说："这四个人是四凶，称什么四王！相公你不自保功业，做唐朝的忠臣，而与乱臣贼子为伍，是想追求和他们一起覆灭吗！"李希烈很不高兴，把颜真卿扶了出去。有一天，颜真卿又与四名使者同席宴饮，四位使者说："久闻颜太师德高望重，如今李都统即将称帝而太师您恰好到来，这是上天把宰相赐给李都统啊。"颜真卿大声呵斥道："说什么宰相！你们知道有大骂安禄山而死的颜杲卿吗？他就是我的兄长。我已经八十岁，懂得守节而死，岂能受你们的引诱和胁迫！"四位使者不敢再说什么。李希烈就派十个甲士在馆舍看守颜真卿，他们在庭院中挖了一个坑，声称要活埋他。颜真卿怡然处之，见到李希烈时说："我的生死已定，何必多找麻烦！立即给我一剑，你难道不就称心如意了吗！"李希烈于是向颜真卿道歉。

---

信。㊵ 劝进：劝即帝位。㊶ 都统：官名，节制诸道军事的大元帅。李希烈讨梁崇义，加汉南、汉北招讨使，故称。㊷ 韩、白之祸：喻功高震主而蒙冤受诛。韩，指西汉功臣淮阴侯韩信。白，指秦国名将白起。他们均因功高震主而被猜忌受祸。㊸ 四王：河北四镇，朱滔称冀王，王武俊称赵王，田悦称魏王，李纳称齐王，故称四王。事见上卷。㊹ 相公：李希烈加号平章事，为宰相，故尊称相公。㊺ 太师：颜真卿在朝任太子太师，故四使尊称太师。㊻ 颜杲卿：颜真卿兄，骂安禄山而死。事见本书卷第二百十七肃宗至德元载（公元七五六年）。㊼ 诱胁：引诱胁迫。㊽ 掘坎：挖了一个陷坑。㊾ 坑：活埋。

## 【校记】

［2］于道：此二字原无。据章钰校，十二行本、乙十一行本皆有此二字，张敦仁《通鉴刊本识误》同，今据补。

【原文】

戊戌[50]，以左龙武大将军[51]哥舒曜[52]为东都、汝州节度使，将凤翔、邠宁、泾原、奉天、好畤行营兵[53]万余人讨希烈，又诏诸道共讨之。曜行至郏城，遇希烈前锋将陈利贞，击破之，希烈势小沮[54]。曜，翰之子也。

希烈使其将封有麟据邓州[55]，南路遂绝，贡献、商旅皆不通。壬寅[56]，诏治上津[57]山路，置邮驿。

二月戊申朔[58]，命鸿胪卿崔汉衡送区颊赞还吐蕃。

丙寅[59]，以河阳三城、怀、卫州为河阳军。

丁卯[60]，哥舒曜克汝州，擒周晃。

三月戊寅[61]，江西节度使曹王皋败李希烈将韩霜露于黄梅[62]，斩之。辛卯[63]，拔黄州[64]。时希烈兵栅[65]蔡山[66]，险不可攻。皋声言西取蕲州[67]，引舟师溯江而上，希烈之将引兵循江随战[68]。去蔡山三百余里，皋乃复放舟顺流而下，急攻蔡山，拔之。希烈兵还救之，不及而败。皋遂进拔蕲州，表伊慎[69]为蕲州刺史，王锷[70]为江州刺史。

淮宁都虞候[71]周曾、镇遏兵马使[72]王玢、押牙[73]姚憺、韦清密输款[74]于李勉。李希烈遣曾与十将[75]康秀琳将兵三万攻哥舒曜，至襄城[76]，曾等密谋还军袭希烈，奉颜真卿为节度使，使玢、憺、清为内应。希烈知之，遣别将李克诚将骡军[77]三千人袭曾等，杀之，并杀玢、憺及其党。甲午[78]，诏赠曾等官[79]。始，韦清与曾等约，事泄不相引，故独得免。清恐终及祸，说希烈请诣朱滔乞师。希烈遣之，行至襄邑[80]，逃奔刘洽。希烈闻周曾等有变，闭壁数日。其党寇尉氏、郑州者闻之，亦遁归。希烈乃上表归咎于周曾等，引兵还蔡州[81]，外示悔过从顺，实待朱滔等之援也。置颜真卿于龙兴寺[82]。

丁酉[83]，荆南节度使[84]张伯仪[85]与淮宁兵战于安州[86]，官军大败，伯仪仅以身免，亡其所持节。希烈使人以其节及俘馘[87]示颜真卿，真卿号恸投地[88]，绝而复苏[89]，自是不复与人言。

夏，四月，上以神策军使白志贞[90]为京城召募使，募禁兵以讨李希烈。志贞请诸尝为节度、观察、都团练使者，不问存没[91]，并勒[92]其

【语译】

正月二十一日戊戌，任命左龙武大将军哥舒曜为东都、汝州节度使，率领凤翔、邠宁、泾原、奉天、好畤行营的军队一万多人讨伐李希烈，又下诏各道共同讨伐他。哥舒曜前进到郏城，遭遇李希烈的先锋陈利贞，打败了陈利贞，李希烈的气势稍受挫折。哥舒曜，是哥舒翰的儿子。

李希烈派部将封有麟占据了邓州，通往南方的道路便被切断了，进贡、商旅都不能通过。正月二十五日壬寅，下诏修整上津县的山路，设置邮驿。

二月初一日戊申，命令鸿胪卿崔汉衡护送区颊赞返回吐蕃。

十九日丙寅，把河阳三城、怀州、卫州建置为河阳军。

二十日丁卯，哥舒曜攻克汝州城，擒获周晃。

三月初一日戊寅，江西节度使曹王李皋在黄梅县击败李希烈的部将韩霜露，杀了韩霜露。十四日辛卯，攻取了黄州。此时李希烈的军队在蔡山扎寨安营，此处地势险峻，不能攻打。李皋扬言要西取蕲州，带领水军溯江而上，李希烈的部将带兵沿江尾随攻击。在距离蔡山三百多里的地方，李皋才又放船顺流而下，猛攻蔡山，把它攻了下来。李希烈回兵救援蔡山，没有到达蔡山就被打败了。李皋于是进军攻取了蕲州，上表朝廷任命伊慎为蕲州刺史、王锷为江州刺史。

淮宁都虞候周曾、镇遏兵马使王玢、押牙姚憺和韦清等人，秘密向李勉表达他们对朝廷的忠诚。李希烈派遣周曾与十将康秀琳率领三万士兵进攻哥舒曜，抵达襄城，周曾等人密谋回兵袭击李希烈，拥戴颜真卿为节度使，让王玢、姚憺、韦清作为内应。李希烈得知这一情况，派遣别将李克诚带领骡军三千人袭击周曾等人，杀了周曾，还一并杀了王玢、姚憺和他们的党羽。三月十七日甲午，下诏追赠周曾等人官职。当初，韦清与周曾等人约定，如果事情泄露，不相互揭发，所以只有韦清得以幸免。韦清担心最终难逃灾祸，就劝说李希烈让自己前往朱滔处乞请救兵。李希烈派韦清前往，走到襄邑县时，逃往刘洽。李希烈获悉周曾等人有变，将营门关闭了几天。李希烈劫掠尉氏县和郑州的党羽听到这件事后，也逃跑回去了。于是李希烈就上表将所有过错归咎于周曾等人，自己率兵归蔡州，表面上悔过归顺，实际上是等待朱滔等人的增援。李希烈将颜真卿软禁在龙兴寺。

三月二十日丁酉，荆南节度使张伯仪与淮宁兵在安州交战，官军大败，张伯仪仅免一死，丢掉了他所持的旌节。李希烈派人把张伯仪的旌节和俘馘出示给颜真卿看，颜真卿失声痛哭，倒在地上，气绝苏醒后，从此不再与人说话。

夏，四月，皇上任命神策军使白志贞为京城召募使，招募禁兵征讨李希烈。白志贞请求让那些曾经担任过节度使、观察使、都团练使的人，不管存亡，一并勒令他们的子弟统领家奴和私人的马匹，自备军资行装入伍，授给他们五品官衔。其中

子弟帅奴马自备资装从军，授以五品官。贫者甚苦之，人心始摇。

上命宰相、尚书与吐蕃区颊赞[93]盟于丰邑里[94]。区颊赞以清水之盟[95]疆埸未定，不果盟[96]。己未[97]，命崔汉衡入吐蕃，决于赞普[98]。

庚申[99]，加永平、宣武、河阳都统李勉淮西招讨使[100]，东都、汝州节度使哥舒曜为之副，以荆南节度使张伯仪为淮西应援招讨使，山南东道节度使贾耽、江西节度使曹王皋为之副。上督哥舒曜进兵，曜至颍桥[101]，遇大雨，还保襄城。李希烈遣其将李光辉攻襄城，曜击却之。

---

【段旨】

以上为第三段，写官军征讨李希烈。唐与吐蕃会盟划界。

【注释】

⑤⓪戊戌：正月二十一日。⑤①左龙武大将军：唐朝北衙卫军统兵长官，掌领左龙武军，宿卫京师。⑤②哥舒曜：字子明，玄宗朝名将河西节度使哥舒翰之子，官至河南尹。传见《新唐书》卷一百三十五。⑤③行营兵：屯于京畿的神策军。此指凤翔、邠宁、泾原三节镇之兵与屯于奉天、好畤的神策军，合万余人。⑤④势小沮：气势略受挫折。⑤⑤邓州：州名，治所穰县，在今河南邓州。为江南财赋经荆襄通关中的要冲。⑤⑥壬寅：正月二十五日。⑤⑦上津：县名，属商州，县治在今湖北郧西西北。⑤⑧戊申朔：二月初一日。⑤⑨丙寅：二月十九日。⑥⓪丁卯：二月二十日。⑥①戊寅：三月初一日。⑥②黄梅：县名，属蕲州，县治在今湖北黄梅西北。⑥③辛卯：三月十四日。⑥④黄州：州名，治所在今湖北武汉市新洲区。黄州与蕲州毗邻，黄州在西，蕲州在东。⑥⑤栅：驻兵营垒。⑥⑥蔡山：在黄梅县境。⑥⑦蕲州：州治蕲春，在今湖北黄梅西。⑥⑧循江随战：沿江尾随而战。⑥⑨伊慎（公元七四四至八一一年）：本李希烈部将，归正朝廷，官至右仆射。传见《旧唐书》卷一百五十一、《新唐书》卷一百七十。⑦⓪王锷（公元七四〇至八一五年）：字昆吾，太原人，曹王皋部将，以功历官岭南、淮南、河中等节度使，凡二十余年。传见《旧唐书》卷一百五十一、《新唐书》卷一百七十。⑦①都虞候：节度使属官，职掌军法。⑦②镇遏兵马使：节度使所置统兵官。⑦③押牙：节度使府置，职掌衙内仪仗、侍卫。⑦④密输款：秘

家境贫困的人深为这一举措所苦，人心开始动摇。

皇上命令宰相、尚书与吐蕃使者区颊赞在丰邑里缔结盟约。区颊赞认为清水之盟没有解决吐蕃与唐朝的疆域问题，最终没有签下盟约。四月十三日己未，命令崔汉衡前往吐蕃，将结盟事交吐蕃赞普裁决。

四月十四日庚申，朝廷加授永平、宣武、河阳都统李勉为淮西招讨使，东都、汝州节度使哥舒曜作为他的副使，任命荆南节度使张伯仪为淮西应援招讨使，山南东道节度使贾耽、江南西道节度使曹王李皋作为他的副使。皇上督促哥舒曜进军，哥舒曜到达襄城县颍桥镇，遇上大雨，便退守襄城。李希烈派他的部将李光辉攻打襄城，哥舒曜击退了李光辉。

---

密往来，表示归诚。输，传递。款，诚恳、恳切。⑮十将：唐朝元帅、都统、招讨使所总诸军属官，位兵马使下。⑯襄城：县名，时属汝州，县治在今河南襄城。⑰骡军：淮西少马，骑兵以骡代马，称骡子军，骁勇善战。⑱甲午：三月十七日。⑲诏赠曾等官：下诏追赠周曾等以官位，嘉奖其归诚。⑳襄邑：县名，宋州属县。时宣武节度使刘洽镇宋州。㉑蔡州：即豫州，为淮宁本镇。李希烈从许州归还本镇。蔡州治所汝阳县，在今河南汝南县。㉒龙兴寺：蔡州佛寺名。㉓丁酉：三月二十日。㉔荆南节度使：江陵节度使。㉕张伯仪：魏州人。以战功隶李光弼军。因平袁晁反有功，擢睦州刺史。传见《新唐书》卷一百三十六。㉖安州：州名，治所安陆县，今属湖北。㉗俘馘：活捉敌人称俘，杀死敌人割取左耳以代首级称馘。㉘号恸投地：失声痛哭而倒地。㉙绝而复苏：因悲痛休克而又苏醒过来。㉚白志贞：本名白琇珪，李光弼旧将，代宗时官至司农卿。德宗倚为腹心，授神策军使，赐名志贞。传见《旧唐书》卷一百三十五、《新唐书》卷一百六十七。㉛不问存没：不管在世还是殁世。㉜勒：勒令；严令。㉝区颊赞：吐蕃大臣，相当于唐宰相。㉞丰邑里：长安外部城坊名，又称丰里坊。㉟清水之盟：见本年正月十二日丁亥，唐宰相张镒与吐蕃尚结赞（区颊赞）盟于清水划界，双方未达成协约。㊱不果盟：没有完成会盟。果，实现、成为事实。㊲己未：四月十三日。㊳决于赞普：唐与吐蕃的划界会盟，由吐蕃国君赞普裁决。㊴庚申：四月十四日。㊵招讨使：使职名，战时所置招降讨逆等方面的大使，职与都统略同，战后则省。李勉为永平节度使，加永平、宣武、河阳三镇都统，今又加招讨使职以重其权。㊶颍桥：镇名，属襄城县。

【原文】

五月乙酉[102]，颍王璬[103]薨。

乙未[104]，以宣武节度使刘洽兼淄青招讨使。

李晟谋取涿、莫二州[105]，以绝[106]幽、魏往来之路。与张孝忠之子升云围朱滔所署易州刺史郑景济于清苑[107]，累月[108]不下。滔以其司武尚书[109]马寔为留守，将步骑万余守魏营，自将步骑万五千救清苑。李晟军大败，退保易州[110]。滔还军瀛州[111]，张升云奔满城[112]。会晟病甚，引军还保定州[113]。

王武俊以滔既破李晟，留屯瀛州，未还魏桥[114]，遣其给事中宋端趣之。端见滔，言颇不逊。滔怒，使谓武俊曰："滔以热疾，暂未南还，大王二兄[115]遽有云云[116]。滔以救魏博之故，叛君弃兄，如脱屣[117]耳。二兄必相疑，惟二兄所为！"端还报，武俊自辨于马寔，寔以状白滔，言："赵王知宋端无礼于大王，深加责让，实无他志。"武俊亦遣承令官[118]郑和随寔使者见滔，谢之。滔乃悦，相待如初。然武俊以是益恨滔矣。

六月，李抱真使参谋[119]贾林诣武俊壁诈降。武俊见之。林曰："林来奉诏，非降也。"武俊色动[120]，问其故，林曰："天子知大夫宿著诚效[121]，及登坛之日[122]，抚膺[123]顾左右曰：'我本徇忠义[124]，天子不察。'诸将亦尝共表大夫之志。天子语使者曰：'朕前事诚误[125]，悔之无及。朋友失意，尚可谢，况朕为四海之主乎！'"武俊曰："仆胡人也，为将尚知爱百姓，况天子，岂专以杀人为事乎！今山东连兵，暴骨如莽[126]，就使克捷，与谁守之！仆不惮归国[127]，但已与诸镇结盟。胡人性直，不欲使曲在己[128]，天子诚能下诏赦诸镇之罪，仆当首唱从化[129]，诸镇有不从者，请奉辞伐之[130]。如此，则上不负天子，下不负同列[131]，不过五旬，河朔定矣。"使林还报抱真，阴相约结[132]。

【语译】

五月初九日乙酉，颍王李璬逝世。

十九日乙未，朝廷任命宣武节度使刘洽兼任淄青招讨使。

李晟谋划夺取涿州和莫州，切断幽州和魏州来往的道路。李晟与张孝忠的儿子张升云在清苑包围朱滔委任的易州刺史郑景济，几个月都没攻下。朱滔任命司武尚书马寔为留守，统领步兵、骑兵一万多人守卫魏州营寨，自己率领步兵、骑兵一万五千人救援清苑县。李晟的军队大败，退保易州。朱滔回军瀛州，张升云逃往满城县。正好遇上李晟病得很厉害，便带领军队回守定州。

王武俊因朱滔已经打败了李晟，留在瀛州驻扎，没有返回魏桥，就派给事中宋端去催促朱滔率军南归。宋端见到朱滔，说话非常不礼貌。朱滔很生气，派人对王武俊说："我朱滔因天热得了病，暂时没有返回南方，大王二兄即刻就说三道四。我朱滔因为解救魏博镇，背叛朝廷，抛弃兄长，如同甩掉拖鞋那样容易。二兄你一定要怀疑我，那就随便你怎么办吧！"宋端回去向王武俊禀报后，王武俊亲自去向马寔解释，马寔将这些情况向朱滔汇报，说："赵王王武俊知道宋端对大王您无礼，已对他深加训斥，实在是没有别的意思。"王武俊也派遣承令官郑和随同马寔的使者去见朱滔，向朱滔道歉。朱滔这才高兴起来，对待王武俊的态度和过去一样。但是，王武俊因为此事更加痛恨朱滔了。

六月，李抱真派参谋贾林前往王武俊的军营诈降。王武俊见了贾林。贾林说："我来这儿是奉皇上之命，并不是来投降的。"王武俊脸色都变了，询问其中缘故，贾林说："皇上知道大夫您对朝廷向来怀有忠诚报效之心，到了登坛称王时，您还抚胸回顾左右的人说：'我本来是循忠守义，只是皇上未能体察。'众位将领也曾共同表示过与大夫您一样的意愿。我来时皇上对我说：'朕先前对王武俊的作为实在不对，已经后悔不及。朋友之间发生误会，还可以道歉，何况朕还是四海之内的君王呢！'"王武俊说："我是个胡人，做个将军尚且知道爱护百姓，何况是皇帝，怎么会专门把杀人当成正事呢！如今山东一带连年战争，骸骨暴露如野草遍地，即使是克敌取胜，人都没了，又交给谁来守护这片土地！我并不害怕回归国家，但是已经与各镇结盟。我们胡人性格直率，不愿意理亏，如果皇上真能下诏赦免各镇节度使的罪责，我当首先倡议接受教化，各节度使有不顺从的，我请求奉诏讨伐他。这样一来，就能上不辜负天子，下不有负同列，不超过五十天，河朔地区就可以安定了。"王武俊让贾林回去向李抱真报告，暗中与李抱真联络。

【段旨】

以上为第四段，写王武俊与朱滔有隙，暗中与李抱真联络，萌生归顺之意，为德宗兴元大赦张本。

【注释】

⑩②乙酉：五月初九日。⑩③颍王璬：玄宗子。传见《旧唐书》卷一百七、《新唐书》卷八十二。⑩④乙未：五月十九日。⑩⑤涿、莫二州：涿州治所范阳县，在今河北涿州。莫州治所莫县，在今河北雄县南。涿、莫二州为朱滔所领幽州节度使巡属。⑩⑥绝：切断。⑩⑦清苑：县名，县治在今河北保定。⑩⑧累月：连月；几个月。⑩⑨司武尚书：朱滔称冀王后所置官名，掌军事，相当于唐朝廷的兵部尚书。⑪⑩易州：州名，治所易县，今属河北，在清苑北面。⑪⑪瀛州：州名，治所河间县，即今河北河间，在清苑东南面。⑪⑫满

【原文】

庚戌[133]，初行税间架[134]、除陌钱[135]法。时河东、泽潞、河阳、朔方四军[136]屯魏县，神策、永平、宣武、淮南、浙西、荆南、江泗[137]、沔鄂、湖南、黔中、剑南、岭南诸军环淮宁之境[138]。旧制，诸道军出境，皆仰给度支[139]。上优恤士卒[140]，每出境，加给酒肉[141]，本道粮仍给其家，一人兼三人之给，故将士利之。各出军才逾境而止，月费钱百三十余万缗，常赋[142]不能供，判度支[143]赵赞乃奏行二法[144]。所谓税间架者，每屋两架为间，上屋税钱二千，中税千，下税五百，吏执笔握算，入人室庐计其数[145]。或有宅屋多而无他资者，出钱动数百缗。敢匿一间，杖六十，赏告者钱五十缗。所谓除陌钱者，公私给与及卖买，每缗官留五十钱，给他物及相贸易者，约钱为率[146]。敢隐钱百，杖六十，罚钱二千，赏告者钱十缗，其赏钱皆出坐事之家。于是愁怨之声，盈于远近。

丁卯[147]，徙郴王逾[148]为丹王，鄘王遘为简王。

庚午[149]，答蕃判官[150]监察御史于頔与吐蕃使者论刺没藏[151]至自青海，言疆埸[152]已定，请遣区颊赞归国。秋，七月甲申[153]，以礼部尚书李

城：县名，属易州，县治在今河北满城西北。⑬ 定州：州名，治所安喜县，在今河北定州，定州在易州之南。⑭ 魏桥：桥名，在魏州西永济渠上，为朱滔、田悦、王武俊联兵叛乱的大本营。⑮ 大王二兄：指王武俊。王武俊排行第二，叛乱后称赵王，故朱滔称为大王二兄。⑯ 遽有云云：立即就说三道四。遽，突然、立即。⑰ 脱屣：形容轻易。屣，无后跟的拖鞋。⑱ 承令官：节度使属官要藉，为亲随副官，无具体职掌。四镇反叛后，改要藉为承令官。⑲ 参谋：节度使属官，参与机密。⑳ 色动：变了脸色。㉑ 宿著诚效：一向忠顺朝廷。指王武俊诛李惟岳事。宿著，一向态度鲜明。㉒ 登坛之日：指王武俊登坛称王之日。此为叛逆的婉辞。坛，盟誓祭坛。㉓ 抚膺：捶拍胸口。㉔ 徇忠义：遵守忠义；循忠守义。㉕ 朕前事诚误：指德宗处置王武俊为团练使，未加节度使之事为失误。㉖ 暴骨如莽：白骨暴露，有如野草莽莽。语出《左传》哀公元年。㉗ 归国：归顺朝廷。㉘ 曲在己：理屈在自己身上。㉙ 首唱从化：带头倡议归顺王化。㉚ 奉辞伐之：奉天子之令讨伐叛逆。㉛ 同列：此指叛乱的同列朱滔等人。㉜ 阴相约结：暗中互通往来。

---

## 【语译】

六月初五日庚戌，开始实行税间架和除陌钱法。当时河东、泽潞、河阳、朔方四镇的军队驻扎在魏县，神策、永平、宣武、淮南、浙西、荆南、江泗、沔鄂、湖南、黔中、剑南、岭南各军都还包围着淮宁地区。依照原先的制度，各道军队出了自己的辖区，所有供给都由度支解决。皇上优抚士兵，每当他们出境，增加供给酒和肉，本道的粮饷仍给士兵家里，因而一个人兼得了三个人的供给，所以将士们都以此为利。各镇军队刚过自己的边界就停止前进，朝廷每月的军费达一百三十余万缗，正常的赋税不足供给，判度支赵赞便上奏施行两种税法。所谓税间架，就是每座房屋以两架壁墙为一间，上等的房屋每间征税二千钱，中等的征税一千钱，下等的征税五百钱，税吏拿着笔墨算盘，进入民房登记数额。房屋多而没有其他资产的人家，缴税钱动不动就有几百缗。胆敢隐匿一间，处以杖刑六十，奖赏告发的人五十缗钱。所谓除陌钱，就是从官府或私人给予的各种钱财和买卖中征得的收入，每一缗钱官府留下五十钱，其他实物以及以物易物者，都折算成钱按规定比率缴纳。敢于隐藏一百钱，处以杖刑六十，罚款二千钱，奖赏告发的人十缗钱，这些赏钱都出自犯事获罪的人家。于是无论远近，到处充满了愁苦和抱怨的声音。

六月二十二日丁卯，徙封郴王李逾为丹王，鄜王李遘为简王。

六月二十五日庚午，答蕃判官监察御史于頔和吐蕃的使者论刺没藏从青海来到长安，说是吐蕃与唐朝的疆界已经确定，请遣送区颊赞返回吐蕃。秋，七月初九日

揆[154]为入蕃会盟使。壬辰[155]，诏诸将相与区颊赞盟于城西。李揆有才望，卢杞恶之，故使之入吐蕃。揆言于上曰："臣不惮远行，恐死于道路，不能达诏命！"上为之恻然，谓杞曰："揆无乃太老？"杞曰："使远夷，非谙练[156]朝廷故事者不可。且揆行，则自今[157]年少于揆者不敢辞远使矣。"

【段旨】

以上为第五段，写唐朝廷国库空竭，强征间架税和除陌钱以补军用，士民苦之。

【注释】

⑬³ 庚戌：六月初五日。⑬⁴ 税间架：征房产税。两架为一间，上屋税钱两千，中税千，下税五百。⑬⁵ 除陌钱：凡公私给予及买卖，每缗官留五十钱。即一切交易，每笔抽取百分之五的消费税。⑬⁶ 四军：四镇之军，屯魏县讨田悦。⑬⁷ 江泗：据胡三省注，"泗"当作"西"，指江南西道。⑬⁸ 环淮宁之境：诸镇军环绕在淮宁境内征讨李希烈。⑬⁹ 仰给度支：依赖朝廷供给。唐制，诸镇兵在本境，由本道按比例提留税赋自给，因出征或防戍，出境后由朝廷户部度支司供给。⑭⁰ 上优恤士卒：皇上从优关爱出征将士。恤，关爱。⑭¹ 加给酒肉：外加一份酒肉钱。⑭² 常赋：国家每年例行的征税。河北、淮西两处战事，每月

【原文】

八月丁未[158]，李希烈将兵三万围哥舒曜于襄城，诏李勉及神策将刘德信将兵救之。

乙卯[159]，希烈将曹季昌以随州[160]降，寻复为其将康叔夜所杀。

初，上在东宫[161]，闻监察御史嘉兴陆贽[162]名；即位，召为翰林学士[163]，数问[164]以得失。时两河[165]用兵久不决，赋役日滋[166]，贽以兵穷民困，恐别生内变，乃上奏，其略曰："克敌之要，在乎将得其人；驭将

甲申，朝廷任命礼部尚书李揆为赴吐蕃的会盟使。十七日壬辰，下诏各位将相在京城西边与区颊赞缔结盟约。李揆有才能威望，卢杞讨厌他，所以就派李揆出使吐蕃。李揆对皇上说："臣下并不惧怕远行，只担心会死在半路上，不能送达诏命！"皇上听了很同情伤感，对卢杞说："李揆是不是太老了？"卢杞说："出使远方夷狄，不是熟悉朝廷各种章程和旧事的人不行。况且李揆出使了吐蕃，那么从今以后，比李揆年龄小的人，就不敢推辞出使远方了。"

---

耗资一百三十万缗。正常赋税不足以供给，于是加征苛税。⑭③ 判度支：度支，即度支司，隶户部。中唐以后，户部诸司职权多被侵废，唯度支司所掌财赋为要，多以宰相或户部侍郎直接管理其事务，称判度支。⑭④ 二法：指征间架税和除陌钱。⑭⑤ 入人室庐计其数：挨家挨户进入门户查点房间数。⑭⑥ 约钱为率：其他财物及以物易物者，都要折算为钱，按每缗五十钱的比率征税。率，比率；标准。每缗千钱，除陌钱，相当于征百分之五的所得税。⑭⑦ 丁卯：六月二十二日。⑭⑧ 郴王逾：郴王李逾，与下句鄜王李遘皆系德宗之弟。传皆见《旧唐书》卷一百十六、《新唐书》卷八十二。⑭⑨ 庚午：六月二十五日。⑮⓪ 答蕃判官：为出使吐蕃专使，临时所加官名。⑮① 论剌没藏：人名，吐蕃遣唐使。⑮② 疆埸：疆界。⑮③ 甲申：七月初九日。⑮④ 李揆：字端卿，陇西望族，历仕肃、代、德三朝。忠正敢言为宰相卢杞所忌，时年七十余使入吐蕃为会盟使，还卒凤州。传见《旧唐书》卷一百二十六、《新唐书》卷一百五十。⑮⑤ 壬辰：七月十七日。⑮⑥ 谙练：十分精熟。⑮⑦ 自今：从此以后。

---

【语译】

八月初二日丁未，李希烈统领三万人马在襄城围困哥舒曜，德宗下诏李勉和神策军将领刘德信率军救援。

初十日乙卯，李希烈的部将曹季昌以随州向朝廷投降，不久又被他的部将康叔夜所杀。

当初，皇上在东宫时，听说监察御史嘉兴人陆贽的名声；即位后，将陆贽召为翰林学士，多次向他询问朝政得失。当时朝廷用兵河北、河南，长久不能决出胜负，赋役日益增多，陆贽因为兵疲民困，担心另有内乱发生，于是上奏，大意是说："打败敌军的关键，在于得到最称职的将领；而驾驭将领的方法，在于能够掌控权柄。

之方，在乎操得其柄[167]。将非其人者，兵虽众不足恃；操失其柄者，将虽材不为用。”又曰：“将不能使兵，国不能驭将，非止费财玩寇[168]之弊，亦有不戢自焚之灾[169]。”又曰：“今两河、淮西为叛乱之帅者，独四五凶人[170]而已。尚恐其中或遭诖误[171]，内蓄危疑[172]，苍黄失图[173]，势不得止[174]。况其余众，盖并胁从[175]，苟知全生，岂愿为恶[176]！”又曰：“无纾[177]目前之虞，或兴意外之变。人者，邦之本也[178]。财者，人之心也。其心伤则其本伤，其本伤则枝干颠瘁[179]矣。”又曰：“人摇不宁，事变难测[180]，是以兵贵拙速，不贵巧迟[181]。若不靖于本[182]而务救于末[183]，则救之所为，乃祸之所起也。”又论关中形势，以为：“王者蓄威以昭德，偏废则危[184]；居重以驭轻，倒持则悖[185]。王畿[186]者，四方之本也。太宗列置府兵[187]，分隶禁卫，大凡诸府八百余所，而在关中者殆五百焉。举天下不敌关中之半[3]，则居重驭轻之意明矣。承平渐久，武备浸微，虽府卫具存而卒乘罕习[188]。故禄山窃倒持之柄，乘外重之资，一举滔天，两京不守。尚赖西边有兵，诸牧[189]有马，每州有粮，故肃宗得以中兴。乾元之后，继有外虞[190]，悉师东讨，边备既弛[191]，禁戎亦空[192]，吐蕃乘虚，深入为寇，故先皇帝[193]莫与为御[194]，避之东游[195]。是皆失居重驭轻之权，忘深根固柢之虑。内寇则殽、函失险[196]，外侵则汧、渭为戎[197]。于斯之时，虽有四方之师，宁救一朝之患？陛下追想及此，岂不为之寒心哉！今朔方、太原之众远在山东[198]，神策六军[199]之兵继出关外，傥有贼臣啖寇[200]，黠虏觑边[201]，伺隙乘虚，微犯亭障[202]，此愚臣所窃忧也。未审陛下其何以御之？侧闻伐叛之初，议者多易其事[203]，佥谓有征无战，役不逾时[204]，计兵未甚多，度费未甚广[205]，于事为无扰，于人为不劳[206]，曾不料兵连祸拏[207]，变故难测，日引月长，渐乖始图[208]。往岁[209]为天下所患，咸谓除之则可致升平者，李正己、李宝臣、梁崇义、田悦是也。往岁为国家所信，咸谓任之则可除祸乱者，朱滔、李希烈是也。既而正己死，李纳继之；宝臣死，惟岳继之；崇义平，希

任将不当，军队再多也不能依靠；操控失去了权柄，将领虽然有才干，也不能为我所用。”又说：“将领不会统兵，朝廷又不能驾驭将领，岂止是有耗费钱财放纵叛逆的弊端，而且还会有引火自焚的灾难。”又说：“如今在河北、河南、淮西为首反叛朝廷的人，只有四五个元凶而已。恐怕其中还有受连累的，他们心存疑惧，在匆促之中失策，逆乱之势不能止息。何况他们的部众，都是被胁从的，如果知道还有活路，难道还会反叛作恶！”又说：“朝廷如果不缓解眼前这些忧患，也许会引发意外的变乱。人民，是国家的根本；钱财，是人民心中所追求的。伤害了老百姓的心，就损伤了国家的根本，国家的根本损伤了，那么根本之上的枝干就会枯萎凋零。”又说：“人心动摇则不得安宁，事情的变化很难预料，因此用兵贵在看似笨拙而行动迅速，不以精巧而迟缓为可贵。如果不从根本上安定天下，一味去抓细枝末节，那么实施救治的所作所为，就是引起祸乱产生的根源。”陆贽又讨论关中地区的形势，认为：“做君王的人应该既要蓄积威势，又要昭示恩德，偏废哪一个方面都会有危险；君王应当处在重要的位置，以此来控制轻弱之处；如果所持倒置，就违背事理。京畿是天下的根本。太宗设置府兵，都分隶于禁卫军，全国各府总计驻兵八百多所，而在关中地区驻扎的差不多有五百所。集中全天下兵力也不敌关中的一半，可见居重驭轻的意图是非常明显的。天下太平的日子渐渐长久了，武备逐渐衰弱，虽然府兵戍卫的制度依然存在，府兵却很少操练。所以安禄山趁外重内轻的机会窃取了兵权，凭借外地强大的兵力，一举反叛，罪恶滔天，两京失守。靠着西边还有兵力，各牧场中还有军马，每个州内还有粮食，因此肃宗得以中兴。乾元之后，相继有外患发生，朝廷动用所有兵力向东讨伐，边疆的防备已经松弛，驻军也很空虚，吐蕃乘虚出兵，深入寇掠，所以先皇代宗没有军队来抵御，只能到东边去避难。这都是因为失去了居重驭轻的控制权，忘却了加深根本巩固根基的谋略。内乱起来，崤山、函谷关失去了险要优势；外族进犯，汧水、渭水沦为戎牧之地。到这种时候，即使拥有全国各地的军队，难道能够解救突发的危难吗？陛下您如果回顾这些事，怎能不寒心啊！现在朔方、太原的兵马远在山东，神策六军相继调出关外，假如有叛贼引狼入室，狡黠的戎狄窥伺边境，找到漏洞乘虚而入，偷袭边塞，这正是愚臣我私下所忧虑的啊。这种情况一旦发生，臣真不明白陛下将用什么来抵御？我从侧面了解朝廷讨逆之初，议论讨逆的人大多认为解决起来很容易，都说只要派军出征，无须打仗，整个战局不会拖过一个季度，估计动用的兵力不会太多，预算要花的费用不会很大，不会对政事有什么干扰，也不会让百姓劳苦，谁都没料到会兵连祸结，发生的变故难以预测，天长日久，事情的发展逐渐与当初所预料的不一样。前几年被天下所担忧的，都说除掉就可致天下太平的人，就是李正己、李宝臣、梁崇义、田悦。前几年为国家所信任的，都说只要重用就可以为国家铲除祸乱的人，就是朱滔、李希烈。不久李正已死了，李纳继踵其后；李宝臣死了，李惟岳继踵其后；平定了

烈叛；惟岳戮，朱滔携[210]。然则往岁之所患者，四去其三[211]矣，而患竟不衰；往岁之所信，今则自叛[212]矣，而余又难保。是知立国之安危在势[213]，任事之济[214]否在人。势苟安，则异类同心也；势苟危，则舟中敌国[215]也。陛下岂可不追鉴往事，惟新令图[216]，修偏废之柄以靖人，复倒持之权以固国[217]！而乃孜孜汲汲[218]，极思劳神，徇[219]无已之求，望难必之效[220]乎！今关辅[221]之间，征发已甚，宫苑之内，备卫不全[222]。万一将帅之中，又如朱滔、希烈，或负固边垒[223]，诱致豺狼[224]，或窃发郊畿，惊犯城阙[225]，此亦愚臣所窃为忧者也，未审陛下复何以备之？陛下傥[226]过听愚计[227]，所遣神策六军李晟等及节将子弟[228]，悉可追还。明敕泾、陇、邠、宁[229]，但令严备封守[230]，仍云更不征发，使知各保安居。又降德音[231]，罢京城及畿县间架等杂税，则冀已输者弭怨，见处者获宁[232]，人心不摇，邦本自固。”上不能用。

壬戌[233]，以汴西运使[234]崔纵[235]兼魏州四节度都粮料使[236]。纵，涣之子也。

**【段旨】**

以上为第六段，写陆贽上疏论治国之要，重根本，重民生，即加强京师防务，不要滥征苛税，建议朝廷调整讨逆方略，德宗没有采纳。

**【注释】**

⑱丁未：八月初二日。⑲乙卯：八月初十日。⑳随州：州名，山南东道巡属。治所随县，今属湖北。[161]上在东宫：指德宗为太子时。[162]陆贽（公元七五四至八〇五年）：字敬舆，苏州嘉兴（今属浙江）人，大历进士，德宗用为翰林学士，参决机要，官至丞相。后遭裴延龄所谗，贬居忠州。有《陆宣公奏议》行于世。传见《旧唐书》卷一百三十九、《新唐书》卷一百五十七。[163]翰林学士：官名，为文学侍臣。玄宗改翰林供奉置，属学士院，入直内廷，草拟诏命。德宗以后，甚至内参密命，与商朝政，职权益重。[164]数问：多次征询。[165]两河：河南、河北。[166]赋役日滋：赋税及兵役、徭役一天天增加。[167]操

梁崇义，李希烈又起兵反叛；李惟岳被杀死了，朱滔又叛逆。这样一来，往年所担忧的人，四个去掉三个了，而祸乱竟然没有衰减；往年所信任的人，如今却自行叛变了，而其余的人又难以保证他们不反叛。由此可知，立国的安危在于形势，办理事务的成败在于人。如果形势安定，那么戎狄异类也会与我们同心同德；如果形势危急，那么同在一条船上也会互相敌对。陛下怎么能不追鉴往事，革新政治，励精图治，夺回旁落的权柄以安定人心，恢复被倒置的权威以巩固国家！而您却孜孜不倦，极思劳神，屈从那些没完没了的追求，企望难以达到的成效！现在关中和长安地区，被征调派出的人已经太多了，皇宫禁苑里面，防卫已不健全。万一在将帅之中，又有像朱滔、李希烈一样的人，或者倚仗坚固的边疆营垒，引狼入室，或者是背地里变起京畿，进犯京城而惊动宫阙，这也是愚臣我私下所忧虑的，不知道陛下又将采取什么措施来防备这些情况？倘若陛下屈尊听从愚臣我的计策，将所派出关外的神策六军李晟等人的部队以及持节将领的子弟，全部追回来。明令泾州、陇州、邠州、宁州，只让驻军严密防守，并说明不再征调他们外出，让他们知道各自守土安居。再下一道诏书，罢除长安城内以及京城附近各县的间架等杂税，这样才有望让已经缴纳了税钱的人消除怨恨，现在居住在京城和畿内的人得到安宁，人心不动摇，国家的根基自然就稳固了。”德宗没能采用陆贽的建议。

八月十七日壬戌，任命汴西运使崔纵兼任魏州的四节度都粮料使。崔纵，是崔涣的儿子。

---

得其柄：任用得当。指控制的权力得当。⑯⑧玩寇：玩忽盗寇，姑息放纵。⑯⑨不戢自焚之灾：谓兵火不息而终于导致自我灭亡。戢，止息。《左传》襄公二十四年云："兵不戢，必取其族。"意与此略同。⑰⓪四五凶人：指河北的朱滔、王武俊、田悦，河南的李纳，淮西的李希烈。⑰①诖误：被裹胁连累而犯罪。⑰②内蓄危疑：内心蓄积自危的疑惧。⑰③苍黄失图：匆忙之中考虑失计。苍黄，即苍忙、仓皇。⑰④势不得止：逆乱之势不得停止，即形势所逼而为乱。⑰⑤盖并胁从：作乱的多数人大抵都是被胁迫而随从的。⑰⑥苟知全生二句：如果他们知道还有活路，难道还要作恶吗。⑰⑦纾：解除。⑰⑧人者二句：人民是国家的根本。《尚书·五子之歌》："民惟邦本。"唐代避李世民讳，"民"改作"人"。⑰⑨颠瘁：毁灭。⑱⓪人摇不宁二句：人心动摇则不安宁，事变发生则难以测度。此谓用兵为难事，不可动摇人心，要估计和预测各种事变的发生。⑱①兵贵拙速二句：用兵要以看似笨拙而神速为可贵，不以精巧而迟缓为可贵。⑱②靖于本：安定根本。指安定民心，使有生计。⑱③务救于末：致力于救助末梢。指用武力平乱。⑱④王者蓄威以昭德二句：做天子的应该既蓄积威势，又昭示恩德，如果偏废一个方面，便有危险。⑱⑤居重以驭轻二句：天

子应该处在重要的位置，用以控制薄弱之处，如果轻重倒置，便有违事理。⑱⑥王畿：指京师重地。⑱⑦府兵：唐初实行的兵役制度，其特点是兵农合一。兵士平时为农民，农隙训练，战时从军打仗，兵籍隶军府。《新唐书·兵志》说全国共六百三十四府，与此下文“八百余所”有出入。⑱⑧卒乘罕习：兵马的演练十分罕见。中唐后府兵衰落，不见操练。⑱⑨诸牧：诸养马牧苑。即国家兴办的军马场，集中在西北各州郡。⑲⓪乾元之后二句：指肃宗之后，外患相继发生。乾元，肃宗第二个年号。乾元年间平定安史之乱，因河西兵东调，代宗时吐蕃乘机扰乱，河西地尽没。⑲①弛：废弛。⑲②禁戎亦空：禁兵复又空虚。⑲③先皇帝：指代宗。⑲④莫与为御：指没有可以抵御外患的军队。⑲⑤避之东游：代宗广德元年（公元七六三年），吐蕃入寇犯京师，代宗东幸陕州以避其锋。⑲⑥内寇则殽、函失险：内乱起来，崤山、函谷关之险不守。内寇，指安史之乱，崤山、函谷关挡不住叛军攻入长安。⑲⑦外侵则汧、渭为戎：外敌扰边，汧水、渭水沦为戎狄的牧场。外侵，指吐蕃陷陇右，逼京师。汧、渭，指代陇右。⑲⑧山东：华山之东。朔方，指李怀光；太原，指马燧。二镇之兵讨田悦，远调至山东。⑲⑨神策六军：唐禁军分为左、右羽林，左、右龙武，左、右神策共六军，以神策最盛。其时李晟、哥舒曜、刘德信等皆率神策军，相继出关。⑳⓪贼臣啖寇：指窃国之臣为山东叛逆所诱而兴起内乱。啖寇，谓为寇所诱。朱泚之乱，为朱滔所诱。⑳①黠虏觑边：奸猾的外寇窥伺边境。⑳②伺隙乘虚二句：看准漏洞，乘虚而入，暗中进犯边防亭障。⑳③议者多易其事：主张讨伐田悦等的人，都把用兵的事看得很容易。⑳④佥谓有征无战二句：大家都说调兵出征不会有大的战事，兵役不会超过计划的时间。佥谓，众人都说。有征无战，只要出征，不用战斗就能取胜。⑳⑤计兵未甚多二句：估计用不了多少兵，花不了多少钱。计、度，互文，皆指计量、估算。⑳⑥于事为无扰二句：指讨逆平叛，不会扰乱国事，不会辛劳百姓。⑳⑦兵连祸拏：战事连绵，祸患不断。拏，牵引、滋生。⑳⑧渐乖始图：逐渐背离了最初的计划、预料。乖，背离。⑳⑨往岁：前几年；先前。㉑⓪携：与上文“叛”对文，亦为叛离之意。㉑①四去其三：以往所认

【原文】

九月丙戌[237]，神策将刘德信、宣武将唐汉臣与淮宁将李克诚战，败于沪涧[238]。时李勉遣汉臣将兵万人救襄城，上遣德信帅诸将家应募者[239]三千人助之。勉奏：“李希烈精兵皆在襄城，许州空虚，若袭许州，则襄城围自解。”遣二将趣[240]许州。未至数十里，上遣中使[241]责其违诏。二将狼狈而返[242]，无复斥候[243]。克诚伏兵邀[244]之，杀伤太半[245]。

为的四个凶人李正己、李宝臣、梁崇义、田悦，除田悦尚存外，三人已死。⑫自叛：自行反叛。指李希烈、朱滔，先前认为国家可信赖的人，却自行叛乱。⑬安危在势：安全与危难是由形势来决定的。⑭济：成功。⑮舟中敌国：同舟的人互相敌视。⑯惟新令图：革新法度，励精图治。令图，善治，即励精图治。⑰修偏废之柄以靖人二句：因排句而变文，皆指京师弱而藩镇强的局面。⑱孜孜汲汲：孜孜与汲汲，都是形容不倦追求的样子。⑲徇：顺从；依从；曲从。⑳望难必之效：指德宗希求革除藩镇世袭的成效，难以急功近利地达到。㉑关辅：指京畿关中之地。㉒宫苑之内二句：北军屯于禁苑，其时皆调戍行营，禁卫已不健全。指宫卫空虚。㉓负固边垒：依恃边塞的险固。此指边将叛离。㉔诱致豺狼：勾引外敌。㉕城阙：京城与宫阙。㉖傥：如果。㉗过听愚计：屈尊听从我的计谋。过听，听从我的错误意见。陆贽谦辞，意译为屈尊。㉘节将子弟：指白志贞所奏遣的持节将领的东征子弟。㉙泾、陇、邠、宁：皆州名，京畿道西北诸州，居高临下拱卫京师。泾州治所临泾，在今甘肃镇原。陇州治所汧源，在今陕西陇县。邠州治所在今陕西彬州。宁州治所在今甘肃宁县。㉚严备封守：严密戒备，守卫封疆。㉛德音：唐朝的一种恩诏。㉜冀已输者弭怨二句：可以希望那些已经交纳重税的人消除怨恨，现今居住在京城及畿内的人获得安宁。见，通"现"。㉝壬戌：八月十七日。㉞汴西运使：置汴东、汴西运使事，见上一卷建中三年（公元七八二年）。㉟崔纵：崔涣之子。崔涣，代宗朝官至吏部尚书。崔纵官至太常卿。传见《旧唐书》卷一百八、《新唐书》卷一百二十。㊱粮料使：战时设置供应粮饷的军需官。崔纵负责河东节度使马燧、泽潞节度使李抱真、河阳节度使李艽、朔方节度使李怀光等四军的粮饷供应。

## 【校记】

［3］之半：此二字原无。据章钰校，乙十一行本有此二字，今据补。

---

## 【语译】

九月十二日丙戌，神策军将领刘德信、宣武节度使将领唐汉臣与淮宁镇将领李克诚交战，官军在沪涧地区被打败。这时李勉派唐汉臣率将士一万人去援救襄城，德宗派遣刘德信率领从各将领家中招募的士兵三千人去增援。李勉上奏说："李希烈的精锐都在襄城，许州空虚，如果袭击许州，那么自然解除了襄城的包围。"于是派遣刘德信、唐汉臣二将率部奔赴许州。还差几十里地到达许州，德宗派中使斥责他们违反诏令。刘、唐二将狼狈地返回原地，不再设侦察哨兵。李克诚设下伏兵拦击他们，士兵

汉臣奔大梁，德信奔汝州，希烈游兵剽掠至伊阙[246]。勉复遣其将李坚帅四千人助守东都，希烈以兵绝其后，坚军不得还。汴军由是不振，襄城益危。

上以诸军讨淮宁者不相统壹，庚子[247]，以舒王谟[248]为荆襄等道行营都元帅[249]，更名谊。以户部尚书萧复[250]为长史[251]，右庶子孔巢父[252]为左司马，谏议大夫樊泽[253]为右司马，自余将佐皆选中外之望。未行，会泾师作乱而止。复，嵩之孙也。巢父，孔子三十七世孙也。

【段旨】

以上为第七段，写德宗遥控军事，导致汴军大败，襄城危急。

【注释】

㉓⑦丙戌：九月十二日。㉓⑧沪涧：地名。据《考异》，此役官兵败于汝州薛店。旧城在今河南郏县西。㉓⑨诸将家应募者：即白志贞所奏应募的将家子弟。㉔⑩趣：奔向。㉔①中使：宫中所遣宦官使者。㉔②狼狈而返：主将令向许州，中使责其违逆圣旨不救襄城，二将无所适从，故狼狈退兵。㉔③斥候：侦察敌情的哨兵。㉔④邀：拦击。㉔⑤太半：大半。㉔⑥伊

【原文】

上发泾原诸道兵救襄城。冬，十月丙午[254]，泾原[255]节度使姚令言[256]将兵五千至京师。军士冒雨，寒甚，多携子弟而来，冀得厚赐遗其家。既至，一无所赐。丁未[257]，发至浐水[258]，诏京兆尹[259]王翃[260]犒师，惟粝食[261]菜餤[262]。众怒，蹴而覆之[263]，因扬言[264]曰："吾辈将死于敌，而食且不饱，安能以微命[265]拒白刃邪！闻琼林、大盈二库[266]，金帛盈溢，不如相与取之。"乃擐甲张旗鼓噪[267]，还趣京城。令言入辞[268]，尚在禁中[269]，闻之，驰至长乐阪[270]，遇之。军士射令言，令言抱马鬣突入乱兵，呼曰："诸君失计，东征立功，何患不富贵，乃为族灭之计乎！"

死伤了一大半。唐汉臣逃往大梁，刘德信逃往汝州，李希烈部下巡游的兵士抢掠到了伊阙。李勉又派遣他的部将李坚率领四千人去协助守卫东都，李希烈派兵切断了他的后路，李坚的部队不能撤回。宣武军的将士因此一蹶不振，襄城处境更加危急。

德宗认为各路征讨军不能统一指挥，九月二十六日庚子，任命舒王李谟为荆襄等道行营都元帅，李谟改名为李谊。任命户部尚书萧复为长史，右庶子孔巢父为左司马，谏议大夫樊泽为右司马，其余的一些将佐也都选用了朝廷内外有名望的人士。他们还没有动身，恰好遇上泾原军叛乱，事情便停了下来。萧复，是萧嵩的孙子。孔巢父，是孔子的三十七世孙。

---

阙：地名，伊水两岸之山相对如门，故名。在今河南洛阳南。㉔⑦ 庚子：九月二十六日。㉔⑧ 舒王谟：德宗之子，初名谟，后更名谊。传见《旧唐书》卷一百五十、《新唐书》卷八十二。㉔⑨ 都元帅：大元帅。㉕⓪ 萧复：玄宗朝宰相萧嵩之孙，官至门下侍郎。传见《旧唐书》卷一百二十五、《新唐书》卷一百一。㉕① 长史：官名，丞相府、大将军府皆置长史，掌理秘书之职。这里指以萧复为舒王谊行营都元帅之长史。㉕② 孔巢父：少时隐居徂来山，与李白等称“竹溪六逸”。传见《旧唐书》卷一百五十四、《新唐书》卷一百六十三。㉕③ 樊泽：开元中举，建中元年（公元七八〇年）举贤良对策。好读兵书，有武艺。传见《旧唐书》卷一百二十二、《新唐书》卷一百五十九。

---

【语译】

德宗调发泾原各道兵力救援襄城。冬，十月初二日丙午，泾原节度使姚令言率兵五千人抵达京城。兵士冒雨行军，极为寒冷，他们大多携带子弟同来，希望得到重赏送给家里。但是到长安后，一无所赐。初三日丁未，泾原兵出发到达浐水，德宗诏令京兆尹王翃犒劳军队，供给的只是一些粗米饭菜饼。大家很生气，抬腿踢翻饭菜，便扬言说：“我们即将死于敌人之手，而饭都吃不饱，怎么能拿这条小命去抗拒刀锋呢！听说琼林、大盈两个府库，金银、布帛满满的，我们不如一起去拿。”于是披甲举旗，击鼓呐喊，赶回长安。姚令言入宫辞行，还在宫禁中，获悉部下闹事，急驰到长乐阪，遇到这些兵士。兵士射击姚令言，姚令言抱住马鬃冲入乱兵中，高声呼喊说：“各位兄弟失策了，东征立下功劳，还愁不富贵吗？竟然做出灭族的计策！”

军士不听，以兵拥令言而西[271]。上遽命[272]赐帛，人二匹。众益怒，射中使。又命中使宣慰，贼已至通化门[273]外，中使出门，贼杀之。又命出金帛[274]二十车赐之。贼已入城，喧声浩浩[275]，不复可遏[276]。百姓狼狈骇走[277]，贼大呼告之曰："汝曹勿恐，不夺汝商货僦质[278]矣！不税汝间架陌钱矣！"上遣普王谊、翰林学士姜公辅出慰谕之。贼已陈于丹凤门[279]外，小民聚观者以万计。

初，神策军使白志贞掌召募禁兵，东征死亡者志贞皆隐不以闻，但受市井富儿赂而补之，名在军籍受给赐，而身居市廛为贩鬻[280]。司农卿段秀实[281]上言："禁兵不精，其数全少，卒有患难，将何待之！"不听。至是，上召禁兵以御贼，竟无一人至者。贼已斩关[282]而入，上乃与王贵妃、韦淑妃、太子、诸王、唐安公主自苑北门出。王贵妃以传国宝系衣中以从，后宫诸王、公主不及从者什七八。

初，鱼朝恩[283]既诛，宦官不复典兵。有窦文场、霍仙鸣[284]者，尝事上于东宫。至是，帅宦官左右仅百人以从，使普王谊前驱，太子执兵以殿[285]。司农卿郭曙以部曲数十人猎苑[286]中，闻跸[287]，谒道左[288]，遂以其众从。曙，暧[289]之弟也。右龙武军使令狐建[290]方教射于军中，闻之，帅麾下四百人从，乃使建居后为殿。

姜公辅[291]叩马言曰："朱泚[292]尝为泾帅，坐弟滔之故，废处京师，心尝怏怏。臣谓陛下既不能推心待之，则不如杀之，毋贻后患。今乱兵若奉以为主，则难制矣。请召使从行。"上仓猝不暇用其言，曰："无及矣！"遂行。夜至咸阳，饭数匕而过[293]。时事出非意，群臣皆不知乘舆所之。卢杞、关播逾中书垣[294]而出。白志贞、王翃及御史大夫于颀[295]、中丞刘从一[296]、户部侍郎赵赞、翰林学士陆贽、吴通微等追及上于咸阳。颀，頔之从父兄弟。从一，齐贤之从孙也。

贼入宫，登含元殿，大呼曰："天子已出，宜人自求富！"遂讙噪[297]，争入府库运金帛，极力而止。小民因之，亦入宫盗库物，出而复入[4]，通夕不已。其不能入者，剽夺[298]于路，诸坊居民各相帅自守。姚令言与乱兵谋曰："今众无主，不能持久，朱太尉闲居私第，请相与

兵士们不听从，用兵器簇拥着他向西回京城。德宗急忙命令赏赐锦帛，每人二匹。众人更加愤怒，用弓箭射击中使。德宗再次派中使宣谕安抚。叛兵已经到达通化门外，中使出了通化门，叛兵就将他杀了。德宗又命令拿出金帛二十车赏赐给士兵。叛兵已经进入城内，喧哗声一片，再也不能加以阻止。百姓惊恐，狼狈逃走，叛兵大声呼喊，告诉他们说："你们不要害怕，不会抢夺你们的商货钱财！不会向你们征收间架税、除陌钱了！"德宗派普王李谊、翰林学士姜公辅出来安抚慰问他们。叛兵已经列阵在皇城的丹凤门外，聚集围观的平民百姓数以万计。

起初，神策军使白志贞执掌招募禁军，东征死亡的人，白志贞全都隐瞒不报，只接受市井中富贵子弟的贿赂，把他们的名字补入军籍。这些冒名子弟登记在军籍上接受朝廷的供给和赏赐，自己却身居闹市做买卖。司农卿段秀实上奏德宗说："禁卫兵士不精良，全员的也不多，突然间发生祸乱，那将怎么应付呢！"德宗不听从。到这时，德宗召集禁兵来抵御叛军，竟然没有一个人到来。叛兵已经攻破城门进入宫禁，德宗才与王贵妃、韦淑妃、太子、诸王、唐安公主等人从宫苑的北门逃出。王贵妃把传国玉玺系在衣服内跟着德宗，后宫中的诸王、公主来不及跟随的十成中占了七八成。

当年，鱼朝恩被杀后，宦官就不再执掌兵权。有名叫窦文场、霍仙鸣的宦官，在德宗做太子时侍奉东宫。到这时，二人带领宦官侍从仅有一百多人跟随德宗，德宗派普王李谊在前面开道，皇太子手执兵器殿后。司农卿郭曙带着几十个部属在禁苑中打猎，听说德宗车驾到来，在道路左边谒见德宗，于是带着众人随行。郭曙，是郭暧的弟弟。右龙武军使令狐建正在宫中教士兵们练习射箭，得知情况后，率领部下四百人随行，德宗就让令狐建断后。

姜公辅跪拜在德宗的马前说："朱泚曾任泾原军的统帅，受他弟弟朱滔反叛的连累，废居京城，心里一直怏怏不乐。我认为陛下既然不能推心置腹地对待他，就不如杀掉他，不要留下后患。现在如果叛军拥戴他为首领，事态就难控制了。请将他召来，让他跟陛下一起走。"德宗在仓促之间无暇采用姜公辅的建议，说："来不及了！"于是便出发了。夜里到达咸阳，吃了几口饭便过了咸阳。当时事变出人意料，群臣都不知道皇帝到哪儿去了。宰相卢杞、关播翻过中书省的墙垣逃出。白志贞、王翃和御史大夫于颀、中丞刘从一、户部侍郎赵赞、翰林学士陆贽、吴通微等人到咸阳追上德宗。于颀，是于頔的堂兄弟。刘从一，是刘齐贤的侄孙。

叛军进入皇宫，登上含元殿，大声喊叫道："天子已经出宫，让我们各自发财吧！"于是喧哗鼓噪，争相进入府库，搬运金银财帛，尽到最大力气才停止下来。平民百姓乘此机会，也进入宫禁盗窃库中物品，出了宫禁而又返回来，整整一夜没有停止。那些不能进入宫禁的人，便拦路抢劫，各坊居民都相聚自守。姚令言与乱兵谋议说："目前大家没有首领，无法持久，朱泚太尉闲居在家，请各位共同拥戴他

奉之。”众许诺。乃遣数百骑迎泚于晋昌里[299]第。夜半，泚按辔列炬[300]，传呼入宫，居含元殿，设警严，自称权知六军[301]。

戊申旦[302]，泚徙居白华殿，出榜于外，称：“泾原将士久处边陲，不闲[303]朝礼，辄入宫阙，致惊乘舆，西出巡幸。太尉已权临六军，应神策军士及文武百官凡有禄食者，悉诣行在[304]，不能往者，即诣本司[305]。若出三日，检勘彼此无名者，皆斩！”于是百官出见泚，或劝迎乘舆。泚不悦，百官稍稍遁去。

源休[306]以使回纥还，赏薄，怨朝廷，入见泚，屏人密语移时[307]，为泚陈成败，引符命[308]，劝之僭逆。泚喜，然犹未决。宿卫诸军举白幡降者，列于阙前甚众。泚夜于苑门出兵，旦自通化门入，骆驿不绝，张弓露刃，欲以威众。

上思桑道茂之言[309]，自咸阳幸奉天[310]。县僚闻车驾猝至，欲逃匿山谷，主簿[311]苏弁[312]止之。弁，良嗣之兄孙也。文武之臣稍稍继至。己酉[313]，左金吾大将军浑瑊[314]至奉天。瑊素有威望，众心恃之稍安。

【段旨】

以上为第八段，写泾原兵出征，变起京师，德宗蒙尘，出逃奉天。

【注释】

[254]丙午：十月初二日。[255]泾原：方镇名，代宗大历三年（公元七六八年）置，治所泾州。[256]姚令言：泾原节度使马璘旧将，继任节度，建中四年（公元七八三年）倡乱京师，奉朱泚为帝，兵败被诛。传见《旧唐书》卷一百二十七、《新唐书》卷二百二十五中。[257]丁未：十月初三日。[258]浐水：水名，在长安东汇灞水入于渭，为关中八川之一。[259]京兆尹：京师长安行政长官。[260]王翃：字宏肱，并州晋阳（今山西太原）人，历官容管经略使、河中少尹、汾州刺史、大理卿等，为东都留守，开田二十余屯。传见《旧唐书》卷一百五十七、《新唐书》卷一百四十三。[261]粝食：粗米饭。[262]菜餤：菜饼。[263]蹴而覆之：用脚踢翻。[264]扬言：宣言。[265]微命：小命；不值钱的生命。[266]琼林、大盈二库：

吧。”大家都答应了。于是派遣几百名骑兵在晋昌里朱泚的私宅迎接他。夜半时分，朱泚勒马行进，列炬路边，呼声相连，进入皇宫，朱泚住在含元殿，设警戒严，自称暂时掌管六军。

十月初四日戊申凌晨，朱泚徙居白华殿，出榜公告，说：“泾原军的将士久处边陲，不熟悉朝廷礼仪，随便闯入宫禁大门，以至于惊吓到皇上，到西边巡幸。朱泚太尉已暂时掌管六军，所有的神策军士及文武百官凡是领官俸的人，应该全都前往行在，不能前往的人，立即到本官官署来。如果超过三日，查出两处都没有名字的人，全部斩首！”于是文武百官都出来见朱泚，有人劝朱泚迎皇帝还宫。朱泚很不高兴，文武百官逐渐逃走。

源休出使回纥归来，赏赐太少，怨恨朝廷。他进宫面见朱泚，屏退在场的人，同朱泚密谈了很长时间，为朱泚陈述成败谋略，引用天命征兆，劝朱泚僭越称帝。朱泚很高兴，但仍犹豫不决。卫戍皇宫的各禁军打着白旗降附朱泚的人，排列在宫门外非常之多。朱泚在夜间让士兵从宫苑门走出去，清晨从通化门入宫，络绎不绝，剑拔弩张，想借此威慑众人。

德宗想起了桑道茂以前说的话，于是从咸阳临幸奉天。县衙官吏听说德宗突然到来，想逃到山谷中隐藏，主簿苏弁阻止了他们。苏弁，是苏良嗣兄长的孙子。文武大臣们相继到来。十月初五日己酉，左金吾大将军浑瑊到达奉天。浑瑊一向有威望，众人依仗浑瑊才渐渐安下心来。

---

玄宗时所置宫中内库，宦官主之，专供皇帝挥霍赏赐之用。㉖⑦鼓噪：击鼓呐喊。㉖⑧入辞：入宫陛辞皇帝。㉖⑨禁中：宫中。㉗⓪长乐阪：在长安城东浐水之西。㉗①以兵拥令言而西：用兵器簇拥着姚令言向西进发还京师。㉗②遽命：立即下令。㉗③通化门：长安东城北头第一个城门。㉗④金帛：金银锦帛。㉗⑤喧声浩浩：喧闹之声响彻天空。㉗⑥遏：制止。㉗⑦骇走：惊骇逃跑。㉗⑧僦质：典当利钱。㉗⑨丹凤门：大明宫正南门。㉘⓪名在军籍受给赐二句：此二句意谓市井富儿，名字写在神策军户籍里领受供给与赏赐，而自身仍住在商铺之中贩卖货物。给赐，获得供给与赏赐。市廛，商铺。㉘①段秀实（公元七一九至七八三年）：字成公，官至司农卿。因谋杀朱泚不果，遇害。传见《旧唐书》卷一百二十八、《新唐书》卷一百五十三。㉘②斩关：破门。㉘③鱼朝恩：代宗朝擅权宦官，被诛事见本书卷第二百二十四代宗大历五年（公元七七〇年）。㉘④窦文场、霍仙鸣：德宗东宫时宦者，因扈驾有功而得幸，成为德宗朝的擅权宦官。鱼、窦、霍诸擅权宦官，传见两《唐书·宦官传》。㉘⑤太子执兵以殿：德宗仓皇出奔，无以为卫，太子李诵亲自执兵殿后。㉘⑥苑：京师上林苑，在长安城北，东至灞水，北枕渭水，西连汉长安故城。㉘⑦跸：天子出行戒严称警跸。此

指车驾。㉘ 谒道左：拜谒于道左。㉙ 曙，暧：郭曙、郭暧，皆郭子仪之子。传皆附见《旧唐书》卷一百二十、《新唐书》卷一百三十七《郭子仪传》。㉚ 令狐建：唐将令狐彰之子。传见《旧唐书》卷一百二十四、《新唐书》卷一百四十八。㉛ 姜公辅：时为谏议大夫、同中书门下平章事。传见《旧唐书》卷一百三十八、《新唐书》卷一百五十二。㉜ 朱泚：朱滔兄，卢龙节度留后。朱泚入朝，加中书令，进拜太尉。传见《旧唐书》卷二百下、《新唐书》卷二百二十五中。下所述驻防泾州事见本书卷第二百二十六德宗建中元年（公元七八〇年），坐弟朱滔之叛，废居京师第事见上卷上年。㉝ 饭数匕而过：只吃了几勺饭就急匆匆赶过咸阳。极言奔逃狼狈之状。㉞ 逾中书垣：翻过中书省的墙垣。㉟ 于颀：字休明。累迁京兆尹，为元载所亲厚。载得罪，颀出为郑州刺史，徙河南尹。后迁工部尚书。传见《旧唐书》卷一百四十六、《新唐书》卷一百四十九。㊱ 刘从一：高宗朝宰相刘齐贤从孙，官至中书侍郎。传见《旧唐书》卷一百二十五、《新唐书》卷一百六。㊲ 讙噪：欢呼哄闹。㊳ 剽夺：抢劫。㊴ 晋昌里：长安外郭城坊名，又称晋昌坊，在京城启夏门北入东街第三坊。㊵ 按辔列炬：扣紧马缰在夹道排列的火炬中缓行。㊶ 权知六军：暂时执掌六军。㊷ 戊申旦：十月初四日早晨。㊸ 不闲：不熟悉。㊹ 行在：皇帝出巡所止之地。㊺ 本司：本官官署。此指朱泚太尉官署。㊻ 源休：为京兆尹，使回纥，卢杞忌休得

【原文】

庚戌[315]，源休劝朱泚禁十城门[316]，毋得出朝士，朝士往往易服为佣仆潜出。休又为泚说诱文武之士，使之附泚。检校司空、同平章事李忠臣久失兵柄[317]，太仆卿张光晟[318]自负其才，皆郁郁不得志，泚悉起而用之。工部侍郎蒋镇[319]出亡，坠马伤足，为泚所得。先是休以才能，光晟以节义，镇以清素，都官员外郎彭偃[320]以文学，太常卿敬钍[321]以勇略，皆为时人所重，至是皆为泚用。

凤翔、泾原将张廷芝、段诚谏将数千人救襄城，未出潼关，闻朱泚据长安，杀其大将陇右兵马使戴兰，溃归于泚。泚于是自谓众心所归，谋反遂定。以源休为京兆尹、判度支，李忠臣为皇城使[322]，百司供亿[323]，六军宿卫[324]，咸拟乘舆[325]。

辛亥[326]，以浑瑊为京畿、渭北节度使，行在都虞候白志贞为都知兵马使[327]，令狐建为中军鼓角使，以神策都虞候侯仲庄为左卫将军兼奉天防城使。

宠，奏为光禄卿，源休认为赏薄而怨。朱泚乱逆，休出为伪相，自比萧何。传见《旧唐书》卷一百二十七、《新唐书》卷二百二十五中。⑳⑺ 密语移时：秘密交谈了很长时间。古代以干支记时，一昼夜十二时。移时，跨了两个时辰，表示时间之长。⑳⑻ 符命：天命。古人认为天降祥瑞为人君得天命之符，称符命。⑳⑼ 桑道茂之言：术士桑道茂说德宗当有离宫之灾。事见本书卷二百二十六德宗建中元年（公元七八〇年）。⑶⑽ 奉天：县名，县治在今陕西乾县。⑶⑾ 主簿：此指县主簿，佐县令处理日常事务。⑶⑿ 苏弁：字符容，官至户部侍郎。传见《旧唐书》卷一百八十九下、《新唐书》卷一百三。⑶⒀ 己酉：十月初五日。⑶⒁ 浑瑊（公元七三六至七九九年）：中唐名将，代宗时从郭子仪击退吐蕃入侵。德宗蒙尘，护驾守奉天，与李晟等平定朱泚及李怀光之乱。官邠、宁、庆副元帅，兼中书令。传见《旧唐书》卷一百三十四、《新唐书》卷一百五十五。

**【校记】**

［4］出而复入：原无此四字。据章钰校，十二行本、乙十一行本皆有此四字，今据补。

---

**【语译】**

十月初六日庚戌，源休劝朱泚把长安十个城门戒严，不让官员出城，官员们往往换衣服装成仆人潜出长安城。源休又为朱泚劝诱文武官员，让他们归附朱泚。检校司空、同平章事李忠臣久失兵权，太仆卿张光晟恃才自负，都郁郁不得志，朱泚全起用了他们并委以重任。工部侍郎蒋镇出亡，从马背上掉下来伤了脚，被朱泚抓获。先前，源休凭借其才能，张光晟凭借其节义，蒋镇凭借其清正俭朴，都官员外郎彭偃凭借其文学辞采，太常卿敬钉凭借其有勇有谋，都被当时人所推重，到这时全被朱泚所任用。

凤翔、泾原军的将领张廷芝、段诚谏率领数千人救援襄城，还没有出潼关，听说朱泚占据长安，便杀了统军大将陇右兵马使戴兰，部众溃散，归附朱泚。朱泚于是自以为众心所归，便决心谋反。他任命源休为京兆尹、判度支，李忠臣为皇城使，各官署的供给，六军对宫禁的宿卫，都比照皇帝的制度。

十月初七日辛亥，朝廷任命浑瑊为京畿、渭北节度使，行在都虞候白志贞为都知兵马使，令狐建为中军鼓角使，任命神策都虞候侯仲庄为左卫将军兼奉天防城使。

朱泚以司农卿段秀实久失兵柄㉘，意其必怏怏，遣数十骑召之。秀实闭门拒之。骑士逾垣入，劫之以兵。秀实自度不免，乃谓子弟曰："国家有患，吾于何避之？当以死徇社稷，汝曹宜人自求生。"乃往见泚。泚喜曰："段公来，吾事济矣！"延坐㉙问计。秀实说之曰："公本以忠义著闻天下，今泾军以犒赐不丰，遽有披猖㉚，使乘舆播越㉛。夫犒赐不丰，有司之过也，天子安得知之！公宜以此开谕将士，示以祸福，奉迎乘舆，复归宫阙，此莫大之功也。"泚默然不悦。然以秀实与己皆为朝廷所废，遂推心委之。左骁卫将军㉜刘海宾㉝、泾原都虞候㉞何明礼、孔目官㉟岐灵岳，皆秀实素所厚㊱也，秀实密与之谋诛泚，迎乘舆。

上初至奉天，诏征近道兵入援。有上言㊲："朱泚为乱兵所立，且来攻城，宜早修守备。"卢杞切齿言㊳曰："朱泚忠贞，群臣莫及，奈何言其从乱，伤大臣心！臣请以百口保其不反。"上亦以为然。又闻群臣劝泚奉迎，乃诏诸道援兵至者皆营于三十里外。姜公辅谏曰："今宿卫单寡，防虑不可不深，若泚竭忠奉迎，何惮于兵多？如其不然，有备无患。"上乃悉召援兵入城。卢杞及白志贞言于上曰："臣观朱泚心迹，必不至为逆，愿择大臣入京城宣慰以察之。"上以问[5]从臣，皆畏惮莫敢行，金吾将军吴溆㊴独请行，上悦。溆退而告人曰："食其禄而违其难，何以为臣！吾幸托肺附，非不知往必死，但举朝无蹈难㊵之臣，使圣情慊慊㊶耳！"遂奉诏诣泚。泚反谋已决，虽阳为受命，馆溆于客省，寻杀之。溆，凑之兄也。

泚遣泾原兵马使韩旻将锐兵三千，声言迎大驾，实袭奉天。时奉天守备单弱，段秀实谓岐灵岳曰："事急矣！"使灵岳诈为姚令言符，令旻且还，当与大军俱发。窃令言印未至，秀实倒用司农印印符，募善走者追之。旻至骆驿㊷，得符而还。秀实谓同谋曰："旻来，吾属无类㊸矣。我当直搏㊹泚杀之，不克㊺则死，终不能为之臣也。"乃令刘海宾、何明礼阴结军中之士，欲使应之于外。旻兵至，泚、令言大惊。岐灵岳独承其罪而死，不以及秀实等。

朱泚因为司农卿段秀实长期失去兵权，推想段秀实一定怏怏不乐，便派出几十名骑兵去召他。段秀实闭门拒绝他们。骑兵翻墙入室，用兵器劫持段秀实。段秀实自己预料不能幸免，就对子弟们说："国家有祸患，我能逃到哪里去躲避呢？我应当以死殉国，你们最好自谋生路。"于是去见朱泚。朱泚高兴地说："段公来了，我的事就成功了！"请段秀实入座询问大计。段秀实规劝朱泚说："朱公你本以忠义之声名扬天下，如今泾原军因犒劳赏赐不丰厚，突然猖狂叛乱，使皇帝出宫流亡。要说犒劳赏赐不丰厚，那是主管官署的过错，天子怎能知道这件事！朱公你应当用这些道理来开导宣谕将士，说明利害祸福，迎接皇帝，返回宫廷，没有比这更大的功劳了。"朱泚沉默不悦。但是仍然因为段秀实跟自己一样，都是被朝廷罢免的人，因此还是推心置腹地任用他。左骁卫将军刘海宾、泾原都虞候何明礼、孔目官岐灵岳，都是段秀实一向厚待的人，段秀实暗中与他们策划诛杀朱泚，迎接皇上回宫。

德宗刚抵达奉天时，下诏征调附近各道的军队前来救援。有人上奏说："朱泚被乱兵所立，将要来攻打奉天城，应当及早做好防守准备。"卢杞却咬牙切齿地说："朱泚忠贞，文武群臣中没有谁能比得上，怎么说他依从乱军，伤害大臣的心呢！我愿意以全家一百口人的性命担保他没有反叛。"德宗也认为卢杞说得对。又听说群臣规劝朱泚奉迎自己回宫，于是下诏各道到达奉天的援兵，都在距城三十里外的地方安营。姜公辅劝谏说："如今卫戍部队力量单薄，防范的计划不能不细密周全，假如朱泚竭诚奉迎陛下，又怎么会害怕兵多呢？假如朱泚并非如此，那我们也有备无患。"德宗于是才将所有援兵召入城内。卢杞和白志贞向德宗建议说："臣下观察朱泚的心迹，一定不至于叛逆，希望选择大臣进京去宣谕、慰问，观察他的表现。"德宗拿此事询问群臣，全都害怕，无人敢去长安，金吾将军吴溆独自请求前往，德宗很高兴。吴溆退朝后对人说："享受朝廷的俸禄而逃避朝廷的危难，算什么大臣！我有幸成为皇室的外戚，并非不知道此去必死，但是整个朝廷没有为国赴难的大臣，让皇帝心怀憾恨！"于是奉诏前往朱泚那里。朱泚反叛的计划已经决定了，虽然表面上接受诏令，将吴溆安置在客省馆舍中，但不久便把他杀了。吴溆，是吴凑的哥哥。

朱泚派遣泾原兵马使韩旻带领精兵三千人，声言奉迎大驾，实际上是要袭击奉天。当时奉天城防守力量薄弱，段秀实对岐灵岳说："事情危急了！"他让岐灵岳盗用姚令言的印符，命令韩旻暂且回来，应该与大军一同出发。盗取的姚令言的印符还没有送到，段秀实便把司农卿的印符倒过来印在命令上，招募善走的人去追赶韩旻。韩旻已抵达骆驿，接到命令便撤军返回。段秀实对同谋者说："韩旻一回来，我们就没命了。我当与朱泚直接搏斗杀了他，不成功就是一死，终归不能做朱泚的臣属。"于是命令刘海宾、何明礼暗中与军中的士兵们联络，想让他们在外接应。韩旻撤回长安，朱泚、姚令言大惊。岐灵岳独自承担了罪责而被处死，不以此事连及段秀实等人。

是日，泚召李忠臣、源休、姚令言及秀实等议称帝事。秀实勃然起，夺休象笏㉞⑯，前唾泚面，大骂曰："狂贼！吾恨不斩汝万段，岂从汝反邪！"因以笏击泚，泚举手捍之，才中其额，溅血洒地。泚与秀实相搏恼恼㉞⑰，左右猝愕㉞⑱，不知所为。海宾不敢进，乘乱而逸。忠臣前助泚，泚得匍匐脱走。秀实知事不成，谓泚党曰："我不同汝反，何不杀我！"众争前杀之。泚一手承血㉞⑲，一手止其众曰："义士也！勿杀。"秀实既死，泚哭之甚哀，以三品礼葬之㉟⓪。海宾缞服㉟①而逃，后二日，捕得，杀之，亦不引何明礼。明礼从泚攻奉天，复谋杀泚，亦死。上闻秀实死，恨委用不至，涕泗久之。

---

【段旨】

以上为第九段，写变乱之中，忠奸分明，源休助贼，段秀实殉国。奸相卢杞继续作恶，排抑大臣；德宗昏愚，竟不知觉。

【注释】

㉛⑤庚戌：十月初六日。㉛⑥十城门：唐都长安，京城东面通化、春明、延兴三门，南面启夏、明德、安化三门，西面延秋、金光、开远三门，北面光化一门，总计十门。㉛⑦李忠臣久失兵柄：事见本书卷第二百二十五代宗大历十四年（公元七七九年）。㉛⑧张光晟：振武留后，因杀回纥使被征入朝为太仆卿，又贬为睦王傅。传见《旧唐书》卷一百二十七。㉛⑨蒋镇：镇妹婿源溥，为源休之弟，故镇与源休交厚，休为泚说客，镇于是委身事泚。传见《旧唐书》卷一百二十七、《新唐书》卷二百二十四下。㉜⓪彭偃：少负俊才，锐于进取。大历末，为都官员外郎。变乱中为朱泚所得，为其草伪诏制令。传见《旧唐书》卷一百二十七、《新唐书》卷二百二十五中。㉜①敬釭：人名，有勇略，依附朱泚。㉜②皇城使：官名，职掌宫城各门的开关事务。唐初为城门郎，中唐改为皇城使。㉜③百司供亿：政府各部门的供给。㉜④六军宿卫：指用神策六军警卫皇城。㉜⑤咸拟乘舆：全按皇帝的规格。㉜⑥辛亥：十月初七日。㉜⑦都知兵马使：节度使属官，总理兵马军政。㉜⑧段秀实久失兵柄：事见本书卷第二百二十六德宗建中元年（公元七八〇年）。㉜⑨延坐：迎请入

当天，朱泚召集李忠臣、源休、姚令言以及段秀实等人商讨称帝的事宜。段秀实勃然而起，夺过源休的象牙笏板，上前向朱泚脸上吐口水，大骂道："猖狂的叛贼！我恨不得将你斩成万段，岂能跟随你反叛啊！"随即用笏板砸向朱泚，朱泚举手阻挡，只砸中了朱泚的额头，血溅出洒了一地。朱泚与段秀实喊叫着搏斗，朱泚的随从因事出突然而被惊呆了，不知所措。刘海宾不敢上前，乘着混乱逃走了。李忠臣上前来帮朱泚，朱泚连滚带爬才得以脱身跑掉。段秀实知道事情不会成功，对朱泚的党羽说："我不同你们一起反叛，你们为何不杀我！"众人争着上前杀了段秀实。朱泚用一只手捂着流血的额头，一只手阻止众人说："他是义士！不要杀。"段秀实死后，朱泚哭得十分伤心，按朝廷三品官员的礼仪安葬了他。刘海宾穿着丧服逃跑了，两天后，被抓住杀死，也没有牵连何明礼。何明礼跟随朱泚去攻打奉天城，又策划谋杀朱泚，也死掉了。德宗听到段秀实的死讯，悔恨当初没有重用段秀实，涕泪交加，哭了很久。

---

座。㉚ 遽有披猖：突然发生了猖狂事件。披猖，猖狂。㉛ 播越：专指天子遇难逃奔。㉜ 左骁卫将军：皇帝近卫军十六卫将军之一。㉝ 刘海宾：彭城（今江苏徐州）人，原为泾原兵马将，因诛刘文喜功拜左骁卫大将军，与段秀实友善。其传附《段秀实传》中，见《新唐书》卷一百五十三。㉞ 都虞候：节度使属官，掌军法。㉟ 孔目官：节度使属官，总理日常事务。军府事无论大小皆经其手，言一孔一目无不综理，故称孔目官。㊱ 素所厚：一向厚待。㊲ 有上言：此谓有人上疏揭发朱泚为逆事。㊳ 切齿言：咬紧牙齿说话。㊴ 吴溆：肃宗章敬吴皇后之弟，官至十六卫之一金吾将军，奉旨宣慰朱泚，为泚所害。传见《旧唐书》卷一百八十三、《新唐书》卷一百九十三。㊵ 蹈难：赴难。㊶ 慊慊：怨恨、不满的样子。㊷ 骆驿：驿站名，在咸阳西。㊸ 无类：无遗类，全被诛灭无一幸存。㊹ 直搏：直接搏斗。㊺ 不克：不胜。㊻ 象笏：象牙笏板。笏，古时官员上朝时所执的手板，用以记要事。唐制，五品以上用象笏。㊼ 相搏恼恼：一边搏斗一边呼喊。㊽ 左右狞愕：朱泚的手下被这突然事件惊呆了。㊾ 一手承血：用一只手按压伤口止血。㊿ 以三品礼葬之：唐制，司农卿，从三品。朱泚以大臣礼葬段秀实。(351) 缞服：丧服之一。麻制，披于胸前。

## 【校记】

［5］问：原误作"诸"。据章钰校，十二行本、乙十一行本、孔天胤本皆作"问"，当是，今据校正。

【原文】

壬子[352]，以少府监[353]李昌巙为京畿、渭南节度使。

凤翔节度使、同平章事张镒性儒缓，好修饰边幅[354]，不习军事。闻上在奉天，欲迎大驾，具服用货财[355]，献于行在。后营将李楚琳为人剽悍，军中畏之，尝事朱泚，为泚所厚。行军司马[356]齐映[357]与同幕齐抗[358]言于镒曰："不去楚琳，必为乱首。"镒命楚琳出戍陇州[359]，楚琳托事不时发[360]。镒方以迎驾为忧，谓楚琳已去矣。楚琳夜与其党作乱，镒缒城而走[361]。贼追及，杀之，判官[362]王沼等皆死。映自水窦[363]出，抗为佣保负荷而逃[364]，皆免。

始，上以奉天迫隘[365]，欲幸凤翔。户部尚书萧复闻之，遽请见[366]曰："陛下大误，凤翔将卒皆朱泚故部曲，其中必有与之同恶者。臣尚忧张镒不能久，岂得以銮舆蹈不测之渊乎！"上曰："吾行计已决，试为卿留一日。"明日，闻凤翔乱，乃止。

齐映、齐抗皆诣奉天，以映为御史中丞[367]，抗为侍御史[368]。楚琳自为节度使，降于朱泚。陇州刺史郝通奔于楚琳。

商州[369]团练兵[370]杀其刺史谢良辅。

朱泚自白华殿入宣政殿[371]，自称大秦皇帝，改元应天。癸丑[372]，泚以姚令言为侍中、关内元帅，李忠臣为司空[373]兼侍中[374]，源休为中书侍郎、同平章事、判度支[375]，蒋镇为吏部侍郎，樊系为礼部侍郎，彭偃为中书舍人[376]，自余张光晟等各拜官有差。立弟滔为皇太弟。姚令言与源休共掌朝政，凡泚之谋画、迁除、军旅、资粮，皆禀于休。休劝泚诛翦宗室在京城者，以绝人望，杀郡王、王子、王孙凡七十七人。寻又以蒋镇为门下侍郎[377]，李子平为谏议大夫[378]，并同平章事[379]。镇忧惧，每怀刀欲自杀，又欲亡窜，然性怯，竟不果。源休劝泚诛朝士之窜匿者，以胁其余，镇力救之，赖以全者甚众。樊系为泚撰册文，既成，仰药而死。大理卿胶水蒋沇[380]诣行在，为贼所得，逼以官[6]。沇绝食称病，潜窜得免。

哥舒曜食尽，弃襄城奔洛阳。李希烈陷襄城。

## 【语译】

十月初八日壬子，朝廷任命少府监李昌巙为京畿、渭南节度使。

凤翔节度使、同平章事张镒性情儒雅温和，喜欢修饰边幅，不懂军事。听说皇上在奉天城，打算去迎接大驾，备办各种衣服、用具和财物，进献给奉天行宫。后营将领李楚琳，为人剽悍，军中都害怕他，他曾经奉侍朱泚，为朱泚所厚待。行军司马齐映与同僚齐抗对张镒说："不除掉李楚琳，他一定会成为叛乱的祸首。"张镒命令李楚琳离开凤翔去戍守陇州，李楚琳假托他事不按时出发。张镒正为奉迎德宗大驾的事发愁，以为李楚琳已离开了凤翔城。李楚琳当晚与他的同党叛乱，张镒系绳吊下城墙逃跑。叛军追上了他，把他杀掉了，判官王沼等人都死了。齐映从城内的下水道逃出，齐抗假扮成雇工背着东西逃出城，两个人都免于一死。

最初，德宗认为奉天城狭小，想到凤翔去。户部尚书萧复听说了这件事，急忙请求朝见，说："陛下的想法大错，凤翔的将士都是朱泚以前的部下，其中肯定有与朱泚一起作恶的。我担心张镒在那里不能持久，岂能让陛下的车驾陷于不测之渊呢！"德宗说："我去凤翔的计划已经决定，我因为你暂时留下一天。"第二天，获悉凤翔发生叛乱，德宗才取消了前往凤翔的打算。

齐映、齐抗都前往奉天城，朝廷任命齐映为御史中丞，齐抗为侍御史。李楚琳自任节度使，向朱泚投降。陇州刺史郝通投奔了李楚琳。

商州的团练兵杀了本州的刺史谢良辅。

朱泚从白华殿入住宣政殿，自称大秦皇帝，改年号为应天。十月初九日癸丑，朱泚任命姚令言为侍中、关内元帅，李忠臣为司空兼侍中，源休为中书侍郎、同平章事、判度支，蒋镇为吏部侍郎，樊系为礼部侍郎，彭偃为中书舍人，其余如张光晟等也都被分别授予了不同的官职。朱泚册立弟弟朱滔为皇太弟。姚令言和源休共掌朝政，凡是朱泚的筹谋策划、官职的升迁任免、军旅事务，以及物资粮草，都要向源休禀报。源休劝朱泚除掉在京城中的皇族人员，借以断绝人们对朝廷的希望，于是杀了郡王、王子、王孙等共七十七人。不久，又任命蒋镇为门下侍郎，李子平为谏议大夫，二人并为同平章事。蒋镇忧虑恐惧，常怀揣短刀想要自杀，又打算逃窜，但生性怯懦，始终未能实施。源休劝说朱泚诛杀朝廷百官中曾经逃跑躲藏的人，借以胁迫其他朝臣，蒋镇竭力营救这些人，赖以保全性命的人有很多。樊系为朱泚撰写称帝的册文，写成后，服毒而死。大理卿胶水籍人蒋沇前往奉天，被叛贼抓住，逼迫他做官。蒋沇绝食装病，暗中逃跑，得免一死。

哥舒曜的军粮耗尽，放弃襄城跑往洛阳。李希烈攻陷襄城。

【段旨】

以上为第十段，写朱泚僭号称帝，官军在各条战线失利，襄城失守，贼势炽盛。

【注释】

㊗壬子：十月初八日。㊘少府监：官名，少府寺长官，职掌供应皇室所用百工制品。㊙修饰边幅：整饰仪表。㊚具服用货财：一一备办服用器具，货物资财。㊛行军司马：节度使主要幕僚，掌本镇军籍、兵械、粮廪、军符号令等，权位甚重。德宗以后，常任为节度使。㊜齐映：李楚琳反凤翔，齐映奔奉天，授御史中丞，官至中书侍郎。传见《旧唐书》卷一百三十六、《新唐书》卷一百五十。㊝齐抗：与齐映同奔奉天，授侍御史，官至中书侍郎。传见《旧唐书》卷一百三十六、《新唐书》卷一百二十八。㊞陇州：州治汧源县，在今陕西陇县。㊟托事不时发：假托有事，不按时出发去陇州。㊠镒缒城而走：张镒系绳越出城墙逃走。㊡判官：节度使属官，定员二，一掌钱谷器械出纳，一掌表奏书檄。㊢水窦：水洞；下水道出城洞口。㊣抗为佣保负荷而逃：齐抗装扮成雇工扛着物品逃出城去。㊤迫隘：狭小。㊥遽请见：急忙请求朝见。㊦御史中丞：御史台副

【原文】

右龙武将军李观将卫兵千余人从上于奉天，上委之召募，数日，得五千余人，列之通衢，旗鼓严整，城人为之增气。

姚令言之东出[381]也，以兵马使京兆冯河清[382]为泾原留后，判官河中姚况[383]知泾州事。河清、况闻上幸奉天，集将士大哭，激以忠义，发甲兵器械百余车，通夕[384]输行在。城中方苦无甲兵，得之，士气大振。诏以河清为四镇、北庭行营、泾原节度使，况为行军司马。

上至奉天数日，右仆射、同平章事崔宁[385]始至。上喜甚，抚劳有加。宁退，谓所亲曰："主上聪明英武，从善如流，但为卢杞所惑，以至于此。"因潸然出涕[386]。杞闻之，与王翃谋陷之。翃言于上曰："臣与宁俱出京城，宁数下马便液，久之不至，有顾望[387]意。"会朱泚下诏，以左丞[388]柳浑[389]同平章事，宁为中书令。浑，襄阳人也，时亡在山谷。

长官。安史之乱以后御史大夫不常置，御史中丞实际为御史台长官，监察百官。㊱侍御史：御史台属官，定员四人，助理大夫、中丞治事。㊲商州：州治在今陕西商洛市商州区。㊳团练兵：团练使所属之兵。㊴宣政殿：在大明宫内含元殿之北。㊵癸丑：十月初九日。㊶司空：官名，三公之一。㊷侍中：门下省长官，掌诏令的审议与封驳。㊸判度支：他官兼理户部度支司，称判度支。伪秦政权按唐制设官，源休以宰相职判度支，掌理财政。㊹中书舍人：中书省属官，定员六人，掌参议表章，草拟诏敕，为中书省要职。㊺门下侍郎：门下省副长官。大历时升为正三品。㊻谏议大夫：官名，职掌言议，分左右，左谏议大夫属门下省，右谏议大夫属中书省。㊼同平章事：同中书门下平章事之简称。唐太宗时，或以他官加此名行宰相事。玄宗以后，渐成为宰相专称。㊽蒋沇：莱州胶水（今山东平度）人，不受伪职，逃匿里中。京师平，出授右散骑常侍。传见《旧唐书》卷一百八十五下、《新唐书》卷一百十二。

【校记】

［6］逼以官：原无此三字。据章钰校，十二行本、乙十一行本、孔天胤本皆有此三字，张瑛《通鉴校勘记》同，今据补。

【语译】

右龙武将军李观带领护卫兵一千多人跟随德宗到了奉天城，德宗将招募新兵事交给李观，几天之内，招募到五千多人，李观将这些人排列在交通要道上，旗鼓严整，奉天城中的人士为此增添了勇气。

姚令言向东援救襄城时，任命兵马使京兆人冯河清为泾原留后，判官河中人姚况掌管泾州事务。冯河清、姚况获悉皇帝巡幸奉天，召集将士大哭一场，还用忠义激励他们，调拨了盔甲、兵器一百多车，彻夜不停地运往奉天。奉天城中正苦于没有盔甲、兵器，得到了这些装备，士气大振。德宗颁诏任命冯河清为四镇、北庭行营、泾原节度使，姚况为行军司马。

德宗到奉天城几天后，右仆射、同平章事崔宁才赶到。德宗极为高兴，抚劳有加。崔宁退朝后，对亲信们说："皇上聪明英武，从善如流，只是被卢杞所迷惑，以至于落到这种境地。"于是潸然泪下。卢杞听说了这件事，便与王翃谋划陷害崔宁。王翃对德宗说："我与崔宁一同从京城出来，崔宁多次下马解小便，很长时间不回来，有观望的意思。"这时正好碰上朱泚下诏，任命左丞柳浑为同平章事，崔宁为中书令。柳浑是襄阳人，当时正逃亡到山谷中。王翃指使盩厔县尉康湛假冒崔宁之名给

翃使盩厔尉康湛诈为宁遗朱泚书，献之。杞因谮宁与朱泚结盟，约为内应，故独后至。乙卯㊾，上遣中使引宁就幕下，云宣密旨，二力士自后缢杀之，中外皆称其冤。上闻之，乃赦其家。

朱泚遣使遗朱滔书，称："三秦之地，指日克平，大河之北，委卿除殄㊿，当与卿会于洛阳。"滔得书，西向舞蹈[7]，宣示军府，移牒诸道，以自夸大。

上遣中使告难于魏县行营㊿，诸将相与恸哭。李怀光帅众赴长安，马燧、李艽各引兵归镇㊿，李抱真退屯临洺。

【段旨】

以上为第十一段，写官军收缩战线，布防奉天。德宗蒙尘，仍昏愚不悟，惑于卢杞，继续诛杀忠良。

【注释】

㊳ 东出：泾州在西，故以姚令言救襄城为东出。㊳ 冯河清：京兆（今陕西西安）人，坚守泾州拒贼，兴元元年（公元七八四年）为田希鉴所害。传见《旧唐书》卷一百二十五、《新唐书》卷一百四十七。㊳ 姚况：事附《冯河清传》中。㊳ 通夕：连夜；通夜。㊳ 崔宁：曾为西川节度，有威名，危难之中赴行在，故德宗抚劳有加。㊳ 潸然出涕：

【原文】

丁巳㊿，以户部尚书萧复为吏部尚书，吏部郎中刘从一为刑部侍郎，翰林学士姜公辅为谏议大夫，并同平章事。

朱泚自将逼奉天，军势甚盛。以姚令言为元帅，张光晟副之，以李忠臣为京兆尹、皇城留守，仇敬忠为同、华等州节度、拓东王，以捍㊿关东之师，李日月为西道先锋经略使。

邠宁留后韩游瓌㊿、庆州刺史论惟明、监军翟文秀受诏将兵三千拒

朱泚写信，把此信交给了朝廷。卢杞借机诬陷崔宁与朱泚结盟，相约充当朱泚的内应，所以一个人后到。十月十一日乙卯，德宗派中使把崔宁带到幕府，声称传达密旨，两个力士从背后勒死了崔宁，朝廷内外都说崔宁冤枉。德宗听说后，就赦免了崔宁的家室。

朱泚派遣使者给朱滔送去一封信，说："三秦之地，我指日可平，黄河以北，就委托给你来歼灭了，我将与你在洛阳会师。"朱滔收到书信后，面向西行舞蹈礼，在军府中公布书信，并作为公文转发各道，借以自我夸耀。

德宗派遣中使前往魏县行营通报自己蒙难的情状，在魏县的各位将领一起恸哭。李怀光率领部下赶赴长安，马燧、李艽各自带领部队撤回本镇，李抱真退守临洺。

---

扑簌簌流泪的样子。㊲顾望：观望。㊳左丞：此为尚书左丞。尚书省属官，掌理尚书省日常事务。㊴柳浑（公元七一五至七八九年）：本名载，更名浑，字夷旷，又字惟深，忠直臣。朱泚以宰相召，不就，微行至奉天。后官至兵部尚书。传见《旧唐书》卷一百二十五、《新唐书》卷一百四十二。㊵乙卯：十月十一日。㊶除殄：歼灭。㊷魏县行营：指马燧等屯于魏县讨田悦之军。㊸马燧、李艽各引兵归镇：马燧归太原，李艽归河阳。归镇，回到本镇。

## 【校记】

［7］西向舞蹈：原无此四字。据章钰校，十二行本、乙十一行本皆有此四字，张敦仁《通鉴刊本识误》、张瑛《通鉴校勘记》同，今据补。

---

## 【语译】

十月十三日丁巳，朝廷任命户部尚书萧复为吏部尚书，吏部郎中刘从一为刑部侍郎，翰林学士姜公辅为谏议大夫，均加同平章事职衔。

朱泚亲自率部进逼奉天，军队声势极为强大。任命姚令言为元帅，张光晟为姚令言的副手，任命李忠臣为京兆尹、皇城留守，仇敬忠为同、华等州节度使兼拓东王，让他们抵御关东的勤王兵马，还任命李日月为西道先锋经略使。

邠宁留后韩游瓌、庆州刺史论惟明、监军翟文秀受诏率兵三千在便桥阻击朱泚，

泚于便桥[397]，与泚遇于醴泉[398]。游瓌欲还趣奉天，文秀曰："我向奉天，贼亦随至，是引贼以迫天子也。不若留壁于此，贼必不敢越我向奉天。若不顾而过，则与奉天夹攻之。"游瓌曰："贼强我弱，若贼分军以缀[399]我，直趣奉天，奉天兵亦弱，何夹攻之有！我今急趣奉天，所以卫天子也。且吾士卒饥寒而贼多财，彼以利诱吾卒，吾不能禁也。"遂引兵入奉天，泚亦随至。官军出战不利，泚兵争门欲入，浑瑊与游瓌血战竟日[400]。门内有草车数乘，瑊使虞候高固帅甲士以长刀斫贼，皆一当百[401]。曳车塞门，纵火焚之，众军乘火击贼，贼乃退。会夜，泚营于城东三里，击柝[402]张火，布满原野。使西明寺[403]僧法坚造攻具，毁佛寺以为梯冲[404]。韩游瓌曰："寺材皆干薪，但具火以待之。"固，侃[405]之玄孙也。泚自是日来攻城，瑊、游瓌等昼夜力战。幽州兵救襄城者闻泚反，突入潼关，归泚于奉天，普润[406]戍卒亦归之，有众数万。

【段旨】

以上为第十二段，写逆贼朱泚攻围奉天，浑瑊城守，以弱抗强，初战取胜，稳住了局势。

【注释】

[394]丁巳：十月十三日。[395]捍：抵御。[396]韩游瓌：灵州灵武（今宁夏灵武西北）人，始为郭子仪裨将，积功至邠宁节度使，终官右龙武统军。传见《旧唐书》卷一百四十

【原文】

上与陆贽语及乱故，深自克责。贽曰："致今日之患，皆群臣之罪[407]也。"上曰："此亦天命，非由人事。"贽退，上疏，以为："陛下志壹区宇[408]，四征不庭[409]，凶渠[410]稽诛[411]，逆将[412]继乱，兵连祸结，行及三年[413]。征师[414]日滋，赋敛日重，内自京邑，外洎[415]边陲，行者有

在醴泉与朱泚相遇。韩游瓌想回军奔赴奉天，翟文秀说："我们退往奉天，敌人也会尾随而至，这是引来敌人逼近天子。不如在此留下修筑营垒，叛贼一定不敢越过我们进军奉天。如果叛贼无所顾忌而越过我们，那么我们就与奉天守军夹击叛军。"韩游瓌说："贼强我弱，如果敌军分兵拖住我们，大队直逼奉天，奉天兵力也薄弱，哪有什么夹攻之势呢！我们目前急速赶赴奉天，以此来保卫天子。况且我军士兵饥寒，而叛军钱粮多，他们用财物引诱我军士兵，我们将无法禁止。"于是率领人马进入奉天城，朱泚也跟随抵达。官军出城交战失利，朱泚的士兵争夺城门想进入城内，浑瑊与韩游瓌血战了一整天。城门内有几辆装载草料的车辆，浑瑊派虞候高固率领甲士用长刀砍杀敌人，人人都以一当百。他们用草车堵住城门，纵火焚烧，众军将士乘着火势攻击叛军，叛军这才撤退。正赶上夜晚，朱泚的人马在奉天城东三里的地方驻扎，他们敲打木梆，点燃火把，布满了原野。指派西明寺僧人法坚制造攻城器具，拆毁佛寺用以制造云梯和冲车。韩游瓌说："寺庙中的木材都是干柴，只需准备好火把等待敌人。"高固是高侃的玄孙。朱泚从这一天起对奉天城发动进攻，浑瑊、韩游瓌等人昼夜力战。增援襄城的幽州军队听说朱泚造反，便冲入潼关，在奉天城下投奔了朱泚，戍守普润县的军队也投奔了朱泚，朱泚拥有数万人马。

---

四、《新唐书》卷一百五十六。㊂⑨⑦便桥：又名咸阳桥、渭桥，与长安城便门相对，故称便桥。在今陕西咸阳南。398醴泉：县名，在奉天之东，县治在今陕西礼泉城北。399缀：拖住。400竟日：终日；一整天。401皆一当百：个个奋勇，以一当百。402击柝：柝，木制梆子，敲打报时。403西明寺：在长安城中延康坊，原为隋宰相杨素之宅。404梯冲：攻城的云梯和冲车。405侃：高侃，事太宗、高宗两朝，为将有功。406普润：县名，县治在今陕西麟游，神策军驻防地。

---

## 【语译】

德宗和陆贽谈及发生祸乱的原因，深刻自责。陆贽说："导致今天这种祸患的，都是群臣的罪过。"德宗说："这也是天命，并不是人为的。"陆贽退朝后，上疏说："陛下立志统一天下，四出征讨不来朝臣服之人，元凶稽延受伐，叛将相继作乱，兵连祸结，到如今已近三年。征发的士兵日益增多，收敛的赋税日益沉重，内自京城，

锋刃之忧，居者有诛求[416]之困。是以叛乱继起，怨讟并兴[417]，非常之虞[418]，亿兆[419]同虑。唯陛下穆然凝邃[420]，独不得闻，至使凶卒鼓行[421]，白昼犯阙，岂不以乘我间隙，因人携离哉[422]！陛下有股肱之臣，有耳目之任，有谏诤之列，有备卫之司[423]，见危不能竭其诚，临难不能效其死。臣所谓致今日之患，群臣之罪者，岂徒言欤[424]！圣旨又以国家兴衰，皆有天命。臣闻天所视听，皆因于人[425]。故祖伊责纣[426]之辞曰：'我生不有命在天！'武王数纣之罪曰：'乃曰吾有命，罔惩其侮[427]。'此又舍人事而推天命必不可之理也[428]。易曰：'视履考祥[429]。'又曰：'吉凶者，失得之象[430]。'此乃天命由人[431]，其义明矣。然则圣哲之意，《六经》会通[432]，皆谓祸福由人，不言盛衰有命。盖人事理而天命降乱者，未之有也；人事乱而天命降康[433]者，亦未之有也。自顷[434]征讨颇频，刑网稍密，物力耗竭，人心惊疑，如居风涛[435]，汹汹靡定。上自朝列[436]，下达蒸黎[437]，日夕族党聚谋，咸忧必有变故[438]，旋属[439]泾原叛卒，果如众庶所虞[440]。京师之人，动逾亿计[441]，固非[442]悉知算术[443]，皆晓占书[444]，则明致寇之由，未必尽关天命[445]。臣闻理或生乱，乱或资理[446]，有以无难而失守，有以多难而兴邦[447]。今生乱失守之事，则既往而不可复追矣。其资理兴邦之业，在陛下克励[448]而谨修[449]之。何忧乎乱人，何畏于厄运！勤励不息[450]，足致[451]升平，岂止荡涤妖氛[452]，旋复宫阙[453]而已！"

【段旨】

以上为第十三段，写陆贽上疏，论乱由人为而非天命，隐喻权奸卢杞误国，德宗仍是充耳不闻。

外到边陲，行路之人有遇上兵刃的忧患，居家之人有被苛刻索取的困扰，因此叛乱相继发生，仇恨与怨言同时出现，非同寻常的忧患，成为亿万百姓共同的忧思。只有陛下沉默深思，独自一人听不到事情的真相，以至于凶悍的士卒击鼓进军，在光天化日之下侵犯宫禁，这难道不是趁着朝廷出现了矛盾，利用人心背离而作乱吗！陛下您有得力的辅臣，有专门负责情报的机构，有专司规劝的言官，有负责防卫、戍守的官署，但目睹危急不能竭尽忠诚，面临灾难不能以身殉职。臣所说的导致今日祸患的，是群臣的罪过，这难道是空话吗！圣上的旨意认为国家的兴衰，都是有天命的。臣下听说过，老天的所见所闻，都是凭借人的所见所闻才有的。因此祖伊指责商纣王所说的话：‘我的生命不是有天命护佑吗！’周武王数落商纣王的罪行说：‘我有天命护佑，不肯以所受的欺侮为鉴戒。’这又是抛开人事而推求天命一定是不可行的道理。《易经》说：‘要依据行事来考察吉凶。’又说：‘吉凶只是得失的表象。’这就是说天命是由人决定的，其中道理说得很明白。那么以先圣先哲们的思想，融会《六经》中的主张，都认为祸福完全由人把握，而不说盛衰由天命来决定。把人事理顺了而上天却降祸乱的，还未曾有过；人事乱七八糟而上天却降下安康的，也未曾有过。近来征讨频繁，刑网渐渐严密，物力消耗殆尽，民心疑惑惊恐，就像身处风浪中，动荡不定。上自朝廷群臣，下至黎民百姓，宗族邻里日夜相聚讨论，都担心必有变故，不久泾原反叛的士卒，正如民众所预料的那样。京城内的人，动不动就超过亿万，他们根本不懂推算之术，全不通晓占卜之书，却明白导致变乱的原因，这说明叛乱未必都与天命有关。臣听说治理国家有时会发生变乱，变乱有时有助于治理，有因没有危难而失去所守的家业，有因多灾多难而振兴邦国。今天发生变乱宫阙失守之事，已成为过去而无法再追悔了。那些有助治理天下、兴邦振国的功业，就在于陛下您能够自励而谨慎地建树了。何必忧心那些叛乱的贼人！何必惧怕时运困厄！勤励不息，就足以达到太平之世，哪里只是扫平叛乱妖雾，返回皇宫而已！”

---

【注释】

㊼皆群臣之罪：陆贽此语意在指斥奸臣卢杞等。㊽志壹区宇：立志统一全国，削平割据。㊾四征不庭：四处征讨不朝之臣。不庭，不朝。㊿凶渠：元凶，指田悦、李纳等。⑪稽诛：稽延诛讨。稽，稽延。诛，诛伐。⑫逆将：叛逆之将，指朱滔、李希烈等。⑬兵连祸结二句：建中二年（公元七八一年）始用兵两河，至建中四年（公元七八三年）已征战三年。祸结，祸乱纠结不绝。⑭征师：征发士兵，出师讨贼。⑮洎：

及。⑯诛求：苛刻索取。⑰怨谤并兴：仇恨与怨言同时兴起。谤，怨言。⑱非常之虞：不同寻常的忧患。指天下大乱。虞，忧虑。⑲亿兆：普天下的民众。⑳穆然凝邃：沉默深思。意谓封闭在寂静之中，即被蒙在鼓里。㉑鼓行：大张声势，击鼓进兵。㉒岂不以乘我间隙二句：这难道不是由于朝廷有矛盾，人心背离而作乱吗。间隙，指朝中的矛盾。携离，指人心背离。㉓备卫之司：防卫部门。㉔岂徒言欤：难道是无根据的空言吗。徒言，空言。㉕天所视听二句：老天的所见所闻，全都凭借人的所见所闻才有的。典出《书经·泰誓》："天视自我民视，天听自我民听。"㉖祖伊责纣：祖伊，商纣大臣，劝谏纣王修德。纣王说："我生不有命在天乎。"意谓我是有天命保护的。祖伊批评说："纣王是不可救药了。"典出《尚书·西伯戡黎》。㉗乃曰吾有命二句：此为武王伐纣数罪之辞，语出《尚书·泰誓》，意谓纣王竟然说，我有天命，不肯以所受的侮辱为鉴戒。罔，无、不肯。惩，以为戒。㉘舍人事而推天命必不可之理也：抛开人事来推求天命，一定是不可行的道理。㉙视履考祥：语出《易经·履卦·上九·爻辞》。意谓依据行事来考察吉凶。

【原文】

田悦说王武俊[454]，使与马寔共击李抱真于临洺。抱真复遣贾林说武俊曰："临洺兵精而有备，未易轻也。今战胜得地，则利归魏博，不胜，则恒冀大伤。易、定、沧、赵[455]，皆大夫之故地也，不如先取之。"武俊乃辞悦，与马寔北归。壬戌[456]，悦送武俊于馆陶[457]，执手泣别，下至将士，赠遗甚厚。

先是，武俊召回纥兵，使绝李怀光等粮道。怀光等已西去，而回纥达干[458]将回纥千人、杂虏[459]二千人适至幽州北境。朱滔因说之，欲与俱诣河南取东都，应接朱泚，许以河南子女、金帛[8]赂之。滔娶回纥女为侧室[460]，回纥谓之朱郎，且利其俘掠，许之。

贾林复说武俊曰："自古国家有患，未必不因之更兴。况主上九叶天子[461]，聪明英武，天下谁肯舍之共事朱泚乎！滔自为盟主以来，轻蔑同列[462]。河朔古无冀国，冀乃大夫之封域也。今滔称冀王[463]，又西倚其兄[464]，北引回纥，其志欲尽吞河朔而王之。大夫虽欲为之臣，不可得矣。且大夫雄勇善战，非滔之比。又本以忠义手诛叛臣[465]，当时宰相处履，践履，指行事。㊹吉凶者二句：《易大传》之辞。意谓吉凶是得失的表现形式。象，表象、形式。㊺天命由人：天命是由人来决定、人来掌握的。㊻会通：贯通。㊼降康：赐下幸福、安康。㊽自顷：不久之前。㊾如居风涛：就像处在狂风巨浪之中。喻形势危急。㊿朝列：朝中众臣。蒸黎：众多老百姓。日夕族党聚谋二句：宗族邻里日夜相聚讨论，都担忧必有变故。族党，宗族邻里。旋属：随即；不久。虞：预料。亿计：以十万计。即数十万。亿，小数十万为亿，大数万万为亿。固非：本来不是。算术：推算未来之术。晓占书：懂得占卜的学问。明致寇之由二句：这正说明了招致寇乱的原因，未必全都与天命有关。理：治。唐人避高宗李治讳，"治"作"理"。有以无难而失守二句：有的因为没有危难而失去所守的家业，有的因为多灾多难而振兴邦国。克励：能够深自勉励。谨修：慎重地修明政治。勤励不息：勤勉自励，永不停止。致：达到。荡涤妖氛：扫荡妖孽之气。即平定叛乱。妖氛，妖孽之气，指叛逆。旋复宫阙：返回宫城。指克复京师。

---

【语译】

田悦劝王武俊，让王武俊与马寔在临洺共同攻击李抱真。李抱真又派遣贾林去劝告王武俊说："临洺的军队精锐而且有所防备，不要随意轻视。现在打了胜仗得到了临洺之地，那么利益也是归魏博，没有取胜，那么恒冀的实力将大受损伤。易州、定州、沧州、赵州，都是大夫您原有的地盘，不如先取得这些地方。"于是王武俊推辞了田悦的请求，与马寔一起领军北归。十月十八日壬戌，田悦在馆陶送行王武俊，握着王武俊的手流泪告别，下至王武俊的将士，也赠送了相当丰厚的礼品。

此前，王武俊叫来回纥士兵，让他们切断李怀光等人的粮道。李怀光等人已西赴长安，而回纥达干带领回纥兵一千名和各族士兵二千名刚到幽州北部。朱滔乘机游说回纥人，想同他们一起前往河南夺取洛阳，接应朱泚，许诺拿河南的男女和金帛送给他们。朱滔娶了一个回纥女人为小妾，回纥人称朱滔为朱郎，而且贪图去河南掳掠，便答应了朱滔。

贾林再次去劝王武俊说："自古以来，国家有忧患，未必不能借此复兴。何况皇上是第九代天子，聪明英武，天下谁肯舍弃这样的皇帝而去侍奉朱泚呢！朱滔自从当了盟主以来，瞧不起原先与他地位一样的人。河朔自古以来没有冀国，冀州是大夫您的封地。如今朱滔自称冀王，又向西依靠他的哥哥朱泚，从北边招来回纥人，他的志向是要吞并河朔称王。大夫您即使想做朱滔的臣下，也不可能了。况且大夫您骁勇善战，不是朱滔所能比的。您又本着忠义之心手诛叛臣李惟岳，当时宰相处

置失宜，为滔所诳诱[466]，故蹉跌至此[467]。不若与昭义[468]并力取滔，其势必获。滔既亡，则泚自破矣。此不世之功[469]，转祸为福之道也。今诸道辐凑[470]攻泚，不日当平。天下已定，大夫乃悔过而归国，则已晚矣！”时武俊已与滔有隙，因攘袂作色[471]曰：“二百年天子吾不能臣，岂能臣此田舍儿[472]乎！”遂与抱真及马燧相结，约为兄弟。然犹外事滔，礼甚谨，与田悦各遣使见滔于河间，贺朱泚称尊号，且请马寔之兵共攻康日知于赵州。

汝、郑应援使刘德信将子弟军在汝州，闻难，引兵入援，与泚众战于见子陵[473]，破之。以东渭桥[474]有转输积粟，癸亥[475]，进屯东渭桥。

朱泚夜攻奉天东、西、南三面。甲子[476]，浑瑊力战却之，左龙武大将军吕希倩战死。乙丑[477]，泚复攻城，将军高重捷与泚将李日月战于梁山[478]之隅，破之，乘胜逐北，身先士卒，贼伏兵擒之。其麾下十余人奋不顾死，追夺之。贼不能拒，乃斩其首，弃其身而去。麾下收之入城，上亲抚[479]而哭之尽哀，结蒲为首[480]而葬之，赠司空。朱泚见其首，亦哭之曰：“忠臣也！”束蒲为身而葬之。李日月，泚之骁将也，战死于奉天城下，泚归其尸于长安，厚葬之。其母竟不哭，骂曰：“奚奴[481]！国家何负于汝而反？死已晚矣！”及泚败，贼党皆族诛，独日月之母不坐。

己巳[482]，加浑瑊京畿，渭南、北，金、商节度使。

壬申[483]，王武俊与马寔至赵州城下。

初，朱泚镇凤翔，遣其将牛云光将幽州兵五百人戍陇州，以陇右营田判官韦皋[484]领陇右留后。及郝通奔凤翔[485]，牛云光诈疾，欲俟皋至，伏兵执之以应泚。事泄，帅其众奔泚。至汧阳[486]，遇泚遣中使苏玉赍诏书加皋中丞[487]，玉说云光曰：“韦皋，书生也。君不如与我俱之陇州，皋幸而受命，乃吾人也；不受命，君以兵诛之，如取孤豚[488]耳！”云光从之。皋从城上问云光曰：“向者[489]不告而行，今而复来，何也？”云光曰：“向者未知公心，今公有新命[490]，故复来，愿托腹心。”皋乃先纳苏玉，受其诏书，谓云光曰：“大使苟无异心，请悉纳甲兵[491]，使城

理不当，被朱滔欺骗诱惑，因此才栽到这一地步。您不如与昭义军合力抓获朱滔，势必获得成功。朱滔灭亡后，那么朱泚自然失败。这是非世所常有的功劳，是转祸为福的一条道路。目前各道从四面八方合拢攻打朱泚，过不了几天就会平定朱泚。到天下已经安定时，大夫您才悔过而回归朝廷，那就晚了！”当时王武俊与朱滔有隔阂，因而挽起袖子，愤然变脸说：“我不当二百年相传的天子的臣属，怎能臣属这乡间小子呢！”于是就与李抱真和马燧联络，约为兄弟。但在表面上还是侍奉朱滔，礼节十分恭谨，同田悦各自派使者在河间谒见朱滔，祝贺朱泚称帝，而且请求与马寔的军队共同向赵州的康日知发起进攻。

汝州、郑州应援使刘德信率领京师将领的子弟兵驻在汝州，获悉皇帝蒙难，带兵进京援救，与朱泚的部众在见子陵交战，打败了朱泚军。由于东渭桥有朝廷等待转运的粮食，十月十九日癸亥，刘德信进驻东渭桥。

朱泚夜间向奉天城东、西、南三面发起进攻。十月二十日甲子，浑瑊率领军队奋力作战，击退了朱泚的进攻，左龙武大将军吕希倩战死。二十一日乙丑，朱泚再次攻打奉天城，将军高重捷与朱泚部将李日月在梁山下交战，打败了李日月，高重捷乘胜追击逃敌，身先士卒，被埋伏的叛军擒获。高重捷的部下十余人奋不顾身，追赶争夺。叛军抵挡不住，就砍下高重捷的头，丢弃他的身躯跑了。部下收了高重捷的躯体进入奉天城，德宗亲自抚尸痛哭，极尽悲哀，用蒲草编成首级埋葬了高重捷，追赠高重捷为司空。朱泚见到高重捷的首级，也哭着说：“你是忠臣啊！”用蒲草编一个身躯埋葬了高重捷。李日月是朱泚的骁将，战死在奉天城下，朱泚把他的尸体送回长安，厚葬了他。李日月的母亲竟然没有哭泣，骂道：“这个奴才！国家什么地方亏待了你而要反叛？死得已经太迟了！”等到朱泚失败，朱泚的党羽都被灭族，唯独李日月的母亲没有被牵连入罪。

十月二十五日己巳，德宗加授浑瑊为京畿、渭南、渭北、金、商节度使。

二十八日壬申，王武俊与马寔率军抵达赵州城下。

当初，朱泚担任凤翔节度使时，派遣他的部将牛云光带领幽州士兵五百人戍守陇州，用陇右营田判官韦皋兼任陇右留后。等到郝通逃奔凤翔时，牛云光假装有病，打算等韦皋到达以后，埋伏兵士抓捕韦皋来响应朱泚。事情泄露，便带领部众投奔朱泚。到达汧阳，碰到朱泚派遣中使苏玉携带着诏书加授韦皋中丞官职，苏玉规劝牛云光说：“韦皋，是一介书生。你不如与我一起前往陇州，假如韦皋肯受诏命，那么他是我们的人；假如不肯接受诏命，你就带兵杀掉他，这就像获取孤零零的小猪一样容易！”牛云光听从了苏玉的话。韦皋从城上向牛云光问道：“前些时你不辞而别，现在你又回来，这是为什么？”牛云光说：“前些时不知道您的心思，而今您有新的任命，所以我又回来，愿意充当您的亲信。”韦皋于是先让苏玉入城，接受了苏玉带来的诏书，然后对牛云光说：“大使你如果对我没有二心的话，请将盔甲、兵器全

中无疑，众乃可入。”云光以皋书生，易之[492]，乃悉以甲兵输之而入[493]。明日，皋宴玉、云光及其卒于郡舍[494]，伏甲诛之[495]，筑坛[496]，盟将士曰：“李楚琳贼虐本使[497]，既不事上[498]，安能恤下[499]！宜相与讨之。”遣兄平、弇诣奉天，复遣使求援于吐蕃[500]。

【段旨】

以上为第十四段，写王武俊反正，与李抱真、马燧结盟为兄弟，韦皋收复凤翔，朱泚挫于奉天，官军走出低谷，形势胶着，陷于相持。

【注释】

㊹田悦说王武俊：官军魏县行营既散，李抱真退守临洺，形势孤弱，田悦欲连兵攻之。马寔，朱滔之将。㊺易、定、沧、赵：四州皆恒冀巡属，其时张孝忠据易、定、沧三州，康日知据赵州。㊻壬戌：十月十八日。㊼馆陶：县名，在今河北馆陶。㊽达干：回纥人名。㊾杂虏：各族的混合编队，室韦、奚等人。㊿侧室：小妻；偏房。[461]九叶天子：第九世皇帝。唐自高祖、太宗、高宗、中宗、睿宗、玄宗、肃宗、代宗，至德宗，已历九世。叶，世。[462]轻蔑同列：看不起一同起事的人。轻蔑，轻视、看不起。[463]今滔称冀王：朱滔据有幽州而称冀王，乃自大之意。冀州地本为王武俊巡属，所以贾林用朱滔自王之称来离间二人。[464]西倚其兄：朱滔兄朱泚，在西边长安称帝，则滔可在西边依靠其兄。[465]手诛叛臣：指王武俊诛杀李惟岳。[466]诳诱：诳骗诱惑。[467]蹉跌至此：栽跟斗到这一地步。指王武俊失误谋叛。[468]昭义：指昭义节度使李抱真。[469]不世之功：非世所常有的功劳。[470]辐凑：形容人或物像车辐一样向车毂集中。[471]作色：挽起袖子，愤然变脸。[472]田舍儿：犹言庄稼汉。[473]见子陵：《新唐书·朱泚传》作“思子陵”，即汉薄太后陵，在文帝霸陵南，故称南陵，又称薄陵。文帝，薄太后子，故俗又称薄陵为“见子陵”或“思子陵”。汉时陵在昭应县西，即今陕西西安市临潼区西。刘德信军于昭应，败贼于见子陵。[474]东渭桥：长安东渭水桥。[475]癸亥：十月十九日。[476]甲子：十月二十日。[477]乙丑：十月二十一日。[478]梁山：在奉天城西北五里，唐高宗乾陵在此。[479]抚：抚摸。[480]结蒲为首：用香蒲扎成头颅。[481]奚奴：李日月为奚人，故其母骂之曰奚奴。[482]己巳：十月二十五日。[483]壬申：十月二十八日。[484]韦皋（公元七四五至八〇五年）：字城武，唐京兆万年（今陕西西安）人，官至西川节度使，数败吐蕃兵，结好南诏。传见《旧唐书》卷一百四十、《新唐书》卷一百五十八。[485]郝通奔凤翔：李楚琳作乱，陇州刺史郝通投奔

部交出来，使城中的军民不犯疑，你的部众才能进城。”牛云光认为韦皋是个书生，很轻视他，于是将所带盔甲、兵器都交出后率众入城。第二天，韦皋在郡中客舍宴请苏玉、牛云光以及他们的士卒，埋伏甲兵将他们全部诛杀，然后筑坛，与将士盟誓说：“李楚琳这个叛贼残害了本军节度使张镒，既然不能侍奉上司，怎能体恤部下！我们应当共同去讨伐他。”韦皋派遣兄长韦平、韦弇前往奉天请命，又派使者前往吐蕃求援。

---

李楚琳。㊅汧阳：陇州属县，县治在今陕西千阳。487 中丞：御史中丞之省称。御史大夫副贰，员二人，佐御史大夫监察弹劾百官，为清要之选。488 孤豘：没爹娘的小猪崽。489 向者：前些时候。490 今公有新命：现在你有了新的任命。指朱泚加皋御史中丞之命。公，对韦皋的尊称。491 悉纳甲兵：全部交出盔甲、兵器。纳，上交、交纳。492 易之：看轻了他。指牛云光轻视韦皋。493 乃悉以甲兵输之而入：于是牛云光将全部盔甲、兵器交给了韦皋然后进城。494 郡舍：郡中公舍。即官厅。495 伏甲诛之：埋伏甲兵，诛杀了牛云光等。496 筑坛：古时誓众，筑起高台，祭天设盟。497 本使：指凤翔节度使张镒。498 事上：侍奉上司。499 恤下：怜恤部下。500 求援于吐蕃：韦皋恐朱泚攻击，故求援吐蕃以御之。

## 【校记】

［8］金帛：此二字原无。据章钰校，十二行本、乙十一行本皆有此二字，张敦仁《通鉴刊本识误》同，今据补。

## 【研析】

本卷研析李希烈兵乱淮西、苛税重起、陆贽上奏论治国之要、德宗蒙尘等四件史事。

第一，李希烈兵乱淮西。李希烈，辽西人，年少从军平卢军，为李忠臣部属。李忠臣任淮西节度使，署李希烈为偏将。代宗末，李忠臣荒废军政，李希烈因众怨逐走李忠臣，任淮西节度留后，德宗即位提升李希烈为淮西节度使，改称淮宁军。德宗用兵河北，李希烈请缨讨梁崇义，德宗嘉奖，封李希烈南平郡王，加汉南、汉北兵马招讨使。杨炎固谏认为李希烈狼子野心，不可授以方面重任。德宗不悦，卢杞趁机构陷，杨炎遭贬杀，李希烈如愿以偿，得以专征方面。黜陟使李承从淮西还朝，也上奏德宗，认为李希烈取胜，将是朝廷大害。德宗不以为然。梁崇义被平定，李希烈果然野心狂悖，欲据襄州为己有，目的未达，于是与李纳勾结，接受河北四镇的推戴，自号建兴王、天下都元帅，反叛朝廷。他与河北四镇五贼，兵连祸结，扰乱唐朝半壁江山。其间一度称帝，建伪号为楚，杀害宣慰使颜真卿。至公元七八五年，李希烈为部将陈仙奇所杀，淮西乱平。李希烈为害淮西、河南达四年之久，人民遭涂炭，中原人口为之一空。李希烈这一祸国大盗，完全是德宗拒谏而自用一手栽培起来的。

第二，苛税重起。唐制，节度使出兵，只要出境，一切用度由国库承担。两河用兵，月耗军资一百余万缗。国库很快空竭。朝廷重征酒税，这自然是杯水车薪。太常博士韦都宾、陈京出歪招，建言向商人借款，凡富有超过一万缗者借其余，只要向全国一两千名商人借款，就可筹措数年之军费，长安一地可筹五百万缗。德宗采纳，诏命判度支杜佑大索长安商贾所有钱物，拷打强索，逼人上吊。接着又征收典当铺制钱。长安全城遭浩劫，才搜刮到八十万缗。地方商借，凡家有钱帛储粮的人家，强征四分之一，总计所得，也才二百万缗。建中四年（公元七八三年），又初行间架税和除陌钱法。间架税，就是开征房产税，两架为一间，上等屋税两千，中等税一千，下等税五百文。除陌钱，凡交易，甚至馈赠，抽百分之五营业税。两税法施行才二三年，各种巧设名目的苛税接踵而至，民怨沸腾，困苦不堪。

第三，陆贽上奏论治国之要。陆贽，字敬舆，苏州嘉兴（今浙江嘉兴）人，唐代著名政论家和名臣。年十八登进士第，代宗末，官至监察御史。德宗在东宫时，已仰慕陆贽名声。德宗即位，召陆贽为翰林学士，以备顾问应对。陆贽忠直敢言，时政有缺，巨细必陈。建中四年，朱泚叛乱，德宗出亡奉天，陆贽从驾，军国事务，千头万绪，陆贽草诏，思如泉涌，下笔成章，莫不如意。陆贽奏议，直言时政，是当时历史横切面的写照，在中国政治史上占有重要的地位。陆贽奏议收入《翰苑集》中有五十六篇，《资治通鉴》摘载了十余篇，只占一小部分，但已经生动地描绘了德宗的昏愚，刻画其猜忌凶暴的嘴脸，栩栩如生。陆贽对时务的洞察深刻入骨，见微知著，料事如神。建中四年八月，两河争战正酣，赋役日滋，陆贽忧心兵穷民困，恐生内变，于是上奏德宗论治国之要，重根本，重民生，掌控大局。形势在君，异类同心，形势倾危，同舟之人都是敌人。陆贽反对泾原兵东调，提出调整讨逆官军部署，加重京师防务，否则变生肘腋。泾原兵变，德宗委过于天命。陆贽正言，祸由人起，不是天命，灾祸之源就是德宗本人，并讽喻德宗除奸，罢免奸相卢杞。不过这一切的苦口婆心，大都对牛弹琴，德宗很少采纳。德宗在颠沛流离之中，不得不依靠陆贽支撑大局，多少采纳了一些建议，改善了一些政治，尽管是短暂的，却拨正了唐王室航船的方向，渡过了险滩，如发布兴元大教诏就出自陆贽的建议和陆贽之手。

第四，德宗蒙尘。建中四年十月，德宗调泾原兵五千人东出救援襄城。泾原兵路过京师，因不给犒赏，兵士哗变，攻入京城，德宗蒙尘，仓皇逃奔奉天，随从只有宦官一百余人，朝士百官都丢在京师。过了两三天，左金吾卫大将军浑瑊率家属到奉天，附近诸镇派出勤王援军赶来奉天，有了浑瑊统兵，人心始安。浑瑊是郭子仪旧将。德宗即位伊始，就迫不及待解除郭子仪兵权，分郭子仪所管军州为三个节度使，浑瑊是其中之一。当年，德宗又调浑瑊入京任左金吾卫大将军，仍是猜忌而夺其兵权。浑瑊成了挽救危局的决定性人物。德宗未被叛军俘虏，全靠浑瑊。

朱泚，是朱滔的哥哥，任泾原节度使。朱滔反叛，德宗软禁朱泚于京师。德宗出逃，谏议大夫姜公辅叩马谏德宗，立即杀掉朱泚，若被变兵拥为首领，必为大害。德宗只顾逃命，说:“来不及了。”变兵果然拥护朱泚为首领，朱泚连夜入宫居含元殿，自称权知六军。十月初三日，泾原兵变，十月初四日朱泚登白华殿召会百官，初九日登宣政殿，自称大秦皇帝，改元应天。百官变服出逃者有之，出任伪职者有之。劝进者为京兆尹源休，他出使回纥回京，因赏薄而怨恨，特为朱泚论成败，引符命，劝其僭逆称帝。朱泚愚蠢无比，真的忙于称帝，丧失了追击擒获德宗的最佳良机，也未能迎请德宗，从而挟天子以令诸侯。朱泚的浅薄，成就了德宗的侥幸。

# 卷第二百二十九　唐纪四十五

起昭阳大渊献（癸亥，公元七八三年）十一月，尽阏逢困敦（甲子，公元七八四年）正月，不满一年。

【题解】

本卷记事起公元七八三年十一月，迄公元七八四年正月，共三个月，当唐德宗建中四年十一月到兴元元年正月。这三个月是唐王朝与德宗个人转危为安的紧要关头，发生一系列大事件。第一，李怀光解奉天之围，朱泚龟缩京师坐以待毙。第二，河南战场李希烈势盛，南方诸镇守境自保，扩充实力，观望形势。李希烈南犯江、淮，东西受阻，曹王李皋、鄂州刺史李兼立下大功，稳定了河南局势。第三，陆贽上言德宗下罪己诏书以挽救时局。德宗蒙尘纳其言，下诏改元兴元，于正月元旦发布大赦诏，河北王武俊、田悦、山东李纳接受赦令归顺朝廷，朱滔陷于孤立，史称兴元大赦诏。形势大好之际，奸臣卢杞破坏了这一局面。卢杞阻隔德宗召见李怀光，李怀光怏怏不乐，挟手握重兵之权，强谏德宗贬逐卢杞出朝而心不自安，埋下了李怀光背叛的祸根。

【原文】

**德宗神武圣文皇帝四**

**建中四年（癸亥，公元七八三年）**

十一月乙亥①，以陇州②为奉义军，擢皋为节度使。泚又使中使刘海广许皋凤翔节度使，皋斩之。

灵武③留后杜希全④、盐州⑤刺史戴休颜、夏州⑥刺史时常春会渭北⑦节度使李建徽合兵万人入援，将至奉天，上召将相议道所从出⑧。关播、浑瑊曰："漠谷⑨道险狭，恐为贼所邀。不若自乾陵北过，附柏城而行⑩，营于城东北鸡子堆，与城中掎角⑪相应，且分贼势。"卢杞曰："漠谷道近，若为贼所邀，则城中出兵应接可也。傥出乾陵，恐惊陵寝。"瑊曰："自泚攻城，斩⑫乾陵松柏，以夜继昼，其惊多矣。今城中危急，诸道救兵未至，惟希全等来，所系非轻。若得

【语译】

德宗神武圣文皇帝四

建中四年（癸亥，公元七八三年）

十一月初二日乙亥，朝廷把陇州设置为奉义军，提升韦皋担任节度使。朱泚又派中使刘海广向韦皋许诺授予凤翔节度使，韦皋杀了刘海广。

灵武留后杜希全、盐州刺史戴休颜、夏州刺史时常春会同渭北节度使李建徽，集中兵力一万人进入关中救援，即将到达奉天，德宗召集将军、宰相一起商议这支军队入援奉天的路线。关播、浑瑊说："漠谷道既险峻又狭窄，走这条路恐怕会被叛军设伏截击。不如从乾陵的北边经过，沿着柏城行进，在城东北的鸡子堆扎营，与奉天城形成相呼应的掎角之势，并且可以分散叛贼的兵力。"卢杞说："漠谷道离城近，走这条路如果被敌人截击，那么奉天城出兵接应就可以了。倘若走乾陵，恐怕惊扰先帝陵寝。"浑瑊说："自从朱泚攻打奉天城以来，叛军砍伐乾陵松柏，夜以继日，惊扰太多了。如今奉天城中危急，各道的救兵没有到达，只有杜希全等人来了，关系重大。如能占据要害之地扎营，那么就可以打败朱泚了。"卢杞说："陛下用兵，怎能

营据要地⑬，则泚可破也。”杞曰：“陛下行师，岂比逆贼！若令希全等过之，是自惊陵寝。”上乃命希全等自漠谷进。丙子⑭，希全等军至漠谷，果为贼所邀，乘高以大弩、巨石击之，死伤甚众。城中出兵应接，为贼所败。是夕，四军溃⑮，退保邠州⑯。泚阅其辎重于城下，从官相视失色⑰。休颜，夏州人也。

泚攻城益急，穿堑环之⑱。泚移帐于乾陵⑲，下视城中，动静皆见之。时遣使环城招诱士民，笑其不识天命。

神策河北行营节度使李晟疾愈⑳，闻上幸奉天，帅众将奔命㉑。张孝忠迫于朱滔、王武俊，倚晟为援，不欲晟行，数沮止㉒之。晟乃留其子凭，使娶孝忠女为妇；又解玉带㉓赂孝忠亲信，使说之；孝忠乃听晟西归，遣大将杨荣国将锐兵六百与晟俱。晟引兵出飞狐道㉔，昼夜兼行，至代州㉕。丁丑㉖，加晟神策行营节度使。

王武俊、马寔攻赵州不克。辛巳㉗，寔归瀛州，武俊送之五里，犒赠甚厚，武俊亦归恒州。

上之出幸奉天也，陕虢观察使㉘姚明扬以军事委都防御副使张劝，去诣行在。劝募兵得数万人。甲申㉙，以劝为陕虢节度使。

朱泚攻围奉天经月㉚，城中资粮俱尽㉛。上尝遣健步㉜出城觇贼㉝，其人恳㉞以苦寒为辞，跪奏乞一襦㉟袴㊱。上为之寻求不获，竟悯默㊲而遣之。时供御才有粝米㊳二斛，每伺贼之休息，夜缒人于城外，采芜菁根㊴而进之。上召公卿将吏谓曰：“朕以不德，自陷危亡，固其宜也。公辈无罪，宜早降以救室家。”群臣皆顿首流涕，期尽死力。故将士虽困急，而锐气不衰。

上之幸奉天也，粮料使㊵崔纵劝李怀光令入援，怀光从之。纵悉敛军资㊶与怀光皆来。怀光昼夜倍道㊷，至河中㊸，力疲，休兵三日。河中尹㊹李齐运㊺倾力犒宴，军士[1]尚欲迁延㊻。崔纵先辇货财渡河㊼，谓众曰：“至河西㊽，悉以分赐。”众利之，西屯蒲城㊾，有众五万。齐运，恽之孙也。

李晟行且收兵㊿，亦自蒲津济，军于东渭桥。其始有卒四千，晟善

同叛贼相提并论！假如让杜希全等人从乾陵旁经过，就是我们自己去惊扰先帝们的陵寝。”于是德宗命令杜希全等人从道漠谷前进。十一月初三日丙子，杜希全等人到达漠谷，果然被叛军截击，叛军登高用大弩、巨石攻打官军，官军死伤很多。奉天城出兵接应，也被叛军打败。当晚，灵、盐、夏、渭北四镇军队被叛军击溃，退守邠州。朱泚在城下检阅缴获的辎重，随从官员看到如此多的缴获，相视失色。戴休颜，是夏州人。

朱泚攻打奉天城更加猛烈，挖了一道战壕环绕奉天城。朱泚把大帐迁到乾陵，俯视奉天城内，所有动静都能看见。常派使者环城招引诱骗城中士民百姓，嘲笑他们不识天命。

神策军河北行营节度使李晟病愈，听说德宗到达奉天，率众将奔赴奉天受命。张孝忠被朱滔、王武俊逼迫，依靠李晟为后援，不想让李晟走，多次阻止他。于是李晟就留下他的儿子李凭，让他娶张孝忠的女儿为妻；又解下自己的玉腰带贿赂张孝忠的亲信，让他去劝说张孝忠；张孝忠才听任李晟率军西归关中，派大将杨荣国带领六百精锐士兵与李晟一起出发。李晟率兵从飞狐道前进，昼夜兼程，抵达代州。十一月初四日丁丑，朝廷加授李晟神策行营节度使。

王武俊、马寔攻打赵州没有攻克。十一月初八日辛巳，马寔返回瀛州，王武俊为他送行五里路，给他的犒赏和馈赠十分丰厚，王武俊也回到了恒州。

德宗出幸奉天时，陕虢观察使姚明扬把军事指挥权交给都防御副使张劝代理，自己来到奉天皇帝住处。张劝招募士兵得到了几万人。十一月十一日甲申，朝廷命张劝为陕虢节度使。

朱泚围攻奉天已有一个月，城中的军资和粮食都耗尽了。德宗曾经派遣善于行走的人出城侦察敌情，这个人以天气酷寒为由，跪地恳求德宗给一身短袄和套裤。德宗为他寻找，没有找到，最后只能哀怜无语，让这个人去执行任务。当时德宗的供应只有粗米二斛，人们常常抓住叛军们休息的时机，在夜间用绳子把人吊放到城外，采掘野生的芜菁根进献给德宗。德宗召集王公、卿相、将领、官吏，对他们说：“我由于没有德行，自己陷入危亡的境地，这本来是应该的。你们没有罪过，最好及早投降来挽救你们的家室。”群臣都磕头流涕，希望拼死尽力。因此将士们虽然极度困乏，而战斗的锐气没有衰减。

德宗出幸奉天时，粮料使崔纵劝说李怀光入援关中，李怀光听从了。崔纵把军需物资全部集中，与李怀光一起增援奉天。李怀光昼夜兼程，抵达河中，人困马乏，休整了三天。河中府尹李齐运倾全力设宴犒劳军队，士兵们还想拖延些时日。崔纵先装载物资钱财渡过黄河，对士兵们说：“到达河西后，把全部物资钱财分赐给大家。”士兵们都贪图财货，便西进屯驻蒲城，拥有部众五万人。李齐运，是蒋王李恽的孙子。

李晟边行进边招收士兵，也从蒲津渡口过了黄河，扎营在东渭桥。开始时有士

于抚御，与士卒同甘苦，人乐从之，旬月间[51]至万余人。

神策兵马使尚可孤[52]讨李希烈，将三千人在襄阳，自武关[53]入援，军于七盘[54]，败泚将仇敬[55]，遂取蓝田[56]。可孤，宇文部之别种也。

镇国军[57]副使骆元光[58]，其先安息人，骆奉先养以为子，将兵守潼关近十年，为众所服。朱泚遣其将何望之袭华州[59]，刺史董晋[60]弃州走行在。望之据其城，将聚兵以绝东道[61]。元光引关下兵[62]袭望之，走还长安。元光遂军华州，召募士卒，数日，得万余人。泚数遣兵攻元光，元光皆击却之，贼由是不能东出。上即以元光为镇国军节度使，元光乃将兵二千西屯昭应[63]。

马燧遣其行军司马王权及其子汇将兵五千人入援，屯中渭桥。

于是泚党所据惟长安而已，援军游骑时至望春楼[64]下。李忠臣等屡出兵皆败，求援于泚。泚恐民间乘弊抄[65]之，所遣兵皆昼伏夜行。

泚内以长安为忧，乃急攻奉天，使僧法坚[66]造云梯[2]，高广各数丈，裹以兕革[67]，下施巨轮，上容壮士五百人，城中望之恟惧[68]。上以问群臣，浑瑊、侯仲庄[69]对曰："臣观云梯势甚重，重则易陷。臣请迎其所来凿地道，积薪蓄火以待之。"神武军使[70]韩澄曰："云梯小伎，不足上劳圣虑，臣请御之。"乃度梯之所傃[71]，广城东北隅三十步[72]，多储膏油松脂薪苇于其上。丁亥[73]，泚盛兵鼓噪攻南城，韩游瓌曰："此欲分吾力也。"乃引兵严备东北。戊子[74]，北风甚迅[75]，泚推云梯，上施湿毡，悬水囊，载壮士攻城，翼以轒辒[76]，置人其下，抱薪负土填堑而前，矢石火炬所不能伤。贼并兵[77]攻城东北隅，矢石如雨，城中死伤者不可胜数。贼已有登城者，上与浑瑊对泣，群臣惟仰首祝天[78]。上以无名告身[79]自御史大夫、实食[80]五百户以下千余通[81]授瑊，使募敢死士御之，仍赐御笔，使视其功之大小书名给之，告身不足则书其身[82]，且曰："今便与卿别[83]。"瑊俯伏流涕，上拊其背，歔欷[84]不自胜。时士卒冻馁，又乏甲胄，瑊抚谕，激以忠义，皆鼓噪力战。瑊中流矢，进战不辍，初

兵四千人，李晟善于安抚、约束部下，与士兵同甘共苦，人们都乐意跟随他，一个月时间士兵达到一万多人。

神策兵马使尚可孤征讨李希烈，率领三千人在襄阳，从武关入援奉天，驻军七盘岭，打败了朱泚的将领仇敬，于是攻取了蓝田。尚可孤是宇文部落一个分支的首领。

镇国军副使骆元光，他的祖先是西域安息国人，骆奉先把骆元光收为养子，骆元光领兵守卫潼关将近十年，为部众所信服。朱泚派遣他的部将何望之袭击华州，华州刺史董晋放弃华州逃奔奉天皇帝住处。何望之占据华州，即将集中兵力断绝东方进入关中的通道。骆元光带领潼关的军队袭击何望之，何望之逃回长安。于是骆元光驻扎在华州，招募士兵，几天之内，得到一万多人。朱泚多次派兵攻打骆元光，都被骆元光击退，叛军由此不能东出。德宗便任命骆元光为镇国军节度使，骆元光率领二千兵力，向西屯驻昭应。

马燧派遣行军司马王权和他的儿子马汇带领五千人入援奉天，屯驻中渭桥。

到了这时，朱泚一伙所占据的只有长安而已，救援官军的巡逻骑兵时常来到望春楼下。李忠臣等人屡次出兵交战都失败了，求援于朱泚。朱泚担心民众乘自己困敝前来偷袭，因此所派出的援兵都是昼伏夜行。

朱泚的内心深以长安为忧，于是急攻奉天，让僧人法坚建造云梯，高度和宽度各有几丈，外面蒙着犀牛皮，下部安装巨大的车轮，云梯上部可以容纳五百名壮士，奉天城内的人看见云梯都惊扰恐惧。德宗询问群臣对策，浑瑊、侯仲庄回答说：“臣观察云梯的样子很沉重，沉重就容易下陷。臣请求对着云梯来的方向挖掘地道，堆积干柴，备好火种来等待它。”神武军使韩澄说：“云梯是小伎俩，不足以烦劳陛下忧虑，请让我来抵御它。”于是韩澄推测了云梯行进的方向，把城墙东北角向外拓展了三十步，在上面储备了大量的膏油、松脂和干柴、芦苇。十一月十四日丁亥，朱泚的军队大举出动，击鼓呐喊进攻奉天南城，韩游瓌说：“这是想分散我们的兵力。”于是带兵在城东北严加防备。十五日戊子，北风刮得极为迅猛，朱泚的士兵推着云梯，云梯上面铺着湿透了的毡子，还悬挂着水袋，运载壮士攻城，云梯两翼有助攻的战车，把人安置在战车下部，他们抱着干柴，身背泥土，填埋壕沟，向前推进，箭矢、石块、火把伤不到他们。叛军合兵攻打奉天城东北角，箭石如雨，城内死伤的人多得数不胜数。叛军已有登上城墙的人，德宗与浑瑊相对哭泣，群臣只有仰首向天祈祷。德宗将自御史大夫、实封食邑五百户以下各级官吏的空白委任书一千多份交给了浑瑊，让他招募敢死队抗击叛军，还把御笔赐给浑瑊，让浑瑊按照这些人战功的大小，在委任书上写上姓名发放给他们，如果委任书不够，就写在立功者的身上，而且说：“现在就与你诀别了。”浑瑊伏在地上流涕，德宗抚摸着浑瑊的脊背，抽泣不能自已。当时士兵饥寒交迫，又缺少盔甲，浑瑊抚慰劝导，用忠义来激发他们，士兵都擂鼓呐喊，拼力奋战。浑瑊被流矢射中，仍然奋战不息，当时无暇顾及疼痛。

不言痛。会云梯辗地道，一轮偏陷[85]，不能前却[86]，火从地中出[87]，风势亦回[88]，城上人投苇炬，散松脂，沃[89]以膏油，讙呼震地。须臾，云梯及梯上人皆为灰烬，臭闻数里，贼乃引退。于是三门皆出兵[90]，太子亲督战，贼徒大败，死者数千人。将士伤者，太子亲为裹疮。入夜，泚复来攻城，矢及御前三步而坠，上大惊。

---

## 【段旨】

以上为第一段，写官军勤王之师四集关中，朱泚叛军急攻奉天，万分危急。

## 【注释】

①乙亥：十一月初二日。②陇州：州名，治所在今陕西陇县。③灵武：方镇名，治所灵州，在今宁夏灵武西南。④杜希全：京兆醴泉人，时任灵武留后。与盐州刺史戴休颜均为郭子仪部下西北名将。戴休颜，夏州人。二人同传，见《旧唐书》卷一百四十四、《新唐书》卷一百五十六。⑤盐州：治所五原县，在今陕西定边。⑥夏州：治所朔方县，在今陕西榆林市横山区西北。⑦渭北：方镇名，治所坊州，在今陕西黄陵。⑧议道所从出：讨论入援军经过的路线。⑨漠谷：山狭谷地名，在奉天城北。⑩附柏城而行：沿着柏城行进。唐代诸陵皆栽柏树环绕，遮蔽陵寝，谓之柏城。贞元三年敕诸陵柏城四面各三里内不得他人安葬。⑪掎角：军事上分兵遥相呼应，互相援助。⑫斩：砍伐。⑬营据要地：扎营在军事要冲之地。⑭丙子：十一月初三日。⑮四军溃：灵、盐、夏、渭北四镇入援之军溃败。⑯邠州：州名，治所新平县，在今陕西彬州。⑰泚阅其辎重于城下二句：意谓朱泚到奉天城下巡视所获战利品，辎重山积，他的随从官们都不觉大惊失色。阅，查点。⑱穿堑环之：挖掘壕沟环绕奉天城。⑲帐于乾陵：在乾陵山顶设置军帐。乾陵地势高于奉天城，可以俯视城中动静。卢杞不让入援官军据此，今为叛军所据。⑳李晟疾愈：前年李晟染疾，从易州还保定州。㉑奔命：奔赴奉天受命。㉒沮止：阻止。㉓玉带：镶有玉石的腰带。㉔飞狐道：穿越飞狐关的要道。飞狐关在今河北涞源北，又名飞狐口，此处有一百余里山路，两崖峭立，一线交通，极为险要。㉕代州：州治雁门，在今山西代县。㉖丁丑：十一月初四日。㉗辛巳：十一月初八日。㉘陕虢观察使：不设节度使的道即置观察使，为一道的行政长官。陕虢观察使领陕、虢二州。陕州治所陕县，在今河南三门峡市西。虢州治所弘农县，在今河南灵宝。㉙甲申：十一月十一日。㉚经月：整月。朱泚于十月中围攻奉天，至此已历一月。㉛资粮俱尽：军资及粮食都已耗尽。㉜健步：善走的人。元代谓之“急脚子”。㉝觇贼：侦察敌情。㉞恳：恳求。㉟襦：短袄。㊱袴：套裤。㊲悯默：因哀怜

正碰上云梯的巨轮辗在地道上，一个轮子偏斜塌陷，不能进退，火焰从地道中冒了出来，风势也改变了方向，奉天城上的守军把芦苇扎的火把投到云梯上，撒上松脂，浇上膏油，欢呼声震天动地。片刻之间，云梯和梯上的人全都化为灰烬，臭味几里以外都能闻到，叛军这才撤退。这时奉天城东、西、南三个城门都出兵追击，皇太子亲自督战，叛军大败，死的就有数千人。负伤的朝廷将士，皇太子亲自为他们包扎伤口。到了夜间，朱泚又来攻城，乱箭落在离德宗三步远的地方，德宗非常惊恐。

---

难过而沉默。悯，哀怜。默，无以为辞。㊳粝米：粗粮；杂粮。㊴芜菁根：即蔓菁根，和其叶均可为蔬菜。㊵粮料使：以度支供应出境作战的军需官。崔纵为魏县行营粮料使。㊶悉敛军资：集中了全部军资。㊷倍道：兼程赶路。㊸河中：府名，治所蒲州，在今山西永济。㊹河中尹：河中府行政长官。㊺李齐运：太宗子蒋王李恽之孙。曾任监察御史、工部郎中等职。传见《旧唐书》卷一百三十五、《新唐书》卷一百六十七。㊻军士尚欲迁延：军士们还想拖延不行进。㊼辇货财渡河：车载物资渡过黄河。㊽河西：县名，在蒲州对岸黄河之西，县治在今陕西合阳东黄河西岸上。㊾蒲城：县名，县治在今陕西蒲城。㊿行且收兵：在行进中边走边招兵。51旬月间：一月之间。52尚可孤：东部鲜卑宇文部之别种。原为安史部将，归朝后多立功勋，加官检校尚书右仆射。传见《旧唐书》卷一百四十四、《新唐书》卷一百十。53武关：在今陕西丹凤东南，为关中东南门户。54七盘：山名，在陕西蓝田南。55仇敬：即仇敬忠，朱泚所遣抗击关东诸军入援的将领。56蓝田：县名，县治在今陕西蓝田西。57镇国军：军镇名，肃宗上元元年（公元七六〇年）置镇国军于华州。58骆元光：安息人，为代宗朝宦官骆奉先养子，冒姓骆。因平朱泚及李怀光有功，赐姓李改名李元谅，官至陇右节度使。传见《旧唐书》卷一百四十四、《新唐书》卷一百五十六。59华州：州名，为镇国军治所，在今陕西渭南市华州区。60董晋：为华州刺史，弃州赴奉天，改任国子祭酒，奉诏宣慰河北恒州。官至宣武节度使。传见《旧唐书》卷一百四十五、《新唐书》卷一百五十一。61绝东道：阻断东方进入关中的通道。62关下兵：驻防潼关之兵。63昭应：县名，县治在今陕西西安市临潼区。64望春楼：禁苑内楼名，近长乐驿，临广运潭，在长安东郊。65抄：偷袭。66法坚：长安城中西明寺僧人。67兕革：犀牛皮。68恟惧：惊扰恐惧。69侯仲庄：神策京西将，护驾奉天，迁左卫将军，为防城使。传见《新唐书》卷一百三十六。70神武军使：禁军武官名，玄宗开元二十六年（公元七三八年），分左、右羽林军置左、右神武军。71傃：向。这里指云梯将要攻击的方位。72广城东北隅三十步：在城东北角拓广三十步宽的地域，积办防守器材。古六尺为步，三十步为十八丈。73丁亥：十一月十四日。74戊子：十一月十五日。75迅：风速迅猛。76翼以辒辒：云梯两翼有助攻的战车。辒辒，攻城冲车。77并兵：合并兵力。78仰首祝天：抬头

向苍天祷告。⑲无名告身：空名委任状。告身，唐代任命官职的委任状。⑳实食：食实封。㉑千余通：一千多份告身。㉒告身不足则书其身：如果千余份告身仍不够用，就在应募的勇士身上直接写下委任的官职。㉓今便与卿别：我现在就和您永别。德宗言此，示意浑瑊死战。㉔歔欷：抽泣呜咽。㉕一轮偏陷：一轮偏斜下陷。㉖不能前却：既不能前进，也不能后退。㉗火从地中出：在云梯攻击路线上挖地道置薪燃之，故火从地中出。㉘风势亦回：迅猛的北风转为南风，于是官军用火攻云梯。㉙沃：浇浸。㉚三门皆出兵：时朱泚攻奉天东、南、北三面，故三门乘贼引退，皆出兵追击。

【原文】

李怀光自蒲城引兵趣泾阳[91]，并北山而西[92]。先遣兵马使张韶微服[93]间行诣行在，藏表于蜡丸。韶至奉天，值贼方攻城，见韶，以为贱人，驱之使与民俱填堑。韶得间[94]，逾堑抵城下呼曰："我朔方军使者也。"城上人下绳引之[95]。比登[96]，身中数十矢，得表于衣中而进之。上大喜，舁韶以徇城[97]，四隅[98]欢声如雷。癸巳[99]，怀光败泚兵于澧泉[100]。泚闻之惧，引兵遁归长安。众以为怀光复三日不至，则城不守矣。

泚既退，从臣皆贺。汴滑行营[101]兵马使贾隐林[102]进言："陛下性太急，不能容物。若此性未改，虽朱泚败亡，忧未艾[103]也。"上不以为忤，甚称之。侍御史万俟著[104]开金、商运路[105]，重围既解，诸道贡赋继至，用度始振。

朱泚至长安，但为城守之计，时遣人自城外来，周走[106]呼曰："奉天破矣！"欲以惑众。泚既据府库之富，不爱金帛以悦将士，公卿家属在城者皆给月俸。神策及六军从车驾及哥舒曜、李晟者，泚皆给其家粮，加以缮完器械，日费甚广。及长安平，府库尚有余蓄，见者皆追怨有司之暴敛焉。

或谓泚曰："陛下既受命，唐之陵庙不宜复存。"泚曰："朕尝北面事唐，岂忍为此！"又曰："百官多缺，请以兵胁士人[107]补之。"泚曰："强授之则人惧。但欲仕者则与之，何必叩户拜官[108]邪！"泚所用者，惟范阳、神策团练兵[109]，泾原卒骄，皆不为用，但守其所掠资货，不肯出战，又密谋杀泚，不果而止。

## 【校记】

［1］士：此字原无。据章钰校，十二行本、乙十一行本、孔天胤本皆有此字，张敦仁《通鉴刊本识误》、张瑛《通鉴校勘记》同，今据补。［2］云梯：严衍《通鉴补》改作“云桥”，下同。

## 【语译】

李怀光由蒲城率军奔赴泾阳，沿着北山山麓西进。先派兵马使张韶装扮成普通人抄小路前往奉天，把上奏表章藏在蜡丸中。张韶到达奉天时，适逢叛军开始攻城，见到张韶，以为他是贫贱的人，就驱使他和百姓一起填壕沟。张韶得到机会，翻越壕沟，到达城墙下呼喊说：“我是朔方军的使者。”城上守军放下绳子把张韶吊上去。等到登上城墙时，张韶身上中了几十箭，从衣服里得到李怀光的表章，进呈给德宗。德宗大为高兴，让人用担架抬着张韶在城内游行以示表彰，四处欢声雷动。十一月二十日癸巳，李怀光在澧泉打败了朱泚的军队。朱泚闻讯后非常害怕，率军逃回长安。大家认为李怀光如果再过三天还不到来，奉天城就要失守了。

朱泚撤退后，随从的大臣都向德宗祝贺。汴滑行营兵马使贾隐林向德宗进言：“陛下性情太急躁，不能宽容待人。如果这种秉性不改，虽然朱泚败亡，忧患还不能止息。”德宗并不认为这是冒犯，对贾隐林极为称赞。侍御史万俟著打通经由金州、商州的运输道路，重围解除后，各道的贡赋相继送达，朝廷的支出费用才开始宽裕起来。

朱泚到达长安，只做守城的计划，经常派人从城外进来，环城奔跑呼喊说：“奉天城被攻破了！”想用这种方法迷惑民众。朱泚据有朝廷府库里的财富后，毫不吝惜金帛，用来取悦将士，公卿家属在长安城中的，全都给月俸。神策军和六军中跟随皇帝车驾的将士及哥舒曜、李晟的部下，朱泚都给他们的家属发粮食，加上修缮各种器械，每天的费用非常多。到长安平定时，府库里还有剩余的蓄存，凡是见过的人，都怨恨先前官府对百姓的横征暴敛。

有人对朱泚说：“陛下您既然秉受天命，唐朝的陵庙不应当再保存。”朱泚说：“我曾向唐朝北面称臣，怎能忍心做这种事呢！”又有人说：“现在文武百官大多空缺，请派兵胁迫读书人来补充。”朱泚说：“强行给人授官，人们就会恐惧。只给想做官的人授予官职，何必敲门叩户封官授职呢！”朱泚所能使用的军队只有范阳的军队和神策团练兵，泾原军士兵骄悍，全都不听从朱泚的调遣，只守着劫掠来的物资钱财，不肯出战，还密谋杀掉朱泚，没有做出最后决断而作罢。

李怀光性粗疏，自山东来赴难，数与人言卢杞、赵赞、白志贞之奸佞，且曰："天下之乱，皆此曹所为也。吾见上，当请诛之。"既解奉天之围，自矜其功，谓上必接以殊礼⑩。或说王翃、赵赞曰："怀光缘道愤叹，以为宰相谋议乖方⑪，度支赋敛烦重，京尹犒赐刻薄，致乘舆播迁者，三臣之罪⑫也。今怀光新立大功，上必披襟布诚⑬，询访[3]得失⑭，使其言入，岂不殆哉！"翃、赞以告卢杞。杞惧，从容言于上曰："怀光勋业，社稷是赖，贼徒破胆，皆无守心，若使之乘胜取长安，则一举可以灭贼，此破竹之势也。今听其入朝，必当赐宴，留连累日，使贼入京城，得从容成备，恐难图矣。"上以为然⑮。诏怀光直引军屯便桥，与李建徽、李晟及神策兵马使杨惠元刻期⑯共取长安。怀光自以数千里竭诚赴难，破朱泚，解重围，而咫尺不得见天子，意殊怏怏，曰："吾今已为奸臣所排，事可知矣！"遂引兵去。至鲁店⑰，留二日乃行。

【段旨】

以上为第二段，写李怀光解奉天之围，因卢杞奸诈阻隔，没有受到德宗召见，心怀怏怏进兵长安，埋下隐患。

【注释】

㉑泾阳：县名，县治在今陕西泾阳。㉒并北山而西：沿着北山山麓向西行进。李怀光率军从蒲城向泾阳方向迂回包围攻奉天的朱泚军，故沿北山西行。㉓微服：改变常服，打扮成普通人。㉔得间：钻空子；找到机会。㉕下绳引之：墙上抛下绳索将张韶牵引到城上去。㉖比登：等到登上城头。㉗舁韶以徇城：用担架抬着张韶在城中绕行。㉘四隅：四处。㉙癸巳：十一月二十日。⑩澧泉：亦作"醴泉"。县名，在奉天东，县治在今陕西礼泉。⑪汴滑行营：建中三年（公元七八二年）置，用以讨伐李纳的河南官军，任李勉为都统，节制永平、宣武、河阳三镇兵。⑫贾隐林：永平节度兵马使，当入卫而值朱泚之难，率众扈奉天行在。传见《旧唐书》卷一百四十四、《新唐书》卷一百九十二。⑬忧未艾：忧患还没有完。⑭万俟著：人名。万俟，复姓。奉天解围后，四方贡物接踵而来，大赐军中，为打通货运通道，诏殿中侍御史万俟著整备金、商道。⑮金商运路：即江淮

李怀光性格粗疏，从山东赴奉天解救国难，多次对人说起卢杞、赵赞、白志贞的奸佞言行，并且说："天下的混乱，都是这伙人所造成的。我见到皇上时，会请求诛杀他们。"奉天之围解除后，李怀光居功自傲，认为德宗一定会以异乎寻常的礼仪来接待他。有人劝王翃、赵赞说："李怀光沿路愤然感叹，认为宰相的谋划和建议乖谬，度支所征赋税繁重，京兆尹犒赏将士非常刻薄，造成车驾被迫出巡，都是宰相、度支、京兆尹三个大臣的罪过。如今李怀光又刚刚立下大功，皇上一定会对他敞开胸襟，坦诚相待，征询政事得失，如果让他的那些话传入皇帝耳中，难道你们不危险吗！"王翃、赵赞把这番话告诉了卢杞。卢杞很害怕，乘空闲时对德宗说："李怀光所建树的功勋业绩，是国家安危所系，叛军被吓破了胆，全无固守长安之心，如果派李怀光乘胜攻取长安，那么就可以一举消灭叛军，这如同破竹之势。现在让李怀光入城朝见，陛下一定会赐宴招待，拖延几天，使叛军进入京城，能够得空完成防备，到那时恐怕就难以谋取长安了。"德宗认为卢杞的建议是对的，便下诏让李怀光直接带兵在便桥驻扎，与李建徽、李晟和神策兵马使杨惠元在指定日期内一起攻取长安。李怀光认为自己数千里之外竭诚赴难，打败了朱泚，解除了奉天的重围，但近在咫尺，不能够见到天子，心里特别不高兴，说："现在我已被奸臣排挤，事情再清楚不过了！"于是带兵离开奉天。到达鲁店，停留了两天，才向长安进发。

---

财赋通过长江、汉水，经襄阳从武关入贡则经商州，经襄阳由梁州（治今陕西汉中）入贡则经金州。金州治所西城，在今陕西安康。商州治所上洛，在今陕西商洛市商州区。⑩⑥周走：环城奔跑。⑩⑦以兵胁士人：用武力逼迫士大夫出来做伪官。⑩⑧叩户拜官：挨家挨户敲门请人做官。⑩⑨范阳神策团练兵：范阳兵为朱泚旧部。神策团练兵，即团结兵，农闲集训乡人，官供资粮，是一种常备民兵。代宗时置。见本书卷第二百二十五代宗大历十二年（公元七七七年）。⑪⓪殊礼：异乎寻常的礼遇。⑪①乖方：乖谬无方。⑪②三臣之罪：祸乱天下，是宰相卢杞、判度支赵赞、京兆尹王翃三人的罪过。⑪③披襟布诚：敞开胸襟，推诚相待。⑪④询访得失：征询政治的得失。⑪⑤上以为然：德宗认为卢杞的建议是对的。李怀光矜功望德宗厚赏，德宗只求速见功业而不怜恤臣下功劳，卢杞于是钻了这个空子为自己打算，导致了新的事变。⑪⑥刻期：限期。⑪⑦鲁店：地名，在今陕西乾县东南。

【校记】

［3］访：原无此字。据章钰校，十二行本、乙十一行本、孔天胤本皆有此字，张敦仁《通鉴刊本识误》同，今据补。

【原文】

剑南[118]西山兵马使[119]张朏以所部兵作乱，入成都，西川节度使张延赏[120]弃城奔汉州[121]。鹿头[122]戍将叱干遂等讨之，斩朏及其党，延赏复归成都。

淮南节度使陈少游将兵讨李希烈，屯盱眙[123]。闻朱泚作乱，归广陵[124]，修堑垒，缮甲兵。浙江东、西节度使韩滉[125]闭关梁，禁马牛出境，筑石头城[126]，穿井近百所[127]，缮馆第[128]数十，修坞壁[129]，起建业[130]，抵京岘[131]，楼堞相属[132]，以备车驾渡江，且自固也。少游发兵三千大阅于江北，滉亦发舟师三千曜武于京江以应之。

盐铁使包佶[133]有钱帛八百万，将输京师。陈少游以为贼据长安，未期收复，欲强取之。佶不可，少游欲杀之。佶惧，匿妻子于案牍中[134]，急济江。少游悉收其钱帛。佶有守财卒三千，少游亦夺之。佶才与数十人俱至上元[135]，复为韩滉所夺。

时南方藩镇各闭境自守，惟曹王皋数遣使间道[136]贡献。李希烈攻逼汴、郑，江、淮路绝，朝贡皆自宣、饶、荆、襄趣武关[137]。皋治邮驿，平道路，由是往来之使通行无阻。

【段旨】

以上为第三段，写南方各藩镇对德宗蒙尘做出的应对反应，多为守境自保，扩充实力以待时机。

【注释】

⑱剑南：指剑南西川节度使，治所成都。⑲西山兵马使：剑南置重兵于西山，以防吐蕃，设兵马使以统领之。⑳张延赏：历东都、淮南、荆南、西川四镇，所至民颂其爱，入朝官至宰相。传见《旧唐书》卷一百二十九、《新唐书》卷一百二十七。㉑汉州：州治雒县，在今四川广汉。㉒鹿头：关名，在汉州德阳县，因鹿头山而得名。㉓盱眙：县名，为淮水上军事要地。在今江苏盱眙。㉔广陵：扬州治所，在今江苏扬州。㉕韩滉：官至

【语译】

剑南西山兵马使张朏率领所部士卒作乱，攻入成都城，西川节度使张延赏丢弃成都城，逃往汉州。鹿头关的戍守将领叱干遂等人讨伐张朏，杀了张朏及其党羽，张延赏又返回成都。

淮南节度使陈少游率军讨伐李希烈，屯驻盱眙。获悉朱泚作乱，返回广陵，整修战壕和营垒，缮治盔甲和兵器。浙江东道、西道节度使韩滉封锁关隘桥梁，禁止牛马出境，修筑石头城，在城内打了近一百口井，修整馆舍府第几十处，修建碉堡和壁垒，起自建业，抵达京岘山，瞭望楼和防御城墙相连，为皇帝车驾南渡长江做准备，也是为了巩固自己的守备。陈少游调动士兵三千人在长江北岸大规模演习，韩滉也派出水军三千人在京江水域耀武扬威，与陈少游相呼应。

盐铁使包佶有钱帛八百万，即将运往长安。陈少游认为叛军占据长安，不知什么时候收复，打算强行夺取包佶的这些钱财。包佶不肯交出来，陈少游打算杀了他。包佶很害怕，把自己的妻子儿女藏在装文书档案的箱笼里，急忙渡过长江。陈少游全部收缴了他的钱帛。包佶有守护钱财的士兵三千人，陈少游也将他们强行收编了。包佶仅仅同数十人逃到上元县，又被韩滉劫掠。

当时南方的藩镇各自封锁边境自保，只有江南西道的节度使曹王李皋屡次派遣使者走偏僻小路向在奉天城的朝廷进贡。李希烈不断进逼汴州、郑州，江、淮通往奉天的道路被阻断，贡赋都从宣州、饶州、荆州、襄州去往武关再运抵奉天。李皋整治境内的邮驿设施，平整道路，因此来往的使者通行无阻。

---

度支诸道转运、盐铁使，名将李晟为其所荐。传见《旧唐书》卷一百二十九、《新唐书》卷一百二十六。⑫⑥石头城：在今江苏南京。⑫⑦穿井近百所：打井近百口。⑫⑧缮馆第：修治馆舍甲第。⑫⑨坞壁：碉堡和壁垒。⑬⓪建业：在今江苏南京。建业与石头城，两城相邻，今均在南京境内。⑬①京岘：山名，在今江苏镇江市东五里。⑬②楼堞相属：瞭望城楼与防御城墙相连。⑬③包佶：刘晏旧吏，官至刑部侍郎。事附《新唐书》卷一百四十九《刘晏传》。⑬④匿妻子于案牍中：将妻子儿女藏匿在装文案的箱笼中。⑬⑤上元：县名，县治在今江苏南京凤凰山南。⑬⑥间道：偏僻小道。⑬⑦朝贡皆自宣饶荆襄趣武关：江南贡物便捷路径，原是从扬州北上，经徐州、汴州的运河水路达于黄河，西入关中；由于淮西叛乱，运河路断，只能从宣州、饶州达于荆州、襄州，再取道武关入京师。

【原文】

上问陆贽以当今切务[138]。贽以向日致乱，由上下之情不通，劝上接下从谏，乃上疏，其略曰："臣谓当今急务，在于审察群情。若群情之所甚欲者，陛下先行之；所甚恶者，陛下先去之。欲恶[139]与天下同而天下不归者，自古及今，未之有也。夫理乱之本，系于人心，况乎当变故动摇之时，在危疑向背之际[140]，人之所归则植[141]，人之所去则倾[142]。陛下安可不审察群情，同其欲恶，使亿兆归趣[143]，以靖邦家[144]乎！此诚当今之所急也。"又曰："顷者窃闻舆议[145]，颇究群情[146]，四方则患于中外意乖[147]，百辟又患于君臣道隔[148]。郡国之志[149]不达于朝廷[150]，朝廷之诚[151]不升于轩陛[152]。上泽阙于下布[153]，下情壅于上闻[154]，实事不必[155]知，知事不必实，上下否隔[156]于其际，真伪杂糅[157]于其间，聚怨嚣嚣[158]，腾谤籍籍[159]，欲无疑阻[160]，其可得乎！"又曰："总[161]天下之智以助聪明[162]，顺天下之心[163]以施教令，则君臣同志[164]，何有不从[165]！远迩归心，孰与为乱！"又曰："虑有愚而近道[166]，事有要而似迂[167]。"

疏奏旬日，上无所施行，亦不诘问。贽又上疏，其略曰："臣闻立国之本，在乎得众，得众之要，在乎见情[168]。故仲尼[169]以谓人情者圣王之田[170]，言理道所生也[171]。"又曰："《易》乾下坤上曰'泰'，坤下乾上曰'否'，损上益下曰'益'，损下益上曰'损'[172]。夫天在下而地处上，于位乖矣，而反谓之泰者，上下交故也[173]。君在上而臣处下，于义顺矣，而反谓之否者，上下不交故也[174]。上约己而裕于人，人必说而奉上矣，岂不谓之益乎[175]！上蔑人而肆诸己，人必怨而叛上矣，岂不谓之损乎[176]！"又曰："舟即君道，水即人情。舟顺水之道乃浮，违则没；君得人之情乃固，失则危。是以古先圣王之居人上也，必以其欲从天下之心，而不敢以天下之人从其欲[177]。"又曰："陛下愤习俗以妨理[178]，任削平而在躬[179]，以明威照临[180]，以严法制断[181]，流弊自久，浚恒

【语译】

德宗询问陆贽当前最急需处理的事情是什么。陆贽认为先前导致变乱的原因，在于朝廷上下情况互不沟通，他劝说德宗接纳臣下，听从劝谏，于是上疏，疏中大致说："臣认为当今最急迫的事务，在于详察民情。如果是民众最盼望的，陛下要首先实施它；如果是他们十分厌恶的，陛下就要首先去除它。陛下的好恶与天下民众相同而天下民众不归顺于他的事情，从古至今，未曾有过。治与乱的根本，在于人心向背，更何况正当变故发生、民心动摇的时候，又处于危殆疑虑、人心向背不定之际，如果是人心所归，就能够建树功业，人心背离，就会政权倾倒。陛下怎么可以不仔细考察民众实情，与他们好恶相同，让亿万民众归附朝廷，从而安定国家呢！这实在是朝廷当前最急的事啊。"又说："最近臣私下听到过民众的议论，对民众的心愿颇做了些探究，地方上担忧朝廷内外政见不一，朝廷百官担忧君臣之间的沟通被阻隔。地方上的意见不能上达于朝廷，朝廷百官的诚意不能上达皇上。皇上的恩泽很少向下流布，下面的实情被阻塞不能上闻，真实的情况不一定知悉，知悉的情况不一定真实，上下之间被阻隔，真假情况杂糅其间，聚集的怨气嚣然尘上，流言蜚语纵横交错，想要上下之间没有猜疑和阻隔，那可能吗！"又说："汇集天下人的智慧来协助陛下做到耳聪目明，顺从天下人的心愿施行政教律令，那么君臣同心同德，有谁不听从！远近都归服，谁还参加作乱呢！"又说："有的思虑看上去很愚昧却接近事理，有的事情切合实际而看似迂阔。"

陆贽的奏疏上呈后十天，德宗没有任何举措，也不向陆贽追问。陆贽又上疏，疏中大意说："臣下听说立国之本，在于得到民众，得到民众的关键在于洞察民情。所以孔子认为民情是圣王的田土，就是说民情是治国之道产生的基础。"又说："在《易经》中，乾在下而坤在上叫作'泰'，坤在下而乾在上叫作'否'，损在上而益在下叫作'益'，损在下而益在上叫作'损'。天处在下面而地处在上面，位置错乱，反而称为'泰'，那是上下交融的缘故。君王在上而大臣在下，这在义理上是通顺的，反而称为'否'，那是上下不相通的缘故。人君约束自己而宽大待人，人们必然高高兴兴地侍奉他，这难道不应该叫作'益'吗！人君蔑视他人而任己妄为，人们必然会怨恨而背叛他，这难道不应该叫作'损'吗！"又说："船就如为君之道，水就如民情。船顺应水的规律就会浮在水上，违背了船就会沉没；君主能够掌握民情，国家就能巩固，失察民情，国家就危险了。因此古代圣明君王身居百姓之上，必定要使自己的欲望顺从百姓的心愿，而不敢让天下百姓顺从自己的欲望。"陆贽还说："陛下愤恨藩镇割据的习俗，因为它损害了天下治道，便以削平藩镇为己任，以圣明的威严照临天下，用严峻的法度裁决万事，然而流弊由来已久，而陛下疏通流弊

太深[182]。远者惊疑而阻命逃死之祸作[183]，近者畏慑而偷容避罪之态生[184]。君臣意乖[185]，上下情隔[186]，君务致理[187]，而下防诛夷[188]，臣将纳忠[189]，又上虑欺诞[190]，故睿诚不布于群物[191]，物情不达于睿聪[192]。臣于往年[193]曾任御史，获奉朝谒，仅欲半年，陛下严邃高居[194]，未尝降旨临问。群臣踻蹐趋退[195]，亦不列事[196]奏陈。轩陛之间[197]，且未相谕[198]；宇宙之广，何由自通[199]！虽复例对使臣[200]，别延宰辅，既殊师锡，且异公言[201]。未行者则戒以枢密勿论，已行者又谓之遂事不谏[202]，渐生拘碍[203]，动涉猜嫌，由是人各隐情，以言为讳。至于变乱将起，亿兆同忧，独陛下恬然[204]不知，方谓太平可致。陛下以今日之所睹，验往时之所闻，孰真孰虚，何得何失，则事之通塞备详之矣，人之情伪尽知之矣[205]。"

上乃遣中使[206]谕之曰："朕本性甚好推诚[207]，亦能纳谏。将谓君臣一体，全不堤防，缘推诚不疑，多被奸人卖弄。今所致患害，朕思亦无他，其失反在推诚[208]。又，谏官论事，少能慎密，例自矜衒[209]，归过于朕以自取名。朕从即位以来，见奏对论事者甚多，大抵皆是雷同，道听涂说，试加质问，遽即辞穷[210]。若有奇才异能，在朕岂惜拔擢。朕见从前已来，事祗如此，所以近来不多取次对人[211]，亦非倦于接纳[212]，卿宜深悉此意[213]。"贽以人君临下[214]，当以诚信为本[215]。谏者虽辞情鄙拙[216]，亦当优容[217]以开言路。若震之以威，折之以辩[218]，则臣下何敢尽言，乃复上疏，其略曰："天子之道，与天同方，天不以地有恶木而废发生[219]，天子不以时有小人而废听纳[220]。"又曰："唯信与诚，有失无补[221]。一不诚则心莫之保，一不信则言莫之行[222]。陛下所谓失于诚信以致患害者，臣窃以斯言为过矣。"又曰："驭之以智则人诈[223]，示之以疑

追根究底求之太深。被您所疏远的人惊恐猜疑，因而抗拒朝廷命令以求逃脱死罪的叛乱就发生了，您所亲近的人畏懦恐惧，因而苟且偷生、逃避罪责的情态就出现了。君王和大臣的意趣相反，上下情感隔阂，君王务求达到天下大治，而臣下却在防备被诛灭，臣下准备向君王效纳忠心，君王又顾虑怕受欺骗，因此皇帝的诚意不能广播于大众，而大众的情意也不能上达于圣听。我从前曾担任过监察御史，得以侍奉朝见陛下，仅有半年时间，陛下威严深邃莫测，高高在上，未曾降旨征询群臣的意见。群臣小心谨慎，恭敬进退，也不肯提出各种事项条列陈奏。朝廷君臣之间，尚且未能互相交流、沟通；宇宙如此广阔，又怎能自由通达呢！虽然陛下按惯例召见询问地方使者，还另外延请宰相们商议政务，但这既与众人参与不同，而且也异于当朝公开进言。还没有施行的事情，大臣们以机密为戒，不加讨论，对已经实施的事情，大臣们又说已经过去，不必劝谏，大臣们渐渐产生了顾忌，动不动就牵连到受猜疑的事情上，这样一来大家都各自隐瞒真实情况，都忌讳站出来讲话。以至于将要发生变乱时，万民同忧，唯独陛下安然不知，还以为太平之世就要到来。陛下您用今日所亲眼见到的事实，验证一下您以往听说的一些话，看看哪些是真实的，哪些是虚假的，得在哪里，失在何处，那么事情的通达与阻塞情况，全部可以明白了，人们的真伪，全部可以知道了。”

于是德宗派中使谕示陆贽说：“朕本身的性格是很喜欢对人推心置腹的，也能够采纳臣下所提的意见。而且我觉得君与臣应该是一个整体，对臣下不加提防，一向推诚相待，不加猜疑，但多次被奸佞之人出卖和愚弄。今天所导致的祸乱，朕考虑也不是别的原因，失误反而在于我推诚待人。还有，谏官议论军国大事，很少能严谨周密，照例都是自我夸示炫耀，把过错全推给朕，来为自己博取高名。朕从继承皇位以来，看到奏对论事的很多，大体上都互相雷同，道听途说，朕加以质问，马上就会无言以对。如果有奇才异能，朕怎么会舍不得提拔。朕观察从先前到如今，事情都只是这个样子，所以新近以来不再过多地依次向大家咨询意见，但也不是我厌倦接受大家的意见，卿应当深知朕的这个意思。”陆贽认为帝王统治天下，应当以诚信作为根本。即便进谏人的言辞和态度都很粗鄙迂拙，皇帝也应该宽容大度地对待他们，以便开通言路。如果用威严来震慑他们，用辩论来折服他们，那么臣下怎么敢毫无保留地表达自己的主张呢？于是再次上奏，大体意思说：“做天子的原则，与上天统驭万物的方式一样，上天不会由于地上长出了坏树就禁止万物生长，天子也不能因为经常有小人而废止听取和采纳臣下的意见。”又说：“能够用来治理天下的，只有信和诚，二者一旦失去就无法弥补。一旦有不诚心待人的事发生，那么就没法保有天下的人心，一旦有不守信用的事情发生，那么您的话就无人会遵行。陛下您说自己失误的地方在于对待臣下过分真心诚意，才导致了祸乱的发生，臣下私下觉得这话说得过分了。”又说：“用智谋来驾驭臣下，那么人们就会欺诈，向臣下表

则人偷[224]。上行之则下从之，上施之则下报之。若诚不尽于己而望尽于人，众必怠而不从矣[225]。不诚于前而曰诚于后，众必疑而不信矣[226]。是知诚信之道，不可斯须而去身[227]。愿陛下慎守而行之有加[228]，恐非所以为悔者也。”又曰：“臣闻仲虺赞扬成汤[229]，不称其无过而称其改过；吉甫歌诵周宣[230]，不美其无阙而美其补阙。是则圣贤之意较然著明，惟以改过为能，不以无过为贵。盖为人之行己，必有过差[231]，上智下愚，俱所不免。智者改过而迁善，愚者耻过而遂非[232]。迁善则其德日新，遂非则其恶弥积[233]。”又曰：“谏官不密自矜[234]，信非忠厚[235]，其于圣德固亦无亏。陛下若纳谏不违[236]，则传之适足增美[237]。陛下若违谏不纳[238]，又安能[239]禁之勿传！”又曰：“侈言无验不必用[240]，质言当理不必违[241]，辞拙而效速者不必愚[242]，言甘而利重者不必智[243]。是皆考之以实，虑之以终[244]，其用无他，唯善所在。”又曰：“陛下所谓‘比见奏对论事皆是雷同，道听涂说者’，臣窃以众多之议，足见人情，必有可行，亦有可畏，恐不宜一概轻侮而莫之省纳[245]也。陛下又谓‘试加质问，即便辞穷’，臣但以[246]陛下虽穷其辞而未穷其理，能服其口而未服其心。”又曰：“为下者莫不愿忠，为上者莫不求理。然而下每苦[247]上之不理，上每苦下之不忠。若是者何？两情不通故也。下之情莫不愿达于上，上之情莫不求知于下，然而下恒苦上之难达，上恒苦下之难知。若是者何？九弊不去故也。所谓九弊者，上有其六而下有其三[248]：好胜人，耻闻过，骋辩给，眩聪明，厉威严，恣强愎，此六者[249]，君上之弊也。谄谀，顾望[250]，畏愞[251]，此三者[252]，臣下之弊也。上好胜必甘于佞辞[253]，上耻过必忌于直谏[254]，如是则下之谄谀者顺指[255]，而忠实之语不闻矣。上骋辩必剿说[256]而折人以言，上眩明必臆度[257]而虞人以诈[258]，如是则下之顾望者自便，而切磨之辞不尽矣。上厉威必不能降情[259]以接物，上恣

示猜疑的态度，那么人们就会得过且过。上面推行什么，下面就跟随执行什么，上面对下面施恩，下面就会对上面报德。如果自己做不到竭诚待人，却指望别人竭诚对待自己，大家一定会消极懈怠，不会听从。先前不诚信，而说以后有诚信，人们一定怀疑而不相信。由此可知，诚信这一准则，是一刻也不能离开自身的。希望陛下谨慎地坚守诚信，而且更加认真地身体力行，恐怕这不是让陛下后悔的事情吧。”又说：“臣听说仲虺颂扬成汤，不是赞扬成汤没有过错，而是赞扬成汤能改正过错；尹吉甫称颂周宣王，不是赞美周宣王没有缺失，而是赞美周宣王能够补救缺失。由此可知圣贤的意思非常明确，只以改正过错为贤能，而不以没有过错为可贵。大凡人们按自己的意志做事，必定会有差错，无论是最聪明的人，还是最愚笨的人，都在所难免。有智慧的人改正过错而转向善美，愚昧的人耻于改正过错而因循错误。朝向善良，德行一天会比一天进步，因循错误，那么他的错误更加聚积。”又说：“谏官建言不严密，而又自我夸耀，实在不能说是忠诚和厚道，但对于陛下的德望本也没有什么损害。陛下如果能够采纳直言而不拒绝，那么此事传出去，正好足以给您的德行增美。陛下如果拒绝直言劝谏，又怎么能禁止人们不传播此事呢！”又说：“说空话而没有实际效验的进谏不必采用，朴实的话说得在理不必拒绝，言词笨拙而收效迅速的进谏，不一定愚昧，言辞甜美而重于财利的，不一定聪明。这些都要根据事实来考察，考虑最终结果，总之采用进谏之言，没有别的标准，只看对事情是否有益。”又说：“陛下所说的‘近来所见奏对论事都互相雷同，不外乎道听途说’这句话，臣私下认为，人人都议论，足以反映人们的心愿，必定有可行之处，也有令人担忧的地方，恐怕陛下不应一概轻视，而不加审察采纳。陛下又说‘尝试加以质问，马上就无言以对’，我认为陛下您虽能诘难奏对大臣无话可说，但不能认定人家就毫无道理，您只是让人口服而不能让人心服。”又说：“作为臣下，没有不愿对君王竭尽忠诚的，作为帝王，没有不追求天下太平的。但是臣下每每遗憾君王不能达到天下太平，君王也每每遗憾臣下不能尽忠竭诚。这是为什么呢？是上下情况没有沟通的缘故。下面的情况没有不愿意传达给帝王的，君王的情况没有不寻求让臣下知道的，然而臣下每每遗憾下情难于上达，君王则每每遗憾于臣下难以知道上情。这又是什么原因呢？是没有清除九弊的缘故。所谓九弊，帝王有六项而臣下有三项：待人争强好胜、耻于听到自己的过失、辞辩纵横、炫耀聪明、务求仪容威严、刚愎无节制，这六个方面，是君王的弊端。谄媚阿谀、观望犹豫、畏惧怯懦，这三个方面，是臣下的弊端。皇上热衷于争强好胜，一定乐闻巧言阿谀之辞，皇上耻于听说自己的过错，一定忌讳直言极谏，这么一来，臣下中的阿谀谄媚者就去迎合帝王的意图，帝王就听不到忠诚真实的话了。帝王驰骋口辩，必然打断别人讲话，用言辞压服别人；帝王炫耀自己聪明，一定会主观揣测而用诡诈的方法来猜度别人，这么一来，臣下中瞻前顾后的人自寻便利，而经过反复斟酌取舍的言辞一定会没完没了。帝王务求

愎必不能引咎以受规[260]，如是则下之畏懦者避辜[261]，而情理之说[262]不申矣。夫以区域之广大，生灵之众多，宫阙之重深，高卑之限隔[263]，自黎献[264]而上，获睹至尊之光景[265]者，逾亿兆而无一焉[266]。就获睹之中得接言议者，又千万不一。幸而得接者，犹有九弊居其间，则上下之情所通鲜矣。上情不通于下则人惑[267]，下情不通于上则君疑[268]。疑则不纳其诚，惑则不从其令。诚而不见纳则应之以悖[269]，令而不见从则加之以刑[270]，下悖上刑，不败何待[271]！是使乱多理少[272]，从古以然。”又曰：“昔赵武呐呐而为晋贤臣[273]，绛侯木讷而为汉元辅[274]。然则口给者[275]事或非信，辞屈[276]者理或未穷。人之难知，尧、舜所病[277]，胡可以一酬一诘而谓尽其能哉[278]！以此察天下之情，固多失实；以此轻天下之士，必有遗才[279]。”又曰：“谏者多，表我之能好[280]；谏者直，示我之能容[281]；谏者之狂诬，明我之能恕[282]；谏者之漏泄[283]，彰我之能从[284]。有一于斯，皆为盛德[4]。是则人君与谏者交相益之道也[285]。谏者有爵赏之利，君亦有理安之利；谏者得献替之名[286]，君亦得采纳之名。然犹谏者有失中而君无不美，唯恐谠言[287]之不切，天下之不闻，如此则纳谏之德光矣。”上颇采用其言。

---

**【段旨】**

以上为第四段，陆贽上奏论人君治国之道，用贤纳谏是根本，隐喻卢杞专权误国，德宗文过饰非，自用如故。

**【注释】**

[138] 切务：急务。[139] 欲恶：好恶。[140] 况乎当变故动摇之时二句：何况正当变故发生、人心动摇的时候，又处在危殆疑虑、人心向背的关头。[141] 植：直立；站立。[142] 倾：倾倒；覆败。[143] 使亿兆归趣：使全天下亿万民众都趋向归附。[144] 以靖邦家：用来安定国家。[145] 舆议：民众的议论。[146] 颇究群情：对群众的心愿也做了些许研究。颇，相当地、很。[147] 四方则患于中外意乖：意谓地方上担心的是朝内朝外政见不统一。四方，指地方。[148] 百辟又患于君臣道隔：意谓朝中百官担心的是君臣沟通的道路被阻隔。百辟，指朝廷百

仪容威严，一定不会屈尊自谦地待人接物；帝王刚愎无节制，一定不会承认自己的过失而接受规劝，这么一来，臣下中的那些畏惧怯懦的人将会逃避罪责，而合情合理的辩解就得不到申诉了。天下的地域幅员广阔，生灵众多，而宫殿幽深重叠，有上下尊卑的等级限制和阻隔，自普通民众的贤能之士以上，能够见到圣上的颜面和风采的人，在超过亿万人之中也没有一个。在见到帝王的人中，能够与帝王交谈议论的人，又是千万人中没有一个。在有幸得到帝王接谈的人中，又还有九项弊端在其中，那么，上与下的情况所能沟通的就很少了。上情不能通于下，那么臣下就会迷惑，而下情不通于上，那么君王就会在心中猜疑。帝王猜疑臣下，那么就不会接纳臣下的诚意，臣下迷惑，就不会服从帝王的命令。忠诚不被接受，那么就会采取悖逆的行为对待帝王，帝王的命令不被臣下所服从，那么帝王就会对臣下施加刑罚，臣下悖逆，帝王施刑，国家不败亡还能等待什么！这导致变多治少，自古以来都是如此。”又说：“过去赵武说话口吃，但做了晋国的贤臣，绛侯灌婴木讷少言，但做了汉王朝的丞相。这样看来，口有辩才的人所说的事情未必可信，言语短绌的人所说的话不缺少事理。人是难以了解的，尧、舜都有短处，怎么能仅凭君臣之间一问一答，就说他已尽其所能了呢！用这种方式来考察天下的事情，本该大多失实；用这种方式轻视天下的士人，一定会有遗漏人才。”陆贽还说：“进谏规劝的人多，表示君王喜欢纳言听谏；进谏的人犯颜直谏，显示君王宽容；进谏的人狂妄诬罔，表明君王能够宽恕待人；进谏的人泄露直言君王过错的情况，彰显了君王能从善如流。有一于此，就是大德了。这就是帝王与进谏者之间相互补益的方法。进谏的人有获得官爵赏赐的利益，君王也有获得天下太平的利益；进谏的人得到进献忠言的美名，君王也得到采纳意见的美名。然而进谏的人还是有的失于中肯，对君王却没有不好的地方，君王应担忧的只是臣下的正直之言还不够切中要害，天下人听不到臣下提的这些问题，如果这样，陛下善于纳谏的美德就会光照无际了。”德宗采纳了陆贽的很多建议。

---

官。⑭⑨郡国之志：地方上的意见。⑮⑩不达于朝廷：不能上达朝廷。⑮①朝廷之诚：朝廷百官的诚意。⑮②不升于轩陛：忠言不能上达皇帝。轩陛，皇帝乘用的车辇、椅陛，代指皇帝。⑮③上泽阙于下布：皇上的恩泽很少向下流布。阙，通“缺”，缺失。⑮④下情壅于上闻：下面的实情被阻塞不能上闻。壅，阻塞。⑮⑤不必：不一定。⑮⑥上下否隔：上下被阻隔。否，闭塞不通。⑮⑦真伪杂糅：真假情况混杂。⑮⑧聚怨嚣嚣：聚集的怨气嚣然尘上。即谓民怨沸腾。⑮⑨腾谤籍籍：流言蜚语纵横交错。籍籍，纷纷、纵横交错。⑯⑩疑阻：猜疑与阻隔。指上下猜疑，沟通受阻隔。⑯①总：汇总；聚结。⑯②助聪明：指帮助皇上耳聪

目明。⑯③ 顺天下之心：指顺应全国民心。⑯④ 同志：同心同德。⑯⑤ 何有不从：有谁不听从政令。从，指听从朝廷政令。⑯⑥ 虑有愚而近道：有的思虑看似愚昧而接近道理。⑯⑦ 事有要而似迂：有的事情本来切合实际而看似迂阔。⑯⑧ 见情：洞察人情。⑯⑨ 仲尼：孔子之字。⑰⓪ 人情者圣王之田：人情是圣王的田土。语出《礼记·礼运》："人情以为田。"⑰① 言理道所生也：这就是说人情是治国之道产生的基础。理道，指治国之道。⑰②《易》四句：这里陆贽以《易经》的《泰》《否》《损》《益》四个卦象的构成发起议论，用以阐发泰否损益四字箴言。⑰③ 天在下而地处上四句：乾为天，卦象为三阳爻☰；坤为地，卦象为三阴爻☷。泰，亨通的意思。《泰卦》之象为䷊，故云天在下而地在上。这本是位置错乱，反而叫泰，那是因为上下交融通达的缘故。以上解说《泰卦》。⑰④ 君在上而臣处下四句：乾为君，坤为臣。否为阻塞不通的意思。《否卦》之象为䷋，故云君在上而臣处下。这在义理上是通顺的，反而叫否，那是因为上下阻隔不通的缘故。以上解释《否卦》。⑰⑤ 上约己而裕于人三句：《益》的卦象为䷩，是损☰在上，益☷在下，《象辞》曰："损上益下，民悦无疆"，这里发挥其义说：君主在上约束自己，而宽大待人，人们必定高高兴兴地侍奉君王，这难道不应该叫作益吗。⑰⑥ 上蔑人而肆诸己三句：《损》的卦象䷨，是损☰在下，益☷在上。君主蔑视他人，而自己却肆无忌惮，人们必定怨恨而背叛君主，这难道不应该叫作损吗。⑰⑦ 是以古先圣王之居人上也三句：因此，古代的圣明君王君临百姓之上，一定使自己的欲望顺从百姓的心愿，而不敢让百姓顺从自己的欲望。这里化用《左传》僖公二十年臧文仲之语："以欲从人则可，以人从欲鲜济。"⑰⑧ 陛下愤习俗以妨理：陛下十分愤恨藩镇割据跋扈的习俗，因为它损害了天下治道。⑰⑨ 任削平而在躬：把削平藩镇的重任担在身上。⑱⓪ 以明威照临：以圣明的威严照临四方。⑱① 以严法制断：用严峻的法网裁决万事。⑱② 流弊自久二句：然而流弊由来已久，陛下疏通流弊追根究底求之太深。浚，疏通、纠正。恒，追根究底。⑱③ 远者句：谓被疏远的人惊怖猜疑，因而抗拒命令、逃避死罪的叛乱就发生了。⑱④ 近者句：谓受到亲近的人畏懦恐惧，因而苟且偷生、逃避罪责的情态发生。⑱⑤ 君臣意乖：君臣的意趣正相反。乖，相反、相背。⑱⑥ 上下情隔：上下的感情有隔阂。⑱⑦ 致理：务求达到天下大治。⑱⑧ 下防诛夷：指臣下提防被诛杀。⑱⑨ 纳忠：效纳忠心。⑲⓪ 上虑欺诞：谓皇上总是顾虑受欺骗，猜疑臣下。⑲① 睿诚不布于群物：谓皇上的诚意不能散播于大众。睿，圣明，对皇上的敬语。⑲② 物情不达于睿聪：谓人民大众的情意也不能上达于圣听。⑲③ 往年：前些年，此指德宗即位初，陆贽曾任监察御史。⑲④ 严邃高居：威严深邃莫测，而又高高在上。⑲⑤ 群臣跼蹐趋退：群臣小心谨慎，恭敬进退。跼蹐，拘谨小心的样子。趋退，臣下朝见君主时的进退。趋，小步急走。⑲⑥ 列事：条列事务。此指应当呈奏皇上的军国事务，一件件、一条条列出。⑲⑦ 轩陛之间：指朝廷君臣之间。⑲⑧ 相谕：互相交流、沟通。⑲⑨ 自通：谓自由通达，畅快交流。⑳⓪ 虽复例对使臣：虽然陛下一一按惯例接待地方使者。使臣，指节度使等所遣来朝见的使者。⑳① 别延宰辅三句：另外延请宰相议事，但这既与众人参与不同，而且又与当朝公开进言有别。

唐制，皇帝于延英殿例请宰相议事。师锡，语出《尚书·尧典》，孔安国注："师，众也；锡，与也。" ⑳ 未行者则戒以枢密勿论二句：尚未施行的事，臣下以勿泄机密为戒，不加讨论；已行的事，臣下又说已经过去的事不必劝谏。《论语·八佾》载孔子告诫宰我说，对待国君要言行谨慎，"成事不说，遂事不谏，既往不咎"。陆贽反用其义。⑳ 拘碍：顾忌。⑳ 恬然：安然。⑳ 陛下以今日之所睹六句：陛下如果拿今天见到的来验证以往听说的，自然能分清哪个是真，哪个是假，得在哪里，失在何处，那么事情的通达与阻塞情况，不就全都明白了，人们的真伪也全都知道了。例如两河兵兴已来至朱泚之乱，卢杞之言无一不误国，德宗如能以事实验证，忠奸立辨。陆贽之言，切中要害。⑳ 中使：宫中派出的宦官使者。⑳ 推诚：推心置腹。⑳ 其失反在推诚：原来失误反而是真诚待人造成的。⑳ 矜衒：夸示炫耀。⑳ 遽即辞穷：立即无话可说。⑳ 取次对人：指按惯例依次咨询大家的意见。⑳ 倦于接纳：厌倦采纳大家的意见。⑳ 卿宜深悉此意：你应该深知这个意思。⑳ 临下：统治臣下。⑳ 以诚信为本：拿诚心和信用为根本。⑳ 辞情鄙拙：言辞与态度都粗鄙而迂拙。⑳ 优容：宽容。⑳ 震之以威二句：既用威严震慑臣下，又用辩论折服臣下。⑳ 废发生：制止万物生长。⑳ 废听纳：废止听取和采纳意见。⑳ 唯信与诚二句：只有信用与诚心，这两者一旦失去就无法补救。⑳ 一不诚则心莫之保二句：一有不诚心待人的事发生，那么就没法保有天下的人心；一有不守信用的事情发生，那么你的话没有人遵行。保，指拥有天下人的诚心。⑳ 驭之以智则人诈：用智谋驾驭臣下，人们便会欺诈。⑳ 示之以疑则人偷：将猜疑显示给臣下，人们便会得过且过。偷，苟且偷生。⑳ 若诚不尽于己而望尽于人二句：如果自己不能做到竭诚待人，而要求人家竭诚待己，大家一定消极懈怠，不会听从。诚不尽于己，谓自己不竭尽忠诚。望，希望、要求。⑳ 不诚于前而曰诚于后二句：先前无诚信，而说以后有诚信，大家一定怀疑而不相信。⑳ 斯须而去身：片刻时间也不能离开自身。言每时每刻保持诚信。去，离。⑳ 慎守而行之有加：慎重保守诚与信，而且身体力行更加认真。守，指牢牢保有诚与信。加，加倍努力，身体力行。⑳ 仲虺赞扬成汤：仲虺，殷朝成汤时名臣。成汤，商朝开国之君。《尚书》有《仲虺之诰》，为仲虺称颂汤放桀而作，诰中有"用人惟己，改过不吝"之语。赞扬成汤不是称许他不犯错误，而是称赞他改正错误，为此所本。㉚ 吉甫歌诵周宣：尹吉甫，周宣王大夫。周宣王，西周中兴之主。《诗经·烝民》即尹吉甫赞美周宣王的诗。尹吉甫颂扬周宣王，不是赞美他没有缺失，而是赞美他能够弥补缺失。㉛ 盖为人之行己二句：大凡人们只要按自己的意志做事，恐怕一定会有过错。行己，按自己的主观意图办事。过差，过错、差错。㉜ 智者改过而迁善二句：有智慧的人改正过错而转向善美，愚昧的人耻于改过而因循错误。迁，转移、转化。遂，因循，随波逐流。㉝ 其恶弥积：他的过错更加聚积。弥，更加。㉞ 谏官不密自矜：谓谏官进言不够严密而又自我夸耀。自矜，自傲。㉟ 信非忠厚：真的不能说是忠厚。指听言者不是忠厚之人。信，当真、确确实实。㊱ 纳谏不违：采纳直言而不拒绝。违，拒绝。㊲ 适足增美：谓君主纳谏是美德，恰恰足以增添光彩。㉓⑧违谏不纳：拒绝直言而不采纳，与“纳谏不违”相反。㉓⑨安能：怎么能。㉔⓪侈言无验不必用：说空话而没有效验的进谏不必采用。胡三省注云：“德宗之信裴延龄，以侈言也。”侈言，大话、空话。㉔①质言当理不必违：朴实的话说得在理不必拒绝。胡注云：“德宗之罢柳浑，以质言也。”㉔②辞拙而效速者不必愚：言辞笨拙而收效迅速的，不一定愚昧。胡注云：“如萧复之谏幸凤翔是也。”㉔③言甘而利重者不必智：言辞甘美而重于财利的，不一定聪明。胡注云：“赵赞、窦滂之苛征重敛是也。”㉔④考之以实二句：谓善言都是经过事实的考察，又要考虑最后的结果。㉔⑤莫之省纳：一概拒绝，不肯审察采纳。㉔⑥但以：依臣下上疏习用语气，应为“窃以”。㉔⑦每苦：每每感到遗憾。下文“恒苦”，即“总是感到遗憾”，互文同义。㉔⑧上有其六而下有其三：在上位的君有六弊，而在下位的臣有三弊。㉔⑨此六者：指上文六弊，即好胜于人、耻于闻过、驰骋辩才、炫耀聪明、厉行威严、刚愎自用，是为人君常犯的错误。㉕⓪顾望：瞻前顾后；观望犹豫。㉕①畏愞：畏惧怯懦。㉕②此三者：指上文三弊，即谄媚阿谀、瞻前顾后、畏葸怯懦，是人臣常犯的错误。㉕③甘于佞辞：喜欢听巧言阿谀之辞。㉕④忌于直谏：忌讳直言极谏。㉕⑤顺指：顺承旨意。㉕⑥剿说：打断别人，强说己意。㉕⑦臆度：主观臆测。㉕⑧虞人以诈：用诡诈的方法来猜度别人。㉕⑨降情：犹今言放下架子，屈尊自谦。㉖⓪引咎以受规：自己主动承担过错而接受别人的规劝。㉖①避辜：逃避责任、罪过。㉖②情理之说：合情合理的言论。㉖③高卑之限隔：地位高下的限制和阻隔。㉖④黎献：普通百姓中的贤者。

---

**【原文】**

李怀光顿兵不进，数上表暴扬[288]卢杞等罪恶。众论喧腾[289]，亦咎杞等。上不得已，十二月壬戌[290]，贬杞为新州[291]司马，白志贞为恩州[292]司马，赵赞为播州[293]司马。宦者翟文秀，上所信任也，怀光又言其罪，上亦为杀之。

乙丑[294]，以翰林学士、祠部员外郎陆贽为考功郎中[295]，金部员外郎吴通微为职方郎中[296]。贽上奏，辞以“初到奉天，扈从将吏例加两阶[297]，今翰林独迁官。夫行罚先贵近[298]而后卑远[299]，则令不犯；行赏先卑远而后贵近，则功不遗[300]。望先录大劳[301]，次遍群品[302]，则臣亦不敢独辞”。上不许。

上在奉天，使人说田悦、王武俊、李纳，赦其罪，厚赂以官爵。

黎，众庶。献，贤者。㉖⑤至尊之光景：圣上的颜面、风采。㉖⑥逾亿兆而无一焉：普通百姓见皇帝，在亿万人之中难得有一个。㉖⑦人惑：上情不下达则臣下迷惑。㉖⑧君疑：下情不通于上则君主猜疑。㉖⑨诚而不见纳则应之以悖：臣下的诚心不被接受，就会以悖逆的行为来对付君主。㉗⓪令而不见从则加之以刑：君主的命令没有被听从，就会对臣下施加刑罚。㉗①下悖上刑二句：臣下悖逆，君上用刑，不败亡还能等待什么。㉗②理少：治少。㉗③赵武呐呐而为晋贤臣：春秋时晋国大夫赵武不善言辞，为晋正卿，晋国以强。呐呐，同"讷讷"，口吃不善言。㉗④绛侯木讷而为汉元辅：西汉开国功臣周勃封绛侯，木讷少言，为汉丞相。㉗⑤口给者：口有辩才的人。㉗⑥辞屈：不善言辞；言语短拙。㉗⑦病：缺点；短处。㉗⑧胡可句：怎么可以在一答一问之间就穷尽了对方的本领呢。胡，通"曷"，怎么。酬，答。诘，问。㉗⑨遗才：遗漏了人才。㉘⓪能好：能爱好谏者。㉘①能容：能容纳直言。㉘②能恕：能宽恕待人。㉘③漏泄：泄露直言人君之过的情况。㉘④能从：能从善如流。㉘⑤是则人君与谏者交相益之道也：这就是君主与进谏人互相补益的正确方法。㉘⑥得献替之名：获得进献忠言的名声。㉘⑦谠言：正直之言。

## 【校记】

［4］有一于斯，皆为盛德：此二句原无。据章钰校，十二行本、乙十一行本、孔天胤本皆有此二句，张敦仁《通鉴刊本识误》、张瑛《通鉴校勘记》同，今据补。

## 【语译】

李怀光屯兵不进，屡次上书德宗公开揭露卢杞等人的罪恶。人们议论哗然，也都把罪责归于卢杞等人。德宗迫不得已，十二月十九日壬戌，把卢杞贬为新州司马，把白志贞贬为恩州司马，把赵赞贬为播州司马。宦官翟文秀，是皇帝信赖重用的人，李怀光又述说他的罪行，德宗也因此杀了翟文秀。

十二月二十二日乙丑，朝廷任命翰林学士、祠部员外郎陆贽为考功郎中，任命金部员外郎吴通微为职方郎中。陆贽上奏，推辞任命，说自己"刚到奉天城，护驾将士依照惯例应该提升两级，如今只有翰林学士升官。施行惩罚要先从显贵和亲近的人开始，然后是卑微和疏远的人，这样，发布的命令就不会有人违犯；行赏先从卑微和疏远的人开始，然后才是显贵和亲近的人，这样，功劳就不会遗漏。希望陛下首先升迁有大功劳的人，其次再遍及各级文武官吏，那么我也不敢独自推辞对我的升迁任命"。德宗没有答应。

德宗在奉天时，派人劝说田悦、王武俊、李纳，许诺赦免他们的罪过，送给高

悦等皆密归款[303]，而犹未敢绝朱滔，各称王如故。滔使其虎牙将军[304]王郅说悦曰："日者八郎[305]有急，滔与赵王[306]不敢爱其死，竭力赴救，幸而解围[307]。今太尉三兄[308]受命关中，滔欲与回纥共往助之，愿八郎治兵，与滔渡河共取大梁[309]。"悦心不欲行，而未忍绝滔，乃许之。滔复遣其内史舍人[310]李琯见悦，审其可否。悦犹豫不决，密召扈崿议之。司武侍郎[311]许士则曰："朱滔昔事李怀仙为牙将，与兄泚及朱希彩共杀怀仙而立希彩[312]。希彩所以宠信其兄弟至矣，滔又与判官李子瑗谋杀希彩而立泚[313]。泚既为帅，滔乃劝泚入朝[314]而自为留后，虽劝以忠义，实夺之权也。平生与之同谋共功如李子瑗之徒，负而杀之者二十余人。今又与泚东西相应，使滔得志，泚亦不为所容，况同盟乎！滔为人如此，大王何从得其肺腑而信之邪！彼引幽陵[315]、回纥十万之兵屯于郊坰[316]，大王出迎，则成擒矣。彼囚大王，兼魏国之兵，南向渡河，与关中相应，天下其孰能当之！大王于时悔之无及。为大王计，不若阳许偕行，而阴为之备[317]，厚加迎劳。至则托以他故，遣将分兵而随之。如此，大王外不失报德之名，而内无仓猝之忧矣。"扈崿等皆以为然。王武俊闻李琯适魏，遣其司刑员外郎[318]田秀驰见悦曰："武俊向以宰相处事失宜，恐祸及身，又八郎困于重围，故与滔合兵救之。今天子方在隐忧，以德绥我[319]，我曹何得不悔过而归之邪！舍九叶天子[320]不事而事泚及[5]滔乎！且泚未称帝之时，滔与我曹比肩为王，固已轻我曹矣。况使之南平汴、洛，与泚连衡，吾属皆为虏矣。八郎慎勿与之俱南，但闭城拒守。武俊请伺其隙[321]，连昭义之兵[322]，击而灭之，与八郎再清河朔，复为节度使，共事天子，不亦善乎！"悦意遂决，绐滔云："从行，必如前约。"

丁卯[323]，滔将范阳步骑五万人，私从者复万余人，回纥三千人，发河间而南，辎重首尾四十里。

李希烈攻李勉于汴州[324]，驱民运土木、筑垒道[325]以攻城。忿其未就，并人填之，谓之湿薪。勉城守累月，外救不至，将其众万余人奔宋州[326]。

官显爵。田悦等人都暗中表示归降朝廷，但还不敢与朱滔断绝关系，一如既往地各自称王。朱滔派他的虎牙将军王郅劝田悦说："先前八郎你有危难时，我朱滔与赵王一道不惜性命，竭尽全力赶往救援，有幸解除了对你的围困。如今我做太尉的三哥在关中承受天命而登上皇位，我朱滔打算与回纥兵一同前去援助，希望八郎你能整饬兵马，与我朱滔一道渡过黄河，共同攻取大梁。"田悦内心不愿意前往，而又不忍心拒绝，就答应了。朱滔又派遣内史舍人李琯去见田悦，观察田悦是否打算出兵。田悦犹豫不决，暗中召来扈崿商议这件事。司武侍郎许士则说："朱滔先前侍奉李怀仙为牙将，与兄长朱泚以及朱希彩共同杀了李怀仙而拥立朱希彩。朱希彩因此极其宠信朱泚兄弟，而朱滔又与判官李子瑗谋杀了朱希彩拥立朱泚。朱泚做了节度使后，朱滔就劝朱泚进京入朝而自己担任留后，虽然用忠义劝导朱泚，实际上是夺走了朱泚的权力。毕生与朱滔一起谋划一起立功的如李子瑗这伙人，遭朱滔背弃而杀害的有二十多人。如今朱滔又与朱泚东西相互策应，假如朱滔得志，朱泚也不会被朱滔所容，何况是同盟者呢！朱滔的为人是这样，大王从哪里得到他的肺腑之言而相信他呢！朱滔带领十万名幽州、回纥兵驻扎在城外郊野，大王您如果出去迎接，那就被活捉了。朱滔囚禁了大王，兼并了魏国的军队，南下渡过黄河，与关中地区互相呼应，天下有谁能与朱滔抗衡呢！大王到时候后悔都来不及了。为大王考虑，不如表面上许诺与朱滔一同南下，而暗地里做好防备，厚为迎接和慰劳。等朱滔抵达时，就找一个别的借口，派遣将领带一部分兵力跟随朱滔。这么一来，大王对外不会丧失知恩报德的名声，对内也不用担心突然发生变乱了。"扈崿等人都认为许士则说得有道理。王武俊听说李琯去了魏博田悦那里，就派司刑员外郎田秀骑马急驰去见田悦说："我王武俊一向认为是当朝宰相处理事情不适宜，害怕灾祸及身，加上八郎你陷入重重围困之中，因此和朱滔一起合兵救援你。目前皇帝正处在深深的忧患之中，还能用恩德来抚慰我们，我们怎能不悔过自新而归顺朝廷呢！怎能舍弃九世代代相承的天子不去侍奉，而去侍奉朱泚和朱滔呢！况且朱泚没有称帝时，朱滔与我辈同样为王，那时他已开始轻视我辈了。何况再让朱滔南下夺取汴州和东都洛阳，与朱泚成横贯之势，我们都要成了朱滔的俘虏了。八郎你要谨慎，不要与朱滔一同南下，只需紧闭城门，坚守抵抗。请让我王武俊侦伺朱滔的破绽，联合昭义军的兵马，发动袭击并消灭朱滔，我与八郎再扫清河朔地区，重新担任朝廷的节度使，共同侍奉皇帝，这不也是很好的选择吗！"田悦的想法便决定下来，哄骗朱滔说："我跟随你一起去，一定按照以前约定的那样去做。"

十二月二十四日丁卯，朱滔带领范阳的五万名步兵、骑兵，作为私属跟随的又有一万多人，回纥兵三千人，从河间出发南下，运输辎重的车队首尾长达四十里。

李希烈在汴州攻打李勉，驱赶民众运送土木材料、修筑壁垒通道，用来攻城。李希烈因为恼怒工程没有完成，便把活人随土填埋了，把这些人称为湿柴。李勉固守汴州城好几个月，外边的救兵没有抵达，便率领他的部下一万多人奔赴宋州。

庚午，希烈陷大梁。滑州刺史李澄以城降希烈，希烈以澄为尚书令兼永平节度使。勉上表请罪，上谓其使者曰："朕犹失守宗庙，勉宜自安。"待之如初。

刘洽遣其将高翼将精兵五千保襄邑㉗，希烈攻拔之，翼赴水死。希烈乘胜攻宁陵㉘，江、淮大震㉙。陈少游㉚遣参谋㉛温述送款于希烈曰："濠、寿、舒、庐㉜，已令弛备㉝，韬戈卷甲㉞，伏俟指麾㉟。"又遣巡官㊱赵诜结李纳于郓州。

中书侍郎、同平章事关播罢为刑部尚书。

以给事中㊲孔巢父㊳为淄青宣慰使㊴，国子祭酒㊵董晋㊶为河北宣慰使。

---

【段旨】

以上为第五段，写李怀光挟领兵之重强谏，扳倒奸相卢杞。官军河南战事吃紧，李希烈势盛。朝廷分化招降河北叛军，朱滔陷于孤立。

【注释】

⑱暴扬：公开揭露。⑲众论喧腾：众论哗然。⑳壬戌：十二月十九日。㉑新州：州名，治所在今广东新兴。㉒恩州：州名，治所在今广东恩平。㉓播州：州名，治所在今贵州遵义。㉔乙丑：十二月二十二日。㉕祠部员外郎陆贽为考功郎中：祠部员外郎、考功郎中皆官名，郎中为司级主官，正五品，员外郎为司级次官，从六品上。祠部为礼部第二司，职掌祭祀礼仪。考功为吏部第四司，职掌百官功过考绩。凡吏部官高于诸部同级官。陆贽从清要之礼部升迁为执吏权的吏部，又升为司主官。㉖金部员外郎吴通微为职方郎中：金部为户部第三司，掌钱谷出纳。职方是兵部第二司，掌舆图及边防。㉗加两阶：升两品。㉘贵近：位尊而亲近。㉙卑远：位低而疏远。㉚功不遗：功劳不会被漏掉。㉛录大劳：升迁有大功的人。录，叙录、选用。大劳，大功。㉜次遍群品：其次一一施恩百官各品。㉝悦等皆密归款：田悦等都暗中表示归服朝廷。㉞虎牙将军：即左将军。朱滔等称王置署官职，采用汉官名称。㉟八郎：田悦排行第八，故称八郎。㊱赵王：指王武俊。㊲解围：朱滔救田悦解官军之围。事见本书卷第二百二十七德宗建中三年（公元七八二年）。㊳三兄：朱泚排行第三，故滔称三兄。㊴大梁：即汴州，宣武军节度使治所。㊵内史舍人：相当于唐朝廷的中书舍人。㊶司武侍郎：相当于唐朝廷的兵部尚书。㊷杀怀仙而立希彩：事

十二月二十七日庚午，李希烈攻陷大梁。滑州刺史李澄带领全城投降李希烈，李希烈任命李澄为尚书令兼永平节度使。李勉上表请罪，德宗对李勉的使者说："我尚且失守宗庙，李勉自己应该安心才是。"德宗对待李勉与先前一样。

刘洽派遣将领高翼带领精锐部队五千人守卫襄邑城，李希烈攻取了襄邑，高翼投水身亡。李希烈乘胜攻打宁陵县，江、淮大为震荡。陈少游派遣参谋温述向李希烈表达诚意说："濠州、寿州、舒州、庐州，我已命令他们解除戒备，收藏起兵器和甲胄，拜伏在地等待您来指挥。"又派遣巡官赵诜在郓州与李纳联络。

中书侍郎、同平章事关播被免职，担任刑部尚书。

朝廷任命给事中孔巢父为淄青宣慰使，国子祭酒董晋为河北宣慰使。

---

见本书卷第二百二十四代宗大历三年（公元七六八年）。⑬杀希彩而立泚：事见本书卷第二百二十四代宗大历七年（公元七七二年）。⑭泚入朝：朱泚入朝，朱滔自为留后。事见本书卷第二百二十五代宗大历九年（公元七七四年）。⑮幽陵：幽州。⑯屯于郊坰：朱滔行营屯于魏州之郊。坰，郊野。邑外谓之郊，郊外谓之野，野外谓之林，林外谓之坰。⑰阳许偕行二句：表面上答应与朱滔共同进军，而实际上暗中做好防备。阳许，佯许。⑱司刑员外郎：相当于唐朝廷的刑部员外郎。⑲以德绥我：用恩德来安抚我们。⑳九叶天子：指德宗为唐代第九世皇帝。叶，世、代。㉑伺其隙：谓侦伺朱滔的破绽。㉒昭义之兵：即李抱真的军队，时屯临洺。㉓丁卯：十二月二十四日。㉔汴州：李勉以宣武节度使镇汴州。㉕筑垒道：修筑壁垒通道。㉖奔宋州：李勉奔宋州，依汴宋节度使刘洽。㉗襄邑：县名，宋州巡属，县治在今河南睢县。㉘宁陵：县名，在襄邑东，宋州西四十五里，县治在今河南宁陵。㉙江淮大震：李希烈攻宁陵而宋州危，故淮西邻道江、淮受到震动。㉚陈少游：淮南节度使。㉛参谋：节度使文职属吏，掌谋议。㉜濠寿舒庐：皆州名，为淮南西部巡属，在淮、蔡东南。㉝弛备：解除戒备。㉞韬戈卷甲：收藏起兵器和甲胄。㉟伏俟指麾：拜伏等待着你来指挥。㊱巡官：节度使文职属吏，掌巡察事务。㊲给事中：官名，属门下省，职掌封驳制敕、纠劾百官。㊳孔巢父：字弱翁，孔子三十七世孙。官至御史大夫，有口才，屡为宣慰使。因宣慰李怀光，为其所害。传见《旧唐书》卷一百五十四、《新唐书》卷一百六十三。㊴宣慰使：招抚叛逆的钦差大臣。孔巢父宣慰淄青李纳。㊵国子祭酒：官名，国子监主官。㊶董晋：华州刺史。朱泚反，董晋弃州走行在，改任国子祭酒。

【校记】

［5］泚及：原无此二字。据章钰校，十二行本、乙十一行本、孔天胤本皆有此二字，张敦仁《通鉴刊本识误》、张瑛《通鉴校勘记》同，今据补。

【原文】

陆贽言于上曰："今盗遍天下，舆驾播迁，陛下宜痛自引过以感人心。昔成汤以罪己勃兴[342]，楚昭以善言复国[343]。陛下诚能不吝改过[344]，以言谢天下[345]，使书诏无所避忌[346]，臣虽愚陋，可以仰副圣情[347]，庶令反侧之徒革心向化[348]。"上然之。故奉天所下书诏[349]，虽骄将悍卒闻之，无不感激挥涕。

术者[350]上言："国家厄运，宜有变更[351]以应时数[352]。"群臣请更加尊号[353]一二字。上以问贽，贽上奏以为不可，其略曰："尊号之兴，本非古制[354]。行于安泰之日[355]，已累谦冲[356]。袭乎丧乱之时，尤伤事体[357]。"又曰："嬴秦[358]德衰，兼皇与帝[359]，始总称之。流及后代，昏僻之君[360]，乃有圣刘、天元之号[361]。是知人主轻重[362]，不在名称。损之[363]有谦光稽古之善，崇之[364]获矜能纳谄之讥。"又曰："必也俯稽术数，须有变更[365]，与其增美称而失人心，不若黜旧号以祇天戒[366]。"上纳其言，但改年号而已[367]。

上又以中书所撰赦文[368]示贽，贽上言，以为："动人以言，所感已浅；言又不切[369]，人谁肯怀[370]。今兹德音[371]，悔过之意不得不深，引咎之辞不得不尽[372]，洗刷疵垢[373]，宣畅郁堙[374]，使人人各得所欲，则何有不从者乎！应须改革事条，谨具别状同进[375]。舍此之外，尚有所虞[376]。窃以知过非难，改过为难；言善非难，行善为难。假使赦文至精[377]，止于知过言善[378]，犹愿圣虑更思所难[379]。"上然之。

【语译】

陆贽对德宗说:“如今盗贼遍布天下,陛下的车驾流亡迁徙,陛下应当痛切地引咎自责来感化民心。过去成汤因自己承担罪责而勃然兴起,楚昭王因善意的讲话而终于复国。陛下确实能够不惜改过,公开地向天下人谢罪,让诏书写得无所避讳,臣虽愚昧浅陋,能让草拟的诏书符合陛下的心意,差不多可以让那些反复无常之徒洗心革面,归附朝廷。”德宗认为陆贽说得对。因此在奉天城所颁布的诏书,即使是骄兵悍将听到了,也没有不感动得挥泪的。

有方术之士进言德宗说:“国家蒙受了厄运,应当有所变革,以顺应运数。”群臣们请为德宗的尊号再加上一二个字。德宗就此事询问陆贽,陆贽上奏,认为不可以。奏疏大致的意思是说:“出现给皇帝添加尊号这件事,本来就不是古代的制度。在国家太平时施行,已经拖累了皇帝谦逊冲和的美德。在国家处在丧乱时袭用,尤其有害政体。”又说:“嬴姓秦朝德行衰败,兼用皇与帝两个名号,始将二者合称皇帝。流传到后代,昏庸邪僻的君主,才有汉哀帝的‘圣刘’之号、周宣帝的‘天元’之称。由此可知,帝王伟大与渺小,不在于他有个什么名称。降低尊号,就会有谦逊和顺从古制的美誉,崇尚尊号,只能获得自我尊大和接受谄媚的讥讽。”又说:“陛下一定要屈身稽考时运术数,需要变更称号,与其给自己增加美称而丧失民心,不如废黜原有的尊号而表示恭奉上天的警戒。”德宗接受了陆贽的主张,仅仅改换了来年的年号而已。

德宗又把中书省撰写的大赦诏文给陆贽看,陆贽进言德宗,认为:“用言语打动别人,使人所受的感动已经很少;如果所说的话不切实际,人们谁肯放在心上。今天的这篇诏书,追悔过失的意思不能不深切,引咎自责的措辞不能不详尽,洗刷自己的缺点和错误,宣泄大家心中久埋的抑郁,使人们各自得到所希望的满足,那么还有谁会不听命于朝廷呢!应当及时变革的具体事项,我恭敬地另写了一个条陈同时进呈。除此之外,我还有所担忧。臣认为知道自己的过错并不难,难在改正过错;话讲得好并不难,难在做得好。假如这篇赦罪文书写得极为精致,那也只是停留在知道自己的过错和讲得动听,还希望陛下另外考虑改过、行善这些更难办的事情。”德宗认为陆贽说得对。

【段旨】

以上为第六段,写陆贽上奏德宗,改弦更张政治来挽救时局,而下诏罪己挽回人心是实际改弦更张的起点。

【注释】

㉞勃兴：勃然兴起。语出《左传》庄公十一年鲁大夫臧文仲之言，曰，“禹、汤罪己，其兴也勃焉”。㉞楚昭以善言复国：据胡三省注，楚昭王遭阖闾之祸，国灭出亡，父老送之。王曰：“父老反矣，何患无君？”父老曰：“有君如是其贤也。”相与从之。秦人怜而救之，昭王复国。㉞不吝改过：不吝惜改过，即肯于改过。㉞以言谢天下：用语言向天下谢罪。即发布罪己诏书。㉞使书诏无所避忌：让诏书写得没有忌讳，真实无欺。㉞仰副圣情：符合圣上心意。㉞庶令反侧之徒革心向化：差不多可以使反复无常之徒革心洗面，心向德化，归附朝廷。㉞奉天所下书诏：兴元元年正月癸酉朔（正月初一），德宗下罪己诏，大赦，改元，史称“兴元大赦诏”。使者去山东宣诏，诸镇骄将悍卒闻之，无不感激。《资治通鉴》行文，为了叙事完整，有时追述，有时下及。这里是下及而叙及大赦诏。㉟术者：方术士。古代研习天文、医药、占卜及神仙术的人，声称能预言吉凶。㉟变更：变革。当指改元、上尊号、大赦之类。㉟时数：运数。指按周期转移的天命。德宗纳术士之言，于是改元、大赦，用以应合时运。㉟尊号：尊崇的名号。“皇帝”二字即为尊号，意犹未尽再加美号。建中元年（公元七八〇年）群臣给德宗上尊号为“圣神文武皇帝”，至此群臣请再加一二字。陆贽以为不可，在“兴元大赦诏”中去“圣神文武”四字。㉟尊号之兴二句：指在“皇帝”之上再加尊号，不是古来所有。唐代始于玄宗皇帝，加尊号为“开元神武皇帝”。㉟安泰之日：太平时代。㉟已累谦冲：谓尊号拖累了皇帝谦虚冲和的美德。累，拖累、玷污。㉟袭乎丧乱之时二句：在国家危难时候沿袭加尊号的做法，尤其有害政体。尤，更加。㉟嬴秦：秦为嬴姓，故称嬴秦。㉟兼皇与帝：古有三皇五帝的称号。秦始皇统一六国，认为功过三皇五帝，合称皇帝，自称“始皇帝”，后世以数计。事见《史记》卷六《秦始皇本纪》。㊱昏僻之君：昏庸邪僻的君主。㊱圣刘

【原文】

## 兴元元年（甲子，公元七八四年）

春，正月癸酉朔[380]，赦天下，改元。制曰[381]：“致理[382]兴化，必在推诚；忘己济人[383]，不吝改过。朕嗣服丕构[384]，君临万邦[385]，失守宗祧[386]，越在草莽[387]。不念率德[388]，诚莫追于既往；永言思咎，期有复于将来。明征其义，以示天下[389]。

“小子惧德弗嗣[390]，罔敢怠荒[391]。然以长于深宫之中，暗[392]于经国之务[393]，积习易溺[394]，居安忘危，不知稼穑之艰难[395]，不恤[396]征戍之劳苦，

天元之号："圣刘"之号见《汉书》卷十一《哀帝纪》、本书卷第三十四汉哀帝建平二年（公元前五年）。汉哀帝信方士之说，汉德中衰，当改元更命以应天命而号称"陈圣刘太平皇帝"。"天元"之号见《周书》卷七《宣帝纪》、本书卷第一百七十三陈宣帝太建十一年（公元五七九年）。周宣帝禅位太子，自称天元皇帝，所居称"天台"。陆贽引据两例称尊号的皇帝，皆衰世皇帝自大之举，不可效法。㊁人主轻重：君主的伟大与渺小。㊂损之：指降低尊号。句意为损抑尊号会有谦虚求古的美名。㊃崇之：指崇尚、加大尊号。句意为崇尚尊号只能得到自我尊大接受谄媚的讥讽。㊄必也俯稽术数二句：一定要屈身稽考术数时运，需要变更称号。俯稽，放下身架考察。变更，指变更年号、尊号等，以应天命。㊅黜旧号以祗天戒：废除原有的尊号来敬承上天的警戒。旧号，指德宗原有的尊号"圣神文武"。祗，敬畏。㊆上纳其言二句：德宗采纳了陆贽的建言，在"兴元大赦诏"中宣布去掉"圣神文武"的尊号，但在实际上仍受群臣尊号的朝贺，故云"但改年号而已"。史言德宗改过只是一句空话。㊇中书所撰赦文：中书省所拟的大赦诏文。㊈不切：不确实。㊉怀：放在心怀。㊊今兹德音：现在所要昭示于人民的德音。德音，指中书省所撰大赦诏文。㊋引咎之辞不得不尽：引咎自责的话不能不详尽。引咎，承担责任。㊌洗刷疵垢：洗刷自己的缺点和错误。㊍宣畅郁堙：宣泄大家埋藏的抑郁。㊎应须改革事条二句：应该及时改变的具体事项，我已恭敬地另写条陈一同奏进。须，立须、及时。别状，写在另一张纸上。㊏舍此之外二句：除此之外，我还有忧虑。此，指下罪己诏。所虞，所忧虑的是具体的改过行动。㊐至精：极为精致。此指大赦令的文辞优美，好话说尽。㊑止于知过言善：仅仅停留在知道自己的过错和讲几句好话上。谓只做到了易，而未行其难，即还未做到改过、行善。㊒犹愿圣虑更思所难：还希望皇上另外思考更为难办的事情。即改过、行善。

【语译】

**兴元元年（甲子，公元七八四年）**

春，正月初一日癸酉，朝廷大赦天下，更改年号。颁布制书说："达到天下大治，振兴教化，一定在于开诚布公；忘记自己，帮助别人，不惜改正错误和过失。朕继承帝位，统治天下，却失守宗庙，身落荒野草丛之中。没能念念不忘遵循德教，实在无法追悔以往；只有长久地审思自己的过错，希望将来复兴国家。现把这个意思公开表达出来，展示在天下人的面前。

"朕担心自己的德行难以继承先帝们的业绩，临朝不敢荒忽懈怠。然而由于生活在深宫之中，不熟悉治理国家的事务，积久的习惯容易沉溺，身处平安之世，忘却天下会有危难，不知道农事的艰难，不体恤征戍将士的劳苦，恩泽没能广施下层百

泽靡下究[397]，情未上通，事既拥隔，人怀疑阻[398]。犹昧省己[399]，遂用兴戎[400]，征师四方，转饷千里，赋车籍马[401]，远近骚然，行赍居送[402]，众庶劳止[403]，或一日屡交锋刃，或连年不解甲胄。祀奠乏主，室家靡依[404]，死生流离，怨气凝结[405]，力役不息，田莱[406]多荒。暴令峻于诛求，疲甿空于杼轴[407]，转死沟壑，离去乡闾，邑里丘墟，人烟断绝。天谴于上而朕不寤，人怨于下而朕不知，驯致乱阶，变兴都邑[408]，万品失序[409]，九庙震惊[410]，上累于祖宗[411]，下负于蒸庶[412]，痛心腼貌[413]，罪实在予，永言愧悼[414]，若坠泉谷[415]。自今中外所上书奏，不得更言'圣神文武'之号。

"李希烈、田悦、王武俊、李纳等，咸以勋旧，各守藩维。朕抚御乖方[416]，致其疑惧。皆由上失其道，而下罹[417]其灾，朕实不君[418]，人则何罪[419]！宜并所管将吏等一切待之如初。

"朱滔虽缘朱泚连坐，路远必不同谋，念其旧勋，务在弘贷[420]，如能效顺，亦与惟新[421]。

"朱泚反易天常[422]，盗窃名器[423]，暴犯陵寝[424]，所不忍言，获罪祖宗，朕不敢赦。其胁从将吏百姓等，但官军未到京城以前，去逆效顺并散归本道本军者，并从赦例[425]。

"诸军诸道应赴奉天及进收京城将士，并赐名奉天定难功臣[426]，其所加垫陌钱[427]、税间架、竹、木、茶、漆、榷铁[428]之类，悉宜停罢。"

赦下，四方人心大悦。及上还长安明年[429]，李抱真入朝为上言："山东宣布赦书，士卒皆感泣。臣见人情如此，知贼不足平也。"

命兵部员外郎李充为恒冀宣慰使。

朱泚更国号曰汉，自号汉元天皇，改元天皇。

姓，下面的情况也没能上通朝廷，事情既然阻隔壅塞，人们便心怀疑虑而忧愁。朕仍不懂得反省自己，于是战争兴起，四处征兵，转运粮饷千里之遥，征用百姓车马，远近骚动不安，出征的人要自带军资，居家的人则服役输送，民众受尽了劳苦，有时一天之内多次交战，有时连年不能解甲休整。祭祀祖先没有祭主，家庭没有依靠，百姓生死无定，流离失所，怨恨之气，凝聚盘结，征发劳役未曾停息，农田荒芜。残暴的官吏严厉索讨钱粮，困疲的农妇不再织布，人们流离转徙死于沟壑之中，背井离乡，城镇乡村变为丘墟，人烟断绝。苍天示谴于上，而朕没有醒悟，百姓怨恨于下，而朕不知晓，于是逐渐酿成祸乱的基础，变乱兴起于都城，万事丧失了秩序，九朝祖宗震惊，朕对上拖累了列祖列宗，对下辜负了黎民，内心沉痛，脸上羞愧，罪责在我，长久地惭愧和悲伤，就像坠入渊谷。从今以后，朝廷内外所上奏的书表奏章，不允许再称'圣神文武'之号。

"李希烈、田悦、王武俊、李纳等人，都是以有功旧臣，各自驻守藩镇。朕安抚、控驭失当，致使他们对朝廷疑惑畏惧。这都是由于上面失道而导致下面遭受灾害，朕实在是言行不像君主，他人有什么罪呢！应当把李希烈等人连同他们的部属将士等一并对待如同当初。

"朱滔虽然由于朱泚反叛而应获连坐之罪，但二人相距遥远必不同谋，念他是功勋旧臣，一定宽大恕罪，如果能够归顺效命，也准许他反省自新。

"朱泚违背天道，窃取君位，残暴地侵犯了先皇陵寝，所作所为令人不忍称说，得罪于列祖列宗，朕不敢赦免。那些因受朱泚威胁而被迫跟随的将士、官吏、百姓等人，只要是在朝廷军队尚未到达京城以前，离开叛军，效顺朝廷，能够散伙后投奔本道本军的人，一律依照赦免条例办理。

"诸军诸道凡应召奔赴奉天救难和进军收复京城的将士，一并赐予奉天定难功臣的称号。那些加征的除陌钱、间架税，以及竹、木、茶、漆税和专营铁器等项税赋，全部停止征收。"

赦罪文书颁行天下，四方民心大快。等到德宗重返长安的第二年，李抱真入朝对德宗说："山东颁布赦罪文书时，士兵们都感动流泪。我见民情是这样，就知道平定叛军实在不足挂齿了。"

朝廷任命兵部员外郎李充为恒冀宣慰使。

朱泚更改国号为汉，自称汉元天皇，改换年号为天皇。

**【段旨】**

以上为第七段，写德宗采纳陆贽建言，在兴元元年的元旦日颁布兴元大赦诏。

**【注释】**

(380)癸酉朔：正月初一日。(381)制曰：此即陆贽所草“兴元大赦诏”，全文载《旧唐书》卷十二《德宗纪》上。(382)致理：达到天下大治。理，即治。唐避高宗讳，改“治”为“理”。(383)忘己济人：忘记自己，帮助别人。(384)嗣服丕构：继承帝位。丕构，大厦，代指国家、帝位。典出《尚书·大诰》：“若考作室，既厎法，厥子乃弗肯堂，矧肯构。”(385)君临万邦：统治天下。(386)失守宗祧：失守了祖宗庙堂。宗，百世不毁之庙，如高祖、太宗。祧，远祖之庙。宗祧，代指宗庙。(387)越在草莽：坠落在原野草丛中。语出《左传》昭公二十年卫侯之语。(388)不念率德：没有念念不忘遵循德教。(389)明征其义二句：现在把这个意思公开表达出来，展示给天下之人。(390)小子惧德弗嗣：朕害怕自己的德行不能继承先帝的业绩。小子，天子的谦称。(391)罔敢怠荒：不敢怠慢玩忽职守。(392)暗：不熟悉。(393)经国之务：治理国家的政务。(394)积习易溺：积久的习惯容易沉溺。(395)居安忘危二句：化用《周书》与《尚书·无逸》周公告成王之语。《周书》曰“居安思危”，见《左传》襄公十一年引，乃《逸周书》之文。《尚书·无逸》载，周公作《无逸》，告成王曰：“呜呼，君子所其无逸，先知稼穑之艰难。”又曰：“相小人，厥父母勤劳稼穑，厥子乃不知稼穑之艰难。”(396)恤：怜爱；体恤。(397)泽靡下究：恩泽没有普施于黎民众庶。(398)人怀疑阻：人们自然心怀疑虑而忧愁。阻，忧也。(399)犹昧省己：朕仍然不知道反省自己。(400)兴戎：兴兵；爆发战争。(401)赋车籍马：征用车马。赋、籍，征也。(402)行赍居送：出征的人要带军

---

**【原文】**

王武俊、田悦、李纳见赦令，皆去王号，上表谢罪。惟李希烈自恃兵强财富，遂谋称帝。遣人问仪[430]于颜真卿，真卿曰：“老夫尝为礼官，所记惟诸侯朝天子礼耳。”希烈遂即皇帝位，国号大楚，改元武成。置百官，以其党郑贲为侍中，孙广为中书令，李绶、李元平同平章事。以汴州为大梁府，分其境内为四节度。希烈遣其将辛景臻谓颜真卿曰：“不能屈节，当自焚！”积薪灌油于其庭。真卿趋赴火，景臻遽止之。

希烈又遣其将杨峰[431]赍赦[432]赐陈少游及寿州[433]刺史张建封[434]，建封执峰徇于军[435]，腰斩于市，少游闻之骇惧。建封具以少游与希烈交通之

资，留在家中的人服役输送衣粮。⑷⓪③ 众庶劳止：大众受尽了劳苦。止，语气词。⑷⓪④ 祀奠乏主二句：祭奠祖先没有祭主，家庭没有依靠。⑷⓪⑤ 死生流离二句：生死无定，流离失所，怨恨之气，郁聚盘结。⑷⓪⑥ 田莱：农田荒芜。田废生草曰莱。⑷⓪⑦ 暴令峻于诛求二句：残暴的长官严厉索讨钱粮，疲困的农妇不再织布。令，官吏，与下文“甿”对应。甿，百姓，此指农妇。杼轴，指代织布。杼，织机上的梭子。轴，织机的转轴。⑷⓪⑧ 驯致乱阶二句：于是逐渐酿成祸乱的基础，致使京城发生了变故。驯，逐渐。兴，发生、兴起。⑷⓪⑨ 万品失序：万事失去了秩序。⑷①⓪ 九庙震惊：九庙祖宗受到惊扰。古制天子七庙，始祖与三昭三穆为七。唐初始立四庙，后逐渐增立亲庙，至玄宗开元十年（公元七二二年）始立九庙，自是常为定制。⑷①① 上累于祖宗：朕对上连累了列祖列宗。⑷①② 下负于蒸庶：朕对下辜负了黎民大众。蒸庶，众庶。⑷①③ 痛心腼貌：内心沉痛，脸上惭愧。⑷①④ 永言愧悼：久久地惭愧和悲伤。言，句中语气词。⑷①⑤ 泉谷：渊谷。唐避高祖李渊讳，“渊”字作“泉”。⑷①⑥ 乖方：无方；失当。⑷①⑦ 罹：遭受。⑷①⑧ 不君：不配为君；言行不像君主。⑷①⑨ 人则何罪：他人有什么罪。即在下位的人无罪，赦免田悦等人。⑷②⓪ 弘贷：宽大免罪。⑷②① 惟新：自新。⑷②② 反易天常：违背天道，改变常规。指违反君为臣纲之规而为逆。⑷②③ 名器：指君位。⑷②④ 暴犯陵寝：残暴地侵害了列祖列宗的陵园寝庙。朱泚在奉天屯兵于乾陵等地。⑷②⑤ 并从赦例：一概按照赦免的条例处理。⑷②⑥ 奉天定难功臣：给一应勤王官兵士庶加此荣名，以激励士气。定难，克平祸难。⑷②⑦ 垫陌钱：即除陌钱。⑷②⑧ 榷铁：国家专营铸铁及买卖。⑷②⑨ 上还长安明年：德宗还长安之明年，即贞元元年（公元七八五年）。

---

【语译】

王武俊、田悦、李纳见到皇帝的赦罪诏令，都去掉了诸侯王称号，上表朝廷认罪。只有李希烈倚仗自己军力强大，资财富足，便谋划称帝。他派人向颜真卿询问即皇帝位的典礼仪式，颜真卿说：“老夫曾担任礼官，所记得的只有诸侯朝见天子的礼仪罢了。”李希烈于是登上了皇帝之位，国号为大楚，改年号为武成。设置百官，让他的党羽郑贲担任侍中，孙广担任中书令，李缓、李元平为同平章事。把汴州改称为大梁府，划分所统辖的地域为四个节度区。李希烈派将领辛景臻对颜真卿说：“你既然不能屈节侍奉我，就应该自焚！”在颜真卿的庭院中堆积干柴，浇上油。颜真卿快步走向火堆，辛景臻急忙阻止他。

李希烈又派遣他的部将杨峰携带赦书送给陈少游和寿州刺史张建封。张建封抓住杨峰在军中示众，在街市中把他腰斩了，陈少游听到消息后震惊惧怕。张建封把陈少游与李希烈互相勾结的情况上奏给朝廷。德宗非常高兴，任命张建封为濠州、

状闻。上悦，以建封为濠、寿、庐三州都团练使[436]。希烈乃以其将杜少诚为淮南节度使，使将步骑万余人先取寿州，后之江都，建封遣其将贺兰元均、邵怡守霍丘[437]秋栅[438]。少诚竟不能过，遂南寇蕲、黄，欲断江路[439]。时上命包佶自督江、淮财赋，溯江诣行在，至蕲口[440]，遇少诚入寇。曹王皋遣蕲州刺史伊慎将兵七千拒之，战于永安戍[441]，大破之。少诚脱身走，斩首万级，包佶乃得前。后佶入朝，具奏陈少游夺财赋事。少游惧，厚敛所部以偿之。李希烈以夏口[442]上流要地，使其骁将董侍募死士七千袭鄂州，刺史李兼[443]偃旗卧鼓闭门以待之。侍撤屋材以焚门，兼帅士卒出战，大破之。上以兼为鄂、岳、沔都团练使。于是希烈东畏曹王皋，西畏李兼，不敢复有窥江、淮之志矣。

【段旨】

以上为第八段，写李希烈南犯江、淮，东西受阻，再不敢南犯。

【注释】

㊸⓪仪：即皇帝位的礼仪。㊸①杨峰：两《唐书》作杨丰。㊸②赦：指李希烈所颁发的赦令。㊸③寿州：州名，为淮南节度使巡属。治所寿春，在今安徽寿县。㊸④张建封：字本立，初为岳州刺史、寿州刺史，贞元间拜御史大夫，除泗濠节度使。传见《旧唐书》卷一百四十、《新唐书》卷一百五十八。㊸⑤徇于军：在军中示众。㊸⑥都团练使：官名。唐

【原文】

朱滔引兵入赵境，王武俊大具犒享[444]。入魏境，田悦供承倍丰[445]，使者迎候，相望于道。丁丑[446]，滔至永济[447]，遣王郅见悦，约会馆陶[448]，偕行渡河。悦见郅曰："悦固愿从五兄[449]南行，昨日将出军，将士勒兵不听悦出，曰：'国兵新破[450]，战守逾年[451]，资储竭矣。今将士不免冻馁，何

寿州、庐州都团练使。李希烈任命他的部将杜少诚为淮南节度使，让他率领步兵、骑兵一万多人先去攻占寿州，然后前往江都赴任。张建封派遣他的部将贺兰元均、邵怡守卫霍丘县的秋栅。杜少诚竟然被阻截无法通过，就南去侵犯蕲州、黄州，想要截断长江通道。当时德宗命令包佶亲自督运江、淮一带征敛的财赋，溯江前往德宗所在的奉天城，到了蕲口，遭遇到杜少诚的侵扰。曹王李皋派遣蕲州刺史伊慎带领士兵七千人阻击杜少诚，双方在永安戍交战，大败杜少诚。杜少诚脱身逃走，官军斩获叛军首级一万多，包佶这才得以前进。后来包佶入朝晋见德宗，把陈少游夺取朝廷财赋的事情原原本本地奏报了。陈少游很害怕，在控制的地域内大肆搜刮来补偿朝廷。李希烈认为夏口是长江上游的要害之地，便派他的骁将董侍招募敢死士卒七千人袭击鄂州，鄂州刺史李兼偃旗息鼓，关闭城门，以待董侍。董侍命令部下拆除民房的木材用来焚烧城门，李兼带领士卒出城交战，把董侍的人马打得大败。德宗任命李兼为鄂州、岳州、沔州都团练使。于是李希烈东面害怕曹王李皋，西面害怕李兼，不敢再有窥伺长江、淮河一带的想法了。

---

代中期以后，在不设节度使地区置团练使，掌管一地军事。都团练使为濠、寿、庐三州团练使之长。㊲霍丘：县名，在寿州之西，县治在今安徽霍邱。㊳秋栅：防卫霍丘的军塞。㊴欲断江路：想阻断贡赋朝廷的长江水路。蕲、黄二州在寿州西南临江，故淮南将杜少诚想攻下二州以断江路。㊵蕲口：蕲水入江之口。在今湖北蕲春南长江北岸。㊶永安戍：军寨名，在黄州界内，梁曾置永安郡，后废为戍。在今湖北武汉市新洲区，唐时为黄冈县。㊷夏口：夏水，即汉水入江之口，时为江夏县，鄂州治所。在今湖北武汉三镇的汉口。㊸李兼：官至江西观察使。

---

【语译】

朱滔率军进入赵州境内，王武俊为朱滔备办了丰厚的犒赏军食。朱滔率军进入魏州境内，田悦供奉的物品加倍丰厚，派使者迎候朱滔，前后相望于道。正月初五日丁丑，朱滔抵达永济县，派遣王郅去见田悦，约田悦在馆陶会合，同行南渡黄河。田悦接见王郅时说："我田悦本来愿意随从五哥南进，昨天将要出兵，将士们按兵不动，不服从我的命令出城，他们说：'我们魏国的军队刚被打败，交战超过一年，物资储备全都耗尽了。如今将士们难以避免挨饿受冻，全军靠什么远征作战呢！大王

以全军远征[452]！大王日自抚循，犹不能安。若舍城邑而去，朝出，暮必有变。’悦之志非敢有贰也，如将士何！已令孟祐备步骑五千，从五兄供刍牧之役[453]。”因遣其司礼侍郎[454]裴抗等往谢滔。滔闻之，大怒曰：“田悦逆贼，向在重围，命如丝发[455]，使我叛君弃兄，发兵昼夜赴之，幸而得存。许我贝州，我辞不取；尊我为天子，我辞不受[456]。今乃负恩[457]，误我远来，饰辞不出！”即日，遣马寔攻宗城、经城[458]，杨荣国攻冠氏[459]，皆拔之。又纵回纥掠馆陶顿幄帟[460]、器皿、车、牛以去。悦闭城自守。壬午[461]，滔遣裴抗等还，分兵置吏守平恩[462]、永济。

丙戌[463]，以吏部侍郎卢翰为兵部侍郎、同平章事。翰，义僖之七世孙也。

朱滔引兵北围贝州，引水环之，刺史邢曹俊婴城拒守。纵范阳及回纥兵大掠诸县，又拔武城[464]，通德、棣二州[465]，使给军食，遣马寔将步骑五千屯冠氏以逼魏州。

以给事中杜黄裳[466]为江淮宣慰副使。

【段旨】

以上为第九段，写王武俊、田悦、李纳接受赦令归顺朝廷，河北朱滔仍负隅顽抗。

【注释】

⑭大具犒享：大力备办犒赏军食。⑮供承倍丰：供奉的酒食更是加倍丰盛。⑯丁丑：正月初五日。⑰永济：田悦分临清所置县名。以县西临永济渠而得名，属贝州，县治在今山东临清南。⑱馆陶：魏州属县，县治在今河北馆陶北。⑲五兄：朱滔排第五，故田悦称他为“五兄”。⑳国兵新破：田悦称魏王，故自称“国兵”。新破，指不久前为马燧所

您每日都要亲自安抚慰谕将士，军心还不能安定下来。假如放弃驻守的城邑离去，早晨出去，日落后必定兵变。’我田悦的本意是不敢对五哥怀有二心的，但又能拿将士们怎么办呢！我已经命令孟祐准备步兵、骑兵五千人，随从五哥，供五哥用作割草喂马的贱役。”于是派遣司礼侍郎裴抗等人前往朱滔那里赔罪。朱滔听到这一消息，大怒，说：“田悦这个逆贼，先前身陷重围，性命如同头发丝那样纤弱，让我背叛皇帝，离弃兄弟，发兵昼夜兼程地前往救援他，侥幸保住了他的性命。田悦许诺把贝州送给我，我推辞没有接受；尊崇我做皇帝，我推辞没有接受。到如今却辜负恩德，害得我率军远行而来，田悦竟然花言巧语推托而不肯出兵！”当天，便派遣马寔攻打田悦占据的宗城县、经城县，派遣杨荣国攻打冠氏县，都攻取了。还纵容回纥兵抢劫馆陶顿储的帐幕及各种器具、车辆、牛群而去。田悦闭城自守。初十日壬午，朱滔派裴抗等人返回魏州，分派兵马，设置官吏，守备平恩县和永济县。

正月十四日丙戌，朝廷任命吏部侍郎卢翰为兵部侍郎、同平章事。卢翰是卢义僖的第七代孙。

朱滔带兵北围贝州，引来河水把贝州城环绕起来，贝州刺史邢曹俊环城守卫，抵御朱滔。朱滔纵容范阳和回纥士兵大肆抢掠各县，又攻取了武城县，连通了德、棣两个州，让德、棣二州供应军粮，派遣马寔率步兵、骑兵五千人屯驻在冠氏县，压迫魏州。

朝廷任命给事中杜黄裳为江淮宣慰副使。

---

破。㊿①战守逾年：指与马燧等官军交战超过一年。㊿②何以全军远征：全军靠什么远征作战。㊿③供刍牧之役：供办放马喂马的杂活。㊿④司礼侍郎：相当唐朝廷的礼部侍郎。㊿⑤命如丝发：生命垂危，命悬一发。㊿⑥许我贝州四句：朱滔叛唐救田悦，不取田悦所献贝州，不受田悦所尊天子之号。事均见本书卷第二百二十七德宗建中三年（公元七八二年）。㊿⑦负恩：背德。㊿⑧宗城经城：皆县名。宗城在今河北威县东，经城在今河北威县北经镇。㊿⑨冠氏：县名，在今山东冠县。㊿⑩幄帟：宿军帐幕。㊿⑪壬午：正月初十日。㊿⑫平恩：洺州属县。在今河北曲周东南。㊿⑬丙戌：正月十四日。㊿⑭武城：县名，属贝州，县治在今山东武城。㊿⑮通德、棣二州：朱滔克武城连通德、棣二州。朱滔建中二年（公元七八一年）据有德、棣二州。㊿⑯杜黄裳（公元七三八至八〇八年）：字遵素，京兆万年（今陕西西安）人，宪宗朝官至宰相，为同中书门下平章事。传见《旧唐书》卷一百四十七、《新唐书》卷一百六十九。

【原文】

上于行宫庑[467]下贮诸道贡献之物，榜曰“琼林大盈库[468]”。陆贽以为：“战守之功，赏赉[469]未行，而遽私别库，则士卒怨望，无复斗志。”上疏谏，其略曰：“天子与天同德，以四海为家，何必桡废公方[470]，崇聚[471]私货！降至尊[472]而代有司之守，辱万乘以效匹夫之藏，亏法失人[473]，诱奸聚慝[474]，以斯制事，岂不过哉[475]！”又曰：“顷者六师初降[476]，百物无储，外捍凶徒，内防危堞[477]，昼夜不息，殆将五旬[478]，冻馁交侵[479]，死伤相枕[480]，毕命同力[481]，竟夷大艰[482]。良以陛下不厚其身，不私其欲，绝甘[483]以同卒伍，辍食以啖功劳[484]。无猛制而人不携[485]，怀所感也；无厚赏而人不怨，悉所无也。今者攻围已解，衣食已丰，而谣讟方兴[486]，军情稍阻[487]，岂不以勇夫恒性[488]，嗜利矜功，其患难既与之同忧而好乐不与之同利，苟异恬默，能无怨咨[489]！”又曰：“陛下诚能近想重围之殷忧[490]，追戒平居之专欲[491]，凡在二库[492]货贿，尽令出赐有功，每获珍华[493]，先给军赏，如此，则乱必靖[494]，贼必平，徐驾六龙[495]，旋复都邑[496]，天子之贵，岂当忧贫！是乃散其小储[497]而成其大储[498]，损其小宝而固其大宝也。”上即命去其榜[499]。

萧复尝言于上曰：“宦官自艰难以来[500]，多为监军，恃恩纵横[501]。此属但应掌宫掖之事，不宜委以兵权国政。”上不悦。又尝言：“陛下践阼之初，圣德光被[502]，自杨炎、卢杞黩乱[503]朝政，以致今日。陛下诚能变更睿志[504]，臣敢不竭力。傥使臣依阿苟免[505]，臣实不能！”又尝与卢杞同奏事，杞顺上旨，复正色曰：“卢杞言不正！”上愕然，退，谓左右曰：“萧复轻[506]朕！”戊子[507]，命复充山南东、西，荆湖，淮南，江西，鄂岳，浙江东、西，福建，岭南等道宣慰、安抚使，实疏[508]之也。

【语译】

德宗在行宫廊庑下贮藏着各道贡献的物品，挂起一块题写“琼林大盈库”字样的牌子。陆贽认为：“将士们征战攻守之功，一直没有颁行赏赐，却急忙将财物另存私库，那么就会引起士兵们的怨恨，无复斗志。”因而上疏劝谏。奏疏大略说：“天子与上天有同样的德行，以四海为家，为什么一定要自坏法度，为私己多聚财货呢！把帝王之尊降低为看守财物的主管官吏，有辱万乘之君而去效仿平民百姓私藏物品，这样既损害了法度，又失去了人心，诱发奸邪，蓄养大恶，用这种方式来处理事务，难道不是错误的吗！”又说：“不久以前，皇上的六军刚到奉天时，各种物资储备都没有，他们对外要抵御凶狠的叛军，对内防守垂危的城墙，昼夜连续战斗，前后将近五十天，大家饥寒交迫，丧命和负伤的人纵横相枕，但他们拼命力战，同心同德，最终克服了巨大的困难。这确实是因为陛下您没有贪图个人享受，不去满足自己的私欲，弃绝甘美的饮食，与士兵们同甘共苦，甚至停用御膳，以省下食物赐给立功的将士。没有严厉的管束方法而人们没有叛离，这是由于被陛下的恩德感动了；对将士们没有丰厚的赏赐，而大家并没有怨言，这是由于他们知道当时已没有东西可赏。如今叛军的进攻和围困都已解除，提供的衣食都已充裕起来，然而军中的谣言和怨声正在兴起，军中渐生隔阂，这难道不是因为勇夫们的本性都是喜好财利、自夸功劳，在患难之时能与他们共担忧患，而在欢乐之时却不能利益共享造成的吗？假使陛下已不像当时那样恬淡静默，怎么能让将士们没有怨言呢！”又说：“陛下果真能想想不久前被重重围困的深切忧虑，戒除日常只满足个人欲望的缺点，凡是贮存在大盈、琼林两个府库中的金银财货，命令全部拿出来赏赐有功人员，每当获得珍贵华美的物件，先供作军中赏赐，这样一来，变乱就必定平定下来，叛贼必定被芟除，您从容地驾起乘舆，凯旋班师，复归京城，以天子的尊贵，难道用得着担忧贫困吗！这就是散去了陛下的小小储蓄，而成就了陛下一统天下的巨大储蓄，损耗了陛下的小宝物，而巩固了陛下的万世根基这个大宝物啊。”德宗立即命令拆除了“琼林大盈库”这块牌子。

萧复曾对德宗说：“自从国家发生祸乱以来，宦官大多担任监军，倚仗皇帝的恩宠而飞扬跋扈。这类人只应掌管皇宫内的事务，不应当把兵权国政委托给他们。”德宗听了不高兴。萧复还曾对德宗说：“陛下继承皇位的初期，圣德光耀天下。自从杨炎、卢杞秽乱朝政，以至于形成了目前这种局面。陛下果真能改变以前的所作所为，臣怎敢对朝廷不竭尽全力？假如让臣凡事依附，苟且自保，那臣实在无法做到！”萧复又曾经与卢杞同时上朝奏议政事，卢杞迎合皇帝的旨意，萧复面色严肃地说：“卢杞说话虚伪不正！”德宗愕然，退朝后，对身边的人说：“萧复轻视我！”正月十六日戊子，德宗任命萧复充当山南东、西道，荆湖，淮南，江西，鄂岳，浙江东、西道，福建，岭南等道的宣慰、安抚使，实际上是疏远萧复。

既而刘从一及朝士往往奏留复[509]。上谓陆贽曰："朕思迁幸[510]以来，江、淮远方，或传闻过实，欲遣重臣宣慰，谋于宰相及朝士，佥[511]谓宜然。今乃反覆如是，朕为之怅恨累日[512]。意[513]复悔行，使之论奏邪？卿知萧复何如人[514]？其不欲行，意趣安在[515]？"贽上奏，以为："复痛自修励[516]，慕为清贞[517]，用虽不周，行则可保[518]。至于轻诈[519]如此，复必不为。借使[520]复欲逗留[521]，从一安肯附会[522]！今所言矛盾[523]，愿陛下明加辩诘[524]。若萧复有所请求，则从一何容为隐[525]！若从一自有回互[526]，则萧复不当受疑。陛下何惮而不辩明[527]，乃直[528]为此怅恨也！夫明则罔惑，辩则罔冤[529]；惑莫甚于逆诈而不与明[530]，冤莫痛于见疑而不与辩[531]。是使情伪相糅[532]，忠邪靡分[533]。兹实居上御下之要枢，惟陛下留意[534]。"上亦竟不复辩也。

辛卯[535]，以王武俊为恒、冀、深、赵节度使。壬辰[536]，加李抱真、张孝忠并同平章事。丙申[537]，加田悦检校左仆射。以山南东道行军司马樊泽[538]为本道节度使，前深、赵观察使康日知为同州刺史、奉诚军[539]节度使，曹州刺史李纳[540]为郓州刺史、平卢节度使。

戊戌[541]，加刘洽汴、滑、宋、亳都统副使，知都统事[542]，李勉悉以其众授之。

辛丑[543]，六军[544]各置统军[545]，秩从三品，以宠勋臣。

吐蕃尚结赞请出兵助唐收京城。庚子[546]，遣秘书监崔汉衡使吐蕃，发其兵。

---

**【段旨】**

以上为第十段，写德宗猜疑、贪财禀性难移，局势好转旧病复犯，由于尚在蒙尘之中，京城未复，才勉强听取了陆贽的劝谏。

不久刘从一和朝中官员们纷纷上奏请求把萧复留在朝中。德宗对陆贽说："朕考虑到自从出奔奉天城以来，江、淮遥远，有的传闻言过其实，想派遣德高望重的大臣去宣谕安抚，就此事征求宰相和朝臣们的意见，都以为应该这样处理。如今群臣意见竟这样翻来覆去，朕为此恼恨了几天。猜想是萧复不愿意赴任，而指使朝臣上奏议论让自己留下吗？卿知道萧复是什么样的人吗？他不想赴任，意图何在？"陆贽上奏，认为："萧复痛下决心去修身自励，向往做到清廉贞洁，虽然言行不够周全，但是他的品德还是可以保证的。至于采取如此轻率诡诈的方法，萧复一定不会这样做。假使萧复打算逗留朝中，刘从一怎么肯附和萧复呢？此刻陛下所说的话有矛盾，希望陛下明加辨察，追问清楚。倘若萧复对刘从一有什么请托的话，那么刘从一为何替萧复隐瞒呢！倘若刘从一自愿回护萧复，那么萧复就不应当受到怀疑。陛下为什么担心而不查明此事，竟至于为此而耿耿于怀呢！事情搞清楚了，就不会有疑惑，把事情辩白清楚了，就不会有冤枉。疑惑，没有比被人欺诈而不能予以说明更糟糕的了；冤屈，没有比被人猜疑而不能予以辨明更痛心的了。这样会使真伪糅杂，忠奸不分。这实在是君临天下驾驭群臣的关键，希望陛下留意。"德宗最终也没有对此事重加辨察。

正月十九日辛卯，朝廷任命王武俊为恒、冀、深、赵四州节度使。二十日壬辰，一并加授李抱真、张孝忠为同平章事。二十四日丙申，加授田悦为检校左仆射。任命山南东道行军司马樊泽为本道的节度使，任命前深、赵二州观察使康日知为同州刺史、奉诚军节度使，任命曹州刺史李纳为郓州刺史、平卢节度使。

正月二十六日戊戌，加授刘洽为汴、滑、宋、亳四州都统副使，代理都统职务，命令李勉把自己率领的兵马全部交给刘洽。

二十九日辛丑，朝廷在六军中各设统军一职，品级为从三品，用来表示对有功之臣的尊宠。吐蕃的尚结赞请求出兵援助唐朝收复京城长安。

二十八日庚子，朝廷派遣秘书监崔汉衡出使吐蕃，调发吐蕃军队来援。

---

**【注释】**

㊼庑：廊庑。㊽榜曰琼林大盈库：题写上"琼林大盈库"。因琼林、大盈二库为宫中内库，写上这几个字即为皇帝私产。㊾赏赉：赏赐。㊿桡废公方：破坏国家法度。桡，曲木，这里指法度被弯曲、被践踏。公方，国家法度。诸道贡赋本为国用，德宗据为私产，故有是言。⑪崇聚：多聚。⑫至尊：与下文"万乘"，皆指代皇帝。⑬亏法失人：既损害法度，又失去人心。⑭诱奸聚慝：诱发奸邪，蓄养大恶。慝，巨奸。⑮以斯

制事二句：用这样的方法处理事务，难道不是错误的吗。⑯六师初降：皇帝六军刚到奉天城。这是对德宗出逃奉天的委婉说法。天子之行，必有六师。降，降临，指由京师到奉天。⑰内防危堞：对内要防守垂危的城墙。⑱五旬：五十天。⑲冻馁交侵：饥寒交迫。⑳死伤相枕：死伤的人纵横交错，互相靠在一起。㉑毕命同力：拼命力战，同心同德。㉒竟夷大艰：终于克服了巨大的困难。㉓绝甘：弃绝甘美的食物。㉔辍食以啖功劳：停止御膳，送给立功的将士吃。辍，中断、停止。啖，吃。㉕无猛制而人不携：没有用严厉的管束办法而人们却不叛离。携，离散、叛离。㉖谣讟方兴：谣言、怨言却正在兴起。㉗军情稍阻：军中渐生隔阂。㉘恒性：常性；本性。指嗜利矜功。㉙苟异恬默二句：如果陛下不像过去那样恬淡静默，怎么能让下面的人没有怨言呢。㉚殷忧：深切忧患。㉛专欲：只满足个人欲望。㉜二库：琼林、大盈两库。㉝珍华：珍稀华美的物品。㉞靖：平定。㉟徐驾六龙：从容地驾起乘舆。六龙，代指天子之车驾。㊱旋复都邑：胜利回师，回到京师。㊲散其小储：散发小小的储存。㊳成其大储：成就了一统天下的大储蓄。㊴去其榜：揭去“琼林大盈库”字样的题字，把财物交公。㊵自艰难以来：指唐朝自安史之乱的祸患以来。㊶恃恩纵横：仗恃皇帝的恩宠而为所欲为。㊷圣德光被：圣德光耀天下。㊸黩乱：秽乱。㊹变更睿志：改变从前的所作所为。睿志，英明的旨意。此为臣谏君的委婉语。㊺依阿苟免：阿谀依附，苟且自保。㊻轻：轻视；看不起。㊼戊子：正月十六日。㊽疏：疏远。㊾奏留复：其时刘从一为同中书门下平章事，他和许多朝士上奏请求德宗留萧复在朝中。㊿迁幸：指出奔奉天。(511)佥：都。(512)怅恨累日：恼恨了好几天。(513)意：想来；猜想。(514)何如人：是一个什么样的人。(515)意趣安在：意图何在；有什么用意。(516)痛自修励：痛下决心修身自励。(517)慕为清贞：向往着做一个清廉贞洁之士。(518)用虽不周二句：萧复的言行虽然不周全，但他的品德是可以保证的。(519)轻诈：轻率诡诈。指萧复指使刘从一等上奏事。(520)借使：假使。(521)逗留：逗留朝中不肯远出。(522)附会：随声附和，听人指使。(523)今所言矛盾：现在陛下所言自相矛盾。(524)明加辩诘：认真地查问清楚。(525)何容为隐：为何要替人隐晦。(526)回互：通“回护”。若是刘从一个人要回护萧复，那与萧复没有关系。(527)陛下何惮而不辩明：陛下为什么担心而不查明真相。惮，怕、担心。(528)直：一直；竟至于。(529)夫明则罔惑二句：说起来，把事情弄明白了就没有疑惑，把事情辩白清楚了就没有冤屈。罔，无。(530)惑莫甚于逆诈而不与明：困惑没有比被欺诈而不能予以说明真相更糟糕的了。逆诈，与下文“见疑”为互文，逆、见，均表示被动。不与明，自己不能予以说明。(531)冤莫痛于见疑而不与辩：冤屈没有比先被猜疑而不能予以辩白更为痛心的了。见疑，被猜疑。不与辩，不能予以辩白。辩，通“辨”。(532)情伪相糅：真伪掺杂。(533)忠邪靡分：忠奸不分。(534)兹实居上御下之要枢二句：这些实在是居于君王之位驾驭臣下的关键，希望陛下留心参考。(535)辛卯：正月十九日。(536)壬辰：正月二十日。(537)丙申：正月二十四日。(538)樊泽（公元七四二至七九八年）：历官山南、荆南两镇节度使。传见《旧唐书》卷一百二十二、《新唐书》卷一百五十九。539 奉诚军：乾元初于同州置匡国军，后改为奉诚军。德宗以赵州与王武俊，故徙康日知于同州。540 曹州刺史李纳：李纳本为曹州刺史，建中二年（公元七八一年），其父李正己卒，李纳自领军务，未有朝命。至此，始正式委命为曹州刺史，先叙本职，再叙新命加节镇旌节。541 戊戌：正月二十六日。542 知都统事：代理都统事务。知，代理。都统李勉失地汴州，依附刘洽，以余众交授刘洽指挥。故朝廷命刘洽为副都统，知都统事。543 辛丑：正月二十九日。544 六军：左、右羽林军，左、右龙武军，左、右神武军。545 统军：武职官名，六军各置一人，品秩次于六军大将军。546 庚子：正月二十八日。

## 【研析】

本卷研析卢杞之贬和德宗罪己两大事件。

第一，卢杞之贬。卢杞，字子良，滑州灵昌（在今河南滑县西南）人。出身官僚世家，父、祖皆唐玄宗朝重臣，祖卢怀慎，宰相，父卢奕，御史大夫。卢杞门荫入仕，代宗末官至虢州刺史。建中二年（公元七八一年），征为御史大夫，旬日之间升为宰相。建中四年末贬为新州司马。为相三年，蒙蔽圣听，隳乱朝典，残害忠良，致乱危国，是唐代，也是中国历史上著名的奸相。卢杞貌丑，面色如蓝，人们把他看成鬼怪。郭子仪病重，百官看望，郭子仪不回避婢仆。卢杞造访，郭子仪让所有婢仆回避，自己一人正襟危坐接待卢杞。事后家人问原因，郭子仪说："卢杞貌丑，婢仆们见了暗中嘲笑，卢杞一旦掌权，我们家就要灭族。"郭子仪历练世故，一眼看穿了卢杞的奸恶。可是多数人识不透，见卢杞穿粗衣，吃粗饭，认为他有父祖清廉之风，这说明卢杞善于伪装。

卢杞妒贤害能，小有违逆，必置人于死地。杨炎看不起卢杞貌丑，遭杀身之祸。颜真卿耿正，卢杞上奏德宗派颜真卿为淮西宣慰使，借李希烈之手杀害忠良。宰相张镒忠正有才，卢杞妒忌，上奏德宗出张镒为凤翔节度使。宰相崔宁来到奉天，德宗慰劳有加，卢杞忌惮，借口朱泚任命崔宁为中书令，诬陷崔宁来奉天是为朱泚做内应，德宗不察，暗杀了崔宁。诸镇勤王之师到奉天，卢杞以全家百口担保朱泚不反，不让勤王之师进奉天城，劝德宗不在奉天设备，以此来向朱泚示之以诚。谏议大夫姜公辅强谏，反驳卢杞，如果朱泚不反，还怕天子之兵多吗？有备才能无患。诸镇之兵，这才得以进奉天城。灵武、盐州等一万多名勤王之师将到奉天，有两条路可以进城。一条路经漠谷，道近艰险，如中敌伏则危殆；一条路经乾陵，道稍远平坦，可保无虞。关播、浑瑊主张援军途经乾陵入城。卢杞反对，说援军经乾陵惊扰祖宗。浑瑊说："朱泚叛兵，砍伐乾陵松柏，日夜不停，早已惊扰多时。"卢杞说："天子之兵，怎能与贼兵相比。"结果灵、盐援兵经漠谷，死伤甚众。卢杞大奸似忠，如此祸国，百官咬牙切齿，无人敢言。李怀光解奉天之围，自以为功大，期待德宗召见。卢杞担心李怀光入朝对己不利，冠冕堂皇上奏德宗下诏，让李怀光乘胜追击朱泚，不必入朝晋见。李怀光不满，认为被卢杞所卖，屯兵咸阳不进，连上数道奏章揭发卢杞罪恶，百官也议论纷纷，德宗不得已贬卢杞为新州司马。德宗回到京师，念念不忘卢杞，又要起用，遭到朝臣反对。德宗说："众人都说卢杞奸邪，朕怎么认识不到。"李勉回答："卢杞奸邪，天下人皆知，只有陛下不知，这正是卢杞之所以为奸也。"德宗无话可说。卢杞善逢迎，他摸透德宗自大忌刻的心理，总是顺着德宗的心意去办事，卢杞的过恶，其实就是德宗的过恶。苛捐杂税的征收，杀崔宁、杀杨炎，以及不准勤王之师进奉天城、路经漠谷遭重创等等，均为德宗之意，通过卢杞之口说出而已。一个愚笨的昏君，如遇良辅，尚可治国，三国蜀汉刘禅，有贤相诸葛亮、蒋琬为辅，国可治；而一个自以为是又有些才干的昏君，如殷纣王、隋炀帝，有神仙相辅也没有用。德宗乃殷纣王、隋炀帝之流，逼反李怀光，第二次蒙尘，罪有应得，没有做亡国之君，真是万幸。

第二，德宗罪己。德宗蒙尘，出逃奉天，收缩河北之军勤王，魏县行营解散，李抱真退屯临洺，观望形势。李抱真利用王武俊与朱滔的矛盾，劝说王武俊归唐。德宗困在奉天，陆贽进言，说"昔成汤以罪己勃兴，楚昭以善言复国"，希望德宗能够下罪己诏，推诚改过，赦免叛臣，允许他们革新改过，可以早日结束战争。德宗采纳，派人游说田悦、王武俊、李纳，允许他们改过，以朝命委任他们做节度使。本来这三人要的就是割据，传子继承。名义上归唐，摘去叛臣帽子，何乐而不为，三人于是秘密答应了。公元七八四年正月一日，德宗改元兴元，发布大赦诏，史称兴元大赦诏，也就是德宗的罪己诏。诏书开门见山，德宗表示推诚改过。制曰："致理兴化，必在推诚；忘己济人，不吝改过。朕嗣服丕构，君临万邦，失守宗祧，越在草莽。不念率德，诚莫追于既往；永言思咎，期有复于将来。明征其义，以示天下。"说得情真意切。诏书宣布，四方人心大快，河北那些骄兵悍将，也无不感激涕零。田悦、王武俊、李纳上表谢罪。德宗任命王武俊为恒冀深赵节度使，李纳为平卢节度使，田悦已为节度使，加官检校左仆射。朱滔在公元七八五年病死，将士立刻拥立刘怦为军主，朝廷授任为幽州、卢龙节度使。公元七八六年，李希烈为部将陈仙奇所杀，接着淮西将吴少诚杀陈仙奇，自为留后，朝廷认可。这样由节度使传子制引发的一场大战，祸乱唐朝半壁江山，德宗两度蒙尘，最终以皇帝罪己告终，藩镇割据成为定局。陆贽的出现，促使德宗最后关头屈己，使唐王朝度过了危机。陆贽在政治上运筹帷幄、军事上洞察预测，起了中流砥柱的作用。陆贽是一个杰出的政治家。

# 卷第二百三十　唐纪四十六

起阏逢困敦（甲子，公元七八四年）二月，尽四月，不满一年。

**【题解】**

本卷记事起公元七八四年二月，迄四月，共三个月，当德宗兴元元年二月到四月。德宗褊狭、任性而急躁，遥控战事，拒谏而自用，造成李怀光反叛，唐王室再度陷于危局。德宗被迫逃奔汉中，甚至有效法唐玄宗避蜀的打算。幸赖陆贽支撑大局，李晟分兵驻屯，阻止了李怀光与朱泚合势，逼迫李怀光东走入据河中，缓解了形势。陆贽直谏，德宗不平，外亲内疏，陆贽有宰相之实而无宰相之名，时人称其为内相。山南东道节度使贾耽识大体，奉君命，从容让位下属，留给了蒙尘中的德宗一块立足之地。河北战事，王武俊与李抱真释嫌，联兵救贝州。魏博田绪杀田悦归顺朝廷，朱滔陷于孤立。

**【原文】**

**德宗神武圣文皇帝五**

**兴元元年（甲子，公元七八四年）**

二月戊申[①]，诏赠段秀实太尉，谥曰忠烈，厚恤其家。时贾隐林已卒，赠左仆射，赏其能直言也。

李希烈将兵五万围宁陵，引水灌之。濮州[②]刺史刘昌[③]以三千人守之。

滑州刺史李澄[④]密遣使请降，上许以澄为汴滑节度使。澄犹外事希烈，希烈疑之，遣养子六百人戍白马[⑤]，召澄共攻宁陵。澄至石柱[⑥]，使其众阳惊[⑦]，烧营而遁。又讽养子令剽掠，澄悉收斩之，以白希烈，希烈无以罪也。

刘昌守宁陵，凡四十五日不释甲[⑧]。韩滉[⑨]遣其将王栖曜将兵助刘洽拒希烈，栖曜以强弩数千游汴水，夜，入宁陵城。明日，从城上射希烈，及其坐幄。希烈惊曰："宣、润弩手[⑩]至矣！"遂解围去。

【语译】

**德宗神武圣文皇帝五**

**兴元元年（甲子，公元七八四年）**

二月初七日戊申，德宗下诏追赠段秀实为太尉，谥号为忠烈，对他的家人厚加抚恤。当时贾隐林已经去世，追赠贾隐林为左仆射，这是奖赏他能正言直谏。

李希烈带兵五万人包围宁陵城，挖沟引水灌城。濮州刺史刘昌率领三千人守卫宁陵城。

滑州刺史李澄秘密派遣使者到奉天城请求降附朝廷，德宗承诺授给李澄汴滑节度使。李澄在表面上仍然侍奉李希烈，李希烈怀疑李澄，派遣自己的六百名养子戍守白马城，叫李澄与他一起攻打宁陵城。李澄到了石柱，指使他的部众佯装受到惊扰，烧毁营房后逃跑了。又暗示李希烈的养子，让他们抢掠，李澄把他们全抓起来处斩，并报告了李希烈，李希烈没有办法加罪于李澄。

刘昌防守宁陵，连续四十五天没有脱掉身上的铠甲。韩滉派他的部将王栖曜率兵协助刘洽抵御李希烈，王栖曜派出强健精锐的弓弩手几千人游过汴水，夜里进入宁陵城。第二天，弓弩手从宁陵城上射击李希烈，箭矢落到了李希烈的座帐之上。李希烈吃惊地说："宣州、润州的弓弩手到来了！"于是解除对宁陵城的包围后离去。

【段旨】

以上为第一段，写淮西军事，官军与叛贼李希烈拉锯相持。

【注释】

①戊申：二月初七日。②濮州：州名，治所鄄城，在今山东鄄城北。③刘昌：官

【原文】

朱泚既[1]自奉天败归，李晟谋取长安。刘德信与晟俱屯东渭桥，不受晟节制。晟因德信至营中，数以沪涧之败及所过剽掠之罪，斩之⑪。因以数骑驰入德信军，劳其众，无敢动者。遂并将之，军势益振。

李怀光既胁朝廷逐卢杞等，内不自安，遂有异志⑫。又恶李晟独当一面，恐其成功，奏请与晟合军，诏许之。晟与怀光会于咸阳西陈涛斜⑬，筑垒未毕，泚众大至。晟谓怀光曰："贼若固守宫苑⑭，或旷日持久，未易攻取。今去其巢穴，敢出求战，此天以贼赐明公，不可失也。"怀光曰："军适至，马未秣⑮，士未饭，岂可遽战⑯邪！"晟不得已，乃就壁⑰。晟每与怀光同出军，怀光军士多掠人牛马，晟军秋豪不犯。怀光军士恶其异己，分所获与之，晟军终不敢受。

怀光屯咸阳累月⑱，逗留不进。上屡遣中使趣之，辞以士卒疲弊，且当休息观衅⑲。诸将数劝之攻长安，怀光不从，密与朱泚通谋⑳，事迹颇露[2]。李晟屡奏，恐其有变，为所并，请移军东渭桥。上犹冀怀光革心，收其力用，寝晟奏不下。

怀光欲缓战期，且激怒诸军，奏言："诸军粮赐薄㉑，神策独厚。厚薄不均，难以进战。"上以财用方窘，若粮赐皆比神策，则无以给

至四镇、北庭行营兼泾原节度使。传见《旧唐书》卷一百五十二、《新唐书》卷一百七十。④李澄：滑州刺史，以城降李希烈，见上卷上年。⑤白马：县名，滑州治所，在今河南滑县东。⑥石柱：滑州境内地名。⑦阳惊：假作惊扰；人为制造的兵变。阳，通"佯"，假装、故意。惊，兵变。⑧释甲：脱下铠甲休整。⑨韩滉：时为镇海军节度使，驻节润州。传见《旧唐书》卷一百二十九、《新唐书》卷一百二十六。⑩宣润弩手：指镇海军强弓手部队。

【语译】

朱泚已经从奉天败归长安，李晟谋划攻取长安城。刘德信与李晟都驻扎在东渭桥，刘德信不接受李晟的指挥。李晟乘刘德信到自己军营中的机会，列举刘德信在沪涧战败以及所过之处抢劫掳掠的罪行，把刘德信杀了。接着率领几名骑兵驰入刘德信军中，慰劳他的部众，他的部众中没有人敢反抗的。于是李晟一并统帅了刘德信的部队，军队的声势更加振作。

李怀光胁迫朝廷贬逐了卢杞等人后，自己内心不安，于是有了反叛朝廷的打算。又嫉妒李晟独当一面，害怕李晟取得成功，便上奏朝廷请求与李晟的军队联合在一起，德宗下诏答应了。李晟与李怀光在咸阳西边陈涛斜会合，营垒没有修完，朱泚的大批军队就蜂拥而来。李晟对李怀光说："叛军如果固守宫城和苑城，也许会旷日持久，不容易攻取长安城。如今他们离开了自己的巢穴，竟敢出城来挑战，这是上天拿着叛军赏赐给您，不能坐失时机。"李怀光说："我们的军队刚到这里，马匹未吃草料，士兵没有吃饭，怎么能马上开战呢！"李晟迫不得已，只得回到自己的营垒里去。李晟每次与李怀光一同出兵，李怀光的士兵大多抢掠百姓的牛马，李晟的军队秋毫无犯。李怀光的士兵厌恶李晟的军队与自己不同，把抢劫来的东西分给他们，李晟的军士始终不敢接受。

李怀光在咸阳屯兵数月，迟留不肯进军。德宗多次派遣中使催促他，李怀光便借口说士兵疲惫不堪，暂时应当休整，观察敌军破绽。各位将领多次劝李怀光攻打长安城，李怀光不肯听从，暗中与朱泚沟通合谋，事情颇多被泄露。李晟屡次上奏朝廷，担心李怀光有变故，军队被李怀光兼并，请求朝廷让自己的军队移往东渭桥。德宗仍然希望李怀光洗心革面，获取他的军力支持，便把李晟的奏疏压下来，没有下达批示。

李怀光想延缓作战的时间，并且激怒各支军队，就上奏说："各军的粮食供给很少，只有神策军的供应丰厚。厚薄不均，难以进军作战。"德宗因为财物用度正处于

之；不然，又逆怀光意，恐诸军觖望[22]。乃遣陆贽诣怀光营宣慰，因召李晟参议其事。怀光意欲晟自乞减损，使失士心，沮败其功，乃曰："将士战斗同而粮赐异，何以使之协力！"贽未有言，数顾晟[23]。晟曰："公为元帅，得专号令，晟将一军，受指踪[24]而已。至于增减衣食，公当裁之。"怀光默然，又不欲自减之，遂止。

时上遣崔汉衡诣吐蕃发兵，吐蕃相尚结赞言："蕃法[25]发兵，以主兵大臣为信。今制书无怀光署名，故不敢进。"上命陆贽谕[26]怀光，怀光固执[27]以为不可，曰："若克京城，吐蕃必纵兵焚掠，谁能遏[28]之？此一害也。前有敕旨[29]，募士卒克城者人赏百缗，彼发兵五万，若援敕求赏，五百万缗何从可得？此二害也。虏骑虽来，必不先进，勒兵自固，观我兵势，胜则从而分功，败则从而图变，谲诈[30]多端，不可亲信，此三害也。"竟不肯署敕，尚结赞亦不进军。

【段旨】

以上为第二段，写李怀光奉命讨朱泚，心怀异志而按兵不动，德宗派陆贽宣慰，观察军情。

【注释】

⑪数以沪涧之败二句：德宗建中四年（公元七八三年）九月，官军在沪涧为李希烈所败，事见本书卷第二百二十八。刘德信为神策军将，与李晟同列。建中四年十一月，加李晟神策行营节度使，而刘德信不听李晟节度，故晟列举刘德信诸罪斩之，合兵以攻朱泚。⑫异志：异心；离异朝廷的背叛之心。⑬陈涛斜：又名咸阳斜，地名，在今陕西咸阳东。⑭宫苑：指长安宫城及苑城。⑮马未秣：马尚未进料。秣，马料。⑯遽战：立即开战。⑰就壁：回到军营去。壁，驻军壁垒。⑱怀光屯咸阳累月：李怀光于上年十一

困难之中，如果各军的粮食供给都比照神策军，就没有那么多粮食供给；如果不增加各军的供给，又违背李怀光的心意，担心各军怨望。于是就派陆贽前往李怀光营中宣谕安抚，顺便传召李晟参与讨论这件事。李怀光的意思是想让李晟自己开口请求朝廷减少对他的军队的供给，让李晟丧失军心，破坏李晟的功业，于是就说："将士同样是打仗，而粮食供给不同，那怎么能让他们齐心协力呢！"陆贽没有说话，多次回头看李晟。李晟说："您李怀光是军中元帅，有权发号施令，我李晟带领一支军队，接受您的指挥而已。至于增减衣服和粮食供给，由您裁断。"李怀光沉默不语，又不想亲口说出裁减李晟军队的供给，事情就此搁置下来。

当时德宗派遣秘书监崔汉衡前往吐蕃请求调发援兵，吐蕃的国相尚结赞说："按照吐蕃的法规，调派援兵要由对方主掌兵权大臣的署名为凭信。现在带来的求援制书上没有李怀光的签名，所以我们不敢进军。"德宗派陆贽去晓谕李怀光，李怀光坚持认为不能让吐蕃发兵来援助，说："如果吐蕃攻下了京城，一定会纵兵烧杀抢掠，谁能阻止他们？这是第一个害处。前不久颁布的敕书说，招募的士兵参与攻克长安城的人，每个人奖赏钱一百缗，吐蕃发兵五万人，如果引用敕书为依据请求赏赐，那五百万缗钱从哪里来获取呢？这是第二个害处。吐蕃的骑兵虽然来了，一定不肯率先进军攻城，他们按兵不动，稳固自己，并且观察我军的情况，如果胜利了就跟随瓜分功劳，如果失败了就乘机图谋生事，诡计多端，不能亲近信任。这是第三个害处。"李怀光最终不肯在敕书上签名，尚结赞也没有发兵。

---

月癸巳（二十日）解奉天之围，至二月戊申（初七日）与李晟合兵咸阳，已逗留七十六日，故言累月。累月，数月。⑲休息观衅：休整部队，并观察敌军的破绽。⑳通谋：沟通合谋。㉑粮赐薄：粮饷供应微薄。㉒觖望：不满足；怨望。㉓数顾晟：陆贽多次回头目视李晟，示意他表态。㉔受指踪：接受指挥。㉕蕃法：吐蕃的法律规定。㉖谕：晓示。㉗固执：坚持己见。㉘遏：制止。㉙敕旨：圣旨。㉚谲诈：诡诈；心计。

## 【校记】

［1］既：原无此字。据章钰校，十二行本、乙十一行本皆有此字，今据补。［2］事迹颇露：原无此四字。据章钰校，十二行本、乙十一行本、孔天胤本皆有此四字，张敦仁《通鉴刊本识误》、张瑛《通鉴校勘记》同，今据补。

---

【原文】

陆贽自咸阳还，上言："贼泚稽诛[31]，保聚宫苑，势穷援绝[32]，引日偷生[33]。怀光总仗顺之师[34]，乘制胜之气[35]，鼓行芟翦，易若摧枯[36]。而乃寇奔不追，师老不用[37]，诸帅每欲进取，怀光辄沮其谋[38]。据兹事情，殊不可解[39]。陛下意在全护[40]，委曲听从[41]。观其所为，亦未知感[42]。若不别务规略[43]，渐思制持[44]，惟以姑息[45]求安，终恐变故难测。此诚事机危迫之秋[46]也，固不可以寻常容易处之[47]。今李晟奏请移军[48]，适遇臣衔命宣慰，怀光偶论此事，臣遂泛问所宜[49]。怀光乃云：'李晟既欲别行，某亦都不要藉[50]。'臣犹虑有翻覆，因美其军盛强[51]。怀光大自矜夸，转有轻晟之意。臣又从容[52]问云：'回日[53]，或圣旨顾问事之可否，决定何如[54]？'怀光已肆轻言[55]，不可中变[56]，遂云：'恩命[57]许去，事亦无妨。'要约[58]再三，非不详审，虽欲追悔，固难为辞。伏望即以李晟表[59]出付中书，敕下依奏[60]，别赐怀光手诏，示以移军事由[61]。其手诏大意云：'昨得李晟奏，请移军城东[62]，以分贼势。朕本欲委卿商量，适会陆贽回奏云，见卿语及于此，仍言许去事亦无妨，遂敕本军允其所请。'如此，则词婉而直[63]，理顺而明[64]，虽蓄[65]异端[66]，何由起怨！"上从之。

晟自咸阳结陈而行[67]，归东渭桥。时鄜坊节度使李建徽、神策行营节度使杨惠元犹与怀光联营，陆贽复上奏曰："怀光当管师徒[68]，足以独制凶寇，逗留未进，抑有他由[69]。所患太强，不资傍助。比者[70]又遣李晟、李建徽、杨惠元三节度之众附丽其营[71]，无益成功，祇足生事。何则？四军[72]接垒，群帅[73]异心[74]，论势力则悬绝高卑[75]，据职名则不相统属[76]。怀光轻晟等兵微位下而忿其制不从心[77]，晟等疑怀光养寇蓄奸而怨其事多陵己[78]，端居则互防飞谤，欲战则递恐分功，龃龉不和，

【语译】

陆贽从咸阳回到奉天城，上奏说："叛贼朱泚为延缓被诛灭的时间，集中兵力守卫皇城和禁苑，大势已尽，外援断绝，迁延时日，苟且偷生。李怀光统领正义之师，乘着大获全胜的气势，击鼓进军，消灭敌人，易如摧枯拉朽。但是李怀光在叛军逃窜时不追击，坐等士气低落也不肯用兵，各军主帅每每打算进兵攻取，李怀光总是破坏他们的谋划。根据这些情形看来，他的意图很难理解。陛下的意图是要维护保全李怀光，委曲求全，言听计从。观察李怀光的所作所为，他也没有知恩感动。如果不另外采取措施和谋略，渐渐地想办法加以控制，只是一味地姑息，以求得平安，最终恐怕变故难以预料。这实在是危机四伏的紧要时刻，当然不能按常规随便处理。现在李晟上奏朝廷请求转移军队，正好遇上臣奉陛下之命去那里宣抚、安慰，李怀光偶尔谈到此事，臣于是泛泛地询问该如何处理。李怀光便说：'李晟既然想去别的地方驻扎，我也不必借力李晟来为我效命。'臣还是担心李怀光有所反复，因此就称赞李怀光的军力强盛。李怀光自己大为夸耀了一番，转而露出了轻视李晟的意思。臣又不慌不忙地问李怀光：'我回朝时，或许皇上会询问这个事情是可行还是不可行，不知你的决定是什么？'李怀光已经随意说了不慎重的话，不能中途变卦，于是就说：'如果皇上之命允许他转移，也不妨碍什么事。'臣与李怀光再三约定，不能不说是十分周密慎重的了，即使李怀光想要反悔，实在难以开口。希望陛下马上把李晟的奏表转给中书，下敕令批准李晟所奏，另外再赐给李怀光一份您的手谕，告诉调离李晟部队的理由。这份手谕的大致意思说：'昨天收到李晟的奏疏，请求把军队调往长安城的东边，借此分散敌人的兵力。朕本来想就这事同你商量，正巧陆贽从你那里回来上奏说，与你相见时曾谈到这事，你一直说允许李晟撤出你的驻地，对事情没什么妨碍，所以就下令允许李晟的请求。'这样一来，词语委婉而直切，道理顺畅而明白，李怀光虽然心怀异谋，但没有任何理由心生怨恨！"德宗听从了陆贽的建议。

李晟的军队编成战斗队形从咸阳出发，回到东渭桥。当时鄜坊节度使李建徽、神策行营节度使杨惠元还与李怀光军营相连，陆贽又上奏说："李怀光当下所统军众，足以独自制服凶恶的叛贼，他逗留不前，也许有其他的原因。令人担忧的是他的军队力量太强，不需要借助别人的帮助。最近朝廷又派遣李晟、李建徽、杨惠元三个节度使辖下的军队挨着李怀光的军营，这无助于战事的胜利，只会生出事端。这是什么原因呢？四支军队的营垒连接，各支军队主帅想法不同，按军力来说，强弱悬殊，据职务而言，没有统属关系。李怀光轻视李晟等人兵力弱小、地位低下，但又因不能随意节制他们而恼火，李晟等人怀疑李怀光养寇蓄奸，又对李怀光处理事情时常常欺凌自己而心怀怨恨，平时就互相防备流言蜚语、谣言诽谤，准备作战时就各自担心功劳被对方分去，意见不合，产生了矛盾和冲突，让他们驻扎在一起，势

嫌衅遂构⑲，俾⑳之同处，必不两全。强者恶积而后亡，弱者势危而先覆，覆亡之祸，翘足可期⑪！旧寇未平，新患方起，忧叹所切，实堪疚心⑫。太上消慝于未萌⑬，其次救失于始兆⑭。况乎事情已露，祸难垂成⑮，委而不谋，何以宁乱⑯！李晟见机虑变⑰，先请移军就东[3]，建徽、惠元势转孤弱，为其吞噬，理在必然。他日虽有良图，亦恐不能自拔。拯其危急⑱，唯在此时。今因李晟愿行，便遣合军同往，托言晟兵素少⑲，虑为贼泚所邀⑳，藉此两军迭为掎角㉑，仍先谕旨，密使促装，诏书至营，即日进路㉒，怀光意虽不欲，然亦计无所施。是谓先人有夺人之心，疾雷不及掩耳者也㉓。解斗不可以不离，救焚㉔不可以不疾，理尽于此，惟陛下图之。”上曰：“卿所料极善。然李晟移军，怀光不免怅望，若更遣建徽、惠元就东㉕，恐因此生辞㉖，转难调息㉗，且更俟旬时㉘。”

---

【段旨】

以上为第三段，写陆贽建言德宗，应采纳李晟分兵驻屯的策略，转移李晟等三支官军以分李怀光兵势，德宗折中，半听半疑，结果只移动李晟一军。

【注释】

㉛稽诛：延缓了被诛灭的时间。稽，延。㉜势穷援绝：大势已尽，外援断绝。㉝引日偷生：延长时日，苟且偷生。㉞总仗顺之师：统领正义之师。㉟乘制胜之气：乘着胜利的声势。制胜，指怀光醴泉之胜。㊱鼓行芟翦二句：击鼓进军，消灭敌人，如同摧枯拉朽一样容易。㊲师老不用：坐待士气低落而不肯用兵。师老，士气低落。㊳沮其谋：破坏、阻止诸将的计划。㊴据兹事情二句：根据这些情况，李怀光的意图很难理解。㊵全护：保全回护。㊶委曲听从：委曲求全听从他的请求。㊷知感：内心知恩感动。㊸别务规略：采取另外的谋划。㊹渐思制持：逐渐想办法加以控制。㊺姑息：无原则的宽容。㊻秋：紧要时刻。㊼不可以寻常容易处之：不可按常规轻易地随便处理。㊽移军：转移阵地。指李晟恐为李怀光所并，要求分兵转移。㊾遂泛问所宜：于是我也泛泛地问李怀光，应如何处置李晟移军之事。㊿要藉：需其用，借其力。节度使下有“要藉官”，顾名思义，亦是此义。李怀光此言是说他不需要借助李晟的力量。51臣犹虑有翻覆二句：

必不会两全。势力强盛的一方恶行积累而最后败亡，势力弱小的一方形势困危首先覆灭，各方倾败之祸，翘足可待！原先的叛贼没有消灭，新的祸患正在出现，这是使人忧心叹恨的关键点，实在让人伤心。最佳的办法是把奸恶消灭在萌芽之前，其次是补救过失于刚刚发生之时。何况现在事情已经露出了端倪，祸难即将形成，如果把这事放到一边不加谋划，到时用什么来平息祸乱！李晟看到了苗头，顾虑会出现变故，先行请求移军到东边，李建徽、杨惠元两军势力变得孤单弱小，被李怀光吞并，是必然的道理。他日虽然有良策，恐怕也不能自救。拯救危机，只能在这个时候。现在乘李晟自愿调移军队，便让另外两支军队与李晟联军同去，借口李晟兵力一向很少，恐怕为叛贼朱泚截击，借助这两支军队形成互相援助之势，可以先派人去两支军队中传达圣旨，暗中命令他们赶快整理行装，诏书下达军营，当天就出发上路，即便李怀光内心不想让他们走，也无计可施。这就是所谓的先发制人，迅雷不及掩耳。解除争斗不能不让双方分开，救火不能不快速行动，所要讲的道理全在这里了，请陛下设法处理。”德宗说：“你设想得很好。但李晟把军队调往他处，李怀光不免要耿耿于怀，如果再将李建徽、杨惠元调往长安城东边，恐怕李怀光因此找借口，反而变得更难调解关系，那就暂且等待旬日。”

---

陆贽唯恐李怀光变卦不允许李晟转移，于是趁机夸耀李怀光的军势盛强。翻覆，反复、变卦。㊾从容：胸有成竹，不慌不忙。㊿回日：指陆贽回朝复命之时。51决定何如：谓李怀光的决定是什么。即李晟军转移，李怀光是同意还是不同意。52已肆轻言：已经随便地说出了不慎重的话。指李怀光已说出不需李晟助力的话。53中变：中途变卦，改口说话。54恩命：皇上之命。55要约：相邀约定。要，通“邀”。〖按〗要约再三至固难为辞四句，指陆贽趁势三番五次与李怀光约定，允许李晟移军，不能不说是十分谨慎周密，即使李怀光想要反悔，也实在难以开口。56李晟表：李晟要求移军的奏表。57敕下依奏：下敕令批准所奏。58事由：事因。59移军城东：指李晟军转移阵地到长安城东。东渭桥在长安之东，李晟军本屯此，奉命与李怀光合军于咸阳，今移军返回原地。60词婉而直：用词委婉而直切。61理顺而明：道理顺畅而意思明白。62蓄：内心积藏。63异端：异谋；另生事端。64结陈而行：组成战斗阵形转移。此以防李怀光追击。65当管师徒：当下所统军众。66抑有他由：也许有别的原因。67比者：近来。68附丽其营：靠近李怀光军的营垒。69四军：李晟、李建徽、杨惠元、李怀光四将之军。70群帅：四军之将。71异心：不同心；想法不同。72论势力则悬绝高卑：谓李怀光最强，地位最高，四军势力相去甚远。73据职名则不相统属：按职务，四将皆为节度使，各统一军，不相统属。74忿其制

不从心：指李怀光对不能随意节制诸将而愤怒。⑺⑻ 陵己：凌侮自己。⑺⑼ 端居则互防飞谤四句：在平时，他们要互相提防流言蜚语、谣言诽谤，准备打仗时，他们要各自担心功劳被对方分去，于是意见不合，造成了嫌隙。端居，平居、平时。互、递，两字互文，互相、交替。龃龉，牙齿参差不齐，喻意见不合。构，构成、产生。⑻⓪ 俾：使；让。⑻① 翘足可期：不需多长的时间。人立而翘足则不可久，形容时间短暂，预事可立效。⑻② 疚心：伤心。⑻③ 太上消慝于未萌：最好的办法是把奸恶消灭在萌发之前。⑻④ 其次救失于始兆：其次是补救过失在刚刚发生之时。始兆，刚萌发之时。⑻⑤ 祸难垂成：祸难就要形成。⑻⑥ 委而不谋二句：抛在一边不去谋划，拿什么去宁息变乱。⑻⑦ 见机虑变：看破机关，顾虑生变。⑻⑧ 拯其危急：拯救李建徽、杨惠元的危难。⑻⑨ 素少：一向很少。⑼⓪ 邀：截击。⑼① 借此两军迭为掎角：言李晟众寡，要借助李建徽、杨惠元两支军队应援形成相依之势。迭，

---

**【原文】**

辛酉[99]，加王武俊同平章事兼幽州、卢龙节度使[100]。

李晟以为："怀光反状已明，缓急宜有备。蜀、汉之路不可壅[101]，请以裨将赵光铣等为洋、利、剑[102]三州刺史，各将兵五百以防未然。"上疑未决，欲亲总[103]禁兵幸咸阳，以慰抚[104]为名，趣[105]诸将进讨。或谓怀光曰："此汉祖游云梦之策[106]也！"怀光大惧，反谋益甚。

上垂欲行[107]，怀光辞益不逊[108]。上犹疑谗人间之[109]，甲子，加怀光太尉，增实食[110]，赐铁券[111]，遣神策右兵马使李卞等往谕旨。怀光对使者投铁券于地曰："圣人[112]疑怀光邪？人臣反，赐铁券，怀光不反，今赐铁券，是使之反也！"辞气甚悖[113]。朔方左兵马使张名振[114]当军门大呼曰："太尉视贼[115]不许击，待天使[116]不敬，果欲反邪！功高太山，一旦弃之，自取族灭，富贵他人[117]，何益哉！我今日必以死争之。"怀光闻之，谓曰："我不反，以贼方强，故须蓄锐俟时[118]耳。"怀光又言："天子所居必有城隍[119]。"乃发卒城咸阳。未几，移军据之。张名振曰："乃者言不反，今日拔军此来，何也？何不攻长安，杀朱泚，取富贵，引军还邠[120]邪！"怀光曰："名振病心[121]矣！"命左右引去，拉杀[122]之。

互相。掎角，互相支援的形势。㊾仍先谕旨四句：对李、杨两军，还要先行传达圣旨，暗中让他们赶快整理行装，移军的诏令一到，当天就启程。谕旨，告谕的圣旨。㊿是谓先人有夺人之心二句：这叫作行动在敌人的前头就能夺去敌人的斗志，也就是迅雷不及掩耳的意思。先人有夺人之心，语出《左传》文公七年赵盾之言。疾雷不及掩耳，语出《淮南子》。⑭救焚：救火。⑮就东：移军向东靠拢李晟。⑯生辞：找到借口，生起事端。⑰调息：调解止息。⑱旬时：旬日；十天。

## 【校记】

［3］就东：此二字原无。据章钰校，十二行本、乙十一行本皆有此二字，张敦仁《通鉴刊本识误》同，今据补。

---

## 【语译】

二月二十日辛酉，加授王武俊同平章事兼幽州、卢龙节度使。

李晟认为："李怀光反叛朝廷的情况已经明朗，无论事缓、事急都要有所防备。蜀地、汉中的交通要道不能堵塞，请委任裨将赵光铣等人担任洋州、利州、剑州三个州的刺史，让他们各自率兵五百防患于未然。"德宗犹豫不决，想要亲自总领禁军前往咸阳，以安抚、慰问将士为名，督促各个将领率军攻打长安城。有人对李怀光说："这是汉高祖巡游云梦泽的计策啊！"李怀光大为恐惧，反叛朝廷的计划更为加紧了。

德宗将要巡行咸阳，李怀光更加出语不逊。德宗这时仍然怀疑是进谗言的人在离间李怀光，二月二十三日甲子，加授李怀光为太尉，增加李怀光实封的食邑户口，赐予可免死罪的铁券，派遣神策军右兵马使李卞等人去李怀光那里传达圣旨。李怀光当着朝廷使者的面把铁券扔到地上说："是皇上怀疑我李怀光了吧？人臣造反，皇帝才赐给铁券，我李怀光不反叛朝廷，现在赏给我铁券，这是让我造反呀！"说话口气极其无礼。朔方军的左兵马使张名振挡在军门门口大声呼喊说："太尉对待叛军，不允许我等出击，对待朝廷的使者，极不恭敬，果然是要造反！你的功劳像泰山一样高，一旦抛弃，自取灭族之祸，让他人享受富贵，这有什么好处呢！我今天一定以死相争。"李怀光听了，对张名振说："我不反叛朝廷，因为敌军正处在强盛时期，所以必须养精蓄锐，等待时机。"李怀光又说："天子居住的地方一定得有城壕。"于是调派士兵修筑咸阳城。过了不久，他就调移军队，占据了咸阳。张名振说："才说不反叛朝廷，现在调军到这里来，那又是干什么？为什么不去攻打长安城，诛杀朱泚，获取富贵，带领将士们回邠宁故地去呢！"李怀光说："张名振得了心病！"命令身边的人拉走张名振，把他拉裂身体而死。

右武锋兵马使石演芬[123]本西域胡人，怀光养以为子。怀光潜与朱泚通谋，演芬遣其客部成义诣行在告之，请罢其都统之权。成义至奉天，告怀光子璀，璀密白其父。怀光召演芬责之曰："我以尔为子，奈何欲破我家！今日负我，死甘心乎？"演芬曰："天子以太尉为股肱，太尉以演芬为心腹，太尉既负天子，演芬安得不负太尉乎！演芬胡人，不能异心，惟知事一人[124]。苟免贼名而死，死甘心矣！"怀光使左右脔食[125]之。皆曰："义士也！可令快死。"以刀断其喉而去。

李卞等还，言怀光骄慢之状，于是行在始严门禁[126]，从臣皆密装以待[127]。

---

【段旨】

以上为第四段，写德宗欲巡幸李怀光军营，又赐以不死铁券以宠之，适得其反，李怀光忌疑而加紧谋叛。

【注释】

⑨⑨辛酉：二月二十日。⑩⑩兼幽州、卢龙节度使：幽州、卢龙节度使为朱滔所领，德宗使王武俊兼领朱滔所领之镇，欲使之讨朱滔。⑩①壅：被阻塞。⑩②洋利剑：三州名，洋州治所在今陕西西乡，利州治所在今四川广元，剑州治所在今四川剑阁。三州为关中通蜀的交通要地。⑩③总：统领。⑩④慰抚：慰问安抚。⑩⑤趣：督促。⑩⑥此汉祖游云梦之策：汉高祖以游猎云梦为名擒韩信。事见《史记》卷九十二《淮阴侯列传》。⑩⑦上垂欲行：德宗临近巡幸咸阳。⑩⑧辞益不逊：说话更加不恭敬。⑩⑨疑谗人间之：德宗怀疑进谗言的人挑拨离间了李怀光。⑪⓪增实食：增加实际的封邑户口。⑪①铁券：赐给特殊功臣的免死制

---

【原文】

乙丑[128]，加李晟河中、同绛节度使，上犹以为薄，丙寅[129]，又加同平章事。

上将幸梁州[130]，山南节度使盐亭严震[131]闻之，遣使诣奉天奉迎，又

右武锋兵马使石演芬本是西域胡人，李怀光把他收养为子。李怀光暗中与朱泚阴谋勾结，石演芬派他的门客郜成义前往奉天告发这件事，请求德宗罢免李怀光的都统权力。郜成义到达奉天，告诉了李怀光的儿子李璀，李璀秘密地把这件事情告诉了他的父亲李怀光。李怀光叫来石演芬，斥责他说："我把你当成儿子，你为什么想让我家破人亡！你今天辜负了我，我让你死，你心甘情愿吗？"石演芬说："天子把太尉您视为辅佐大臣，太尉您把我当成心腹亲信，太尉您既然辜负了皇帝，我石演芬怎么能不辜负太尉您呢！我石演芬是胡人，不能有二心，只知道侍奉天子。如果能免受叛贼之名，死了也心甘情愿！"李怀光命令身边人把石演芬切块吃掉。这些人都说："石演芬是一位侠义之士！应让他快些死去。"便用刀割断石演芬的喉咙后离去。

李卞等人回到奉天城，汇报了李怀光骄悍傲慢的情况，于是朝廷加强宫门警戒，德宗的侍从大臣都在暗中整理行装，等待追随德宗转移。

---

书，铸于铁券上。⑫圣人：唐代臣子习惯称皇帝为圣人。⑬辞气甚悖：说话的口气极其无礼。⑭张名振：李怀光亲将，为左兵马使，因不愿谋反而被李怀光拉杀。传见《旧唐书》卷一百八十七、《新唐书》卷一百九十三。⑮视贼：对待敌人。⑯天使：朝廷使者。⑰自取族灭二句：自取灭族之祸，而替别人创造了富贵的条件。指他人平乱讨逆而取富贵。⑱蓄锐俟时：蓄积锐气，等待时机。⑲城隍：城壕。隍，无水的壕沟。这里指李怀光声言为迎接德宗而修治咸阳城墙，以便固守。⑳引军还邠：平贼取胜后回到邠州去。李怀光为朔方节度使，驻节邠州，治所在今陕西彬州。㉑病心：得了心病。喻瞎操心，多管闲事。㉒拉杀：力士拉裂身体，断骨而死。㉓石演芬：李怀光右兵马使，反对李怀光谋叛亦被杀。传见《旧唐书》卷一百八十七下、《新唐书》卷一百九十三。㉔一人：天下第一人，指天子。㉕脔食：将人活活地切块分食。㉖严门禁：加强宫门警戒，以防不测。㉗密装以待：秘密地打点行装，等待追随德宗转移。

---

【语译】

二月二十四日乙丑，加封李晟为河中、同绛节度使，德宗觉得这样对待李晟还是太薄了一点，二十五日丙寅，又加授李晟为同平章事。

德宗将要幸临梁州，山南节度使盐亭人严震听说这件事后，派遣使者前往奉天

遣大将张用诚将兵五千至盩厔[132]以来迎卫。用诚为怀光所诱，阴与之通谋，上闻而患之。会震继遣牙将马勋奉表，上语之故，勋请“亟诣梁州取严震符[133]召用诚还府，若不受召，臣请杀之”。上喜曰：“卿何时复至此？”勋刻日时[134]而去。既得震符，请壮士五人与之俱出骆谷[135]。用诚不知事泄，以数百骑迎之，勋与之俱入驿。时天寒，勋多然藁火于驿外，军士皆往附火[136]，勋乃从容出怀中符，以示用诚曰：“大夫召君。”用诚错愕[137]起走，壮士自后执其手擒之。用诚子在勋后，斫伤勋首。壮士格杀[138]其子，仆用诚于地[139]，跨其腹[140]，以刀拟其喉[141]曰：“出声则死！”勋入其营，士卒已擐甲执兵[142]矣。勋大言曰：“汝曹父母妻子皆在汉中，一朝弃之，与张用诚同反，于汝曹何利乎？大夫令我取用诚，不问汝曹，无自取族灭！”众皆詟服[143]。勋送用诚诣梁州，震杖杀[144]之，命副将领其众。勋裹其首，复命于行在，愆期[145]半日。

李怀光夜遣人袭夺李建徽、杨惠元军，建徽走免，惠元将奔奉天，怀光遣兵追杀之。怀光又宣言曰：“吾今与朱泚连和，车驾且当远避！”

怀光以韩游瓌朔方将[146]也，掌兵在奉天，与游瓌书，约使为变[147]。游瓌密奏之。明日，又以书趣之[148]。游瓌又奏之[4]。上称其忠义，因问：“策安出[149]？”对曰：“怀光总[150]诸道兵，故敢恃众为乱。今邠宁有张昕，灵武有宁景璇，河中有吕鸣岳，振武有杜从政，潼关有唐朝臣，渭北有窦觎[151]，皆守将[152]也。陛下各以其地及其众授之，尊怀光之官，罢其权，则行营诸将各受本府指麾矣[153]。怀光独立，安能为乱！”上曰：“罢怀光兵权，若朱泚何[154]？”对曰：“陛下既许将士以克城殊赏，将士奉天子之命以讨贼取富贵，谁不愿之！邠府兵以万数，借使[155]臣得而将之，足以诛泚，况诸道必有杖义之臣，泚不足忧也！”上然之。

迎接德宗，又派手下大将张用诚率兵五千人到盩厔县来迎接护卫。张用诚被李怀光所引诱，暗中与李怀光阴谋串通，德宗知道后担心此事。正好严震接着派遣牙将马勋上奏表，德宗把事情的原委告诉马勋，马勋向德宗请求"赶快去梁州取严震的兵符召张用诚回府，如果他不接受命令，请让我杀了他"。德宗高兴地说："你什么时候再到这里来？"马勋给自己约定日期后离去。马勋得到严震的兵符后，请严震派五名勇士和他一起出了骆谷。张用诚不知道事情泄露，亲自带几百名骑兵迎接马勋，马勋与张用诚一起进了驿站。当时天气寒冷，马勋在驿站外燃藁取火，张用诚的士兵都靠近火堆烤火，马勋这才不慌不忙地从怀中掏出严震的兵符，把它给张用诚看，说："严大夫召您回府。"张用诚猝然惊惧，起身逃跑，马勋带来的勇士从后边抓住了张用诚的手，活捉了他。张用诚的儿子站在马勋后面，用剑砍伤了马勋的脑袋。勇士杀了张用诚的儿子，把张用诚摔倒在地，骑在他的肚子上，用刀抵在他的喉头说："出声就杀死你！"马勋进入张用诚的军营中，士兵们已穿上铠甲，手持兵器。马勋对他们大声说："你们的父母、妻儿都在汉中，你们一旦抛弃了他们，与张用诚一道反叛朝廷，对你们有什么好处吗？严大夫命令我来拘捕张用诚，不追究你们，你们不要自取灭族之祸！"兵众都屈服了。马勋把张用诚送到梁州，严震命人用军棍打死了张用诚，命令自己的副将统领张用诚的部众。马勋包裹张用诚头颅，去奉天城向德宗复命，仅超过半天期限。

李怀光夜间派人袭击李建徽、杨惠元，夺取他们的部众，李建徽脱身仅免一死，杨惠元将要逃往奉天，李怀光派兵追杀了杨惠元。李怀光又扬言说："我现在与朱泚联合，皇帝的车驾应该远远回避！"

李怀光以为韩游瓌是朔方军的旧将，在奉天城执掌兵权，就给韩游瓌写了封信，约他发动叛乱。韩游瓌把此事秘密向德宗奏报。第二天，李怀光又写信催促韩游瓌。韩游瓌又向德宗奏报了。德宗称赞韩游瓌对朝廷忠义，于是询问韩游瓌："现在该采取什么计策？"韩游瓌回答说："李怀光统领各道军队，所以依仗兵多敢于叛乱。现在邠宁有张昕，灵武有宁景璇，河中有吕鸣岳，振武有杜从政，潼关有唐朝臣，渭北有窦觎，都是守卫一方的将领。陛下把各个地区以及该地区的军队都交给这些将领统辖和指挥，提升李怀光的官职，罢免他的兵权，那么在行营的各个将领都分别受各自军府的指挥了。李怀光被孤立，怎么能造反作乱呢！"德宗问："罢免李怀光的兵权，那怎么对付朱泚呢？"韩游瓌回答说："陛下既然许诺给攻下长安城的将士以特殊的赏赐，那么将士们奉天子的命令讨伐叛贼获得富贵，还有谁不愿意立功呢！邠宁军府的兵士数以万计，假如我得到这支军队率领它，足以诛灭朱泚，何况各道之中一定有主持正义的臣属，朱泚不足以令人担忧！"德宗觉得韩游瓌说得有道理。

【段旨】

以上为第五段，写李怀光反叛，兼并李建徽、杨惠元军。

【注释】

⑫⑧ 乙丑：二月二十四日。⑫⑨ 丙寅：二月二十五日。⑬⓪ 梁州：州名，山南西道治所，在今陕西汉中。⑬① 严震（公元七二四至七九九年）：字遐闻，梓州盐亭（今四川盐亭）人，时为山南西道节度使。传见《旧唐书》卷一百十七、《新唐书》卷一百五十八。⑬② 盩厔：县名，县治在今陕西周至。⑬③ 符：此谓节度使兵符。⑬④ 刻日时：约定日期。⑬⑤ 骆谷：关中通汉中的山谷之一。⑬⑥ 附火：靠近火堆烤火。⑬⑦ 错愕：猝然惊惧的样子。⑬⑧ 格杀：斗杀。⑬⑨ 仆用诚于地：将张用诚摔倒在地。⑭⓪ 跨其腹：骑在张用诚的肚子上。⑭① 以刀拟其喉：用刀架在喉颈上。⑭② 擐甲执兵：穿好铠甲，拿起了兵器。⑭③ 詟服：屈服。詟，

【原文】

丁卯[156]，怀光遣其将赵升鸾入奉天，约其夕使别将达奚小俊[157]烧乾陵，令升鸾为内应以惊胁乘舆。升鸾诣浑瑊自言[158]，瑊遽以闻[159]，且请决幸梁州。上命瑊戒严。瑊出，部勒未毕，上已出城西，命戴休颜守奉天，朝臣将士狼狈扈从。戴休颜徇于军中[160]曰："怀光已反！"遂乘城拒守。

朱泚之称帝也，兵部侍郎刘乃[161]卧病在家。泚召之，不起。使蒋镇自往说之，凡再往，知不可诱胁[162]，乃叹曰："镇亦忝列曹，不能舍生，以至于此，岂可复以己之腥臊污漫贤者乎！"歔欷[163]而返。乃闻帝幸山南，搏膺大呼[164]，自投于床[165]，不食数日而卒。

太子少师乔琳从上至盩厔，称老疾不堪山险[166]，削发[167]为僧，匿于仙游寺。泚闻之，召至长安，以为吏部尚书。于是朝士之窜匿者多出仕泚[168]矣。

怀光遣其将孟保、惠静寿、孙福达将精骑趣南山邀[169]车驾，遇诸军粮料使张增于盩厔。三将曰："彼使我为不臣，我以追不及报之，不过不使我将耳。"因目增曰："军士未朝食，如何？"增绐其众曰："此东

通“慑”，失气顺从的样子。⑭ 杖杀：用棍棒打死。⑮ 愆期：过期；超过了约定的时间。⑯ 朔方将：韩游瓌初事郭子仪，与李怀光有旧，为朔方镇将。李怀光东征，韩游瓌为留后。⑰ 为变：作乱。⑱ 又以书趣之：再一次写信催促韩游瓌起事。⑲ 策安出：用什么计策来对付。⑳ 总：节制；统领。㉑ 窦觎：时为坊州刺史，驻渭北。传见《旧唐书》卷一百八十三。㉒ 守将：守卫一方之将。㉓ 罢其权二句：意谓罢免李怀光兵权，则诸路军队虽在行营，将不肯受命于李怀光，而各禀本府之命。㉔ 若朱泚何：怎么对付朱泚呢。德宗谓罢李怀光兵权，恐无人可制朱泚。㉕ 借使：假使。

## 【校记】

[4] 游瓌又奏之：原无此句。据章钰校，十二行本、乙十一行本皆有此句，张敦仁《通鉴刊本识误》同，今据补。

---

## 【语译】

二月二十六日丁卯，李怀光派遣部将赵升鸾进入奉天城，约定当天晚上派别将达奚小俊火烧乾陵，让赵升鸾在奉天城中做内应，惊扰、胁迫德宗。赵升鸾到浑瑊那里把这事主动说了，浑瑊立即把此事上报德宗，并且请求德宗决定临幸梁州。德宗命令浑瑊严加防范。浑瑊出了宫门，部署工作尚未做好，德宗已出城西去，命令戴休颜守卫奉天，朝廷大臣和护卫将士狼狈随从。戴休颜在军营中巡行说：“李怀光已经造反！”于是登城守御。

朱泚称帝后，兵部侍郎刘乃卧病在家。朱泚征召他，他不肯响应。朱泚派蒋镇亲自去劝说，蒋镇总共去了两次，知道刘乃这个人不受威逼利诱，便感叹地说：“我蒋镇也曾忝列朝臣，不能够舍弃生命，以至于落到了这种地步，难道还要用自己污秽的行为去玷辱贤德之人吗！”叹息良久，回去了。刘乃听说德宗出走山南，捶胸大叫，自己栽倒在床上，几天不食而死。

太子少师乔琳跟随德宗到了盩厔县，声称年老有病经受不了山险跋涉，削发为僧，藏身于仙游寺。朱泚听说此事，把乔琳征召到长安，任命他担任吏部尚书。自此以后，逃窜藏匿的朝廷大臣有很多人出来在朱泚手下做官了。

李怀光派遣他的将领孟保、惠静寿、孙福达率领精锐骑兵奔赴南山拦截德宗，在盩厔县境碰上了诸军粮料使张增。这三位将领说：“李怀光让我们干反叛皇帝的事，我们就报告说追赶不到，这样只不过不让我们做将领罢了。”于是看着张增说：“我们

数里有佛祠，吾贮粮焉。”三将帅众而东，纵之剽掠⑰。由是百官从行者皆得入骆谷。以追不及还报，怀光皆黜之。

河东将王权、马汇引兵归太原。

【段旨】

以上为第六段，写李怀光欲偷袭奉天，德宗仓皇出奔山南。

【注释】

⑯丁卯：二月二十六日。⑰达奚小俊：人名。⑱自言：自首。⑲遽以闻：立即上

【原文】

李晟得除官制，拜哭受命⑰，谓将佐曰：“长安，宗庙所在，天下根本，若诸将皆从行，谁当灭贼者！”乃治城隍⑰，缮甲兵，为复京城之计。先是，东渭桥有积粟十余万斛，度支给李怀光军几尽。是时怀光、朱泚连兵，声势甚盛，车驾南幸，人情扰扰。晟以孤军处二强寇之间，内无资粮，外无救援，徒以忠义感激将士，故其众虽单弱而锐气不衰。又以书遗怀光，辞礼卑逊⑰，虽示尊崇而谕以祸福，劝之立功补过。故怀光惭恧⑰，未忍击之。晟曰：“畿内虽兵荒之余⑰，犹可赋敛。宿兵养寇⑰，患莫大焉！”乃以判官张彧假⑰京兆尹，择四十余人，假官以督渭北诸县[5]刍粟⑰，不旬日，皆充羡⑰，乃流涕誓众，决志平贼。

田悦用兵数败，士卒死者什六七，其下皆厌苦之。上以给事中孔巢父为魏博宣慰使。巢父性辩博⑱，至魏州，对其众为陈逆顺祸福，悦及将士皆喜。兵马使田绪，承嗣之子也，凶险，多过失，悦不忍杀，

的士兵没有吃早饭，该怎么办？”张增骗他们的部众说：“从这往东几里有一座佛寺，我在里面储存了粮食。”三位将领率领部众东去，纵兵抢掠。因此德宗和跟随的文武百官都得以进入骆谷。三位将领回来报告说没有追赶上，李怀光把他们全部罢免了。

河东将领王权、马汇带领军队返回太原。

---

奏德宗。⑯ 徇于军中：公开向全军宣布。徇，昭示。⑯ 刘乃（公元七二一至七八〇年）：天宝进士，官至兵部侍郎。传见《旧唐书》卷一百五十三、《新唐书》卷一百九十三。⑯ 诱胁：引诱胁迫，软硬兼施。⑯ 歔欷：抽泣叹息。⑯ 搏膺大呼：捶胸大叫。⑯ 自投于床：自己栽倒在床上。这是痛彻心扉而情不自禁的举动。⑯ 不堪山险：经受不住翻山越岭的跋涉。⑯ 削发：剃发。⑯ 出仕泚：出仕于朱泚。藏匿的朝官见乔琳出仕伪职，于是纷纷投效朱泚。⑯ 邀：拦击。⑰ 纵之剽掠：听任士兵劫掠。

---

【语译】

李晟得到新官委任状后，哭泣着跪拜受命，对将吏僚佐们说：“长安城，是国家宗庙所在之地，天下的根本，如果各位将领都跟随皇帝，那由谁来承担消灭叛贼的任务呢！”于是修筑城墙，深挖壕沟，整修铠甲兵器，做好收复京城的准备。此前在东渭桥还有储存的粮食十几万斛，度支把它拨给李怀光的军队，几乎用光了。这时李怀光和朱泚兵力联合，声势浩大，德宗南走，人心慌乱不堪。李晟仅凭一支孤立的军队夹在两支强盛的叛军中间，内无军资粮米供应，外无援救，只能以忠义的精神来感动激励将士，所以他的军队虽然势单力弱而锐气不减。李晟又写信给李怀光，措辞谦恭有礼，虽然对李怀光表示了尊敬和推崇，但还是晓示祸福，劝他立功补过失。所以李怀光心怀惭愧，不忍心攻打李晟。李晟对部将们说：“京畿地区虽然经受战乱的洗劫，但仍然可以征收赋税。按兵不动，让敌人养精蓄锐，那是最大的祸患啊！”于是委任判官张彧暂时代理京兆尹，选拔四十多人出来，都暂时代理官职督办征收渭北各县粮草，不到十天，粮草都充足有余，于是李晟流着眼泪与部下将士们宣誓，决心消灭叛贼。

田悦带兵打仗多次失败，士兵死去的有十分之六七，他的部下都讨厌战事。德宗任命给事中孔巢父为魏博宣慰使。孔巢父生性能言善辩，到了魏州，对着田悦的部众陈述反叛朝廷的危害和归顺朝廷的好处，田悦和将士们都很高兴。田悦的兵马使田绪，是前节度使田承嗣的儿子，为人凶悍阴险，犯了很多过失，田悦不忍心杀

杖而拘之[181]。悦既归国，内外撤警备。三月壬申朔[182]，悦与巢父宴饮，绪对弟侄有怨言[183]，其侄止之。绪怒，杀侄，既而悔之，曰："仆射[184]必杀我！"既夕，悦醉，归寝，绪与左右密穿后垣入[185]，杀悦及其母、妻等十余人，即帅左右执刀立于中门[186]之内夹道。将旦，以悦命召行军司马扈崿、判官许士则、都虞候蒋济议事。府署深邃，外不知有变，士则、济先至，召入，乱斫[187]杀之。绪恐既明事泄，乃出门[188]，遇悦亲将刘忠信方排牙[189]，绪疾呼谓众曰："刘忠信与扈崿谋反，昨夜刺杀仆射。"众大惊喧哗。忠信未及自辩，众分裂杀之。扈崿来，及戟门[190]遇乱，招谕将士，将士从之者三分之一。绪惧，登城[191]而立，大呼谓众曰："绪，先相公[192]之子，诸君受先相公恩，若能立绪，兵马使赏缗钱二千，大将半之，下至士卒，人赏百缗，竭公私之货，五日取办。"于是将士回首杀扈崿，皆归绪，军府乃安。因请命[193]于孔巢父，巢父命绪权知军府。后数日，众乃知绪杀其兄[194]，虽悔怒[195]，而绪已立，无如之何。绪又杀悦亲将薛有伦等二十余人。

李抱真、王武俊引兵将救贝州，闻乱，不敢进。朱滔闻悦死，喜曰："悦负恩，天假手于绪也。"即遣其执宪大夫[196]郑景济等，将步骑五千助马寔，合兵万二千人攻魏州。寔军王莽河，纵骑兵及回纥四出剽掠。滔别遣人入城[6]说绪，许以本道节度使。绪方危急，遣随军侯臧诣贝州送款于滔。滔喜，遣臧还报，使亟定盟约。时绪部署城内已定，李抱真、王武俊又遣使诣绪，许以赴援，如悦存日之约。绪召将佐议之，幕僚曾穆、卢南史曰："用兵虽尚威武，亦本仁义，然后有功。今幽陵之兵[197]恣行杀掠，白骨蔽野，虽先仆射背德，其民何罪！今虽盛强，其亡可跂立而待[198]也。况昭义[199]、恒冀[200]方相与攻之，奈何以目前之急欲从人为反逆乎！不若归命朝廷。天子方蒙尘于外，闻魏博使至必喜，官爵旋踵[201]而至矣。"绪从之，遣使奉表诣行在，城守以俟命。

死田绪，往往是打一顿板子后拘禁起来。田悦归顺朝廷后，里里外外都撤除了警备。三月初一日壬申，田悦与孔巢父设宴饮酒，田绪向侄儿说了些不满田悦的话，侄儿制止。田绪大怒，杀了侄儿，事后又后悔了，说："仆射一定杀死我！"当天晚上，田悦喝醉了，回家睡觉，田绪与自己的身边人秘密地从后墙穿洞进去，杀了田悦和他的母亲、妻子等十多人，随即率领亲信提着刀站在中门的内夹道上。天快亮时，借用田悦的命令召行军司马扈崿、判官许士则、都虞候蒋济商议事情。军府衙门的庭院深邃，外面的人不知道发生了变故，许士则、蒋济先到，田绪把二人传召进去，用乱刀砍死了他们。田绪害怕天亮后事情泄露，于是走出中门，正遇上田悦的亲信将领刘忠信在部署牙前将士，田绪大声喊叫，对牙前将士说："刘忠信与扈崿阴谋造反，昨天晚上刺杀了田仆射。"牙前将士大为震惊，喊叫声乱成一团。刘忠信还来不及自我辩白，牙前将士就把刘忠信杀掉分尸了。扈崿来到军府，到军府门外时碰上了事变，劝说将士们不要混乱，将士们听从扈崿的有三分之一。田绪害怕了，登上牙城站着，大声对众将士们喊道："我田绪是田承嗣的儿子，各位都是受了先公的恩德，你们如果能拥立我田绪，担任兵马使这一官职的人奖赏缗钱二千，担任大将一职的赏缗钱为兵马使的一半，下至普通士兵，每人赏钱一百缗，我竭尽公府和我私人的钱财，在五天之内兑现。"于是将士们回头杀了扈崿，全都归顺了田绪，军府衙门内外才安定下来。田绪于是向孔巢父请求朝命，孔巢父命令田绪暂时代理军府事务。过后几天，将士们才知道是田绪杀了他的堂兄，虽然后悔、愤怒，但田绪已经被拥立，大家也没有别的办法。田绪又杀了田悦的亲信将领薛有伦等二十多人。

李抱真、王武俊带领军队即将援救贝州，听说田悦军府发生变乱，不敢进军。朱滔听说田悦死了，高兴地说："田悦忘恩负义，上天借助田绪之手杀了田悦。"立即派遣执宪大夫郑景济等人率领步兵、骑兵五千人协助马寔，联合兵力一万二千人攻打魏州。马寔的军队驻扎在王莽河，放纵骑兵和回纥人四处抢掠。朱滔另外派人进城劝说田绪与自己联合，允诺以田绪为魏博节度使。田绪正处在危急关头，派遣随军官侯臧前往贝州向朱滔表达忠心。朱滔很高兴，打发侯臧回来报告，让田绪赶快与朱滔订定盟约。当时田绪在魏州城内的各项部署已经停当，李抱真、王武俊又派使者前往田绪那里，答应援救田绪，就像田悦在世时约定的一样。田绪召集将领僚佐讨论此事，幕僚曾穆、卢南史说："用兵虽然崇尚威武，但也要以仁义为本，然后才会获得成功。现在朱滔的幽州军队肆意杀人抢掠，白骨蔽野，虽然已故仆射辜负了朱滔的援救恩德，但百姓有什么罪过！现在朱滔虽然强盛，但他的灭亡如同足尖立地，等待不了多久。何况昭义军、恒冀军正一起向朱滔进攻，怎么能因为目前情况紧急，就想跟着别人反叛朝廷呢！不如归顺朝廷。皇帝正蒙难在京城之外，听说魏博使者到来一定高兴，您的官爵马上就可得到了。"田绪听从了这一建议，派遣使者带着表章前往德宗住处，防守魏州城以等待朝廷的命令。

【段旨】

以上为第七段，写魏博镇兵变，田绪杀田悦奉表归顺。

【注释】

⑰李晟得除官制二句：指拜李晟河中、同绛节度使，加同平章事，李晟得到委任状后，哭泣着跪拜受命。⑰治城隍：修筑城墙，深挖壕沟。这里当指李晟在东渭桥修治军垒。⑰辞礼卑逊：书信的语言十分谦恭有礼。⑰惭恧：惭愧。⑰兵荒之余：经受战乱之后。⑰宿兵养寇：按兵不动使敌人坐大。⑰假：代理。⑰督渭北诸县刍粟：督促征收渭北诸县的粮草。刍，喂马草料。粟，粮米。⑰皆充羡：各县所办粮草都充足有余。羡，剩余。⑱性辩博：生性能言善辩。⑱杖而拘之：打了一顿板子后拘留起来。这里的拘，指软禁府衙中。⑱壬申朔：三月初一日。⑱对弟侄有怨言：田绪在弟侄面前发泄对田悦的怨言。⑱仆射：指田悦。田承嗣加检校尚书仆射，悦承袭魏博镇，故尊称仆射。⑱密

【原文】

上之发奉天也，韩游瓌帅其麾下八百余人还邠州。李怀光以李晟军浸盛[202]，恶之，欲引军自咸阳袭东渭桥。三令其众，众不应，窃相谓曰："若与我曹击朱泚，惟力是视[203]。若欲反，我曹有死，不能从也。"怀光知众不可强，问计于宾佐，节度巡官[204]良乡李景略[205]曰："取长安，杀朱泚，散军还诸道，单骑诣行在，如此，臣节亦未亏，功名犹可保也。"顿首恳请，至于流涕。怀光许之。都虞候阎晏等劝怀光东保河中[206]，徐图去就。怀光乃说其众曰："今且屯泾阳[207]，召妻孥于邠，俟至，与之俱往河中。春装既办，还攻长安，未晚也。东方诸县皆富实，军发之日，听尔俘掠。"众许之。怀光乃谓景略曰："向者之议，军众不从，子宜速去，不[208]且见害。"遣数骑送之。景略出军门，恸哭曰："不意此军一旦[7]陷于不义[209]！"

怀光遣使诣邠州，令留后张昕悉发所留兵万余人及行营将士家属会泾阳，仍遣其将刘礼等将三千余骑胁迁[210]之。韩游瓌说昕曰："李太尉功高，自弃已[8]蹈祸机[211]，中丞今日可以自求富贵，游瓌请帅麾下

穿后垣入：偷偷地从后墙穿洞进入。⑱中门：中庭之门。⑱斫：砍杀。⑱出门：走出中门。⑱排牙：集合牙前将士，手执武器立于庭下。⑲戟门：镇衙外门。因门前列戟，故称戟门。⑲登城：指田绪登上牙城。⑲先相公：指田承嗣。⑲请命：请示朝命。⑲杀其兄：田悦为田绪堂兄。⑲悔怒：怒田绪杀兄，悔不该立绪。⑲执宪大夫：犹天朝的御史大夫。⑲幽陵之兵：指幽州的朱泚军队。⑲亡可跂立而待：谓朱滔的灭亡如同足尖立地不可久待一样，就在眼前。跂，抬起脚后跟，让脚尖立地。⑲昭义：指李抱真。⑳恒冀：指王武俊。㉑旋踵：转过身来。喻事之易办。踵，脚后跟。

## 【校记】

[5]诸县：原无此二字。据章钰校，十二行本、乙十一行本、孔天胤本皆有此二字，张敦仁《通鉴刊本识误》同，今据补。[6]入城：原无此二字。据章钰校，十二行本、乙十一行本皆有此二字，今据补。

---

## 【语译】

德宗从奉天出发前往梁州时，韩游瓌率领部下八百多人回到了邠州。李怀光因为李晟的军队势力日益强盛，对李晟很是厌恶，想要率军从咸阳袭击东渭桥。李怀光对部众三次下达命令，将士们都不服从，他们私下互相说："如果和我们进攻朱泚，我们有多少力出多少力。如果打算反叛，我们唯有一死，不能相从。"李怀光知道不能强迫部众反叛，就向宾客、僚佐询问对策，节度巡官良乡人李景略说："攻取长安，杀掉朱泚，解散大军各回本道，您单骑到行在所觐见皇上，这样的话，做臣属的操守也没有缺失，功名还可以保得住。"李景略向李怀光磕头恳请，以至于涕泪交流。李怀光答应了。都虞候阎晏等人劝李怀光率军东进据守河中，慢慢考虑该怎么办。于是李怀光劝将士们说："我们现在暂且屯驻泾阳，把妻儿老小从邠州召来，等家眷来了，同他们一起去河中地区。把春天的衣装置办好了后，回来攻打长安，到时也还不晚。东边的各个县都很富裕，军队出发的那一天，听任你们随便掳掠。"将士们都答应了。李怀光便对李景略说："你日前的建议，将士们不答应，你应赶快离开这里，否则的话，将被杀害。"派遣几名骑兵送走李景略。李景略走出军门，悲痛大哭，说道："我没料到这支军队一下子陷于不义之中！"

李怀光派使者前往邠州，命令留后张昕让所有留在此地的兵士一万多人以及行营中的将士家属在泾阳会合，还派将领刘礼等人率领三千多名骑兵去胁迫他们迁移。韩游瓌劝张昕说："李太尉功高，自己抛弃了自己而踏上祸患的机关，张中丞您现在

以从[212]。”晅曰：“晅微贱，赖李太尉得至此，不忍负也。”游瓌乃谢病不出，阴与诸将高固、杨怀宾等相结。时崔汉衡以吐蕃兵营于邠南，高固曰：“晅以众去，则邠城空矣。”乃诈为浑瑊书，召吐蕃使稍逼邠城[213]。晅等惧，竟不敢出。晅等谋杀诸将之不从者，游瓌知之，先与高固等举兵杀晅，遣杨怀宾奉表以闻，且遣人告崔汉衡。汉衡矫诏以游瓌知军府事，军中大喜。怀光子旻在邠，游瓌遣之。或曰：“不杀旻，何以自明[214]？”游瓌曰：“杀旻，则怀光怒，其众必至，不如释旻以走之。”时杨怀宾子朝晟在怀光军中为右厢兵马使，闻之，泣白怀光曰：“父立功于国，子当诛夷[215]，不可典兵[216]。”怀光囚之。于是游瓌屯邠宁，戴休颜屯奉天，骆元光屯昭应，尚可孤屯蓝田，皆受李晟节度，晟军声大振。

始，怀光方强，朱泚畏之，与怀光书，以兄事之，约分帝关中，永为邻国。及怀光决反，逼乘舆南幸，其下多叛之，势益弱。泚乃赐怀光诏书，以臣礼待之，且征其兵。怀光惭怒，内忧麾下为变，外怒李晟袭之，遂烧营东走，掠泾阳等十二县，鸡犬无遗。及富平[217]，大将孟涉、段威勇将数千人奔于李晟，将士在道散亡相继。至河中，或劝河中守将吕鸣岳焚桥拒之。鸣岳以兵少恐不能支，遂纳之，河中尹李齐运弃城走。怀光遣其将赵贵先筑垒于同州[218]，刺史李纾惧，奔行在。幕僚裴向[219]摄州事，诣贵先，责以逆顺之理。贵先感寤[220]，遂请降，同州由是获全。向，遵庆之子也。怀光使其将符峤袭坊州[221]，据之。渭北守将窦觎帅猎团[222]七百围之，峤请降。诏以觎为渭北行军司马。

可以自取富贵，我韩游瓌请求率领部下追随你。”张昕说：“我张昕卑微低贱，依靠李太尉得以至此，我不忍心背叛。”韩游瓌便称病闭门不出，暗中与将领中的高固、杨怀宾等人相互联络。当时崔汉衡让吐蕃派出的援兵驻扎在邠州的南面，高固说：“张昕带领将士、家属去泾阳的话，那邠州城就空虚了。”于是假冒浑瑊之名写了一封信，叫吐蕃的军队逐渐逼近邠州城。张昕等人害怕，竟然不敢带人出城。张昕等人策划杀害将领中不听指挥的人，韩游瓌得知这一消息，抢先与高固等人起兵杀了张昕，派遣杨怀宾带着表章到德宗所在的梁州汇报，并且派人把此事告诉了崔汉衡。崔汉衡假传德宗的诏令，任命韩游瓌主持邠宁军府事务，邠宁军中将士大为高兴。李怀光的儿子李旻在邠州城，韩游瓌打发李旻出走。有人说：“不杀了李旻，怎么向皇帝表明自己不反叛呢？”韩游瓌说：“如果杀了李旻，李怀光就会大怒，他的部队必然到来，不如放走李旻让李怀光离开。”当时杨怀宾的儿子杨朝晟在李怀光军中担任右厢兵马使，听说邠州城的事变后，哭着对李怀光说：“我父亲为朝廷立了功，他的儿子应受诛灭，不能掌管军队。”李怀光把杨朝晟关押起来。在这个时候，韩游瓌屯驻邠宁，戴休颜屯驻奉天，骆元光屯驻昭应，尚可孤屯驻蓝田，都受李晟的调度指挥，李晟军队的声势大振。

当初，李怀光的力量正强大时，朱泚害怕李怀光，写信给李怀光，将李怀光当作兄长奉侍，约定两人分别在关中地区称帝，永远互为友好邻国。等到李怀光决定反叛朝廷，逼迫皇帝南行梁州，李怀光的部属很多都背叛了李怀光，他的势力日益衰弱。朱泚便向李怀光颁赐诏书，以对待臣属的礼仪对待李怀光，而且还要征调李怀光的军队。李怀光既愧疚，又愤怒，对内担心部下叛变，对外恼怒李晟袭击他，于是烧毁军营向东边逃走，抢掠泾阳等十二个县，鸡犬不留。李怀光的军队到达富平，大将孟涉、段威勇带着几千人投奔了李晟，部下将士在途中相继逃亡。到了河中府，有人劝河中府的守将吕鸣岳烧毁黄河上的蒲津桥抵御李怀光。吕鸣岳以为兵力太少恐怕不能支撑，于是接纳了李怀光，河中府尹李齐运丢下城池逃走了。李怀光派遣他的将领赵贵先在同州修建防御堡垒，同州刺史李纾害怕，奔赴德宗所在的梁州。李纾的幕僚裴向代理同州事务，裴向前往赵贵先那里，用叛逆与归顺朝廷的利害关系来责备赵贵先。赵贵先受到感召而醒悟，于是请求投降，同州因此而获得保全。裴向是裴遵庆的儿子。李怀光派遣他的部将符峤袭击坊州，占领了坊州。渭北守将窦觎率领由猎户组成的队伍七百人包围了坊州，符峤请求投降。德宗下诏任命窦觎为渭北行军司马。

---

**【段旨】**

以上为第八段，写李怀光众叛亲离，烧营东走，入据河中。

【注释】

⑳浸盛：日益强大。⑳惟力是视：只是尽力，别的什么都不顾。即有多少力就出多少力。惟，只是、唯独。力，力量、力气。是，代词，复指提前的宾语。⑳节度巡官：节度使僚属，掌巡察事务。⑳李景略：幽州良乡（在今北京市房山区东南）人，历官河东行军司马、天德军防御使。传见《旧唐书》卷一百五十二、《新唐书》卷一百七十。⑳河中：府名，治所蒲州，在今山西永济。⑳泾阳：县名，县治在今陕西泾阳东南。⑳不：通“否”。⑳陷于不义：朔方军曾平定安史之乱，又击退过回纥、吐蕃，功高天下，今却被李怀光带入歧途，反叛朝廷，陷于不义。陷，沉沦。⑳胁迁：胁迫邠州之兵转移。⑳自弃己蹈祸机：自己抛弃自己踏上祸患的机关。⑳帅麾下以从：带领我的部下追随你。⑳稍逼邠城：吐蕃军队逐渐向邠州城逼近。⑳不杀旻二句：不杀李旻，怎么向德宗表明自己

【原文】

丁亥[223]，以李晟兼京畿、渭北、鄜、坊、丹、延节度使。

庚寅[224]，车驾至城固[225]。唐安公主薨，上长女也。

上在道，民有献瓜果者，上欲以散试官授之，访于陆贽，贽上奏，以为“爵位恒宜慎惜[226]，不可轻用。起端虽微，流弊必大。献瓜果者，止可赐以钱帛，不当酬以官”。上曰：“试官虚名，无损于事。”贽又上奏，其略曰：“自兵兴以来，财赋不足以供赐，而职官之赏兴焉，青朱杂沓于胥徒[227]，金紫普施于舆皂[228]。当今所病，方在爵轻，设法贵之，犹恐不重，若又自弃，将何劝人！夫诱人之方，惟名与利[229]，名近虚而于教为重，利近实而于德为轻。专实利而不济之以虚，则耗匮而物力不给；专虚名而不副之以实，则诞谩[230]而人情不趋。故国家命秩[231]之制，有职事官[232]，有散官[233]，有勋官[234]，有爵号[235]。然掌务而授俸[236]者，唯系职事之一官[237]也。此所谓施实利而寓虚名[238]者也。其勋、散、爵号三者所系，大抵止于服色、资荫[239]而已。此所谓假虚名而佐实利者也。今之员外[240]、试官[241]，颇同勋、散、爵号，虽则授无费禄，受不占

不反。㉕诛夷：诛灭。杨怀宾为韩游瓌将，率兵斩张昕，奉表诣行在，是父立功于国。杨朝晟为李怀光兵马使，后为韩游瓌将，官至邠宁节度使。㉖典兵：掌管军队。㉗富平：县名，治所在今陕西富平。㉘同州：州名，治所冯翊，在今陕西大荔。李怀光筑垒同州，防备唐兵东讨。㉙裴向（公元七五一至八三〇年）：肃宗朝宰相裴遵庆之子，官至大理寺卿，以吏部尚书致仕。传见《旧唐书》卷一百十三、《新唐书》卷一百四十。㉚感寤：受到感召而醒悟。㉛坊州：州名，治所在今陕西黄陵。㉜猎团：由猎户组成的民兵团。

## 【校记】

［7］一旦：原无此二字。据章钰校，十二行本、乙十一行本、孔天胤本皆有此二字，今据补。［8］弃已：原无此二字。据章钰校，十二行本、乙十一行本、孔天胤本皆有此二字，张敦仁《通鉴刊本识误》同，今据补。

---

## 【语译】

三月十六日丁亥，德宗任命李晟兼京畿、渭北、鄜、坊、丹、延地区节度使。

三月十九日庚寅，德宗到达城固。唐安公主去世，她是德宗的长女。

德宗在途中，百姓中有个贡献瓜果的人，德宗想授给这人一个散试官的职务，就此事询问陆贽，陆贽上奏，认为“授官赐爵，一定要慎重、珍惜，不能轻易地任命。事情起初看起来很小，但流弊必然很大。对献瓜果的人，只能赏赐钱财布帛，不应该用官职来酬谢”。德宗说：“试官只是一个虚名，对事情没有损害。”陆贽又上奏，大致意思是说：“自从发生战乱以来，征收的赋税满足不了支出和赏赐，于是用官职来奖赏的办法就兴盛起来了，身着青色、朱色官服的人有许多混杂在小吏和役徒之中，金鱼袋和紫色朝服普遍赐给了低贱小臣。现在人们所担心的，正在于爵位太轻，千方百计使爵位高贵起来，唯恐爵位不重，如果朝廷再轻视爵位，那又用什么办法来劝勉人们呢！诱导人的方法，只有名与利，名誉看似虚空但对教化很重要，利益看似实在但对于品德来说是次要的。专门用物资实利来奖励而不借助名誉，那么就会耗尽钱财而物力供应不上；专用虚名来奖励而不辅之以实利，那就是吹嘘不实，而人们不去追求它。所以国家官职品秩的制度，有职事官，有散官，有勋官，有爵号。但是掌管实际事务，并且给薪俸的，只有职事官一种。这就是所谓的给其实利而寓名誉于其中。勋官、散官、爵号所牵涉的，大抵只是服色、资荫而已。这就是所谓的借助名誉而辅之以实利。现在的员外、试官，很像勋官、散官、爵号，虽然授给他们官职，并无俸禄，也不占正员官的名额，然而对冲锋陷阵、排患解难

员[242]，然而突铦锋、排患难者[243]则以是赏之，竭筋力、展劳效者又以是酬之。若献瓜果者亦授试官，则彼必相谓曰：‘吾以忘躯命而获官，此以进瓜果而获官，是乃国家以吾之躯命同于瓜果矣！’视人如草木，谁复为用哉[244]！今陛下既未有实利以敦劝[245]，又不重虚名而滥施，人无藉[246]焉。则后之立功者，将曷用为赏哉[247]！”

贽在翰林，为上所亲信，居艰难中，虽有宰相，大小之事，上必与贽谋之，故当时谓之内相，上行止必与之俱。梁、洋道险，尝与贽相失[248]，经夕不至[249]，上惊忧涕泣，募得贽者赏千金。久之，乃至，上喜甚，太子以下皆贺。然贽数直谏，迕[250]上意。卢杞虽贬官，上心庇之。贽极言杞奸邪致乱，上虽貌从[251]，心颇不悦。故刘从一、姜公辅皆自下陈登用[252]，贽恩遇虽隆，未得为相。

---

**【段旨】**

以上为第九段，写陆贽谏阻德宗滥授职官，德宗不平，因正倚重陆贽，外亲内疏，故陆贽有宰相之职责，而无宰相之名，时人谓之内相。

**【注释】**

㉓丁亥：三月十六日。㉔庚寅：三月十九日。㉕城固：县名，县治在今陕西城固。㉖慎惜：慎重、珍惜。㉗青朱杂沓于胥徒：身穿青色、绯色朝服的人有许多混杂在小吏与役徒之中。唐制七品以上青色，五品以上绯色。胥，小吏、官府办事员。徒，服役之人。这里指有许多小吏、徒役之人得赐穿青衣绯的散官。㉘金紫普施于舆皂：金鱼袋和紫色朝服普遍赐给地位低贱的人。唐制，三品以上高官穿紫色衣，佩金鱼袋。舆皂，贱臣。㉙名与利：名，指声誉，这里指无实权的爵位、散官之名。利，指实利，具体的物质赏赐。㉚诞谩：吹嘘不实；说大话。㉛命秩：官职与品秩。命，指职官之名。

的人，以此来奖赏他们，对为国竭精尽力、艰辛劳苦的人，也以此来酬劳他们。如果对进献瓜果的人也授给试官名目，那么他们一定彼此之间说：‘我们舍生忘死而获得官职，这人进献瓜果而获得官职，看来朝廷是把我们的生命等同瓜果了！’把人视作草木一样，谁还为国家所用啊！现今陛下既没有实际利益用来劝勉人们，又不重视名誉而滥加赏赐，人们就没有标准可以凭借了。那么以后立了功的人，将用什么来奖赏呢！”

陆贽身在翰林院，被德宗所亲信，德宗在艰难的处境中，虽然有宰相，但大事小事，德宗都一定要同陆贽商议，所以当时的人都称陆贽为内相，德宗出行或居止，一定与陆贽在一起。梁州、洋州道路险阻，德宗曾与陆贽走散，过了一整夜陆贽没有到来，德宗惊恐忧愁，哭了起来，招募能够把陆贽找来的人赏赐一千金。过了很久，陆贽才赶到，德宗非常高兴，太子以下的文武官员都去向德宗道喜。但是陆贽多次犯颜直谏，违背德宗的意旨。卢杞虽然被贬官，但德宗内心还在庇护卢杞。陆贽极力陈说是卢杞奸诈邪恶才导致了战乱，德宗虽然表面上同意，内心却很不高兴。因此刘从一、姜公辅都由较低的职位破格登上宰相之职，陆贽虽受德宗特别信任和优待，却没有担任宰相。

---

秩，品级。㉜职事官：有职权管理事务的官。㉝散官：加官，只是一种荣衔而不治事的官。㉞勋官：即武功爵，授予有战功的人。㉟爵号：即爵位，它是表示身份地位的一种称号。㊱掌务而授俸：掌管实际事务，并给以俸禄。㊲一官：指有职有权的只有职事一种官。㊳施实利而寓虚名：既有利又有名。㊴服色资荫：服色，指穿紫、绯、浅绯、深绿、浅绿、深青、浅青及黄，其色各以品为差等。资荫，指随资品得荫其子或孙及曾孙。㊵员外：在定额以外安置冗员，称员外官。㊶试官：也有两种：一种为试任某职，称职者再授为真；一种为假借其名，实不试守。这里的员外、试官，均指虚职。㊷不占员：不占正员官之名额，无名额限制。㊸突铦锋排患难者：冲锋陷阵、排患解难的人。突铦锋，冒着刀剑的锋芒。㊹谁复为用哉：谁还为国家所用啊。㊺敦劝：勉励。㊻无藉：没有标准作为依据。㊼将曷用为赏哉：将拿什么来奖励立功的人呢。㊽相失：两人失散。㊾经夕不至：过了一整夜也不见陆贽到来。㊿迕：违犯；冒犯。(251)貌从：表面上同意。(252)自下陈登用：比陆贽地位低下的刘从一、姜公辅破格升用。下陈，下列、下位。登用，超越任用。刘从一以吏部郎中用为相，姜公辅以翰林学士用为相，均见上卷上年。

【原文】

壬辰[253]，车驾至梁州。山南地薄民贫，自安、史以来，盗贼攻剽，户口减耗太半，虽节制十五州[254]，租赋不及中原数县。及大驾驻跸[255]，粮用颇窘[256]。上欲西幸成都，严震言于上曰："山南地接京畿，李晟方图收复，藉六军以为声援。若幸西川，则晟未有收复之期也。"众议未决。会李晟表至，言："陛下驻跸汉中，所以系亿兆之心[257]，成灭贼之势。若规小舍大[258]，迁都岷、峨[259]，则士庶失望，虽有猛将谋臣，无所施矣。"上乃止。严震百方以聚财赋，民不至困穷而供亿无乏。牙将严砺，震之从祖弟也，震使掌转饷，事甚修辨[260][9]。

初，奉天围既解，李楚琳遣使入贡，上不得已除凤翔节度使，而心恶之。议者言楚琳凶逆反覆，若不堤防[261]，恐生窥伺[262]。由是楚琳使者数辈至，上皆不引见，留之不遣。甫[263]至汉中，欲以浑瑊代楚琳镇凤翔，陆贽上奏，以为："楚琳杀帅助贼[264]，其罪固大。但以乘舆未复[265]，大憝[266]犹存，勤王之师悉在畿内，急宣速告[267]，晷刻是争[268]。商岭[269]则道迂且遥，骆谷[270]复为盗所扼，仅通王命，唯在褒斜[271]。此路若又阻艰[272]，南北遂将敻绝[273]。以诸镇危疑之势[274]，居二逆[275]诱胁之中，汹汹[276]群情，各怀向背。傥或楚琳发憾[277]，公肆猖狂[278]，南塞要冲[279]，东延巨猾[280]，则我咽喉梗[281]而心膂[282]分矣。今楚琳能两端顾望[283]，乃是天诱其衷[284]，故通归涂，将济大业。陛下诚宜深以为念[285]，厚加抚循，得其迟疑[286]，便足集事。必欲精求素行[287]，追抉宿疵[288]，则是改过不足以补愆[289]，自新不足以赎罪。凡今将吏，岂得尽无疵瑕[290]！人皆省思，孰免疑畏[291]！又况阻命之辈[292]，胁从之流[293]，自知负恩[294]，安敢归化[295]！斯衅非小，所宜速图[296]。伏愿陛下思英主大略，勿以小不忍亏挠[297]兴复之业也。"上释然开悟，善待楚琳使者，优诏存慰之。

【语译】

三月二十一日壬辰，德宗到达梁州。山南地薄民贫，自从安史之乱以来，经盗贼攻掠，户口减损了一大半，虽然统辖十五个州，但租赋达不到中原几个县的数量。等到德宗到这里住下后，粮食用度十分困乏。德宗想西去成都，严震对德宗说：“山南地区接近京畿，李晟正在计划收复京城，他要借助陛下统领而来的六军作为声援。如果您去了西川地区，那么李晟收复京城便无期了。”群臣商议，没有决定下来。适逢李晟的表章到了，其中说：“陛下住在汉中，以此来维系亿万民众之心，形成消灭叛贼之势。如果图小舍大，迁都岷、峨一带，那么士人和百姓失望，虽然有猛将谋臣，也无计可施了。”德宗这才打消了去成都的念头。严震千方百计征收赋税，使老百姓不至于穷困，对朝廷的供应也不缺乏。牙将严砺，是严震的同族堂弟，严震派严砺负责转运粮饷，严砺把各个事项都办得很好。

当初，奉天城的包围解除之后，李楚琳派遣使者入朝进贡，德宗迫不得已任用他为凤翔节度使，而心里很厌恶李楚琳。商议这事的人说李楚琳凶恶忤逆，反复无常，如果不加防备，恐怕李楚琳伺机作乱。因此，李楚琳的使者有好几批来到奉天，德宗一概不予接见，把他们留下来不让回去。德宗刚到汉中，想用浑瑊替代李楚琳镇守凤翔，陆贽上奏，认为：“李楚琳杀了自己的主帅而协助叛贼朱泚，他的罪过固然很大。但由于陛下的车驾还没有回到京城，罪魁祸首尚在，援救朝廷的各支军队都在京畿地区，紧急宣诏、快速禀告时，片刻都要争取。商岭道路迂回遥远，骆谷又被敌寇控制，要向京畿内的军队传达陛下的意旨，只有褒斜这一条道路。这条路如果再有阻碍，山南和京畿地区的联系将被断绝。目前各镇形势危急又心怀疑虑，处在朱泚、李怀光两个叛贼的引诱和胁迫之中，人心动荡不安，各怀向背。假如李楚琳对朝廷产生怨恨，公然肆意妄行，在南边阻塞北进的交通要道，在东边招来大奸贼，那么我们的咽喉阻塞，而心脏就与脊梁骨分开了。现在李楚琳能在朝廷和叛贼两方之间观望，这正是上天诱导他心向朝廷，有意开通归向京城的道路，将要完成收复京城、平定叛乱的大业。陛下应该深深记住这一点，以优厚的待遇来安抚李楚琳，让他犹豫不决，便足可成就大事。陛下一定要认真地苛求臣下平日行为，追究举发以往的过失，那么就是改正了过错也不足以弥补以前的过失，重新做人也不足以赎罪。凡是现今的将吏，哪能完全没有过失呢！人人都在反省过失，那又有谁能够避免疑虑与畏惧呢！更何况那些抗拒朝廷命令之徒，以及被胁从作乱的人，自己知道辜负了皇上的恩德，怎么敢归顺向化呢！以浑瑊替代李楚琳这一事端非同小可，应该赶快筹划。恳切希望陛下想想英明君主的雄才大略，不要因为对一些小事不能忍耐而损害了收复京城的大业。”德宗豁然省悟，很好地对待李楚琳的使者，颁下辞美的诏书抚慰李楚琳。

丁酉[298]，加宣武节度使刘洽同平章事。

己亥[299]，以行在都知兵马使浑瑊同平章事兼朔方节度使，朔方、邠宁、振武、永平、奉天行营兵马副元帅[300]。

庚子[301]，诏数李怀光罪恶，叙朔方将士忠顺功名，犹以怀光旧勋，曲加容贷[302]。其副元帅、太尉、中书令、河中尹并朔方诸道节度、观察等使，宜并罢免，授太子太保[303]。其所管兵马，委本军自举一人功高望重者便宜统领[304]。速具奏闻，当授旌旄[305]，以从人欲。

夏，四月壬寅[306]，以邠宁兵马使韩游瓌为邠宁节度使。

癸卯[307]，以奉天行营兵马使戴休颜为奉天行营节度使。

灵武守将宁景璿为李怀光治第[308]。别将李如暹曰："李太尉逐天子，而景璇为之治第，是亦反也。"攻而杀之。

甲辰[309]，加李晟鄜坊、京畿、渭北、商华副元帅[310]。晟家百口及神策军士家属皆在长安，朱泚善遇之。军中有言及家者，晟泣曰："天子何在，敢言家乎！"泚使晟亲近以家书遗晟曰："公家无恙。"晟怒曰："尔敢为贼为间[311]！"立斩之。军士未授春衣，盛夏犹衣裘褐[312]，终无叛志。

乙巳[313]，以陕虢防遏使唐朝臣为河中、同绛节度使。前河中尹李齐运为京兆尹，供晟军粮役。

庚戌[314]，以魏博兵马使田绪为魏博节度使。

【段旨】

以上为第十段，写德宗建行在所于山南，调整官军部署，以李晟为主将讨贼。

【注释】

㉝壬辰：三月二十一日。㉞十五州：山南西道巡属十五州为梁、洋、兴、凤、开、通、渠、集、蓬、利、壁、巴、阆、果、金。㉟驻跸：帝王出行暂驻。㊱颇窘：十分困乏。㊲系亿兆之心：维系亿万民众之心。㊳规小舍大：图小舍大。具体而言，规小指欲幸成都以便资用，舍大指舍弃兴复之功而苟安于一隅。㊴岷、峨：岷山、峨山，指代西蜀。㊵事甚修辨：事情办理得很好。辨，通"办"。㊶堤防：防备；防范。㊷窥伺：伺

三月二十六日丁酉，加授宣武节度使刘洽同平章事。

二十八日己亥，任命行在都知兵马使浑瑊为同平章事，兼任朔方节度使和朔方、邠宁、振武、永平、奉天行营各军兵马副元帅。

三月二十九日庚子，德宗下诏历数李怀光的罪行，表彰朔方军将士忠于国家、效顺朝廷的功名，但仍然因为李怀光旧日功勋，曲加宽容。他的副元帅、太尉、中书令、河中尹以及朔方诸道节度使、观察使等职务，应该一并罢免，授予太子太保的职位。他所统领的兵马，委托本军自行推举一个功高望重的人权宜统领。从速把所有情况上奏朝廷，以便朝廷授给旌节，以此来顺从人们的愿望。

夏，四月初二日壬寅，德宗任命邠宁兵马使韩游瓌为邠宁节度使。

初三日癸卯，任命奉天行营兵马使戴休颜为奉天行营节度使。

灵武守将宁景璿为李怀光建造私宅。别将李如暹说："李太尉驱逐皇帝，而宁景璿却为李怀光修建私宅，这也是反叛朝廷。"于是攻打宁景璿并杀了他。

四月初四日甲辰，德宗加授李晟为鄜坊、京畿、渭北、商华等军副元帅。李晟家族中有一百人，以及神策军士的家属都在长安城内，朱泚对他们都好好相待。李晟的军中有人说到家室之事，李晟哭着说："天子现在在哪里，怎敢谈及自己的家!"朱泚派遣李晟亲近的人把家信送到李晟手里说："你的家人全都平安无事。"李晟大怒说："你竟敢为叛贼做奸细!"立即杀了这个亲信。李晟军中的将士都没有春天的服装，到了酷热的盛夏，还穿着皮衣短袄，他们始终没有背叛的想法。

四月初五日乙巳，德宗任命陕虢防遏使唐朝臣为河中、同绛节度使。任命前河中府尹李齐运为京兆尹，负责给李晟供应军粮和差役。

初十日庚戌，德宗任命魏博兵马使田绪为魏博节度使。

---

机为乱。㉖③甫：刚刚。㉖④楚琳杀帅助贼：指李楚琳杀凤翔节度使张镒而助朱泚。事见本书卷第二百二十八德宗建中四年（公元七八三年）。㉖⑤乘舆未复：指德宗未返京城。㉖⑥大憝：大奸大恶；罪魁祸首。㉖⑦急宣速告：上对下紧急宣旨，下对上快速禀告。㉖⑧晷刻是争：片刻时间都要争取。晷刻，指一刻日影，即片刻时间。晷，日影。古时立表以测日影计时。刻，另一种计时方法，用铜壶盛水，穿孔漏水，立浮标刻度以计时。一昼夜分为一百刻。㉖⑨商岭：取道商州翻越秦岭的路线。从汉中取道商岭入关，向东迂绕一千余里。㉗⓪骆谷：汉中通关中的中间一条谷道，南口在洋县，北口在周至西南。此道最近，时为朱泚所控制。㉗①褒斜：汉中入关中最西的一条谷道，南口在汉中褒城北，北口在关中眉县西南。㉗②阻艰：阻断。㉗③敻绝：遥远阻绝。㉗④危疑之势：形势危急而人心疑虑。㉗⑤二逆：指朱泚和李怀光。㉗⑥汹汹：水声。比喻人声嘈杂，这里指动荡不安。㉗⑦发

憾：生出怨恨。㉗⑧公肆猖狂：公然肆意作狂妄举动。㉗⑨南塞要冲：指由凤翔南下阻塞斜谷交通。㉘⓪东延巨猾：从东面引进大奸猾。指东连朱泚。㉘①梗：阻塞。㉘②心膂：心脏和脊梁骨。㉘③两端顾望：在两方之间观望。指李楚琳明奉朝廷而暗结朱泚。㉘④天诱其衷：是上天诱导他心向朝廷。衷，内心。㉘⑤深以为念：深深地把这一点记在心上。即深记褒斜谷的畅通，是规复大业的重要条件。㉘⑥迟疑：使李楚琳反叛朝廷之心迟疑不决，就可为官军成就事功争取了时间。㉘⑦精求素行：认真地苛求臣下平日的行为。㉘⑧追抉宿疵：追究举发以往的过失。㉘⑨补愆：补救过失。愆，错误、过失。㉙⓪尽无疵瑕：十全十美，全无过失。疵瑕，喻过失、错误。疵，毛病。瑕，美玉上的斑痕。㉙①人皆省思二句：人人都在反省自己的过失，有谁能免除疑虑与畏惧呢。孰，谁。㉙②阻命之辈：抗拒朝命之徒。指田悦、王武俊、李纳等。㉙③胁从之流：被胁迫作乱的人。之流，同“之辈”，那些人。㉙④负恩：辜负皇恩，即背叛朝廷。㉙⑤归化：归顺向化，即效顺朝廷。㉙⑥斯衅非小

---

【原文】

浑瑊帅诸军出斜谷，崔汉衡劝吐蕃出兵助之，尚结赞曰：“邠军不出，将袭我后。”韩游瓌闻之，遣其将曹子达将兵三千往会瑊军，吐蕃遣其将论莽罗依将兵二万从之。李楚琳遣其将石锽将卒七百从瑊拔武功[315]。庚戌，朱泚遣其将韩旻攻武功，锽以其众迎降。瑊战不利，收兵登西原[316]。会曹子达以吐蕃至，击旻，大破之于武亭川[317]，斩首万余级，旻仅以身免。瑊遂引兵屯奉天，与李晟东西相应，以逼长安。

上欲为唐安公主造塔，厚葬之，谏议大夫、同平章事姜公辅表谏，以为“山南非久安之地，公主之葬，会归上都[318]。此宜俭薄，以副军须之急[319]”。上使谓陆贽曰：“唐安造塔，其费甚微，非宰相所宜论。公辅正欲指朕过失，自求名耳。相负如此，当如何处之？”贽上奏，以为公辅任居宰相，遇事论谏，不当罪之，其略曰：“公辅顷与臣同在翰林，臣今据理辩直[320]则涉于私党之嫌，希旨顺成[321]则违于匡辅之义，涉嫌止贻于身患，违义实玷于君恩[322]。徇身忘君[323]，臣之耻也。”又曰：“唯

二句：指以浑瑊代楚琳这件事将挑起事端，非同小可，应尽快安排好的办法。㉙挠：损害。㉘丁酉：三月二十六日。㉙己亥：三月二十八日。㉚副元帅：时李怀光为副元帅，将要罢免，故先用浑瑊为副元帅。㉛庚子：三月二十九日。㉜曲加容贷：曲意宽容，免其罪过。㉝太子太保：官名，太子三师之一，闲官。㉞便宜统领：因利乘便，权宜为统帅。㉟当授旌旄：朝廷当依从众人所推授给节度使的旌节。㊱壬寅：四月初二日。㊲癸卯：四月初三日。㊳治第：修建住宅。㊴甲辰：四月初四日。㊵加李晟鄜坊、京畿、渭北、商华副元帅：进一步分李怀光兵权。㊶为贼为间：替贼人当奸细。间，搞离间的奸细。㊷衣裘褐：穿皮衣短袄。㊸乙巳：四月初五日。㊹庚戌：四月初十日。

## 【校记】

［9］辨：据章钰校，十二行本、乙十一行本皆作“办”，二字通。

---

## 【语译】

浑瑊率领各路人马出师斜谷，崔汉衡劝说吐蕃人出兵协助浑瑊，尚结赞说：“邠宁的军队不调出来协助，将要袭击我们的背后。”韩游瓌听说了，派遣他的将领曹子达率兵三千人去与浑瑊的军队会合，吐蕃派遣他们的将领论莽罗依率兵二万人跟随在后。李楚琳派他的部将石锽率领七百名士兵跟随浑瑊攻取武功县。四月初十日庚戌，朱泚派遣他的部将韩旻攻打武功县，石锽带着自己的部众迎接韩旻，向韩旻投降。浑瑊所部官军作战失利，收兵登上西原高地。适逢曹子达带着吐蕃兵赶来，攻打韩旻，在武亭川大败韩旻，杀敌一万多人，韩旻仅仅只身逃脱。浑瑊于是率军驻扎奉天，与李晟东西相应，以进逼长安城。

德宗打算为唐安公主建塔，厚葬她，谏议大夫、同平章事姜公辅上表劝谏德宗，认为“山南地区不是陛下长住久安的地方，安葬公主，应该在返回首都长安之后。在这里应该葬事从俭，适应军需急用”。德宗派使者对陆贽说：“为唐安公主建塔，费用很少，这不是宰相所应议论的事情。姜公辅正想指出朕的过失，为自己求得名声。宰相这样辜负朕，应当如何处置他？”陆贽上奏德宗，认为姜公辅职居宰相，遇到事情议论劝谏，不应加罪他，这篇奏表的大意说：“姜公辅不久以前与臣同在翰林院，臣现在根据道理争辩说姜公辅是正确的，那么就涉及营结私党的嫌疑，迎合意旨，顺着皇帝的说法，那又违背了匡正、辅佐的大义。涉及嫌疑只会给自己留下祸患，而违背匡正、辅佐的大义，却实在是玷污了皇上对我的恩义。只顾自身利益，忘记皇上的大事，那是为臣的耻辱。”又说：“只有昏庸糊涂的君主，天下民怨四起还

暗惑之主㉔，则怨讟溢于下国㉕而耳不欲闻，腥德㉖达于上天而心不求寤㉗，追乎颠覆，犹未知非㉘。”又曰：“当问理之是非，岂论事之大小！《虞书》曰㉙：‘兢兢业业，一日二日万几㉚。’唐、虞之际，主圣臣贤，虑事之微㉛，日至万数㉜。然则微之不可不重也如此，陛下又安可忽而不念乎！”又曰：“若以谏争为指过㉝，则剖心之主不宜见罪于哲王㉞；以谏争为取名㉟，则匪躬之臣㊱不应垂训于圣典。”又曰：“假有意将指过，谏以取名，但能闻善而迁，见谏不逆㊲，则所指者适足以彰陛下莫大之善，所取者适足以资陛下无疆之休㊳。因而利焉，所获多矣㊴。傥或怒其指过而不改，则陛下招恶直之讥㊵；黜其取名而不容，则陛下被违谏之谤㊶。是乃掩己过而过弥著㊷，损彼名而名益彰㊸。果而行之，所失大矣。”上意犹怒，甲寅，罢公辅为左庶子㊹。

【段旨】

以上为第十一段，写宰相姜公辅谏阻德宗厚葬唐安公主而被罢相，德宗褊狭而刚愎的本性暴露无遗。

【注释】

⑮武功：县名，县治在今陕西武功西北。⑯西原：西原在武功西。高平地势称为原。⑰武亭川：水名，在旧武功之东。即今陕西漆水河。⑱上都：指长安。⑲副军须之急：适应军须急用。军须，凡行军所用，资粮器械，都叫军须。当时军须短缺，不宜厚葬公主以损军须。⑳据理辩直：依据道理争辩说姜公辅是正确的。㉑希旨顺成：迎合圣上意旨，顺着陛下的成见。希旨，迎合旨意。㉒涉嫌止贻于身患二句：牵涉嫌疑只限于给自身留下祸患，违背大义却实在是玷污了皇上的恩义。贻，遗留。玷，玉石上的斑点，喻瑕疵。㉓徇身忘君：只顾自身利益，而忘记皇上的大事。徇身，经营自身，只顾个人利益。徇，营。㉔暗惑之主：昏庸糊涂的君主。㉕怨讟溢于下国：怨恨诽谤的声音遍于天下；天下民怨沸腾。讟，诽谤。㉖腥德：污秽的品德。㉗寤：醒悟；反省。㉘追乎颠

不愿意听闻，污秽的品德上达于天而不求反省，等到国家覆灭，还不知道自己的过错。”又说：“应该问道理是对还是错，怎么能只论事情的大小！《虞书》说：‘兢兢业业，要一天又一天地日理万机。’在唐尧、虞舜时期，国君圣明，大臣贤达，考虑细微的事情，每天达到数以万计。看来细小的事情是这样不能不重视，陛下又怎么能忽视小事而不放在心上呢！”又说：“如果认为劝谏是指责过失，那么像商纣王这种挖贤臣心脏的君主就不应该被周武王所归罪；如果认为劝谏是为自己捞取名声，那么舍身忘己的忠臣就不应载于经典垂范后世。”又说：“假如谏臣是有意指责陛下的过错，通过谏劝来获取自己的名声，陛下只要能够听到好的意见就改正，遇到谏言不反感，那么指责的人适足以彰明陛下莫大的美德，所得到的适足以显示陛下无边无际的福气。陛下因纳谏而得到益处，所获得的实在是太多了。假如陛下对指责过失的人大为恼火而不改正，那么陛下就会招来厌恶直言进谏的讥讽；贬斥那些谋取名声的人而不宽容，那么陛下就会遭受拒谏的诽谤。这就是所谓掩饰自己的过错，反而使过错变得更加彰显，贬损别人的名声，而别人的名声反而更加响亮。果真要对姜公辅治罪，陛下所损失的就太大了。”德宗心里仍然生气，四月十四日甲寅，罢免姜公辅的宰相之职，改任左庶子。

---

覆二句：到了国家颠覆的时候，还不知道自己的过失。㉙《虞书》曰：引语见《尚书·皋陶谟》。㉚一日二日万几：要一天又一天的日理万机。几，通“机”。㉛虑事之微：指圣主贤臣考虑细微的事情。㉜日至万数：每天达到数以万计。㉝指过：指责过失。㉞剖心之主句：剖心之主，指纣王，他曾经剖忠臣比干之腹取其心。哲王，指周武王，他指数纣之罪，其一为“剖贤人之心”。句意谓若以谏争为指过，那么剖开谏臣心脏的君主也就不被圣哲的帝王所归罪了。㉟取名：捞取声名。㊱匪躬之臣：不顾自身安危的忠臣。这里是化用《易经·蹇卦·象辞》之语：“王臣蹇蹇，匪躬之故。”㊲见谏不逆：遇见直言劝谏不反感。㊳无疆之休：无边无际的福气。㊴因而利焉二句：因纳谏而得到益处，所获得的实在是太多了。㊵招恶直之讥：招致厌恶直言的讥刺。㊶被违谏之谤：遭受拒谏的诽谤。㊷掩己过而过弥著：掩盖自己的过失而过失更加彰显。弥，更加。㊸损彼名而名益彰：贬损别人的名声而别人的名声更加响亮。益，与上句的“弥”为同义互文。㊹左庶子：东宫属官，侍从太子。

---

【原文】

加西川节度使张延赏同平章事，赏其供亿[345]无乏故也。

朱泚、姚令言数遣人诱泾原节度使冯河清[346]，河清皆斩其使者。大将田希鉴密与泚通，杀河清，以军府附于泚，泚以希鉴为泾原节度使。

上问陆贽："近有卑官[347]自山北[348]来者，率非良士[349]。有邢建者，论说贼势，语最张皇[350]，察其事情，颇似窥觇[351]，今已于一所安置。如此之类，更有数人，若不追寻，恐成奸计。卿试思之，如何为便？"贽上奏，以为"今盗据宫阙，有涉险远来赴行在者，当量加恩赏，岂得复猜虑拘囚[352]！"其略曰："以一人之听览[353]而欲穷宇宙之变态[354]，以一人之防虑[355]而求胜亿兆之奸欺，役智弥精[356]，失道弥远[357]。项籍纳秦降卒二十万，虑其怀诈复叛，一举而尽坑[358]之。其于防虞，亦已甚矣。汉高豁达大度，天下之士至者，纳用不疑。其于备虑[359]，可谓疏矣。然而项氏以灭，刘氏以昌，蓄疑之与推诚，其效固不同也。秦皇严肃雄猜[360]，而荆轲奋其阴计[361]；光武宽容博厚，而马援输其款诚[362]。岂不以虚怀待人，人亦思附；任数御物，物终不亲[363]。情思附则感而悦之[364]，虽寇仇化为心膂[365]矣；意不亲则惧而阻之[366]，虽骨肉结为仇慝[367]矣。"又曰："陛下智出庶物[368]，有轻待人臣之心；思周万机[369]，有独驭区寓之意；谋吞众略，有过慎之防；明照群情，有先事之察；严束百辟[370]，有任刑致理之规[371]；威制四方，有以力胜残之志[372]。由是才能者怨于不任[373]，忠荩者忧于见疑[374]，著勋业者惧于不容[375]，怀反侧者迫于及讨，驯致离叛[376]，构[377]成祸灾。天子所作，天下式瞻[378]，小犹慎之，矧[379]又非小？愿陛下以覆车之辙为戒，实宗社无疆之休[380]。"

【语译】

德宗加授西川节度使张延赏同平章事，这是为了奖赏张延赏对朝廷供应无缺。

朱泚、姚令言多次派人去引诱泾原节度使冯河清，冯河清把他们的使者都杀了。冯河清属下的大将田希鉴暗中与朱泚勾结，杀了冯河清，献出泾原军府归附了朱泚，朱泚任命田希鉴为泾原节度使。

德宗询问陆贽："最近有从山北来的低级官员，大都不是贤良之士。有一个叫邢建的人，谈论叛贼的形势，说得最夸大，观察这个人的情况，很像是打探情报，现在已把他们安置在一个地方。像邢建这样的人，还有几个，如果不追究他们，恐怕他们的奸计就会得逞。你想一想这件事，怎样处置为好？"陆贽上奏德宗，认为："现在叛贼占据皇宫，有人冒着危险跋山涉水远道投奔陛下，应当酌量施恩给赏，怎么能反而猜疑和囚禁他们呢！"这份奏疏的大意是说："凭一个人的所见所闻，想全部弄明白宇宙间变化的情况，凭一个人的思考防范来求得战胜亿万人的欺诈，用的心智越是精细，离正确的处理方法越远。项羽接受了秦朝投降的士兵二十万人，担心他们心怀鬼胎，再次反叛，一下子把他们全部活埋了。项羽在防备祸患方面，也是做到极点了。汉高祖刘邦豁达大度，天下到来的士人，接纳、任用，不加猜疑。刘邦在防患的考虑方面，可以说是太疏忽了。然而项羽因此而灭亡，刘邦因此而昌盛，心存怀疑与推诚待人，其效果本来就不相同。秦始皇严厉峻急，雄略猜疑，而荆轲逞其暗杀计划；光武帝刘秀为人宽宏大量，博爱仁厚，而马援纳款归附。这岂不是虚怀待人，别人也想归附他；任用权术驾驭别人，别人终究不会亲附。要想让人内心归附，那么就要感化而使人愉快，虽然曾是仇敌，也能变为心腹；臆想人心不亲附，那就会疑惧他，排斥他，虽然是亲骨肉也成为仇敌了。"陆贽又说："陛下的智慧超出凡品，有轻视群臣之心；陛下的思虑遍察万物，有独自驾驭天下的想法；陛下的谋略囊括了大家的计策，有过于谨慎的防范；陛下的英明洞照群情，事有先见之明；陛下严厉管束百官，有专用刑罚以达到政治修明的方略；陛下的威严控御四方，有用武力战胜凶恶敌人的志向。因此有才能的人因得不到任用而怨恨，竭尽忠诚的人因遭受猜忌而忧虑，功勋卓著的人害怕不被容纳，心怀反复的人因迫于被讨伐而渐渐背叛朝廷，造成灾祸。天子的所作所为，天下人看作是榜样，细微小事尚且谨慎，况且现在面临的又不是小事，希望陛下以前车的翻覆为鉴戒，这实在是宗庙社稷无穷的福分。"

【段旨】

以上为第十二段，写陆贽上奏德宗，厚待从叛臣敌占区投奔行在所的吏民，以鼓励天下士民效顺。

【注释】

㉟供亿：供其匮乏，使之安适。亿，安也。也有人认为，供亿即谓供应所需。德宗在汉中，依靠西川节度使张延赏供给。㊱冯河清：朔方旧将，为泾原兵马使，姚令言东出为留后。朱泚反长安，冯河清誓众效节，为投敌的田希鉴所害。传见《旧唐书》卷一百二十五、《新唐书》卷一百四十七。㊲卑官：低级官。㊳山北：秦岭之北，指关中长安。㊴率非良士：大都不是贤良之士。㊵语最张皇：说话最夸大。㊶颇似窥觇：很像是在打探情报。㊷猜虑拘囚：猜疑拘禁。㊸听览：见闻。㊹穷宇宙之变态：全部弄明白宇宙的变化形态。穷，穷尽。㊺防虑：思考防范。㊻役智弥精：用的心智愈是精细。㊼失道弥远：迷失的道路愈远。道，路途，引申为办法。此句意谓离开正确处理的办法更远。㊽坑：活埋。项籍活埋秦降卒二十万于河南新安，事见《史记》卷七《项羽本纪》、《汉书》卷三十一《项籍传》与本书卷第九汉高祖元年（公元前二〇六年）。㊾备虑：防患的思虑。㊿严肃雄猜：严厉峻急，雄略猜疑。(361)奋其阴计：奋力实行他的秘密计划。

---

【原文】

丁巳(381)，以前山南东道节度使南皮贾耽(382)为工部尚书。先是(383)，耽使行军司马樊泽奏事行在，泽既复命，方大宴，有急牒(384)至，以泽代耽为节度使。耽内牒怀中，宴饮如故，颜色不改。宴罢，召泽告之，且命将吏谒泽。牙将张献甫怒曰："行军为尚书问天子起居，乃敢自图节钺，夺尚书土地！事人不忠，众心不服[10]，请杀之。"耽曰："是何言也！天子所命，即为节度使矣！"即日离镇，以献甫自随(385)，军府遂安。

左仆射李揆自吐蕃还，甲子(386)，薨于凤州(387)。

韩游瓌引兵会浑瑊于奉天。

丙寅(388)，加平卢节度使李纳同平章事。

丁卯(389)，义王玭(390)薨。

指荆轲刺秦王，事见《史记》卷八十六《刺客列传》与本书卷第七秦始皇二十年（公元前二二七年）。㊴输其款诚：献纳自己的忠诚。指马援归服光武帝，事见《后汉书》卷二十四《马援传》与本书卷四十一汉世祖建武四年（公元二十八年）。㊵任数御物二句：任用权术驾驭人物，人物终究不会亲附。物，英雄人物。㊶情思附则感而悦之：想要人内心归附，那就要感化他而使之心情愉快。情思附，感情思想都归附，即真情实意地归附。㊷虽寇仇化为心膂：即使是仇敌也会转化为心腹。心膂，心脏与脊骨，喻贴心的亲信。㊸意不亲则惧而阻之：主观臆想人心不亲附，那就疑惧他而千方百计阻挠他排斥他。意，主观的臆想。㊹虽骨肉结为仇慝：即使是骨肉亲情也会结成仇敌。慝，隐藏在心中的仇恨。引申为仇敌。㊺智出庶物：智慧超出凡品。㊻思周万机：思虑遍察万事。㊼严束百辟：严厉管束百官。㊽有任刑致理之规：有专任刑法以求政治修明的规略。㊾有以力胜残之志：有使用武力战胜凶恶敌人的志向。残，指凶恶的敌人。㊿才能者怨于不任：有才能的人因得不到任用而怨恨。不任，不被任用。⑭忠荩者忧于见疑：竭尽忠诚的人因遭受猜疑而忧虑。见疑，被猜疑。⑮著勋业者惧于不容：功勋卓著的人害怕不被容纳；大功臣因功高震主而不容于朝廷。⑯驯致离叛：逐渐走向叛乱。驯，渐渐演变。⑰构：造成。⑱式瞻：看作榜样。式，模式、榜样。⑲矧：况且。⑳无疆之休：无穷的福分。无疆，无边、无穷。疆，界。休，吉祥、福分。

---

## 【语译】

四月十七日丁巳，德宗任命前山南东道节度使南皮人贾耽为工部尚书。此前，贾耽派他的行军司马樊泽到行在所奏事，樊泽返回复命，贾耽正大摆酒宴，有朝廷的紧急公文来到，任命樊泽代替贾耽担任节度使。贾耽把公文揣进怀里，照旧进行宴会，面色没有变化。宴会结束，贾耽叫来樊泽告知朝廷的决定，而且命令军府中的将领、官吏来拜见樊泽。牙将张献甫愤怒地说："行军司马替尚书去问候皇帝的衣食起居，竟敢自己向皇帝求取节度使的旌节，夺走尚书统辖的土地！樊泽侍奉上司不忠，众人心里不服，请让我杀了樊泽。"贾耽说："你这是说的什么话！皇帝所任命的人，他就是节度使！"贾耽当天就离开山南东道军府，带着张献甫跟随自己，军府于是安定下来。

左仆射李揆从吐蕃回来，四月二十四日甲子，在凤州去世。

韩游瓌率军与浑瑊在奉天会合。

二十六日丙寅，德宗加授平卢节度使李纳同平章事。

二十七日丁卯，义王李玼去世。

【段旨】

以上为第十三段，写山南东道节度使贾耽识大体，奉君命，从容让位下属，史特为载之。

【注释】

㊳丁巳：四月十七日。㊳贾耽：南皮（今河北南皮）人，顺宗朝官至宰相。传见《旧唐书》卷一百三十八、《新唐书》卷一百六十六。㊳先是：此前。这里追述樊泽

【原文】

朱滔攻贝州百余日，马寔攻魏州亦逾四旬，皆不能下。贾林复为李抱真说王武俊曰："朱滔志吞贝、魏，复值田悦被害，傥旬日不救，则魏博皆为滔有矣。魏博既下，则张孝忠必为之臣。滔连三道[391]之兵，益[392]以回纥，进临常山[393]，明公欲保其宗族得乎！常山不守，则昭义退保西山[394]，河朔尽入于滔矣。不若乘贝、魏未下，与昭义合兵救之。滔既破亡，则关中丧气[395]，朱泚不日枭夷[396]，銮舆反正[397]，诸将之功，孰有居明公之右[398]者哉！"武俊悦，从之。

戊辰[399]，武俊军于南宫[400]东南，抱真自临洺引兵会之，与武俊营相距十里。两军尚相疑，明日，抱真以数骑诣武俊营，宾客共谏止之，抱真命行军司马[401]卢玄卿勒兵以俟，曰："吾之此举，系天下安危。若其不还，领军事以听朝命亦惟子，励将士以雪仇耻亦惟子。"言终，遂行。武俊严备以待之。抱真见武俊，叙国家祸难，天子播迁，持武俊哭，流涕纵横。武俊亦悲不自胜，左右莫能仰视，遂与武俊约[402]为兄弟，誓同灭贼。武俊曰："相公十兄名高四海[403]，向蒙开谕[404]，得弃逆从顺[405]，免菹醢[406]之罪，享王公之荣。今又不间胡虏[407]，辱为兄弟，武俊当何以为报乎？滔所恃者回纥耳，不足畏也。战日，愿十兄按辔临视，武俊决为十兄破之。"抱真退入武俊帐中，酣寝久之[408]。武俊感激，待

代贾耽为山南节度使的经过，事在上一卷兴元元年（公元七八四年）。㊳㊹急牒：紧急公文。㊳㊺以献甫自随：贾耽让张献甫同行，既免除了樊泽的疑忌，又保护了张献甫。㊳㊻甲子：四月二十四日。㊳㊼薨于凤州：李揆还赴兴元，至凤州而薨。㊳㊽丙寅：四月二十六日。㊳㊾丁卯：四月二十七日。㊴㊿义王玭：唐玄宗子。

## 【校记】

［10］众心不服：原无此句。据章钰校，十二行本、乙十一行本皆有此句，今据补。

---

## 【语译】

朱滔攻打贝州花了一百多天，马寔攻打魏州城也超过了四十多天，都没有攻下。贾林再次为李抱真去劝王武俊说："朱滔志在吞并贝州、魏州，又正值田悦被害，假若我们十天之内不去援救，那么魏博镇就全被朱滔占领了。魏博镇被攻下之后，那么张孝忠一定会成为朱滔的臣属。朱滔会合幽州、易定、魏博三镇的兵力，加上回纥，进军常山，那时您想保全自己的宗族还能做得到吗！常山失守，那我们昭义军就要退守西山，河朔地区就会全部落入朱滔之手。不如乘着贝州、魏州还没有被朱滔攻陷，与我们昭义军联合兵力援救贝州、魏州。朱滔失败后，那么关中的朱泚就会丧失斗志，朱泚不久也要被剿灭，皇上拨乱反正，各位将领的功劳，谁能在您前面呢！"王武俊很高兴，听从了贾林的劝说。

四月二十八日戊辰，王武俊驻扎在南宫东南，李抱真从临洺带兵与王武俊会合，与王武俊的军队营地相距十里。当时两支军队仍然彼此猜疑，第二天，李抱真带着几名骑兵前往王武俊的军营，门客一起劝阻他，李抱真命令行军司马卢玄卿统兵戒备等待消息，说："我的这一次行动，关系到天下的安定与危亡。如果我回不来了，统领军队、听从朝廷的命令只靠你一人，激励将士、为我报仇、为昭义军雪耻也靠你一人。"说完，就上路了。王武俊戒备森严，等待李抱真。李抱真见到王武俊，述说国家灾难，天子流离失所，拉着王武俊哭起来，满脸泪水。王武俊也悲痛不已，身边的人都难过地低着头，李抱真于是与王武俊结为兄弟，发誓一起消灭叛贼。王武俊说："相公十哥你名扬四海，从前承蒙开导，得以背弃叛贼，归顺朝廷，避免了要被剁成肉酱的罪过，享受王公大臣的荣耀。今日你又不嫌弃我是胡人，屈尊与我结为兄弟，我王武俊用什么来报答你呢？朱滔所依仗的是回纥兵罢了，不值得害怕。打仗那天，希望十哥勒马观望，我王武俊一定要为十哥打败他们。"李抱真来到王武俊的营帐里，酣睡了很长时间。王武俊对李抱真非常感激，对他愈益恭敬，扪心仰

之益恭，指心仰天曰："此身已许十兄死矣！"遂连营而进。

山南地热，上以军士未有春服，亦自御夹衣⑩。

---

【段旨】

以上为第十四段，写王武俊与李抱真释嫌联兵救贝州，讨逆贼朱滔。

【注释】

⑱三道：三镇，指幽州、易定、魏博。⑲益：加上。⑳常山：即五岳之一恒山，在王武俊辖境恒州内。㉑西山：昭义辖境邢州内西部的太行山。恒冀、昭义阻山以为固，故以常山指代恒冀，西山指代昭义。㉒丧气：丧失斗志；失去士气。㉓枭夷：被枭首诛灭。㉔銮舆反正：皇上拨乱反正。㉕右：上。㉖戊辰：四月二十八日。㉗南宫：县名，冀州巡县，县治在今河北南宫西北。㉘行军司马：唐代出征将帅或节度使下置此官，职掌号令印信，以握有军事实权者充任，权力之大，在节度副使之上，故李抱真以军事相托行军司马卢玄卿。㉙约：结盟。㉚十兄名高四海：十哥的名声传扬天下。李抱真排行第十，故武俊呼为十兄。㉛开谕：开导劝谕。㉜弃逆从顺：背弃叛逆，归顺朝命。㉝菹醢：古代酷刑，将人剁成肉酱。㉞不间胡虏：不嫌弃我为胡人。王武俊是契丹人。㉟酣寝久之：酣睡了很长时间。李抱真寝于王武俊军营，示意诚心不疑。⑩御夹衣：穿双层的夹衣。夹衣为春秋装。德宗在初夏仍穿夹衣，示与士卒共甘苦。

【研析】

本卷研析德宗借兵吐蕃、李怀光反叛、姜公辅罢相三事，从一个侧面看德宗的昏愚误国。

第一，德宗借兵吐蕃。德宗向吐蕃借兵平叛，按吐蕃国法，吐蕃出兵，要唐朝统兵大将在制书上签名，担保并肩作战的唐兵信誉。皇帝制书没有李怀光的签名，吐蕃相尚结赞率领的吐蕃兵不肯进攻。德宗命陆贽劝说李怀光副署，李怀光不赞同。指出借吐蕃兵平乱有三害：攻破长安，吐蕃纵兵抢掠，此其一害；按约定，取胜之后，每一个士兵赏钱一百文，吐蕃兵五万，赏钱五百万缗，从哪里找这笔钱，此其二害；吐蕃狡猾，不肯先出战，骑墙观察形势，官军胜利了就来抢功劳，官军失败了，趁火打劫，此其三害。李怀光所言三害，还不止此。安史之乱吐蕃趁火打劫，攻陷河西、陇右，切断了唐朝与西域的联系。西域北庭节度使李元忠、安西四镇留后郭昕率军坚守，公元七八一年使者间道入朝，朝廷才知道北庭、安西二镇尚存。

天发誓说："此身决心为十哥而死！"于是双方连营进军。

山南地区天气炎热，德宗因为将士们没有春天的服装，自己也穿着夹衣。

---

德宗为了借兵吐蕃，竟然私许割弃两镇给吐蕃，简直是一个卖国之君。后来李怀光反叛，吐蕃背约大掠武功撤走，德宗听了非常忧愁，陆贽上奏，吐蕃退走是大好事，平定叛乱要信任将帅。其后李晟灭朱泚，马燧、浑瑊除掉李怀光，事实生动说明，借兵吐蕃，实属多余。可是德宗为什么不惜一切代价，乃至卖国要借兵吐蕃呢？德宗此举有两个卑鄙目的：一是结和吐蕃，打击回纥，以报个人受辱之私仇；二是猜忌功臣，借兵分功。李怀光摸透了德宗的心理，遂生不臣之心，才敢于把底牌揭穿。如果说吐蕃退兵，是一件好事，而李怀光之叛乱，差点要了德宗的老命，给唐王朝制造了极大的危害。

第二，李怀光反叛。李怀光，渤海靺鞨人。本姓茹，其父因战功赐姓李。李怀光年少从军，武艺精良，为朔方名将，隶属郭子仪。德宗即位，罢郭子仪兵权，分其军为三节度使，由李怀光、常谦光、浑瑊分掌。李怀光镇邠宁，借故杀害功名比自己高的朔方大将温儒雅等人，李怀光就是这样一个暴戾的阴谋家，德宗却要信任他。物以类聚，人以群分。德宗猜疑心强，本能地畏惧忠直，亲近小人，也许德宗认为，身上有毛病的人便于掌控，否则，他对李怀光的信任不可理喻。

德宗罢泾原节度使段秀实，任命李怀光兼任。段秀实忠贞，死于朱泚之难。段秀实用计延迟了朱泚进兵奉天，救了德宗的命。泾原兵拒绝李怀光到任，德宗改任朱泚。恰恰就是一个朱泚、一个李怀光，德宗任用的两个奸人，一前一后逼使德宗两次蒙尘。昏君总是亲小人、远贤臣，德宗猜疑忠正之臣，信用奸邪小人，搬起石头砸了自己的脚。

李怀光屯兵咸阳，迟延不进，已萌生异志。李怀光有兵五万，李晟率兵一万，鄜坊节度使李建徽、神策行营节度使杨惠元各有兵数千，皆受李怀光节制。李晟请战，李怀光不许。李晟觉察情况不妙，请求移军别屯，德宗扣下奏报，派陆贽为宣慰使，到李怀光军营察看动静。陆贽认为李怀光"总仗顺之师，乘制胜之气，鼓行芟翦，易若摧枯。而乃寇奔不追，师老不用"，必有异志。陆贽动用智慧，激发李怀光说大话，赞同李晟移军。陆贽从咸阳劳军回行在，建言德宗授命李建徽、杨惠元两军与李晟一同移军，保存实力。德宗不听，只让李晟一军转移。等到李怀光叛逆，果然李、杨两军为李怀光吞没。这是德宗遥控军情带来的恶果。

李怀光奏言狂悖，反形已露，德宗赐以不死之铁券，还想亲自巡幸以安李怀光之心。得知李怀光要偷袭奉天，才仓皇逃奔山南，路上差点被截击。李怀光反叛后，形势极为险恶。许多隐伏在京师的朝官，认为大势已去，纷纷投靠朱泚。河东节度使马燧也感到绝望，撤回勤王之兵，收缩保卫河东。这时李晟受命于危难之际，为讨逆主将，是决定唐王室命运的关键人物。

李晟驻军东渭桥，一支孤军夹在朱泚和李怀光两强之中，处境极为艰难。李怀光部众拒绝公开反叛，反对攻击李晟，众叛亲离，逃往河中。邠宁、奉天、昭应、蓝田等地的唐军集结长安，接受李晟指挥，声势大振。德宗要陆贽规划进兵方略。陆贽拒绝做规划，劝谏德宗不要遥控军事，说："君上之权，特异臣下，惟不自用，乃能用人。"德宗不得已由李晟自主用兵，李晟很快攻入长安，朱泚败亡。公元七八五年，马燧、浑瑊围攻河中，李怀光自杀。从公元七八一年，德宗用兵河北三镇开始，到此战祸才算基本结束。德宗遥控军事，一个错误接着一个错误，把战祸从河北引向河南，又引到长安城。幸亏有浑瑊、李晟、马燧、李抱真一批良将，危急关头还有陆贽筹划，才算保住了唐王朝。

第三，姜公辅罢相。德宗蒙尘山南，在汉中建行在所。山南地薄民贫，从安史之乱以来，盗贼横行，户口又减去了一大半。山南节制十五州，租赋赶不上江淮几个县。德宗大驾驻跸，增加了成倍的官兵与朝廷官吏，食粮都很紧张。此时，德宗爱女唐安公主，还未出嫁，死在成固。德宗为唐安公主造塔，还要厚葬。宰相姜公辅兼谏议大夫之职，上表谏曰："山南非久安之地，公主之葬，会归上都。此宜俭薄，以副军须之急。"姜公辅提出，在非常时期，战事紧张，供应短缺，应当薄葬，何况又是临时安葬，等回到京都以后，再隆重举行葬礼不迟。德宗却认为姜公辅辜负了皇上恩德，故意找错，以求名声。陆贽剖析，姜公辅身为宰辅，职责所系，并非求名找错，君王应虚心纳谏。德宗仍然气愤难平，罢了姜公辅的官，改任闲职左庶子。德宗褊狭而自用的本性原本就是这样。

# 卷第二百三十一　唐纪四十七

起阏逢困敦（甲子，公元七八四年）五月，尽旃蒙赤奋若（乙丑，公元七八五年）七月，凡一年有奇。

**【题解】**

本卷记事起公元七八四年五月，迄公元七八五年七月，凡一年又三个月，当唐德宗兴元元年五月到贞元元年七月。此时期官军在艰难险阻中四处奏凯歌，节节胜利，唐王室露出了一丝复兴的曙光。先是吐蕃盟军撤离长安，陆贽上奏称这是大好事，劝谏德宗不要遥控前线军事，委署李晟讨逆大权。李晟不负众望，很快攻克长安，整肃纲纪，诛杀泾州边将田希鉴等三十余人，因其屡叛附贼朱泚故也。河北李抱真、王武俊合兵大破朱滔。淮西李希烈途穷末路杀害颜真卿。李泌单骑入陕州不费兵卒平叛乱。可惜德宗是一个昏君，他返回长安并不是励精图治，而是立刻猜忌功臣。李勉抗击李希烈，韩滉竭尽忠心调集江南财货供应军资，立下大功，却受德宗猜疑，幸亏李泌善谏，全力保护，李勉、韩滉才免于难。德宗返京，重新起用宦官掌兵权，又欲赦免李怀光以减杀功臣之功。李晟上奏李怀光五不可赦，德宗才不得已从之。

**【原文】**

**德宗神武圣文皇帝六**

**兴元元年（甲子，公元七八四年）**

五月，盐铁判官①万年王绍②以江、淮缯帛来至，上命先给将士，然后御衫③。韩滉④欲遣使献绫罗⑤四十担诣行在⑥，幕僚何士幹请行。滉喜曰："君能相为行⑦，请今日过江。"士幹许诺。归别家，则家之薪米储偫⑧已罗门庭矣。登舟，则资装器用已充舟中矣。下至厕筹⑨[1]，滉皆手笔记列，无不周备。每担夫与白金一版⑩置腰间。又运米百艘以饷李晟，自负囊米置舟中，将佐争举之，须臾而毕。艘置五弩手以为防援⑪，有寇则叩舷相警⑫，五百弩已彀⑬矣。比至渭桥，盗不敢近。时关中兵荒，米斗直钱五百。及滉米至，减五之四⑭。滉为人强力严毅⑮，自奉俭素，夫人常衣绢裙，破，然后易。

【语译】

**德宗神武圣文皇帝六**

**兴元元年（甲子，公元七八四年）**

五月，盐铁判官万年人王绍押运江、淮地区的丝绸布帛到了梁州，德宗命令先供给将士，然后自己才换了单衣。韩滉想派遣使者运送绫罗四十担前往天子住处，幕僚何士幹请求前行。韩滉高兴地说："你能替我前往，请今天过江成行。"何士幹答应了。回来与家人道别，看到韩滉已派人将家用的柴米储备放满庭院。何士幹登上船只时，各种物资、装备、用具装满船中。就连厕所用具，韩滉都亲手记录，无不完备。每一个担夫都发给一块银牌放在腰间。又运送一百船大米给李晟做军饷，韩滉自己亲自背米放在船里，将领、僚佐争先恐后地背米上船，一会儿一百船米就装好了。韩滉在每艘船上布置五名弓弩手，用以防卫和互相援助，如果有盗贼就敲击船舷互通警报，五百名弓弩手已经张弓严防了。一直到渭桥，盗贼不敢接近运粮船队。当时关中地区兵荒马乱，一斗米价值五百钱。等韩滉的米运到，米价下跌了五分之四。韩滉为人强悍有力、严明果断，自己平时生活俭朴，夫人经常穿着绢裙，穿破了才换一件。

【段旨】

以上为第一段，写韩滉效忠朝廷，在紧要关头抢运物资供给朝廷。

【注释】

①盐铁判官：盐铁使属下判官，掌书奏及日常事务。②王绍（公元七四三至八一四年）：原名纯，避宪宗李纯讳改名绍，京兆万年（今陕西西安东）人，官至户部尚书。传见《旧唐书》卷一百二十三、《新唐书》卷一百四十九。③御衫：皇上所用单衣夏装。④韩滉：时韩滉为浙江东、西道观察使，镇建业。传见《旧唐书》卷一百二十九、

【原文】

吐蕃既破韩旻等⑯，大掠而去。朱泚使田希鉴厚以金帛赂之，吐蕃受之。韩游瓌以闻。浑瑊又奏："尚结赞屡遣人约刻日⑰共取长安，既而不至，闻其众今春大疫，近已引兵去。"上以李晟、浑瑊兵少，欲倚吐蕃以复京城，闻其去，甚忧之，以问陆贽。贽以为吐蕃贪狡，有害无益，得其引去，实可欣贺。乃上奏，其略曰："吐蕃迁延顾望⑱，反覆多端，深入郊畿，阴受贼使⑲，致令群帅⑳进退忧虞㉑。欲舍之独前，则虑其怀怨乘蹑㉒；欲待之合势㉓，则苦其失信稽延㉔。戎若未归，寇终不灭㉕。"又曰："将帅意陛下不见信任，且患蕃戎之夺其功。士卒恐陛下不恤旧劳，而畏蕃戎之专其利。贼党惧蕃戎之胜，不死则悉遗人禽㉖。百姓畏蕃戎之来，有财必尽为所掠。是以顺于王化者，其心不得不怠㉗，陷于寇境者，其势不得不坚㉘。"又曰："今怀光别保蒲、绛，吐蕃远避封疆㉙，形势既分㉚，腹背无患㉛，瑊、晟诸帅，才力得伸㉜。"又曰："但愿陛下慎于抚接㉝，勤于砥砺㉞，中兴大业，旬月可期，不宜尚眷眷于犬羊之群㉟，以失将士之情也。"

《新唐书》卷一百二十六。⑤绫罗：绫，彩缎。罗，薄绸。⑥行在：即行在所，天子在外所停住之处。⑦相为行：替我前行。⑧储偫：储备。⑨厕筹：厕所的拭秽用具。⑩白金一版：银牌一块。用作识别标记。⑪艘置五弩手以为防援：每艘粮船安置五个弓箭手用以防卫和互相支援。⑫有寇则叩舷相警：发现寇盗就敲击船舷互通警报。⑬彀：张满弓弩。⑭减五之四：减价五分之四。⑮严毅：严明果断。

## 【校记】

[1]厕筹：原作“厨筹”。胡三省注云：“当作‘厕筹’。”据章钰校，乙十五行本、乙十一行本、孔天胤本皆作“厕筹”，今据校改。

---

## 【语译】

吐蕃的军队打败了韩旻等人以后，大肆抢掠而去。朱泚派田希鉴用很厚重的金钱布帛贿赂吐蕃，吐蕃接受了。韩游瓌将此事上奏给了德宗。浑瑊又上奏德宗说：“尚结赞多次派人同我们约定日期，共同攻打长安城，过后却不来，听说吐蕃今年春天大面积流行瘟疫，他最近已带兵回去了。”德宗认为李晟、浑瑊的兵力数量少，想依靠吐蕃的军队收复京城，听说他们回去了，非常担心，就此事来询问陆贽。陆贽认为吐蕃人贪婪狡猾，对朝廷有害无益，现在他们自己回去了，实在值得庆幸。于是就上奏德宗，大意说：“吐蕃人拖延观望，两边观望，他们反复无常，诡计多端，深入我们的京畿地区，暗中接受叛贼的指使，以至于各军将帅进退忧虑。如果将他们抛到一边，独自进攻长安城，又担心他们心怀怨恨，乘机跟在后面捣乱；如果等他们前来兵力联合，又怕他们失信拖延。如吐蕃不回到自己的地方，敌寇终难消灭。”又说：“各军将帅心中猜想不被陛下信任，又担心吐蕃人夺取他们的功劳。士兵们害怕陛下不体恤他们往日的劳绩，而担心吐蕃人独占了陛下的赏赐。叛贼朱泚的党羽害怕吐蕃取得胜利后，即使不死，也会全部留下被人擒获。老百姓害怕吐蕃人到来，即使有钱财，也会被他们掠夺。因此，顺从君王教化的人，他们的心里不得不懈怠，而陷落叛贼境内的人，他们不肯回归的情势不能不坚定。”又说：“现今李怀光退保蒲州、绛州，吐蕃人又远离我国的疆土，那么原本形势是李怀光和吐蕃人呼应，现在他们已经分离，官军已经摆脱了腹背受敌的祸患，浑瑊、李晟等各支官军的主帅，他们的才干和力量都能够得到施展了。”又说：“只希望陛下能够谨慎地对待和安抚将士，勤勉地砥砺自己，中兴家国的宏伟大业，很短的时间内就可以期待完成，不应该对吐蕃这群犬羊念念不忘，而失去了将士的效忠之心。”

【段旨】

以上为第二段，写陆贽上奏论吐蕃背约撤军是大好事，劝谏德宗平定叛乱，依靠效忠朝廷的官军才是根本。

【注释】

⑯吐蕃既破韩旻等：德宗兴元元年（公元七八四年）四月庚戌，吐蕃在武亭川大败韩旻。⑰刻日：约定日期。⑱迁延顾望：拖延观望。⑲阴受贼使：暗中接受贼人的指使。⑳群帅：诸军统帅。㉑进退忧虞：进退忧虑。忧虞，忧虑预料不到的事件发生。即

---

【原文】

上复使谓贽曰："卿言吐蕃形势甚善。然瑊、晟诸军当议规画㊱，令其进取。朕欲遣使宣慰，卿宜审细条疏㊲[2]以闻。"贽以为："贤君选将，委任责成㊳，故能有功。况今秦、梁千里㊴，兵势无常㊵，遥为规画㊶，未必合宜。彼违命则失君威，从命则害军事，进退羁碍㊷，难以成功。不若假以便宜之权㊸，待以殊常之赏㊹，则将帅感悦㊺，智勇得伸㊻。"乃上奏，其略曰："锋镝交于原野而决策于九重之中㊼，机会变于斯须而定计于千里之外，用舍相碍㊽，否臧皆凶㊾，上有掣肘㊿之讥，下无死绥之志(51)。"又曰："传闻与指实不同，悬算(52)与临事(53)有异。"又曰："设使(54)其中有肆情干命者(55)，陛下能于此时戮其违诏之罪(56)乎？是则违命者既不果行罚(57)，从命者又未必合宜(58)，徒费空言，祇劳睿虑，匪惟(59)无益，其损实多。"又曰："君上之权，特异臣下，惟不自用，乃能用人。"

---

【段旨】

以上为第三段，写陆贽上奏德宗，劝谏不要遥控前线军事。

下文，舍之独前，恐吐蕃袭其后；待之合势，又苦于吐蕃不守信用。㉒乘蹑：乘其虚，蹑其后。㉓合势：会合壮大兵势。㉔稽延：迁延；拖延。㉕戎若未归二句：吐蕃若不回归，敌寇终难消灭。㉖悉遗人禽：全部留下被人擒获。禽，通“擒”。㉗是以顺于王化者二句：意谓德宗依赖吐蕃，所以顺从君王教化的人，他们的心里不得不懈怠。㉘陷于寇境者二句：意谓陷落到敌寇境内的人，他们害怕失败，遭吐蕃践踏，不再回归的情势不能不坚定。陷于寇境者，即身陷叛贼朱泚境内的臣民。㉙远避封疆：指吐蕃远远地离开了唐朝的疆土。㉚形势既分：吐蕃与李怀光相呼应的形势已经分离。㉛腹背无患：指官兵没有了腹背受敌的夹击之患。㉜才力得伸：才能和力量可以得到施展。㉝慎于抚接：谨慎地安抚接待将士。㉞勤于砥砺：勤勉地磨砺自己。㉟犬羊之群：对吐蕃军的蔑称。

## 【语译】

德宗又派使者对陆贽说：“卿所论的吐蕃形势非常好。但是对浑瑊、李晟等各支军队应当讨论灭敌的计划，好让他们按计划进攻长安城。朕打算派遣使者去安抚他们，卿应该审慎详细地列出该办的事目让朕知道。”陆贽认为：“贤明的君主选任将帅，委以重任，责其成效，所以能够获得成功。何况现在关中与汉中相距千里，排兵布阵，情况变化无常，在遥远的地方替前方将帅策划方略，未必符合实际需要。如果他们不按照朝廷的命令去办事，便让君王有失威严，如果他们按命令行事，就对打胜仗有损害，他们进攻、撤退，都有羁绊和妨碍，就很难获得成功。不如给他们见机行事的权力，用不同寻常的奖赏对待他们，那么将帅们会既感激又高兴，他们的智慧和勇武就都能施展开来。”于是上奏德宗，奏疏的大意说：“两军交战在原野，而决策于深宫之中，战争时机瞬息万变，但制定计策却在千里之外，将帅们遵命和不遵命的互相妨碍，胜败顺逆都包含凶险，朝廷要遭受掣肘将帅的讥讽，臣下没有退却即死的斗志。”又说：“传闻往往与实际情况不相符合，遥远筹划与亲临现场据实决断大有区别。”又说：“假使将帅之中有肆意违抗命令的人，陛下难道能在此时就以违抗朝廷命令之罪杀了他吗？由此看来，对违抗命令的人既不能果断进行惩治，服从命令的人的行为又未必符合实际情况，这样做只是浪费空话，陛下忧劳思虑，不只是没有什么益处，而且损失实在太大。”又说：“君王的权力，与臣下的权力很不相同，只有不自以为是，才能善于任用别人。”

【注释】

㊱规画：进军灭敌的计划。㊲审细条疏：审慎详细地条列事目。㊳委任责成：委以重任，责以成功。㊴秦、梁千里：关中与汉中相距千里。秦，指关中咸阳，古秦国之地，又称秦中。梁，指梁州，今陕西汉中。㊵兵势无常：用兵布阵变化不定。㊶遥为规画：远远地替前方将帅策划方略。㊷羁碍：羁绊与妨碍，即受牵制。㊸便宜之权：见机行事的权力。㊹殊常之赏：不同寻常的奖赏。㊺感悦：既感激又高兴。㊻智勇得伸：智慧和勇敢都得以施展。㊼九重之中：幽深的宫中。㊽用舍相碍：用命与不用命互相妨碍。㊾否臧皆凶：无论胜败顺逆都包含着不测的凶险。否，指行事不顺或打败仗。臧，善，指行事顺利或打胜仗。遥控作战，胜利也属侥幸，故言否臧皆凶。㊿掣肘：拉住臂节使人难

【原文】

癸酉[60]，泾王侹[61]薨。

徐、海、沂、密观察使高承宗卒[62]。甲戌[63]，使其子明应知军事。

乙亥[64]，李抱真、王武俊距贝州三十里而军。朱滔闻两军将至，急召马寔，寔昼夜兼行赴之。或谓滔曰："武俊善野战，不可当其锋，宜徙营稍前逼之，使回纥绝其粮道。我坐食德、棣之餫[65]，依营而陈，利则进攻，否则入保，待其饥疲，然后可制也。"滔疑未决。会马寔军至，滔命明日出战。寔言："军士冒暑困惫[66]，请休息数日乃战。"

常侍杨布、将军蔡雄引回纥达干见滔。达干曰："回纥在国与邻国战，常以五百骑破邻国数千骑如扫叶耳。今受大王金帛牛酒前后无算[67]，思为大王立效[68]，此其时矣。明日，愿大王驻马高丘，观回纥为大王翦武俊之骑，使匹马不返。"布、雄曰："大王英略盖世，举燕、蓟全军，将扫河南，清关中。今见小敌冘豫[69]不击，失远近之望，将何以成霸业乎！达干请战是也。"滔喜，遂决意出战。

丙子旦[70]，武俊遣其兵马使赵琳将五百骑伏于桑林[71]，抱真列方陈于后，武俊引骑兵居前，自当回纥。回纥纵兵冲之，武俊使其骑控

以运动，喻做事受人牵制。51 死绥之志：一往无前，视死如归之志。死绥，军败而退，将帅当死，谓之死绥。绥，军退为绥。军书《司马法》要求“将军死绥”，有前一尺，无却一寸。52 悬算：遥远凭空的筹划。53 临事：亲临现场据实事决断。54 设使：假使。55 肆情干命者：肆意违犯命令的人。56 戮其违诏之罪：以违犯圣旨的罪名将其诛杀。57 违命者既不果行罚：违抗命令的人既然不能果断进行惩治。58 从命者又未必合宜：服从命令的人的行为又未必符合实际情况。59 匪惟：不只是。

## 【校记】

［2］疏：原作“流”。据章钰校，乙十一行本、孔天胤本皆作“疏”，今据校改。

## 【语译】

五月初三日癸酉，泾王李侹逝世。

徐、海、沂、密四州观察使高承宗去世。初四日甲戌，朝廷任命高承宗的儿子高明应主管军中事务。

五月初五日乙亥，李抱真、王武俊在距离贝州城三十里处驻扎下来。朱滔听说李抱真、王武俊的两支军队即将到来，紧急征召马寔，马寔昼夜兼程前往。有人对朱滔说：“王武俊善于野战，不能面对他的兵锋，而应该将营垒向前稍稍移动来逼迫他，派回纥兵截断他的运粮之道。我军坐吃德州、棣州送来的粮饷，背靠营垒布列战阵，有利就进攻，不利就退进营垒中防守，等待王武俊军队饥饿疲劳，然后就可以制服他了。”朱滔迟疑不决。正好马寔的军队到来，朱滔于是命令军队第二天出营作战。马寔说：“士兵冒着酷暑炎热，困乏疲惫，请休息几天再去作战。”

朱滔的常侍杨布、将军蔡雄领着回纥兵的首领达干来见朱滔。达干说：“我们回纥军在本国的时候，与邻国交战，经常用五百名骑兵打败邻国的几千名骑兵，犹如秋风扫落叶。现在我们收受了大王您的金钱布帛、牛肉美酒，多得无法计算，想要为大王您立功，现在正是时候了。明天，希望大王您骑马站在高坡，观看回纥军为大王您消灭王武俊的骑兵，让敌人一匹马也不能返回。”杨布、蔡雄说：“大王您雄才大略，盖世无双，率领燕、蓟地区的全部人马，将要横扫河南，清除关中。现在遇见小股敌人就犹豫不决，不肯攻击，使远近各地的人感到失望，那将用什么成就您的霸业呢！达干请求出战的做法是对的啊。”朱滔听了很高兴，于是决心出营作战。

五月初六日丙子清晨，王武俊派他的兵马使赵琳带领五百名骑兵埋伏在桑林，李抱真的军队布列成方阵排在后面，王武俊带领骑兵居于前面，亲自抵挡回纥骑兵。

马避之[72]。回纥突出其后，将还，武俊乃纵兵击之，赵琳自林中出横击[73]之，回纥败走，武俊急追之。滔骑兵亦走，自践其步陈，步骑皆东奔，滔不能制，遂走趣其营，抱真、武俊合兵追击之。时滔引三万人出战，死者万余人，逃溃者亦万余人，滔才与数千人入营坚守。会日暮，昏雾，两军不能进，抱真军其营之西北，武俊军其东北。滔夜焚营，引兵出南门，趣德州遁去，委弃所掠资财山积。两军以雾，不能追也。

滔杀杨布、蔡雄而归幽州，心既内惭，又恐范阳留守刘怦[74]因败图己。怦悉发留守兵夹道二十里，具仪仗，迎之入府，相对悲喜，时人多之。

【段旨】

以上为第四段，写王武俊与李抱真联兵大败朱滔。

【注释】

⑥⓪癸酉：五月初三日。⑥①泾王侹：肃宗子。⑥②徐、海、沂、密观察使高承宗卒：据《旧唐书》卷十二《德宗纪》，建中三年（公元七八二年）八月，徐、海、沂都团练使李洧卒，九月，以李洧部将高承宗为徐州刺史，徐、海、沂都团练使，承宗于兴元元年（公元七八四年）五月卒，以其子高明应知徐州事。《新唐书》卷一百四十八《李洧传》载

【原文】

初，张孝忠以易州归国[75]，诏以孝忠为义武[76]节度使，以易、定、沧三州隶之。沧州刺史李固烈，李惟岳之妻兄[77]也，请归恒州，孝忠遣押牙安喜程华[78]交其州事。固烈悉取军府绫、缣、珍货数十车，将行，军士大噪曰："刺史扫[79]府库之实以行，将士于后饥寒，奈何？"遂杀固烈，屠其家。程华闻乱，自窦[80]逃出。乱兵求得之，请知州事。华不得已，从之。孝忠闻之，即版[81]华摄[82]沧州刺史。华素宽厚，

回纥兵纵兵冲过来，王武俊让他的骑兵驭马避开回纥的兵锋。回纥兵冲到了王武俊骑兵的后面，将要回马时，王武俊才纵兵攻击回纥兵，赵琳从林中出击，拦腰截击，回纥兵败逃，王武俊急速追击。朱滔的骑兵也逃跑，践踏了自己的步兵阵列，步兵、骑兵全都向东逃命，朱滔无法控制，于是也逃回营垒中，李抱真、王武俊两军联合追击。当时朱滔带领三万人出来作战，死了的有一万多人，逃跑溃散的也有一万多人，朱滔只带着几千人回营坚守。这时天正傍晚，昏暗有浓雾，李抱真、王武俊两支军队不能前进，于是李抱真驻扎在朱滔营垒的西北边，王武俊驻扎在朱滔营垒的东北边。朱滔夜里放火烧营，带兵从南门出去，奔赴德州方向逃走，丢下的抢掠来的各种物资、钱财堆积如山。李抱真、王武俊因为雾大，不能追击。

朱滔杀了杨布、蔡雄，回到幽州，心里既惭愧，又担心范阳留守刘怦乘自己战败而谋害自己。刘怦调动范阳全部留守部队，夹道二十里，准备了仪仗队，把朱滔迎入府中，两人相对，悲喜交集，当时人称赞刘怦。

---

洧为徐、海、沂、密观察使，洧卒，部将高承宗代之。一云高承宗为都团练使，一云为观察使，职任记载不一。⑥③ 甲戌：五月初四日。⑥④ 乙亥：五月初五日。⑥⑤ 餫：运送的粮饷。⑥⑥ 困惫：困乏疲惫。⑥⑦ 无算：不计其数。⑥⑧ 立效：立功。⑥⑨ 冘豫：犹豫。⑦⓪ 丙子旦：五月初六日的早晨。⑦① 桑林：地名，在经城县（今河北威县北）西南。⑦② 控马避之：驭马避开回纥的兵锋。⑦③ 横击：拦腰截击，将敌军冲断为二。⑦④ 刘怦（公元七二六至七八四年）：朱滔姑子。滔卒，代为卢龙节度使。传见《旧唐书》卷一百四十三、《新唐书》卷二百十二。

---

【语译】

当初，张孝忠率领易州军民回归朝廷，德宗下诏任命张孝忠为义武节度使，让易、定、沧三州隶属义武。沧州刺史李固烈，是李惟岳妻子的哥哥，他请求回恒州，张孝忠派遣他的押牙安喜人程华去沧州与李固烈交接沧州事务。李固烈拿了军府中的绫绢缣帛、珍宝财货几十车，即将出发时，将士们大声喧哗说："刺史将库存的财物席卷一空，要全部带走，将士们以后要饥寒交迫了，怎么办？"于是杀了李固烈，屠灭他的全家。程华听说发生变乱，从墙洞里逃了出去。乱兵找到了他，请求程华主持州内事务。程华迫不得已，听从了。张孝忠听说这件事后，当即发牒文让程华代理沧州刺史。程华一向为人宽厚，

推心以待将士，将士安之。

会朱滔、王武俊叛，更遣人招华，华皆不从。时孝忠在定州，自沧如定，必过瀛州，瀛隶朱滔，道路阻涩[83]。沧州录事参军[84]李宇说华，表陈利害，请别为一军，华从之，遣宇奉表诣行在。上即以华为沧州刺史、横海军[85]副大使、知节度事，赐名日华，令日华岁供义武租钱十二万缗。

王武俊又使人说诱之。时军中乏马，日华给使者曰："王大夫必欲相属，当以二百骑相助。"武俊给之。日华悉留其马，遣其士归。武俊怒，而方与马燧等相拒，不能攻取，日华由是获全。及武俊归国，日华乃遣人谢过，偿其马价，且赂[86]之。武俊喜，复与交好。

---

【段旨】

以上为第五段，写程华节度横海军始末。

【注释】

⑮归国：回归朝廷。⑯义武：方镇名，建中三年（公元七八二年）置，以授张孝忠，领易、定、沧三州，治所定州。⑰妻兄：李惟岳父李宝臣本姓张名忠志，赐姓李，李惟岳娶李氏女为妻，李固烈为惟岳之妻兄。⑱程华：安喜（今河北定州）人，以沧州归国，

---

【原文】

庚寅[87]，李晟大陈兵[88]，谕以收复京城。先是，姚令言等屡遣谍人[89]觇[90]晟进军之期，皆为逻骑[91]所获。晟引示以所陈兵，谓曰："归语诸贼：努力固守，勿不忠于贼也。"皆饮之酒，给钱而纵之[92]。遂引兵至通化门[93]外，曜武而还，贼不敢出。晟召诸将，问兵所从入[94]，皆请先取外城[95]，据坊市[96]，然后北攻宫阙[97]。晟曰："坊市狭隘，贼若伏

对将士们推诚相待，将士们便安定下来。

正好这时朱滔、王武俊反叛朝廷，两人轮番派遣使者招诱程华，程华一概不听。当时张孝忠在定州，从沧州去定州，必须经过瀛州，瀛州隶属朱滔，两州往来的道路阻滞。沧州的录事参军李宇劝说程华，要程华上表陈述利害，请求另设一军，程华听从了李宇的意见，派遣李宇带着表章去德宗所在的奉天。德宗立即任命程华为沧州刺史、横海军副大使，主管节度使事务，给程华赐名日华，命令程日华每年为义武军提供租钱十二万缗。

王武俊又派人劝说引诱程日华。当时程日华的军中缺少马匹，程日华骗王武俊的使者说："王大夫一定想要我们隶属的话，就应当用二百名骑兵来援助我们。"王武俊把人马给了程日华。程日华把马匹全部留下，打发两百名骑兵回去了。王武俊很生气，但因为自己正与马燧等人的军队对峙，不能攻打沧州，程日华因此得到保全。等到王武俊回归朝廷后，程日华就派人去王武俊那里道歉，偿还了王武俊两百匹马的价钱，并且送给王武俊很多东西。王武俊很高兴，又与程日华复归旧好。

---

赐名日华。传见《旧唐书》卷一百四十三、《新唐书》卷二百十三。⑲扫：全部取走；囊尽。⑳窦：墙洞。㉑版：发文授官。㉒摄：暂行代理。㉓阻涩：阻碍不通。朱滔所领瀛州夹在沧州与定州之间。义武节度使张孝忠镇定州，沧州为其巡属，故交通受阻。㉔录事参军：州刺史佐贰属官，纠举六曹判司。㉕横海军：方镇名，兴元元年（公元七八四年）初置以宠程华。贞元三年（公元七八七年）正式置横海军节度使，领沧、景二州，治所沧州。㉖赂：赠送厚礼。

---

【语译】

五月二十日庚寅，李晟大规模地检阅军队，他向将士们宣布要收复京城。在此之前，姚令言等人多次派间谍刺探李晟的进军日期，都被李晟的巡逻骑兵抓获了。李晟带着这些间谍看所布军阵，对他们说："你们回去对叛贼们说：努力坚守城池，不要不忠于叛贼朱泚。"李晟让他们都喝了酒，送给钱，放回他们。随后李晟率领军队到达通化门外，耀武扬威后回营，叛军不敢出城。李晟召集各位将领，询问他们攻长安城应从哪里进入，将领都请求先攻下长安外城，占领市民区，然后向北进攻宫城。李晟说："街区闹市狭窄，如果叛军埋伏士兵与官军格斗，就会惊扰居民，对

兵格斗，居人惊乱，非官军之利也。今贼重兵皆聚苑中[98]，不若自苑北攻之，溃其腹心，贼必奔亡。如此，则宫阙不残，坊市无扰，策之上者也。”诸将皆曰：“善。”乃牒[99]浑瑊及镇国节度使骆元光、商州节度使尚可孤刻期集于城下。

壬辰[100]，尚可孤败泚将仇敬忠于蓝田西，斩之。乙未[101]，李晟移军于光泰门[102]外米仓村[103]。丙申[104]，晟方自临筑垒，泚骁将张庭芝、李希倩引兵大至。晟谓诸将曰：“始吾忧贼潜匿不出[105]，今来送死，此天赞我，不可失也。”命副元帅兵马使吴诜等纵兵击之。时华州营[106]在北，兵少，贼并力攻之。晟命牙前将李演等帅精兵救之。演等力战，贼败走，演等追之，乘胜入光泰门。再战，又破之。会夜，晟敛兵还[107]。贼余众走入白华门[108]，夜，闻恸哭。希倩，希烈之弟也。

丁酉[109]，晟复出兵，诸将请待西师[110]至夹攻之。晟曰：“贼数败，已破胆，不乘胜取之，使其成备，非计也。”贼又出战，官军屡捷，骆元光败泚众于浐西[111]。戊戌[112]，晟陈兵于光泰门外，使李演及牙前兵马使王佖将骑兵，牙前将史万顷将步兵，直抵苑墙神麚村[113]。晟先使人夜开苑墙二百余步[114]，比演等至，贼已树栅塞之[115]，自栅中刺射[116]官军，官军不得进。晟怒，叱诸将曰：“纵贼如此，吾先斩公辈矣！”万顷惧，帅众先进，拔栅而入。佖、演引骑兵继之，贼众大溃，诸军分道并入。姚令言等犹力战，晟命决胜军使唐良臣等步骑蹙[117]之，且战且前，凡十余合[118]，贼不能支。至白华门，有贼数千骑出官军之背，晟帅百余骑回御之，左右呼曰：“相公来！”贼皆惊溃[119]。

先是，泚遣张光晟将兵五千屯九曲[120]，去东渭桥十余里，光晟密输款于晟。及泚败，光晟劝泚出亡，泚乃与姚令言帅余众西走，犹近万人。光晟送泚出城还，降于晟。晟遣兵马使田子奇以骑兵追泚。晟屯含元殿[121]前，舍于右金吾仗[122]，令诸军曰：“晟赖将士之力，克清[123]宫禁。长安士庶，久陷贼庭，若小有震惊，非吊民伐罪[124]之意。晟与公

官军不利。现在叛贼们的主要兵力都聚集在禁苑中，不如从禁苑的北边进攻宫城，打垮敌人的要害部位，叛贼们一定会四散逃跑。这样一来，宫城不会受损，街区闹市不受骚扰，这才是最好的出兵策略。”各位将领都说：“好。”于是李晟给浑瑊和镇国军节度使骆元光、商州节度使尚可孤送去文书，约定时间，在长安城下会合。

五月二十二日壬辰，尚可孤在蓝田西面打败朱泚将领仇敬宗，把他杀了。二十五日乙未，李晟军队调移到光泰门外的米仓村。二十六日丙申，李晟正在亲自指挥将士修建营垒，朱泚的骁将张庭芝、李希倩率领大批人马到来。李晟对各位将领说：“我开始还担心叛贼潜藏城中不出来，现在前来送死，这是上天帮助我，机会不能丧失。”李晟命令副元帅府的兵马使吴诜等人纵兵攻打叛军。当时，骆元光的华州军在宫城外的北边，兵力很少，叛军集合兵力进攻骆元光。李晟命令牙前将领李演等人率领精锐部队援救骆元光。李演等人拼死力战，叛军败逃，李演等追赶叛军，乘胜攻入光泰门。再次与叛军交战，又打败了叛军。正赶上夜晚，李晟收兵返回。残余的叛军逃进白华门，当天夜里，听到城内悲痛的嚎哭声。李希倩，是李希烈的弟弟。

五月二十七日丁酉，李晟再次出兵，各位将领请求等待西边浑瑊的军队到来时夹击敌人。李晟说：“叛军多次战败，已经吓破了胆，不如乘胜攻取他们，如果让他们做好防备，那不是好计策。”叛军又出城外与官军交战，官军多次取胜，骆元光在浐水西边也打败了朱泚的军队。二十八日戊戌，李晟在光泰门外布阵，派牙前将李演和牙前兵马使王佖率领骑兵，牙前将史万顷率领步兵，直抵禁苑墙外的神麢村。李晟事先派人在夜晚把禁苑墙凿开了两百余步宽的大口子，等到李演等人率军来到时，叛军已经在此竖起栅栏堵住了禁苑墙上的缺口，从栅栏的缝隙中刺杀射击官军，官军不能前进。李晟大怒，呵斥诸将说：“你们如此放纵敌人，我先杀了你们！”史万顷恐惧，率领部众首先前进，拔栅而入。王佖、李演率领骑兵继踵其后，叛军崩溃，各军分道同时进入禁苑。姚令言等人还在率众死战，李晟命令决胜军使唐良臣等人率领步兵、骑兵压迫姚令言，边作战边向前进，总计来回十多个回合，叛军支撑不住了。到了白华门，有几千名骑兵组成的叛军出现在官军的背后，李晟率领一百多名骑兵回头抵御，李晟身边的人呼喊道：“李相公来了！”叛军全都惊慌溃散。

在此之前，朱泚派遣张光晟率领五千人屯驻九曲，离东渭桥十多里，张光晟暗中向李晟表示归诚之意。等到朱泚失败了，张光晟劝朱泚弃城出逃，朱泚于是和姚令言率领残余部众向西逃跑，还有部众近万人。张光晟送朱泚出城以后，返回城内，投降了李晟。李晟派遣兵马使田子奇带领骑兵追赶朱泚。李晟驻军于含元殿前，自己住在右金吾仪仗队的房舍，下令各支军队说：“我李晟依靠将士们的力量，肃清了宫禁内的叛贼。长安城内的士绅百姓，长期陷于叛军手中，如果对他们稍有震动和惊扰，就违背了安抚百姓、讨伐罪人的本意。我李晟与诸位同家人相见的时间不会

等室家相见非晚[125]，五日内无得通家信。”命京兆尹李齐运等安慰居人。晟大将高明曜取贼妓[126]，尚可孤军士擅取贼马，晟皆斩之，军中股栗[127]。公私安堵，秋毫无犯，远坊[128]有经宿[129]乃知官军入城者。

是日，浑瑊、戴休颜、韩游瓌亦克咸阳，败贼三千余众，闻泚西走，分兵邀之。

己亥[130]，晟使京西兵马使孟涉屯白华门，尚可孤屯望仙门[131]，骆元光屯章敬寺[132]，晟以牙前三千人屯安国寺[133]，以镇京城。斩泚党李希倩、敬钉、彭偃等八人于市。

---

【段旨】

以上为第六段，写李晟率领官军攻克长安，朱泚出逃。

【注释】

[87]庚寅：五月二十日。[88]大陈兵：大规模地检阅军队。[89]谍人：间谍；探子。[90]觇：刺探军情。[91]逻骑：巡哨骑兵。[92]纵之：释放敌探。李晟故意释放敌探，放其回营宣传官军的盛大阵势，以慑敌胆。[93]通化门：长安城东面从北数第一门。[94]问兵所从入：询问攻城应从哪里进入。[95]外城：此指长安城外城。[96]坊市：居民所居为坊，交易之坊为市。坊市，即市民区。[97]宫阙：宫城，在长安城北部。[98]贼重兵皆聚苑中：贼兵主力都集结在禁苑中。[99]牒：公文。[100]壬辰：五月二十二日。[101]乙未：五月二十五日。[102]光泰门：苑门名，禁苑东垣偏南之门。[103]米仓村：唐京兆府万年县苑东乡属村。[104]丙申：五月二十六日。[105]潜匿不出：潜藏城中不出来。[106]华州营：华州骆元光之兵。[107]敛兵还：收兵回营。[108]白华门：白华殿宫门。[109]丁酉：五月二十七日。[110]西师：指浑瑊之师，西

---

【原文】

王武俊既破朱滔[134]，还恒州，表让幽州、卢龙节度使，上许之。

六月癸卯[135]，李晟遣掌书记[136]吴人于公异作露布上行在，曰：“臣已肃清宫禁，祇谒寝园[137]，钟虡不移[138]，庙貌如故[139]。”上泣下，曰：“天

太久了，诸位五天之内不得同家人通信息。”李晟命令京兆尹李齐运等人安慰居民。李晟的大将高明曜抢占了叛军的女乐人，尚可孤的士兵擅自牵走了叛军的马匹，李晟把他们都杀了，军中颤抖。长安城内官民安然无事，军队秋毫无犯，远处的街区有的过了一夜才知道官军进入城内。

这一天，浑瑊、戴休颜、韩游瓌也攻下了咸阳城，打败叛军三千多人，他们听说朱泚向西边逃跑，便分兵拦截朱泚。

五月二十九日己亥，李晟派京西兵马使孟涉屯驻白华门，尚可孤屯驻望仙门，骆元光屯驻章敬寺，李晟用牙前卫队三千人屯驻安国寺，以此来镇守京城。李晟在街市杀了朱泚的党羽李希倩、敬钎、彭偃等八人。

---

来攻长安，其时已进兵至武功。⑪浐西：浐水之西。⑫戊戌：五月二十八日。⑬神麝村：《新唐书》卷一百五十四《李晟传》载，晟“悉军军光泰门，使王佖、李演将骑，史万顷将步，抵苑北”。所谓“抵苑北”，即指抵神麝村，可见神麝村在禁苑北墙外。⑭夜开苑墙二百余步：在夜幕掩盖下凿开苑墙一百余丈。步，六尺为步。⑮树栅塞之：竖起栅栏堵塞苑墙缺口。⑯刺射：用长兵器刺杀和弓箭射击。⑰蹙：逼近；压迫。⑱凡十余合：总计十多个回合。⑲惊溃：惊惶地溃散。⑳九曲：地名，在长安城东与东渭桥之间。㉑含元殿：大明宫正殿。㉒右金吾仗：即金吾右仗院，宫内金吾卫士仗舍。左金吾仗，在含元殿之东；右金吾仗，在含元殿之西。㉓克清：肃清。㉔吊民伐罪：安抚百姓，讨伐罪人。㉕非晚：不会太晚；不会太久。㉖妓：女乐。㉗股栗：两腿发抖。形容李晟军令整肃，全军震慑。㉘远坊：离战斗较远的坊里。㉙经宿：过了一整夜。㉚己亥：五月二十九日。㉛望仙门：唐大明宫南面五门，其中门曰丹凤门。丹凤门之东为望仙门，又东为延政门。丹凤门之西为建福门，又西为兴安门。㉜章敬寺：在长安东城外。㉝安国寺：在大明宫东南。

---

【语译】

王武俊打败朱滔后，回到恒州，上表请求辞去幽州、卢龙节度使的职务，德宗同意了。

六月初四日癸卯，李晟派掌书记吴县人于公异草拟捷报上奏行在所说：“臣已经肃清了宫禁中的叛贼，恭恭敬敬地拜谒先帝们的园陵，编钟和支架没有移动，宗庙的状貌一如往昔。”德宗流下眼泪，说道：“上天降生了李晟这个人，是为了天

生李晟，以为社稷，非为朕也！”

晟在渭桥，荧惑守岁[140]，久之乃退，宾佐皆贺，曰：“荧惑退舍[141]，皇家之福也，宜速进兵。”晟曰：“天子野次[142]，臣下知死敌[143]而已。天象高远[144]，谁得知之！”既克长安，乃谓之曰：“向非相拒[145]也，吾闻五星赢缩无常[146]，万一复来守岁[147]，吾军不战自溃矣。”皆谢曰：“非所及也。”

朱泚将奔吐蕃，其众随道散亡。比至[148]泾州，才百余骑，田希鉴闭城拒之。泚谓之曰：“汝之节，吾所授也[149]，奈何临危相负！”使焚其门。希鉴取节投火中曰：“还汝节！”泚众皆哭。泾卒遂杀姚令言，诣希鉴降。泚独与范阳亲兵及宗族、宾客北趣驿马关[150]，宁州[151]刺史夏侯英拒之。至彭原西城屯[152]，其将梁庭芬射泚坠坑中，韩旻等斩之，诣泾州降。源休、李子平奔凤翔，李楚琳斩之，皆传首行在。

上命陆贽草诏赐浑瑊，使访求奉天所失裹头内人[153]。贽上奏，以为：“巨盗始平，疲瘵之民[154]，疮痍之卒[155]，尚未循拊[156]，而首访妇人，非所以副惟新之望[157]也。谋始尽善，克终已稀[158]。始而不谋，终则何有。所赐瑊诏，未敢承旨[159]。”上遂不降诏，竟遣中使求之[160]。

乙巳[161]，诏吏部侍郎班宏充宣慰使，劳问将士，抚慰蒸黎[162]。

丙午[163]，李晟斩文武官受朱泚宠任者崔宣、洪经纶等十余人；又表守节不屈[164]者刘乃、蒋沇等。

己酉[165]，以李晟为司徒、中书令，骆元光、尚可孤各迁官有差[166]。以检校御史中丞田希鉴为泾原节度使。

诏改梁州为兴元府。

甲寅[167]，以浑瑊为侍中，韩游瓌、戴休颜各迁官有差。

朱泚之败也，李忠臣奔樊川[168]，擒获，丙辰[169]，斩之。

下社稷，不是为了朕啊!”

李晟在渭桥驻军时，火星停留在木星旁边，很长时间才退离，李晟的宾客幕僚们都向他祝贺，说:“火星退离岁星，这是皇家的福兆，应该赶快进兵攻城。”李晟说:“皇帝宿留野外，做臣下的只知道与敌人拼死而已。天象高远难测，谁能知晓它呢!”攻下长安城后，李晟才对宾客幕僚们说:“从前我不是拒绝你们的意见，我听说金、木、水、火、土五星的早出与晚出没有常规，万一火星再次靠近岁星，我们的军队就会不战自溃了。”宾客僚佐们都向他道歉说:“不是我们所能想到的。”

朱泚将要奔往吐蕃，他的部众沿途四散逃亡。等到了泾州城，只剩下一百多骑兵，泾原节度使田希鉴关闭城门，拒绝朱泚进城。朱泚对田希鉴说:“你田希鉴的节度使旌节，是我朱泚给予的，你怎么能在我面临危难的时候背叛我呢!”于是派人去焚烧泾州城的城门。田希鉴取出朱泚所授节度使旌节，投到火中说:“旌节还给你!”朱泚的部众都哭了。原泾州的士兵杀了姚令言，前往田希鉴那里投降。朱泚只与从范阳带出来的卫兵、宗族成员和幕僚宾客们北赴驿马关，宁州刺史夏侯英拒绝让朱泚过关。朱泚到达彭原县城西的哨所，他的部将梁庭芬放箭把朱泚射落坑中，韩旻等人杀了朱泚，前往泾州投降。源休、李子平跑往凤翔，李楚琳斩杀了他们，朱泚、姚令言、源休、李子平等人的脑袋都被传送到德宗的行在所梁州。

德宗命令陆贽草拟诏令给浑瑊，让他寻访在奉天失散的裹头宫女。陆贽上奏德宗，认为:“大盗刚刚平定，疲困病苦的百姓，遭受创伤的士卒，还没有安抚，而首先访查一个妇人，陛下的这种做法不符合人们要革新政治的愿望。即使开始时谋划得尽善尽美，最终很少能做得尽善尽美。如果开头就谋划不好，那更没有完美的结局。陛下要赐给浑瑊的诏令，臣不敢奉旨草拟。”德宗于是不颁下此诏，最后只好派中使寻找这个宫女。

六月初六日乙巳，德宗下诏任命吏部侍郎班宏充任宣慰使，慰问将士，安抚黎民大众。

初七日丙午，李晟杀了受到朱泚宠信的文武官员崔宣、洪经纶等十几人，又上表朝廷表彰坚守节操、不屈节操的刘乃、蒋沇等人。

初十日己酉，德宗任命李晟为司徒、中书令，骆元光、尚可孤各升官晋级不等。任命检校御史中丞田希鉴为泾原节度使。

德宗下诏将梁州改为兴元府。

十五日甲寅，德宗任命浑瑊为侍中，韩游瓌、戴休颜各升官晋级不等。

朱泚被打败时，李忠臣跑往樊川，被官军抓获，十七日丙辰，斩杀了他。

【段旨】

以上为第七段，写叛臣朱泚之死，以及德宗封赏复国功臣。

【注释】

⑬④王武俊既破朱滔：本年二月辛酉，加授王武俊同平章事兼幽州、卢龙节度使，以讨朱滔。⑬⑤癸卯：六月初四日。⑬⑥掌书记：节度使属官，掌表奏书檄。⑬⑦祗谒寝园：恭敬地拜谒了园陵。⑬⑧钟虡不移：编钟及支架没有移动。虡，悬挂钟的架子，横梁叫笋，两侧的柱叫虡。⑬⑨庙貌如故：宗庙的状貌也和从前一样。⑭⓪荧惑守岁：火星停留在木星之旁。按古代星占家的说法，岁星所在，其国有福，荧惑守岁，其国有灾。因此，荧惑离开岁星，宾佐皆贺。⑭①荧惑退舍：荧惑离开了所留滞的星区，即离开了岁星。⑭②天子野次：皇上宿留野外。言失守宫阙。⑭③死敌：与敌人拼死。⑭④高远：谓高远难测。⑭⑤向非相拒：先前我不是要拒绝你们的意见。指荧惑退舍，进兵击贼。⑭⑥五星赢缩无常：金木火水土五星早出与晚出没有定规。五星出没皆有定律。运行过次，即早出为赢；未按时到舍，即晚出为缩。这种赢缩规律在没有完全了解以前被认为无常，没有定规。⑭⑦复

【原文】

上问陆贽："今至凤翔有迎驾诸军，形势甚盛，欲因此遣人代李楚琳，何如？"贽上奏，以为："如此则事同胁执⑰⓪，以言乎除乱则不武⑰①，以言乎务理⑰②则不诚，用是时巡，后将安入⑰③！议者或谓之权⑰④，臣窃未谕其理⑰⑤。夫权之为义，取类权衡⑰⑥，今辇路所经⑰⑦，首行胁夺⑰⑧，易一帅而亏万乘之义，得一方而结四海之疑，乃是重其所轻而轻其所重⑰⑨，谓之权也，不亦反⑱⓪乎！以反道为权，以任数为智⑱①，君上行之必失众⑱②，臣下用之必陷身⑱③，历代之所以多丧乱而长奸邪⑱④，由此误也。不如俟[3]奠枕京邑⑱⑤，征授一官⑱⑥，彼喜于恩宥，将奔走不暇⑱⑦，安敢辄有旅拒⑱⑧，复劳诛锄⑱⑨哉！"

来守岁：荧惑再次靠近岁星。⑭ 比至：及至到达。⑭ 汝之节二句：田希鉴本为泾原大将，杀节度使冯河清降于朱泚，朱泚授节田希鉴为泾原节度使。事见上卷兴元元年（公元七八四年）四月。距朱泚之败仅一月时间。⑮ 驿马关：关名，属庆州。在今甘肃庆阳西南。⑮ 宁州：州名，治所在今甘肃宁县。驿马关在宁州之北，朱泚过州，遭拦击。⑮ 彭原西城屯：彭原，县名，宁州属县，在驿马关之南，县治在今甘肃宁县西北。西城屯，彭原县城西的哨所。⑮ 裹头内人：给事宫中的传使宫女，因头上冠巾，故称裹头内人。⑮ 疲瘵之民：疲困病苦的人民。⑮ 疮痍之卒：遭受创伤的士卒。⑮ 循拊：安抚。⑮ 非所以副惟新之望：这不符合人们要求革新政治的愿望。⑮ 谋始尽善二句：开始时谋划得尽善尽美，最终很少能做得尽善尽美。克，能够。终，此指善终。⑮ 未敢承旨：不敢奉旨草诏。⑯ 遣中使求之：德宗直接派中使寻找裹头宫女。中使，皇帝从宫中派出的宦官使者，一般是奉旨处理一两件具体事务，事罢即撤。⑯ 乙巳：六月初六日。⑯ 抚慰蒸黎：安抚大众黎民。⑯ 丙午：六月初七日。⑯ 守节不屈：恪守臣节，不屈从贼人。刘乃事见上卷兴元元年二月，蒋沇事见本书卷第二百二十八建中四年（公元七八三年）。⑯ 己酉：六月初十日。⑯ 各迁官有差：各人升官品秩有差等。⑯ 甲寅：六月十五日。⑯ 樊川：地名，在今陕西西安市长安区韦曲街道、杜曲街道一带。⑯ 丙辰：六月十七日。

【语译】

德宗询问陆贽说："现今到凤翔来的有迎接车驾的各支军队，声势极为盛大，我想乘此机会派人代替李楚琳担任凤翔节度使，你看怎么样？"陆贽上奏皇帝，认为："如果这样做的话，事情就有点像以武力胁迫拘捕。把这种方式说成是清除祸乱，那么算不上是勇武；把这种方式说成是务求修明政治，那也算不上诚信；若说这是天子巡视的收获，事后又怎么能堂皇地进入京城呢！也许议政者中有人将这种方式说成是权宜之计，但臣私下却不能明白胁迫是权宜的道理。权的本义，取它类似权衡轻重，然后采取措施，现今皇帝车驾经过的地方，第一站就胁迫夺取军镇节帅的权力，换了一个镇将损害了天子的大义，得了一个地方使全天下的人疑虑，这正是看重了本该看轻的东西，而看轻了本该看重的东西，把这叫作权宜之举，不是轻重颠倒了吗！以违背道义为权宜之计，以任用权术为机智，君王如果采取这种方式，一定会丧失人心，臣下如果采取这种方式，一定会自害其身，自古以来之所以出现很多丧乱祸患、奸邪滋长的事情，都是由这一错误引起的啊！陛下不如安枕京城后，征召李楚琳授给一官，他会对陛下的恩泽、宽恕感到高兴，将会为朝廷效力都来不及，哪里敢有聚众抗命之事，又烦劳朝廷去诛杀呢！"

戊午[190]，车驾发汉中。

李晟综理[191]长安以备百司，自请至凤翔迎扈，上不许。内常侍[192]尹元贞奉使同华，辄诣河中招谕李怀光。晟奏："元贞矫制擅赦元恶，请理[193]其罪。"

秋，七月丙子[194]，车驾至凤翔，斩乔琳、蒋镇、张光晟等。李晟以光晟虽臣贼，而灭贼亦颇有力，欲全之。上不许。

副元帅判官[195]高郢数劝李怀光归款[196]，怀光遣其子璀诣行在谢罪，请束身归朝[197]。庚辰[198]，诏遣给事中孔巢父赍先除怀光太子太保敕[199]诣河中宣慰，朔方将士[200]悉复官爵如故。

壬午[201]，车驾至长安，浑瑊、韩游瓌、戴休颜以其众扈从。李晟、骆元光、尚可孤以其众奉迎，步骑十余万，旌旗数十里。晟谒见上于三桥[202]，先贺平贼，后谢收复之晚，伏路左请罪。上驻马[203]慰抚，为之掩涕，命左右扶上马。至宫，每闲日[204]辄宴勋臣，赏赐丰渥，李晟为之首，浑瑊次之，诸将相又次之。

曹王皋遣其将伊慎、王锷围安州[205]，李希烈遣其甥刘戒虚将步骑八千救之。皋遣其别将李伯潜逆击[4]之于应山[206]，斩首千余级。生擒戒虚，徇于城下，安州遂降，以伊慎为安州刺史。又击希烈将康叔夜于厉乡[207]，走之。

丁亥[208]，孔巢父至河中，李怀光素服待罪[209]，巢父不之止[210]。怀光左右多胡人，皆叹曰："太尉无官[211]矣！"巢父又宣言于众曰："军中谁可代太尉领军者？"于是怀光左右发怒喧噪[212]。宣诏未毕，众杀巢父及中使啖守盈。怀光亦不之止，复治兵[213]为拒守之备。

六月十九日戊午，德宗的车驾从汉中出发回京。

李晟全面主持长安城内事务，使各个职能机构完备起来，向朝廷请求自己亲自到凤翔迎接皇帝的车驾，德宗没有答应。内常侍尹元贞奉德宗命令出使同华，却去河中府劝说李怀光归顺朝廷。李晟上奏说：“尹元贞假托诏令，擅自赦免罪魁祸首，请治尹元贞的罪。”

秋，七月初七日丙子，德宗的车驾到达凤翔，杀了乔琳、蒋镇、张光晟等人。李晟认为张光晟虽然臣服叛贼，但在消灭叛贼时也出了大力，想救他一命。德宗没有同意。

前副元帅府的判官高郢多次劝说李怀光归诚朝廷，于是李怀光派儿子李璀前往行在所认罪，请求缚身到朝廷投案。七月十一日庚辰，德宗下诏派遣给事中孔巢父带着朝廷预先任命李怀光为太子太保的敕令前往河中府安抚，朔方将士全部恢复从前的官爵。

七月十三日壬午，德宗的车驾到达长安，浑瑊、韩游瓌、戴休颜率领自己的部属扈从。李晟、骆元光、尚可孤率领自己的部众迎接德宗，步兵、骑兵共有十几万人，旗帜绵延数十里。李晟在三桥晋见德宗，首先向德宗祝贺平定了叛贼，后面谢罪收复京城太晚，跪伏在道路的左边请罪。德宗停马慰抚，为李晟的忠心感动得流下眼泪，命令左右随从扶李晟上马。回到皇宫后，每逢双日不上朝时，德宗总是宴请功臣，赏赐丰厚，李晟所得最多，浑瑊次之，各位将领和宰相们又次于浑瑊。

曹王李皋派他的将领伊慎、王锷包围安州，李希烈派他的外甥刘戒虚率领步兵、骑兵八千人救援安州。李皋派遣别将李伯潜在应山县迎击刘戒虚，斩首一千多级。活捉了刘戒虚，在安州城下示众，安州于是投降了，朝廷任命伊慎为安州刺史。李皋的军队又在厉乡攻打李希烈的将领康叔夜，把康叔夜赶走了。

七月十八日丁亥，孔巢父到达河中府，李怀光穿着一身白色的衣服，等待朝廷治罪，孔巢父没有制止他。李怀光的身边多是胡人，他们都叹息道：“李太尉没有官职了！”孔巢父又大声问众人道：“军中谁能代替李太尉统领军队呢？”于是，李怀光的身边人大怒，喧哗闹事。孔巢父还没有宣读完朝廷的诏书，李怀光手下的很多人杀了孔巢父和中使啖守盈。李怀光也不加制止，又修缮兵器，做好防御的准备。

---

**【段旨】**

以上为第八段，写德宗回长安，遣使招降李怀光，所任非人，功败垂成。

【注释】

⑰⓪ 胁执：胁迫拘捕。⑰① 以言乎除乱则不武：胁迫拘人，把它说成是除乱并不能显示威武。⑰② 务理：务求修明政治。理，治。⑰③ 用是时巡二句：把这作为是天子巡视的收获，事后又怎能堂皇进入京城。时巡，天子春夏秋冬四时出巡四方，察问风俗叫时巡。⑰④ 权：权变；权宜之计。⑰⑤ 未谕其理：不能明白胁执为从权的道理。⑰⑥ 夫权之为义二句：权为秤砣，衡为秤杆，权衡用以平准物的轻重，故“权”字取义为权衡轻重。⑰⑦ 辇路所经：皇帝所巡经的地方。辇，指皇帝车驾。⑰⑧ 首行胁夺：第一站就用武力胁迫劫夺一个军镇。首行，首站。从汉中回长安，第一站途经凤翔。⑰⑨ 重其所轻而轻其所重：看重了本该看轻的东西，看轻了本该看重的东西。重，指天子大义。轻，指凤翔一个军镇。陆贽指出，德宗以权宜之计解决李楚琳，恰好把轻重弄颠倒了。⑱⓪ 反：指轻重颠倒。⑱① 以反道为权二句：以违背道义为权变，以任用权术为机智。⑱② 失众：众叛亲离，失去民心。⑱③ 陷身：危害自身。⑱④ 长奸邪：滋长奸邪。⑱⑤ 奠枕京邑：安枕京城。⑱⑥ 征授一官：征召李楚琳，在京师给他一个职官。用此解除李楚琳的兵权。⑱⑦ 奔走不暇：奔走效力都来不及。谓全力效忠。⑱⑧ 旅拒：率众相抗。旅，众也。⑱⑨ 复劳诛锄：又烦劳朝廷去诛杀。⑲⓪ 戊午：六月十九日。⑲① 综理：全面治理；总括治理。⑲② 内常侍：即中常侍，出入天子卧内的亲随

【原文】

辛卯[214]，赦天下。

初，肃宗在灵武，上为奉节王，学文于李泌[215]。代宗之世，泌居蓬莱书院[216]，上为太子，亦与之游。及上在兴元，泌为杭州刺史，上急诏征之，与睦州刺史杜亚[217]俱诣行在。乙未[218]，以泌为左散骑常侍，亚为刑部侍郎，命泌日直西省以候对[219]，朝野皆属目附之。上问泌：“河中密迩[220]京城，朔方兵素称精锐，如达奚小俊[5]等皆万人敌，朕昼夕忧之，奈何?”对曰：“天下事甚有可忧者。若惟河中，不足忧也。夫料敌者，料将不料兵。今怀光，将也；小俊之徒乃兵耳，何足为意！怀光既解奉天之围，视朱泚垂亡之虏不能取，乃与之连和，使李晟得取以为功。今陛下已还宫阙，怀光不束身归罪，乃虐杀使臣[221]，鼠伏[222]河中，如梦魇之人[223]耳。但恐不日为帐下所枭，使诸将无以藉手也。”

宦官。⑲³理：治。避高宗李治讳改。⑲⁴丙子：七月初七日。⑲⁵副元帅判官：李怀光之判官。此时李怀光已罢副元帅之职，而未释兵，史仍沿旧称。⑲⁶归款：投诚；归诚。⑲⁷束身归朝：缚身回归朝廷。此为投案请罪的委婉语。⑲⁸庚辰：七月十一日。⑲⁹除怀光太子太保敕：改任李怀光为太子太保的敕令。此敕德宗于三月庚子（二十九日）发布于梁州，事见上卷。⑳⁰朔方将士：李怀光所部。⑳¹壬午：七月十三日。⑳²三桥：在望贤宫之东，京城之西。⑳³驻马：停马。⑳⁴闲日：休朝日。唐代天子单日视朝，双日为闲日。⑳⁵安州：州名，治所在今湖北安陆。⑳⁶应山：安州属县，县治在今湖北广水。⑳⁷厉乡：乡名，属隋州隋县，在今湖北随县北。⑳⁸丁亥：七月十八日。⑳⁹素服待罪：李怀光释去官服，穿上白色的衣服表示等待治罪。㉑⁰不之止：不阻止李怀光素服。㉑¹太尉无官：李怀光部属多胡人，不懂素服待罪的礼仪，见李怀光素服，故以为无官。㉑²喧噪：吼叫。㉑³治兵：修缮甲兵。

**【校记】**

［3］俟：原无此字。据章钰校，乙十五行本、乙十一行本、孔天胤本皆有此字，张敦仁《通鉴刊本识误》、张瑛《通鉴校勘记》同，今据补。［4］击：原无此字。据章钰校，乙十五行本、乙十一行本、孔天胤本皆有此字，张瑛《通鉴校勘记》同，今据补。

---

**【语译】**

七月二十二日辛卯，大赦天下。

当初，肃宗皇帝在灵武时，德宗为奉节王，跟李泌学习辞章。代宗时期，李泌居处蓬莱书院，德宗为太子，也和李泌交往。等到德宗在兴元府时，李泌担任杭州刺史，德宗紧急下诏征召李泌，李泌与睦州刺史杜亚一同前往德宗所在的兴元府。七月二十六日乙未，德宗任命李泌为左散骑常侍，杜亚为刑部侍郎，命令李泌每天在中书省值班以等候德宗召对，在朝在野的人士都向往依附李泌。德宗问李泌：“河中府靠近京城，朔方镇的士兵一向十分精锐，像达奚小俊等人都有抵挡万人之勇，朕日夜为此担忧，你看该怎么办?”李泌回答说：“天下有十分值得忧虑的事情。如果只是河中，那就不值得陛下担忧了。要说预料敌情，是预料将领，而不预料士兵。现今的李怀光，是将领；而达奚小俊之类才是一个小兵而已，哪里值得放在心上！李怀光解除了奉天城包围后，眼看着朱泚即将败灭而不去消灭，反而与朱泚联合，使李晟得以攻取京城、消灭朱泚，立下功劳。现在陛下已经返回宫廷，李怀光不自缚手脚到朝廷来认罪，反而残杀朝廷使臣，像老鼠一样躲藏在河中，如同梦中恶鬼。只怕不久就要被部下杀头示众，使朝廷诸将没有机会下手。”

初，上发吐蕃以讨朱泚，许成功以伊西、北庭[224]之地与之。及泚诛，吐蕃来求地。上欲召两镇节度使郭昕、李元忠还朝，以其地与之。李泌曰："安西、北庭，人性骁悍，控制西域五十七国[225]及十姓突厥[226]，又分吐蕃之势，使不能并兵东侵，奈何拱手与之！且两镇之人，势孤地远，尽忠竭力，为国家固守近二十年，诚可哀怜。一旦弃之以与戎狄，彼其心必深怨中国，他日从吐蕃入寇，如报私仇矣。况日者[227]吐蕃观望不进，阴持两端，大掠武功，受赂而去，何功之有！"众议亦以为然。上遂不与。

【段旨】

以上为第九段，写德宗征召李泌入朝辅政，听从李泌建言，拒绝割地伊西、北庭与吐蕃。

【注释】

⑭ 辛卯：七月二十二日。⑮ 李泌（公元七二二至七八九年）：字长源，京兆（今陕西西安）人，原籍辽东襄平（今辽宁辽阳北）。历仕肃、代、德宗三朝，位至宰相。传见《旧唐书》卷一百三十、《新唐书》卷一百三十九。⑯ 蓬莱书院：代宗为李泌建书院于蓬莱殿侧，称蓬莱书院。事见本书卷第二百二十四代宗大历三年（公元七六八年）。⑰ 杜亚（公元七二五至七九八年）：字次公，京兆人，官至东都留守。传见《旧唐书》卷一百

【原文】

李希烈闻李希倩伏诛，忿怒。八月壬寅[228]，遣中使[229]至蔡州杀颜真卿。中使曰："有敕[230]。"真卿再拜。中使曰："今赐卿死。"真卿曰："老臣无状，罪当死。不知使者几日发长安？"使者曰："自大梁来，非长安也。"真卿曰："然则贼耳，何谓敕邪！"遂缢杀之。

李晟以泾州倚边[231]，屡害军帅，常为乱根[232]，奏请往理不用命者[233]，

当初，德宗让吐蕃出兵来讨伐朱泚，答应事情成功后把伊西、北庭之地给予吐蕃。等到朱泚被诛灭，吐蕃前来索取土地。德宗打算召伊西、北庭两镇的节度使郭昕、李元忠回朝，把这两处地方送给吐蕃。李泌说："安西、北庭的人们天性骁勇剽悍，这两地控制着西域地区的五十七个国家以及十个种姓的突厥人，又分散吐蕃的力量，使他们不能联合兵力向东侵扰，怎么能轻易地送给他们！而且这两个节镇的将士，势力孤单，地域遥远，尽忠竭力，为国家坚守边防将近二十年，实在令人哀伤怜悯。一朝把他们遗弃，交给戎狄，他们心中一定会深深怨恨我大唐朝廷，以后他们随同吐蕃入侵，就像报私仇一样了。何况从前吐蕃徘徊观望，不肯进攻，暗中保持两边的关系，大肆抢劫武功县，接受了财物以后才离去，他们有什么功劳可言！"群臣也都持这种看法。德宗于是就不把这两地送给吐蕃。

---

四十六、《新唐书》卷一百七十二。㉑⑧乙未：七月二十六日。㉑⑨直西省以候对：在中书省值班等待德宗召对。唐门下省为东省，中书省为西省。㉒⓪密迩：贴近；靠近。㉒①虐杀使臣：指李怀光纵乱兵残杀孔巢父、啖守盈。㉒②鼠伏：如鼠之深藏，不敢见天日。㉒③梦魇之人：如梦中的恶鬼，瞬间即逝。㉒④伊西、北庭：两都护府，贞观十四年（公元六四〇年）置。伊西，即安西，辖天山以南西域之地。北庭辖天山以北西域之地。郭昕守安西，李元忠守北庭，久困于吐蕃，因无援，终于在德宗贞元三年（公元七八七年）没入吐蕃。㉒⑤西域五十七国：汉时三十六国，至唐时分为五十七国。㉒⑥十姓突厥：西突厥有弩失毕、五咄陆等十姓。㉒⑦日者：往日；先前。

## 【校记】

［5］小俊：严衍《通鉴补》改作"承俊"。

---

## 【语译】

李希烈听说李希倩在长安伏罪处死，十分愤怒。八月初三日壬寅，派遣中使到蔡州杀害颜真卿。中使对颜真卿说："皇帝有敕书到来。"颜真卿拜了又拜。中使说："现在赐你死。"颜真卿说："老臣没有成绩，罪当处死。不知道使者您哪天从长安出发的？"中使说："我从大梁来，不是从长安来的。"颜真卿说："这么说来，你是叛贼，怎么还说是敕令呢！"中使于是勒死了颜真卿。

李晟认为泾州临近边疆，这里的将士多次杀害军中主帅，是经常作乱的根源，

力田积粟以攘[234]吐蕃。癸卯[235]，以晟兼凤翔、陇右节度等使及四镇、北庭、泾原行营副元帅，进爵西平王。时李楚琳入朝，晟请与俱至凤翔而斩之，以惩逆乱。上以新复京师，务安反仄[236]，不许。

先是，上命浑瑊、骆元光讨李怀光军于同州[237]，怀光遣其将徐庭光以精卒六千军于长春宫[238]以拒之，瑊等数为所败，不能进。时度支用度不给，议者多请赦怀光。上不许。李怀光遣其妹婿要廷珍守晋州[239]，牙将毛朝扬守隰州[240]，郑抗守慈州[241]，马燧皆遣人说下之。上乃加浑瑊河中、绛州节度使，充河中、同华、陕虢行营副元帅，加马燧奉诚军[242]、晋、慈、隰节度使，充管内诸军行营副元帅[243]，与镇国节度使[244]骆元光、鄜坊节度使唐朝臣合兵讨怀光。

初，王武俊急攻康日知于赵州，马燧奏请诏武俊与李抱真同击朱滔，以深、赵隶武俊，改日知为晋、慈、隰节度使。上从之。日知未至而三州降燧，故上使燧兼领之。燧表让三州于日知，且言因降而授，恐后有功者，踵以为常[245]。上嘉而许之。燧遣使迎日知，既至，籍府库[246]而归之。

甲辰[247]，以凤翔节度使李楚琳为左金吾大将军。

丙午[248]，加浑瑊朔方行营元帅。

李晟至凤翔，治杀张镒之罪，斩裨将王斌等十余人。

朱滔为王武俊所攻，殆[249]不能军[250]，上表待罪。

癸未[251]，马燧将步骑三万攻绛州[252]。

度支以李怀光所部将士数万与怀光同反，不给冬衣。上曰："朔方军累代忠义[253]，今为怀光所制耳，将士何罪！"冬，十月己亥[6]，诏："朔方及诸军在怀光所者，冬衣及赏钱皆当别贮[254]，俟道路稍通，即时给之。"

李勉累表乞自贬[255]。辛丑[256]，罢勉都统、节度使，其检校司徒、同平章事如故。

丙辰[257]，李怀光将阎晏寇同州，官军败于沙苑[258]。诏征邠州之军，韩游瓌将甲士[259]六千赴之。

上奏德宗请求去泾州处治那些不听从朝廷命令的人，督促军民努力耕种，储积粮食，用以抗击吐蕃。八月初四日癸卯，德宗任命李晟兼任凤翔、陇右等地节度使以及四镇、北庭、泾原行营副元帅，进封爵号为西平王。当时李楚琳已经入朝，李晟请求让李楚琳与自己一起到凤翔，在凤翔杀了他，借以惩治反叛朝廷的变乱。德宗认为刚刚收复京城，务必要安定心怀反叛的人，便没有答应李晟的请求。

先前，德宗命令浑瑊、骆元光在同州讨伐李怀光的军队，李怀光派部将徐庭光率领精锐部队六千人驻守长春宫抵御浑瑊、骆元光，浑瑊等人多次被徐庭光打败，不能进军。当时度支的费用供应不足，议政的人大多请求赦免李怀光。德宗不答应。李怀光派他的妹夫要廷珍防守晋州，牙将毛朝扬防守隰州，郑抗防守慈州，马燧全都派人把他们劝说投降了。德宗于是加授浑瑊河中、绛州节度使，充任河中、同华、陕虢行营副元帅，加授马燧奉诚军和晋、慈、隰节度使，充任所管辖区域内各支军队的行营副元帅，与镇国军节度使骆元光、鄜坊镇节度使唐朝臣联合兵力讨伐李怀光。

当初，王武俊在赵州急攻康日知，马燧上奏朝廷请诏令王武俊与李抱真一起攻打朱滔，让深州、赵州隶属于王武俊，改任康日知为晋、慈、隰三州节度使。德宗听从了这一建议。康日知还没有到任，晋、慈、隰三州已经投降马燧，因此，德宗让马燧兼领晋、慈、隰三州。马燧上表朝廷请求把晋、慈、隰三州节度使让给康日知，而且说因为三州向自己投降，就把官职授给自己，恐怕以后有功劳的人，相继将此作为常例。皇帝嘉勉马燧，同意了马燧的意见。马燧派使者去迎接康日知，康日知到了后，马燧把库存财物登记造册，交给了康日知。

八月初五日甲辰，德宗任命凤翔节度使李楚琳为左金吾大将军。

初七日丙午，德宗加授浑瑊为朔方行营元帅。

李晟到了凤翔，惩治杀害前任节度使张镒之罪，杀了裨将王斌等十多个人。

朱滔被王武俊所攻，几乎溃不成军，便上表朝廷，等候治罪。

癸未日，马燧率领步兵、骑兵三万人攻打绛州。

度支的主管官吏认为李怀光所辖的几万名将士同李怀光一起反叛，不供给他们冬衣。德宗说："朔方军几代忠义，现在是被李怀光所控制而已，将士们有什么罪过！"冬，十月初一日己亥，德宗下诏说："朔方军以及在李怀光统领下的各军将士，他们的冬衣和赏钱都应当另外储备起来，等到道路渐渐开通之后，马上按时发给他们。"

李勉多次上表朝廷请求贬职。十月初三日辛丑，罢免了李勉都统、节度使的职务，他的检校司徒、同平章事职务依旧保留。

十八日丙辰，李怀光的将领阎晏侵犯同州，官军在沙苑战败。德宗下诏征调邠州的军队，韩游瓌率领六千名甲士奔赴同州。

乙丑[260]，马燧拔绛州，分兵取闻喜、万泉、虞乡、永乐、猗氏[261]。

初，鱼朝恩既诛，代宗不复使宦官典兵。上即位，悉以禁兵委白志贞[262]。志贞得罪，上复以宦官窦文场代之，从幸山南，两军稍集。上还长安，颇忌宿将握兵多者，稍稍罢之。戊辰[263]，以文场监神策军左厢兵马使，王希迁监右厢兵马使，始令宦官分典禁旅。

---

【段旨】

以上为第十段，写李希烈途穷杀颜真卿。德宗部署各路官军进逼李怀光，因疑忌功臣重新起用宦官掌兵权。

【注释】

㉘壬寅：八月初三日。㉙中使：《旧唐书》卷一百二十八、《新唐书》卷一百五十三颜真卿本传并谓"阉奴"。李希烈所遣为"阉奴"和部将辛景臻等。㉚有敕：有敕书到来。㉛倚边：靠近边界。㉜屡害军帅二句：德宗初即位，泾州有刘文喜之乱，接着有姚令言之乱，不久又发生田希鉴杀冯河清的事件。乱根，祸乱的策源地。㉝往理不用命者：到泾州去处治不听从朝命的人。㉞攘：排斥；抗击。㉟癸卯：八月初四日。㊱务安反仄：以安定平稳为要务。反仄，心怀反叛的人。务使反仄之人安定下来，要以宽怀为本，诛杀为辅，故德宗采纳了陆贽的建言，不许李晟追究前案。㊲同州：州名，治所冯翊，在今陕西大荔。㊳长春宫：宫名，北周宇文护所筑。在今陕西大荔东北。㊴晋州：地名，治所临汾，在今山西临汾。㊵隰州：州名，治所隰川，在今山西隰县。㊶慈州：州名，治所吉昌，在今山西吉县。㊷奉诚军：兴元元年正月置以授康日知。因三州降于马燧，于是改授马燧兼领。㊸充管内诸军行营副元帅：德宗为太子时任天下兵马大元帅讨安史之乱，此后行营只置副元帅。马燧为奉诚军管内晋、绛、慈、隰等州诸军行营副元帅。㊹镇国节度使：肃宗上元二年（公元七六一年）在华州置镇国节度，广德元年（公

---

【原文】

闰月[264]丙子[265]，以泾原节度使田希鉴为卫尉卿[266]。

李晟初至凤翔，希鉴遣使参候。晟谓使者曰："泾州逼近吐蕃，

二十七日乙丑，马燧攻取绛州，分兵攻取闻喜、万泉、虞乡、永乐、猗氏。

当初，鱼朝恩被杀以后，代宗不再让宦官掌管兵权。德宗即位以后，把所有的禁卫军交给了白志贞。白志贞获罪后，德宗又让宦官窦文场代替白志贞统领禁卫军，跟随德宗到了山南，神策的左右两军逐渐集中起来。德宗回到长安，对掌握很多兵马的老将很有顾忌，逐渐地罢免了他们。十月三十日戊辰，德宗任命窦文场为监督神策军的左厢兵马使，王希迁为监督神策军的右厢兵马使，开始让宦官分别掌管中央禁卫军。

---

元七六三年）罢，今复置。㉔⑤踵以为常：相继作为常例。㉔⑥籍府库：清点府库，登上簿籍。㉔⑦甲辰：八月初五日。㉔⑧丙午：八月初七日。㉔⑨殆：几乎；差不多。㉕⓪不能军：溃不成军。㉕①癸未：八月庚子朔，无癸未。癸未，九月十五日。㉕②绛州：州名，时属李怀光。治所在今山西新绛。㉕③累代忠义：世代忠义。自肃、代以来，朔方军勤劳王室，功高天下。㉕④别贮：另外作为专项储备起来。㉕⑤自贬：主动请求贬官。建中四年（公元七八三年）李勉以永平节度使都统四镇兵讨李希烈，丧师失守，故多次上表请解都统等职。㉕⑥辛丑：十月初三日。㉕⑦丙辰：十月十八日。㉕⑧沙苑：地名，因有沙丘得名。在同州南洛水与渭水之间。㉕⑨甲士：穿盔甲的重装兵，在步兵中属于精锐。㉖⓪乙丑：十月二十七日。㉖①闻喜万泉虞乡永乐猗氏：皆县名。闻喜、万泉二县属绛州，在南境与蒲州相接。虞乡、永乐、猗氏三县属蒲州。猗氏在蒲州东北，虞乡在州东，永乐在州东南。李怀光失守诸县，则官军三面逼近蒲州河中府城。㉖②悉以禁兵委白志贞：白志贞始典禁军，事见本书卷第二百二十五代宗大历十四年（公元七七九年）；白志贞解兵权，事见本书卷二百二十九德宗建中四年（公元七八三年）。㉖③戊辰：十月三十日。

## 【校记】

［6］己亥：此二字原无。据章钰校，乙十五行本、乙十一行本、孔天胤本皆有此二字，张瑛《通鉴校勘记》同，今据补。己亥，十月初一日。

---

## 【语译】

闰十月初八日丙子，德宗任命泾原节度使田希鉴为卫尉卿。

李晟刚到凤翔的时候，田希鉴派遣使者来参见问候。李晟对使者说：“泾州逼近

万一入寇，州兵能独御之乎？欲遣兵防援[267]，又未知田尚书意。”使者归，以告希鉴，希鉴果请援兵，晟遣腹心将彭令英等戍泾州。晟寻托巡边诣泾州，希鉴出迎，晟与之并辔[268]而入，道旧结欢[269]。希鉴妻李氏，以叔父事晟，晟谓之田郎。晟命具三日食，曰：“巡抚毕，即还凤翔。”希鉴不复疑。晟置宴，希鉴与将佐俱至晟营。晟伏甲于外庑[270]。既食而饮[271]，彭令英引泾州诸将下堂。晟曰：“我与汝曹久别[272]，各宜自言姓名。”于是得为乱者石奇等三十余人，让[273]之曰：“汝曹屡为逆乱，残害忠良，固天地所不容！”悉引出，斩之。希鉴尚在座，晟顾曰：“田郎亦不得无过，以亲知之故，当使身首得完。”希鉴曰：“唯。”遂引出，缢杀之，并其子萼。晟入其营，谕以诛希鉴之意，众股栗，无敢动者。

---

**【段旨】**

以上为第十一段，写李晟整肃纲纪，诛杀泾州数叛朝廷的大恶田希鉴等数十人。

---

**【原文】**

李希烈遣其将翟崇晖悉众围陈州[274]，久之，不克。李澄知大梁兵少，不能制滑州，遂焚希烈所授旌节，誓众归国。甲午[275]，以澄为汴滑节度使[276]。

宋亳节度使刘洽遣马步都虞候刘昌与陇右、幽州行营节度使曲环等将兵三万救陈州。十一月癸卯[277]，败翟崇晖于州西，斩首三万五千级，擒崇晖以献。乘胜进攻汴州[278]。李希烈惧，奔归蔡州[279]。李澄引兵

吐蕃，万一吐蕃入侵，泾州的兵力能抵挡得住吗？我想派兵去增强防御力量，又不知道田尚书的想法。”使者回到泾州，把这个意思告诉了田希鉴，田希鉴果然请李晟派去援兵。李晟派遣心腹将领彭令英等人戍守泾州。不久，李晟借口巡视边疆前往泾州，田希鉴出城迎接，李晟和田希鉴并骑入城，叙旧交好。田希鉴的妻子李氏，用对待叔父一样的礼仪奉事李晟，李晟因此称田希鉴为田郎。李晟命令田希鉴准备三天的伙食，对田希鉴说：“我巡察安抚完毕，立刻返回凤翔。”田希鉴对李晟不再怀疑。李晟设置酒宴，田希鉴和将领、僚佐们都到了李晟的军营。李晟在外边屋廊下埋伏了甲兵。田希鉴等人连吃带喝，彭令英把泾州的各位将领带到堂下。李晟对他们说：“我与你们分别很久了，你们最好各自说出姓名。”于是知道了犯上作乱的石奇等三十多人，李晟斥责他们说：“你们多次为逆作乱，残害忠良，实在是天地不能容忍的！”于是把他们全部拉出去，斩杀了他们。田希鉴还在座位上，李晟回头对田希鉴说：“田郎你也不能说没罪，因为你我亲近友好的缘故，我自当让你身首完整。”田希鉴说：“是的。”于是带出去，绞杀了他，连同他的儿子田萼也绞死了。李晟进入田希鉴的军营，向众人宣谕诛杀田希鉴的原因，众人吓得腿直发抖，无人敢动。

【注释】

㉖④闰月：闰十月。㉖⑤丙子：闰十月初八日。㉖⑥卫尉卿：官名，卫尉寺长官，掌仪仗兵器与帐幕供设。田希鉴被任命为卫尉卿而解除兵权，未及赴京为李晟所诛。㉖⑦防援：增防援兵。㉖⑧并辔：并骑；两马并行。㉖⑨道旧结欢：叙旧交好。㉗⓪庑：屋廊。㉗①既食而饮：连吃带喝。即酒酣之际。㉗②久别：分别了很长时间。㉗③让：斥责。

【语译】

李希烈派遣他的将领翟崇晖带领所有部众包围陈州，很久不能攻克。李澄知道大梁的兵力很少，控制不了滑州，于是就焚烧了李希烈授予的节度使旌节，与部众宣誓回归朝廷。闰十月二十六日甲午，德宗任命李澄为汴滑节度使。

宋亳节度使刘洽派遣马步都虞候刘昌与陇右、幽州行营节度使曲环等人率兵三万人援救陈州。十一月初六日癸卯，刘昌、曲环等在陈州西边打败翟崇晖，斩首三万五千，活捉了翟崇晖，献给朝廷。刘昌、曲环乘胜进攻汴州。李希烈很害怕，

趣汴州，至城北，恇怯[280]不敢进。刘洽兵至城东，戊午[281]，李希烈守将田怀珍开门纳之。明日，澄入，舍于浚仪[282]。两军之士，日有忿阋[283]。会希烈郑州[284]守将孙液降于澄，澄引兵屯郑州。诏以都统司马[285]宝鼎薛珏[286]为汴州刺史。

李勉至长安，素服待罪。议者多以"勉失守大梁[287]，不应尚为相"。李泌言于上曰："李勉公忠雅正，而用兵非其所长。及大梁不守，将士弃妻子而从之者殆二万人，足以见其得众心矣。且刘洽出勉麾下，勉至睢阳[288]，悉举其众以授之，卒平大梁，亦勉之功也。"上乃命勉复其位。议者又言："韩滉闻銮舆在外，聚兵修石头城[289]，阴蓄异志[290]。"上疑之，以问李泌。对曰："滉公忠清俭[291]，自车驾在外，滉贡献不绝。且镇江东十五州[292]，盗贼不起，皆滉之力也。所以修石头城者，滉见中原板荡[293]，谓陛下将有永嘉之行[294]，为迎扈[295]之备耳。此乃人臣忠笃之虑，奈何更以为罪乎！滉性刚严，不附权贵，故多谤毁，愿陛下察之，臣敢保其无他。"上曰："外议汹汹，章奏如麻[296]，卿弗闻乎？"对曰："臣固闻之。其子皋为考功员外郎[297]，今不敢归省其亲，正以谤语沸腾故也。"上曰："其子犹惧如此，卿奈何保之？"对曰："滉之用心，臣知之至熟。愿上章明其无他[298]，乞宣示中书[299]，使朝众[300]皆知之。"上曰："朕方欲用卿，人亦何易可保！慎勿违众，恐并为卿累[301]也。"泌退，遂上章，请以百口保滉。他日，上谓泌曰："卿竟上章，已为卿留中[302]。虽知卿与滉亲旧，岂得不自爱其身乎！"对曰："臣岂肯私于亲旧以负陛下，顾滉实无异心。臣之上章，以为朝廷，非为身也。"上曰："如何其为朝廷？"对曰："今天下旱、蝗，关中米斗千钱，仓廪耗竭，而江东丰稔。愿陛下早下臣章以解朝众之惑，面谕韩皋使之归觐[303]，令滉感激无自疑之心，速运粮储，岂非为朝廷邪！"上曰："善！朕深谕之矣。"即下泌章，令韩皋谒告归觐，面赐绯衣[304]，谕以"卿父比有谤

逃回蔡州。李澄率兵奔赴汴州，到了汴州城北，惶恐畏缩，不敢进攻。这时刘洽的军队到了汴州城东，二十一日戊午，李希烈的汴州守将田怀珍打开城门，迎入刘洽的军队。第二天，李澄的军队才进去，驻扎在浚仪县。两支军队的士兵，每天相互怨恨争斗。适逢李希烈的郑州守将孙液向李澄投降，李澄带兵屯驻郑州。德宗下诏任命都统司马宝鼎人薛珏为汴州刺史。

李勉到了长安，身穿白色衣服，等待朝廷治罪。朝廷中商议讨论此事的人大多认为“李勉失守大梁，不应还担任宰相职务”。李泌对德宗说：“李勉为人公平忠诚、文雅正直，而用兵打仗不是他的长处。等到大梁失守，将士们抛家弃子跟随李勉的将近二万人，足以看出李勉深得人心。而且刘洽出自李勉的部下，李勉到了睢阳县以后，马上把所率部队全部交给刘洽指挥，终于平定了大梁，这也是李勉的功劳啊。”德宗于是命令李勉官复原职。朝廷中议事的人又说：“韩滉听说德宗的车驾在外，便集中兵力修筑石头城，暗藏反叛之意。”德宗于是怀疑韩滉，就这事询问李泌。李泌回答说：“韩滉为人公正忠诚、清廉俭朴，自从陛下在外，韩滉对朝廷贡献物资从未断绝。而且镇守江东十五州，没有盗贼出现，这都是韩滉之力啊。他之所以要修筑石头城，是因为他看到中原动荡，认为陛下将会有晋元帝永嘉年间那样南渡长江之行，那是为了迎接陛下车驾做的准备啊。这是人臣忠诚陛下的想法，怎么能反把它说成罪过呢！韩滉性格刚强严厉，不攀附有权有势的人，所以诽谤很多，希望陛下审察，臣敢担保韩滉没有别的意图。”德宗说：“外面对韩滉的议论纷纷，奏章如麻，卿没听到过吗？”李泌回答说：“我确实听说了。韩滉的儿子韩皋担任考功员外郎，现在不敢回去探亲，正是因为对韩滉的谤语沸腾的缘故啊。”德宗说：“韩滉的儿子尚且这样恐惧，卿为什么要为韩滉担保呢？”李泌回答说：“韩滉的用意，我了解得极为透彻。愿意上奏证明他没有异志，请求陛下把这份奏章宣示于中书省，让朝廷大臣都知道。”德宗说：“朕正打算重用你，要担保一个人谈何容易！卿不要违背大家的意见，这恐怕会牵累你。”李泌退朝后，便上疏请求以全家百口人命为韩滉担保。后来有一天，德宗对李泌说：“卿最终还是上了奏章，朕已为你把奏章扣留禁中。朕知道你与韩滉亲近，有旧交，但怎么能不自爱其身呢？”李泌回答说：“臣岂敢以私情来对待旧友亲朋而有负于陛下，只是韩滉确实没有背叛朝廷的想法。臣上奏章表，是为了朝廷，不是为了自身啊。”德宗说：“那卿是怎么为朝廷的？”李泌回答说：“现在天下发生了旱灾和蝗灾，关中地区一斗米价值一千钱，国家的粮库消耗光了，但江东地区粮食丰收。希望陛下早日将臣的奏章下达中书省，以便解除朝廷群臣的疑惑，陛下面谕韩皋，让他回家探亲，使韩滉心中感激，打消内心的怀疑念头，迅速向朝廷运送储备的粮食，这难道不是为朝廷吗！”德宗说：“好！我深深地明白了。”当即把李泌的奏章下达中书省，命令韩皋回去探亲，德宗当着朝廷群臣的面赐给韩皋绯色朝服，告谕韩皋“你父亲接连遭受诽谤，朕现在已经知道了是怎么回事，

言[305]，朕今知其所以，释然[306]不复信[307]矣”。因言：“关中乏粮，归语卿父，宜速致之。”皋至润州，滉感悦流涕，即日自临水滨[308]发米百万斛，听皋留五日即还朝[309]。皋别其母，啼声闻于外。滉怒，召出，挞之[310]，自送至江上，冒风涛而遣之。既而陈少游闻滉贡米，亦贡二十万斛。上谓李泌曰：“韩滉乃能化陈少游贡米[311]矣！”对曰：“岂惟少游，诸道将争入贡矣。”

---

**【段旨】**

以上为第十二段，写李泌善谏，不顾个人安危保护李勉、韩滉两位忠义大臣。

**【注释】**

(274)陈州：州名，治所宛丘，在今河南周口市淮阳区。(275)甲午：闰十月二十六日。(276)以澄为汴滑节度使：德宗建中四年十二月，滑州刺史李澄以城降李希烈。兴元元年（公元七八四年）二月，李澄密遣使归国，德宗许以为汴滑节度使，犹外事李希烈。至此，李澄公开与李希烈决裂而正式授使职。(277)癸卯：十一月初六日。(278)汴州：州名，治所浚仪，在今河南开封。(279)蔡州：李希烈淮宁镇所，州治汝阳，在今河南汝南。(280)恇怯：惶恐畏缩。(281)戊午：十一月二十一日。(282)舍于浚仪：指住留在浚仪县衙。(283)忿阋：怨恨争斗。(204)郑州：州名，治所在今河南郑州。(205)都统司马：薛珏所任为汴宋都统行军司马。(286)薛珏（公元七一九至七九二年）：河中宝鼎（今山西临猗东北）人，曾官楚州刺史、汴州刺史、河南尹、司农卿、京兆尹。传见《旧唐书》卷一百八十五、《新唐书》卷一百四十三。(287)勉失守大梁：事见本书卷第二百二十九德宗建中四年（公元七八三

---

**【原文】**

吏部尚书、同平章事萧复奉使自江、淮还[312]，与李勉、卢翰、刘从一俱见上。勉等退，复独留，言于上曰：“陈少游任兼将相，首败臣节[313]；韦皋幕府下僚，独建忠义[314]。请以皋代少游镇淮南，使善恶著明[7]。”上然之。寻遣中使马钦绪揖刘从一，附耳语而去。诸相还阁[315]。从一诣复曰：“钦绪宣旨，令从一与公议朝来[316]所言事，即奏行

疑虑消除，不再相信这些流言了”。接着对韩皋说：“关中地区缺乏粮食，回去告诉你父亲，最好迅速运送粮食过来。”韩皋到了润州，韩滉又感激又高兴，流下眼泪，当天就亲自来到江边漕运处发运粮食一百万斛，允许韩皋在家停留五天就回朝。韩皋辞别他的母亲，啼哭声传到了外边。韩滉很生气，叫出韩皋，用棍子打他，亲自把韩皋送到江上，顶着风浪送走了他。不久，陈少游听说韩滉向朝廷贡献粮食，自己也向朝廷贡献粮米二十万斛。德宗对李泌说：“韩滉竟然能感化陈少游向朝廷贡献粮米！”李泌回答说：“韩滉感化的岂止是陈少游，各道都要争着向朝廷进贡了。”

---

年）。㉘睢阳：县名，宋州治所，在今河南商丘。㉙聚兵修石头城：事见本书卷第二百二十九建中四年。㉚阴蓄异志：暗藏反叛朝廷之意。㉛公忠清俭：公正忠诚，清廉俭朴。㉜镇江东十五州：韩滉为浙江东、西道节度使，所统十五州为润、升、常、湖、苏、杭、睦、越、明、台、温、衢、处、婺等十四州，加宣州凡十五州。宣州为滉领镇时所增。㉝板荡：动荡。㉞永嘉之行：永嘉为西晋怀帝年号。永嘉年间（公元三〇八至三一三年），西晋大乱，晋元帝渡江保有东晋。李泌引此喻以白韩滉本志。㉟迎扈：迎接和扈从皇上。㊱如麻：形容多如麻成团。㊲考功员外郎：官名，吏部第四司考功司副长官，掌判文武百官考绩行状。㊳上章明其无他：上疏证明韩滉没有异志。㊴宣示中书：将奏章宣示于中书省。㊵朝众：朝廷众臣。㊶累：牵累。㊷留中：留在禁中，搁置不办。㊸归觐：归家省亲。㊹面赐绯衣：德宗当面赐给韩皋绯色朝服。韩皋为考功员外郎，从六品，绯色朝服为四、五品之服。㊺比有谤言：接连遭受诽谤。㊻释然：消除了疑虑。㊼不复信：不再相信流言。㊽自临水滨：韩滉亲自来到江边码头。㊾听皋留五日即还朝：允许韩皋在家停留五天即打发他还朝。㊿挞之：用棍子打了韩皋一顿，促其还朝。(311)陈少游贡米：陈少游为淮南节度使，阴附李希烈，现在也贡米二十万斛。

---

## 【语译】

吏部尚书、同平章事萧复奉命出使从江、淮返回，与李勉、卢翰、刘从一一起晋见德宗。李勉等人退下以后，萧复一个人留下来，对德宗说：“陈少游职兼将相，却首先败坏了人臣的节操；韦皋是他的幕府下属，却独树忠义。请陛下任命韦皋代替陈少游镇守淮南，使善恶分明。”德宗同意这个建议。马上就派中使马钦绪去见刘从一，对着刘从一的耳朵细说了些什么就走了。各位宰相返回中书省政事堂。刘从一到萧复那里说：“马钦绪传达皇上的圣旨，让我与您商议您早上所说的事情，之后

之，勿令李、卢知。敢问何事也?”复曰:“唐、虞黜陟，岳牧佥谐[317]。爵人于朝，与士共之。使李、卢不堪为相，则罢之。既在相位，朝廷政事，安得不与之同议而独隐此事乎！此最当今之大弊，朝来主上已有斯言，复已面陈其不可，不谓圣意尚尔。复不惜与公奏行之，但恐浸以成俗[318]，未敢以告。”竟不以语从一。从一奏之，上愈不悦。复乃上表辞位，乙丑[319]，罢为左庶子。

刘洽克汴州，得《李希烈起居注》[320]，云“某月日，陈少游上表归顺[321]”。少游闻之惭惧，发疾，十二月乙亥[322]，薨，赠太尉，赙祭如常仪[323]。

淮南大将王韶欲自为留后，令将士推己知军事，且欲大掠。韩滉遣使谓之曰:“汝敢为乱，吾即日全军渡江诛汝矣!”韶等惧而止。上闻之喜，谓李泌曰:“滉不惟安江东，又能安淮南，真大臣之器，卿可谓知人。”庚辰[324]，加滉平章事、江淮转运使。滉运江、淮粟帛入贡府[325]，无虚月，朝廷赖之，使者劳问相继，恩遇始深矣。

是岁蝗遍远近[326]，草木无遗，惟不食稻，大饥，道殣相望[327]。

---

【段旨】

以上为第十三段，写萧复因忠直而被罢相。中原大闹蝗灾。

【注释】

⑫萧复奉使自江、淮还：萧复奉使江淮事，见本书卷第二百二十九德宗兴元元年（公元七八四年）四月。⑬首败臣节：首先败坏了人臣的操守。事见本书卷第二百二十九德宗建中四年。⑭独建忠义：指唯有陇右营田判官韦皋不受朱泚节而诛反者，事见本书卷二百二十八德宗建中四年。⑮还阁：回到中书省政事堂。⑯朝来：早上的时候。朝，早。⑰唐、虞黜陟二句：唐尧、虞舜升降百官，朝内朝外的官员都要协调一致。黜，降职。陟，升职。岳，朝中大臣四岳。牧，朝外大臣九州牧伯。佥，都。⑱浸以成俗：逐

马上上奏施行，不要让李勉、卢翰知道。请问是什么事？”萧复说：“唐尧、虞舜升降百官，朝内朝外的官员都要协调一致。在朝中给予了爵位的人，应当共掌朝政。假如李勉、卢翰不适于做宰相，就罢免他们。既然他们身居宰相职位，朝廷政事，怎么能不同他们商量，而独独对他们隐瞒这一事情呢！这是今日的重大弊端，早上皇上已对我说过这话，我已经向皇帝当面陈说这样做不可以，没想到皇上的想法还是如此。不是我不愿意与您商议后上奏皇上，只怕渐渐地形成一种惯例，所以不敢告诉您。”最终也没有把这一事情告诉刘从一。刘从一将此事上奏，德宗听了更加不高兴。萧复于是上表请求辞去宰相职位，十一月二十八日乙丑，德宗罢免萧复的宰相之职，任为左庶子。

刘洽攻下了汴州，得到《李希烈起居注》，上面说“某月某日，陈少游上表归顺”。陈少游听说这一事后，既惭愧又害怕，生了重病，十二月初八日乙亥，去世，朝廷追赠陈少游为太尉，赐给的丧葬费用及祭祀礼仪如同大臣的常规待遇。

淮南镇的大将王韶想自己担任淮南留后，命令将士们推举自己主持军中事务，并且准备大肆抢掠。韩滉派遣使者对王韶说：“你敢作乱，我马上全军渡过长江杀了你！”王韶等人因害怕而打消了原来的念头。德宗听说这一事后，很高兴，对李泌说：“韩滉不仅能安定江东，又能安定淮南，真是有大臣的才干，卿可说是善于识人。”十二月十三日庚辰，德宗加授韩滉平章事、江淮转运使。韩滉把江东、淮南地区的粮食、布帛转运到关中朝廷仓库中，没有一个月间断，朝廷的用度主要依靠韩滉，慰问他的使者一个接着一个，德宗对韩滉的恩宠厚待开始加深起来。

这一年，蝗灾遍布远近各地，草木都被吃光了，它们只是不吃稻谷，大饥荒发生了，路上饿死的人一个接一个。

---

渐形成惯例。浸，逐渐。⑲ 乙丑：十一月二十八日。⑳《李希烈起居注》：古代帝王的言行录称“起居注”，李希烈僭拟帝王，亦作“起居注”。㉑ 陈少游上表归顺：此陈少游“首败臣节”之罪证。㉒ 乙亥：十二月初八日。㉓ 赙祭如常仪：此谓朝廷赐给陈少游的丧礼费及祭祀礼仪，仍按大臣常规待遇不变。赙，朝廷赠送的丧礼费。㉔ 庚辰：十二月十三日。㉕ 贡府：朝廷专储各地贡物的府库。㉖ 蝗遍远近：蝗虫的灾害遍及各地。远近，对京师而言。㉗ 道殣相望：路上倒下的饿死的人，一个接一个。殣，饿死。

【校记】

［7］使善恶著明：此句原无。据章钰校，乙十五行本、乙十一行本、孔天胤本皆有此句，张敦仁《通鉴刊本识误》、张瑛《通鉴校勘记》同，今据补。

【原文】

**贞元元年（乙丑，公元七八五年）**

春，正月丁酉朔[328]，赦天下，改元。

癸丑[329]，赠颜真卿司徒，谥曰文忠。

新州司马卢杞[330]遇赦，移吉州长史[331]，谓人曰："吾必再入。"未几，上果用为饶州[332]刺史。给事中袁高应草制，执以白卢翰、刘从一曰："卢杞作相，致銮舆播迁，海内疮痍，奈何遽迁大郡！愿相公执奏。"翰等不从，更命他舍人[333]草制。乙卯[334]，制出，高执之不下[335]，且奏："杞极恶穷凶，百辟[336]疾之若仇，六军思食其肉，何可复用！"上不听。补阙[337]陈京[338]、赵需等上疏曰："杞三年擅权[339]，百揆失叙[340]，天地神祇所知，华夏、蛮貊同弃。傥[341]加巨奸之宠，必失万姓之心。"丁巳[342]，袁高复于正牙[343]论奏。上曰："杞已再更赦[344]。"高曰："赦者止原其罪，不可为刺史。"陈京等亦争之不已，曰："杞之执政，百官常如兵[345]在其颈。今复用之，则奸党皆唾掌而起[346]。"上大怒，左右辟易[347]，谏者稍引却[348]。京顾曰："赵需等勿退，此国大事，当以死争之。"上怒稍解[349]。戊午[350]，上谓宰相："与杞小州刺史可乎？"李勉曰："陛下欲与之，虽大州亦可，其如天下失望何？"壬戌[351]，以杞为澧州别驾。使谓袁高曰："朕徐思卿言，诚为至当。"又谓李泌曰："朕已可袁高所奏。"泌曰："累日[352]外人窃议，比陛下于桓、灵[353]。今承德音，乃尧、舜之不逮也！"上悦。杞竟卒于澧州。高，恕己[354]之孙也。

【语译】

**贞元元年（乙丑，公元七八五年）**

春，正月初一日丁酉，德宗大赦天下，改年号为贞元。

十七日癸丑，朝廷追赠颜真卿为司徒，谥曰文忠。

新州司马卢杞遇到德宗的赦令，迁任吉州长史，他对别人说："我一定能再次回到朝廷。"不久，德宗果然任用卢杞为饶州刺史。给事中袁高奉命草拟任命卢杞的制书，袁高拉着卢翰、刘从一的手对他们说："卢杞担任宰相，导致皇帝的车驾流离于京城之外，天下遭受战争创伤，怎么能一下子把他迁任大郡的刺史呢！希望你们针对这个任命去谏劝皇上。"卢翰等人不肯听从，改命其他中书舍人起草制书。正月十九日乙卯，委任卢杞的制书发到中书省，袁高拿着诏书不肯下发，并且向德宗上奏说："卢杞穷凶极恶，百官痛恨他如同仇敌，六军将士想吃他的肉，怎么能再次起用！"德宗不肯听从。补阙陈京、赵需等人上疏说："卢杞专权三年，使朝廷百官失职，这是天地神灵所知道的，他为华夏和蛮貊各族共同抛弃。倘若加宠巨奸大恶之人，一定会丧失万姓黎民之心。"二十一日丁巳，袁高又在大明宫含光殿向德宗上奏反对这项任命。德宗说："卢杞已经获得两次赦免。"袁高说："皇上的赦免，只是原谅了卢杞的罪过，不应该担任刺史。"陈京等人也力争不休，他们说："卢杞执政，百官经常感觉像刀剑架在脖子上。现在又要起用他，那么，奸邪的同党都很容易地兴起。"德宗大怒，吓得左右侍从惊慌退避，劝谏的人也渐渐后退。陈京回头对他们说："赵需等人不要后退，这是国家大事，应当以死抗争。"这时德宗的怒气稍稍消解了一些。二十二日戊午，德宗对宰相们说："给卢杞一个小州的刺史职务，可以吗？"李勉说："陛下想给他的话，虽然是大州的刺史也可以，但天下人失望，那该怎么办呢？"二十六日壬戌，德宗任命卢杞为澧州别驾。派人对袁高说："我慢慢考虑你的话，觉得你说的实在是非常恰当的。"又对李泌说："朕已经批准了袁高的奏议。"李泌说："连日来，外边的人都在私下议论，把陛下比成东汉的桓帝和灵帝。现在听了您的这句话，真是唐尧、虞舜也赶不上陛下啊！"德宗很高兴。卢杞最后死于澧州。袁高，是袁恕己的孙子。

---

【段旨】

以上为第十四段，写给事中袁高强谏德宗阻止起用卢杞。

**【注释】**

[328] 丁酉朔：正月初一日。[329] 癸丑：正月十七日。[330] 新州司马卢杞：卢杞贬新州，事见本书卷第二百二十九德宗建中四年（公元七八三年）。[331] 移吉州长史：迁卢杞为吉州长史。州佐长史、司马皆五品职，中唐后多为被贬大臣的闲职。长史地位略高于司马。卢杞原在新州，治所在今广东新兴，今迁官吉州，治所在今江西吉安，距京师近了一千余里。[332] 饶州：州名，治所鄱阳，在今江西鄱阳。饶州滨鄱阳湖，为富饶大州。[333] 他舍人：其他中书舍人。[334] 乙卯：正月十九日。[335] 高执之不下：袁高拿着诏书不肯下发，由是知名。袁高传见《旧唐书》卷一百五十三、《新唐书》卷一百二十。[336] 百辟：百官。[337] 补阙：谏官名，左补阙隶门下省，右补阙隶中书省，对皇帝和大臣均可指陈得失。[338] 陈京：字庆复，善文辞，通达礼仪制度，为太常博士，自考功员外迁给事中，兼集贤殿学士。与赵需共奏劾卢杞，力争于德宗前，卢杞终不得复。传见《新唐书》卷二百。[339] 杞三年

---

**【原文】**

三月，李希烈陷邓州。

戊午[355]，以汴滑节度使李澄为郑滑节度使。

以代宗女嘉诚公主妻田绪。

李怀光都虞候吕鸣岳密通款于马燧，事泄，怀光杀之，屠其家。事连幕僚高郢、李鄘，怀光集将士而责之。郢、鄘抗言[356]逆顺，无所惭隐[357]，怀光囚之。鄘，邕之侄孙也[358]。

马燧军宝鼎，败怀光兵于陶城[359]，斩首万余级。分兵会浑瑊，逼河中。

夏，四月丁丑[360]，以曹王皋为荆南节度[361]。李希烈将李思登以随州降之。

壬午[362]，马燧、浑瑊破李怀光兵于长春宫南，遂掘堑围宫城，怀光诸将相继来降。诏以燧、瑊为招抚使。

五月丙申[363]，刘洽更名玄佐。

韩游瓌请兵于浑瑊，共取朝邑。李怀光将阎晏欲争之，士卒指邠军曰："彼非吾父兄，则吾子弟，奈何以白刃相向乎！"语甚嚣。晏遽引兵去。怀光知众心不从，乃诈称欲归国，聚货财，饰车马，云俟路通入贡，由是得复逾旬月[364]。

六月辛巳[365]，以刘玄佐兼汴州刺史。

擅权：卢杞建中二年（公元七八一年）二月拜相，建中四年十二月罢贬，专权三年。㉞百揆失叙：百官失职。㉞傥：如果。㉞丁巳：正月二十一日。㉞正牙：唐代谓大明宫内含光殿为正牙，亦谓之南牙。㉞再更赦：经过两次大赦。更，经历。㉞兵：刀剑。㉞奸党皆唾掌而起：此句意谓卢杞若复用，奸党将不费力气而兴起。唾掌，即唾手，把口水吐到手掌上，比喻事情容易办成。㉞辟易：四散奔逃的样子。语出《史记·项羽本纪》，项王大呼，汉军"辟易数里"。这里指德宗发怒，吓得左右侍从惊惶退避。㉞谏者稍引却：进谏的人也逐渐后退。㉞上怒稍解：德宗的怒气略为消散了些。㉞戊午：正月二十二日。㉞壬戌：正月二十六日。㉞累日：连日。㉞桓、灵：东汉桓帝、灵帝，著名昏君。㉞恕己：袁恕己，武则天时为相王李旦府司马，助张柬之诛二张（张昌宗、张易之），中宗复辟。

【语译】

三月，李希烈攻陷邓州。

二十三日戊午，德宗任命汴滑节度使李澄为郑滑节度使。

德宗把代宗之女嘉诚公主许配给田绪为妻。

李怀光的都虞候吕鸣岳暗中向马燧表明归顺朝廷的心意，事情泄露，李怀光杀了吕鸣岳，屠灭了吕氏全家。这一事情牵连了李怀光的幕僚高郢、李鄘，李怀光召集将士，斥责他们。高郢、李鄘直言反叛和归顺的利害关系，毫无惭愧隐瞒，李怀光囚禁了他们。李鄘，是李邕的侄孙。

马燧的军队驻扎在宝鼎县，在陶城打败了李怀光的军队，斩首一万多。马燧分兵与浑瑊会合，进逼河中。

夏，四月十三日丁丑，德宗任命曹王李皋为荆南节度。李希烈的部将李思登献出随州投降官军。

十八日壬午，马燧、浑瑊在长春宫南面打败了李怀光的军队，于是挖沟包围宫城，李怀光的各个将领相继前来投降。德宗下诏任命马燧、浑瑊为招抚使。

五月初二日丙申，刘洽改名为刘玄佐。

韩游瓌请求浑瑊出兵，共同攻取朝邑。李怀光的部将阎晏想去争夺，他的士兵们指着韩游瓌带领的邠州军队说："他们不是我们的父兄，就是我们的子弟，怎么能拿刀剑对着他们呢！"士兵们语气激烈。阎晏急忙带兵离开了。李怀光知道大家心里不跟从自己，于是假称想归顺朝廷，聚积财物，装饰车马，说等道路通了就向朝廷进贡，因此，李怀光又拖过了十天半个月。

六月十八日辛巳，德宗任命刘玄佐兼任汴州刺史。

辛卯[366]，以金吾大将军韦皋为西川节度使。

朱滔病死，将士奉前涿州刺史刘怦[367]知军事。

时连年旱、蝗，度支资粮匮竭，言事者多请赦李怀光。李晟上言："赦怀光有五不可：河中距长安才三百里，同州当其冲，多兵则未为示信，少兵则不足堤防，忽惊东偏[368]，何以制之！一也。今赦怀光，必以晋、绛、慈、隰还之。浑瑊既无所诣[369]，康日知又应迁移[370]，土宇不安[371]，何以奖励！二也。陛下连兵一年，讨除小丑[372]，兵力未穷，遽赦其反逆之罪，今西有吐蕃，北有回纥，南有淮西[373]，皆观我强弱，不谓陛下施德泽，爱黎元，乃谓兵屈于人而自罢耳，必竞起窥觎之心[374]，三也。怀光既赦，则朔方将士皆应叙勋行赏[375]。今府库方虚，赏不满望，是愈激之使叛，四也。既解河中，罢诸道兵，赏典不举[376]，怨言必起，五也。今河中斗米五百，刍藁且尽，墙壁之间，饿殍甚众。且军中大将杀戮略尽，陛下但敕诸道围守旬时[377]，彼必有内溃之变，何必养腹心之疾为他日之悔哉!"又请发兵二万，自备资粮，独讨怀光。

秋，七月甲午朔[378]，马燧自行营入朝，奏称："怀光凶逆尤甚，赦之无以令天下，愿更得一月粮，必为陛下平之。"上许之。

---

【段旨】

以上为第十五段，写李晟上奏大赦李怀光五不可，德宗从之。

【注释】

㉟戊午：三月二十三日。㊱抗言：直言争辩。㊲惭隐：惭愧、隐瞒。㊳鄘二句：唐代两李邕，一为高祖子虢王李凤之孙李邕；一为江都人文章家李邕，玄宗时官至北海太守，天宝末因诿贿被诛。李鄘为北海太守李邕之侄孙，宪宗时历凤翔、陇右、淮南等镇节度使。传见《旧唐书》卷一百五十七、《新唐书》卷一百四十六。㊴陶城：在今山西永济西北。㊵丁丑：四月十三日。㊶荆南节度：胡三省注认为"节度"下当有"使"字。㊷壬午：四月十八日。㊸丙申：五月初二日。㊹复逾旬月：又苟延残喘过了十天半月。十日为旬。旬月，亦为满月、一整月。㊺辛巳：六月十八日。㊻辛卯：六月二十八日。㊼刘怦（公元七二七

二十八日辛卯，德宗任命金吾大将军韦皋为西川节度使。

朱滔病死，将士拥举前涿州刺史刘怦主持军中事务。

当时连年发生旱灾、蝗灾，度支的物资、粮食匮乏，朝中议事的大臣大多请求赦免李怀光。李晟进言德宗："赦免李怀光有五个不可以：河中府距长安城才三百里，同州处在两地的要冲，多派兵马驻守就不能显示朝廷赦免李怀光的诚信，派兵少了则不足以防备万一，如果李怀光突然惊扰东边同州，那将用什么来控制他呢！此其一。现在赦免了李怀光，一定要把晋、绛、慈、隰四州归还给他。这样浑瑊既无归宿，康日知又要调任别的地方，使地方上不安宁，那怎么是给功臣的奖励呢！此其二。陛下接连用兵一年，讨伐消灭了跳梁小丑朱泚，但军力没有发挥彻底，如果马上赦免了李怀光的反叛之罪，那么现在西边有吐蕃，北边有回纥，南边有淮西的李希烈，都在观察我们是强是弱，他们不认为赦免李怀光是陛下布施恩泽，爱护百姓，而是说我们兵力不足，向人屈服，而自己停止用兵，他们一定竞相产生觊觎之心，此其三。李怀光被赦免后，那么朔方的将士都应论功行赏。现在朝廷的府库正处在空虚时期，赏赐满足不了欲望，这更会激起他们的叛乱，此其四。既然解除了对河中地区的包围，撤了各道的军队，对将士们不进行恩赏，怨言必定兴起，此其五。现在河中地区一斗米值五百钱，青蒿野草都要吃光了，房室之中，饿死的人很多。而且李怀光军中的大将已差不多被杀光了，陛下只要下令各道兵马包围十来天，李怀光军中一定会发生内变，何必姑息这一心腹之患，为将来留下悔恨呢！"李晟又请求德宗增派二万兵力，自备物资和粮食，独自带领去讨伐李怀光。

秋，七月初一日甲午，马燧从行营入京上朝，上奏说："李怀光反叛朝廷，穷凶极恶，赦免李怀光，无法号令天下，请陛下再拨给我一个月的军粮，我一定为陛下削平李怀光。"德宗答应了他。

---

至七八五年)：幽州昌平(今北京市昌平区西)人，朱滔姑之子。朱滔得幽州，滔每次出兵，都以刘怦为留后，素得众心，故滔死被军中推举主持军中事务。传见《旧唐书》卷一百四十三、《新唐书》卷二百十二。㊳⑧忽惊东偏：指李怀光突然造反，夺取同州，使京师东北方告警。同州在长安东北，治所在今陕西大荔。㊳⑨无所诣：没有归宿。㊲⓪应迁移：调任别的地方。德宗先已命浑瑊为蒲、绛节度使，康日知为晋、慈、隰节度使。若赦李怀光，诸州归还，则浑瑊与康日知二人就没有地盘，而要改任他所。㊲①土宇不安：地方上不安定。指重新安置浑瑊、康日知，将引起动荡。㊲②小丑：对叛逆的蔑称。㊲③淮西：指僭逆李希烈。㊲④窥觎之心：犯上作乱之心。㊲⑤叙勋行赏：李怀光有解奉天之围的功勋，若赦免则要追叙功勋，进行赏赐。㊲⑥赏典不举：不进行恩典奖赏。㊲⑦旬时：犹言十来天，言其时间短促。㊲⑧甲午朔：七月初一日。

【原文】

陕虢[379]都知[8]兵马使[380]达奚抱晖鸩杀节度使张劝，代总军务，邀求旌节[381]，且阴召李怀光将达奚小俊为援。上谓李泌曰："若蒲、陕连衡[382]，则猝[383]不可制。且抱晖据陕，则水陆之运皆绝[384]矣。不得不烦卿一往。"辛丑[385]，以泌为陕虢都防御水陆运使[386]。上欲以神策军送泌之官[387]，问须几何人，对曰："陕城三面悬绝，攻之未可以岁月下也。臣请以单骑入之。"上曰："单骑如何可入？"对曰："陕城之人，不贯[388]逆命，此特抱晖为恶耳。若以大兵临之，彼闭壁定矣。臣今单骑抵其近郊，彼举大兵则非敌，若遣小校来杀臣，未必不更为臣用也。且今河东全军屯安邑[389]，马燧入朝，愿敕燧与臣同辞皆行，使陕人欲加害于臣，则畏河东移军讨之，此亦一势也[390]。"上曰："虽然，朕方大用卿，宁失陕州，不可失卿，当更使他人往耳。"对曰："他人必不能入。今事变之初，众心未定，故可出其不意，夺其奸谋。他人犹豫迁延[391]，彼既成谋[392]，则不得前矣。"上许之。泌见陕州进奏官[393]及将吏在长安者，语之曰："主上以陕、虢饥，故不授泌节而领运使，欲令督江、淮米以赈之耳。陕州行营在夏县[394]，若抱晖可用，当使将之，有功则赐旌节矣。"抱晖觇者[395]驰告之，抱晖稍自安。泌具以语白上曰："欲使其士卒思米，抱晖思节，必不害臣矣。"上曰："善！"戊申[396]，泌与马燧俱辞行。庚戌[397]，加泌陕虢观察使[398]。

泌出潼关，鄜坊节度使唐朝臣以步骑三千布[399]于关外，曰："奉密诏[400]送公至陕。"泌曰："辞日[401]奉进止[402]，以便宜从事[403]。此一人不可相蹑[404]而来，来则吾不得入陕矣。"唐臣[405]以受诏不敢去，泌写宣[406]以却之，因疾驱而前。

抱晖不使将佐出迎[407]，惟侦者相继[408]。泌宿曲沃[409]，将佐不俟抱晖之命来迎[410]。泌笑曰："吾事济矣！"去城[411]十五里，抱晖亦出谒[412]。泌

【语译】

陕虢都知兵马使达奚抱晖下毒杀害了节度使张劝，代为总理军中事务，要求朝廷授予他节度使的旌节，而且暗中招引李怀光的部将达奚小俊作为援手。德宗对李泌说："如果李怀光与达奚抱晖联合起来，那么，猝然之间，不能控制。况且达奚抱晖据有陕州，通向长安的水路和陆路运输线全都被切断。不得不烦劳你去走一趟。"七月初八日辛丑，任命李泌为陕虢都防御水陆运使。德宗打算派神策军护送李泌去陕州上任，问李泌此行需要带多少兵马，李泌回答说："陕州城三面都是悬崖绝壁，要攻打它，不可能一年半载攻下来。臣请求单枪匹马进城。"德宗问："单枪匹马怎么进城？"李泌回答说："陕州城内的民众，不习惯于违抗朝廷的命令，这只是达奚抱晖一个人作恶而已。如果派遣大量兵力到陕州，达奚抱晖一定会关壁坚守。臣现在一个人骑马到陕州近郊，他如果大举发兵，面对的不是敌人，如果派个小校官前来杀我，那这些人未必不会被我利用。况且现在河东马燧的军队都驻扎在安邑，马燧已经入朝，希望陛下下令马燧与我一同在朝廷辞行出发，假如陕州的人想加害于我，则会害怕河东马燧调兵讨伐他们，这也是一个可以利用的形势。"德宗说："虽然如此，但朕现在正重用你，宁可失去陕州，不能失去你，我当另派他人前往算了。"李泌回答说："他人一定不能进入陕州城。现在是事变发生的初期，陕州城内人心未定，所以可以出其不意，挫败他们的阴谋。别人会犹豫不决，拖延时间，使达奚抱晖完成谋划后，那就不能进城了。"德宗答应了李泌。李泌见了人在长安的陕州上奏官和将吏，告诉他们说："皇上因为陕、虢一带发生饥荒，所以不授予我节度使职务，而让我担任水陆运使，想让我督运江东、淮南一带的粮食来赈济汴陕虢的军民。陕州的行营在夏县，如果达奚抱晖服从命令，应当让他率领行营，有了功勋，皇上就会赐给达奚抱晖节度使的旌节了。"达奚抱晖派来侦察动静的探子驰马回去报告他，达奚抱晖这才稍微安下心来。李泌把这一情况全部禀告了德宗，说："要让陕虢的士卒想得到粮食，让达奚抱晖想得到节度使的旌节，那么他们一定不会加害于臣了。"德宗说："很好！"十五日戊申，李泌与马燧一起在朝向德宗辞行。十七日庚戌，德宗加授李泌为陕虢观察使。

李泌出了潼关之后，鄜坊节度使唐朝臣率领步兵、骑兵三千人布置在潼关之外，对李泌说："我奉皇上的密诏护送你去陕州。"李泌说："我辞别皇上时，已奉圣旨，裁决可否，见机行事。这一次一个人也不能跟着我来，跟来一个人，我就进不了陕州城。"唐朝臣因受皇上诏命，所以不敢擅自离开，李泌于是写了一纸代皇上宣命的文书，用来打发他回关，自己急马快鞭地向陕州城奔去。

达奚抱晖不派将吏、僚佐们出城迎接李泌，只是侦探前后相继。李泌住宿在曲沃，将吏、僚佐们不等达奚抱晖下命令，就前来迎接李泌。李泌笑着说："看来我的

称其摄事保完城隍之功⑬，曰："军中烦言，不足介意。公等职事皆按堵⑭如故。"抱晖出而喜。泌既入城视事，宾佐有请屏人白事⑮者。泌曰："易帅⑯之际，军中烦言⑰，乃其常理，泌到，自妥贴⑱矣，不愿闻也。"由是反仄者皆自安⑲。泌但索簿书，治粮储⑳。明日，召抱晖至宅㉑，语之曰："吾非爱汝而不诛，恐自今有危疑之地㉒，朝廷所命将帅皆不能入，故匄汝余生㉓。汝为我赍版、币祭前使㉔，慎无入关，自择安处，潜来取家㉕，保无他也。"泌之辞行也，上籍陕将预于乱者㉖七十五人授泌，使诛之。泌既遣抱晖，日中，宣慰使㉗至。泌奏："已遣抱晖，余不足问。"上复遣中使㉘至陕，必使诛之。泌不得已，械㉙兵马使林滔等五人送京师，恳请赦之。诏谪戍天德㉚。岁余，竟杀之。而抱晖遂亡命不知所之。

达奚小俊引兵至境，闻泌已入陕而还。

壬辰㉛[9]，以刘怦为幽州、卢龙节度使。

大旱，灞、浐㉜将竭，长安井皆无水。度支奏中外经费㉝才支七旬。

【段旨】

以上为第十六段，写文臣李泌单骑入陕除叛乱。

【注释】

⑲陕虢：方镇名，领陕、虢二州。陕州治所陕县，在今河南三门峡市西，临河，为漕运要冲。⑳都知兵马使：为节度使下总领兵马的大将。㉑邀求旌节：索讨节度使的旌节。㉒蒲、陕连衡：指李怀光与达奚抱晖联合。㉓猝：猝然之间；短时间内。㉔绝：此指切断水陆运输。㉕辛丑：七月初八日。㉖陕虢都防御水陆运使：临时设置的使职，负责陕虢境内的漕运畅通，以阻止达奚抱晖阻断交通。㉗之官：赴任。㉘贯：通"惯"，习惯。㉙安邑：县名，古代河东重镇，县治在今山西夏县西南。㉚此亦一势也：这是可以借用的一种声援形势。借马燧以制约抱晖。㉛迁延：拖延时间。㉜成谋：完成谋

事要成功了!”在离陕州城十五里的地方，达奚抱晖也出城拜见李泌。李泌称赞达奚抱晖代理政务、保全城池的功劳，说:“军中的流言蜚语，不值得在意。你和将吏们的职务全都安然依旧。”达奚抱晖出来后，感到很高兴。李泌进城处理公务后，宾客僚佐中有人请求李泌屏退其他人而单独汇报事情。李泌说:“更换节度使人选的这一阶段，军中有些闲言碎语，这是很正常的事情，我李泌来到以后，都自然安定下来，我不愿意听你说的话。”这样一来，那些叛逆的人都自己安定下来。李泌只是向官吏们讨取账簿文书，处理粮食储备事宜。第二天，李泌召达奚抱晖到所居衙署，说:“我并不是爱护你才不杀你，而是担心今后有危急疑虑的地方，朝廷任命的将帅不能进入，所以才给你留了一条活路。你立即替我带着灵牌和奠祭的物品去祭祀前任节度使张劝，你要谨慎小心，不要进入潼关，自己找一个安身之地，暗中前来接走一家老小，我担保你不会发生什么意外。”李泌向德宗辞行的时候，德宗开列陕州参与作乱的七十五人名单交给李泌，让李泌杀了这些人。李泌已经把达奚抱晖打发走了，中午，朝廷的宣慰使到了。李泌上奏章说:“我已经打发走达奚抱晖，其余的人不值得追究。”德宗又派中使到达陕州，一定要李泌杀了这些犯上作乱的人。李泌迫不得已，把兵马使林滔等五人戴上刑具送往京城，上奏恳请德宗赦免他们。德宗下诏将林滔等人削职，送往天德军去戍守。过了一年多时间，最终还是杀了他们。而达奚抱晖却不知逃到什么地方去了。

达奚小俊率领兵马到了陕虢边境，听说李泌已经进入陕州，就带兵回去了。

壬辰日，德宗任命刘怦为幽州、卢龙节度使。

大旱，灞水、浐水即将枯竭，长安城内水井全没有水。度支上奏称宫廷内外的经费只够七十天的支出。

---

划。㊈进奏官：唐代各节度使幕僚有进奏官，负责上奏与传达朝令事宜，常驻京师进奏院。㊉夏县：县名，县治在今山西夏县。陕州亦出兵讨李怀光，行营在夏县。㊊觇者：刺探情报的人。㊋戊申：七月十五日。㊌庚戌：七月十七日。㊍观察使：官名，察举州县官吏政绩。不设节度使的方镇，观察使兼理民政。授李泌陕虢观察使，即可纠举达奚抱晖。㊎布：部署；安排。㊏密诏：秘密圣旨。㊐辞日：辞别德宗的时候。㊑奉进止：奉有特别圣旨，可代表皇上裁决有关事项的可否。取使之进则进，使之止则止之意。㊒便宜从事：见机行事。㊓此一人不可相蹑：意谓这次行动一个人也不能跟着前来，何况三千人。若派兵护送，则达奚抱晖戒备，李泌就进不了陕州城。相蹑，相跟随、护送。㊔唐臣：胡三省注云，“当作‘朝臣’”。㊕写宣：写下一纸代皇上宣命的文书。李泌写此才使唐朝臣退回潼关。㊖不使将佐出迎：不派出高级文武官出城迎接朝廷钦差李泌。㊗惟侦者相继：只有一批又一批的探子监视李泌的行止。㊘曲沃：县名，县治在今山西曲沃东

北。⑩将佐不俟抱晖之命来迎：陕州的高级官员等不及抱晖的命令主动迎接李泌。⑪去城：离城。⑫出谒：出城迎接拜见。⑬泌称其摄事保完城隍之功：李泌表彰抱晖代理节度使总理事务、保全城池的功劳。⑭按堵：即安堵，安然如墙堵。按堵如故，指保有原官如故。⑮屏人白事：让左右的人回避，单独谈事。⑯易帅：更换节度使。⑰烦言：闲言碎语。⑱自妥贴：自然安定下来。妥，安。贴，伏。⑲由是反仄者皆自安：由于李泌不摒人听事，那些跟随达奚抱晖叛逆的人都安定下来。⑳但索簿书二句：只是讨取账簿文书，处理粮食储备之事。㉑宅：观察使所居的衙署。唐各镇将吏谓节度使、观察使所居为使宅。㉒危疑之地：危急疑虑的地方。指阻险猜疑企图反叛朝廷的军镇。㉓匄汝余生：留给你一条生路。匄，乞也。意谓替你求得余生。㉔汝为我赍版币祭前使：谓你替我带上灵牌及祭品去祭奠前任节度使。版，灵牌。币，祭品。㉕潜来取家：暗中来接走一家老小。㉖籍陕将预于乱者：开列陕州参与为乱者的名单。㉗宣慰使：官名，全称宣慰安抚使，省称宣慰使或安抚使。皇帝特派到战争区或灾区去巡视宣命的使者。㉘复遣中使：再次派遣宫中宦官使者。㉙械：戴上刑具，用作动词。㉚天德：军镇名，天德军之省称。治所永济栅，在今内蒙古乌拉特前旗东北，后移治西受降城，在今内蒙古乌拉特中旗西南，元和时移至永济栅东大同川。㉛壬辰：七月甲午朔，无壬辰。壬辰，八月三十日。㉜灞浐：长安东的灞水、浐水，皆渭水支流。㉝中外经费：中，指内宫所储经费。外，指朝廷度支所储经费。

## 【校记】

[8]知：原无此字。据章钰校，乙十五行本、乙十一行本、孔天胤本皆有此字，张敦仁《通鉴刊本识误》同，今据补。[9]壬辰：据章钰校，乙十五行本、乙十一行本皆作"壬子"。〖按〗七月无壬子。

## 【研析】

本卷研析三事：李晟收复长安、颜真卿骂贼成仁、李泌单骑入陕除叛贼。

第一，李晟收复长安。李晟，字良器，洮州临潭（今甘肃临潭）人。身长六尺，善骑射，勇敢绝伦，称万人敌。初在西北为裨将，屡立战功，调任神策军都将。德宗用兵河北，以李晟为神策先锋都知兵马使，隶属河东节度使马燧讨田悦。李晟在临洺斩杀田悦将杨朝光，居间调停马燧与昭义节度使李抱真释嫌和好，应对河北朱滔反叛后的紧急局面，李晟功不可没。朱泚叛乱，李晟回军勤王，奉天解围，进兵长安。李怀光反叛，李晟孤军支撑危局，以忠义感奋将士，巍然屹立，赢得诸镇友军的拥戴。李晟军纪严明，对民众秋毫无犯。李怀光军抢掠，分给李晟军，兵士不敢取。李晟攻破长安，下令诸军说："长安士庶，久陷贼庭，若小有震惊，非吊民伐罪之意。"要求军中将官，五天之内不得擅离职守与家属联系。大将高明曜私取叛贼的女乐，尚可孤军士擅取贼马，李晟杀头示众，毫不姑息。全军震动，公私安然如平常。长安士民，有的过了一天多，才知道官军入城。

李晟把收复长安的消息报告德宗，德宗感慨地流下眼泪，说：“天生李晟，以为社稷，非为朕也！”可是德宗回朝，很快好了伤疤忘了痛，猜忌李晟，夺了他的兵权，幸赖李泌护佑，李晟才免遭诛杀。

第二，颜真卿骂贼成仁。颜真卿，字清臣，京兆万年（今陕西西安）人。唐名臣，历仕玄宗、肃宗、代宗、德宗四朝，官至吏部尚书、太子太师，封鲁郡公，人称“颜鲁公”。颜真卿善书法，有颜体书法和文集《颜鲁公文集》行于世。安史之乱，颜真卿任平原太守，与从兄常山太守颜杲卿相约起兵抵抗，河北十七郡同日响应，共推颜真卿为帅，合兵二十万，迟滞安禄山不敢急攻潼关。后兵败，颜杲卿被俘，骂贼而死。颜真卿回朝，肃宗任以为宪部尚书，寻加御史大夫。得罪李辅国，弹劾权臣元载，两次遭贬逐。元载诛，授刑部尚书，杨炎为相，恶之，改太子少傅。卢杞专权，忌颜真卿忠直，改太子少师，处以闲职。李希烈反叛，卢杞借刀杀人，奏请颜真卿宣慰淮西。诏出，百官愕然，朝廷失色。颜真卿到达东都，观察使郑叔则留颜真卿不往，说：“颜老前去必为贼所害。”颜真卿说：“这是君上的命令，不可逃避。”颜真卿义无反顾急行淮西。汴宋节度使李勉上奏德宗说：“朝廷失去元老，是国家的羞耻。”李勉派人追赶颜真卿，没有追上，颜真卿到了淮西。李希烈软硬兼施，要颜真卿屈膝为伪相，不然要活埋他，又要架火烧他，颜真卿毫无惧色，视死如归。李希烈软禁颜真卿于汝州（今河南汝州）龙兴寺。颜真卿自度必死，于是自作遗表、墓志铭、祭文。经常手指寝室西墙壁下的地方说：“这就是埋我的地方。”朱泚败亡，李希烈之弟李希倩在朱泚党中被杀头，李希烈暴怒，于兴元元年八月初三日派阉奴缢杀颜真卿于龙兴寺。颜真卿骂贼而死，时年七十七岁。淮西平定，颜真卿丧归京师，德宗十分哀痛，废朝五日，谥曰文忠。

第三，李泌单骑入陕除叛贼。李泌以布衣交辅佐肃宗、代宗两朝，遭元载排斥，出为杭州刺史。肃宗时，德宗为奉节王，学文于李泌。代宗时，德宗立为太子，继续与李泌交游。德宗蒙尘到汉中，派人宣召李泌。德宗还京，任李泌为左散骑常侍，每天值守中书省以备应对，朝野都对他寄托很大的希望。贞元元年（公元七八五年）七月，陕虢都知兵马使达奚抱晖杀节度使张劝，要挟朝廷封他为节度使。陕虢是陕州、虢州的合称。陕州，在今河南三门峡市，虢州在陕州西南。陕虢地区在潼关之东，控制黄河交通。唐京都长安依赖江淮财赋与粮食供应，陕虢在交通线上。当时，朱泚刚灭，京都百废待兴，急需江、淮财赋。李怀光割据河中，李希烈为害淮西，两贼尚未歼灭。达奚抱晖如果正式背叛，割据陕虢，将把北起河中、南到淮西连成一片，整个中原大地就会动荡起来。所以，迅速扑灭陕虢的叛乱之火，不使燎原，是唐王朝的头等大事。

德宗问计于李泌。李泌说："陕州城三面悬绝，濒临黄河，易守难攻，发兵征讨，不知拖到何年何月才能攻下，这样会导致形势变坏。臣有一计，臣单骑入陕州，必能安定，请陛下勿忧。"德宗不答应，说："朕正要重用卿，朕宁失陕州，不能失卿，朕派别的人去。"李泌说，别的人进不了陕州。德宗要派五千名神策兵护送，李泌说，臣带了五千名士兵，就进不了陕州了。德宗最终同意了李泌的计划，完全按照李泌的布置，出其不意，李泌单骑入陕州，竟然控制了局面，不费一兵一卒安定了陕州，产生了极大的震动。河中叛将李怀光闻讯后丧失了斗志，很快被马燧讨灭。淮西叛乱者李希烈没多久也被部下陈仙奇杀死，陈仙奇归顺朝廷，淮西的叛乱也被平定了。

李泌大智大勇，达奚抱晖只是一个小丑。小丑不敌智勇，理所当然。但是李泌身入虎穴，不可保以万全，他的忠贞和正气，才是取胜的决定因素。安禄山、史思明、田悦、李惟岳、朱泚、李希烈、李怀光，都不过是一群小丑，一个个急于割地称雄，甚至急于称王称帝，只逞一时之气，毫无远略之虑。朱泚最为典型。李怀光兵强，朱泚以兄事之，相约分帝关中；李怀光军势稍弱，立即板起面孔，以臣礼待之，要征其兵，化友为敌，见识何其浅薄。反观唐室，良将辈出。平定安史之乱有郭子仪、李光弼；平定朱泚与李怀光，有李晟、浑瑊、马燧、李抱真。文臣有颜真卿、陆贽、李泌。广大军民仍效忠唐室。贞观与开元盛世，恩泽深固民心。德宗虽然愚而昏，也有清醒之时，危急时刻任用英才。中唐几度危如累卵而后得安，原因在此。正如德宗所说："天生李晟，以为社稷，非为朕也。"同理，天生陆贽、李泌，以及广大军民，奋起灭贼，乃是效忠唐室，非为德宗也。

# 卷第二百三十二　唐纪四十八

起旃蒙赤奋若（乙丑，公元七八五年）八月，尽强圉单阏（丁卯，公元七八七年）七月，凡二年。

**【题解】**

本卷记事起公元七八五年八月，迄公元七八七年七月，凡两年，当唐德宗贞元元年八月到贞元三年七月。这一时期，李怀光与李希烈两个叛臣被消灭。平定李怀光，马燧立首功。德宗采纳李泌之计，赦免李希烈以安天下反侧者之心，待其自毙，不久，李希烈果为部将所杀，淮西乱平。李晟功高受猜疑被罢兵权。吐蕃背盟，德宗委过于马燧，亦被罢兵权。陕虢观察使李泌八面埋伏，奇计灭叛兵。官军久经战阵，锤炼出一批名将，李晟、马燧、浑瑊、李抱真等，他们讨逆平叛，才维系了唐王朝的政权。然而这些功臣良将，无端受到德宗的猜疑，德宗两度出亡而不灭，实在是天幸。李泌入朝拜相，力保李晟、马燧，为国家护长城。李泌劝谏德宗释猜疑，清吏治，勘两税，免积欠，籍胡客，立于猜忌之朝而能推行一些利国利民的事，表现了他非凡的卓越才能。李泌借复府兵制为题，实际推行寓兵于农、屯垦边地的政策，减轻国用而增强了边防。德宗拜李泌为相，是这个昏君屈指可数的一个善政。

**【原文】**

**德宗神武圣文皇帝七**

**贞元元年（乙丑，公元七八五年）**

八月甲子[①]，诏凡不急之费及人冗食者[②]皆罢[③]之。

马燧至行营，与诸将谋曰："长春宫不下[④]，则怀光不可得。长春宫守备甚严，攻之旷日持久，我当身往谕之。"遂径造城下，呼怀光守将徐庭光，庭光帅将士罗拜城上[⑤]。燧知其心屈，徐谓之曰："我自朝廷来，可西向受命。"庭光等复西向拜。燧曰："汝曹自禄山已来，徇国立功四十余年[⑥]，何忽为灭族之计？从吾言，非止免祸，富贵可图也。"众不对。燧披襟曰："汝不信吾言，何不射我！"将士皆伏泣。燧曰："此皆怀光所为，汝曹无罪，弟[⑦]坚守勿出。"皆曰："诺。"

【语译】

**德宗神武圣文皇帝七**

**贞元元年（乙丑，公元七八五年）**

八月初二日甲子，德宗下诏把一切不是急需的开支和官府中吃空饷的人员全都裁撤。

马燧到行营后，与各位将领商议说："长春宫攻不下来，就无法擒拿李怀光。但长春宫守备极为严密，攻打它将旷日持久，我要亲自前去劝说他们。"于是径直来到城下，呼叫李怀光的守将徐庭光，徐庭光率将士在城上列队向马燧下拜行礼。马燧知道徐庭光内心已经屈服，便缓慢从容地对他们说："我是从朝廷来的，你们应该向西接受朝廷的命令。"徐庭光等人又向西下拜行礼。马燧说："你们从安禄山叛乱以来，献身国家，建立功勋，已有四十多年，为什么突然做出这种会要灭族的事情？你们听从我的话，不仅可以免去灾祸，还可以谋得富贵。"大家都不回答。马燧敞开衣襟对他们说："你们如果不相信我说的话，为什么不朝我射箭！"将士们都伏在城上哭了起来。马燧说："这都是李怀光一个人造成的，你们无罪，只是坚守城池不要出来。"大家都回答说："是。"

壬申[8]，燧与浑瑊、韩游瓌进军逼河中，至焦篱堡[9]，守将尉珪[10]以七百人降。是夕，怀光举火[11]，诸营不应。骆元光在长春宫下，使人招徐庭光。庭光素轻元光，遣卒骂之，又为优胡[12]于城上以侮之，且曰："我降汉将耳！"元光使白燧，燧还至城下，庭光开门降。燧以数骑入城慰抚，其众大呼曰："吾辈复为王人矣！"浑瑊谓僚佐曰："始吾谓马公用兵不吾远[13]也，今乃知吾不逮多矣[14]！"诏以庭光试[15]殿中监兼御史大夫。

甲戌[16]，燧帅诸军至河西。河中军士自相惊曰："西城[17]擐甲矣！"又曰："东城娖队矣！"须臾，军士皆易其号为"太平"字。怀光不知所为，乃缢而死。

初，怀光之解奉天围也，上以其子璀为监察御史，宠待甚厚。及怀光屯咸阳不进，璀密言于上曰："臣父必负陛下，愿早为之备。臣闻君、父一也[18]，但今日之势[19]，陛下未能诛臣父，而臣父足以危陛下。陛下待臣厚，臣[1]胡人性直，故不忍不言耳。"上惊曰："知卿大臣爱子，当为朕委曲弥缝，而密奏之[20]。"对曰："臣父非不爱臣，臣非不爱其父与宗族也，顾臣力竭[21]，不能回[22]耳。"上曰："然则卿以何策自免？"对曰："臣之进言，非苟求生。臣父败，则臣与之俱死矣，复有何策哉！使臣卖父求生，陛下亦安用之[23]！"上曰："卿勿死，为朕更至咸阳谕卿父，使君臣父子俱全，不亦善乎！"璀至咸阳而还，曰："无益也，愿陛下备之，勿信人言。臣今往，说谕万方[24]，臣父言：'汝小子何知！主上无信，吾非贪富贵也，直畏死耳[25]，汝岂可陷吾入死地邪！'"

及李泌赴陕，上谓之曰："朕所以再三欲全怀光者，诚惜璀也[26]。卿至陕，试为朕招之。"对曰："陛下未幸梁、洋，怀光犹可降[27]也。今则不然。岂有人臣迫逐其君[28]，而可复立于其朝乎！纵彼颜厚无惭，陛下每视朝[29]，何心见之！臣得入陕，借使[30]怀光请降，臣不敢受，况招之乎！李璀固贤者，必与父俱死矣。若其不死，则亦无足贵也。"及怀光死，璀先刃其二弟，乃自杀。

八月初十日壬申，马燧与浑瑊、韩游瓌进军逼近河中，到达焦篱堡，李怀光的守将尉珪率七百人投降。当天晚上，李怀光点燃烽火报警调兵，各个军营都不响应。骆元光在长春宫城下，派人去招降徐庭光。徐庭光一向看不起骆元光，派士兵在城上谩骂骆元光，自己又在城上扮演胡人歌舞艺人以侮辱骆元光，并且说："我只向汉族将领投降！"骆元光派人向马燧报告，马燧便回到长春宫城下，徐庭光打开城门投降。马燧只带着几名骑兵入城抚慰，投降的将士们高呼道："我们又成为皇上的臣民了！"浑瑊对自己的幕僚佐吏说："起初我认为马公用兵与我相差不远，现在才知道我比他差得远了！"德宗下诏任命徐庭光为试殿中监兼御史大夫。

八月十二日甲戌，马燧率各军到达河西。李怀光的河中将士自相惊扰地说："西城的将士穿上铠甲了！"又说："东城的将士已经整好队列了！"不久，李怀光的将士们都把旗号改为"太平"二字。李怀光不知该怎么办，于是自缢而死。

当初，李怀光解救了对奉天的包围，德宗任命李怀光的儿子李璀为监察御史，对李璀非常宠爱优待。等到李怀光屯驻咸阳按兵不进时，李璀密奏德宗说："臣的父亲肯定会辜负陛下，希望陛下早点对他有所防备。臣知道对君、对父应该一体侍奉，只是当今的形势是，陛下未必能杀了臣的父亲，而臣的父亲足以危及陛下。陛下对臣待遇优厚，臣是胡人，性情直率，所以不忍心不对陛下奏报。"德宗吃惊地说："朕知道你是李怀光的爱子，你应当在当中为朕百般调解，而你却秘密奏报了你的父亲。"李璀回答说："臣的父亲不是不爱臣，臣也不是不爱自己的父亲和自己的宗族，但是臣已心力用尽，也无法挽回了啊。"德宗说："那么，你用什么办法来免除自己的杀身之祸呢？"李璀回答说："臣之所以向陛下进言，并不是为了苟且求生。臣的父亲失败之后，臣会与他一起去死，臣还能有什么自免的办法！如果臣出卖自己的父亲以求活下去，那陛下又怎么能任用臣呢！"德宗说："你不要死，为朕再到咸阳去开导你的父亲，让我们的君臣关系、你们的父子关系都能保全，那不是更好吗！"李璀到咸阳后还朝，对德宗说："没有什么好的效果，希望陛下及早防备，不要相信别人说的话。臣这次去，千方百计地劝导，臣的父亲对臣说：'你小孩子知道什么！皇上不讲信用，我并非贪图富贵，只是怕死而已，你怎么能让我陷入死地呢！'"

等到李泌前往陕州时，德宗对他说："朕之所以再三想要保全李怀光，实在是因为爱惜李璀啊。你到了陕州，试着为朕招抚李怀光。"李泌回答说："陛下如果没有驾临梁州、洋州，李怀光还可以接受投降。现在就不行了。哪有做臣子的逼迫、驱逐君王，还可以再立于朝廷之上的呢！即使李怀光脸皮厚而不感到羞愧，陛下每次临朝，见到他又会是一种什么心情！臣如能进入陕州，即使李怀光向臣请求投降，臣也不敢接受，更何况去招抚他呢！李璀的确是一个有贤德的人，一定会与他的父亲一道去死。如果他不死的话，那也就不值得敬重了。"等到李怀光自杀后，李璀先杀了两个弟弟，然后自杀。

朔方将牛名俊断怀光首出降。河中兵犹万六千人，燧斩其将阎晏等㉛七人，余皆不问。燧自辞行至河中平，凡二十七日㉜。燧出㉝高郢、李鄘于狱，皆奏置幕下㉞。

韩游瓌之攻怀光也，杨怀宾战甚力，上命特原㉟其子朝晟，游瓌遂以朝晟为都虞候㊱。

【段旨】

以上为第一段，写官军平定李怀光，马燧立首功。李怀光之子李璀尽忠朝廷而连坐受祸。

【注释】

①甲子：八月初二日。②人冗食者：官府中吃空饷的人。冗，闲散。③罢：裁撤。④长春宫不下：李怀光反叛，德宗命浑瑊、骆元光讨怀光于同州，怀光遣其将徐庭光驻扎长春宫进行抵抗。贞元元年（公元七八五年）四月壬午，马燧、浑瑊破怀光兵于长春宫南，遂挖沟围宫城，至此已四个月，尚未攻克。⑤罗拜城上：在城头上列队向马燧下拜。⑥徇国立功四十余年：从天宝十四载（公元七五五年）安禄山反叛，郭子仪、李光弼以朔方军讨伐叛军开始，经过外御回纥、吐蕃入侵，削平诸镇叛乱，朔方军至此为国立功凡三十一年，不当云“四十余年”。⑦弟：但；只是。⑧壬申：八月初十日。⑨焦篱堡：地名，在河西县（县治在今陕西大荔东，濒临黄河）西。⑩尉珪：人名，本复姓尉迟，改单姓尉以从简易。⑪举火：燃火报警。⑫优胡：古代以歌舞为业者称优人。这里指徐庭光装扮成胡人以羞辱骆元光，因骆元光本为安息胡人。⑬不吾远：与我相差不远。⑭吾不逮多矣：我差得远了。逮，及、赶得上。⑮试：试官。外职带监察官荣衔称试官。殿中监、御史大夫两职为徐庭光荣衔，前者为试，后者为兼。⑯甲戌：八

【原文】

上使问陆贽：“河中既平，复有何事所宜区处㊲？”令悉条奏。贽以河中既平，虑必有希旨生事之人㊳，以为王师所向无敌，请乘胜讨淮

朔方军的将领牛名俊割下李怀光的脑袋出来投降。当时河中地区李怀光的兵力还有一万六千人，马燧杀了李怀光的部将阎晏等七人，对其余的人一概不追究。马燧从在朝廷向德宗辞行到平定河中，总共二十七天。马燧把高郢、李鄘从狱中释放出来，上奏德宗后把他们都安置在自己的幕府中。

在韩游瓌攻打李怀光的时候，杨怀宾作战十分出力，因此德宗特别赦免了杨怀宾的儿子杨朝晟，韩游瓌于是让杨朝晟做了自己的都虞候。

---

月十二日。⑰西城：河中府跨河两岸为城。西城即河西县，下文东城即河东县。⑱君父一也：皇上与父亲是一样重要的。儒家道德，人生在世，对君、父、师三者要一体侍奉。⑲今日之势：当前的形势。指德宗被困奉天时之形势。⑳知卿三句：意谓朕知道你是李怀光的爱子，你应当在当中为朕百般调解，而你却密奏你的父亲。弥缝，弥补缝合、调解。㉑力竭：心力用尽。㉒回：挽回。㉓安用之：怎么能用我。㉔说谕万方：千方百计劝导。㉕直畏死耳：只是怕死而已。直，特、只。㉖诚惜璀也：实在是为了爱惜李璀。㉗犹可降：还可以接受投降。㉘迫逐其君：指李怀光逼德宗自奉天出奔山南。㉙视朝：上朝。㉚借使：即使。㉛燧斩其将阎晏等：阎晏等劝李怀光东保河中，引兵犯同州，故马燧诛杀阎晏等人。此举惩罚倡乱者，因其罪不可赦也。㉜凡二十七日：马燧期以一月平怀光，七月戊申（十五日）出兵至八月甲戌（十二日）平定河中，总计二十七天。㉝出：释放。李怀光囚高郢、李鄘于狱，事见上卷。㉞皆奏置幕下：马燧上奏朝廷，把高、李二人都安置在自己的幕府中。㉟特原：特别赦免。李怀光囚杨朝晟，杨不与同恶，父又立功，故特原之。朝晟被囚见本书卷第二百三十德宗兴元元年（公元七八四年）三月。㊱都虞候：节度使佐吏，掌军纪纠察。

【校记】

［1］臣：原无此字。据章钰校，乙十六行本、乙十一行本、孔天胤本皆有此字，今据补。

---

【语译】

德宗派人问陆贽："河中平定以后，还有什么事情应该处理？"命陆贽一条条全都列出来上奏。陆贽认为河中平定后，担心一定会有那种迎合圣旨无端生事的人，以为朝廷的军队所向无敌，便请求乘胜讨伐淮西李希烈。李希烈也一定会诱惑、劝

西者。李希烈必诱谕㊴其所部及新附诸帅㊵曰:“奉天息兵之旨㊶，乃因窘急[2]而言，朝廷稍安，必复诛伐。”如此，则四方负罪者㊷孰不自疑，河朔、青齐固当响应㊸，兵连祸结，赋役繁兴，建中之忧，行将复起。乃上奏，其略曰:“福不可以屡徼，幸不可以常觊㊹。臣[3]姑以生祸为忧，未敢以获福为贺㊺。”又曰:“陛下怀悔过之深诚，降非常之大号㊻，所在宣扬㊼之际，闻者莫不涕流。假王叛换之夫㊽，削伪号以请罪㊾;观衅㊿首鼠之将(51)，一纯诚以效勤(52)。”又曰:“曩讨之而愈叛，今释之而毕来(53);曩以百万之师而力殚(54)，今以咫尺之诏而化洽(55)。是则圣王之敷理道(56)，服暴人(57)，任德而不任兵，明矣。群帅之悖臣礼(58)，拒天诛(59)，图活而不图王，又明矣。是则好生以及物者(60)，乃自生之方；施安以及物者，乃自安之术。挤彼于死地而求此之久生也，措彼于危地而求此之久安也，从古及今，未之有焉(61)。”又曰:“一夫不率(62)，阖境罹殃；一境(63)不宁，普天致扰(64)。”又曰:“亿兆污人(65)，四三叛帅，感陛下自新之旨，悦陛下盛德之言，革面易辞(66)，且修臣礼，其于深言密议(67)固亦未尽坦然，必当聚心而谋，倾耳而听，观陛下所行之事，考陛下所誓之言。若言与事符，则迁善(68)之心渐固。傥事与言背，则虑祸(69)之态复兴。”又曰:“朱泚灭而怀光戮，怀光戮而希烈征，希烈傥平(70)，祸将次及，则彼之蓄素疑而怀宿负者(71)，能不为之动心(72)哉!”又曰:“今皇运中兴(73)，天祸将悔(74)，以逆泚之偷居上国(75)，以怀光之窃保中畿(76)，岁未再周(77)，相次枭殄(78)，实众慝(79)惊心(80)之日，群生改观之时(81)。威则已行，惠犹未洽。诚宜上副天眷(82)，下收物情(83)，布恤人之惠以济威(84)，乘灭贼之威以行惠(85)。”又曰:“臣所未敢保其必从，唯希烈一人而已(86)。揆(87)其私心，非不愿从也；想其潜虑(88)，非不追悔也。但

导他的部下和那些刚归附朝廷的将帅说：“去年奉天的那份停战赦免诏书，是因为处境窘急而发出的，朝廷稍微安定下来以后，一定又会来向我们发起征讨。”这样一来，各地曾经有罪于朝廷的将帅谁不心怀疑惧，河朔的王武俊、田绪、刘怦，青齐的李纳等一定会响应李希烈，于是战争与灾祸连续不断，一次次地征收赋税和征发徭役，建中年间的忧患又将重新出现。于是陆贽上奏德宗，大意是说：“福分不可以多次侥幸取得，幸运不可以经常企望。臣宁肯忧虑会有祸事发生，不敢祝贺陛下将会获得新的福分。”又说：“陛下怀着悔过的深切诚意，颁布了非同寻常的大赦诏书，当诏书在各地宣示的时候，听到的人没有不流下眼泪的。那些非法称王发动叛乱的将帅，都削除了僭伪的称号并请求朝廷治罪；那些正在观望时机首鼠两端的将领们，全都诚心诚意地效力勤王。”又说：“先前征讨叛乱而叛乱更加严重，如今宽恕了他们而他们都来归顺朝廷；先前使用百万大军去征讨而把力量全都耗尽，如今仅以不满一尺的诏书而使德化广被。由此可见，圣王在推行治国之道，降服凶暴之人的时候，应当用道德来感化而不是用武力来镇压，这道理是十分明显的。那些节帅违背人臣应遵循的礼仪，抗拒朝廷的诛伐，是谋求活下去，而不是谋求称王，这又是十分明显的。由此看来，爱惜生命并把它遍施于万物，这就是使自己生存下去的最好方法；实施安定并把它推及于万物，这就是让自己安定下去的最好手段。把那一些人挤压于死地，来求得这一些人长久生存，把那一些人丢弃到危险之地，来求得这一些人长久安定，从古至今，没有这样的事。”又说：“一个人不守法，整个地区都会遭受祸害；一个地区不安宁，全天下都会招致骚扰。”又说：“天下亿万鄙陋无知的人，以及那三四个反叛朝廷的节帅，被陛下以全新面貌治理朝政的诏书所感动，听了陛下蕴含高尚道德的话语而心怀喜悦，于是都洗心革面，改变不敬的言辞，并且遵循起了做人臣的礼仪，但他们对诏书深切的话语和缜密的考虑原本就不是内心全无顾虑，一定会专心致志地去谋虑，侧着耳朵去细听，观察陛下所做的事情，来印证陛下所发的誓言。如果誓言与所做的事情相符，他们改恶从善的心意就会逐渐坚定起来。如果所做的事情与誓言相悖，那么他们忧虑祸及于身的心思就又会产生。”又说：“朱泚被消灭，李怀光又被诛杀，李怀光被诛杀后又征讨李希烈，李希烈如果被平定，那灾祸又将依次降到别人身上，那些一向心怀疑虑而又曾有罪于朝廷的人，能不为此而心绪波动吗！”又说：“如今国运重又兴起，上天所降的灾祸行将过去，就拿朱泚窃居京城长安、李怀光窃据河中来说，不到两年，二人相继被斩首消灭，这实在是那些邪恶之人心惊胆战的日子，也是天下百姓改变看法的时候。朝廷的威权已经施行，但陛下的恩泽尚未周遍。陛下实在应该对上顺应苍天的眷顾，对下收聚民心，广布体恤百姓的恩惠来辅助威权，又乘消灭叛贼的威势来施行恩惠。”又说：“臣不敢担保一定会归顺朝廷的，只有李希烈一个人而已。我揣摩李希烈的内心，觉得他并不是不愿归顺朝廷；我推想李希烈暗中的考虑，也不是无所追悔。只是因为狂妄

以猖狂失计，已窃大号，虽荷陛下全宥之恩，然不能不自觍[89]于天地之间耳。纵未顺命，斯为独夫[90]，内则无辞以起兵，外则无类以求助，其计不过厚抚部曲，偷容岁时[91]，心虽陆梁[92]，势必不致。陛下但敕诸镇各守封疆，彼既气夺算穷[93]，是乃狴牢之类[94]，不有人祸，则当鬼诛。古之不战而屈人之兵[95]者，此之谓欤！”

【段旨】

以上为第二段，写德宗采纳陆贽建言，平定李怀光后，朝廷罢兵，赦免李希烈，待其自毙，以安天下反侧者之心。

【注释】

㊲复有何事所宜区处：还有什么事应当处理。㊳希旨生事之人：迎合圣旨、无端生事的人。㊴诱谕：诱惑劝说。㊵新附诸帅：指刚归附朝廷的李纳、王武俊、田绪等。㊶奉天息兵之旨：指兴元大赦诏。㊷负罪者：犯有罪过的人。㊸河朔、青齐固当响应：河朔指王武俊、田绪、刘怦，青齐指李纳。诸人皆负罪之人，他们因疑惧必当起而响应。㊹福不可以屡徼二句：福缘不可以多次侥幸取得，幸运不可以经常企望。此谓德宗蒙尘侥幸返京，这样的事不可再次发生。徼，侥幸。觊，觊觎、希图。㊺臣姑以二句：意谓我宁肯把发生祸患作为自己的忧虑，不敢祝贺陛下获得福分。此言德宗应不忘忧患。姑，姑且、宁可。生祸，产生祸患。㊻降非常之大号：降下非常的诏命。指兴元大赦诏。㊼所在宣扬：在各地宣示。㊽假王叛换之夫：指称王叛乱的人。假王，称王。㊾削伪号以请罪：削去伪署的王号请求治罪。指王武俊、田悦、李纳等人去王号谢罪。见本书卷卷二百二十九德宗兴元元年（公元七八四年）。伪号，僭拟之号。㊿观衅：袖手旁观，伺机而动。[51]首鼠之将：指马燧、韩滉、陈少游等从观望转而归诚。首鼠，即成语“首鼠两端”之省说。[52]一纯诚以效勤：意谓首鼠两端看机会的将领，全都诚心诚意地效力勤王。[53]曩讨之而愈叛二句：先前讨伐叛逆而叛乱更加严重，现在宽恕了他们而他们都来归顺。曩，先前。[54]曩以百万之师而力殚：先前用百万之师而力量使尽。力殚，用尽全力。谓朝廷讨叛兵穷财尽。[55]今以咫尺之诏而化洽：现在只颁布了不满一尺长的诏书反而德化广被。咫尺，短尺，八寸长的竹简。唐时已用纸书，不用竹简，此为借用。[56]敷理道：施行治国之道。[57]服暴人：降服凶暴的人。[58]悖臣礼：违背人臣的礼仪。[59]拒天诛：抗拒朝廷的诛讨。[60]好生以及物者：爱惜生命并把它遍施于万物。[61]挤彼于死地四句：意谓将那一些人挤压于死地，而求得这一些人的长久生存，丢弃那一些人于危险之地，而求得这

放肆而算计错了，已经窃称帝号，即使蒙陛下对他施恩，宽恕他保全他，但他自己不能不羞愧于再活在天地之间了。即使他没有归顺朝廷，也成了独夫民贼，对内再找不到什么理由来向朝廷起兵，对外则找不到同类之人可以求助，他的策略不过是好好安抚部下，苟且偷生，拖延时日，内心虽然嚣张，但形势却使他难以达到目的。陛下只需命令众镇各自守护好所辖疆域，李希烈既已胆气丧失，计谋算尽，他就像一个囚在牢笼中的人，如果不发生人祸，也会有厉鬼去诛杀他。古代所说的不用交战就能使对方军队屈服，指的就是这个意思啊！”

---

一些人的长久安定，从古到今，没有这样的事。挤，挤压、排斥。措，丢弃。㉜率：循规蹈矩；守法。㉝一境：一个地方；整个地区。㉞普天致扰：全天下都要招致骚扰。普天，全天下；全国。㉟污人：鄙陋无知之人。㊱革面易辞：洗心革面，改变不敬的言辞。㊲深言密议：深切的谈话，缜密的考虑。㊳迁善：改恶从善。㊴虑祸：忧虑生祸。㊵傥平：如果被平定。⑪蓄素疑而怀宿负者：一向抱着疑虑而又曾有罪于朝廷的人。⑫动心：思想波动。⑬皇运中兴：国家气运重又兴起。⑭天祸将悔：上天降下的祸患行将过去。⑮上国：指京都长安。⑯中畿：指河中。玄宗开元八年（公元七二〇年）以河中为中都，河东、河西二县为次赤县，所属诸县为次畿县。⑰岁未再周：不到两年的时间。去年六月斩朱泚，今年八月平怀光，不足二年。⑱枭殄：斩首消灭。⑲众慝：众恶。⑳惊心：心惊胆战。㉑群生改观之时：广大百姓改变看法的时候。㉒上副天眷：对上要顺应上天的眷顾。㉓下收物情：对下要收聚民心。㉔布恤人之惠以济威：广布体恤百姓的恩惠用以辅助威严。㉕乘灭贼之威以行惠：乘着消灭叛贼的威势来施行恩惠。㉖臣所未敢保其必从二句：我不敢担保一定归顺朝廷的人，只有李希烈一个人罢了。必从，一定归顺朝廷。㉗揆：揣度。㉘想其潜虑：料想他暗中的考虑。㉙自觍：自觉羞愧。㉚纵未顺命二句：李希烈即使未肯归顺朝廷，此人已经成了一个独夫民贼。㉛偷容岁时：苟且偷生，拖延时日。㉜陆梁：横行；嚣张。㉝气夺算穷：胆气已失，计谋算尽。㉞狴牢之类：指李希烈进不能取，退不能守，坐以待毙，如同一个囚犯。狴，又名犴，传说的神虎，像虎有威力，古代作为牢狱的门神。这里狴牢即牢狱之代称。㉟不战而屈人之兵：不用交战而使敌人屈服。《孙子兵法·谋攻》："不战而屈人之兵，善之善者也。"

## 【校记】

［2］急：原无此字。据章钰校，乙十六行本、乙十一行本、孔天胤本皆有此字，张瑛《通鉴校勘记》同，今据补。［3］臣：据章钰校，此字上，乙十六行本、乙十一行本、孔天胤本皆有"又曰"二字。

【原文】

丁卯[96]，诏以李怀光尝有功，宥其一男，使续其后，赐之田宅，归其首及尸使葬。加马燧兼侍中，浑瑊检校司空，余将卒赏赉[97]各有差。诸道与淮西连接者，宜各守封疆，非彼侵轶[98]，不须进讨。李希烈若降，当待以不死，自余将士百姓，一无所问。

初，李晟尝将神策军戍成都[99]，及还，以营妓[100]高洪[101]自随。西川节度使张延赏怒，追而还之，由是有隙。至是，刘从一有疾，上召延赏入相，晟表陈其过恶。上重违其意[102]，以延赏为左仆射[103]。

骆元光将杀徐庭光，谋于韩游瓌曰："庭光辱吾祖考[104]，吾欲杀之，马公必怒，公能救其死乎[105]？"游瓌曰："诺。"壬午[106]，遇庭光于军门之外，揖而数其罪[107]，命左右碎斩之[108]。入见马燧，顿首[109]请罪。燧大怒曰："庭光已降，受朝廷官爵，公不告辄杀之，是无统帅也！"欲斩之。游瓌曰："元光杀裨将[110]，公犹怒如此。公杀节度使，天子其谓何？"燧默然。浑瑊亦为之请，乃舍之。

浑瑊镇河中，尽得李怀光之众，朔方军自是分居邠、蒲[111]矣。

卢龙节度使刘怦疾病，九月己亥[112]，诏以其子行军司马济[113]权知[114]节度事。怦寻薨。

己未[115]，中书侍郎、同平章事刘从一罢为户部尚书[116]。庚申[117]，薨。

冬，十月癸卯[118]，上祀圜丘[119]，赦天下。

十二月甲戌[120]，户部奏今岁入贡者凡百五十州[121]。

于阗王曜上言："兄胜让国于臣[122]，今请复立胜子锐[123]。"上以锐检校光禄卿，还其国。胜固辞曰："曜久行国事，国人悦服。锐生长京华，不习其俗，不可往。"上嘉之，以锐为韶王[124]谘议[125]。

【语译】

八月初五日丁卯，德宗下诏认为李怀光曾对国家有功，特宽恕他的一个儿子，使他的后代得以延续，赐田地住宅，归还李怀光的首级及尸体使其得以埋葬。加授马燧兼任侍中，加授浑瑊为检校司空，对其余将士也都给予各有不同的赏赐。各道中与淮西李希烈接壤的节帅，应该各自守护好所辖疆域，如果不是李希烈侵扰袭击，就不必进军征讨。李希烈如果投降，应当给他留条性命，其余的将士和百姓，一概不予追究。

当初，李晟曾率领神策军戍守成都，等到返回朝廷时，让成都的官伎高洪跟随自己。西川节度使张延赏对此很生气，派人追上去带回了高洪，由此两人便有了嫌隙。到如今，宰相刘从一生病，德宗要征召张延赏入朝担任宰相，李晟上表陈奏张延赏的过失。德宗难以违背李晟的意愿，任命张延赏为左仆射。

骆元光准备杀掉徐庭光，与韩游瓌商量说："徐庭光侮辱我的父祖先人，我想杀了他，马公一定会大怒，到时您能救我一命吗？"韩游瓌答应说："好吧。"八月二十日壬午，骆元光在军营门外遇到徐庭光，便把徐庭光抓了起来，列数他的罪状，下令随从人员把他碎尸万段。然后骆元光入营去见马燧，伏地磕头请求治杀徐庭光之罪。马燧大怒，说："徐庭光已经投降，接受了朝廷的官爵，你不向我报告就杀了他，这是目无统帅啊！"马燧想杀了骆元光。韩游瓌说："骆元光杀了一个裨将，您尚且如此发怒。您杀了节度使，那皇上会认为怎么样呢？"马燧沉默不语。浑瑊也为骆元光求情，马燧于是放过了骆元光。

浑瑊镇守河中府，把李怀光的部众全部接收下来，朔方军从此分为两部，分别驻守在邠州和蒲州。

卢龙节度使刘怦疾病加重，九月初七日己亥，德宗下诏任命刘怦的儿子行军司马刘济代理节度使事务。刘怦不久就去世了。

二十七日己未，中书侍郎、同平章事刘从一被免原职，担任户部尚书。二十八日庚申，刘从一去世。

冬，十月癸卯日，德宗在圜丘祭天，大赦天下。

十二月十三日甲戌，户部上奏今年入贡的地方总共只有一百五十州。

于阗王尉迟曜上奏说："我哥哥尉迟胜把国王之位让给了我，现在我请求将尉迟胜的儿子尉迟锐重立为国王。"德宗任命尉迟锐为检校光禄卿，返回他的国家。尉迟胜坚决推辞说："尉迟曜处理国家事务已经很久了，于阗国人对他心悦诚服。尉迟锐生长在京城长安，不熟悉于阗国的习俗，不能前去。"德宗对此很是嘉许，任命尉迟锐为韶王李暹的谘议。

【段旨】

以上为第三段，写李晟与张延赏结怨，骆元光因泄私愤而擅杀大将。

【注释】

⑯丁卯：八月初五日。⑰赏赉：赏赐。⑱侵轶：侵扰袭击。轶，突、袭击。⑲李晟尝将神策军戍成都：事在李晟救蜀击吐蕃时，见本书卷第二百二十六代宗大历十四年（公元七七九年）。⑳营妓：唐代官府供养的女乐，即官伎，又称营伎。㉑高洪：西川节度使府属营伎，奉令陪侍李晟，李晟据为私有，故被张延赏追回。㉒上重违其意：德宗难以违背李晟的意愿。李晟以私恨干预天子用相，已经犯忌，为后来张延赏谗退李晟埋下了祸根。㉓左仆射：官名，唐代尚书省长官为尚书令，副职二人为左、右仆射。因唐太宗曾为尚书令，后不常置，左、右仆射即为尚书省长官，加平章事亦为宰相。德宗欲用张延赏为中书侍郎，因李晟之故改为左仆射。后德宗合和二人，贞元三年（公元七八七年）加张延赏同中书门下平章事。㉔庭光辱吾祖考：指上文所载徐庭光为优胡戏侮之事。㉕救其死乎：救我一命吗。㉖壬午：八月二十日。㉗捽而数其罪：骆元光将徐庭光抓住以后，列数他的罪状。捽，揪持、抓住。㉘碎斩之：把徐庭光碎尸万段。㉙顿

---

【原文】

二年（丙寅，公元七八六年）

春，正月壬寅[126]，以吏部侍郎刘滋[127]为左散骑常侍[128]，与给事中崔造[129]、中书舍人齐映并同平章事。滋，子玄之孙也。

造少居上元[130]，与韩会、卢东美、张正则为友，以王佐自许，时人谓之"四夔[131]"。上以造在朝廷敢言，故不次用之。滋、映多让事于造。造久在江外[132]，疾钱谷诸使罔上之弊，奏罢水陆运使、度支巡院、江淮转运使等，诸道租赋悉委观察使、刺史遣官部送诣京师。令宰相分判[133]尚书六曹[134]：齐映判兵部，李勉判刑部，刘滋判吏部、礼部，造判户部、工部，又以户部侍郎元琇[135]判诸道盐铁、榷酒，吉中孚[136]判度支两税。

李希烈将杜文朝寇襄州。二月癸亥[137]，山南东道节度使樊泽击擒之。

首：磕头。⑩ 裨将：副将。⑪ 朔方军自是分居邠蒲：朔方军自郭子仪以来，分屯邠州、蒲州而统于一帅。现在居邠者韩游瓌统之，居蒲者浑瑊统之，从此一分为二。⑫ 己亥：九月初七日。⑬ 济：即刘济，嗣父刘怦为卢龙节度使，宪宗时为次子刘总所杀。传见《旧唐书》卷一百四十三、《新唐书》卷二百十二。⑭ 权知：代理。⑮ 己未：九月二十七日。⑯ 刘从一罢为户部尚书：谓刘从一免除中书侍郎、同平章事之职，改任户部尚书。⑰ 庚申：九月二十八日。⑱ 癸卯：十月癸亥朔，无癸卯。癸卯，十一月十一日。⑲ 祀圜丘：祭祀上天。圜丘，祭天之坛。⑳ 甲戌：十二月十三日。㉑ 入贡者凡百五十州：据《旧唐书·地理志》载，天宝十一载（公元七五二年）统计，全国郡府（州）凡三百二十八，贞元时河朔诸镇及淄青、淮西皆不入贡，河、陇诸州又没于吐蕃，故入贡州郡只及盛唐之半，凡百五十州。㉒ 兄胜让国于臣：于阗国王尉迟胜让国于弟尉迟曜，事见本书卷第二百二十一肃宗上元元年（公元七六〇年）。至德初，于阗国王尉迟胜闻安禄山反，于是以弟曜权知国事，自己率兵五千勤王，肃宗厚待之，不愿回国，上元元年正式由唐册封曜为于阗国王。尉迟胜传见《旧唐书》卷一百四十四、《新唐书》卷一百十。㉓ 锐：尉迟锐，于阗国王尉迟胜之子，随父在唐。㉔ 韶王：名暹，代宗子。㉕ 谘议：官名，亲王府参议，全称谘议参军，正五品上。

---

**【语译】**

**二年（丙寅，公元七八六年）**

春，正月十一日壬寅，德宗任命吏部侍郎刘滋为左散骑常侍，与给事中崔造、中书舍人齐映都为同平章事。刘滋，是刘子玄的孙子。

崔造年轻时住在上元县，与韩会、卢东美、张正则结为朋友，自命为将是君王的辅佐之人，当时的人称他们为“四夔”。德宗因为崔造在朝廷中敢于发表见解，所以破格任用他。刘滋、齐映也多把政事让给崔造处理。崔造长期生活在江南，痛恨负责征集、转运钱粮的各使欺瞒朝廷这一弊端，上奏德宗撤销水陆运使、度支巡院、江淮转运使等，各道的租赋全都交给观察使、刺史派官员押送到京城。又让宰相分别兼管尚书省六部：齐映兼管兵部，李勉兼管刑部，刘滋兼管吏部、礼部，崔造兼管户部、工部，又让户部侍郎元琇兼管各道的盐铁税和专卖酒类的事务，让吉中孚兼管度支两税事务。

李希烈的部将杜文朝侵犯襄州。二月初三日癸亥，山南东道节度使樊泽率军出击，活捉了杜文朝。

崔造与元琇善，故使判盐铁。韩滉奏论盐铁过失[138]。甲戌[139]，以琇为尚书右丞。陕州水陆运使李泌奏："自集津至三门[140]，凿山开车道十八里，以避底柱[141]之险。"是月道成。

三月，李希烈别将寇郑州，义成[142]节度使李澄击破之。希烈兵势日蹙，会有疾，夏，四月丙寅[143]，大将陈仙奇[144]使医陈山甫毒杀之，因以兵悉诛其兄弟妻子，举众来降。甲申[145]，以仙奇为淮西节度使。

关中仓廪竭，禁军或自脱巾呼于道曰："拘吾于军而不给粮，吾罪人也！"上忧之甚。会韩滉运米三万斛至陕，李泌即奏之。上喜，遽至东宫，谓太子曰："米已至陕，吾父子得生矣！"时禁中不酿[146]，命于坊市取酒为乐[147]。又遣中使谕神策六军，军士皆呼万岁。

时比岁[148]饥馑，兵民率皆瘦黑。至是麦始熟，市有醉人，当时以为嘉瑞。人乍饱食[149]，死者复伍之一。数月，人肤色乃复故。

以横海军[150]使程日华为节度使。

秋，七月，淮西兵马使吴少诚[151]杀陈仙奇，自为留后。少诚素狡险，为李希烈所宠任，故为之报仇。己酉[152]，以虔王谅[153]为申、光、随、蔡节度大使，以少诚为留后。

以陇右行营节度使曲环为陈许节度使[154]。陈许荒乱之余，户口流散。曲环以勤俭率下，政令宽简，赋役平均，数年之间，流亡复业，兵食皆足。

八月癸未[155]，义成节度使李澄薨，其子克宁[4]谋总军务，秘不发丧。

丙戌[156]，吐蕃尚结赞大举寇泾、陇、邠、宁，掠人畜，芟禾稼[157]，西鄙骚然[158]，州县各城守。诏浑瑊将万人、骆元光将八千人屯咸阳以备之。

崔造与元琇相友善，所以让元琇兼管盐铁事务。韩滉上奏朝廷，论说盐铁事务管理中的过失。二月十四日甲戌，德宗任命元琇为尚书右丞。陕州水陆运使李泌上奏说："请准许我从集津仓到三门仓，凿山开辟出运输车道十八里，以避开黄河底柱天险。"在这个月，山间车道修好了。

三月，李希烈的别将侵犯郑州，义成节度使李澄打败了他。李希烈的军事势力日益削弱，正好李希烈又生了重病，夏，四月初七日丙寅，李希烈的大将陈仙奇指使医生陈山甫用毒药谋杀了李希烈，接着陈仙奇率兵把李希烈的兄弟、妻子儿女全都杀了，带领众人前来投降。二十五日甲申，德宗任命陈仙奇为淮西节度使。

关中仓库的粮食用光了，禁军中有人摘下头巾，在道路上大声呼喊："把我们束缚在军队中，却不给粮食吃，我们就像罪人一样！"德宗对此极为忧虑。正好韩滉运送三万斛粮食到了陕州，李泌立即奏报。德宗很高兴，急忙赶到东宫，对太子说："粮食已经运到陕州了，我们父子能够活下来了！"当时宫中不酿造酒，德宗下令到街市上买酒作乐。又派中使把粮食运到的消息告诉神策六军，军士们都高呼万岁。

当时连年饥荒，军民全都又瘦又黑。到这时麦子开始成熟，街市上有了喝醉酒的人，当时认为这是一个好兆头。人们骤然吃得太饱，因此而死的人又有五分之一。几个月以后，人们的肤色才恢复到原来的样子。

德宗任命横海军使程日华为节度使。

秋，七月，淮西兵马使吴少诚杀了淮西节度使陈仙奇，自任留后。吴少诚一向狡诈阴险，受到李希烈宠信和重用，所以杀陈仙奇为李希烈报仇。二十二日己酉，德宗任命虔王李谅为申州、光州、随州、蔡州的节度大使，任命吴少诚为留后。

德宗任命陇右行营节度使曲环为陈许节度使。陈州、许州在饥荒动乱之后，人户流离散失。曲环以勤俭的作风为部下做出表率，施行的政令宽松、简便，百姓承担的赋税和劳役都很平均，几年之间，流失逃亡的人都回归本业，士兵的粮食也都充足起来。

八月二十七日癸未，义成节度使李澄去世，李澄的儿子李克宁企图总揽军务，隐瞒而不发布父亲去世的消息。

八月三十日丙戌，吐蕃的国相尚结赞率军大举侵犯泾州、陇州、邠州、宁州，抢掠人口和牲畜，毁坏庄稼，西部边疆骚动不安，州县各自据城自守。德宗下诏命令浑瑊率兵一万人、骆元光率兵八千人屯驻咸阳，以做防备。

【段旨】

以上为第四段，写德宗急躁，起用享有虚名的轻进少年崔造为相，贸然改革财赋机构，留下隐患。李希烈为其部将所杀。

【注释】

⑫⑥壬寅：正月十一日。⑫⑦刘滋：字公茂，唐代史学家、《史通》作者刘知幾之孙。历官给事中、太常少卿、吏部侍郎，迁左散骑常侍、同中书门下平章事，旋即守本官，罢知政事。传见《旧唐书》卷一百三十六、《新唐书》卷一百三十二。⑫⑧左散骑常侍：谏官，属门下省。⑫⑨崔造：字玄宰，以敢言为德宗不次登用，以本官给事中同平章事。传见《旧唐书》卷一百三十、《新唐书》卷一百五十。⑬⓪上元：县名，县治在今江苏江宁。⑬①四夔：夔为传说时代唐尧、虞舜时的贤臣。崔造、韩会、卢东美、张正则四人齐名，时人美誉之为“四夔”。⑬②江外：江南。上元在江南，崔造久居于此，颇知诸使中饱弊端，故为相奏罢之。⑬③判：以本官兼掌某官的裁决处理权而未正式任命，称之为“判”。⑬④尚书六曹：尚书省为政务机关，所属六部称六曹，即吏、户、礼、兵、刑、工等六部。⑬⑤元琇：代宗朝盐铁转运使刘晏部属。元琇判盐铁，国无横敛而军旅供应不乏。传附《新唐书》卷一百四十九《刘晏传》。⑬⑥吉中孚：能诗，为“大历十才子”之一，官至户部尚书。传见《新唐书》卷二百三。⑬⑦癸亥：二月初三日。⑬⑧论盐铁过失：据《旧唐书·崔造传》，韩滉为江淮转运使，元琇上奏，江南米自江至扬子凡十八里韩滉主之，

【原文】

初，上与常侍[5]李泌议复府兵，泌因为上历叙府兵自西魏以来兴废之由⑮⑨，且言：“府兵平日皆安居田亩，每府有折冲⑯⓪领之，折冲以农隙教习战陈。国家有事征发，则以符契下其州及府⑯①，参验⑯②发之，至所期处⑯③。将帅按阅，有教习不精者，罪其折冲，甚者罪及刺史。军还，则赐勋加赏，便道罢之⑯④。行者近不逾时⑯⑤，远不经岁⑯⑥。高宗以刘仁轨为洮河镇守使⑯⑦以图吐蕃，于是始有久戍之役。武后以来，承平日久，府兵浸堕⑯⑧，为人所贱，百姓耻之，至蒸熨手足⑯⑨以避其役。又，牛仙客以积财得宰相⑰⓪，边将效之。山东戍卒多赍缯帛自随，边

江北转运由元琇主持。韩滉闻之怒，上奏元琇主持盐铁事务的过失。德宗不得已罢元琇官。⑬⑨甲戌：二月十四日。⑭⓪自集津至三门：集津、三门皆仓名，集津仓在三门峡东，三门仓在三门峡西。⑭①底柱：屹立于三门峡河中的石山，为水运之险阻。⑭②义成：方镇名，即滑亳节度使，代宗大历七年（公元七七二年）赐号为永平军，德宗贞元元年（公元七八五年）更号为义成军。⑭③丙寅：四月初七日。⑭④陈仙奇：李希烈部将，归朝后为淮西节度使，数月后为吴少诚所杀。传附《旧唐书》卷一百四十五《李希烈传》。⑭⑤甲申：四月二十五日。⑭⑥酿：酿酒。⑭⑦取酒为乐：买酒作乐。⑭⑧比岁：连年。⑭⑨乍饱食：突然饱食。肠胃久饥而壁薄，突然暴食过度将使肠胃穿孔而死。⑮⓪横海军：方镇名，德宗兴元元年（公元七八四年）以沧州为横海军，刺史程华为副大使权知节度使，今为真节度使。程华赐名程日华。事见上卷。⑮①吴少诚：李希烈大将，归顺后任申光蔡节度使。传见《旧唐书》卷一百四十五、《新唐书》卷二百十四。⑮②己酉：七月二十二日。⑮③虔王谅：德宗第四子。⑮④曲环为陈许节度使：时曲环以陇右行营兵戍陈许，因授以镇。⑮⑤癸未：八月二十七日。⑮⑥丙戌：八月三十日。⑮⑦芟禾稼：毁坏庄稼。⑮⑧西鄙骚然：唐西部边疆骚动。

## 【校记】

［4］克宁：原误作“士宁”。据章钰校，乙十六行本、乙十一行本皆作“克宁”，张敦仁《通鉴刊本识误》、张瑛《通鉴校勘记》同，今据改。《旧唐书》卷一百三十二、《新唐书》卷一百四十一《李澄传》皆载澄子名克宁。

---

## 【语译】

当初，德宗与常侍李泌商量恢复府兵的事，李泌于是为德宗详尽陈述了府兵制度从西魏以来兴起和废弃的因由，并且说：“府兵平时都安心在家乡耕田种地，每一军府都设有折冲都尉统领府兵，折冲都尉在农闲的时候教府兵练习战阵。当国家有事需要征发府兵时，就把调兵符契下发到所在的州与折冲府，验证符契后征发府兵到达集合地点。将帅查验检阅府兵，如有教习战阵不精良的，要对折冲府的长官治罪，情节严重的，还要对该州的刺史治罪。军队返回后，便论功赐予勋阶，加以奖赏，然后即行遣散归农。被征发的府兵，时间短的不超过三个月，时间长的不超过一年。本朝高宗皇帝任命刘仁轨为洮河镇守使以对付吐蕃，到这时才有了长期驻守的兵役。自武后朝以来，太平日子长了，府兵制度逐渐受到破坏，人所轻视，老百姓以当府兵为耻，甚至烫伤手脚以逃避服役。另外，牛仙客因为能积累财物而谋得宰相职位，守边的将领纷纷仿效他。山东地区戍边的士兵常常随身带着自家的丝帛，

将诱之寄于府库，昼则苦役，夜絷[171]地牢，利其死而没入其财。故自天宝以后，山东戍卒还者什无二三。其残虐如此，然未尝有外叛内侮，杀帅自擅者，诚以顾恋田园，恐累宗族故也。自开元之末，张说始募长征兵[172]，谓之彍骑[173]，其后益为六军[174]。及李林甫为相，奏诸军皆募人为之[175]。兵不土著[176]，又无宗族，不自重惜，忘身徇利，祸乱遂生，至今为梗[177]。向使府兵之法常存不废，安有如此下陵上替[178]之患哉！陛下思复府兵，此乃社稷之福，太平有日矣！”上曰：“俟平河中，当与卿议之。”

【段旨】

以上为第五段，写李泌以议恢复府兵制为话题，迂回实施北连回纥以抗吐蕃的战略，良苦用心深矣。

【注释】

⑲ 兴废之由：此指府兵制度兴起和废除的因由。西魏始置府兵，见本书卷第一百六十三梁简文帝大宝元年（公元五五〇年）。府兵废除见本书卷第二百十二唐玄宗开元十年（公元七二二年）。府兵制是分出军户，另立户籍，不输租赋，但世代为兵，农闲训练，战时从役，置军府统管。中唐藩镇兴起，府兵制于是崩溃。⑯ 折冲：唐代军府设折冲都尉与左、右果毅都尉统领，称折冲都尉府，又称折冲果毅府。⑯ 府：折冲府。⑯ 参验：验证调兵的符契。⑯ 至所期处：被征发的府兵自备兵器资粮，分期轮流宿卫京师或防卫边境，刻期到所会之地集中。⑯ 便道罢之：府兵戍役期满，即行遣散归农，不必还至京师而后还家。⑯ 不逾时：不超过一个季度。时，一年四时，一时为三个月。⑯ 不经岁：不超过一年时间。⑯ 刘仁轨为洮河镇守使：刘仁轨历仕太宗、高宗两朝，官至尚书

【原文】

九月丁亥[179]，诏十六卫[180]各置上将军，以宠功臣。改神策左、右厢为左、右神策军，殿前射生左、右厢为殿前左、右射生军，各置大将

守边的将领就诱骗他们把这些丝帛寄存在官府仓库中，白天让他们服苦役，晚上又把他们关在地牢里，希望他们早点死去，好没收他们的财物以使自己得利。所以从天宝年间以后，山东戍边的士兵能够回到家乡的十人之中不到二三人。守边将领的残暴狠毒竟到了这种地步，但不曾发生过叛乱或内讧，以及杀害将帅擅自夺权的事情，这实在是因为士兵们眷恋家乡田园，担心连累宗族的缘故。到开元末年，张说开始招募长期服役的职业士兵，称他们为彍骑，后来又扩充为六军。到李林甫担任宰相时，上奏请求各军全都由招募来的士兵组成。士兵们不再在本地当兵，当地又没有同一宗族的人，所以他们不知自我尊重、爱惜，往往不顾自身死活地去追逐利益，灾祸、变乱于是不断发生，至今仍为祸害。假如府兵制度能长期存在而不被废弃，那怎么会有犯上作乱、纲纪废弛的祸患呢！陛下想恢复府兵，这是社稷的福分，天下太平就为时不远了！”德宗说：“等平定河中地区后，就会与卿商议此事。”

---

左仆射。高宗仪凤二年（公元六七七年）八月，刘仁轨为洮河镇守使。传见《旧唐书》卷八十四、《新唐书》卷一百八。⑯⑧浸堕：逐渐败坏。⑯⑨蒸熨手足：烫伤手脚。⑰⓪牛仙客以积财得宰相：事见本书卷第二百十四玄宗开元二十四年（公元七三六年）。⑰①絷：绑缚。⑰②张说始募长征兵：事见本书卷第二百十二玄宗开元十年、十三年。张说，玄宗朝宰相。长征兵，长期服役的职业雇佣兵。⑰③彍骑：开元所征长征兵，原称长从宿卫兵，开元十三年更名彍骑。⑰④六军：即北衙六军，分左右，为左右羽林军、左右龙武军、左右神武军。⑰⑤募人为之：指李林甫入相，募人为兵。事见本书卷第二百十六玄宗天宝八载（公元七四九年）。李林甫，玄宗朝宰相。⑰⑥兵不土著：士兵皆为招募，均不是本地人在本地当兵。⑰⑦梗：阻塞。谓军人乱政如梗塞的腹心之疾。⑰⑧下陵上替：上下乱了秩序。下犯上为陵，上欺下为替。

【校记】

［5］常侍：原无此二字。据章钰校，乙十六行本、乙十一行本皆有此二字，张敦仁《通鉴刊本识误》同，今据补。

---

【语译】

九月初一日丁亥，下诏在十六卫各设上将军一职，以示对功臣的宠信。把神策左、右厢改为左、右神策军，把殿前射生左、右厢改为殿前左、右射生军，每军各

军二人、将军二人[181]。

庚寅[182]，李克宁始发父澄之丧，杀行军司马马铉，墨缞[183]出视事，增兵城门。刘玄佐出师屯境上以制之，且使告谕切至，克宁乃不敢袭位。丁酉[184]，以东都留守贾耽为义成节度使。克宁悉取府库之财夜出，军士从而剽之，比明殆尽[185]。淄青兵数千自行营[186]归，过滑州[187]，将佐皆曰："李纳虽外奉朝命，内蓄兼并之志，请馆[188]其兵于城外。"贾耽曰："奈何与人邻道而野处其将士乎！"命馆于城中。耽时引百骑猎于纳境，纳闻之，大喜，服其度量，不敢犯[189]也。

吐蕃游骑[190]及好畤[191]。乙巳[192]，京城戒严，复遣左金吾将军张献甫屯咸阳。民间传言上复欲出幸以避吐蕃，齐映见上言曰："外间皆言陛下已理装，具糗粮[193]，人情恟惧。夫大福不再[194]，陛下奈何不与臣等熟计之！"因伏地流涕，上亦为之动容。

李晟遣其将王佖[195]将骁勇三千伏于汧城[196]，戒之曰："虏过城下，勿击其首，首虽败，彼全军而至，汝弗能当也。不若俟前军已过，见五方旗，虎豹衣[197]，乃其中军也，出其不意击之，必大捷。"佖用其言，尚结赞败走。军士不识尚结赞，仅而获免。

尚结赞谓其徒曰："唐之良将，李晟、马燧、浑瑊而已。当以计去之。"入凤翔境内，无所俘掠，以兵二万直抵城下曰："李令公[198]召我来，何不出犒我！"经宿[199]，乃引退。

冬，十月癸亥[200]，李晟遣蕃落使野诗良辅[201]与王佖将步骑五千袭吐蕃摧砂堡[202]。壬申[203]，遇吐蕃众二万，与战，破之，乘胜逐北，至堡下，攻拔之，斩其将扈屈律悉蒙[204]，焚其蓄积而还。尚结赞引兵自宁、庆北去[205]，癸酉[206]，军于合水[207]之北。邠宁节度使韩游瓌遣其将史履程夜袭其营，杀数百人。吐蕃追之，游瓌陈于平川，潜使人鼓于西山。

设大将军二人、将军二人。

九月初四日庚寅，李克宁才把父亲李澄的死讯向外界公布，杀了行军司马马铉，他自己身穿黑色丧服出来处理事务，在城门口增派了兵力。刘玄佐派出军队屯驻在义成军的辖境边上，以牵制李克宁，并且派使者前去对李克宁多方晓谕，言辞切直尽理，李克宁这才没敢贸然承袭父亲节度使的职位。十一日丁酉，德宗任命东都留守贾耽为义成军节度使。李克宁把府库中的钱财全部取出来，连夜出走，军中的将士们跟着开始抢劫财物，等到天亮的时候，东西几乎全被抢光。李纳的淄青兵有几千人从行营中回去，路过滑州，贾耽的将领佐吏都说："李纳虽然表面上奉行朝廷的命令，但内心暗藏着吞并这片土地的念头，请把他的这批军队安排在城外住下吧。"贾耽说："我们与李纳的辖境道路相邻，怎么能把李纳的将士安排在野外住宿呢！"下令把这支军队安排在城内住下。贾耽也经常带领百名左右的骑兵在李纳的辖境内打猎，李纳听说这事以后，十分高兴，极为佩服贾耽的度量，不敢越境侵犯义成军。

吐蕃前驱游动的侦察骑兵到了好畤。九月十九日乙巳，京城长安实施戒严，德宗又派左金吾将军张献甫率军屯驻咸阳。这时民间传言德宗又要离开京城，出行外地，以躲避吐蕃人的进攻，宰相齐映面见德宗说："外面都说陛下已经整理好行装，备办了干粮，以致人心震惊恐惧。要知道大福不会再次降临，陛下为什么不与我们这些大臣好好商议一下呢！"说完后伏在地上痛哭流涕，德宗也为此很受感动。

李晟派他的部将王佖率三千名勇猛精悍的战士埋伏在汧城，并告诫王佖说："敌人经过城下时，不要攻击其先头部队，这些先头部队虽然被打败，但他们的主力过来，你们就抵挡不住了。不如等敌人的先头部队经过以后，看见打着五方旗，穿着虎豹花纹衣服的，那就是敌人主将所在的部队，这时出其不意地发起攻击，就一定能大获全胜。"王佖按李晟说的去做，尚结赞的人马被打得大败而逃。唐军将士不认识尚结赞，尚结赞才得以脱身。

尚结赞对手下人说："唐朝的良将，只有李晟、马燧、浑瑊三个人罢了，我们应该用计策除掉他们。"尚结赞进入凤翔境内，没有抢掠什么东西，他率领二万兵力一直开到凤翔城下说："李令公召我们到这里来的，你们为什么不出来犒劳我们！"过了一整夜，才带兵退走。

冬，十月初七日癸亥，李晟派蕃落使野诗良辅与王佖率步兵、骑兵共五千人去袭击吐蕃的摧砂堡。十六日壬申，唐军与吐蕃的两万军队相遇，发生交战，打败了吐蕃军队，乘胜追击，直到摧砂堡下，一举攻占了城堡，斩杀吐蕃将领扈屈律悉蒙，烧了他们蓄积的物资之后返回。尚结赞率领人马向北方的宁州、庆州逃去，十七日癸酉，他们在合水县的北边驻扎下来。邠宁节度使韩游瓌派部将史履程夜袭吐蕃的军营，杀了几百人。吐蕃军队出来追赶史履程，韩游瓌在平川布下战阵，还暗中派人在西山上

虏惊，弃所掠而去。

十一月甲午[208]，立淑妃王氏为皇后。

乙未[209]，韩滉入朝。

丁酉[210]，皇后崩。

辛丑[211]，吐蕃寇盐州[212]，谓刺史杜彦光曰："我欲得城，听尔率人去。"彦光悉众奔鄜州[213]，吐蕃入据之。

刘玄佐在汴，习邻道故事[214]，久未入朝。韩滉过汴，玄佐重其才望，以属吏礼谒之[215]。滉相约为兄弟，请拜玄佐母，其母喜，置酒见之。酒半，滉曰："弟何时入朝？"玄佐曰："久欲入朝，但力未办耳。"滉曰："滉力可及，弟宜早入朝。丈母[216]垂白[217]，不可使更帅诸妇女往填宫也[218]。"母悲泣不自胜[219]。滉乃遗玄佐钱二十万缗，备行装。滉留大梁三日，大出金帛赏劳，一军为之倾动。玄佐惊服，既而遣人密听之。滉问孔目吏[220]："今日所费几何？"诘责甚细。玄佐笑曰："吾知之矣！"壬寅[221]，玄佐与陈许节度使曲环俱入朝。

崔造改钱谷法，事多不集。诸使[222]之职，行之已久，中外安之。元琇既失职[223]，造忧惧成疾，不视事。既而江、淮运米大至，上嘉韩滉之功，十二月丁巳[224]，以滉兼度支、诸道盐铁、转运等使，造所条奏皆改之。

吐蕃又寇夏州[225]，亦令刺史托跋乾晖帅众去，遂据其城。又寇银州[226]，州素无城，吏民皆溃。吐蕃亦弃之，又陷麟州[227]。

韩滉屡短元琇于上。庚申[228]，崔造罢为右庶子[229]，琇贬雷州[230]司户[231]。以吏部侍郎[232]班宏为户部侍郎、度支副使。

韩游瓌奏请发兵攻盐州，吐蕃救之，则使河东袭其背。丙寅[233]，诏骆元光及陈许兵马使韩全义将步骑万二千人会邠宁军，趣盐州，又命马燧以河东军击吐蕃。燧至石州[234]，河曲六胡州[235]皆降，迁于云、

擂起战鼓。吐蕃军队大吃一惊，丢下抢来的东西狼狈逃跑了。

十一月初八日甲午，德宗册立淑妃王氏为皇后。

初九日乙未，韩滉入京朝见德宗。

十一日丁酉，皇后去世。

十一月十五日辛丑，吐蕃军队侵犯盐州，对盐州刺史杜彦光说："我们只想得到城池，可以听任你们把人带走。"于是，杜彦光率领所有的部众逃向鄜州，吐蕃军队进城占据了盐州城。

刘玄佐在汴州任宋亳节度使，仿效相邻各道的先例，很久没有入京朝见皇帝。韩滉入京经过汴州，刘玄佐敬重韩滉的才能和声望，便以下属官吏的礼节晋见韩滉。韩滉与刘玄佐相约结为兄弟，韩滉请求拜见刘玄佐的母亲，刘玄佐的母亲十分高兴，设酒宴会见韩滉。酒宴进行将半，韩滉对刘玄佐说："贤弟什么时候入京朝见皇帝?"刘玄佐回答说："我很早就想入京朝见皇帝，只是财力还不具备啊。"韩滉说："我的财力还可以帮助你，贤弟应该早点入京朝见皇帝才是。伯母年事已高，不能让她再带着各位女眷填充到后宫去服役啊。"刘母听后，抑制不住十分悲伤地哭了起来。韩滉于是赠送给刘玄佐二十万缗钱，让他置办行装。韩滉在大梁逗留了三天，拿出许多钱帛赏赐、慰劳刘玄佐的将士，全军因此而轰动。刘玄佐既吃惊，又佩服，随即派人去暗中探听情况。韩滉询问孔目官说："今天花了多少钱?"责问得很详细。刘玄佐笑着说："我明白他的用意了!"十一月十六日壬寅，刘玄佐与陈许节度使曲环一起入京朝见皇帝。

崔造对征收钱财、粮食的办法进行改革，所推行的做法大多没有成功。盐铁、转运等使的职责，实行已久，朝廷内外对此已经习惯适应。负责盐铁事务的元琇被解职后，崔造因忧虑恐惧而病倒，不再入阁办事。不久，江淮一带运来的粮米大批到达，德宗对韩滉的功绩大为嘉许。十二月初二日丁巳，德宗任命韩滉兼任度支、诸道的盐铁、转运等使，宰相崔造以前一条条上奏实行的措施都被改了过来。

吐蕃军队又侵犯夏州，也让夏州刺史托跋乾晖带领部众撤离，于是占领了夏州城。吐蕃军队又侵犯银州，银州向来没有城墙，官吏、百姓都逃散了。吐蕃也放弃了银州，又攻下麟州。

韩滉屡次在德宗面前指责元琇的过失。十二月初五日庚申，宰相崔造被免职，降为右庶子，元琇被贬为雷州司户。同时德宗任命吏部侍郎班宏为户部侍郎、度支副使。

韩游瓌上奏朝廷，请求派兵攻打盐州城，如果吐蕃前来援救，就让河东的唐军袭击吐蕃军的后背。十二月十一日丙寅，德宗下诏命令骆元光和陈许兵马使韩全义率领步骑兵一万二千人前去与邠宁军会合，赶赴盐州，又命令马燧率河东的军队攻击吐蕃。马燧率军到达石州，黄河河曲的六胡州都来归降，马燧把他们迁移到云州、朔[236]之间。

工部侍郎张彧，李晟之婿也。晟在凤翔，以女嫁幕客崔枢，礼重枢过于彧。彧怒，遂附于张延赏。给事中郑云逵尝为晟行军司马[237]，失晟意，亦附延赏。上亦忌晟功名。会吐蕃有离间之言，延赏等腾谤[238]于朝，无所不至[239]。晟闻之，昼夜泣，目为之肿[240]，悉遣子弟诣长安，表请削发为僧，上慰谕，不许。辛未[241]，入朝，见上，自陈足疾，恳辞方镇，上不许。韩滉素与晟善，上命滉与刘玄佐谕旨[242]于晟，使与延赏释怨。晟奉诏，滉等引延赏诣晟第谢[243]，结为兄弟，因宴饮尽欢。又宴于滉、玄佐之第，亦如之。滉因使晟表荐延赏为相。

---

【段旨】

以上为第六段，写李晟功高受猜疑，吐蕃犯边，韩滉入朝恢复理财旧制，崔造所为，尽行罢之。

【注释】

⑰⑨ 丁亥：九月初一日。⑱⓪ 十六卫：南衙禁军，唐前期直属皇帝，中唐以后仅存空名。十六卫兵籍归兵部，皆领府兵。德宗因置十六卫上将军，故先与李泌议复府兵。十六卫亦分左右，为左右卫、左右骁卫、左右武卫、左右威卫、左右领军卫、左右金吾卫、左右监门卫、左右千牛卫。⑱① 大将军二人将军二人：各卫置大将军二人，将军二人。十六卫大将军正三品，神策大将军正二品。将军从三品。⑱② 庚寅：九月初四日。⑱③ 墨缞：黑色丧服。⑱④ 丁酉：九月十一日。⑱⑤ 比明殆尽：等到天亮时，军士把财物差不多抢光。⑱⑥ 淄青兵数千自行营：自李正己以来，朝廷未曾征调淄青兵赴行营，此乃李纳遣兵自戍其境而称行营。⑱⑦ 过滑州：经过义成节度使治所滑州。⑱⑧ 馆：接待住宿。⑱⑨ 不敢犯：李纳佩服贾耽的大度襟怀，不敢侵犯义成军。⑲⓪ 游骑：前驱游动的侦察骑兵。⑲① 好畤：县名，县治在今陕西乾县西北。⑲② 乙巳：九月十九日。⑲③ 糗粮：行军干粮。⑲④ 大福不再：大福不会再次降临。语出《左传》昭公十三年楚灵王之言。将德宗出奔奉天、山南而得以返京师比为侥幸之福。齐映言此，劝德宗不可轻易出奔，擅离根本。⑲⑤ 王佖：李晟甥，为凤翔、陇右节度兵马使。传附见《旧唐书》卷一百三十三和《新唐书》卷一百五十四的《李晟传》。⑲⑥ 汧城：指陇州汧阳县城，在今陕西千阳。⑲⑦ 虎豹衣：有虎豹纹饰的衣服，

朔州之间。

工部侍郎张彧是李晟的女婿。李晟在凤翔的时候，把另一个女儿嫁给了幕客崔枢，对崔枢的礼遇和器重超过了张彧。张彧极为恼怒，便投靠了左仆射张延赏。给事中郑云逵曾经担任李晟军中的行军司马，不受李晟赏识，郑云逵于是也投靠了张延赏。德宗对李晟的功业和声名也有所忌惮。正好这时吐蕃散布出了离间的话，张延赏等人便在朝廷中对李晟大肆毁谤，使出了各种手段。李晟听说此事后，昼夜痛哭，眼睛都哭肿了，他把子弟全都送到长安城内以表示对皇上的忠诚，并且上表请求削发为僧，德宗安慰开导了他，没有批准他的请求。十二月十六日辛未，李晟入朝，晋见德宗，述说自己的腿脚染病，恳请辞去节度使职务，德宗还是没有批准。韩滉一向与李晟关系很好，德宗命韩滉和刘玄佐一起去向李晟传达自己的旨意，让李晟和张延赏消除怨恨。李晟接受了诏旨，韩滉等人于是带着张延赏到李晟家中道歉，二人结为兄弟，李晟设宴招待，大家欢饮尽兴。之后又在韩滉、刘玄佐家设宴，大家也像在李晟家中一样尽欢而散。韩滉于是让李晟上表推荐张延赏担任宰相。

---

此吐蕃中军服饰。⑱李令公：李晟加官中书令，故称。⑲经宿：过了一整夜。⑳癸亥：十月初七日。㉑野诗良辅：吐蕃人名，野诗复姓，良辅其名。㉒摧砂堡：吐蕃的边防戍镇，在今宁夏固原西北。㉓壬申：十月十六日。㉔扈屈律悉蒙：扈屈律，三字姓。悉蒙，其名。㉕自宁庆北去：向北方宁、庆二州奔逃而去。摧砂堡在宁、庆二州之西的原州。此言吐蕃自宁、庆北去，当时战斗推移转换地位而言，并非宁、庆在摧砂堡之北。宁州治所在今甘肃宁县，庆州治所在今甘肃庆阳。㉖癸酉：十月十七日。㉗合水：县名，属庆州，在州东北四十五里，今甘肃合水之北。㉘甲午：十一月初八日。㉙乙未：十一月初九日。㉚丁酉：十一月十一日。㉛辛丑：十一月十五日。㉜盐州：州名，又在庆州之北。治所五原，在今陕西定边。㉝鄜州：州名，治所在今陕西富县。㉞习邻道故事：效法邻道不遵臣职的先例。邻道，指淄青、淮西、河朔。㉟以属吏礼谒之：刘玄佐以下属礼节晋见韩滉。㊱丈母：伯母。㊲垂白：头发渐白，谓年事已高。㊳不可使句：不能让高年的伯母带着家眷去充填后宫服役。唐制，凡叛者家属没入掖庭为徒役。帅，带领家眷。㊴悲泣不自胜：抑制不住悲伤地哭泣起来。㊵孔目吏：即孔目官，节度使府的属吏，掌文簿图籍，大小众事一孔一目无不经其手，故称。㊶壬寅：十一月十六日。㊷诸使：指盐铁、转运诸使。㊸元琇既失职：指解元琇判盐铁而为尚书右丞。㊹丁巳：十二月初二日。㊺夏州：州名，治所朔方，在今陕西靖边白城子。㊻银州：州名，治所在今陕西榆林南。㊼麟州：州名，治所在今陕西神木北。㊽庚申：十二月初五日。㊾右庶子：东宫属官，掌侍从启奏。实为闲职。㊿雷州：州名，治所在今广东雷州半岛海康。(231)司

户：州佐吏，对应中朝户部，掌户籍民事。这一职位常用来安置朝廷贬逐的大臣。㉜侍郎：六部副主官。班宏以户部侍郎兼领户部度支司副使，掌理财政。㉝丙寅：十二月十一日。㉞石州：州名，治所在今山西离石。㉟河曲六胡州：河曲河南地，诸部酋长皆以州名带刺史，故有河曲六胡州之称。其时已统括为宥州。㊱云朔：皆州名，云州治所云

【原文】

三年（丁卯，公元七八七年）

春，正月壬寅[244]，以左仆射张延赏同平章事。李晟为其子请婚于延赏，延赏不许。晟谓人曰："武夫性快，释怨于杯酒间，则不复贮胸中矣。非如文士难犯[245]，外虽和解，内蓄憾如故，吾得无惧哉[246]？"

初，李希烈据淮西，选骑兵尤精者为左右门枪、奉国四将[247]，步兵尤精者为左、右克平十将[248]。淮西少马，精兵皆乘骡，谓之骡军。

陈仙奇举淮西降，才数月，诏发其兵于京西防秋[249]。仙奇遣都知兵马使苏浦悉将淮西精兵五千人以行。会[250]仙奇为吴少诚所杀，少诚密遣人召门枪兵马使[251]吴法超等使引兵归，浦不之知。法超等引步骑四千自鄜州叛归，浑瑊使其将白娑勒[252]追之，反为所败。

丙午[253]，上急遣中使敕陕虢观察使李泌发兵防遏，勿令济河[254]。泌遣押牙[255]唐英岸将兵趣灵宝[256]，淮西兵已陈于河南[257]矣。泌乃命灵宝给其食，淮西兵亦不敢剽掠。明日，宿陕西[258]七里。泌不给其食，遣将将选士[259]四百人分为二队，伏于太原仓[260]之隘道，令之曰："贼十队过，东伏则大呼击之[261]，西伏亦大呼应之[262]，勿遮道[263]，勿留行[264]，常让以半道，随而击之[265]。"又遣虞候[266]集近村少年各持弓刀瓦石蹑贼后，闻呼亦应而追之。又遣唐英岸将千五百人夜出南门，陈于涧北。明日

中，在今山西大同，朔州治所善阳，在今山西朔州。㉝行军司马：节度使属官，掌军籍符伍，号令印信。㉞腾谤：谣言四起。㉟无所不至：对李晟的攻击无所不用其极。㊵肿：哭肿了眼睛。㊶辛未：十二月十六日。㊷谕旨：传达德宗的圣旨。㊸谢：赔罪；道歉。

【语译】

三年（丁卯，公元七八七年）

春，正月十七日壬寅，德宗任命左仆射张延赏为同平章事。李晟请求张延赏把女儿嫁给自己的儿子为妻，张延赏没有答应。李晟对人说："我们武夫性情爽快，在杯酒之间就消除了怨恨，然后就不会再把这些怨恨放在心上了。不像文人那样难于冒犯，他们表面上虽说和解了，但内心保留的怨恨依然如故，我怎么能不恐惧呢?"

当初，李希烈占据淮西，从骑兵中挑选尤为精锐的人组建左、右门枪和左、右奉国，设四将统领，从步兵中挑选尤为精锐的人组建左、右克平，设十将统领。淮西缺少马匹，这些精兵都骑骡子，人们称他们为骡军。

陈仙奇献出淮西归降朝廷，才几个月，德宗就下诏征调淮西的军队到京城西边驻守防秋。陈仙奇派都知兵马使苏浦率淮西的全部精兵五千人前去。适逢陈仙奇被吴少诚所杀，吴少诚秘密派人召门枪兵马使吴法超等人，让他们带防秋兵回淮西，苏浦对此一无所知。吴法超等人带着步兵、骑兵四千人在鄜州反叛，返回淮西，浑瑊派他的部将白娑勒率部追击，反被吴法超等人打败。

正月二十一日丙午，德宗紧急派遣中使宣诏命令陕虢观察使李泌派兵防御、阻截淮西叛军，不让叛军渡过黄河。李泌派押牙唐英岸率兵赶往灵宝县，发现叛军已经渡过黄河，在黄河南岸列成阵势了。李泌于是命令灵宝县给他们提供粮食，淮西的叛军也不敢出去抢劫财物。第二天，叛军在离陕州城西七里的地方宿营。李泌不给他们提供粮食，并且派部将率领精选出来的士兵四百人，分成二队，埋伏在前往太原仓狭窄的险路上，下令说："等叛军有十队人马经过以后，埋伏在路东的人就大声呐喊击杀淮西兵，埋伏在路西的人也大声呐喊以作呼应，不要阻断道路，不要让他们停留不前，要经常让出半边道路，尾随追击。"又派虞候官召集附近村庄中的青少年人，各自带着弓箭、大刀和瓦块、石头等跟在叛军的后边，听到官军呐喊也起来响应追击叛军。李泌又派唐英岸率领一千五百人在夜里从陕州城南门出去，在涧水的北面布好阵势。第二天早上四更天的时候，淮西叛军出发进入狭窄的险路，路

四鼓[267]，淮西兵起行入隘，两伏发，贼众惊乱，且战且走，死者四之一。进遇唐英岸，邀[268]而击之，贼众大败，擒其骡军兵马使张崇献。泌以贼必分兵自山路南遁，又遣都将[269]燕子楚将兵四百自炭窦谷[270]趣长水[271]。贼二日不食，屡战皆败，英岸追至永宁[272]东，贼皆溃入山谷。吴法超果帅其众太半趣长水[273]，燕子楚击之，斩法超，杀其士卒三分之二。上以陕兵少，发神策军步骑五千往助泌，至赤水[274]，闻贼已破而还。上命刘玄佐乘驿归汴，以诏书缘道诱之，得百三十余人，至汴州，尽杀之。其溃兵在道，复为村民所杀，得至蔡者才四十七人。吴少诚以其少，悉斩之以闻，且遣使以币[275]谢李泌，为其诛叛卒也。泌执张崇献等六十余人送京师，诏悉腰斩于鄜州军门，以令防秋之众。

---

【段旨】

以上为第七段，写陕虢观察使李泌八面埋伏，奇计灭叛兵。

【注释】

㉔㉔ 壬寅：正月十七日。㉔㉕ 难犯：难于冒犯。㉔㉖ 吾得无惧哉：我怎么能不恐惧呢。㉔㉗ 四将：淮西精骑分门枪、奉国，各有左右，共为四将。㉔㉘ 克平十将：克平为精兵之号，分十将领之。㉔㉙ 京西防秋：各镇选精兵于秋季到京西各边州戍守，以防吐蕃入寇秋掠，戍兵称防秋兵。㉕⓪ 会：适逢。㉕① 门枪兵马使：总管门枪兵，位在都知兵马使之下。都知兵马使总领节度使兵马。㉕② 白娑勒：人名。㉕③ 丙午：正月二十一日。㉕④ 济河：渡过黄河。㉕⑤ 押牙：武官名，掌节镇衙内警卫，为镇帅亲将。㉕⑥ 灵宝：县名，为虢州治所，在今河南灵宝。㉕⑦ 已陈于河南：陕州兵赶到灵宝，而淮西兵已经渡过黄河列阵于灵宝之郊。㉕⑧ 陕西：陕州之西，今河南三门峡以西。㉕⑨ 选士：挑选士兵，精选骁勇者。㉖⓪ 太原

---

【原文】

初，云南王阁罗凤陷嶲州[276]，获西泸[277]令郑回。回，相州人，通经术，阁罗凤爱重之。其子凤迦异及孙异牟寻、曾孙寻梦凑皆师事之，

两边埋伏的官军发起攻击，叛军惊慌失措，乱作一团，边战边逃，被杀死的人占总数的四分之一。叛军向前逃跑时又遭遇唐英岸的拦截阻击，叛军大败，唐英岸活捉了叛军的骡军兵马使张崇献。李泌认为叛军一定会分出部分兵力从山路上向南逃跑，于是又派都将燕子楚率兵四百人从炭窦谷赶赴长水县。叛军两天没有吃饭，屡战屡败，唐英岸率兵追赶到永宁县东边，叛军都溃散逃入山谷。吴法超果然带领手下的大部分人马直奔长水县，燕子楚发起攻击，杀了吴法超，消灭了吴法超所带人马的三分之二。德宗觉得陕州兵少，派神策军步骑兵五千人前去支援李泌，他们到了赤水镇，听到叛贼已经被打败，就回京城去了。德宗命令刘玄佐乘驿马赶回汴州，沿途用诏书劝诱淮西军，共得到一百三十多人，刘玄佐到了汴州，把这些叛兵全都杀了。那些在路上的淮西溃兵，又有被村民所杀的，能够回到蔡州的才四十七人。吴少诚因为回来的人太少，便把他们全杀了，将情况上报朝廷，并派使者带着礼物前去答谢李泌，说是因他为自己诛杀了叛乱的将士。李泌把张崇献等六十多人抓住后押解京城，德宗下令把他们全都在鄜州军门前腰斩，借此警诫防秋的将士。

---

仓：转运仓名，在陕州之西。㉖① 东伏则大呼击之：埋伏于隘道东的官军大声呐喊击杀淮西兵。㉖② 应之：西边伏兵只是呼喊助势，让半道于敌人，不出击。㉖③ 勿遮道：不阻断道路，留出道路让敌人溃逃。㉖④ 勿留行：不要使敌人停留不前，这样，敌人心不在战。㉖⑤ 常让以半道二句：整个战斗过程中始终让出半道，官兵尾随追击。因陕州兵少，以四百埋伏之兵阻击五千淮西兵，只能用此奇计分散瓦解贼势。㉖⑥ 虞候：军法官，纠察军纪。㉖⑦ 四鼓：四更，早晨二三点钟时，天将明未明之际。㉖⑧ 邀：拦击。唐英岸以一千五百之众迎击溃败之兵，于此处邀击之。㉖⑨ 都将：大将。都知兵马使、都押牙、都虞候等职，均可称都将。㉗⓪ 炭窦谷：山谷名，在长水县东北。㉗① 长水：县名，在永宁县西南，县治在今河南洛宁县中西部、洛河北岸。㉗② 永宁：县名，在陕州东南，县治在今河南洛宁东北。㉗③ 太半趣长水：贼众由陕州败走永宁，遇阻折而东南，向长水而来。太半，大半、三分之二。㉗④ 赤水：镇名，临赤水而得名，在今陕西渭南东。神策军未出潼关而淮西兵已破，半道而还。㉗⑤ 币：礼物。

---

【语译】

当初，云南王阁罗凤攻陷嶲州，抓获西泸县令郑回。郑回是相州人，通晓经学之术，阁罗凤对他很爱护和尊重。阁罗凤的儿子凤迦异以及孙子异牟寻、曾孙寻梦

每授学，回得挞[278]之。及异牟寻为王[279]，以回为清平官[280]。清平官者，蛮相也，凡有六人，而国事专决于回。五人者事回甚卑谨，有过则回挞之。

云南有众数十万，吐蕃每入寇，常以云南为前锋，赋敛重数[281]；又夺其险要立城堡，岁征兵助防，云南苦之。回因说异牟寻复自归于唐曰："中国尚礼义，有惠泽，无赋役。"异牟寻以为然，而无路自致，凡十余年。及西川节度使韦皋至镇，招抚境上群蛮，异牟寻潜遣人因群蛮求内附。皋奏："今吐蕃弃好，暴乱盐、夏，宜因云南及八国生羌[282]有归化之心招纳之，以离吐蕃之党，分其势。"上命皋先作边将书以谕之[283]，微观其趣[284]。

张延赏与齐映有隙，映在诸相中颇称敢言，上浸[285]不悦。延赏言映非宰相器，壬子[286]，映贬夔州[287]刺史。刘滋罢为左散骑常侍，以兵部侍郎柳浑同平章事。

韩滉性苛暴，方为上所任，言无不从，它相充位而已，百官群吏[6]救过不赡[288]。浑虽为滉所引荐，正色[289]让[290]之曰："先相公[291]以褊察[292]为相，不满岁而罢，今公又甚焉。奈何榜吏于省中[293]，至有死者！且作福作威[294]，岂人臣所宜！"滉愧，为之少霁威严。

二月壬戌[295]，以检校左庶子崔澣充入吐蕃使。

戊寅[296]，镇海节度使、同平章事、充江淮转运使韩滉薨。滉久在二浙[297]，所辟僚佐，各随其长，无不得人。尝有故人子谒之，考其能，一无所长。滉与之宴，竟席，未尝左右视及与并坐[298]交言。后数日，署为随军，使监库门。其人终日危坐，吏卒无敢妄出入者。

分浙江东、西道为三[299]：浙西，治润州，浙东，治越州，宣、歙、池，治宣州，各置观察使以领之。

上以果州刺史白志贞为浙西观察使。柳浑曰："志贞，憸人[300]，不

凑都把他作为老师来侍奉，每当讲课的时候，郑回都能够用鞭子抽打他们。到异牟寻做云南王的时候，任命郑回担任清平官。所谓清平官，就是南诏的宰相，共有六人，而国家大事则由郑回独自决断。其他五个清平官侍奉郑回都十分谦卑谨慎，如果他们犯了过失，郑回就会用鞭子抽打他们。

云南有数十万人口，吐蕃每次入侵唐朝，常常利用云南的人为前锋，对他们征收赋税很重，名目繁多；又夺占云南的险要之地建立城堡，每年都要征调云南的兵员协助防守，云南人吃尽了苦头。郑回于是劝说异牟寻重新归顺唐王朝，他说："中原的唐王朝崇尚礼义，对我们只会有恩泽，不会有赋税徭役。"异牟寻认为郑回说得对，但是没有途径向唐朝表达自己的心意，这种情况一直持续了十几年。等到西川节度使韦皋到任之后，招抚西川境内各支蛮族人，异牟寻暗中派人通过蛮族人请求归附朝廷。韦皋上奏说："如今吐蕃背弃盟好，在盐州、夏州行凶作乱，应该乘云南和八国生羌有归顺朝廷的意愿而招抚接纳他们，以分化吐蕃的联盟，削弱吐蕃的势力。"德宗命令韦皋先以边境将领的名义发布文书晓谕他们，暗中观察他们的动向。

张延赏与齐映有嫌隙，齐映在几位宰相中可以称是个敢于直言的人，德宗渐渐地不喜欢起齐映来。张延赏也在德宗面前说齐映不是担任宰相的人才，正月二十七日壬子，齐映被降职为夔州刺史。刘滋也被免去宰相职务，降为左散骑常侍，德宗任命兵部侍郎柳浑为同平章事。

韩滉性情苛刻粗暴，当时正受到德宗的信任，德宗对他言听计从，其他宰相不过是充数的罢了，而朝廷百官群吏忙于弥补过失，总也没个完。宰相柳浑虽然是韩滉向德宗推荐的，但还是严肃地责备韩滉说："您父亲韩休担任宰相，因为心胸狭隘，苛察细事，不满一年就被罢免了，现在您又比您父亲有过之而无不及。您怎么能在中书省政事堂拷打官吏，甚至有被拷打致死的呢！而且您妄自尊大，滥用权势，这哪里是做臣子的人所应该做的呢！"韩滉听后感到惭愧，为此对原先那种严厉的做法稍有收敛。

二月初七日壬戌，德宗委派检校左庶子崔澣充任入吐蕃的使者。

二十三日戊寅，镇海节度使、同平章事、充任江淮转运使的韩滉逝世。韩滉长期在两浙地区任职，所选任的下属官吏，都能根据每个人的长处安排职务，无不任用恰当。曾经有位老朋友的儿子前来谒见，韩滉考察他的才能，发现他没有什么长处。韩滉带这个人赴宴，直到宴席结束，这个人都不曾向左右两边扫视过，也不与坐在一起的人交谈。过了几天后，韩滉任命这个人为随军，让这个人看管库房的大门。这个人整天在库房门前端正地坐着，官吏和士兵没有一个人敢随便出入库房的。

朝廷把浙江东、西道分为三部分：浙西的治所在润州，浙东的治所在越州，宣州、歙州、池州地区的治所在宣州，各设置观察使来统领。

德宗任命果州刺史白志贞为浙西观察使。柳浑说："白志贞是个奸佞小人，不能

可复用。”会浑疾，不视事，辛巳㉚，诏下，用之。浑疾间㉛，遂乞骸骨，不许。

甲申㉝，葬昭德皇后㉞于靖陵㉟。

【段旨】

以上为第八段，写张延赏为相受宠，排斥异己，为误导德宗结和吐蕃受欺张本。韩滉知人，理财有方，入朝拜相不久去世，为朝廷一大损失。

【注释】

㉖阁罗凤陷嶲州：事见本书卷第二百十八肃宗至德元载（公元七五六年）。嶲州治所在今四川西昌。㉗西泸：县名，县治在今四川西昌西南。㉘挞：鞭打。㉙异牟寻为王：事见本书卷第二百二十六代宗大历十四年（公元七七九年）。㉚清平官：南诏官有坦绰、布燮、久赞，皆为清平官。清平官裁决国事轻重，犹如唐宰相。㉛赋敛重数：赋税既重且繁。㉜八国生羌：西川境内的八部生羌，为白狗君、哥邻君、逋租君、南水君、弱水君、悉董君、清远君、咄霸君。㉝上命皋先作边将书以谕之：德宗命韦皋先以边将名义向南诏及八国生羌发布文书晓谕他们。㉞微观其趣：暗中观察动向。趣，通“趋”，趋向、动向。㉟浸：日渐。㊱壬子：正月二十七日。㊲夔州：州名，治所奉节，在今重庆奉节。㊳救过不赡：旧过未改，新过又犯，弥补起来没有个完。谓韩滉苛责百官太苛。㊴正色：严肃地。㊵让：责备。㊶先相公：指韩滉之父韩休，玄宗时为相不足岁而罢。事见本书卷第二百十三玄宗开元二十一年（公元七三三年）。㊷褊察：气量狭窄，苛察细

【原文】

三月丁酉㊱，以左庶子李铦充入吐蕃使。

初，吐蕃尚结赞得盐、夏州，各留千余人戍之，退屯鸣沙㊲。自冬入春，羊马多死，粮运不继，又闻李晟克摧沙㊳，马燧、浑瑊等各举兵临之，大惧，屡遣使求和，上未之许。乃遣使卑辞厚礼求和于马燧，且请修清水之盟㊴而归侵地，使者相继于路。燧信其言，留屯石州㊵，不复济河，为之请于朝。

再任用。”正好柳浑生了病，不能处理政事，二月二十六日辛巳，诏书颁发下来，还是任用了白志贞。柳浑的病情好转之后，便向德宗请求退休，德宗没有答应。

二十九日甲申，把昭德皇后安葬在靖陵。

---

事。㉓ 榜吏于省中：在中书省政事堂拷打官吏。㉔ 作福作威：借用《书经·洪范》之语："臣无有作福作威玉食，臣之有作福作威玉食，其害于而家，凶于而国。"㉕ 壬戌：二月初七日。㉖ 戊寅：二月二十三日。㉗ 久在二浙：韩滉大历十四年（公元七七九年）为浙江东、西道观察使，德宗建中二年（公元七八一年）建节，至贞元二年（公元七八六年）入相，在二浙任政凡八年。㉘ 并坐：并肩而坐。㉙ 分浙江东西道为三：唐初分十道，江南东、西道与二浙总为江南道。乾元置浙江西道观察使，兼领宣、歙、饶三州。至此，分出宣、歙、池三州另为一道，是为三道。浙西治所润州，在今江苏镇江。浙东治所越州，在今浙江绍兴。宣、歙、池治所宣州，在今安徽宣城。㉚ 憸人：奸佞的人。㉛ 辛巳：二月二十六日。㉜ 疾间：病情好转。㉝ 甲申：二月二十九日。㉞ 昭德皇后：德宗王皇后，顺宗母。传见《旧唐书》卷五十二、《新唐书》卷七十七。㉟ 靖陵：永贞元年（公元八〇五年）王皇后改祔崇陵（德宗陵，在今陕西泾阳北），于是靖陵后为僖宗陵，在今陕西乾县东北。

【校记】

［6］百官群吏：原无"官群"二字。据章钰校，乙十六行本、乙十一行本、孔天胤本皆有此二字，今据补。

---

【语译】

三月十三日丁酉，德宗委派左庶子李铦充任入吐蕃的使者。

当初，吐蕃的尚结赞得到了盐州和夏州后，分别留下一千多人在当地驻守，自己则率军退到鸣沙县屯驻。从冬天转入春天后，羊和马死了很多，粮食运输接续不上，又听说李晟的人马攻下了摧砂堡，而马燧、浑瑊等人分别率军要来攻鸣沙，尚结赞非常害怕，多次派使者向唐朝求和，德宗都没有答应。尚结赞于是派使者带着厚礼，以谦卑的言辞向马燧求和，并且请求恢复建中四年在清水订立的盟约，向唐朝归还他们曾经侵占的土地，派到马燧这里的吐蕃使者在路上络绎不绝。马燧相信了尚结赞的话，留兵屯驻在石州，不再渡过黄河，为吐蕃向朝廷请示。

李晟曰："戎狄无信，不如击之。"韩游瓌曰："吐蕃弱则求盟，强则入寇。今深入塞内而求盟，此必诈也。"韩滉曰："今两河无虞，若城原、鄯、洮、渭四州[311]，使李晟、刘玄佐之徒将十万众戍之，河、湟二十余州可复也。其资粮之费，臣请主办。"上由是不听燧计，趣使进兵。燧请与吐蕃使论颊热俱入朝论之[312]，会滉薨，燧、延赏皆与晟有隙，欲反其谋[313]，争言和亲便。上亦恨回纥[314]，欲与吐蕃和，共击之，得二人言，正会已意，计遂定。

延赏数言晟不宜久典兵，请以郑云逵代之。上曰："当令自择代者。"乃谓晟曰："朕以百姓之故，与吐蕃和亲决矣。大臣[315]既与吐蕃有怨，不可复之凤翔[316]，宜留朝廷，朝夕辅朕，自择一人可代凤翔者。"晟荐都虞候邢君牙[317]。君牙，乐寿人也。丙午[318]，以君牙为凤翔尹兼团练使。丁未[319]，加晟太尉、中书令，勋封如故[320]，余悉罢之[321]。

晟在凤翔，尝谓僚佐曰："魏徵好直谏，余窃慕之。"行军司马李叔度曰："此乃儒者所为，非勋德所宜。"晟敛容曰："司马失言。晟任兼将相，知朝廷得失不言，何以为臣！"叔度惭而退。及在朝廷，上有所顾问，极言无隐。性沉密[322]，未尝泄于人。

辛亥[323]，马燧入朝。燧既来，诸军皆闭壁不战，尚结赞遽自鸣沙引归，其众乏马，多徒行者。

---

**【段旨】**

以上为第九段，写德宗因猜疑而又褊狭，急欲结盟吐蕃以抗回纥，中吐蕃离间计罢李晟兵权。张延赏挟私愤排斥李晟，实为误国之罪臣。

李晟说:“戎狄之人没有信用，不如攻打他们。”韩游瓌说:“吐蕃人势力弱的时候，就请求结盟，势力一强，就来入侵。如今他们的军队深入我们边塞之内而来请求结盟，这必有欺诈。”韩滉说:“如今两河地区没有什么令人忧患之事，如果在原州、鄯州、洮州、渭州四州修筑城池，让李晟、刘玄佐等人率领十万大军去戍守，就能从吐蕃手中收复河、湟一带二十几州的地方。他们所需物资、粮草等方面的费用，请让我来主办。”德宗因此没有采纳马燧的建议，催促他进军鸣沙。马燧请求与吐蕃使者论颊热一起入朝讨论结盟的事情，正碰上韩滉去世，而马燧、张延赏都与李晟有嫌隙，想要推翻李晟等人的谋略，于是在德宗面前争着说与吐蕃和好如何有利。德宗也恨回纥人，打算与吐蕃人和好，一起进攻回纥人，听了马燧、张延赏两个人的意见，觉得正合自己的想法，于是便决定与吐蕃议和。

张延赏多次在德宗面前说李晟不适合长期执掌兵权，请让郑云逵代替他。德宗说:“应该让他自己选择代替的人。”于是德宗对李晟说:“我因为百姓的缘故，已经决定与吐蕃人和好结盟了。你既然与吐蕃人有怨仇，那就不能再回凤翔去了，应该留在朝廷，时刻辅佐我，你就自己选择一个可以代替你镇守凤翔的人吧。”李晟推荐了都虞候邢君牙。邢君牙，是乐寿县人。三月二十二日丙午，德宗任命邢君牙为凤翔府尹，兼凤翔团练使。二十三日丁未，加封李晟为太尉、中书令，以前所赐予的勋位和封爵照旧，其他职务全都罢免了。

李晟在凤翔的时候，曾经对属吏们说:“魏徵喜欢直言谏诤，我私下很是仰慕。”行军司马李叔度说:“这是文人所做的事，不是像您这样有功勋、有德行的人所适合做的。”李晟神情严肃地说:“李司马这话说错了。我身兼将相之职，如果知道朝廷有什么地方做得不对而不说出来，那又怎么配当大臣!”李叔度听了很惭愧地退了下去。等李晟在朝廷任职的时候，凡是德宗有所咨询，他都直言陈说，毫无隐瞒。李晟生性沉着缜密，从未向别人泄露过什么。

三月二十七日辛亥，马燧进京朝见。马燧来了以后，下属各军都关闭营门，不再出去作战，尚结赞于是急忙从鸣沙率军撤回，他的部众缺少马匹，很多人都徒步行走。

---

**【注释】**

㊱丁酉：三月十三日。㊲鸣沙：县名，属灵州。此地人马行走，沙鸣有声，因以名县。县治在今宁夏吴忠西南临河。㊳摧沙：即摧砂堡，为李晟将王佖所克，见上年十月。㊴清水之盟：德宗建中四年（公元七八三年）正月丁亥，唐陇右节度使张镒与吐蕃尚结赞盟于清水。事见本书卷二百二十八。㊵石州：州名，治所在今山西吕梁市离石区。㊶城原、鄯、洮、渭四州：城，筑城，加固四州防务。原州治所高平，在今宁夏固原。鄯州治所湟水，在今青海乐都。洮州治所临潭，在今甘肃临潭。渭州治所襄武，在今

甘肃陇西。陇右没，四州为唐西部边州。⑫论之：辩论和吐蕃结盟的事。⑬反其谋：马燧、张延赏以个人私怨误国，故意反对李晟的计谋。⑭上亦恨回纥：德宗不忘陕州之辱而恨回纥。德宗为雍王时兼天下兵马大元帅，在陕州会合回纥兵讨史朝义，回纥可汗强使雍王拜舞，故深恨之。事见本书卷第二百二十二肃宗宝应元年（公元七六二年）。⑮大臣：德宗尊礼李晟，不名，呼为大臣。⑯不可复之凤翔：不能再前往凤翔。德宗心内忌惮李晟，借口与吐蕃和亲，不让李晟赴凤翔，解除李晟兵权。之，往。⑰邢君牙：乐寿（在今河北献县西南）人，代李晟为凤翔节度使，耕讲战备，吐蕃不敢犯边。传见《旧唐书》卷一百四十四、《新唐书》卷一百五十六。⑱丙午：三月二十二日。⑲丁未：三月二十三日。⑳勋封如故：李晟勋上柱国，封西平王，仍如故。㉑余悉罢之：免除其余官职，即免除李晟凤翔、陇右节度使、神策军使等军职。㉒性沉密：生性沉着缜密。㉓辛亥：三月二十七日。

【原文】

崔澣见尚结赞，责以负约。尚结赞曰："吐蕃破朱泚，未获赏，是以来。而诸州各城守，无由自达。盐、夏守将以城授我而遁，非我取之也。今明公来，欲践修旧好，固吐蕃之愿也。今吐蕃将相以下来者二十一人，浑侍中尝与之共事㉔，知其忠信。灵州节度使杜希全、泾原节度使李观皆信厚闻于异域，请使之主盟㉕。"

夏，四月丙寅㉖，澣至长安。辛未㉗，以澣为鸿胪卿，复使入吐蕃语尚结赞曰："希全守灵，不可出境，李观已改官，今遣浑瑊盟于清水。"且令先归盐、夏二州。五月甲申㉘，浑瑊自咸阳入朝，以为清水会盟使。戊子㉙，以兵部尚书崔汉衡㉚为副使，司封员外郎㉛郑叔矩㉜为判官，特进㉝宋奉朝㉞为都监。己丑㉟，瑊将二万余人赴盟所。

乙巳㊱，尚结赞遣其属论泣赞来言："清水非吉地，请盟于原州之土梨树，既盟而归盐、夏二州。"上皆许之。神策将马有麟奏："土梨树多阻险，恐吐蕃设伏兵，不如平凉川㊲坦夷。"时论泣赞已还，丁未㊳，遣使追告之。

申蔡留后吴少诚缮兵完城㊴，欲拒朝命。判官郑常、大将杨冀谋逐

【语译】

崔澣见了尚结赞，指责他背弃约定。尚结赞说："我们吐蕃的军队打败了朱泚，却没有得到朝廷的赏赐，所以就来了。而你们各州都据城防守，我们无法向朝廷通报自己的要求。盐州、夏州的守将把城池交给我们后逃走了，并不是我们攻占的。现在您来了，打算恢复原来的友好关系，这原本就是我们吐蕃人的愿望啊。现在我们吐蕃将相以下到这里来的有二十一人，你们的浑侍中与他们曾经一起打过朱泚，知道他们忠诚、讲信义。你们的灵州节度使杜希全、泾原节度使李观为人诚信敦厚，在我们那里都很知名，请让他们来主持盟会。"

夏，四月十二日丙寅，崔澣回到长安。十七日辛未，德宗任命崔澣为鸿胪卿，让他再次进入吐蕃，对尚结赞说："杜希全要镇守灵州，不能离开州境，李观已经改任别的官职，现在派浑瑊到清水与你们结盟。"并且让吐蕃先归还盐州和夏州。五月初一日甲申，浑瑊从咸阳进京朝见，德宗任命他为清水会盟使。初五日戊子，任命兵部尚书崔汉衡为清水会盟副使，任命司封员外郎郑叔矩为判官，任命特进官宋奉朝为都监。初六日己丑，浑瑊率领二万多人前往会盟地点。

五月二十二日乙巳，尚结赞派其下属论泣赞来朝廷说："清水不是一个吉祥的地方，请求在原州土梨树这个地方订盟，订盟之后，就归还盐州和夏州。"这些要求，德宗都答应了。神策军的将领马有麟上奏说："土梨树这个地方有许多阻塞险要之地，恐怕吐蕃人会设下伏兵，不如将会盟地点改在平凉川，那里地势平坦。"当时，论泣赞已经回去了，二十四日丁未，德宗派使者追上论泣赞，告诉了他变化的情况。

申蔡留后吴少诚整修兵器，加固城池，准备抗拒朝廷的命令。判官郑常、大将

之，诈为手诏赐诸将申州刺史张伯元等。事泄，少诚杀常、冀、伯元。大将宋旻、曹济奔长安。

闰月己未[340]，韦皋复与东蛮[341]和义王苴那时书，使诇伺[342]导达[343]云南。

庚申[344]，大省[345]州、县官员，收其禄以给战士，张延赏之谋也。时新除官千五百人，而当减者千余人，怨嗟盈路[346]。

初，韩滉荐刘玄佐可使将兵复河、湟[347]，上以问玄佐，玄佐亦赞成之。滉薨，玄佐奏言："吐蕃方强，未可与争。"上遣中使劳问玄佐，玄佐卧而受命[348]。张延赏知玄佐不可用，奏以河、湟事委李抱真，抱真亦固辞。皆由延赏罢李晟兵柄，故武臣皆愤怒解体[349]，不肯为用故也。

上以襄、邓扼[350]淮西冲要，癸亥[351]，以荆南节度使曹王皋为山南东道节度使，以襄、邓、复、郢、安、随、唐七州[352]隶之。

浑瑊之发长安也，李晟深戒之以盟所为备不可不严。张延赏言于上曰："晟不欲盟好之成，故戒瑊以严备。我有疑彼之形，则彼亦疑我矣，盟何由成！"上乃召瑊，切戒以推诚待虏，勿自为猜贰以阻虏情[353]。

瑊奏吐蕃决以辛未盟[354]。延赏集百官，以瑊表称诏示之[355]曰："李太尉[356]谓吐蕃和好必不成，此浑侍中表也，盟日定矣。"晟闻之，泣谓所亲曰："吾生长西陲[357]，备谙虏情[358]，所以论奏，但耻朝廷为犬戎[359]所侮耳！"

上始命骆元光屯潘原[360]，韩游瓌屯洛口[361]，以为瑊援。元光谓瑊曰："潘原距盟所且七十里，公有急，元光何从知之！请与公俱。"瑊以诏指固止之。元光不从，与瑊连营相次[362]，距盟所三十余里。元光壕栅深固[363]，瑊壕栅皆可逾[364]也。元光伏兵于营西，韩游瓌亦遣五百骑伏于其侧，曰："若有变，则汝曹西趣柏泉[365]，以分其势。"

尚结赞与瑊约，各以甲士[366]三千人列于坛之东西，常服[367]者四百

杨冀密谋驱逐吴少诚，假造皇帝的亲笔诏书，赐给众将和申州刺史张伯元等。不料事情泄露，吴少诚杀了郑常、杨冀和张伯元。大将宋旻、曹济逃往长安。

闰五月初七日己未，西川节度使韦皋又写信给东蛮和义王苴那时，让苴那时刺探云南的情况并加引导。

初八日庚申，朝廷大规模裁减州、县官员，收回这些人的俸禄以供应军中的将士，这是宰相张延赏出的主意。当时，新任命的官员有一千五百多人，而应当裁减的有一千多人，因此怨声载道四起。

当初，韩滉推荐刘玄佐，认为可以让他带兵收复黄河、湟水地区失地，德宗就此事征询过刘玄佐的意见，刘玄佐也表示赞成。韩滉去世以后，刘玄佐上奏说："吐蕃势力正强，不能与他们争斗。"德宗派中使去慰问刘玄佐，刘玄佐称病卧床，接受了圣旨。张延赏知道刘玄佐不可任用，就上奏德宗把收复黄河、湟水地区失地的事交给李抱真，李抱真也坚决推辞。这都是因为张延赏罢免了李晟的兵权，武将们对此十分愤怒，人心涣散，不肯再为张延赏效力。

德宗认为襄州、邓州是控制淮西地区的冲要之地，闰五月十一日癸亥，任命荆南节度使曹王李皋为山南东道节度使，把襄、邓、复、郢、安、随、唐七州划归李皋管辖。

浑瑊从长安出发的时候，李晟极力告诫浑瑊，对会盟地点的防备不可不严密。张延赏把此事告诉了德宗，并说："李晟不希望这次会盟成功，所以告诫浑瑊要严加防备。如果我们有了怀疑吐蕃的表现，那么吐蕃人也会怀疑我们了，这样会盟又怎么能成功呢！"德宗于是召见浑瑊，反复告诫浑瑊，对吐蕃一定要有诚意，不要因为自己对吐蕃有猜疑而拒绝了吐蕃的诚意。

浑瑊上奏说，吐蕃人决定在闰五月十九日辛未这天订立盟约。宰相张延赏召集百官，把浑瑊上奏的表章以皇帝的名义拿给大家看，说："李太尉说吐蕃与我们和好的盟约一定订不成，可这是浑侍中上奏的表章，订盟的日期都定下来了。"李晟听说此事后，流着眼泪对他亲近的人说："我生长在西部边疆地区，完全熟悉吐蕃人的情况，我之所以要上奏申论自己的看法，只是耻于看到朝廷被吐蕃欺负罢了！"

德宗当初命令骆元光率军屯驻在潘原县，韩游瓌率军屯驻在洛口，作为对浑瑊的支援。骆元光对浑瑊说："潘原县距会盟地点将近七十里，倘若您那边发生了什么紧急事情，我从哪里得知消息呢！我请求率军与您一起去。"浑瑊因德宗的旨意而坚决阻止骆元光。但骆元光不听，率军与浑瑊的营地紧挨着驻扎下来，离会盟地点约有三十多里。骆元光军营的壕沟很深，营栅牢固，但浑瑊军营的壕沟和栅栏却都可以跨过去。骆元光在军营的西边埋下伏兵，韩游瓌也派了五百名骑兵埋伏在这附近，并命令这些伏兵说："如果发生事变，你们就西奔柏泉，以分散吐蕃人的势力。"

尚结赞与浑瑊约定，双方各派身穿铠甲的士兵三千人，排列在会盟坛的东西两

人从至坛下。辛未[368]，将盟，尚结赞又请各遣游骑数十更相觇索[369]，瑊皆许之。吐蕃伏精骑数万于坛西，游骑贯穿唐军，出入无禁。唐骑入虏军，悉为所擒，瑊等皆不知。入幕[370]，易礼服。虏伐鼓[371]三声，大噪而至，杀宋奉朝等于幕中。瑊自幕后出，偶得他马乘之，伏鬣入其衔[372]，驰十余里，衔方及马口，故矢过其背而不伤[373]。唐将卒皆东走，虏纵兵追击，或杀或擒之，死者数百人，擒者千余人，崔汉衡为虏骑所擒。浑瑊至其营，则将卒皆遁去，营空矣。骆元光发伏成陈以待之，虏追骑愕眙[374]。瑊入元光营，追骑顾见邠宁军西驰[375]，乃还。元光以辎重资瑊，与瑊收散卒，勒兵整陈而还[376]。

---

**【段旨】**

以上为第十段，写吐蕃背信劫盟，给德宗的刚愎自用一记当头棒喝，大唐不堪其侮。

**【注释】**

[324]浑侍中尝与之共事：浑瑊加官侍中，故称浑侍中。武亭川之役，吐蕃与浑瑊共破朱泚，故云与之共事。事见本书卷第二百三十德宗兴元元年（公元七八四年）四月。[325]请使之主盟：请求大唐派遣灵州节度使杜希全、泾原节度使李观一同主持盟会。吐蕃欲利用盟会劫持二镇帅以取灵、泾二州，故托言杜、李二人“信厚”使之主盟。李观传见《旧唐书》卷一百四十四、《新唐书》卷一百五十六。[326]丙寅：四月十二日。[327]辛未：四月十七日。[328]甲申：五月初一日。[329]戊子：五月初五日。[330]崔汉衡：历官殿中少监、鸿胪卿、上都留守、兵部尚书、东都淄青魏博赈给宣慰使。屡预吐蕃和盟事。传见《旧唐书》卷一百二十二、《新唐书》卷一百四十三。[331]司封员外郎：官名，吏部司封司副主官，掌封诰。[332]郑叔矩：事略见《旧唐书》卷一百三十四《浑瑊传》、卷一百九十六下《吐蕃传》、《新唐书》卷二百十六下《吐蕃传》。[333]特进：加官，正二品。[334]宋奉朝：宦官。[335]己丑：五月初六日。[336]乙巳：五月二十二日。[337]平凉川：平凉县的川地。据《新唐书·地理志》，在平凉西北五里有吐蕃会盟坛。[338]丁未：五月二十四日。[339]缮兵完城：修治兵器，坚固城池。[340]己未：闰五月初七日。[341]东蛮：居于吐蕃东部之蛮，地当今四川西部、西南部，即成都以西、西南地区以氐、羌为主的少数民族。[342]诇伺：刺探情报。[343]导达：引导。[344]庚申：闰五月初八日。[345]省：裁省。[346]怨嗟盈路：怨声载道。[347]河、湟：黄河与湟水两河交

边，再派穿普通服装的士兵四百人跟随主盟官员来到会盟坛下。闰五月十九日辛未，即将订盟之时，尚结赞又请求双方各派几十个流动巡逻的骑兵，到对方去相互观察检视，浑瑊也都答应了。吐蕃人在会盟坛的西边埋伏了几万名精锐的骑兵，他们派出的流动巡逻骑兵在唐军中穿来穿去，进进出出，毫无限制。唐军派出的流动巡逻骑兵进入吐蕃军以后，全部被他们抓了起来，浑瑊等人对此一无所知。他们进入设在会盟坛附近的帐幕之中，更换上礼服。这时吐蕃军击响三声战鼓，骑兵呼喊着拥了上来，在唐朝的帐幕中杀掉了都监宋奉朝等人。浑瑊从帐幕的后边逃出来，偶然得到一匹别人的马骑了上去，他伏在马颈上，给马戴嚼子，跑了十几里，嚼子才戴到马口上，所以箭从他背上飞过而他没有受伤。唐军将士都往东逃跑，吐蕃发兵追击，唐军将士有的被杀，有的被抓，死了好几百人，被抓的有一千多人，兵部尚书崔汉衡被吐蕃骑兵抓住了。浑瑊跑回他自己的军营，将士们都逃跑了，军营中空无一人。骆元光指挥埋伏的士兵排成战阵迎击吐蕃军，吐蕃追击的骑兵看到这阵势十分惊异。浑瑊进入骆元光的军营中，追赶他的吐蕃骑兵回头看到邠宁的唐军向西边杀去，于是也收兵回去了。骆元光用自己的物资装备资助浑瑊，与浑瑊一起搜集逃散的士兵，然后整饬军队结成阵列后返回。

---

流地区，即今青海青海湖及其以东地区。湟水为黄河支流，湟水入黄河之口在今甘肃兰州西。㊽卧而受命：睡卧床上接受圣旨。卧者，卧床称病。㊾解体：人心涣散。张延赏妒功忌能，诸将不愿为之用。㊿扼：控制。351癸亥：闰五月十一日。352襄、邓、复、郢、安、随、唐七州：山南东道所辖七州在今湖北西北及河南西南一带，治所襄州，在今湖北襄阳。353勿自为猜贰以阻虏情：切不要自我怀疑而拒绝吐蕃的诚意。354决以辛未盟：决定辛未（闰五月十九）日订盟。355以瑊表称诏示之：将浑瑊的表章以皇帝名义遍示百官，使大家知晓。356李太尉：李晟当时加授太尉。357西陲：西部边疆。李晟，洮州临潭（今属甘肃）人，地处西陲。358备谙虏情：完全熟悉吐蕃情况。359犬戎：自古称西戎为犬戎。360潘原：县名，属原州，其时已没于吐蕃。县治在今甘肃平凉东泾水南岸。361洛口：水洛口，在瓦亭川（今葫芦河）东北，在今甘肃静宁东。362连营相次：两军营地相邻驻扎。363壕栅深固：壕沟深，营栅牢固。364可逾：可以跨越。365柏泉：县名，时已没入吐蕃。县治在今甘肃平凉西北。366甲士：披甲的战士。367常服：不着戎装的便服。368辛未：闰五月十九日。369更相觇索：互相察视。370入幕：进入帐幕。371伐鼓：击鼓。进军之号。372伏鬣入其衔：浑瑊伏在马颈上给马口戴嚼子。鬣，马颈上的长毛。373驰十余里三句：奔驰了十多里才把嚼子戴上了马口。情事危急而紧张，浑瑊伏在奔驰的马背上很长时间才戴上了马嚼子，也正因如此，浑瑊没有直起腰来，故箭矢飞过其背而侥幸未受伤。374愕眙：惊异地看着骆元光的军阵。375邠宁军西驰：韩游瓌预伏之兵西趋柏泉。376勒兵整陈而还：整饬军队，结成阵列后返回。

【原文】

是日上临朝，谓诸相曰："今日和戎息兵，社稷之福。"马燧曰："然。"柳浑曰："戎狄，豺狼也，非盟誓可结。今日之事，臣窃忧之。"李晟曰："诚如浑言。"上变色曰："柳浑书生，不知边计，大臣亦为此言邪！"皆伏地顿首谢，因罢朝。是夕，韩游瓌表言"虏劫盟者，兵临近镇[377]"。上大惊，街递[378]其表以示浑。明旦，谓浑曰："卿书生，乃能料敌如此其审乎！"上欲出幸以避吐蕃，大臣谏而止。

李晟大安园多竹，复有为飞语者，云"晟伏兵大安亭[379]，谋因仓猝为变"。晟遂伐其竹。

癸酉[380]，上遣中使王子恒赍诏遗尚结赞，至吐蕃境，不纳而还。浑瑊留屯奉天。

甲戌[381]，尚结赞至故原州[382]，引见崔汉衡等曰："吾饰金械，欲械瑊以献赞普。今失瑊，虚致公辈。"又谓马燧之侄弇曰："胡以马为命，吾在河曲[383]，春草未生，马不能举足。当是时，侍中[384]渡河掩之，吾全军覆没矣！所以求和，蒙侍中力。今[385]全军得归，奈何拘其子孙！"命弇与宦官俱文珍、浑瑊将马宁俱归[386]。分囚崔汉衡等于河、廓、鄯州。上闻尚结赞之言，由是恶马燧。

六月丙戌[387]，以马燧为司徒兼侍中，罢其副元帅、节度使。

初，吐蕃尚结赞恶李晟、马燧、浑瑊，曰："去三人，则唐可图也。"于是离间李晟，因马燧以求和，欲执浑瑊以卖燧，使并获罪，因纵兵直犯长安，会失浑瑊而止。张延赏惭惧，谢病不视事。

以陕虢观察使李泌为中书侍郎、同平章事。

河东都虞候李自良[388]从马燧入朝，上欲以为河东节度使，自良固辞曰："臣事燧日久，不欲代之为帅。"乃以为右龙武大将军[389]。明

【语译】

这一天，德宗上朝处理政事，对各位宰相说："今天要与吐蕃订盟和好，停息用兵，这是国家的福分。"马燧说："的确是这样的。"柳浑说："吐蕃人像豺狼一样，不是订盟立誓就可以建立友好关系的。对今天的事情，我私下一直有所担忧。"李晟说："确实像柳浑说的那样。"德宗一下子变了脸色说："柳浑是书生，不知道边疆大计，你也说这样的话吗！"柳浑、李晟等人都伏在地上，磕头谢罪，于是朝会就此结束。这一天晚上，韩游瓌上表说"吐蕃劫持了会盟的官员，他们的军队到达了附近的我方节镇"。德宗十分吃惊，马上让值班街使把韩游瓌的奏表送去给柳浑看。第二天早上，德宗对柳浑说："你是一个书生，竟能对敌人预料得如此确切啊！"德宗打算出京到外地去以避开吐蕃的军队，经过大臣们劝阻才打消了这个念头。

李晟的大安园内竹子很多，又有制造流言蜚语的人说"李晟在大安亭内埋伏了兵力，企图趁国家遇到突然变故时起来作乱。"李晟于是砍掉了园内的竹子。

闰五月二十一日癸酉，德宗派宦官使者王子恒带着诏书去送给尚结赞，王子恒到达吐蕃境内，吐蕃人不接受诏书，于是他只得回来。浑瑊留在奉天屯驻。

闰五月二十二日甲戌，尚结赞来到原先的原州城，接见被俘的崔汉衡等人说："我装饰好了一副金枷锁，打算锁着浑瑊献给我们的赞普。现在没有抓到浑瑊，白抓了你们这些人。"又对马燧的侄儿马弇说："我们胡人把马匹看作自己的生命，我当时在河曲地区时，春天的草还没有生长出来，马饿得抬不起腿。在那个时候，如果马侍中渡过黄河来袭击我们的话，我们就会全军覆没了！我们之所以能向唐朝求和，全蒙马侍中之力。现在我全军都得以回来，我怎么能囚禁马侍中的子孙呢！"他命令马弇与宦官俱文珍、浑瑊的部将马宁一起返回朝廷。尚结赞把崔汉衡等人分别囚禁在河州、廓州和鄯州。德宗听了尚结赞的话，从此厌恶马燧。

六月初五日丙戌，德宗任命马燧为司徒兼侍中，罢免了他的副元帅和节度使职务。

当初，吐蕃的尚结赞憎恨李晟、马燧、浑瑊，说："除掉这三个人，就可以谋取唐朝了。"于是设法离间朝廷和李晟的关系，又通过马燧向唐朝求和，还打算捉住浑瑊，借以出卖马燧，让他们一起获罪，再乘机发兵直接进犯长安，不料没有抓到浑瑊，这一图谋只好作罢。宰相张延赏又惭愧又害怕，推托自己有病而不再去处理朝廷政事。

德宗任命陕虢观察使李泌为中书侍郎、同平章事。

河东的都虞候李自良跟随马燧入京朝见，德宗打算让李自良担任河东节度使，李自良坚决推辞，说："我侍奉马燧的时间已经很长了，不想代替他担任河东的主帅。"德宗于是任命李自良为右龙武大将军。第二天，李自良入朝谢恩，德宗对他

日，自良入谢，上谓之曰："卿于马燧，存军中事分，诚为得礼。然北门[390]之任，非卿不可。"卒以自良为河东节度使。

吐蕃之戍盐、夏者，馈运不继，人多病疫思归。尚结赞遣三千骑逆[391]之，悉焚其庐舍，毁其城，驱其民而去。灵盐节度使杜希全遣兵分守之。

韦皋以云南颇知书[392]，壬辰[393]，自以书招谕之，令趣遣使入见。

---

**【段旨】**

以上为第十一段，写德宗昏悖，吐蕃背盟，诿过于马燧，马燧继李晟之后被解除兵权。

**【注释】**

[377]兵临近镇：言吐蕃兵临近韩游瓌所统之邠宁辖境。[378]街递：德宗仓促之际，等不及委派中使，就命值班街使递送奏表给柳浑看。[379]大安亭：李晟宅园大安园中亭。[380]癸酉：闰五月二十一日。[381]甲戌：闰五月二十二日。[382]故原州：原州自代宗广德间没于吐

---

**【原文】**

李泌初视事[394]，壬寅[395]，与李晟、马燧、柳浑俱入见。上谓泌曰："卿昔在灵武，已应为此官，卿自退让[396]。朕今用卿，欲与卿有约，卿慎勿报仇，有恩者朕当为卿报之。"对曰："臣素奉道[397]，不与人为仇。李辅国、元载[398]皆害臣者，今自毙矣。素所善及有恩者，率已显达，或多零落[399]，臣无可报也。"上曰："虽然，有小恩者，亦当报之。"对曰："臣今日亦愿与陛下为约，可乎？"上曰："何不可！"泌曰："愿陛下勿害功臣。臣受陛下厚恩，固无形迹[400]。李晟、马燧有大功于国，闻

说:“你对马燧，保持了军中上下级的名分，确实符合礼仪。但是，镇守国家北方门户的任务，非由你来承担不可。”德宗最终还是任命李自良为河东节度使。

吐蕃驻守盐州、夏州的军队，因为粮食运输难以为继，很多人生了病，都想回吐蕃去。尚结赞派了三千名骑兵去接回他们，他们焚烧了这两地所有的房屋，毁坏了城墙，驱赶当地百姓而去。灵盐节度使杜希全派遣兵力分别守卫这些地方。

韦皋认为云南人颇为知书达理，六月十一日壬辰，韦皋亲自写信招抚晓谕他们，让他们赶快派使者入朝晋见皇帝。

---

蕃，城邑已成废墟，所以称“故原州”。㊳吾在河曲：指屯鸣沙县时。其时马燧屯石州，不渡河而主盟，堕入吐蕃尚结赞的圈套。㊴侍中：指马燧。是时马燧为侍中。㊵今：胡三省注云，“今，当作‘令’”。㊶命奔与宦官俱文珍浑瑊将马宁俱归：吐蕃尚结赞释放三人，欲使俱文珍言之于德宗，马宁言之于浑瑊，释马奔则处马燧于危疑之地，用以离间马燧，昏君德宗果堕其术中。俱文珍，德宗朝擅权宦官，传见《旧唐书》卷一百八十四、《新唐书》卷二百七。㊷丙戌：六月初五日。㊸李自良：河东名将，代马燧为河东节度使。传见《旧唐书》卷一百四十六、《新唐书》卷一百五十九。㊹右龙武大将军：右龙武军，北衙六军之一，置大将军一人，正三品。㊺北门：北方门户。指河东节镇太原形胜为北国之门。㊻逆：迎接。㊼知书：习文，懂礼节。㊽壬辰：六月十一日。

---

## 【语译】

李泌开始在政事堂处理朝廷政务，六月二十一日壬寅，与李晟、马燧、柳浑一起去见德宗。德宗对李泌说:“你从前在灵武的时候，就应该担任这一职位，但你自己谦让而没有担任。朕现在起用你，打算与你有一个约定：你千万不要报什么私仇，对你有恩的人，朕自当为你报答。”李泌回答说:“臣一向遵奉道家理念，不与人结仇。前朝的李辅国、元载都是陷害臣的人，现在都已自取灭亡了。一向和臣关系很好和对臣有恩的人，一般都已有了高的地位和大的名声，其中很多人都已谢世，臣没有什么可以报答的了。”德宗说:“虽然这样，但对你有小恩的人，也应当要报答他们。”李泌回答说:“我今天也希望与陛下有个约定，可以吗?”德宗说:“有什么不可以的!”李泌说:“希望陛下不要加害功臣。我蒙受陛下的厚恩，当然没有受疑忌的迹象。李晟、马燧二位，对国家是有大功的，听说有人在朝廷说他们的坏话，对

有谗之者，虽陛下必不听，然臣今日对二人言之，欲其不自疑耳。陛下万一害之，则宿卫之士[401]、方镇之臣[402]，无不愤惋[403]而反仄[404]，恐中外之变不日复生也。人臣苟[405]蒙人主爱信则幸矣，官于何有！臣在灵武之日，未尝有官，而将相皆受臣指画[406]，陛下以李怀光为太尉而怀光愈惧，遂至于叛，此皆陛下所亲见也。今晟、燧富贵已足，苟陛下坦然待之，使其自保无虞[407]，国家有事则出从征伐，无事则入奉朝请，何乐如之！故臣愿陛下勿以二臣功大而忌之，二臣勿以位高而自疑，则天下永无事矣！”上曰：“朕始闻卿言，耸然[408]不知所谓。及听卿剖析，乃知社稷之至计[409]也。朕谨当书绅[410]，二大臣亦当共保之。”晟、燧皆起泣谢。

【段旨】

以上为第十二段，写李泌入朝为相，力保李晟、马燧，为国家护长城。

【注释】

㊴视事：入中书省政事堂办公。㊵壬寅：六月二十一日。㊶卿昔在灵武三句：肃宗于灵武刚即位，欲以天子幕宾李泌为右相，泌固辞。事见本书卷第二百十八肃宗至德元载（公元七五六年）七月。㊷臣素奉道：臣一向遵奉道家无为。李泌好谈论神仙怪异，此言奉道，不与人为仇，这是处乱世的一种智谋。胡三省称其为效西汉张子房之故智。张良功成身退，信奉道家，声称从赤松子游，避免了韩信、彭越之祸。㊸李辅国、元

【原文】

上因谓泌曰：“自今凡军旅粮储事，卿主之，吏、礼委延赏，刑法委浑。”泌曰：“不可。陛下不以臣不才，使待罪宰相。宰相之职，不可分也，非如给事则有吏过、兵过[411]，舍人则有六押[412]。至于宰相，天下

这些谗言，尽管陛下一定不会听信，但我今天当着他们二位说这件事，是想让他们不要自己心存疑虑而已。陛下万一要加害他们，那么值宿警卫的禁军将士、地方上的方镇将帅，无不会心怀愤恨而辗转不安，恐怕过不了多久，朝野内外的变乱又会发生。做臣子的，如果能蒙受君王的爱护、信任，就十分幸运了，官职的大小又有什么关系呢！臣当年在灵武的时候，未曾担任过什么官职，但是将领、宰相都接受臣的指点，陛下任命李怀光为太尉，而李怀光内心却更加害怕，终于反叛朝廷，这都是陛下所亲眼见到的事情。现在李晟、马燧二人已经足够富贵了，如果陛下坦诚对待他们，让他们能够保持这种地位，而没有什么忧虑，当国家有战事的时候，他们就出朝参与征伐，国家平安无事的时候，他们就入京参加朝会，君臣之间，还有什么能像这样让人感到快乐的呢！所以我希望陛下不要因为他们二位大臣功大而猜忌他们，他们二位大臣也不要因为官职很高而自生疑心，那么天下就会永远平安无事了！”德宗说：“朕开始听你说这番话时，很诧异地不知道你在说什么。等听完你的剖析之后，才知道这是国家的根本大计啊。朕会慎重地把这事写在腰带上牢牢记住，李晟、马燧二位大臣也应该共同来保护这个国家。”李晟、马燧都站起来流着眼泪向德宗谢恩。

---

载：两人皆擅权奸巧人，曾加害李泌。李辅国，肃宗、代宗两朝擅权宦官。元载，代宗朝权臣。㊾零落：如花之凋落。死亡的委婉说法。㊿固无形迹：当然不会有被疑忌的迹象。401宿卫之士：禁卫将士。402方镇之臣：地方上的方镇将帅。403愤惋：怨恨叹息。404反仄：辗转不安。405苟：如果。406受臣指画：听我的指点。407无虞：没有忧虑之事。408耸然：诧异貌。409至计：根本大计。410朕谨当书绅：朕要慎重地写在腰带上作为座右铭。绅，礼服上的腰带。典出《论语》，子张问行，孔子曰云云，“子张书诸绅”。德宗引用，表示牢记李泌的话。

---

【语译】

德宗于是对李泌说：“从今以后，凡是军事和粮食储运方面的事情，由你负责主持，吏部和礼部的事情交给张延赏主持，刑法方面的事情交给柳浑主持。”李泌说：“不能这样做。陛下不认为我没有什么才能，让我担任了宰相。宰相的职责，是不能分开的，这不像在给事中那里要分辨哪个是吏部的过失、哪个是兵部的过失，也不像中书舍人这一官职要分成六部签署画押。至于宰相一职，对天下的事情要共同商

之事咸共平章[413]。若各有所主，是乃有司，非宰相也。”上笑曰：“朕适失辞，卿言是也。”泌请复所减州县官。上曰：“置吏以为人也，今户口减于承平之时[414]三分之二，而吏员更增，可乎？”对曰：“户口虽减，而事多于承平且十倍，吏得无增乎！且所减皆有职，而冗官不减[415]，此所以为未当也。至德以来[416]置额外官[417]，敌[418]正官三分之一，若听使计日得资然后停，加两选授同类正员官[419]，如此，则不惟不怨，兼使之喜矣。”又请诸王未出阁者不除府官[420]，上皆从之。乙卯[421]，诏先所减官，并复故。

初，张延赏在西川，与东川节度使李叔明[422]有隙。上入骆谷，值霖雨，道涂险滑，卫士多亡归朱泚。叔明之子昇及郭子仪之子曙、令狐彰之子建等六人，恐有奸人危乘舆，相与啮臂为盟[423]，着行縢钉鞵[424]，更鞚上马[425]，以至梁州，他人皆不得近。及还长安，上皆以为禁卫将军，宠遇甚厚。

张延赏知昇私出入郜国大长公主[426]第，密以白上。上谓李泌曰：“郜国已老，昇年少，何为如是！殆必有故，卿宜察之。”泌曰：“此必有欲动摇东宫者。谁为陛下言之？”上曰：“卿勿问，第[427]为朕察之。”泌曰：“必延赏也。”上曰：“何以知之？”泌具为上言二人之隙，且曰：“昇承恩顾，典禁兵，延赏无以中伤，而郜国乃太子萧妃之母也，故欲以此陷[428]之耳。”上笑曰：“是也。”泌因请除升他官，勿令宿卫以远嫌[429]。秋，七月，以昇为詹事[430]。郜国，肃宗之女也。

甲子[431]，割振武之绥、银二州，以右羽林将军韩潭为夏、绥、银节度使，帅神策之士五千、朔方、河东之士三千镇夏州。

时关东防秋兵大集，国用不充[432]，李泌奏：“自变两税法[433]以来，藩镇、州县多违法聚敛。继以朱泚之乱，争榷率、征罚以为军资[434]，点募自防[435]。泚既平，自惧违法，匿不敢言。请遣使以诏旨赦其罪，但令

酌处理。如果宰相各有自己所主管的某一个方面，那就成了职能部门，而不是宰相了。”德宗笑着说：“朕刚才言辞失当，你说的是对的。”李泌请求恢复被削减的州、县官吏。德宗说：“设置官吏是为了管理百姓，现在的户口比当年太平时期减少了三分之二，而官吏人数反而增加，这可行吗？”李泌回答说：“户口虽然减少了，但事情比当年太平时期多了将近十倍，官吏能不增加吗！而且所削减的都是有具体职事的人，那些没有具体职事的闲散官吏反而没有削减，这就是削减官吏不妥当的原因。至德年间以来设置的额外官职，相当于正式官职的三分之一，如果允许根据他们任职的日期核定资历，然后停免他们现任的官职，同时增加文武两选职事官的定额，再授予和他们资历相符的正员职事官职，这样一来，他们不但不会怨恨朝廷，反而会十分高兴。”又请求让那些没有到封地就任的诸王不要设置府官。德宗对这些建议都予以采纳。乙卯日，德宗下诏将以前裁减的官员，一律恢复原职。

当初，张延赏在西川担任节度使时，与东川节度使李叔明有嫌隙。德宗从奉天出走山南进入骆谷的时候，正碰上连日大雨，山路又险又滑，卫士中很多人都逃跑，投奔了朱泚。李叔明的儿子李昪与郭子仪的儿子郭曙、令狐彰的儿子令狐建等六人，担心有奸邪之人会危及德宗，于是一起咬破手臂立下血盟，他们绑着裹腿、穿着底下带钉的鞋，轮流为德宗牵马，一直到达梁州城，其他人一概不准靠近德宗的车驾。等回到长安城，德宗把他们六人都任命为禁卫将军，对他们的宠信恩遇十分优厚。

张延赏探听到李昪私自进出郜国大长公主的府第，就秘密地报告德宗。德宗对李泌说：“郜国大长公主已经老了，而李昪年纪还轻，怎么能做这种事呢！大概一定有什么缘故，你要好好查明这件事情。”李泌说：“这一定是有人要动摇东宫太子的地位。这件事是谁对陛下说的？”德宗说：“你不要问了，只需帮我把这件事查明。”李泌说：“说这话的人一定是张延赏。”德宗问道：“你怎么知道的？”李泌就把张延赏与李昪的父亲李叔明之间的嫌隙一五一十地说给德宗听，还说道：“李昪承蒙陛下的恩宠眷顾，掌管禁兵，张延赏无法中伤，而郜国大长公主是太子妃萧氏的母亲，所以想用这件事来陷害他。”德宗笑着说：“是这么回事。”李泌于是请求德宗任命李昪担任别的官职，不要让他再值宿警卫皇宫，以避嫌疑。秋，七月，德宗任命李昪为詹事。郜国大长公主，是肃宗皇帝的女儿。

七月十三日甲子，朝廷划出振武军的绥州、银州，任命右羽林将军韩潭为夏州、绥州、银州节度使，率领神策军五千将士和由朔方、河东派出的三千将士去镇守夏州。

当时，关东地区的防秋将士大规模集结，国家的用度因此不足，李泌上奏说：“自从改为实行两税法以来，藩镇、州、县大多违法搜刮民财。接着发生了朱泚之乱，各地争着征收专卖货物的厚利和有罪人士的罚款来筹措军费，以检选和招募士兵来自我防卫。朱泚被平定以后，他们因违法聚敛而自己感到害怕，都把这些事情

革正[436]，自非于法应留使[437]、留州[438]之外，悉输京师。其官典逋负[439]，可征者征之，难征者释之，以示宽大，敢有隐没者，重设告赏之科而罪之[440]。”上喜曰：“卿策甚长，然立法太宽，恐所得无几。”对曰：“兹事臣固熟思之，宽则获多而速，急[441]则获少而迟。盖以宽则人喜于免罪而乐输，急则竞为蔽匿，非推鞫[442]不能得其实，财不足济今日之急，而皆入于奸吏矣。”上曰：“善！”以度支员外郎元友直为河南、江、淮南句勘两税钱帛使[443]。

初，河、陇既没于吐蕃[444]，自天宝以来[445]，安西、北庭奏事及西域使人在长安者，归路既绝，人马皆仰给于鸿胪[446]，礼宾委府县供之[447]，于度支受直[448]。度支不时付直[449]，长安市肆不胜其弊[450]。李泌知胡客留长安久者或四十余年，皆有妻子，买田宅，举质取利[451]，安居不欲归，命检括[452]胡客有田宅者停其给。凡得四千人，将停其给，胡客皆诣政府[453]诉之。泌曰：“此皆从来宰相之过，岂有外国朝贡使者留京师数十年不听归[454]乎！今当假道[455]于回纥，或自海道各遣归国。有不愿归，当于鸿胪自陈，授以职位，给俸禄为唐臣。人生当乘时展用[456]，岂可终身客死邪！”于是胡客无一人愿归者，泌皆分隶神策两军，王子、使者为散兵马使或押牙，余皆为卒，禁旅益壮[457]。鸿胪所给胡客才十余人，岁省度支钱五十万缗，市人皆喜[458]。

---

**【段旨】**

以上为第十三段，写李泌劝谏德宗释猜疑，清吏治，勘两税，免积欠，籍胡客，立于猜忌之朝，而能推行利国利民之政治，表现了卓越的才能。

隐瞒起来不敢说。请陛下派使者带着诏旨赦免他们的罪过，但要让他们改正以前的错误做法，对于征收的钱财，除了按规定应该留给节度使、观察使和州县使用的部分外，其余全部送往京城。各地官员要处理好拖欠的赋税，对能够征收的，就征收上来，对难以征收的，就准予免缴，以显示朝廷的宽大，如果有胆敢隐瞒和贪污的，重新颁布奖赏告发者的条令，以便惩处他们。”德宗高兴地说：“你的这些办法很好，但是所采取的措施过于宽大，只怕到时朝廷所得没有多少。”李泌回答说：“对这件事，我已经深思熟虑过，如果采取宽大措施，朝廷的所得会多，而且见效快，如果采取严苛的措施，那么朝廷的所得会少，而且见效慢。这是因为采取宽大措施，人们会为免于惩处而高兴，就很乐于上缴赋税；采取严苛的措施，人们就争相掩盖、藏匿，不经过审讯不能够得到实情，这样所得的钱财就不足以应付现在的急需，而都进了各地奸邪官吏的腰包了。”德宗说：“好！”于是任命度支员外郎元友直为河南、江东、淮南的勾勘两税钱帛使。

当初，河西、陇右被吐蕃攻陷，从天宝年间以来，安西、北庭来朝廷奏事的人，以及西域各地到长安来的使节，因归路断绝，这些人员和马匹的给养都要依靠鸿胪寺提供，鸿胪寺的礼宾院又委托京畿地区的府、县来负责供应，让他们在度支领取费用。度支不能按时拨付费用，致使长安城内的店铺难以承受因他们赊贷不还而带来的弊害。李泌得知这些胡族客人居留长安，时间长的有的已有四十多年，他们都娶妻生子，购买了田地、住宅，还开设典当铺谋利，生活安适，已经不打算回去了，于是下令官员去核查这些已经有田地、住宅的胡族客人，停发他们的给养。这样总共查出四千人，准备停发他们的给养，这些胡族客人都跑到宰相办公的地方来申诉。李泌说：“这都是以前宰相们的过失，哪有外国来朝贡的使者在京城居留几十年而不让回去的！现在应该向回纥借道，或者走海路，分别打发他们回国。有不愿意回国的人，应当到鸿胪寺去自行说明，然后授予他们一定的职位，发给俸禄，让他们成为唐朝的臣子。人生在世，应当抓住时机施展才用，怎么能终身客死异国他乡呢！”于是，这些胡族客人没有一个愿意回国的，李泌将他们全部划属神策左、右两军，胡人中的王子、使节担任散兵马使或押牙官，其余的一概当士兵，这样一来，禁军的力量更为强大。鸿胪寺需要提供给养的胡族客人才十几个人，每年节省度支的费用五十万缗钱，长安城内的商人们也都十分高兴。

【注释】

㊶¹ 宰相之职三句：宰相理政并不像在给事中那里分辨哪个是吏部、哪个是兵部的过失。唐制，凡奏拟皆经门下省，百司奏抄，侍中既审，给事中读之，有违失则驳正。给事，指给事中。㊷¹² 舍人则有六押：中书省有中书舍人六员，佐宰相判事，分成六部签署画押。413 咸共平章：各位宰相对所有军国之事都要共同斟酌平衡。平章，平衡、权衡。故宰相之职称平章事。414 承平之时：指盛唐太平时。唐开元年间是极盛之时，户口及财赋收入三倍于德宗时。415 且所减皆有职二句：意谓何况所裁减的是有职任的职事官，而无职事的闲散官却没有裁减。显然，这样裁减是不妥当的。冗官，即额外官，超出定员以外的闲散官。416 至德以来：从肃宗以来，指安史之乱以来。至德是肃宗的第一个年号。417 置额外官：唐安史之乱以后，因酬劳军功，安置了许多闲散官，无职事，只拿俸薪。418 敌：相当于。增加的闲散官相当于定员职事官的三分之一。419 若听使二句：意谓如果允许闲散冗官按得官时间计算资历，然后停免他们现任官职，增加文武两选职事官定员，将冗官转为同类的正员职事官。李泌的这一建议，是扩大职事官定额，让闲散冗官有职事，平衡矛盾，稳定政治。若听使，如果允许。计日得资，计算任官时间获得晋用的资历。停，停免，指停免闲散官的现有职名。加两选，增加文武两选职事官的定员。同类正员官，同类的正员职事官。420 诸王未出阁者不除府官：没有上任的诸王不设置府官。即不置闲散官。421 乙卯：六月壬午朔，无乙卯。乙卯，七月初四日。422 李叔明：字晋卿，本姓鲜于，代宗赐姓李。传见《旧唐书》卷一百二十二、《新唐书》卷一百四十七。423 啮臂为盟：咬破手臂，立下血盟。424 着行縢钉鞵：打绑腿，穿带钉的皮鞋。此为

【原文】

上复问泌以复府兵之策。对曰："今岁征关东卒戍京西者十七万人，计岁食粟二百四万斛。今粟斗直百五十，为钱三百六万缗。国家比遭饥乱，经费不充；就使有钱，亦无粟可籴[459]，未暇议[460]复府兵也。"上曰："然则奈何？亟减戍卒归之，何如？"对曰："陛下诚能[7]用臣之言，可以不减戍卒，不扰百姓，粮食皆足，粟麦日贱[461]，府兵亦成[462]。"上曰："苟能如是，何为不用！"对曰："此须急为之，过旬日[463]则不及矣。今吐蕃久居原、会[8]之间，以牛运粮，粮尽，牛无所用，请发左藏[464]恶缯[465]染为彩缬[466]，因党项以市之，每头不过二三匹，计十八万

跋涉远行的装束。縢，应作“縢”。用布条缠脚，从足跟至膝关节，称行縢。㊺更鞚上马：轮番替德宗牵马。㊻郜国大长公主：肃宗之女，初嫁裴徽，又嫁萧升。㊼第：但；只是。㊽陷：陷害。㊾远嫌：避嫌。㊿詹事：太子府属官，唐代为清职。431甲子：七月十三日。432不充：不足。433变两税法：实行两税法。唐实行两税法，始于德宗建中元年（公元七八〇年）。事见本书卷第二百二十六。434争榷率句：意谓藩镇、州、县通过专卖与任意罚款来筹措军费。榷率，官府垄断货物，获取专卖厚利。惩罚，对有罪吏民进行重罚以赋敛财物。435点募自防：检选和招募壮丁扩充武装自我防卫。436革正：改正。437留使：指按规定留给节度使、观察使的经费。438留州：留给本州的经费。439其官典逋负：各地方官要处理好拖欠的赋税。440重设告赏之科而罪之：重新颁布奖励告发者的条令，用以惩罚隐瞒实情的人。告赏之科，奖励告讦者的法令。441急：严苛。442推鞫：审讯。443句勘两税钱帛使：稽查两税钱帛的特使。句，通“勾”。444河、陇既没于吐蕃：河西走廊及陇右地区在代宗初陷没于吐蕃。445自天宝以来：指从安史之乱以来。安史之乱始于天宝十四载（公元七五五年）。446仰给于鸿胪：依靠鸿胪寺供给。鸿胪寺，掌外事接待与凶丧之仪。447礼宾委府县供之：鸿胪寺礼宾院委托京兆府及所属县来负责供应。448于度支受直：在度支领受（报销）费用。449度支不时付直：度支不能按时付出钱财。450长安市肆不胜其弊：长安城内的店铺难以承受因官府赊贷不还而带来的弊害。451举质取利：开典当铺取利钱。质者，以物质钱，计月而取其利。452检括：检核财产。453政府：相府。454不听归：不让回国去。455假道：借道。456乘时展用：利用时机施展才用。457禁旅益壮：禁兵阵容更加盛壮。458市人皆喜：喜其不再被摊派供应胡客费用。

【语译】

德宗又问李泌关于恢复府兵的办法。李泌回答说：“今年征调关东地区的士兵到京西戍守的有十七万人，总计他们一年要吃掉粮食二百零四万斛。现在粮食每斗的价钱是一百五十钱，这些粮食折合成钱是三百零六万缗。国家连遭饥荒战乱，经费不足；即便是有钱，也没有粮食可以买进来，所以没有时间来商议恢复府兵的事。”德宗说：“那又怎么办呢？赶快裁减戍守的士兵，让他们回家，这样行不行？”李泌回答说：“陛下真能采用臣的办法，就可以不裁减戍守的士兵，也不会打扰百姓，就能使粮食充足，谷子和麦子的价钱一天天下跌，府兵的事也就能够办成了。”德宗说：“如果能这样，朕为什么不采用呢！”李泌说：“这件事必须紧急去办，超过十天就来不及了。现在吐蕃人长期居住在原州、会州之间，他们用牛向这里运送粮食，粮食运完之后，牛就没有什么用处了，请陛下将左藏中因库存时间久而质地变差的丝帛调出来，染成彩色的，通过党项人把这些丝帛卖给吐蕃人，每头牛不过花二三匹丝

匹，可致六万余头[467]。又命诸冶铸农器，籴麦种，分赐沿边军镇，募戍卒，耕荒田而种之，约明年[468]麦熟倍偿其种，其余据时价五分增一[469]，官为籴之[470]。来春种禾亦如之。关中土沃而久荒，所收必厚，戍卒获利，耕者浸多。边地居人至少，军士月食官粮，粟麦无所售，其价必贱，名为增价，实比今岁所减多矣。”上曰：“善！”即命行之。

泌又言：“边地官多阙，请募人入粟以补之[471]，可足今岁之粮。”上亦从之，因问曰：“卿言府兵亦集，如何？”对曰：“戍卒因屯田致富，则安于其土，不复思归。旧制，戍卒三年而代[472]，及其将满，下令有愿留者，即以所开田为永业[473]。家人愿来者，本贯[474]给长牒[475]续食而遣之[476]。据应募之数，移报本道[477]，虽河朔诸帅得免更代之烦，亦喜闻矣[478]。不过数番[479]，则戍卒皆[9]土著，乃悉以府兵之法理[480]之，是变关中之疲弊为富强也。”上喜曰：“如此，天下无复事矣！”泌曰：“未也。臣能不用中国之兵使吐蕃自困。”上曰：“计将安出？”对曰：“臣未敢言之，俟麦禾有效，然后可议也。”上固问[481]，不对[482]。泌意欲结回纥、大食、云南，与共图吐蕃，令吐蕃所备者多。知上素恨回纥，恐闻之不悦，并屯田之议不行，故不肯言。既而戍卒应募，愿耕屯田者什五六。

壬申[483]，赐骆元光姓名李元谅。

左仆射、同平章事张延赏薨。

---

【段旨】

以上为第十四段，写李泌寓兵于农，屯垦边地，减轻国用而增强了边防。

帛，总共调出十八万匹丝帛，可以换来六万多头牛。再命令各冶炼场铸造农耕器具，买进麦种，把这些东西分发给靠近边境的各军镇，让他们招募戍守的士兵，开垦荒田耕种，约定第二年麦子成熟后加倍偿还所用的麦种，其余的粮食，根据当时的粮价，再增价五分之一，由官府收购。来年春天种庄稼还是采用这种办法。关中地区土地肥沃，而长久荒芜，因此垦荒的收成一定很多，戍边的士兵获利了，前来种地的人就会逐渐多起来。边境地区居民很少，军中将士每月都吃官府供应的粮食，谷子和麦子没有什么地方可卖，价钱一定会很低，名义上，官府收购要按时价加价，实际上比今年收购粮食的价格要降低很多。”德宗说：“好！”立即下令实行这些措施。

李泌又说：“边境地区的官吏缺员很多，请求公开招募人向官府交纳粮食，然后将他们补任为官，这样可以使今年的粮食用度充足。”德宗也听从了，接着就问李泌：“你说府兵的事也可以办成，那是怎么回事？”李泌回答说：“戍守的士兵因为屯垦荒田致富了，他们就会安心在那里住下来，不再想回家乡去。以前的制度规定，戍守的士兵三年一轮换，等他们快满三年时，下令有愿意留下的，就把他们所开垦的田地给他们作为永业田。他们的家属愿意到这里来定居的，由原籍官府发给官文书，沿途由官府供给饮食送他们到达目的地。屯垦所在地的官府，把募集到的留下屯垦的人数，行文报送原籍本道，这样即使是需重兵驻守的河朔地区，各位节帅因能免去轮番更替戍卒的烦劳，也会高兴地接受这种办法了。这样不过经几次轮番更替，戍守的士兵全都成了定居边疆的当地人了，于是对他们完全以府兵的办法加以管理，这样就能一改关中地区的困苦穷乏而使之富强起来。”德宗高兴地说：“这样的话，天下就平安无事了！”李泌说：“这倒未必。臣还能不使用大唐的军队而使吐蕃陷于困境。”德宗说：“这要采取什么计谋？”李泌回答说：“臣还不敢说，等屯垦荒田收获庄稼的事情有成效了，然后才可议及这一事情。”德宗再三强问，李泌就是不回答。李泌打算联合回纥、大食、云南等地区，与他们一起对付吐蕃，让吐蕃人需要防备的对象变多。但他知道德宗一向痛恨回纥人，担心德宗听到这一计划后不高兴，连屯垦荒田的办法也不实行了，所以不肯说。不久，戍守边疆的士兵响应官府招募，愿意留下来耕种田地的人占了十分之五六。

七月二十一日壬申，德宗赐骆元光改姓名为李元谅。

左仆射、同平章事张延赏去世。

## 【注释】

㊾ 籴：购粮。㊿ 未暇议：没时间商议。㊶ 粟麦日贱：粮价一天天下降。㊷ 府兵亦成：府兵也能够办成。府兵制核心是兵农合一，李泌的办法是用戍兵种粮，收入归个人，也是一种兵农合一之法。㊸ 旬日：十日。喻时机短暂。㊹ 左藏：国库有左右藏。唐制，左右藏隶属太府卿，置令、丞。左藏掌钱帛、杂采，右藏掌铜铁金玉。㊺ 恶缯：库存积久已变质的缯。㊻ 彩缬：染成彩色。缬，指染色方法。用线结缯染色，然后解结，凡结处皆无色，未结处入色，于是成为色彩斑斓的彩缎。㊼ 可致六万余头：李泌建议调出左藏中已变质的丝帛，染成彩色绸缎，通过党项人购买吐蕃的耕牛，每头牛价值彩帛二三匹，用十八万匹彩帛可换回六万头耕牛。致，招致、换来。㊽ 约明年：约期一年。㊾ 五分增一：加价百分之二十。㊿ 官为籴之：政府收购粮食。李泌的办法是改变军屯为商屯，即用商业办法收购军屯之粮，鼓励屯兵积极生产，以解决边粮。办法是由耕种者戍卒支付种子钱，明年麦熟加倍偿还其种，其余粮麦由官府按高出市价的百分之二十收购，卖粮收入归戍卒。㊶ 募人入粟以补之：输粟之人可补边官，也就是将边地的缺员官位变相出卖，政府取粮。募，招标、招募。㊷ 戍卒三年而代：戍边士兵三年轮换。㊸ 永业：永业田。按旧时府兵制，等到戍兵三年期将满时，下令愿留居边地的，他所垦的田就分配给他做永业田。㊹ 本贯：原籍贯。这里指原籍贯的官府。㊺ 给长牒：发给官文书。㊻ 续食而遣之：指沿途不断供给饮食辗转遣送。李泌的办法是，留边垦土士兵的家属愿意到边地来定居的，原籍贯的官府发给官文书，沿途所经由官府供给饮食遣送他们到达目的地。㊼ 据应募之数二句：屯垦所在地根据应募的人数，用公文上报本道。即应募垦边的士卒人数可代替原籍本道的更代人数。移，行文。㊽ 亦喜闻矣：也愿意这样做。指用重兵驻守的河朔各镇，因为应募屯垦的办法能免除更代派人的麻烦，也是愿意的。㊾ 番：轮番更替。戍边士卒三年轮番更替，如果戍兵土著，定居边地，就不需更替了。㊿ 理：治；管理。唐避高宗李治讳，凡治字皆用理字。㊶ 固问：再三强问。㊷ 不对：不回答。㊸ 壬申：七月二十一日。

## 【校记】

［7］诚能：此二字原无。据章钰校，乙十六行本、乙十一行本、孔天胤本皆有此二字，张敦仁《通鉴刊本识误》同，今据补。［8］原、会：据章钰校，乙十六行本、乙十一行本作“原、兰”，张瑛《通鉴校勘记》同。原，原州，治所在今宁夏固原。会，会州，治所在今甘肃靖远。兰，兰州，治所在今甘肃兰州。［9］皆：原无此字。据章钰校，乙十六行本、乙十一行本、孔天胤本皆有此字，张敦仁《通鉴刊本识误》同，今据补。

**【研析】**

本卷研析李泌奇计灭叛兵、吐蕃劫盟、李泌拜相三件史事。

第一，李泌奇计灭叛兵。淮西平定后，德宗征召淮西兵到西北防秋，抗御吐蕃入侵。陈仙奇精选五千名淮西兵应命。李希烈旧将吴少诚趁机杀了陈仙奇，名义上为李希烈报仇，实质是夺取淮西地割据造反。吴少诚密令西行的五千名淮西兵返回。德宗贞元三年（公元七八七年）正月，淮西兵已驻守在鄜州（今陕西富县）。门枪兵马使吴法超得到吴少诚密令后，私自引四千步骑兵回归，这是叛乱行为。淮西叛兵东归，经蒲州过黄河，穿晋西南再南下渡黄河进入陕州西界。浑瑊派兵追击，被淮西兵打得大败，由此可见这支淮西兵的战斗力。

陕虢观察使李泌奉命拦截。陕州守兵只有二千人，战斗力又弱，与淮西兵硬拼，肯定不敌。李泌用奇计，设下八面埋伏。太原仓隘道是淮西兵必经之地，李泌用一千多名士兵等在隘道出口埋伏，又用四百名士兵分为两队埋伏于隘道东西两侧，并下令："淮西兵过隘道，让前队通过，等到淮西兵全面进入隘道，东西伏兵轮番杀出，东边伏兵攻击，西边伏兵只呐喊助威；西边伏兵出击，东边伏兵只呐喊助威。"李泌又动员村中百姓组成民兵，各执弓刀、瓦石，只在淮西兵后面呐喊，追杀散兵。淮西兵走出太原仓隘道，一定会从山路向南逃窜，李泌派四百名精兵在长水地方伏击。部署停当，只等淮西兵来钻入天网。

当淮西兵进入陕州界，李泌派专使迎接，供应酒食，晓谕淮西兵安静。淮西兵见了丰盛食物，放松了戒备，也约束自己不掳掠地方。这样过了两天，第三天淮西兵接近太仓隘道，李泌停止供食。黎明时分，淮西兵空着肚子进入太仓隘道，前队刚出隘道，一声呐喊，隘道东边伏兵杀出，淮西兵惊惶失措，夺路西边山脚，西边伏兵杀出，淮西兵掉头东边山脚。两边伏兵，一会让出西边，一会让出东边，不堵死淮西兵归路，避免淮西兵死战。李泌伏兵只是惊扰淮西兵，利用其归心似箭的心理，留出半道让他们逃命，打散淮西兵队形，截杀散兵。淮西兵果然中计，分头夺命，丧失了整体的战斗。官军和民兵，以整体对散兵，歼灭一千多名淮西兵。

逃出太原仓隘道的淮西兵，又饥又渴，且战且走，尚有三千之众，当他们惊魂未定之时，一千多名埋伏于隘道出口的官军杀出，夹击淮西兵，民兵呐喊助威，淮西兵抵挡不住，全面溃散逃往山谷。还有一小部分在吴法超率领下转向长水方向，等在那里的是四百名精锐官兵，一场战斗结束，淮西兵三分之二被杀死，一些落入长水，一些四散奔逃，吴法超战死。最后四千名淮西兵，只有四十七人逃回淮西，吴少诚见只有这几个人回来，为了掩盖自己的罪行，把逃回的四十七人全部杀死，诿过于吴法超。

李泌奇计，在淮西兵的归路上层层设伏，事先供给饮食，麻痹淮西兵不做战斗准备，突然断食，先在隘道惊扰，然后连续打击散乱之兵，分股消灭。官军兵力不足，动员民兵，用训练有素的官兵正面击敌，用民兵助威，追歼散兵，民兵也成了劲旅，李泌用兵之妙，罕与其比。

第二，吐蕃劫盟。德宗仇视回纥，一心要与吐蕃和好。当时回纥衰落，要与唐和亲，联手抗击吐蕃。而吐蕃是唐朝西方劲敌，趁安史之乱，夺取了河西、陇右，又臣服南诏，从西川、西北两个方向侵扰唐朝。秋高马肥，吐蕃入侵，破坏唐朝秋收。唐朝每年东调各节度使官兵防秋，就是抗御吐蕃。德宗完全不顾敌我形势，为报个人受辱之耻，不顾国家利益，联吐蕃击回纥，完全是错误的。公元七八四年，德宗回到长安，吐蕃来索要安西、北庭两镇。德宗竟然要召回郭昕和李元忠，割两镇给吐蕃。李泌劝谏德宗说，两镇将士尽忠竭力，为国固守近二十年，一旦割弃，不但忠良将士寒心，人民怨恨，而且两镇士民痛恨朝廷，将被吐蕃驱赶报仇，岂不是唐朝的大害。再说，吐蕃大掠武功撤走，并未进攻朱泚，没有理由索要两镇。朝臣赞助李泌，两镇才得以保留。吐蕃一计不成，又生一计。吐蕃认为，唐朝良将只有李晟、浑瑊、马燧三人，用计除掉三人，就可以夺取唐朝。公元七八六年，吐蕃派兵二万到凤翔城下，声称是李晟招来的，要求犒赏，第二天退走。如此拙劣伎俩，德宗信以为真。这时李晟已被解除兵权，宰相张延赏乘机诽谤李晟，李晟朝不保夕，哭诉德宗，请求出家为僧。公元七八七年，吐蕃又使人向马燧求和，马燧与李晟有嫌隙，附和张延赏，力主与吐蕃媾和。原先吐蕃指定浑瑊为会盟使，并按照吐蕃选定的原州土梨树地方会盟。最后由浑瑊出行，德宗再三嘱咐浑瑊要对吐蕃推诚。李晟冒死劝谏，称吐蕃狼子野心，不可不备，德宗不听。浑瑊会盟，果如李晟所料，遭吐蕃劫盟，浑瑊冒死逃回，打破了吐蕃杀害他的计划，吐蕃才没有进兵长安。

德宗猜忌功臣，最不推诚，而对狼子野心的吐蕃，却要推诚，如此荒谬，遭到吐蕃的侮弄，算是给昏君一记当头棒喝。

第三，李泌拜相。会盟吐蕃几乎招来战争，但危机并没有结束。德宗是非颠倒，李晟忠正，反遭猜忌，失去兵权，武臣们都愤怒解体，李抱真等名将，不愿再为朝廷出力。君臣相疑，内外解体的态势隐约显现。德宗也感到了危险。他赶紧召李泌为相，消除危局。李泌也感到了非任职不可，他打破只为帝王布衣之交的自我约束，应诺出任宰相。李泌历事肃宗、代宗两代昏君，也早与德宗交往，深刻且透彻地了解德宗的内心，也自信有能力、有智慧说透利害，自己年事已高，要为苍生社稷解忧患，非做宰相不可。这时候，也确实只有李泌一人可以解救危局。陆贽洞察时务，虽能直言敢谏，但不幽默，不会委婉，德宗将他的话当作耳旁风，只有李泌的比如设喻，才能调教刚愎自用的德宗做一些好事。

李泌入相，带着马燧、李晟去进见德宗。德宗与李泌相互定约。德宗要李泌做相，不要报仇。李泌说："臣不与人结仇，也没有私恩要报。倒是陛下不要猜忌功臣。

李晟、马燧有大功于国，一旦被害，恐怕内外愤怒，大乱立刻就会到来。希望陛下诚心对待两位功臣，国家有事，他们出征，无事在朝任职。李晟、马燧，两人也不要功高自疑。这样君臣和谐，天下无事，不是很好吗！”德宗答应，不害李晟、马燧，二人也涕泣拜谢，表示感戴。唐王朝一个紧要关头的危机，就这样被李泌化解了。

李泌用恢复府兵制为话题，巧计寓兵于农，屯垦边地，既减轻了国家负担，又增强了边防。更深层的意义，是李泌迂回说服德宗北连回纥，南结云南王，孤立吐蕃，用心良苦，做到了别人不能做的事。公元七八八年，回纥可汗得唐许婚，非常喜悦，愿为唐朝牵制吐蕃。公元七九三年，南诏国也脱离吐蕃，恢复与唐亲善关系。吐蕃的两个盟国变成了敌国，唐得回纥、南诏之助，在西北、西南两条战线接连取胜，吐蕃迅速衰落，唐朝西疆没有了大害。李泌孤立吐蕃战略的实施与实现，对唐与吐蕃两国都有深远的影响，这也是李泌政治业绩中一个最大的成功。

李泌与德宗经常进行有意义的争论，改善了中唐的政治。具体表现为释猜疑、清吏治、勘两税、免积欠、籍胡客等等一系列施政方针。李泌立于猜忌之朝而能推行一些利国利民的政策，表现了他卓越的政治才能。

# 卷第二百三十三　唐纪四十九

起强圉单阏（丁卯，公元七八七年）八月，尽重光协洽（辛未，公元七九一年），凡四年有奇。

【题解】

本卷记事起公元七八七年八月，迄公元七九一年，凡四年又五个月，当唐德宗贞元三年八月到贞元七年。此时期，李泌为相，政治平稳。李泌敢直言而善说理，护佑太子，化解妖僧李软奴谋反大案，保护李晟、韩游瓌等宿将，以及朝中大臣，挫败了幕后奸谋。李泌说服德宗放弃仇视回纥，拒绝吐蕃勒索，提出“北和回纥，南通云南，西结大食、天竺”计划以困吐蕃，改变了一个昏君固执的偏见，实在不容易。德宗与李泌议论本朝宰相，各有长短，唯有李泌使德宗心服，德宗说李泌敢言而论理透彻，是最佳的良相。李泌是一个奇人，他摸透了猜疑心特强的昏君心理，又有说情喻理的本领，能够从昏君手里夺权，替国家和民众做了许多好事，维护了唐王朝的政权。李泌是李唐的功臣，也是国家和民族的功臣。吐蕃失掉回纥与南诏两个盟国，从此衰落，使唐西疆稳固，延长了寿命。这也是李泌政治生涯中的一大成功，值得大书特书。本卷载司马光两条评论，一条贬斥德宗是一个昏君，其言中肯；一条批评李泌限制德宗聚敛，反说为导诱德宗贪财，所言则迂腐不堪。

【原文】

**德宗神武圣文皇帝八**

**贞元三年（丁卯，公元七八七年）**

八月辛巳朔[①]，日有食之。

吐蕃尚结赞遣五骑送崔汉衡归，且上表求和。至潘原，李观语之以“有诏不纳吐蕃使者”，受其表而却[②]其人。

初，兵部侍郎、同平章事柳浑与张延赏俱为相，浑议事数异同，延赏使所亲谓曰：“相公旧德，但节言[③]于庙堂，则重位[④]可久。”浑曰：“为吾谢张公，柳浑头可断，舌不可禁。”由是交恶。上好文雅酝藉[⑤]，而浑质直轻侻[⑥]，无威仪[⑦]，于上前时发俚语[⑧]。上不悦，欲黜为王府长史[⑨]。李泌言：“浑褊直无他。故事，罢相无为长史者。”又欲

【语译】

**德宗神武圣文皇帝八**

**贞元三年（丁卯，公元七八七年）**

八月初一日辛巳，日食。

吐蕃的国相尚结赞派遣五名骑兵护送崔汉衡回朝廷，并且向唐朝上表请求和好。他们到达潘原县时，李观对他们说“朝廷有诏令，不接纳吐蕃的使者”，只接受了他们的表章，遣退了前来的吐蕃人。

当初，兵部侍郎、同平章事柳浑与张延赏一起担任宰相，柳浑在议事时多次与张延赏的意见不同，张延赏派亲近的人去柳浑那里说：“柳公是德高望重的老臣，只要在朝堂上少说话，那么宰相这一重要职位就可长久地保持下去。”柳浑说：“你替我向张公道歉，我柳浑的头可断，舌头讲话是不能禁止的。”由此两人交恶。德宗喜欢斯文儒雅、含蕴稳重之人，但柳浑朴实直爽，轻率简易，没有庄重的仪容举止，在德宗面前经常说粗俗的话。德宗不高兴，打算贬黜他为王府的长史。李泌对德宗说：“柳浑气量小，人正直，没有二心。依照旧例，没有罢免了宰相职位后担任王府长史

以为王傅[10]，泌请以为常侍。上曰："苟得罢之，无不可者。"己丑[11]，浑罢为左散骑常侍。

初，郜国大长公主适驸马都尉[12]萧升[13]，升，复之从兄弟也。公主不谨，詹事李昪、蜀州别驾萧鼎、彭州司马李万、丰阳令韦恪，皆出入主第。主女为太子妃[14]，始者上恩礼甚厚，主常直乘肩舆抵东宫，宗戚皆疾之。或告主淫乱，且为厌祷[15]。上大怒，幽主于禁中，切责[16]太子。太子不知所对，请与萧妃[17]离婚。

上召李泌告之，且曰："舒王[18]近已长立，孝友温仁。"泌曰："何至于是！陛下惟有一子[19]，奈何一旦疑之，欲废之而立侄，得无失计乎！"上勃然怒曰："卿何得间人父子！谁语卿舒王为侄者！"对曰："陛下自言之。大历初，陛下语臣：'今日得数子。'臣请其故，陛下言：'昭靖诸子，主上令吾子之。'今陛下所生之子犹疑之，何有于侄！舒王虽孝，自今陛下宜努力，勿复望其孝矣！"上曰："卿不爱家族乎？"对曰："臣惟爱家族，故不敢不尽言。若畏陛下盛怒而为曲从[20]，陛下明日悔之，必尤臣[21]云：'吾独任汝为相，不力谏，使至此，必复杀而子[22]。'臣老矣，余年不足惜，若冤杀臣子，使臣以侄为嗣，臣未知得歆其祀[23]乎？"因呜咽流涕[24]。上亦泣曰："事已如此，使朕如何而可？"对曰："此大事，愿陛下审图之[25]。臣始谓陛下圣德，当使海外蛮夷皆戴之如父母，岂谓自有子而疑之至此乎！臣今尽言，不敢避忌讳。自古父子相疑，未有不亡国覆家者。陛下记昔在彭原，建宁何故而诛[26]？"上曰："建宁叔实冤，肃宗性急，谮之者深耳。"泌曰："臣昔以建宁之故，固辞官爵，誓不近天子左右。不幸今日复为陛下相，又睹兹事。臣在彭原，承恩无比，竟不敢言建宁之冤，及临辞[27]乃言之，肃宗亦悔而泣[28]。先帝自建宁之死，常怀危惧，臣亦为先帝诵《黄台瓜辞》[29]以防谗构之端。"上曰："朕固知之。"意色稍解，乃曰："贞观、

的人。”德宗又想让柳浑担任诸王的师傅，李泌请求让柳浑担任常侍一职。德宗说：“只要能罢免柳浑的宰相职务，没有不可以的。”八月初九日己丑，德宗罢免了柳浑的宰相职务，降职为左散骑常侍。

当初，郜国大长公主嫁给了驸马都尉萧升，萧升是萧复的堂兄弟。郜国大长公主的行为不检点，詹事李昪、蜀州别驾萧鼎、彭州司马李万、丰阳县令韦恪等人，都出入她的私宅。她的女儿做了太子的妃子，最初德宗对她的恩典和礼仪非常厚重，她经常坐着轿子到东宫，皇室的宗亲外戚都痛恨她。有人告发她淫乱，而且用巫术诅咒皇上。德宗大怒，将郜国大长公主囚禁在宫中，严厉斥责皇太子。太子不知道该怎么回答，请求与萧妃离婚。

德宗召来李泌，把这件事告诉了他，而且说：“舒王近来已经长大成人，孝顺友爱，温和仁爱。”李泌说：“怎么会到这种地步呢！陛下只有一个儿子，怎么能一时对儿子有怀疑之心，就想废黜而册立侄儿为太子，这恐怕很失策吧！”皇帝勃然大怒，说：“卿怎么能离间我们父子！谁对卿说舒王是我的侄儿！”李泌回答说：“这是陛下自己说的。大历初年，陛下对臣说：‘今天我得了几个儿子。’臣问陛下说这话的缘故，陛下说：‘昭靖太子的几个儿子，皇上命令我把他们当自己的儿子抚养。’现在陛下对亲生的儿子还怀疑，那对侄儿又会怎么样！舒王虽然很孝顺，如果今天将其立为太子，陛下日后还是自己勉力而为，不要再指望舒王孝顺了！”德宗说：“卿不爱惜自个的家族吗？”李泌回答说：“臣正是爱惜臣的家族，所以不敢不把要说的话说完。如果臣害怕陛下盛怒而屈从陛下，陛下今后对做这事后悔了，一定会怪罪臣说：‘我专任你一人为宰相，不极力劝谏，使事情到这种地步，朕一定也要把你的儿子杀死。’臣已经老了，剩下的晚年没有什么值得顾惜的，如果陛下冤枉地杀了臣的儿子，让臣以侄儿作为后嗣，臣不知道将来还能否享受到养子的祭祀？”说着就呜呜咽咽地流下了眼泪。德宗也哭泣着说：“事情已经如此，让朕怎么办才好呢？”李泌说：“这是大事，希望陛下审慎地考虑处理太子废立之事。臣最初还说陛下圣德，会使大唐以外的蛮夷之邦都如爱戴他们的父母一样爱戴陛下，哪知道陛下自己有儿子，而对他怀疑到如此地步呢！臣今天把话说完了，不敢避开陛下的忌讳。自古以来，父子相疑，没有不亡国败家的。陛下还记得从前朝廷在彭原的时候，建宁王是什么缘故被诛杀？”德宗说：“建宁叔叔实在冤枉，肃宗性子急躁，谮毁的人心计太深罢了。”李泌说：“臣从前因为建宁王被冤杀的缘故，坚决辞掉了官爵，发誓不靠近天子的左右。不幸的是，臣现在又做了陛下的宰相，又目睹了这件事。臣在彭原时，承蒙肃宗皇帝无可比拟的恩宠，但最终不敢说建宁王的冤情，到辞别肃宗时才说出来，肃宗皇帝也后悔得哭了。自从建宁王死了以后，先皇帝常常心怀危惧，臣也为先皇帝诵读《黄台瓜辞》这篇文章，以防止进谗言诬陷的事情出现。”德宗说：“我确实知道这些事情。”态度和脸色稍稍缓和了一点，于是问道：“本朝贞观、开元年间都改

开元皆易太子[30]，何故不亡？”对曰：“臣方欲言之。昔承乾屡尝监国[31]，托附者众，东宫甲士甚多，与宰相侯君集谋反[32]，事觉，太宗使其舅长孙无忌与朝臣数十人鞫[33]之，事状显白，然后集百官而议之。当时言者犹云：‘愿陛下不失为慈父，使太子得终天年。’太宗从之，并废魏王泰[34]。陛下既知肃宗性急，以建宁为冤，臣不胜庆幸。愿陛下戒覆车之失，从容三日，究其端绪而思之，陛下必释然知太子之无他矣。若果有其迹，当召大臣知义理者二十人与臣鞫其左右，必有实状，愿陛下如贞观之法行之，并废舒王而立皇孙，则百代之后，有天下者犹陛下子孙也。至于开元之末，武惠妃谮太子瑛兄弟杀之[35]，海内冤愤，此乃百代所当戒，又可法乎！且陛下昔尝令太子见臣于蓬莱池[36]，观其容表，非有蜂目豺声商臣[37]之相也，正恐失于柔仁[38]耳。又，太子自贞元以来常居少阳院[39]，在寝殿[40]之侧，未尝接外人，预外事，安有异谋乎！彼谮人者巧诈百端[41]，虽有手书如晋愍怀[42]，衷甲如太子瑛[43]，犹未可信，况但以妻母有罪[44]为累乎！幸陛下语臣，臣敢以家族保太子必不知谋[45]。向使杨素、许敬宗、李林甫之徒承此旨，已就舒王图定策之功矣[46]！”上曰：“此朕家事，何豫于卿，而力争如此？”对曰：“天子以四海为家，臣今独任宰相之重，四海之内，一物失所，责归于臣；况坐视太子冤横而不言，臣罪大矣。”上曰：“为卿迁延至明日思之。”泌抽笏叩头而泣，曰：“如此，臣知陛下父子慈孝如初矣！然陛下还宫，当自审思，勿露此意于左右。露之，则彼皆欲树功于舒王，太子危矣。”上曰：“具晓卿意。”泌归，谓子弟曰：“吾本不乐富贵，而命与愿违，今累汝曹矣。”

太子遣人谢泌曰：“若必不可救，欲先自仰药[47]，何如？”泌曰：“必无此虑，愿太子起敬起孝。苟泌身不存，则事不可知耳。”

间一日[48]，上开延英殿[49]独召泌，流涕阑干[50]，抚其背曰：“非卿切

立过太子，为什么没有亡国？”李泌回答说：“臣正要对陛下说这件事。从前太子承乾多次代为处理国政，投靠归附他的人众多，东宫卫士又十分多，与宰相侯君集一起谋划造反，事情被发觉以后，太宗让太子的舅舅长孙无忌与朝廷大臣几十个人审问，事情的前后经过调查得清清白白，然后太宗召集满朝文武大臣讨论这事件。当时的言官还说：‘希望陛下不失为慈父，让太子能够天年而终。’太宗皇帝听从了这一意见，将太子连同魏王李泰都一起废为庶人。陛下已经知道肃宗性情急躁，认为建宁王死得冤枉，臣认为这是万分值得庆幸的。希望陛下以从前失败的教训作为鉴戒，宽缓三天，抓住这一事件的各个头绪来思考，陛下就一定会豁然明白太子没有二心了。如果太子果然有犯上的行迹，陛下应该召集大臣中深明义理的二十人，与臣一起审问太子身边的人，如果确有其事，希望陛下仿效贞观年间太宗皇帝的办法来处置，将太子连同舒王一起废为庶人，而立皇孙为继承人，那么百世之后，拥有天下的人还是陛下的子孙。至于开元末年，武惠妃诬陷太子李瑛兄弟，杀了他们，天下人感到冤枉和愤怒，世世代代应该引为鉴戒，又怎么能够效仿呢！而且陛下从前曾经让太子在蓬莱池见过臣，臣观察太子的容颜仪表，没有蜂眼外突、声如豺狼的商臣之相，臣正担心太子失于柔弱仁慈。另外，太子自从贞元年间以来经常住在少阳院，就在陛下寝殿的旁边，不曾与外边的人交往、参与外界的事情，怎么会有犯上作乱的企图呢？那些诬陷别人的人机巧奸诈，手段百出，即便是像西晋元康年间愍怀太子手写的反书，本朝开元年间的太子李瑛身披铠甲进入皇宫，这样犯上作乱的事情还都不可相信，何况现在的太子只是因为岳母有罪受到牵连呢！幸亏陛下把这事告诉臣，臣敢以全家族人的性命担保太子一定不知道这其中的谋划。如果碰上杨素、许敬宗、李林甫之辈秉承陛下改立太子的旨意，他们早已到舒王那里去谋取改立太子计策的功劳了！”德宗说：“这是朕家庭的私事，与卿有什么相干，而要这样力争呢？”李泌回答说：“天子以四海为家，臣一个人单独承担宰相的重任，四海之内，一件事处理不好，责任就在臣的身上；何况是眼睁睁地看着太子横遭冤枉而不说话，那臣的罪过就太大了。”德宗说：“看在卿的面子上，这件事推迟到明天思考处置。”李泌抽出上朝笏板，向德宗磕头哭泣，说道：“陛下这样做，臣就知道陛下父子之间父慈子孝，犹如当初了！但是陛下回宫之后，应当独自认真思考，不要把这个意思向左右侍从们透露。如果透露出这事，那么，那些左右侍从们都想在舒王面前树立功劳，太子就危险了。”德宗说：“卿说的意思朕全懂了。”李泌回到自己家里，对他的子弟们说：“我本来不喜欢富贵，但命运与愿望相违背，现在连累你们了。”

太子派人向李泌道谢说：“如果一定不能挽救的话，我想先饮药自杀，你看怎么样？”李泌说：“一定不要有这种考虑，希望太子对陛下谨奉孝敬之道。假如我不在了，就不知道这事情会成一个什么样子了。”

隔了一天后，德宗开启了延英殿，单独召见李泌，德宗泪流满面，抚摸着李泌

言，朕今日悔无及矣！皆如卿言，太子仁孝，实无他也。自今军国及朕家事，皆当谋于卿矣！”泌拜贺，因曰：“陛下圣明，察太子无罪，臣报国毕矣[51]！臣前日惊悸亡魂[52]，不可复用[53]，愿乞骸骨。”上曰：“朕父子赖卿得全，方属子孙[54]，使卿代代富贵以报德，何为出此言乎！”

甲午[55]，诏李万不知避宗[56]，宜杖死。李昪等及公主五子，皆流岭南及远州[57]。

---

【段旨】

以上为第一段，写柳浑忠直而被罢相。李泌亦直言护佑太子，临难不屈，竟获成功。

【注释】

①辛巳朔：八月初一日。②却：遣退前来的吐蕃人。③节言：少说话。④重位：宰相高位。⑤文雅酝藉：斯文儒雅，含蓄宽容。酝，通“缊”“蕴”。藉，亦作“籍”。⑥质直轻侻：朴实直爽，轻率简易。⑦无威仪：无庄重的仪容举止。⑧时发俚语：经常说出一些粗俗话。⑨欲黜为王府长史：想贬为王府的长史。王府长史，掌王府事，闲散官。⑩王傅：唐王府置傅一人，从三品，掌辅正过失。⑪己丑：八月初九日。⑫驸马都尉：官名，汉时为皇帝近侍，奉车都尉之副，魏晋以后为公主夫婿称号，闲职。⑬萧升：萧复堂弟，为郜国长公主的再嫁丈夫，早卒。事略载《新唐书》卷一百一《萧复传》。⑭主女为太子妃：公主之女为皇太子李诵之妃。李诵后即位为顺宗皇帝。⑮厌祷：用巫术诅咒使人遭灾，又称厌胜之术。此指郜国长公主诅咒德宗。⑯切责：严厉申斥。⑰萧妃：太子妃萧氏。后太子病，萧妃被杀以厌灾。⑱舒王：原名李谟，更名谊，原是德宗弟昭靖太子李邈之子，德宗养以为子。⑲陛下惟有一子：德宗共有十一子，养子二人，亲子九人。唯有一子，指正宫皇后只生了太子李诵一人。⑳曲从：违背心意而顺从皇上。㉑尤臣：怪罪臣。㉒必复杀而子：一定也要把你的儿子杀死。而，汝。㉓歆其祀：享受养子的祭祀。㉔呜咽流涕：李泌以情感动德宗。顺宗为太子之得以不被废，实赖李泌之力。㉕审图之：审慎地考虑处理废立太子之事。㉖建宁何故而诛：此指肃宗诛建宁王。建宁王李倓为肃宗第三子，扈卫肃宗即位灵武，甚有功，为宦官李辅国和肃宗宠妃张良娣所构，在彭原县被肃宗所杀。事见本书卷第二百十九肃宗至德二载（公元七五七年）。

的背说："如果不是卿深切之言，朕今天连后悔都来不及了！一切都如同卿说的那样，太子仁爱孝顺，实在是没有二心。从今以后，军事和政事以及朕的家事，全应该与卿一起商量了！"李泌向德宗行礼祝贺，乘机说："陛下神圣英明，查明了太子无罪，臣报效国家就到此为止了！臣前日心惊胆战，失魂落魄，不能再任用，希望陛下准许我告老还乡。"德宗说："朕父子之间的关系全靠卿才得以保全，朕正要把子孙托付给你，让你的一代一代子孙富贵，以报答卿的大德，卿为什么说出这种话来呢！"

八月十四日甲午，德宗下诏说：李万不知道回避同宗女眷，应该被杖刑处死。李昇等人以及郜国大长公主的五个儿子，都流放到岭南和遥远的州县。

---

建宁王李倓为德宗之叔，他的冤死，德宗了然于胸，故李泌言此以警之。㉗临辞：李泌辞别肃宗。㉘肃宗亦悔而泣：事载本书卷第二百二十肃宗至德二载（公元七五七年）九月。㉙《黄台瓜辞》：武则天欲临朝，毒杀太子李弘，而立次子李贤。李弘、李贤皆武则天所生亲子。李贤忧恐，作《黄台瓜辞》欲以感动高宗及则天皇后。其辞曰："种瓜黄台下，瓜熟子离离。一摘使瓜好，再摘令瓜稀。三摘尚云可，四摘抱蔓归。"李泌为肃宗颂此辞，其后谗构不得行；为德宗言其事，太子李诵得以不废，可谓善谏君矣。㉚贞观、开元皆易太子：贞观，指唐太宗在贞观十七年（公元六四三年）废太子承乾。开元，指唐玄宗在开元二十五年（公元七三七年）废太子瑛。㉛监国：皇帝出征或出巡，太子代理国政，称监国。㉜谋反：唐太宗时，太子李承乾惧废，与唐开国功臣侯君集等密谋，策划重演玄武门之变，事发，太子承乾被废，侯君集等被诛。㉝鞫：审讯。太子承乾谋反事发，由其舅宰相长孙无忌等会审。㉞并废魏王泰：魏王李泰，太宗第四子，与太子承乾和太宗第九子高宗李治为皇后长孙氏一母所生。魏王李泰阴谋夺嫡，逼使太子造反，故王位被废。事见本书卷第一百九十七太宗贞观十七年（公元六四三年）。后李治为太子，即位为高宗。㉟武惠妃谮太子瑛兄弟杀之：武惠妃，玄宗宠妃，生寿王李瑁，日进谗言使玄宗废杀太子瑛，同时冤杀鄂王瑶、光王琚。唐玄宗易太子而并杀三子，事见本书卷第二百十四玄宗开元二十五年（公元七三七年）。玄宗长子琮早夭，第二子太子瑛被废杀，后第三子李亨为太子，即位为肃宗。㊱蓬莱池：在大明宫中蓬莱殿北，池中有蓬莱山，山上建蓬莱阁，为李泌所居。㊲商臣：春秋时楚穆王，楚成王太子。成王将立太子商臣时，谘访令尹子上，子上曰："是人（指商臣）也，蜂目而豺声，忍人也，不可立也。"楚成王不听。其后商臣果以宫甲围弑成王。事见《左传》文公元年。蜂目豺声，指形貌凶恶，眼睛外突，声如豺狼鸣叫。㊳柔仁：柔弱仁慈。㊴少阳院：在大明宫内，浴堂殿之东，温室殿西南。㊵寝殿：皇帝所居之殿。德宗常居浴堂殿。㊶彼谮人者巧诈百端：那些蓄谋诬陷别人的人，机巧奸诈，手段百出。㊷手书如晋愍怀：西晋惠帝贾后谗害愍怀

太子，召入宫中，劝酒使醉，让照抄事先拟好的逼宫反书，成为废太子的罪证。事见本书卷第八十三晋惠帝元康九年（公元二九九年）。㊸衷甲如太子瑛：开元二十五年，武惠妃使人诡召太子瑛、鄂王瑶、光王琚，说“宫中有贼，请甲以入”。太子瑛等听从，武惠妃密告于唐玄宗，称“太子、二王谋反，甲而来！”玄宗受蒙蔽而废太子及二王。衷甲，裹甲。㊹妻母有罪：太子诵妻母郜国长公主有淫行之罪。李泌认为不足以牵累太子。妻母，岳母。㊺不知谋：指太子李诵不知妻母与李万等淫乱之事。㊻向使杨素、许敬宗、李林甫之徒承此旨二句：意谓要是让从前的杨素、许敬宗、李林甫这班人得到陛下更替太子的圣旨，他们已经到舒王那里去谋划拥立新太子的功劳了。杨素，隋代大臣，支持隋炀帝夺嫡。许敬宗，高宗时大臣，支持武则天夺正宫。李林甫，玄宗时宰相，助武惠

---

【原文】

戊申[58]，吐蕃帅羌、浑[59]之众寇陇州[60]，连营数十里，京城震恐。九月丁卯[61]，遣神策将石季章戍武功[62]，决胜军使唐良臣戍百里城[63]。丁巳[64]，吐蕃大掠汧阳、吴山、华亭[65]，老弱者杀之，或断手凿目，弃之而去。驱丁壮万余悉送安化峡[66]西，将分隶羌、浑，乃告之曰：“听尔东向哭辞乡国[67]！”众大哭，赴崖谷死伤者千余人。未几，吐蕃之众复至，围陇州，刺史韩清沔与神策副将苏太平夜出兵击却之。

上谓李泌曰：“每岁诸道贡献，共直钱五十万缗，今岁仅得三十万缗。言此诚知失体[68]，然宫中用度殊不足[69]。”泌曰：“古者天子不私求财，今请岁供[70]宫中钱百万缗，愿陛下不受诸道贡献及罢宣索[71]。必有所须，请降敕折税[72]，不使奸吏因缘诛剥[73]。”上从之。

回纥合骨咄禄可汗[74]屡求和亲，且请婚[75]，上未之许。会边将告乏马，无以给之，李泌言于上曰：“陛下诚用臣策，数年之后，马贱于今十倍矣。”上曰：“何故？”对曰：“愿陛下推至公之心，屈己徇人[76]，为社稷大计，臣乃敢言。”上曰：“卿何自疑若是？”对曰：“臣愿陛下北和回纥，南通云南，西结大食[77]、天竺[78]。如此，则吐蕃自困，马亦易致矣。”上曰：

妃为逆谋。㊼仰药：饮药自杀。㊽间一日：隔了一天。㊾开延英殿：延英殿为皇帝在内廷议政的主要殿所。皇帝有特命，或中书省有重要公事，则通过一定的程序开延英殿，只由皇帝与宰辅议事，称“开延英殿”或“延英殿召对”。㊿阑干：涕泪纵横貌。(51)臣报国毕矣：臣报效国家就到此为止了。(52)惊悸亡魂：心惊胆战，失魂落魄。(53)不可复用：不能再任用。(54)方属子孙：朕正要把子孙托付给你。(55)甲午：八月十四日。(56)避宗：回避同宗。李万与郜国长公主私通，皆为李姓，是不避宗，违犯礼教，罪至死。(57)李昇等及公主五子二句：李昇本姓鲜于，赐姓李，故与郜国长公主本不同宗，又有宿卫功，于是为流刑。萧鼎、韦恪及公主子皆为流刑。

---

## 【语译】

八月二十八日戊申，吐蕃率领西羌和吐谷浑的兵众侵犯陇州，营寨连绵几十里，京城长安震恐。九月十七日丁卯，德宗派遣神策军的将领石季章守卫武功县，决胜军使唐良臣守卫百里城。初七日丁巳，吐蕃的军队在汧阳县、吴山县、华亭县大肆抢掠，杀死老弱病残的人，有的人被砍断手臂，挖去眼珠，被弃离去。吐蕃的军队驱赶丁壮一万多人全部送到安化峡的西边，将要把他们分属羌族、吐谷浑，于是告诉他们说：“准许你们向东方哭泣，辞别家乡故国！”被抓来的人大哭，跳到悬崖下和山谷中，死伤一千余人。不久，吐蕃的大批人马又来了，包围了陇州城，陇州刺史韩清沔和神策军的副将苏太平夜晚出兵打退了吐蕃的军队。

德宗对李泌说：“每年各道贡献给宫内的物品，一共价值五十万缗钱，今年仅仅得到三十万缗。说这件事，我确实知道有失体统，但宫中的用度实在是不够。”李泌说：“古时候，天子不私自求取钱财，现在请准许每年给宫中提供一百万缗钱，希望陛下不接受各道进贡，并停止派中使宣旨求取财物。如果宫中有一定需要用的东西，请陛下下达敕令，将这些东西按价折合成税钱，不让奸邪的贪官污吏借机搜刮盘剥钱财。”德宗听从了李泌的建议。

回纥的合骨咄禄可汗多次向唐朝政府请求和好，而且向唐朝皇室求婚，德宗没有答应他。正好这时边将上报朝廷说缺少马匹，朝廷没有马匹给他们，李泌对德宗说：“如果陛下下决心采纳我的计策，几年以后，马匹的价钱要比现在便宜十倍。”德宗说：“这又是什么缘故呢？”李泌回答说：“希望陛下用最公正的态度对待这件事，委屈自己，顺从别人，为了国家的根本大计，我才敢说出来。”德宗说：“卿为何这样自我疑虑？”李泌回答说：“臣希望陛下在北边和好回纥，在南边勾通云南，西边结交大食、天竺。这样，吐蕃就会自己陷于困窘的境地，马匹也容易买到了。”德宗说：

“三国当如卿言，至于回纥则不可。”泌曰：“臣固知陛下如此，所以不敢早言⑲。为今之计，当以回纥为先，三国差缓⑳耳。”上曰：“唯回纥卿勿言。”泌曰：“臣备位宰相，事有可否在陛下，何至不许臣言！”上曰：“朕于卿言皆听之矣。至于和[1]回纥，宜待子孙，于朕之时，则固不可。”泌曰：“岂非以陕州之耻邪？”上曰：“然。韦少华㉑等以朕之故受辱而死，朕岂能忘之。属国家多难，未暇报之，和则决不可，卿勿更言。”泌曰：“害少华者乃牟羽可汗。陛下即位，举兵入寇，未出其境，今合骨咄禄可汗杀之。然则今可汗乃有功于陛下，宜受封赏，又何怨邪！其后张光晟杀突董㉒等九百余人，合骨咄禄竟不敢杀朝廷使者㉓，然则合骨咄禄固无罪矣。”上曰：“卿以和回纥为是，则朕固非邪㉔？”对曰：“臣为社稷而言。若苟合取容㉕，何以见肃宗、代宗于天上㉖！”上曰：“容朕徐思之㉗。”

自是泌凡十五余对，未尝不论回纥事，上终不许。泌曰：“陛下既不许回纥和亲，愿赐臣骸骨。”上曰：“朕非拒谏，但欲与卿较理耳，何至遽欲去朕邪！”对曰：“陛下许臣言理，此固天下之福也。”上曰：“朕不惜屈己与之和，但不能负少华辈。”对曰：“以臣观之，少华辈负陛下，非陛下负之也。”上曰：“何故？”对曰：“昔回纥叶护将兵助讨安庆绪㉘，肃宗但令臣宴劳之于元帅府，先帝㉙未尝见也。叶护固邀臣至其营，肃宗犹不许。及大军将发，先帝始与相见㉚。所以然者，彼戎狄豺狼也，举兵入中国之腹，不得不过为之防也。陛下在陕，富于春秋，少华辈不能深虑，以万乘元子㉛径造其营㉜，又不先与之议相见之仪，使彼得肆其桀骜，岂非少华辈负陛下邪？死不足偿责矣。且香积之捷㉝，叶护欲引兵入长安，先帝亲拜之于马前以止之，叶护遂不敢入城。当时观者十万余人，皆叹息曰：‘广平真华、夷主也！’然则先帝所屈者少，所伸者多矣。叶护乃牟羽之叔父也。牟羽身为可汗，举全国之兵赴中原之难，故其志气骄矜，敢责礼于陛下。陛下天资神武，

"与云南、大食、天竺三个国家的关系，就按卿说的办，至于回纥，那不可以。"李泌说："臣本来就知道陛下是这种态度，所以不敢早说。为今天的形势考虑，应当以回纥为先，其余三国可以稍稍推后一些。"德宗说："唯有与回纥的关系，卿不要谈。"李泌说："臣备位宰相，事情可行与不可行，在于陛下，何至于不许臣说话！"德宗说："朕对卿的话全都听从了。至于与回纥和好，应该留待朕的子孙来解决，朕在位期间，则是绝不可能的。"李泌说："这难道不是因为在陕州受到回纥的耻辱吗？"德宗说："是的。韦少华等人因为朕的缘故，受到回纥人的侮辱而死，朕怎么能忘了这件事。当前正值国家多灾多难，没有时间报这个仇，与他们和好则绝不可能，卿不要再说了。"李泌说："杀害韦少华的是牟羽可汗。陛下即位以后，牟羽可汗率领大军入侵，还没有走出自己的境内，现在的合骨咄禄可汗杀了他。这样说来，现在的可汗合骨咄禄对陛下有功，应该受封爵和赏赐，又怎么能怨恨呢！后来张光晟杀了回纥的使者突董等九百余人，合骨咄禄始终不敢杀害朝廷的使者，这样看来，合骨咄禄本来就没什么罪过了。"德宗说："卿认为与回纥和好是对的，那朕当然是不对的了？"李泌回答说："臣是为国家说这些话。如果臣曲意迎合陛下，以求容身，臣用什么到天上去见肃宗皇帝和代宗皇帝呢！"德宗说："让朕慢慢思考。"

从此李泌与德宗奏问对答共十五次有余，每次李泌未曾不讨论与回纥的事情，德宗始终不允许。李泌说："既然陛下不答应同回纥和好，那就请准许臣告老还乡。"德宗说："朕不是拒绝劝谏，只是想与卿把其中的道理论清楚罢了，何必要马上离开朕呢！"李泌回答说："陛下允许臣讲道理，这实在是天下人的福气啊。"德宗说："朕不惜委屈自身，与回纥建立和好关系，但不能对不起韦少华这些人。"李泌说："按照臣的看法，是韦少华等人对不起陛下，不是陛下对不起他们。"德宗说："这是什么原因？"李泌回答说："从前回纥的叶护率兵帮助朝廷讨伐安庆绪，肃宗皇帝只让臣在元帅府里设宴慰劳他们，身为元帅的先帝代宗皇帝未曾接见叶护。叶护坚持邀请臣到他的军营中做客，肃宗皇帝还是不答应。等到大军将要出发时，先皇帝才出来与叶护相见。之所以这样做，因为回纥是戎狄，豺狼成性，大举发兵进入唐朝的腹地，我们不能不对他们做过分的防备。陛下在陕州时，年轻，韦少华等人没能深思熟虑，就引着皇帝太子直接到回纥军营，又不事先与回纥人商议好见面的礼仪，以至于让回纥人得以放肆，为所欲为，这难道不是韦少华等人对不起陛下吗？他们死了也不足以偿清罪责啊。而且，香积寺之捷，叶护想带领回纥兵进入长安城内，先皇帝亲自下拜在叶护的马前，来阻止回纥军，叶护于是不敢进入长安城。当时围观的有十万多人，他们都感慨地说：'广平王真是我华夏与蛮夷之族的共主啊！'这样看来，先皇帝屈尊的地方少，得偿所愿的地方多。叶护是牟羽可汗的叔叔。牟羽身为回纥的可汗，带领他们国内的全部兵力奔赴中原地区的祸难，所以心志十分傲慢自大，敢于向陛下要求礼遇。陛下天资神明英武，没有被其压力所屈服。在那个时候，臣

不为之屈⑭。当是之时，臣不敢言其他。若可汗留陛下于营中，欢饮十日，天下岂得不寒心⑮哉！而天威所临，豺狼⑯驯扰⑰，可汗母捧陛下于貂裘，叱退左右，亲送陛下乘马而归。陛下以香积之事⑱观之，则屈已⑲为是乎？不屈为是乎？陛下屈于牟羽乎？牟羽屈于陛下乎？"上谓李晟、马燧曰："故旧不宜相逢。朕素怨回纥，今闻泌言香积之事，朕自觉少理，卿二人以为何如？"对曰："果如泌所言，则回纥似可恕⑳。"上曰："卿二人复不与朕㉑，朕当奈何？"泌曰："臣以为回纥不足怨，向来宰相㉒乃可怨耳。今回纥可汗杀牟羽，其国人有再复京城之勋㉓，夫何罪乎！吐蕃幸国之灾㉔，陷河、陇数千里之地，又引兵入京城，使先帝蒙尘于陕㉕，此乃百代[2]必报之仇，况其赞普至今[3]尚存㉖，宰相不为陛下别白言此，乃欲和吐蕃以攻回纥，此为可怨耳。"上曰："朕与之为怨已久，又闻吐蕃劫盟，今往与之和，得无复拒我，为夷狄之笑乎？"对曰："不然。臣曩在彭原，今可汗为胡禄都督，与今国相白婆帝皆从叶护而来，臣待之颇亲厚，故闻臣为相而求和，安有复相拒乎！臣今请以书与之约：称臣，为陛下子㉗，每使来不过二百人，印马㉘不过千匹，无得携中国人及商胡出塞。五者㉙皆能如约，则主上必许和亲。如此，威加北荒，旁詟㉚吐蕃，足以快陛下平昔之心矣！"上曰："自至德㉛以来，与为兄弟之国㉜，今一旦欲臣之，彼安肯和乎？"对曰："彼思与中国和亲久矣，其可汗、国相素信臣言㉝。若其未谐㉞，但应再发一书㉟耳。"上从之。

既而回纥可汗遣使上表称儿及臣，凡泌所与约五事，一皆听命。上大喜，谓泌曰："回纥何畏服卿如此？"对曰："此乃陛下威灵，臣何力焉！"上曰："回纥则既和矣，所以招云南、大食、天竺奈何？"对曰："回纥和，则吐蕃已不敢轻犯塞矣。次招云南，则是断吐蕃之右臂也。云南自汉以来臣属中国㊱，杨国忠无故扰之使叛，臣于吐蕃㊲，苦于吐蕃赋役重，未尝一日不思复为唐臣也。大食在西域为最强，自葱岭尽西海，地几半天下㊳，与天竺皆慕中国，代与吐蕃为仇，臣故知其可招也。"

不敢说别的什么。如果牟羽可汗把陛下留在回纥军营中，欢饮十天，天下人对陛下岂能不寒心啊！而陛下的天威所至之处，豺狼顺从，牟羽可汗的母亲双手捧着貂皮裘衣献给陛下，斥退牟羽可汗身边的人，亲自送陛下骑马而回。陛下就拿香积寺这一事来看，那么委屈的说法对呢？还是没有委屈的说法对呢？是陛下向牟羽可汗屈服了呢？还是牟羽可汗向陛下屈服了呢？”德宗对在场的李晟、马燧说：“过去的旧友最好不要相逢。朕一直怨恨回纥，现在听李泌所谈香积寺之事，朕自己感觉到有些理亏，你们二人有什么看法吗？”李晟、马燧回答说：“如果真的像李泌说的那样，那回纥似乎是可以宽恕的。”德宗说：“你们二人也不支持朕，那朕该怎么办呢？”李泌说：“臣认为回纥人不值得怨恨，近年来的宰相们才是值得怨恨的。现任的回纥可汗杀了牟羽，而他们的国人有两次帮助朝廷收复京城的功劳，那他们有什么罪过呢！吐蕃庆幸我们国内出现灾祸，乘机攻陷了河西、陇右几千里的地方，又带兵进入京城，使先皇帝代宗蒙尘，流落陕州，这才是百世必报的仇恨，况且吐蕃的赞普至今还活着，前任宰相们不向陛下讲清楚这些，还想和好吐蕃来攻打回纥，这才是可怨恨的啊。”德宗说：“朕与回纥人结怨已经很久了，他们又听说吐蕃劫持了我们的会盟使者，现在前去与回纥人和好，他们会不会又拒绝我们，我们会不会被夷狄耻笑呢？”李泌回答说：“不会这样的。臣从前在彭原时，现今的可汗担任胡禄都督，与现任国相白婆帝都跟着叶护前来中原，臣对待他们都很亲善、优厚，所以他们听说臣担任宰相后就要求和好，怎么会又拒绝和好呢！臣现在请陛下让我写信与他们相约：让可汗向朝廷称臣；做陛下的儿子；每次派使者来朝，随从人员不超过二百人；互市的印马不超过一千匹；不得携带中原地区的人以及胡族的商人出塞。如果能够遵守这五条规定，那么陛下一定会答应和亲。这样，陛下的威严就可以施加于北部荒野的地区，侧部可以震慑吐蕃人，足以让陛下平时对这两地的劳虑之心大快了！”德宗说：“从至德年间以来，我们与回纥为兄弟之国，现在一旦想让他们称臣，他们怎么肯和好呢？”李泌回答说：“他们想与中原和亲已经很久了，他们的可汗、国相一向相信臣说的话。如果有未妥之处，只应再给他们送一封信就行了。”德宗听从了李泌的建议。

不久，回纥可汗派遣使者向德宗上表自称儿子和臣属，凡是李泌与他们相约定的五件事，一概服从。德宗大为高兴，对李泌说：“回纥人为什么这样害怕和服从卿呢？”李泌回答说：“这是陛下的声威和神明，臣有什么力量！”德宗说：“回纥人已经与我们和好了，那要采取什么办法去招服云南、大食、天竺呢？”李泌回答说：“与回纥和好了，那么吐蕃已经不敢轻易地侵犯我们的边境了。接着招抚云南，那就是斩断了吐蕃的右臂。云南从汉朝以来臣属中国，杨国忠无缘无故骚扰他们，让他们背叛了朝廷，向吐蕃称臣，他们苦于吐蕃的赋税和力役繁重，没有一天不想再做大唐的臣属。大食在西域各国中力量最为强盛，从葱岭到西海，疆域几乎占了天下的一半。大食与天竺都仰慕中国，世代与吐蕃为仇，所以臣知道他们都是可以招抚的。”

癸亥[119]，遣回纥使者合阙将军归，许以咸安公主[120]妻可汗，归其马价绢五万匹。

---

【段旨】

以上为第二段，写李泌劝谏德宗与回纥释嫌通好，重结和亲。

【注释】

㊿戊申：八月二十八日。⑲羌浑：西羌及吐谷浑。⑳陇州：州名，治所在今陕西陇县。㉑丁卯：九月十七日。㉒武功：县名，县治在今陕西武功西北。㉓百里城：又省称百城。遗址在今甘肃灵台西。㉔丁巳：九月初七日。此处行文并非倒叙，疑丁巳为己巳之误。己巳，九月十九日。㉕汧阳、吴山、华亭：皆县名。汧阳、吴山两县在陇州东南，汧阳县治在今陕西千阳，吴山县治在汧阳南。华亭县在陇州之北，今属甘肃。㉖安化峡：山谷名，汧阳、吴山、华亭，三县在陇山之东，安化峡当在陇山之西清水县境内，为三县越陇山西行的总路口。㉗乡国：故乡之国；祖国。㉘失体：有失君王尊严的体统。皇帝向各道求索赋外贡献，此为唐代弊政之一，故李泌请罢之。㉙殊不足：很不够用。㉚岁供：每年供给。㉛宣索：宣旨求索；皇帝派中使向政府主管部门宣旨调取财物。㉜必有所须二句：宫中有一定需要的物品，请陛下发敕令，把这些物品按价折合成税钱。㉝因缘诛剥：借机搜刮盘剥钱财。罢除贡献，也就免除了奸吏的因缘诛剥。㉞合骨咄禄可汗：原回纥宰相顿莫贺达干，主张与唐和亲而与牟羽可汗发生政治分歧，于是杀牟羽可汗而自立。事在德宗建中元年。在陕州辱德宗的可汗即牟羽可汗。㉟请婚：向唐求婚。㊱屈己徇人：委屈自己，顺从别人。指德宗忘旧耻而允从回纥和亲。㊲大食：波斯文译音，即阿拉伯帝国。㊳天竺：指古代印度。㊴不敢早言：不敢早劝陛下与回纥结和。李泌不敢早言之因，见上卷贞元三年七月。㊵差缓：稍稍靠后。㊶韦少华：德宗为雍王兼天下兵马大元帅时，韦少华为中书舍人充元帅判官，在陕州为保护德宗被回纥牟羽可汗杖杀。事见本书卷二百二十二代宗宝应元年(公元七六二年)。㊷张光晟杀突董：振武留后张光晟杀回纥使者突董等九百人，事见本书卷第二百二十六德宗建中元年(公元七八〇年)。㊸合骨咄禄竟不敢杀朝廷使者：张光晟杀突董后，德宗派源休为使送丧回纥，合骨咄禄不愿再与唐结仇，阻止宰相杀唐使。事见本书卷第二百二十七德宗建中三年(公元七八二年)。㊹朕固非邪：朕当然就是不对的了。㊺苟合取容：曲意迎合，以求容身。㊻天上：凡人死应说见于地下，见于黄泉；尊称天子，则说见于天上，谓皇帝

九月十三日癸亥，德宗送回纥的使者合阙将军回去，答应把咸安公主嫁给可汗为妻，并用五万匹绢偿还回纥以前的马价。

---

之灵在天上。㊇徐思之：慢慢思考这件事。㊈叶护将兵助讨安庆绪：肃宗至德二载（公元七五七年）请兵于回纥，回纥令叶护太子率兵四千助唐军讨安庆绪。㊉先帝：指代宗李俶，后更名李豫。李俶时为广平王，为讨贼大元帅。⑨⓪及大军将发二句：等到唐与回纥大军将要出发时，先帝才与叶护太子相见。⑨①万乘元子：皇帝太子。⑨②径造其营：未事先谈判礼节就直接到回纥营中。⑨③香积之捷：指肃宗至德二载唐军收复长安之战。当时唐与回纥联军驻屯香积寺发起总攻，故称香积之战。香积寺在今陕西西安市长安区南神禾原上。⑨④不为之屈：指德宗当年未屈服于牟羽可汗，没有向牟羽舞拜。⑨⑤寒心：痛心。如果牟羽可汗强留雍王在军帐中欢饮十天，天下之人岂不寒心，这是委婉的说法，意谓牟羽劫持雍王，那才叫人痛心。⑨⑥豺狼：喻指回纥。⑨⑦驯扰：顺从。驯，从。扰，顺。⑨⑧香积之事：香积之战收复长安后，为了阻止回纥兵抢掠长安，德宗之父广平王向回纥元帅叶护行跪拜礼。“香积之事”当即指此。⑨⑨屈己：指广平王委屈下拜回纥叶护的举动。⑩⓪恕：宽恕。⑩①卿二人复不与朕：你们二人也不支持我。⑩②向来宰相：先前的宰相。⑩③再复京城之勋：回纥于肃宗至德二载与广平王（代宗）收复两京，又于代宗宝应元年与雍王（德宗）收复东京，故云“再复”。再，两次。⑩④吐蕃幸国之灾：吐蕃庆幸我国的灾难。指吐蕃趁我国发生变乱时入寇。⑩⑤先帝蒙尘于陕：代宗回避吐蕃，东走陕州。事见本书卷第二百二十三代宗广德元年（公元七六三年）。⑩⑥此乃百代必报之仇二句：这是百世必报的仇恨，况且吐蕃赞普至今还活着。李泌的意思是说回纥牟羽已经死了，就可以宽恕回纥；吐蕃赞普还在世，那么，国仇百世也一定要报。古人观念中，父仇不共戴天，虽过百世再报仇都是可以的。⑩⑦称臣二句：让回纥可汗向唐称臣，为陛下的儿子。回纥为唐子婿，故为子辈。⑩⑧印马：互市的马匹，因在边市上加盖中国印章，故称印马。⑩⑨五者：五条和约条件，一称臣，二为子，三遣使不过二百人，四互市马不过千匹，五不得携带汉人与西域胡商出塞。⑪⓪詟：震慑，使之失气。⑪①至德：肃宗第一个年号。⑪②兄弟之国：肃宗引回纥兵平安史之乱，令太子广平王与回纥叶护太子结为兄弟，两国为兄弟之国。⑪③素信臣言：一向相信我的话。⑪④未谐：未妥帖之处。⑪⑤再发一书：再送一封信。⑪⑥云南自汉以来臣属中国：南诏本为汉时哀牢夷之后裔，汉武帝平西南夷，云南地入中国版图。⑪⑦臣于吐蕃：杨国忠用亲信鲜于仲通为剑南节度使，失和南诏，使南诏向吐蕃称臣。事见本书卷第二百十六玄宗天宝九载（公元七五〇年）。⑪⑧地几半天下：地方差不多占了半个世界。⑪⑨癸亥：九月十三日。⑫⓪咸安公主：德宗第八女。

【校记】

［1］和：原无此字。据章钰校，乙十六行本、乙十一行本、孔天胤本皆有此字，张敦仁《通鉴刊本识误》同，今据补。［2］百代：此二字原无。据章钰校，乙十六行本、乙

【原文】

吐蕃寇华亭及连云堡⑫¹，皆陷之。甲戌⑫²，吐蕃驱二城之民数千人及邠、泾人畜万计而去，置之弹筝峡⑫³西。泾州恃连云为斥候⑫⁴，连云既陷，西门不开，门外皆为虏境，樵采路绝，每收获，必陈兵以捍⑫⁵之，多失时⑫⁶，得空穗⑫⁷而已。由是泾州常苦乏食。

冬，十月甲申⑫⁸，吐蕃寇丰义城⑫⁹，前锋至大回原⑬⁰，邠宁节度使韩游瓌击却之。乙酉⑬¹，复寇长武城⑬²，又城故原州⑬³而屯之。

妖僧⑬⁴李软奴自言："本皇族，见岳、渎神⑬⁵，命己为天子。"结殿前射生将韩钦绪等谋作乱。丙戌⑬⁶，其党告之，上命捕送内侍省⑬⁷推⑬⁸之。李晟闻之，遽仆于地⑬⁹曰："晟族灭矣！"李泌问其故。晟曰："晟新罹谤毁⑭⁰，中外家人千余，若有一人在其党中，则兄亦不能救矣！"泌乃密奏："大狱一起，所连引⑭¹必多，外间人情恟惧，请出付台推⑭²。"上从之。钦绪，游瓌之子也，亡抵邠州，游瓌出屯长武城，留后械送京师⑭³。壬辰⑭⁴，腰斩软奴等八人，北军之士坐死者八百余人，而朝廷之臣无连及者。韩游瓌委军诣阙谢⑭⁵，上遣使止之，委任如初。游瓌又械送钦绪二子，上亦宥之。

吐蕃以苦寒不入寇，而粮运不继。十一月，诏浑瑊归河中，李元谅⑭⁶归华州，刘昌分其众五千［4］归汴州⑭⁷，自余防秋兵退屯凤翔、京兆诸县以就食。

十二月，韩游瓌入朝。

十一行本、孔天胤本皆有此二字，张敦仁《通鉴刊本识误》、张瑛《通鉴校勘记》同，今据补。[3] 至今：原无此二字。据章钰校，乙十六行本、乙十一行本、孔天胤本皆有此二字，张敦仁《通鉴刊本识误》同，今据补。

---

**【语译】**

吐蕃侵犯华亭县和连云堡，把这两个地方都攻陷了。九月二十四日甲戌，吐蕃驱赶着这两座城池的百姓几千人以及在邠州、泾州的人和牲口一万多离去了，把这些人和牲口都安置在弹筝峡的西边。泾州一直依靠连云堡作为前哨据点，连云堡被攻陷后，泾州城的西门不再打开，西门外都成了吐蕃人的地界，城内人打柴的路被切断了，每逢收获庄稼，一定要布防军队来防卫，经常不能按时收获，收回来的是些没有籽粒的空穗。从此泾州城常常苦于缺乏粮食。

冬，十月初四日甲申，吐蕃侵犯丰义城，前锋到达大回原，邠宁节度使韩游瓌击退了吐蕃。初五日乙酉，吐蕃又侵犯长武城，还在旧原州修建城池，驻扎在这里。

兴妖作祟的僧人李软奴自称："我本是皇族，见到五岳、四渎的神仙，他们命令我做皇帝。"李软奴笼络殿前射生将韩钦绪等人阴谋作乱。十月初六日丙戌，李软奴的同伙把这件事向朝廷告发了，德宗下令拘捕李软奴，送交内侍省审讯。李晟听说这件事，一头扑倒在地，说："我李晟要被灭族了！"李泌询问其中缘故，李晟说："我刚遭受了毁谤，在朝野内外，我的家人有一千多人，如果有一个人在李软奴的同党中，那仁兄你也不能挽救我了！"于是李泌秘密上奏德宗说："大案一旦兴起，牵连的人一定很多，外面人心惊恐不安，请把这个案子由内侍省转交给御史台去审讯。"德宗听从了这一建议。韩钦绪是韩游瓌的儿子，逃到邠州，韩游瓌出外驻守长武城，邠宁留后将韩钦绪戴上械具押送京城。十二日壬辰，将李软奴等八人腰斩于市，禁军中的北军士卒牵连处死的有八百多人，而朝廷中的大臣没有一个人受连累。韩游瓌丢下军队前往朝廷谢罪，德宗派使者阻止他，对韩游瓌的重用同以前一样。韩游瓌又将韩钦绪的两个儿子戴上械具押送到京城，德宗也宽恕了他们。

吐蕃的军队因为天气严寒，没有入侵，而朝廷给驻防京西军队的粮食运输也接济不上。十一月，德宗诏令浑瑊回到河中，李元谅回到华州，刘昌分出部众五千人回到汴州，其他的防秋兵回撤到凤翔、京兆府的各县驻扎，以便就地得到粮食供应。

十二月，韩游瓌入京朝见德宗。

【段旨】

以上为第三段，写李泌化解妖僧李软奴谋反大案，护佑李晟、韩游瓌等宿将，以及朝中大臣，挫败了幕后的奸谋。

【注释】

⑫¹ 连云堡：戍镇名，在泾州西境，在今甘肃泾川县西。⑫² 甲戌：九月二十四日。⑫³ 弹筝峡：在平凉西泾水上，水流声如弹筝而得名。⑫⁴ 斥候：哨所。⑫⁵ 捍：保卫。每当收获时，要布置军队来保卫。⑫⁶ 失时：不能按时收割。⑫⁷ 空穗：庄稼成熟，不能按时收割，籽落而剩空穗。⑫⁸ 甲申：十月初四日。⑫⁹ 丰义城：丰义县城，在今甘肃镇原东南。⑬⁰ 大回原：原坂名，在丰义县西南。⑬¹ 乙酉：十月初五日。⑬² 长武城：长武县城，在今陕西长武西北。⑬³ 城故原州：在原州城废墟上筑城。原州城在今宁夏固原，其时没入吐

---

【原文】

自兴元以来，是岁最为丰稔⑭⁸，米斗直钱百五十、粟八十，诏所在和籴⑭⁹。

庚辰⑮⁰，上畋⑮¹于新店⑮²，入民赵光奇家，问："百姓乐乎？"对曰："不乐。"上曰："今岁颇稔，何为不乐？"对曰："诏令不信。前云两税之外悉无他徭，今非税而诛求者殆过于税⑮³。后又云和籴，而实强取之，曾不识一钱⑮⁴。始云所籴粟麦纳于道次⑮⁵，今则遣致京西行营，动数百里，车摧牛[5]毙，破产不能支。愁苦如此，何乐之有！每有诏书优恤，徒空文耳。恐圣主深居九重⑮⁶，皆未知之也。"上命复⑮⁷其家。

臣光曰："甚矣唐德宗之难寤⑮⁸也！自古所患者，人君之泽壅⑮⁹而不下达，小民之情郁⑯⁰而不上通。故君勤恤于上而民不怀，民愁怨于下而君不知，以至于离叛危亡，凡以此也。德宗幸

蓄。⑬④ 妖僧：兴妖作祟的和尚。⑬⑤ 岳渎神：岳神即五岳之神，渎神即四渎之神。⑬⑥ 丙戌：十月初六日。⑬⑦ 内侍省：主管宦官的官署。⑬⑧ 推：审讯。⑬⑨ 遽仆于地：突然仆倒于地。指李晟受到极度的惊吓。⑭⓪ 新罹谤毁：刚刚遭受过诽谤，指李晟伏兵大安亭欲为乱。事见上卷贞元三年（公元七八七年）闰五月。⑭① 连引：牵引。⑭② 出付台推：从内侍省交给御史台审讯。⑭③ 留后械送京师：邠宁留后把韩钦绪押送回京师。⑭④ 壬辰：十月十二日。⑭⑤ 委军诣阙谢：留下军队，亲身赴京师宫阙请罪。⑭⑥ 李元谅：即骆元光，赐姓李。⑭⑦ 刘昌分其众五千归汴州：刘昌本汴州将，贞元三年入朝，诏以汴兵八千戍泾原，不久拜为泾原节度使。传见《旧唐书》卷一百五十二、《新唐书》卷一百七十。

## 【校记】

［4］五千：原无此二字。据章钰校，乙十六行本、乙十一行本、孔天胤本皆有此二字，张敦仁《通鉴刊本识误》、张瑛《通鉴校勘记》同，今据补。

---

## 【语译】

自兴元年间以来，这一年粮食收成是最好的，一斗米值一百五十钱，一斗粟值八十钱，德宗下诏丰收地区官府以正常价收购粮食。

十二月初一日庚辰，德宗去新店一带打猎，来到百姓赵光奇的家里，德宗询问赵光奇："现今老百姓的生活安乐吗？"赵光奇回答说："老百姓不安乐。"德宗问："今年是一个丰收年，百姓为什么不安乐呢？"赵光奇说："诏令没有信用。以前说除两税以外，其他一切徭役都要免除，现今官府正税以外的苛取几乎超过了两税。后来又说让官府收购粮食，而实际上是官府强行夺走了粮食，还不曾见到一个钱。开始时说官府收购的粟麦在路旁交纳，现在却要送到京城西边的军营中，动不动就几百里路，车也坏了，牛也死了，破了产业还不能支撑。忧愁困苦到了这种状况，百姓哪里还有安乐可言！每每朝廷下诏书说优待、体恤百姓，都只是一纸空文罢了。恐怕这是因为圣明的皇上深居宫禁，都不知道这些事情。"德宗下令免除赵光奇一家的赋税徭役。

司马光说："唐德宗实在是太难以醒悟了！自古以来人们担忧的是，君王的恩泽被阻塞而不能普降于民，小民的情绪郁结而不能上达。所以君王在上面对百姓勤加体恤，而百姓并不感怀君王的恩德；百姓在下面忧愁怨恨，而君王并不知道，以至于百姓流离反叛，天下危亡，这都是因为有这些祸患的缘故啊。

以游猎得至民家，值光奇敢言而知民疾苦，此乃千载之遇也。固当[161]按有司之废格诏书[162]，残虐下民，横增赋敛[163]，盗匿公财[164]，及左右谄谀日称民间丰乐者而诛之。然后洗心易虑[165]，一新其政，屏浮饰[166]，废虚文[167]，谨号令，敦诚信，察真伪，辨忠邪，矜困穷，伸冤滞[168]，则太平之业可致矣。释此不为，乃复光奇之家。夫以四海之广，兆民之众，又安得人人自言于天子而户户复其傜赋乎！”

李泌以李软奴之党犹有在北军未发者，请大赦以安之。

【段旨】

以上为第四段，写德宗深居宫中不了解民情、不体恤百姓，既知民情却不禁暴惩贪，只做个案免除一个家庭的赋税徭役，真是一个昏君，受到司马光的批评。

【注释】

⑱丰稔：丰熟；丰收。⑲和籴：用正常价收购粮食。⑳庚辰：十二月初一日。㉑畋：打猎。㉒新店：唐京兆府咸阳县属村，在县西北。㉓今非税而诛求者殆过于税：如今正

【原文】

四年（戊辰，公元七八八年）

春，正月庚戌朔[169]，赦天下，诏两税等第，自今三年一定[170]。

李泌奏京官俸太薄，请自三师[171]以下悉倍其俸，从之。

德宗皇帝幸亏因为外出打猎，得以到百姓家中，又正碰上赵光奇敢于说话，而了解百姓们的疾苦，这正是千载难逢的机会啊。德宗皇帝本当按察主管部门搁置诏书、残害下民、横暴地增加赋税、盗窃隐没公家的财产等罪行，以及身边那些天天说民间喜获丰收、百姓安居乐业的阿谀逢迎者，诛杀这些人，然后洗心革面，改变政令，一新朝政，摒除浮华的文饰，废除空洞的形式，谨慎发号施令，重视诚实守信，洞察事情的真假，辨别官吏的忠诚与邪恶，怜惜困苦贫穷的百姓，昭雪冤狱，处理积案，这样就可以实现天下太平的大业了。但德宗皇帝将这些重要的事情放在一边不去做，却免除了赵光奇家的赋税徭役。以天下四海之广，百姓之多，又怎么能人人都亲自向皇帝讲明实情，而户户都能免除赋税徭役呢！”

李泌认为李软奴的党羽在禁军的北军中还有没被揭发出来的人，请求德宗大赦，以此来安定北军。

---

税以外的苛取几乎超过了两税。殆，差不多、几乎。⑭不识一钱：不见一钱。⑮纳于道次：在路旁交纳公粮。⑯九重：指宫禁。⑰复：免征赋役。⑱难寤：难以开导醒悟。⑲壅：阻塞。⑳郁：郁结。㉑固当：本当；应当。㉒按有司之废格诏书：按察主管部门搁置诏书之罪。㉓横增赋敛：横暴地增加赋税。㉔盗匿公财：盗窃和隐没公家的资财。㉕洗心易虑：洗心革面，改变政令。㉖一新其政二句：革新朝政，摒弃浮华的文饰。㉗废虚文：废除空洞的号令。㉘伸冤滞：昭雪冤狱，处理积案。

【校记】

［5］牛：原作“马”。据章钰校，乙十六行本、乙十一行本皆作“牛”，今据校改。

---

【语译】

**四年（戊辰，公元七八八年）**

春，正月初一日庚戌，大赦天下，诏令两税的等级，从今年开始每隔三年重定一次。

李泌上奏京官的薪俸太少，请求从太师、太傅、太保三师以下，全都加倍发给薪俸，德宗听从了。

壬申[172]，以宣武行营节度使刘昌为泾原节度使。甲戌[173]，以镇国节度使李元谅为陇右节度使。昌、元谅，皆帅卒力田，数年军食充羡[174]，泾、陇稍安。

韩游瓌之入朝也，军中以为必不返[175]，饯送甚薄[176]。游瓌见上，盛陈筑丰义城可以制吐蕃。上悦，遣还镇。军中忧惧者众，游瓌忌都虞候虞乡范希朝[177]有功名，得众心，求其罪，将杀之。希朝奔凤翔，上召之，置于左神策军。游瓌帅众筑丰义城，二版而溃[178]。

二月，元友直运淮南钱帛二十万至长安[179]，李泌悉输之大盈库[180]。然上犹数有宣索[181]，仍敕诸道勿令宰相知。泌闻之，惆怅而不敢言。

臣光曰："王者以天下为家，天下之财皆其有也。阜[182]天下之财以养天下之民，己必豫焉[183]。或乃更为私藏，此匹夫之鄙志[184]也。古人有言：贫不学俭。夫多财者，奢欲之所自来也。李泌欲弭[185]德宗之欲而丰其私财，财丰则欲滋[186]矣。财不称欲，能无求乎！是犹启其门而禁其出[187]也。虽德宗之多僻[188]，亦泌所以相之者非其道故也。"

---

【段旨】

以上为第五段，写德宗背约，派中使向地方索取财物，司马光认为是李泌多给钱财，开启了德宗的私欲，不非君反责臣，非中肯之言。

【注释】

⑯⑨ 庚戌朔：正月初一日。⑰⓪ 三年一定：三年重定一次赋税的等差。⑰① 三师：指太师、太傅、太保。⑰② 壬申：正月二十三日。⑰③ 甲戌：正月二十五日。⑰④ 充羡：充足。⑰⑤ 军中以为必不返：军中以为韩游瓌因子叛逆，连坐受诛，回不了邠宁。⑰⑥ 饯送甚薄：饯送宴

正月二十三日壬申，德宗任命宣武行营节度使刘昌担任泾原节度使。二十五日甲戌，任命镇国军节度使李元谅担任陇右节度使。刘昌、李元谅都率领士兵勤力耕种，几年以后，军中粮食充盈，泾州、陇州一带逐渐安定下来。

韩游瓌入朝，邠宁镇的军中将士认为韩游瓌一定不会再回来，饯送宴礼极为菲薄。韩游瓌见了德宗以后，极力陈说修筑丰义城可以控制吐蕃。德宗听了很高兴，派他返回邠宁镇所。邠宁军中对韩游瓌回来既忧愁又害怕的人很多，韩游瓌嫉恨都虞候虞乡人范希朝有功劳和名声而深得人心，便寻找范希朝的罪过，准备杀了他。范希朝跑往凤翔，德宗将他征召入朝，安置在左神策军。韩游瓌率领部众修筑丰义城，只修筑到四尺高，城墙就塌陷下来。

二月，元友直运送淮南的二十万钱帛抵达长安，李泌将这些钱财全部拨给了皇帝的私库大盈库。但是德宗还是多次派中使到各地宣旨索要财物，还敕令各道此事不能让宰相知道。李泌听说这件事以后，心中烦闷但又不敢说出来。

司马光说："君王以天下为家，天下的钱财都属他所有。让天下的财物丰盛起来，用它来抚养天下的百姓，君王自己也一定快乐安逸。如果君王又要经营私人财产，这是凡夫俗子的粗俗想法。古人说过这么一句话：贫穷的人不学习俭朴这一美德。钱财多了，就成了产生奢侈欲望的根源。李泌想消除德宗皇帝储积财产的欲望，却使皇帝的私财丰厚，殊不知私财丰厚，欲望也就更加滋长了。私财不能满足欲望，那他能不到处去索要吗！这就好像是为他开了门，却又禁止他出门一样。虽然德宗皇帝有许多怪毛病，但也是由于李泌不用正道辅佐他的缘故。"

---

礼，十分菲薄。⑰范希朝：河中虞乡（今山西永济东）人，官至振武节度使。传见《旧唐书》卷一百五十一、《新唐书》卷一百七十。⑱二版而溃：筑城二尺为一版。因上下相疑，筑城敷衍，只四尺高就坍塌了。⑲元友直句：本书上卷贞元三年（公元七八七年）七月载，元友直为勾勘东南两税钱帛使，至此，勾勘所得钱帛二十万解送京师。⑱悉输之大盈库：全部交纳给宫中的大盈库，以充宫中之用。⑱宣索：派中使宣旨向诸道索求贡物。⑱阜：丰盈。这里作使动词用。⑱己必豫焉：君主自己也必然快乐。⑱鄙志：粗俗的想法。⑱弭：消弭；制止。⑱欲滋：欲望更加滋长。⑱启其门而禁其出：打开大门而禁止出行。喻南辕北辙，适得其反。⑱多僻：有许多怪毛病，嗜财即其一。

【原文】

咸阳人或上言："臣见白起[189]，令臣奏云：'请为国家捍御西陲[190]。正月，吐蕃必大下[191]，当为朝廷破之以取信。'"既而吐蕃入寇，边将败之，不能深入。上以为信然，欲于京城立庙，赠司徒[192]。李泌曰："臣闻'国将兴，听于人[193]'。今将帅立功而陛下褒赏白起，臣恐边臣解体[194]矣。若立庙京城，盛为祈祷，流闻四方，将长巫风[195]。今杜邮[196]有旧祠，请敕府县葺之[197]，则不至惊人耳目矣。且白起列国之将，赠三公太重，请赠兵部尚书可矣。"上笑曰："卿于白起亦惜官乎？"对曰："人神一也。陛下傥不之惜，则神亦不以为荣矣。"上从之。

泌自陈衰老，独任宰相，精力耗竭，既未听其去，乞更除一相[198]。上曰："朕深知卿劳苦，但未得其人耳。"上从容与泌论即位以来宰相曰："卢杞忠清强介[199]，人言杞奸邪，朕殊不觉其然。"泌曰："人言杞奸邪，而陛下独不觉其奸邪，此乃杞之所以为奸邪也。傥陛下觉之，岂有建中之乱乎！杞以私隙杀杨炎[200]，挤颜真卿于死地[201]，激李怀光使叛[202]，赖陛下圣明窜逐之[203]，人心顿喜，天亦悔祸。不然，乱何由弭！"上曰："杨炎以童子视朕[204]，每论事，朕可其奏则悦，与之往复论难，即怒而辞位，观其意以朕为不足与言故也。以是交不可忍[205]，非由杞也。建中之乱，术士豫请城奉天[206]，此盖天命，非杞所能致也。"泌曰："天命，他人皆可以言之，惟君相[207]不可言，盖君相所以造命[208]也。若言命，则礼乐刑政皆无所用矣。纣曰：'我生不有命在天[209]？'此商之所以亡也。"上曰："朕好与人较量理体。崔祐甫性褊躁[210]，朕难[211]之，则应对失次[212]，朕常知其短而护之[213]。杨炎论事亦有可采，而气色粗傲[214]，难之辄勃然怒，无复君臣之礼[215]，所以每见令人忿发[216]。余人则不敢复言。卢杞小心，朕所言无不从。又无学[217]，不能与朕往复[218]，故朕

【语译】

咸阳有个人向朝廷进言说："臣梦见了白起，让臣上奏朝廷说：'请让我为国家捍卫西部边疆。正月，吐蕃一定会大举下山来侵犯，我自当替朝廷打败他们，以取信于人。'"不久，吐蕃入侵，边疆的将领打败了他们，使他们不能深入中原。德宗信以为然，想在京城为白起建立祠庙，追赠白起为司徒。李泌说："臣听过'国家要兴盛起来，就要相信人的力量'这句古话。现在边疆的将帅们立了功，而陛下却要褒奖白起，我担心边疆的将帅人心离散了。如果在京城给白起建立祠庙，大肆祈祷，这事传闻到各地，将会助长相信巫祝的风气。而今在杜邮有白起的旧祠庙，请陛下敕令所在府县整修它，就不至于惊动人们的视听了。而且白起只是诸侯国的将领，追赠给他三公的职位，官职太高，请追赠兵部尚书就行了。"德宗笑着说："卿对白起也吝惜官职吗？"李泌回答说："对人对神要一样。如果陛下不吝惜官职，那么神接受了职位也不会认为是件荣耀的事情了。"德宗听从了李泌的意见。

李泌向德宗说自己年老体衰，独自担任宰相，精力消耗光了，既然不允许他告老还乡，就请另任命一名宰相。德宗说："朕深知卿辛苦，只是没有找到合适的宰相人选。"德宗闲暇时与李泌议论从自己继承皇位以来的各位宰相说："卢杞为人忠诚清廉，精干耿直，人们说卢杞奸佞邪恶，朕一点也不觉得他是这样。"李泌说："人们都说卢杞奸佞邪恶，而陛下一人不觉得他奸佞邪恶，这就是卢杞之所以奸佞邪恶的地方。如果陛下觉察到了卢杞的奸佞邪恶，哪里会有建中时期的变乱呢！卢杞因为私人矛盾杀了杨炎，排挤颜真卿于死地，激怒李怀光使他背叛了朝廷，幸赖陛下神圣英明，流放了卢杞，人们的心情顿时高兴起来，上天也为造成的灾祸而追悔。要不是这样，叛乱怎么能平息呢！"德宗说："杨炎把朕当小孩子看待，每次议论事情，朕批准了他的上奏就高兴，与他反复讨论辩问，他马上就发怒要辞去宰相职位，看他的心思是认为我不值得与他讨论事情的缘故。因为这个原因，朕与他相互不能容忍，这样的局面不是由卢杞造成的。建中时期的变乱，道术之士桑道茂预先请求朝廷修筑奉天城，这是天命，不是卢杞能够招致的。"李泌说："要说天命，其他的人都可以说，只有君王、宰相不能谈，这是因为君王和宰相是创造命运的人。如果要谈到天命如此，那么礼、乐、刑、政都没有什么用处了。商纣王说：'我一生下来不就是由天命决定的吗？'这就是商朝所以灭亡的原因啊。"德宗说："我喜欢与人辩论治理天下的法则。崔祐甫性情狭隘急躁，朕诘问他，他回答总是语无伦次，朕知道这是崔祐甫的短处，而经常袒护他。杨炎议论事情也有可以采纳的，但是杨炎的态度和面部表情很粗率傲慢，朕诘问他，他常常勃然大怒，不再顾及君臣之间的礼节，所以每次见到杨炎，就令人生气。其他人就不敢说话。卢杞为人小心翼翼，朕说的他没有不听从的。他又没有学问，不能与朕反复讨论，所以朕心里的话常常不能说完。"

所怀常不尽[219]也。”对曰：“杞言无不从，岂忠臣乎！夫‘言而莫予违’，此孔子所谓‘一言丧邦’者也[220]。”上曰：“惟卿则异彼三人者。朕言当，卿有喜色；不当，常有忧色。虽时有逆耳之言，如向来纣及丧邦之类，朕细思之，皆卿先事而言[221]，如此则理安[222]，如彼则危乱，言虽深切而气色和顺[223]，无杨炎之陵傲[224]。朕问难往复，卿辞理不屈，又无好胜之志，直使朕中怀已尽屈服而不能不从[225]，此朕所以私喜于得卿也。”泌曰：“陛下所用相尚多，今皆不论，何也？”上曰：“彼皆非所谓相也。凡相者，必委以政事，如玄宗时牛仙客、陈希烈[226]，可以谓之相乎！如肃宗、代宗之任卿，虽不受其名，乃真相耳。必以官至平章事为相，则王武俊之徒皆相也。”

---

**【段旨】**

以上为第六段，写德宗与李泌议论本朝各位宰相，德宗认为李泌事上，礼仪得体，敢言而说理透彻，是最佳良相。

**【注释】**

⑱⑨见白起：梦见白起。德宗欲抑诸将功，求之于神灵，故见利之徒希旨而上言梦见白起。白起，战国时秦名将。⑲⓪西陲：西部边疆。⑲①大下：大举下山来犯。吐蕃从西藏的高原出兵犯唐，故谓之曰下。⑲②欲于京城立庙二句：想在京城立白起庙，赠白起为司徒。⑲③国将兴二句：语见《左传》庄公三十二年虢国史嚚之言。⑲④边臣解体：守边将帅人心离散。⑲⑤长巫风：助长相信巫祝的风气。⑲⑥杜邮：地名，在陕西咸阳东。秦将白起被赐死于杜邮，此处立有白起庙。⑲⑦葺之：修整白起庙。⑲⑧乞更除一相：请求再任命一名宰相。⑲⑨忠清强介：忠诚清廉，强干耿直。⑳⓪杀杨炎：事见本书卷第二百二十七德宗建中二年（公元七八一年）。⑳①挤颜真卿于死地：排挤颜真卿出使谕旨李希烈。事见本书卷第二百二十八德宗建中二年。⑳②激李怀光使叛：激怒李怀光使他背叛了朝廷。事见本书卷第二百二十九德宗建中四年。⑳③窜逐之：指流放卢杞。⑳④杨炎以童子视朕：杨炎把

李泌说：“卢杞对陛下说的话无不言听计从，难道是忠臣吗！所谓‘我说的话，没有人敢违背’，这正是孔子所说的‘一句话可以丧邦灭国’的话啊。”德宗说：“只有卿与他们三个人不同。朕说的话恰当，卿就面有喜色；不恰当，卿的脸上经常有忧愁之色。虽然不时有逆耳之言，就像刚才说的商纣王以及丧邦灭国的话，朕仔细地思考一下，卿的话都是在事前说出来的，都是说采取这样的措施就会天下治理，采取那样的措施就会导致危亡或动乱，话虽然说得深刻切中要害，但态度和蔼，面色温顺，不像杨炎那样傲气凌人。我与卿反复辩论，卿在言辞和道理上并不屈从于朕，而且卿又没有争强好胜之心，一直让朕心里已经完全理屈心服，而不能不听从卿的意见，这是朕之所以为任命卿担任宰相而高兴的理由。”李泌说：“陛下所任用的宰相还很多，现在都没有去评论，是为什么呢？”德宗说：“他们都不是所谓的宰相。凡是担任宰相职务的人，一定要把国家的政事都交给他处理，像本朝玄宗皇帝时候的牛仙客、陈希烈，可以称他们为宰相吗！像肃宗皇帝、代宗皇帝任用卿，虽然没有授给宰相之名，但卿是真正的宰相。一定以官职到了平章事就是宰相，那王武俊之辈都是宰相了。”

---

朕看作孩童一样。㉕交不可忍：双方互相不容忍。交，互相。㉖豫请城奉天：事见本书卷第二百二十六德宗建中元年（公元七八〇年）。㉗君相：国君与宰相。㉘造命：指君相是制造命运的人。㉙我生不有命在天：殷纣王拒谏，自称生来有天命保佑。语见《尚书·西伯戡黎》。㉚性褊躁：性情狭隘急躁。㉛难：辩难；诘问。㉜应对失次：回答语无伦次。㉝朕常知其短而护之：朕知道他的短处而经常袒护他。㉞气色粗傲：态度粗率傲慢。㉟无复君臣之礼：不再顾忌君臣的礼节。㊱每见令人忿发：每次见到杨炎就使人生气。㊲无学：没有学识。㊳往复：反复讨论。㊴朕所怀常不尽：朕心里的话常常不能说完。㊵夫言而莫予违二句：意谓“我说的话没有人敢违背”，这正是孔子所说的“一句话就是可以丧邦灭国”的话啊！意在说明臣下不谏、君主自以为是的为害之巨。语出《论语·子路》孔子答定公之言。㊶先事而言：在事前说出来的。㊷理安：治安。㊸言虽深切而气色和顺：说的话尽管深刻切中要害，但脸色和蔼温顺。㊹陵傲：傲气陵人。㊺直使朕中怀已尽屈服句：意谓一直使朕心里已经完全理屈心服，不能不听从。屈，理屈。㊻牛仙客、陈希烈：玄宗朝备员宰相。牛仙客传见《旧唐书》卷一百三、《新唐书》卷一百三十三。陈希烈传见《旧唐书》卷九十七、《新唐书》卷二百二十三上。

【原文】

刘昌复筑连云堡。

夏，四月乙未[227]，更命殿前左右射生曰神威军，与左右羽林、龙武、神武、神策号曰十军。神策尤盛，多戍京西，散屯畿甸。

福建观察使吴诜轻其军士脆弱，苦役之。军士作乱，杀诜腹心十余人，逼诜牒大将郝诚溢掌留务[228]。诚溢上表请罪，上遣中使就赦以安之。

乙未[229][6]，陇右节度使李元谅筑良原[230]故城而镇之。

云南王异牟寻欲内附，未敢自遣使，先遣其东蛮鬼主骠旁、苴梦冲、苴乌星入见。五月乙卯[231]，宴之于麟德殿，赐赉甚厚，封王[232]给印而遣之。

辛未[233]，以太子宾客[234]吴凑[235]为福建观察使，贬吴诜为涪州刺史。

吐蕃三万余骑寇泾、邠、宁、庆、鄜等州。先是，吐蕃常以秋冬入寇，及春多病疫而退。至是，得唐人，质其妻子，遣其将将之，盛夏入寇。诸州皆城守，无敢与战者，吐蕃俘掠人畜万计而去。

夏县人阳城[236]以学行著闻，隐居柳谷[237]之北，李泌荐之。六月，征拜谏议大夫。

韩游瓌以吐蕃犯塞，自戍宁州，病，求代归。秋，七月庚戌[238]，加浑瑊邠宁副元帅，以左金吾将军张献甫为邠宁节度使，陈许兵马使韩全义为长武城行营节度使。献甫未至，壬子[239]夜，游瓌不告于众，轻骑归朝。戍卒裴满等惮献甫之严，乘无帅之际，癸丑[240]，帅其徒作乱，曰："张公不出本军[241]，我必拒之。"因剽掠城市，围监军杨明义所居，使奏请范希朝为节度使。都虞候杨朝晟避乱出城，闻之，复入，曰："所请甚契我心，我来贺也。"乱卒稍安。朝晟潜与诸将谋，晨勒兵，召乱卒，谓曰："所请不行，张公已至邠州。汝辈作乱当死，不可尽杀，宜自推列唱帅者。"遂斩二百余人，帅众迎献甫。上闻军众欲得范

【语译】

泾原节度使刘昌又重新修筑连云堡。

夏，四月十八日乙未，德宗命令把殿前左、右射生军改名为神威军，左、右神威军与左、右羽林军，左、右龙武军，左、右神武军，左、右神策军总称为十军。左、右神策军的力量最为强盛，大部分驻守在京城西边，小部分零散地驻扎在京畿地区的各县。

福建观察使吴诜漠视士兵，认为他们怯懦软弱，让他们做苦役。士兵们作乱，杀了吴诜的心腹十几人，逼迫吴诜发令让大将郝诚溢职掌留后事务。郝诚溢上表朝廷请求治罪，德宗派遣中使去福建就地赦免，以安定士兵。

乙未日，陇右节度使李元谅修筑良原旧城，而在此镇守。

云南王异牟寻想向内归附朝廷，不敢自己派遣使者，先派遣他的东蛮的鬼主骠旁、苴梦冲、苴乌星进京朝见皇帝。五月初八日乙卯，德宗在麟德殿宴请他们，赏赐极为丰厚，都封为王，发给印绶，打发他们回去。

五月二十四日辛未，德宗任命太子宾客吴凑担任福建观察使，贬吴诜为涪州刺史。

吐蕃的三万多名骑兵侵犯泾、邠、宁、庆、鄜等州。此前，吐蕃常常在秋季、冬季入侵，到了春天，多有疾病和瘟疫，便撤退回去。这一次，吐蕃人掳掠唐朝的男子，把他们的妻子、儿女扣作人质，派遣将领统领他们，在盛夏入侵。各个州都据城防守，没有敢与他们交战的，吐蕃俘虏抢掠了数以万计的百姓和牲口后离去。

夏县人阳城以学识和品行闻名于世，隐居在柳谷的北边，李泌向德宗推荐他。六月，德宗派人征召，任为谏议大夫。

因为吐蕃侵犯边塞，韩游瓌亲自守卫宁州，生了病，请求朝廷派人来替代，自己返回朝廷。秋，七月初五日庚戌，德宗加授浑瑊为邠宁副元帅，任命左金吾将军张献甫担任邠宁节度使，陈许兵马使韩全义担任长武城行营节度使。张献甫还没有到任，初七日壬子的夜里，韩游瓌没有告诉大家，自己轻骑简从返回朝廷。戍卒裴满等人害怕张献甫严厉，乘军队没有主帅的时机，初八日癸丑，带着党徒们作乱，他们说："张公不是我们朔方军出身，我们一定抵制他。"于是抢劫市区，包围了监军杨明义住的地方，让他奏请范希朝担任节度使。都虞候杨朝晟出城避乱，听说这件事以后，又进了城，对作乱的士兵们说："你们所要求的，非常符合我的心意，我是前来祝贺的。"作乱的士兵们渐渐安定下来。杨朝晟暗中与各位将领们策划，第二天早晨部署兵马，召集作乱的士兵，对他们说："你们所请求的不能执行，张公已经到了邠州。你们这些人作乱当死，但不能把你们都杀了，最好自己把带头的人推出来。"于是杀了二百多人，带领大家迎接张献甫。德宗听说邠宁军中的士兵们希望范

希朝，将授之，希朝辞曰："臣畏游瓌之祸而来，今往代之，非所以防窥觎，安反仄也。"上嘉之，擢为宁州刺史，以副献甫。游瓌至京师，除右龙武统军。

振武节度使唐朝臣不严斥候[242]，己未[243]，奚、室韦寇振武，执宣慰中使[244]二人，大掠人畜而去。时回纥之众逆公主者在振武，朝臣遣七百骑与回纥数百骑追之，回纥使者为奚、室韦所杀。

九月庚申[245]，吐蕃尚志董星[246]寇宁州，张献甫击却之，吐蕃转掠鄜、坊而去。

元友直句检诸道税外物[247]，悉输户部，遂为定制，岁于税外输百余万缗、斛，民不堪命，诸道多自诉于上。上意寤，诏："今年已入在官者输京师，未入者悉以与民。明年以后，悉免之。"于是东南之民复安其业。

回纥合骨咄禄可汗得唐许昏[248]，甚喜，遣其妹骨咄禄毗伽公主及大臣妻并国相、跌跌都督以下千余人来迎可敦[249]，辞礼甚恭，曰："昔为兄弟，今为子婿，半子也。若吐蕃为患，子当为父除之。"因詈[250]辱吐蕃使者以绝之。冬，十月戊子[251]，回纥至长安，可汗仍表请改回纥为回鹘，许之。

---

【段旨】

以上为第七段，写邠宁兵变，被及时平息。回纥与唐和亲，更名回鹘。

【注释】

㉗ 乙未：四月十八日。㉘ 逼诜牒句：谓福建军士逼迫吴诜发令让大将郝诚溢职掌留后事务。牒，发文、行文。㉙ 乙未：前已有"乙未"，此处重复，疑有误。㉚ 良原：县名，属泾州。县治在今甘肃崇信东南。㉛ 乙卯：五月初八日。㉜ 封王：德宗封骠旁为和义王，封苴梦冲为怀化王，封苴乌星为顺政王。㉝ 辛未：五月二十四日。㉞ 太子宾客：太子属官，正三品，掌侍从太子，调护、规谏。㉟ 吴凑：历官右卫将军、福建观察使、

希朝去任主帅，准备任命范希朝为节度使，范希朝推辞说："我是害怕韩游瓌杀我才跑出来的，现在前往接替节度使，这不是防范阴谋、安定叛军的好办法啊。"德宗称许范希朝，提升他为宁州刺史，做张献甫的副手。韩游瓌到了京城，担任右龙武军统军。

振武节度使唐朝臣没有严密侦察敌情，七月十四日己未，奚族人和室韦族人入侵振武，抓住了宣慰中使二人，大肆抢掠人口和牲畜后离去。当时回纥人众在振武迎接咸安公主，唐朝臣派七百名骑兵与回纥的几百名骑兵追赶奚族人和室韦人，回纥的使者被奚族人和室韦族人杀了。

九月十六日庚申，吐蕃的尚志董星侵犯宁州，张献甫打退了他们，吐蕃转道抢掠鄜州、坊州后离去。

元友直检核各道征收两税以外的财物，把这些财物全部运交户部，于是这种做法成为定制，每年在两税之外向朝廷上交钱一百余万缗、粮食一百余万斛，百姓忍受不了这种搜刮，各道大多自己上奏诉说这一情况。德宗心中醒悟过来，下诏："今年已经收进官府的送往京城，没有收进官府的，全部把它交还给百姓。明年以后，全部免征。"于是东南地区的百姓又安心下来从事生业。

回纥的合骨咄禄可汗得到唐朝皇帝答应赐婚的消息之后，非常高兴，派遣妹妹骨咄禄毗伽公主以及大臣的妻子们，连同国相、跌跌都督以下一千多人，前来迎接国后，他们的言辞和礼仪极为恭谨，合骨咄禄可汗说："过去我们是兄弟之国，现在成了女婿，女婿就是半个儿子。如果吐蕃制造祸端，儿子应该为父皇除掉祸患。"于是辱骂吐蕃使者，断绝了与吐蕃的关系。冬，十月十四日戊子，回纥使者到达长安，合骨咄禄可汗上表朝廷请求将回纥改为回鹘，德宗同意了。

---

陕虢观察使、右金吾卫大将军、京兆尹等。传见《旧唐书》卷一百八十三、《新唐书》卷一百五十九。㉟ 阳城：字亢宗，定州北平（今河北顺平）人，徙陕州夏县（今山西夏县），高尚士，官至谏议大夫。传见《旧唐书》卷一百九十二、《新唐书》卷一百九十四。㊲ 柳谷：中条山谷名，在夏县境。㊳ 庚戌：七月初五日。㊴ 壬子：七月初七日。㊵ 癸丑：七月初八日。㊶ 张公不出本军：指张献甫不出于朔方军。张献甫跟从河中节度使贾耽讨梁崇义有功，入京累迁至金吾将军，后替代韩游瓌为邠宁节度使。传见《旧唐书》卷一百二十二、《新唐书》卷一百三十三。㊷ 不严斥候：没有严密侦察敌情。斥候，哨兵。㊸ 己未：七月十四日。㊹ 宣慰中使：安抚振武军的宦官使者。㊺ 庚申：九月十六日。㊻ 尚志董星：尚志为官名，董星为人名。㊼ 税外物：在正税之外加征的地方特产物品。㊽ 昏：同"婚"。㊾ 可敦：回纥称可汗之妻为可敦。㊿ 詈：责骂。(251) 戊子：十月十四日。

【校记】

［6］乙未：严衍《通鉴补》改作“丁未”。丁未，四月三十日。

【原文】

吐蕃发兵十万将寇西川，亦发云南兵。云南内虽附唐，外未敢叛吐蕃，亦发兵数万屯于泸北㉜。韦皋知云南计方犹豫，乃为书遗云南王，叙其叛吐蕃归化之诚，贮以银函㉝，使东蛮转致吐蕃。吐蕃始疑云南，遣兵二万屯会川㉞，以塞云南趣蜀之路。云南怒，引兵归国。由是云南与吐蕃大相猜阻㉟，归唐之志益坚。吐蕃失云南之助，兵势始弱矣。然吐蕃业已入寇，遂分兵四万攻两林、骠旁，三万攻东蛮，七千寇清溪关㊱，五千寇铜山㊲。皋遣黎州刺史韦晋等与东蛮连兵御之，破吐蕃于清溪关外。

庚子㊳，册命咸安公主，加回鹘可汗，号［7］长寿天亲可汗。十一月，以刑部尚书关播为送咸安公主兼册回鹘可汗使。

吐蕃耻前日之败㊴，复以众二万寇清溪关，一万攻东蛮。韦皋命韦晋镇要冲城，督诸军以御之。嶲州经略使刘朝彩出关连战㊵，自乙卯至癸亥，大破之。

李泌言于上曰：“江、淮漕运，自淮入汴［8］，以甬桥㊶为咽喉，地属徐州，邻于李纳，刺史高明应㊷年少不习事，若李纳一旦复有异图，窃据徐州，是失江、淮也，国用何从而致！请徙寿、庐、濠都团练使张建封㊸镇徐州，割濠、泗以隶之，复以庐、寿归淮南，则淄青惕息㊹而运路常通，江、淮安矣㊺。及今明应幼騃㊻可代，宜征为金吾将军。万一使他人得之，则不可复制矣。”上从之。以建封为徐、泗、濠节度使。建封为政宽厚而有纲纪，不贷人以法㊼，故其下无不畏而悦之。

横海节度使程日华薨，子怀直自知留后㊽。

吐蕃屡遣人诱胁云南。

【语译】

吐蕃发兵十万准备侵犯西川，还征发了云南的军队。云南虽然心里归附了唐朝，但不敢在表面上背叛吐蕃人，也调兵几万驻扎泸水北岸。西川节度使韦皋知道云南王正在犹豫如何决策，于是写信给云南王，信中赞赏他背叛吐蕃，归顺朝廷的诚意，把信装在银匣里，让东蛮转交给吐蕃。吐蕃开始怀疑云南王，派二万士兵屯驻会川，以堵塞云南往蜀地的道路。云南王很生气，率领军队返回云南。从此，云南王与吐蕃相互之间大为猜疑，归顺唐朝的意志更加坚定。吐蕃失去了云南的协助，军队的声势开始削弱了。但是吐蕃已经入侵西川，便分出四万兵力攻打两林、骠旁，三万兵力攻打东蛮，七千兵力侵犯清溪关，五千兵力侵犯铜山。韦皋派遣黎州刺史韦晋等人与东蛮联合兵力抵御吐蕃，在清溪关外打败了吐蕃。

十月二十六日庚子，德宗册封咸安公主，加封回鹘为可汗，号长寿天亲可汗。十一月，德宗任命刑部尚书关播为护送咸安公主兼任册封回鹘可汗的使者。

吐蕃对前些时候在清溪关打了败仗感到耻辱，又用二万军队侵犯清溪关，一万军队攻打东蛮。韦皋命令韦晋镇守要冲城，督率各军抵御吐蕃。巂州经略使刘朝彩率兵到清溪关外与吐蕃连续作战，从十一月十一日乙卯到十九日癸亥，大败吐蕃。

李泌对德宗说："江、淮漕运，自淮入汴，以甬桥为咽喉要地，地属徐州，与淄青的李纳相邻，徐州刺史高明应年轻不熟悉政务，如果李纳一旦又有背叛朝廷的企图，盗据徐州，这就是丧失了江、淮之地，国家的用度到时从哪里弄来呢！请调任寿州、庐州、濠州都团练使张建封镇守徐州，划出濠州、泗州隶属于张建封，再把庐州、寿州划归淮南，那么在淄青的李纳就会恐惧而使江南的漕运之路永远畅通，江东、淮南就能安定了。趁高明应现在年幼无知，可以替代，最好征召他为金吾将军。万一让别人得到了徐州，那就难以控制了。"德宗采纳了李泌的建议。任命张建封为徐州、泗州、濠州节度使。张建封为政宽厚，而有法纪，对犯法者不加宽贷，所以他的下属没有人不怕他的，也没有人不高兴。

横海军节度使程日华去世，儿子程怀直自己主持留后职务。

吐蕃多次派人利诱、威胁云南王。

【段旨】

以上为第八段，写吐蕃侵扰西川，为韦皋所败。德宗采纳李泌建言，加强徐州守备，维护漕运交通。

【注释】

㉜泸北：泸水北，在今四川会理一带。泸水，即金沙江。㉝贮以银函：把信装在银匣中。㉞会川：县名，县治在今四川会理。㉟大相猜阻：互相大为猜疑。㊱清溪关：关名，在今四川汉源南。㊲铜山：此处有要冲十一城，在今四川荥经东北。㊳庚子：十月二十六日。㊴吐蕃耻前日之败：指被韦晋在清溪关外击败。㊵出关连战：出清溪关外连续与吐蕃交战。㊶甬桥：一作蛹桥，又名符离桥、永济桥。在今安徽宿州城南，跨古汴水上。为江淮水路要冲，德宗初，李正已曾扼据甬桥以断江、淮运路。㊷高明应：徐、

【原文】

五年（己巳，公元七八九年）

春，二月丁亥[269]，韦皋遗异牟寻书，称“回鹘屡请佐天子共灭吐蕃，王不早定计，一旦为回鹘所先，则王累代功名虚弃矣。且云南久为吐蕃屈辱，今不乘此时依大国之势以复怨雪耻，后悔无及矣。”

戊戌[270]，以横海留后程怀直[271]为沧州观察使。怀直请分弓高、景城[272]为景州，仍请朝廷除刺史。上喜曰：“三十年无此事[273]矣！”乃以员外郎徐伸[274]为景州刺史。

中书侍郎、同平章事李泌屡乞更命相。上欲用户部侍郎班宏，泌言宏虽清强，而性多凝滞[275]，乃荐窦参[276]通敏，可兼度支盐铁，董晋方正，可处门下。上皆以为不可。参，诞之玄孙也，时为御史中丞兼户部侍郎，晋为太常卿。至是泌疾甚，复荐二人。庚子[277]，以董晋为门下侍郎，窦参为中书侍郎兼度支转运使，并同平章事。以班宏为尚书，依前度支转运副使。

参为人刚果峭刻[278]，无学术，多权数，每奏事，诸相出，参独居

海、沂、密四州观察使高承中之子，兴元元年（公元七八四年）继其父为观察使镇徐州，并为本州刺史。事见本书卷第二百三十一德宗兴元元年。㉓张建封（公元七三五至八〇〇年）：字本立，邓州南阳（今河南南阳）人，为淮南寿州刺史，拒战李希烈，不受其伪署。代高明应为徐、泗、濠节度使凡十余年，一军大治。传见《旧唐书》卷一百四十、《新唐书》卷一百五十八。㉔惕息：恐惧收敛。㉕江、淮安矣：徐、泗、濠三州连界，置节镇以健将镇之，则可屏卫江、淮运路，故云江、淮安矣。㉖幼骙：年幼不知事。㉗不贷人以法：对犯法者不加宽贷。㉘自知留后：程怀直不请朝命，擅自称留后。

【校记】

［7］号：原无此字。据章钰校，乙十六行本、乙十一行本、孔天胤本皆有此字，张敦仁《通鉴刊本识误》同，今据补。［8］自淮入汴：原无此四字。据章钰校，乙十六行本、乙十一行本、孔天胤本皆有此四字，张瑛《通鉴校勘记》同，今据补。

【语译】

**五年（己巳，公元七八九年）**

春，二月十四日丁亥，西川节度使韦皋写信给云南王异牟寻，信中说“回鹘人多次请求辅佐天子，一起消灭吐蕃，大王不早拿定主意，一旦被回鹘人抢到前面，那么大王几代的功名就白白地丢弃了。而且云南长期被吐蕃欺辱，现今不趁这时依靠大唐的威势来报仇雪耻，那就要后悔莫及了”。

二月二十五日戊戌，德宗任命横海军的留后程怀直担任沧州观察使。程怀直请求朝廷把弓高县、景城县划出来设置景州，还请求朝廷任命景州刺史。德宗高兴地说：“三十年来没有这种事情了！”于是任命员外郎徐伸担任景州刺史。

中书侍郎、同平章事李泌多次请求德宗另行任命宰相。德宗想任用户部侍郎班宏，李泌说班宏虽然清廉刚强，但性情拘泥拖拉较多。于是他推荐窦参，说窦参通达敏捷，可以管度支和盐铁事务；推荐董晋，说董晋为人耿直端正，可以主管门下省的事务。德宗觉得这两个人都不行。窦参是窦诞的玄孙，当时担任御史中丞兼户部侍郎，董晋担任太常卿。到了这时，李泌的病情严重，又向德宗推荐这两个人。二月二十七日庚子，任命董晋为门下侍郎，窦参为中书侍郎兼度支转运使，两人同为同平章事。任命班宏为户部尚书，仍然同以前一样兼任度支转运副使。

窦参为人刚毅果断，严厉苛刻，没有学问，权术很多。每次上朝奏事，各位宰

后，以奏度支事为辞，实专大政，多引亲党置要地[279]，使为耳目，董晋充位[280]而已。然晋为人重慎，所言于上前者未尝泄于人，子弟或问之，晋曰："欲知宰相能否，视天下安危，所谋议于上前者，不足道也。"

三月甲辰[281]，李泌薨。泌有谋略，而好谈神仙诡诞[282]，故为世所轻。

【段旨】

以上为第九段，写西川节度使韦皋策动云南王归附唐朝共抗吐蕃。一代乱世贤相李泌去世。

【注释】

⑲丁亥：二月十四日。⑳戊戌：二月二十五日。㉑程怀直：程日华之子，自知留后，德宗以日华故，拜怀直权知沧州。怀直惧，请分沧州置景州。传见《旧唐书》卷一百四十三、《新唐书》卷二百十三。㉒弓高、景城：两县名，时属沧州，程怀直请分置景

【原文】

初，上思李怀光之功，欲宥其一子。而子孙皆已伏诛，戊辰[283]，诏以怀光外孙燕八八为怀光后，赐姓名李承绪，除左卫率胄曹参军[284]，赐钱千缗，使养怀光妻王氏及守其墓祀。

冬，十月，韦皋遣其将王有道[9]将兵与东蛮、两林蛮及吐蕃青海、腊城二节度战于嶲州台登谷[285]，大破之，斩首二千级，投崖及溺死者不可胜数，杀其大兵马使乞藏遮遮。乞藏遮遮，虏之骁将也，既死，皋所攻城栅无不下，数年尽复嶲州之境[286]。

易定节度使张孝忠兴兵袭蔚州[287]，驱掠人畜，诏书责之，逾旬还镇[288]。

相退出来了，窦参一个人留在后面，利用奏报度支事宜为借口，实际上是独揽朝政，把很多亲信同党都引荐上来，安排在要害职位上，让他们做自己的耳目，董晋不过是充数宰相罢了。但董晋为人慎重，在德宗面前所说的事情未曾泄露给别人，子弟中有人问他与皇上谈些什么，董晋说："想要知道宰相是否能干，就看天下安定还是危乱，我在皇帝面前商议的，不值得说。"

三月初二日甲辰，李泌去世。李泌有谋略，但喜欢谈论神仙诡异怪诞的事情，所以被世人轻视。

---

州。弓高县治在今河北东光西北，景城县治在今河北沧州西。㉗㉓三十年无此事：河北诸镇自安史之乱始，三十年以来，刺史皆节镇所署，无朝廷委署之事。㉗㉔徐伸：又作徐申。京兆（今陕西西安）人，官至岭南节度使。传见《新唐书》卷一百四十三。㉗㉕性多凝滞：性情拘泥拖拉。㉗㉖窦参：字时中，太宗朝刑部尚书窦诞之玄孙。为相专权被贬杀。传见《旧唐书》卷一百三十六、《新唐书》卷一百四十五。㉗㉗庚子：二月二十七日。㉗㉘刚果峭刻：刚毅果断，严厉苛刻。㉗㉙要地：重要部门。㉘⓪充位：充数备员相位。㉘①甲辰：三月初二日。㉘②好谈神仙诡诞：喜欢谈论神仙诡异怪诞之事。李泌以此自保，并非性好神仙诡诞。

---

**【语译】**

当初，德宗思念李怀光的功劳，打算宽恕李怀光的一个儿子。而李怀光的子孙都已伏罪被杀，三月二十六日戊辰，德宗下诏以李怀光的外孙燕八八作李怀光的后嗣，赐姓名为李承绪，任命为左卫率胄曹参军，赏赐钱一千缗，让他奉养李怀光的妻子王氏，以及为李怀光守墓祭祀。

冬，十月，韦皋派部将王有道率领军队同东蛮、两林蛮以及吐蕃的青海、腊城两节度在嶲州的台登谷交战，把他们打得大败，斩首二千级，敌人跳下悬崖以及溺水而死的人计算不过来，杀了吐蕃军队的大兵马使乞藏遮遮。乞藏遮遮是吐蕃的一员勇将，他死了以后，韦皋进攻吐蕃的城池、栅寨，没有攻克不了的，几年之间收复了嶲州全境。

易定节度使张孝忠发兵袭击蔚州，驱赶、掳掠人口和牲畜，德宗下诏训斥张孝忠，张孝忠过了十天以后才返回本镇。

琼州[289]自乾封中[290]为山贼[291]所陷，至是，岭南节度使李复[292]遣判官姜孟京与崖州刺史张少迁攻拔之。

十二月庚午[293]，闻回鹘天亲可汗薨，戊寅[294]，遣鸿胪卿郭锋册命其子为登里罗没密施俱录忠贞毗伽可汗。先是，安西、北庭皆假道[295]于回鹘以奏事，故与之连和。北庭去回鹘尤近，回鹘[10]诛求无厌[296]，又有沙陀[297]六千余帐[298]与北庭相依。及三葛禄、白服突厥[299]皆附于回鹘，回鹘数侵掠之。吐蕃因葛禄、白服之众以攻北庭，回鹘大相颉干迦斯将兵救之。

云南虽贰于吐蕃，亦未敢显与之绝。壬辰[300]，韦皋复以书招谕之。

【段旨】

以上为第十段，写德宗为李怀光立后嗣。西川节度使韦皋大败吐蕃。吐蕃侵扰北庭，回鹘出兵助唐。

【注释】

[283]戊辰：三月二十六日。[284]左卫率胄曹参军：武官名，左卫率为东宫十率府之一。胄曹参军为率所属诸曹参军之一。[285]台登谷：山谷名，在台登县（今四川冕宁）境。[286]尽复嶲州之境：嶲州相当今四川西昌，安史之乱后没于吐蕃，至是全境为韦皋所复。州治越嶲，在今四川西昌。[287]蔚州：州名，属河东节镇。治所灵丘，在今山西灵丘。[288]逾旬还镇：过了十天返回本镇。[289]琼州：州名，治所琼山，在今海南海口。[290]乾封中：乾封年间。乾封为唐高宗第五个年号（公元六六六至六六八年），共三年。[291]山贼：对海南岛土著黎族人的贬称。[292]李复：字初阳，历饶、苏二州刺史及岭南、郑滑节度使，所在称治。传见《旧唐书》卷一百十二、《新唐书》卷七十八。[293]庚午：十二月初三日。[294]戊

【原文】

六年（庚午，公元七九〇年）

春[301]，诏出岐山[302]无忧王寺佛指骨[303]迎置禁中，又送诸寺以示众，

琼州从高宗皇帝乾封年间就被山中的黎族人攻陷，到现在，岭南节度使李复派遣判官姜孟京与崖州刺史张少迁攻取了琼州城。

十二月初三日庚午，德宗听说回鹘天亲可汗去世，十一日戊寅，派遣鸿胪卿郭锋册命他的儿子为登里罗没密施俱录忠贞毗伽可汗。在此之前，安西、北庭都护都借道回鹘向朝廷奏报事情，所以同回鹘建立和好关系。北庭都护府离回鹘很近，回鹘索求财物没有满足的时候，又有沙陀六千多个营帐的人马与北庭互相依存。等到三葛禄人、白服突厥人都归附了回鹘，回鹘多次侵犯掠夺他们。吐蕃人利用葛禄人和白服突厥人进攻北庭，回鹘的大国相颉干迦斯率兵援救北庭。

云南王虽然对吐蕃有二心，但也不敢明显与吐蕃断绝关系。十二月二十五日壬辰，韦皋又写信给云南王进行招抚晓谕。

---

寅：十二月十一日。㉙⑤假道：借道。河陇没于吐蕃，通西域路断，故安西、北庭两都督府借道于回鹘以奏事。㉙⑥诛求无厌：索求没有满足的时候。诛求，苛求。厌，满足。㉙⑦沙陀：西突厥别部，居于今新疆吐鲁番、伊吾一带。㉙⑧六千余帐：六千余户。帐，幕帐。㉙⑨三葛禄白服突厥：在北庭西北，即在今哈萨克斯坦巴尔喀什湖以北、以西之地。㉚⓪壬辰：十二月二十五日。

【校记】

［9］王有道：原作“曹有道”。据章钰校，乙十六行本、乙十一行本皆作“王有道”，张瑛《通鉴校勘记》同，今据校改。〖按〗《旧唐书》卷一百四十《韦皋传》、卷一百九十六下《吐蕃下》记载韦皋遣有道破吐蕃事，均作“王有道”。《新唐书》卷一百五十八《韦皋传》记载贞元十三年韦皋事，言及皋部将王有道，“曹”亦作“王”。［10］回鹘：此二字原无。据章钰校，乙十六行本、乙十一行本皆有此二字，张敦仁《通鉴刊本识误》同，今据补。

---

【语译】

**六年（庚午，公元七九〇年）**

春，德宗下诏取出岐山无忧王寺中的佛指骨，把它迎来安放在宫廷中，又送到

倾都瞻礼[304]，施财巨万。二月乙亥[305]，遣中使复葬故处。

初，朱滔败于贝州[306]，其棣州刺史赵镐以州降于王武俊，既而得罪于武俊，召之不至。田绪残忍，其兄朝仕李纳为齐州[307]刺史，或言纳欲纳朝于魏[308]，绪惧，判官孙光佐等为绪谋，厚赂纳，且说纳招赵镐取棣州以悦之，因请送朝于京师，纳从之。丁酉[309]，镐以棣州降于纳。三月，武俊使其子士真击之，不克。

回鹘忠贞可汗之弟弑忠贞而自立，其大相颉干迦斯西击吐蕃未还，夏，四月，次相帅国人杀篡者而立忠贞之子阿啜为可汗，年十五。

五月，王武俊屯冀州，将击赵镐，镐帅其属奔郓州[310]，李纳分兵据之[311]。田绪使孙光佐如郓州，矫诏以棣州隶纳。武俊怒，遣其子士清伐贝州，取经城[312]等四县。

回鹘颉干迦斯与吐蕃战不利，吐蕃急攻北庭。北庭人苦于回鹘诛求，与沙陀酋长朱邪尽忠[313]皆降于吐蕃，节度使杨袭古帅麾下二千人奔西州[314]。六月，颉干迦斯引兵还国，次相恐其有废立，与可汗皆出郊迎，俯伏自陈擅立之状，曰："今日惟大相死生之。"盛陈郭锋[315]所赍国信，悉以遗之。可汗拜且泣曰："儿愚幼，若幸而得立，惟仰食于阿多[316]，国政不敢豫也。"虏谓父为阿多。颉干迦斯感其卑屈，持之而哭，遂执臣礼，悉以所遗颁从行者，己无所受，国中由是稍安。

秋，颉干迦斯悉举国兵数万，召杨袭古[11]，将复北庭，又为吐蕃所败，死者大半。袭古收余众数百，将还西州。颉干迦斯绐之曰："且与我同至牙帐[317]，当送君还[12]。"既而留不遣，竟杀之。安西由是遂绝[318]，莫知存亡[319]，而西州犹为唐固守。

京城各寺庙中让人们观看，全京城的人都去瞻仰礼拜，布施钱财亿万。二月初八日乙亥，德宗派中使把佛指骨送回葬在旧处。

当初，朱滔在贝州战败，他的棣州刺史赵镐献出棣州投降了王武俊，不久，赵镐又获罪于王武俊，王武俊传召赵镐，赵镐不来。田绪生性残忍，哥哥田朝在李纳的手下担任齐州刺史，有人对田绪说李纳想把田朝交还给魏博，田绪很害怕，判官孙光佐等人为田绪出谋划策，田绪便向李纳赠送丰厚的礼品，而且劝说李纳招降赵镐，取得棣州，以此让李纳高兴，借机请求李纳把田朝送到京师，李纳听从了田绪的建议。二月三十日丁酉，赵镐献出棣州投降了李纳。三月，王武俊让儿子王士真进攻棣州，没有攻下。

回鹘忠贞可汗的弟弟杀了忠贞可汗，自立为可汗，回鹘的大国相颉干迦斯西去攻打吐蕃，没有回来。夏，四月，回鹘的次国相带领国人杀了篡位者，拥立忠贞可汗的儿子阿啜为可汗，阿啜十五岁。

五月，王武俊屯驻冀州，准备攻打赵镐，赵镐率领他的部属逃往郓州，李纳派出一支军队占领了棣州。田绪派孙光佐前往郓州，假借诏令将棣州隶属于李纳。王武俊大怒，派他的儿子王士清讨伐贝州，夺取了经城等四个县。

回鹘颉干迦斯与吐蕃人交战失利，吐蕃加紧攻打北庭。北庭的民众苦于被回鹘人勒索，与沙陀的酋长朱邪尽忠全都投降了吐蕃，北庭节度使杨袭古率领部下二千人跑往西州。六月，颉干迦斯带领军队返回回鹘国，回鹘的次相害怕颉干迦斯对可汗有所废立，就同可汗一起来到郊外迎接颉干迦斯，次相伏在地上向颉干迦斯陈述擅自拥立可汗的情况，说："今天只由大国相来决定我的生死。"详细陈述了唐朝册封使郭锋带来的印绶、礼品等，把这些东西全部交给了颉干迦斯。可汗向颉干迦斯行礼，并且哭着说："儿愚昧年幼，如果有幸立为可汗，只愿依赖阿多生活，不敢参与国务大政。"回鹘人称父亲为阿多。颉干迦斯被可汗的卑躬屈膝所感动，拉着他哭了，于是颉干迦斯向可汗秉持大臣的礼节，把可汗送给他的东西全部分给随他出征的将士，自己一点东西都没有接受，回鹘国内因此渐渐安定下来。

秋，颉干迦斯调动回鹘全国的兵力几万人，召来杨袭古，准备收复北庭，又被吐蕃所败，死的人有一大半。北庭节度使杨袭古收拢余下的部众几百人，准备返回西州。颉干迦斯欺骗杨袭古说："你暂且与我到牙帐，我当送你回去。"杨袭古到了牙帐后，颉干迦斯把杨袭古留下来，不送他走，最后杀了杨袭古。安西地区从此音讯断绝，大唐朝廷不知道安西是存是亡，而西州地区仍然在唐朝军队的固守之中。

【段旨】

以上为第十一段，写回鹘内乱，仍全力助唐攻击吐蕃。

【注释】

㉛春：正月。㉜岐山：县名，隋设县，唐沿置。无忧王寺即今扶风法门寺，当时属岐山县。㉝佛指骨：佛的手指骨。㉞倾都瞻礼：全京城的人都去瞻仰礼拜。㉟乙亥：二月初八日。㊱朱滔败于贝州：王武俊与李抱真连兵破朱滔于贝州。事见本书卷第二百三十一德宗兴元元年（公元七八四年）。㊲齐州：州名，治所在今山东齐河县。㊳纳欲纳朝于魏：李纳打算把田朝交回魏州。田朝为长，还魏州则危及田绪的节镇地位。㊴丁酉：二月三十日。㊵郓州：州名，淄青节度使巡属。治所须昌，在今山东东平西北。㊶据之：李纳分兵据有棣州。㊷经城：县名，县治在今河北清河县西北。经城等四县为贝州所

---

【原文】

葛禄乘胜取回鹘之浮图川[320]。回鹘震恐，悉迁西北部落于牙帐之南以避之。遣达北特勒梅录随郭锋偕来，告忠贞可汗之丧，且求册命[321]。先是，回鹘使者入中国，礼容骄慢[322]，刺史皆与之钧礼[323]。梅录至丰州[324]，刺史李景略[325]欲以气加之，谓梅录曰："闻可汗新没，欲申吊礼[326]。"景略先据高垄而坐[327]，梅录俯偻前哭[328]。景略抚[329]之曰："可汗弃代[330]，助尔哀慕[331]。"梅录骄容猛气，索然[332]俱尽。自是回鹘使至，皆拜景略于庭，威名闻塞外。

冬，十月辛亥[333]，郭锋始自回鹘还。

十一月庚午[334]，上祀圜丘[335]。

上屡诏李纳以棣州归王武俊，纳百方迁延，请以海州易之于朝廷，上不许。乃请诏武俊先归田绪四县，上从之。十二月，纳始以棣州归武俊。

---

属。⑬朱邪尽忠：沙陀酋长。元和三年（公元八〇八年），朱邪尽忠率众归唐。⑭西州：州名，北庭巡属。治所在今新疆吐鲁番东南。⑮郭锋：唐所遣册忠贞可汗使者。⑯阿多：回鹘人呼父为阿多。⑰牙帐：回鹘可汗所居大帐，在今蒙古乌兰巴托西。⑱绝：音讯断绝。⑲莫知存亡：音信不通，没有人知道安西的存亡。

## 【校记】

［11］召杨袭古：原无此四字。据章钰校，乙十六行本、乙十一行本、孔天胤本皆有此四字，张敦仁《通鉴刊本识误》、张瑛《通鉴校勘记》同，今据补。［12］当送君还：原无此四字。据章钰校，乙十六行本、乙十一行本、孔天胤本皆有"当送君还朝"五字，张瑛《通鉴校勘记》同。而张敦仁《通鉴刊本识误》云脱"当送君还"四字，当是，今从《刊本识误》校补。

---

## 【语译】

葛禄人乘胜攻取了回鹘的浮图川。回鹘震恐，将西北地区的各部落全部迁移到牙帐的南面，以躲避葛禄人。派遣达北特勤的梅录随册封使郭锋一起来到朝廷，报告忠贞可汗的丧事，还要求朝廷册封新的可汗。此前，回鹘的使者到唐朝来，礼仪和态度骄横傲慢，大唐刺史都要与他们以平等之礼相待。这次梅录到了丰州，丰州刺史李景略想在气势上压倒回鹘使者，对梅录说："听说你们的可汗新近去世，我想尽哀悼之礼。"李景略先占了一处高丘坐下来，梅录低着头、佝偻着身子，向前哭起来，李景略安抚他说："可汗离开人世，我陪你哀悼表示怀念。"梅录骄横的态度和凶猛的气焰，索然尽失。从此，回鹘的使者来到唐朝，都在庭中拜见李景略，李景略的威望和名声远传塞外。

冬，十月十九日辛亥，郭锋才从回鹘返回朝廷。

十一月初八日庚午，德宗在圜丘举行祭天礼。

德宗多次诏令李纳把棣州归还王武俊，李纳千方百计地拖延，还向朝廷请求用海州替换棣州给王武俊，德宗不答应。于是李纳请求德宗诏令王武俊先把经城等四个县归还给田绪，德宗听从了他的意见。十二月，李纳才把棣州归还给王武俊。

---

【段旨】

以上为第十二段，写回鹘势衰，事唐恭顺。朝廷调停河北藩镇摩擦。

【注释】

⑳浮图川：今俄罗斯境内的叶尼塞河。㉑且求册命：同时请求册立新可汗的诏令。㉒礼容骄慢：礼仪和态度都十分骄横傲慢。㉓钧礼：平礼。㉔丰州：州名，治所九

---

【原文】

**七年（辛未，公元七九一年）**

春，正月己巳[336]，襄王僙[337]薨。

二月癸卯[338]，遣鸿胪少卿庾铤册回鹘奉诚可汗。

戊戌[339]，诏泾原节度使刘昌筑平凉故城[340]，以扼[341]弹筝峡口。浃辰[342]而毕，分兵戍之。昌又筑朝谷堡[343]，甲子[344]，诏名其堡曰彰信。泾原稍安。

初，上还长安，以神策等军有卫从之劳，皆赐名“兴元元从奉天定难功臣”，以官领之，抚恤优厚。禁军恃恩骄横[345]，侵暴百姓，陵忽府县[346]，至诟辱[347]官吏，毁裂案牍[348]。府县官有不胜忿而刑之[349]者，朝笞[350]一人，夕贬万里。由是府县虽有公严之官[351]，莫得举其职[352]。市井[353]富民，往往行赂寄名军籍[354]，则府县不能制。辛巳[355]，诏神威、六军[356]吏士与百姓讼者，委之府县，小事牒[357]本军，大事奏闻[358]。若军士陵忽府县，禁身[359]以闻，委御史台推覆[360]，县吏辄敢笞辱，必从贬谪。

癸未[361]，易定节度使张孝忠薨。

---

原，在今内蒙古五原南。丰州当回鹘入唐必由之路。㉕李景略：历丰州刺史、太原少尹、西受降城都防御使等职，声雄北疆，回鹘畏之。传见《旧唐书》卷一百五十二、《新唐书》卷一百七十。㉖申吊礼：举行吊唁的礼仪。㉗据高垄而坐：占据一处高丘上坐下来。高垄，高丘；高台。㉘俯偻前哭：指梅录低着头（俯），弓着身子（偻），一边向前走，一边哭泣。㉙抚：安抚。㉚弃代：离开人世。㉛助尔哀慕：陪你哀悼表示怀念。尔，汝、你。哀慕，哀伤怀念。㉜索然：泄气的样子。㉝辛亥：十月十九日。㉞庚午：十一月初八日。㉟祀圜丘：在天坛举行祭天礼。

**【语译】**

**七年（辛未，公元七九一年）**

春，正月初八日己巳，襄王李僙去世。

二月十二日癸卯，德宗派遣鸿胪少卿庾鋌册封回鹘奉诚可汗。

初七日戊戌，诏令泾原节度使刘昌修筑平凉的旧城，借以控制弹筝峡口。刘昌总用了十二天完工，派兵戍守。刘昌又修筑了朝谷堡。甲子日，德宗下诏把朝谷堡命名为彰信堡。泾原地区逐渐安定下来。

当初，德宗从梁州返回长安，因为神策等禁卫军有随从护驾的功劳，全都赐名为“兴元元从奉天定难功臣”，委任官员统领他们，抚恤优厚。禁军凭仗着德宗的恩宠，骄傲专横，侵害残虐百姓，凌驾于府县官之上，以至于谩骂侮辱官吏，还撕裂官府文书。有的府县官员愤怒难忍，对违法禁军施以刑罚，早上拷打了一个禁军士卒，傍晚就被贬职到万里之外。因此，府县虽然有公正严明的官员，但没有办法行使自己的职责。街市中富裕的人，往往通过行贿得以挂名在禁军名册，而府县官员无法控制这些人。三月二十一日辛巳，德宗下诏凡是禁军中的神威与六军的将士同百姓打官司的，把案件的当事人交给府县，如果是小事情，府县要发文书通告当事人所属的本军长官，如果是大事情，府县要奏闻朝廷。如果是军中士兵欺凌府县官员的，应该将其人拘禁起来，上奏朝廷，交给御史台审讯核查，县中的官吏如果胆敢随便拷打、侮辱，一定要贬斥降职。

三月二十三日癸未，易定节度使张孝忠去世。

**【段旨】**

以上为第十三段，写神策军恃恩骄横。

【注释】

㉝⑥己巳：正月初八日。㉝⑦襄王僙：肃宗子。㉝⑧癸卯：二月十二日。㉝⑨戊戌：二月初七日。㉞⓪平凉故城：平凉城毁于兵火，今重筑之，故言“故城”。在今甘肃平凉。㉞①扼：控制。㉞②浃辰：十二天。㉞③朝谷堡：戍镇名，在平凉城西三十五里，更名彰信堡。《旧唐书》卷一百五十二《刘昌传》作“胡谷堡”。㉞④甲子：二月壬辰朔，无甲子。甲子，三月初四日。疑“甲子”二字上脱“三月”二字。㉞⑤恃恩骄横：依恃恩宠而骄傲专横。㉞⑥陵

【原文】

安南[362]都护高正平重赋敛，夏，四月，群蛮酋长杜英翰等起兵围都护府，正平以忧死，群蛮闻之皆降。五月辛巳[363]，置柔远军于安南。

端王遇[364]薨。

韦皋比年致书招云南王异牟寻，终未获报。然吐蕃每发云南兵，云南与之益少。皋知异牟寻心附于唐，讨击副使段忠义，本阁罗凤[365]使者也，六月丙申[366]，皋遣忠义还云南，并致书敦谕[367]之。

秋，七月戊寅[368]，以定州刺史张升云[369]为义武留后。

庚辰[370]，以虔州刺史赵昌[371]为安南都护，群蛮遂安。

八月丙午[372]，以翰林学士陆贽为兵部侍郎，余职皆解，窦参恶之[373]也。

吐蕃攻灵州，为回鹘所败，夜遁。九月，回鹘遣使来献俘[374]。冬，十二月甲午[375]，又遣使献所获吐蕃酋长尚结心。

福建观察使吴凑[376]为治有声，窦参以私憾毁之，且言其病风。上召至京师，使之步以察之，知参之诬，由是始恶参。丁酉[377]，以凑为陕虢观察使以代参党李翼。

睦王述[378]薨。

吐蕃知韦皋使者在云南，遣使让之。云南王异牟寻绐之曰：“唐使，本蛮也，皋听其归耳，无他谋也。”因执以送吐蕃。吐蕃多取其大

忽府县：凌驾于府县官之上。㉞⑦诟辱：谩骂凌辱。㉞⑧毁裂案牍：撕裂官府文书。㉞⑨不胜忿而刑之：愤怒难忍而对骄横禁军士兵用刑。㉟⓪笞：拷打。㉟①公严之官：公正严明的官员。㉟②莫得举其职：没有办法行使自己的职能。㉟③市井：街市。㉟④寄名军籍：挂名在禁军名册。㉟⑤辛巳：三月二十一日。㉟⑥神威六军：唐德宗之前禁军为神策军与六军。六军为左右羽林、左右龙武、左右神武。贞元二年（公元七八六年）神策军分为左右，贞元四年又以殿前左右射生军为左右神威军。于是禁军共有十军。㉟⑦牒：行文；发文。㉟⑧奏闻：奏闻朝廷。㉟⑨禁身：拘禁。㊱⓪推覆：审讯核查。㊱①癸未：三月二十三日。

【语译】

安南都护高正平重加赋敛，夏，四月，各部落的酋长杜英翰等人发兵包围安南都护府，高正平因担忧而死，各部落的人听到这一消息，都归降了。五月二十二日辛巳，朝廷在安南地区设置柔远军。

端王李遇去世。

西川节度使韦皋连年写信招抚云南王异牟寻，始终没有得到回复。然而吐蕃每次征发云南兵，云南王异牟寻给吐蕃派出的人日益减少。韦皋知道异牟寻内心归附唐朝。韦皋的讨击副使段忠义，本来是异牟寻的祖父阁罗凤的使者。六月初七日丙申，韦皋派遣段忠义返回云南，并且让段忠义带信给异牟寻，对他深加劝导。

秋，七月十九日戊寅，任命定州刺史张升云为义武军的留后。

二十一日庚辰，任命虔州刺史赵昌为安南都护，安南各部落于是安定下来。

八月十八日丙午，任命翰林学士陆贽为兵部侍郎，他的其他职务都被解除，这是因为宰相窦参讨厌他。

吐蕃攻打灵州，被回鹘打败，夜里逃走了。九月，回鹘派使者到唐朝来进献抓获的吐蕃俘虏。冬，十二月初八日甲午，回鹘又派使者进献抓获的吐蕃酋长尚结心。

福建观察使吴凑治理地方很有声誉，宰相窦参因私恨诋毁吴凑，而且说吴凑患了风湿病。德宗把吴凑召到京城，让吴凑行走，来观察他是否腿脚有病，知道是窦参诬陷吴凑，德宗从此就开始厌恶窦参。十二月十一日丁酉，德宗任命吴凑担任陕虢观察使，以取代窦参的党羽李翼。

睦王李述去世。

吐蕃知道韦皋的使者在云南王那里，就派使者指责云南王。云南王异牟寻欺骗吐蕃的使者说："唐朝的使者，本来是我云南部落人，韦皋听任这个人回来，没有其他的谋划。"于是把韦皋派来的使者抓起来送给了吐蕃。吐蕃拿很多云南大臣的儿子

臣之子为质㉗⑨，云南愈怨。

勿邓酋长苴梦冲潜通吐蕃，扇诱群蛮，隔绝云南使者。韦皋遣三部落㊳⓪总管苏嶦将兵至琵琶川㊳①。

---

【段旨】

以上为第十四段，写云南王欲附唐而不与吐蕃绝交，首鼠两端。

【注释】

㊱②安南：都护府。本交州，高宗调露二年（公元六八〇年）置，治所在今越南河内。㊱③辛巳：五月二十二日。㊱④端王遇：德宗弟。㊱⑤阁罗凤：南诏王异牟寻之祖。㊱⑥丙申：六月初七日。㊱⑦敦谕：深加劝导。敦，厚、深厚。㊱⑧戊寅：七月十九日。㊱⑨张升云：张孝忠长子，继其父为义武军留后，德宗赐名茂昭，二年后升为节度使。传见《旧唐书》卷一百四十一、《新唐书》卷一百四十八。㊲⓪庚辰：七月二十一日。㊲①赵昌：字洪祚，天水（今甘肃天水市）人，年七十余为安南都护，人心归服。传见《旧唐书》卷一百五十一、《新唐书》卷一百七十。㊲②丙午：八月十八日。㊲③恶之：嫌恶陆贽。㊲④遣使来献俘：回鹘向唐天子告捷献俘。㊲⑤甲午：十二月初八日。㊲⑥吴凑：肃宗章敬吴皇后之弟，为官有政声。传见《旧唐书》卷一百八十三、《新唐书》卷一百五十九。㊲⑦丁酉：十二月十一日。㊲⑧睦王述：德宗弟。㊲⑨质：人质。㊳⓪三部落：指两林、勿邓、丰琶三部。㊳①琵琶川：在嶲州西南境外。嶲州治所在今四川西昌。

【研析】

本卷研析李泌救太子、李软奴谋反案，以及司马光的两条评论。

第一，李泌救太子。专制政体，废嫡立庶，乱了宗法制度，大都要引发动乱，尤其是大乱甫平的德宗之世，废嫡立庶更易引发动乱，或是奸人得逞。保持政治稳定，是李泌为相的重中之重。德宗所立太子李诵，是昭德皇后所生唯一的儿子。皇后和太子都无恶行，李诵以慈孝闻名，突然被废，将会引发一场政治地震，李泌要全力来避免。德宗有十一个儿子，亲子九人，养子二人。亲子中有八子皆庶出。养子二人，一为舒王谟，后改为谊，是德宗弟弟李邈的儿子，德宗喜爱，养以为子，年长；二是文敬太子李源，本是太子李诵之子，德宗喜爱，命以为子，年幼。太子李诵娶郜国公主之女为妃。郜国公主，肃宗之女，德宗之姑。郜国公主寡居，与彭州司马李万等人奸乱事发，德宗幽囚郜国公主，罪及太子，动了废嫡立庶的念头。

作为人质，云南更加怨恨吐蕃。

勿邓部落的酋长苴梦冲暗中勾结吐蕃，煽动诱惑各个部落，阻断隔绝云南的使者与唐朝的往来。韦皋派遣两林、勿邓、丰琶三个部落的总管苏嵬率兵到达琵琶川。

---

德宗召问李泌，要立舒王谟为太子。德宗性急，刚愎自用，往往感情用事，不计后果。李泌谏阻，要冒族诛的危险。太子向德宗提出与妃离婚，德宗不许。太子打算吞药自杀。李泌对太子说："你和往常一样起居，尽人子之孝，只要我李泌在，就保你的安全，如果老臣不在，事情就难说了。"这表明李泌以生死保太子。德宗召问李泌不是征询他的意见，而是通报李泌，这是朕的家事，只是要李泌同意、支持，如果李泌反对，不但有遭身诛的危险，而且可能要遭族诛。如果是杨素、许敬宗、李林甫遇上这等机会，早就唯命是从，去巴结新太子以图定策功劳了。杨素助隋炀帝夺位，废太子；许敬宗助武后夺正宫，废王皇后；李林甫助武惠妃夺嫡，使唐玄宗杀太子瑛及兄弟三人，故李泌有是言。李泌以社稷为重，冒死救太子。他没有直接替太子诉冤，那样会更激怒德宗，岂不是昭示父亲害儿子吗？俗话说："虎毒不食子。"李泌的办法是煽动父子亲情，让德宗自己醒悟。李泌开门见山地说："陛下怎么用侄儿来取代儿子呢？"言外之意，亲儿子都靠不住，侄儿靠得住吗？德宗愤怒，不准说舒王是侄儿。李泌话锋一转，哀哭自己要遭族诛，可能只能过继侄儿来奉祭香火了，越说越动情，招引德宗也感动而泣。李泌此法，效战国时触聋说赵太后，出长安君为质的故伎，十分奏效。德宗气消，李泌娓娓道来废易太子覆国祸家的故事，慢慢消解德宗满耳的谗言。李泌不说太子李诵蒙冤，而说德宗所亲见的肃宗子建宁王蒙冤的事，用以启发德宗。李泌不要求德宗当面改主意，要他独自想一想事件的前因后果，三天后再拿定主意。德宗隔了一夜就想通了。太子丈母娘生活不检点，与太子有什么相干。其中必有奸人为非，是否舒王谟在谋算呢？不久前宰相张延赏就借郜国公主生活问题告刁状，被李泌揭穿，事才罢了。德宗不敢想，也不再追究，打消了更易太子的念头。但猜忌成性的德宗，又担心太子妃怨恨，最终无辜地杀了太子妃，这事才算了结。

李泌保太子，也惊出了一身冷汗。他回家对子弟们说："我本来就不乐富贵，命运偏偏让我做宰相，今天恐怕要连累你们了。"伴君如伴虎，大智大慧的李泌不免说出酸楚的话，听了使人不寒而栗。

第二，李软奴谋反案。李软奴是一个不甘寂寞、兴风作浪的和尚，史称妖僧。《旧唐书·韩游瓌传》载，妖僧名李广弘。妖僧诡称五岳之神与河神托梦给他，说他当立为天子。邠宁节度使韩游瓌之子韩钦绪为禁军殿前射生将，他与妖僧两人同谋作乱。

事发，李晟惊吓倒地，说："李晟要被灭族了。"原来德宗与李泌相约，不害功臣李晟、马燧，但德宗的猜忌并没有消除，不时有流言蜚语攻击李晟。妖僧事发前，有蜚语说，李晟在后花园埋伏杀手发动政变。李晟后花园有一片竹林，他听说了此事，连忙砍伐了竹林。李晟合家主仆上千口，只要有一人卷入，奸险的人就可大做文章。李泌得知，马不停蹄，立即密奏德宗，要求把谋反大案交给国家司法机关审判。禁军事属宫廷内政，应交内侍省审理。内侍省审理，直接由德宗掌控，奸邪会乘虚而入，德宗捕风捉影，又有权任意杀人，一场大案就不可避免了。李泌以谋反大案触犯最高国法为由，认为应当交给御史台审理，也名正言顺。德宗听从，交御史台审理，李泌就可以掌控了，因此没有牵连外朝一个人。一场弥天大案，可能要株连功臣宿将、杀灭几千几万人的事，被李泌化解了。宿卫军被诛杀者八百多人，其中大多数都应是冤死者。不如此，无以塞责。挽救禁军中的冤死者，李泌也无能为力。为了大局，牺牲一些禁军，只能如此了。

第三，司马光的两条评论。司马光的两条评论，一条贬君，评价德宗是一个昏君；一条贬臣，批评李泌行政不走正道，是引导德宗贪婪的纵欲者。贞元三年（公元七八七年）十二月初一日，德宗游猎，微服私访，希望听到人民安居乐业的赞颂。被造访的人家叫赵光奇，他胆大说了真话，埋怨朝廷苛捐杂税繁重，优惠诏书是一纸空文，百姓生活困苦，天子身居九重，不恤民间疾苦。德宗就免了赵光奇这一家人的赋税徭役。司马光批评德宗，了解民情，没有形成改善政治的政策，而只是免除一家人苛税，天下千千万万的人，怎么可能家家户户向天子申诉呢？司马光的这一批评中肯而得体。德宗向李泌诉苦，以前各道进奉年收五十万缗，现在只有三十万缗，不够用度。李泌说，臣每年输大盈库一百万缗，请陛下停止收进奉钱。德宗得了一百万缗，仍然背着宰相向诸道索要进奉。贞元四年二月，勾勘东南两税钱帛使元友直送淮南钱帛二十万缗到长安，李泌全部输给大盈库。德宗仍然向诸道求索，还嘱咐不要让宰相知道。李泌见德宗如此贪婪，也不敢劝谏。司马光批评李泌不走正道，加倍给德宗钱财，是在引导纵欲。司马光的逻辑是："夫多财者，奢欲之所自来也。"就是说，钱越多越贪，俗话就有为富不仁的说法。可能人的私欲，大抵如此，特别是贪官污吏，更是如此。司马光的批评有一定道理。但他指责李泌不走正道就全错了。李泌想的是高薪养廉，这是一条现代文明的公理，特别是帝王以天下为家，怎能无限膨胀私欲呢！德宗的贪婪，是因为专制帝王的权力不受节制，这才是根源，并不是李泌诱导的。德宗贪婪，不听劝谏，司马光不责君反责臣，不只是迂腐，简直是痴人说梦。难道李泌少给德宗钱财，德宗就不贪了吗？表面看，是李泌多给德宗钱财，实质是在限制德宗用财，暗示德宗，君王用财也是有额度的。只有劝谏责任的人臣，除此之外没有别的办法。德宗不接受限制，表明劝谏无效，李泌也没有了办法。德宗贪财的事例生动地说明，一种缺乏制衡的权力，要消除贪污腐败，只能是天方夜谭。

# 卷第二百三十四　唐纪五十

起玄黓涒滩（壬申，公元七九二年），尽阏逢阉茂（甲戌，公元七九四年）五月，凡二年有奇。

【题解】

本卷记事起公元七九二年，迄公元七九四年五月，凡两年又五个月，当唐德宗贞元八年到贞元十年五月。此时期陆贽拜相，继李泌之后推动政治改革步上正轨。陆贽建言，由各部门长官推举部属升迁，不由宰相包办；用人要考核实际才能，不凭巧言；要给被惩官吏留下自新之路。又奏政府赈济灾民要及时。国际贸易不宜征税，招徕商人繁荣经济。陆贽还提出均平赋税与节用开支共六条措施，上奏边防体制六大失误，调整边防驻军，充实国家粮食储备。陆贽忧国忧民，有言必发，他的奏议直切明快，针砭与建言都能切中要害。陆贽缺乏李泌以柔克刚的手腕，所提善言大多不被采纳，只做了两年多的宰相，最终被贬逐。德宗信谗自用，本性不移。德宗虽能用李泌、陆贽，可是更信赖奸人卢杞、裴延龄等，所以政治清浊混流，时好时坏。

【原文】

**德宗神武圣文皇帝九**

**贞元八年（壬申，公元七九二年）**

春，二月壬寅[①]，执梦冲[②]，数其罪而斩之，云南之路始通。

三月丁丑[③]，山南东道节度使曹成王皋薨。

宣武节度使刘玄佐有威略[④]，每李纳使至，玄佐厚结之，故常得其阴事[⑤]，先为之备，纳惮之。其母虽贵，日织绢一匹，谓玄佐曰："汝本寒微，天子富贵汝[⑥]至此，必以死报之。"故玄佐始终不失臣节。庚午[⑦]，玄佐薨。

山南东道节度判官李实[⑧]知留后事，性刻薄，裁损[⑨]军士衣食。鼓角将[⑩]杨清潭帅众作乱，夜，焚掠城中，独不犯曹王皋家。实逾城走免。明旦，都将徐诚缒城而入，号令禁遏，然后止，收清潭等六人

【语译】

**德宗神武圣文皇帝九**

**贞元八年（壬申，公元七九二年）**

春，二月十七日壬寅，西川节度使韦皋擒获苴梦冲，历数他的罪状后杀了他，唐朝与云南之间的路这才畅通。

三月二十三日丁丑，山南东道节度使曹成王李皋去世。

宣武军节度使刘玄佐既有威望又具谋略，每当李纳的使者到来，刘玄佐都着意结交，所以经常能了解到一些李纳的隐秘之事，先行对李纳做好了防备，李纳因此对刘玄佐也有所忌惮。刘玄佐的母亲虽然地位尊贵，仍然每天亲手织绢一匹，她对刘玄佐说："你原本出身寒微，天子让你富贵到如此程度，你一定要以死来报答天子。"所以刘玄佐始终都没有缺失做臣子的节操。三月十六日庚午，刘玄佐去世。

山南东道节度判官李实主持留后事务，他秉性刻薄，经常克扣军士的衣食供给。鼓角将杨清潭率众作乱，入夜，作乱的军士在城中烧杀抢掠，唯独不去侵扰曹王李皋的家。李实翻越城墙逃走，幸免一死。第二天清晨，都将徐诚抓着绳子攀爬入城，发布号令加以制止，变乱这才停了下来，徐诚把杨清潭等六人抓起来杀了。李实回

斩之。实归京师，以为司农少卿⑪。实，元庆⑫之玄孙也。丙子⑬，以荆南节度使樊泽为山南东道节度使。

初，窦参为度支转运使，班宏副之。参许宏，俟一岁⑭以使职归之。岁余，参无归意，宏怒。司农少卿张滂，宏所荐也，参欲使滂分主江、淮盐铁，宏不可。滂知之，亦怨宏。及参为上所疏，乃让度支使于宏，又不欲利权专归于宏，乃荐滂于上⑮，以宏判度支[1]，以滂为户部侍郎、盐铁转运使，仍隶于宏以悦之。

窦参阴狡而愎⑯，恃权而贪⑰，每迁除⑱，多与族子给事中申议之。申招权⑲受赂，时人谓之“喜鹊”⑳。上颇闻之，谓参曰：“申必为卿累㉑，宜出之以息物议㉒。”参再三保其无他，申亦不悛㉓。左金吾大将军㉔虢王则之㉕，巨之子也，与申善。左谏议大夫、知制诰㉖吴通玄㉗与陆贽不叶㉘，窦申恐贽进用，阴与通玄、则之作谤书以倾㉙贽。上皆察知其状。夏，四月丁亥㉚，贬则之昭州㉛司马，通玄泉州㉜司马，申道州㉝司马，寻赐通玄死。

刘玄佐之丧，将佐匿之，称疾请代，上亦为之隐，遣使即军中问“以陕虢观察使吴凑为代可乎？”监军孟介、行军司马卢瑗皆以为便，然后除之。凑行至汜水㉞，玄佐之柩将发，军中请备仪仗，瑗不许，又令留器用以俟新使，将士怒。玄佐之婿及亲兵皆被甲㉟，拥玄佐之子士宁㊱释衰绖㊲，登重榻㊳，自为留后。执城将㊴曹金岸、浚仪㊵令李迈，曰：“尔皆请吴凑者！”遂咼之㊶。卢瑗逃免。士宁以财赏将士，劫孟介以请于朝。上以问宰相，窦参曰：“今汴人㊷指㊸李纳以邀制命，不许，将合于纳。”庚寅㊹，以士宁为宣武节度使。士宁疑宋州刺史翟良佐不附己，托言巡抚，至宋州㊺，以都知兵马使刘逸准㊻代之。逸准，正臣㊼之子也。

到京城，德宗任命他为司农少卿。李实，是唐高祖的儿子道王李元庆的玄孙。三月二十二日丙子，德宗任命荆南节度使樊泽为山南东道节度使。

当初，宰相窦参担任度支转运使，班宏做他的副手。窦参向班宏许诺，等到一年以后会把度支转运使这一职务交给班宏。过了一年多，窦参却并无把这一职务交给班宏的意思，班宏十分恼怒。司农少卿张滂，是班宏推荐的，窦参打算让张滂分管江东、淮南的盐铁事务，班宏不同意。张滂知道这件事后，也对班宏怨恨起来。等到窦参被德宗疏远之后，才把度支转运使职务让给班宏，但又不想让这一职务所带来的利益和权力全都归于班宏，于是向德宗推荐张滂，任命班宏主管度支，任命张滂为户部侍郎、盐铁转运使，仍然隶属于班宏，以使班宏高兴。

窦参为人阴险狡猾又十分固执，依仗权势，肆意贪贿，每当升迁任命官员的时候，多半会与本家侄子给事中窦申商议谋划。窦申借此揽权受贿，当时的人称他为“喜鹊”。德宗对此情况听到了不少，便对窦参说：“窦申一定会成为你的牵累，最好把他外放出朝，以平息人们的非议。”窦参向德宗再三保证窦申没有做什么不当的事，窦申也毫无悔改之意。左金吾大将军虢王李则之，是李巨的儿子，与窦申关系很好。左谏议大夫、知制诰吴通玄与陆贽关系不好，窦申担心陆贽会受提拔任用，便暗中与吴通玄、李则之一起编造诽谤陆贽的书信来陷害陆贽。德宗对此都有所了解。夏，四月初三日丁亥，德宗把李则之贬为昭州司马，把吴通玄贬为泉州司马，把窦申贬为道州司马；不久，德宗赐吴通玄自尽。

刘玄佐去世以后，部将佐吏隐瞒实情，谎称刘玄佐病重，请求朝廷派人代替，德宗也有意替他们隐瞒，便派使者到宣武军中去询问：“用陕虢观察使吴凑来代替刘玄佐可以吗?”朝廷派驻宣武的监军孟介、行军司马卢瑗都觉得这样很好，德宗这才下达任命。吴凑赴任到达汜水县的时候，刘玄佐的灵柩要出殡，军中将士请求置办出殡的仪仗，卢瑗不允许，又下令把前节度使的器物用具留下以等待新任节度使的到来，将士们对此十分愤怒。刘玄佐的女婿和亲兵们都身披铠甲，簇拥着刘玄佐的儿子刘士宁脱下丧服，登上节镇主帅的宝座，自命为宣武节度留后。他们拘捕了巡城将领曹金岸、浚仪县令李迈，对他们说：“你们都是主张迎请吴凑的人!”于是把他们乱刀砍死。卢瑗逃跑，得免一死。刘士宁把钱财赏给将士们，劫持监军孟介，让他上奏朝廷请求任命刘士宁。德宗就此事询问宰相的意见，窦参说：“如今汴人倚仗李纳的声势强求朝廷的任命，如果不答应，他们将会与李纳联合。”四月初六日庚寅，德宗任命刘士宁为宣武军节度使。刘士宁怀疑宋州刺史翟良佐不会归附自己，借口到境内各地巡察抚慰，来到宋州，让都知兵马使刘逸准代替了翟良佐的职务。刘逸准，是前平卢节度使刘正臣的儿子。

【段旨】

以上为第一段，写山南东道、宣武两镇节度易帅。宰相窦参贪渎、擅权、忌才，与班宏、陆贽不睦，为其被诛张本。

【注释】

①壬寅：二月十七日。②梦冲：勿邓酋长苴梦冲，暗通吐蕃，阻断云南使者，故韦皋发兵执之。③丁丑：三月二十三日。④有威略：既有威严，又有谋略。⑤阴事：隐秘事。⑥富贵汝：使你富贵。⑦庚午：三月十六日。⑧李实：官至司农卿、京兆尹。传见《旧唐书》卷一百三十五、《新唐书》卷一百六十七。⑨裁损：裁减；克扣。⑩鼓角将：官名，掌军中战鼓号角用以报时传令之事。⑪司农少卿：官名，司农寺掌粮食仓储、禄米供应等事。其正副长官为卿、少卿。⑫元庆：李元庆（？至公元六六四年），唐高祖第十六子，始封汉王，贞观十年（公元六三六年）改封道王。历官滑、徐、沁、卫四州刺史。传见《旧唐书》卷六十四、《新唐书》卷七十九。⑬丙子：三月二十二日。⑭俟一岁：等到一年以后。⑮荐滂于上：窦参向德宗推荐张滂。⑯阴狡而愎：阴险狡诈而又固执。⑰恃权而贪：依仗权势肆行贪贿。⑱迁除：升迁与任命官员。⑲招权：揽权。⑳时人谓之“喜鹊”：当时的人们送给窦申一个外号“喜鹊”。朝士每有迁除，窦申先行通报受赂，如同有喜事，喜鹊噪叫于门，以此讥讽窦申。㉑为卿累：成为你的牵累。㉒物议：众人的非议。㉓悛：改过。㉔左金吾大将军：左金吾为唐代十六卫之一，置上将军、大将军各一人，将军二人，掌京城巡警。㉕虢王则之：虢王李则之，为虢王李巨之子。李

【原文】

乙未[48]，贬中书侍郎、同平章事窦参为郴州[49]别驾，贬窦申锦州[50]司户。以尚书左丞赵憬[51]、兵部侍郎陆贽并为中书侍郎、同平章事。憬，仁本[52]之曾孙也。

张滂请盐铁旧簿[53]于班宏，宏不与。滂与宏共择巡院[54]官，莫有合者，阙官甚多。滂言于上曰：“如此，职事必废，臣罪无所逃。”丙午[55]，上命宏、滂分掌天下财赋，如大历故事[56]。

壬子[57]，吐蕃寇灵州，陷水口[58]支渠，败营田[59]。诏河东、振武救

巨为唐高祖子虢王李凤之曾孙，历仕玄宗、肃宗两朝，出为方镇，入为判尚书省事，后贬遂州刺史，在肃宗上元二年（公元七六一年）为叛臣梓州刺史段子璋所杀。李则之，官至左金吾卫大将军。父子同传，见《旧唐书》卷一百十二、《新唐书》卷七十九。㉖左谏议大夫知制诰：谏议大夫，言官，分左、右，左隶门下省。知制诰，掌起草诏令。㉗吴通玄：传见《旧唐书》卷一百九十下、《新唐书》卷一百四十五。㉘不叶：不谐。㉙倾：陷害。㉚丁亥：四月初三日。㉛昭州：州名，治所在今广西平乐西。㉜泉州：州名，治所在今福建泉州。㉝道州：州名，治所在今湖南道县南。㉞汜水：县名，县治在今河南荥阳西北汜水镇。㉟被甲：穿着甲胄。㊱士宁：刘玄佐之子刘士宁，自为留后，朝廷命为宣武节度使。性残暴，为部将所逐，流配郴州。传见《旧唐书》卷一百四十五、《新唐书》卷二百十四。㊲释衰绖：脱去丧服。㊳登重榻：登上节镇主帅的座位。㊴城将：巡城武官。㊵浚仪：县名，为汴州治所，县治在今河南开封。㊶冎之：乱刀砍死曹金岸、李迈。㊷汴人：指宣武军将士。㊸指：指望。这里为挟持、依仗之义。句意谓汴人刘士宁将依仗李纳索求朝廷的任命。㊹庚寅：四月初六日。㊺宋州：州名，宣武军巡属。在今河南商丘。㊻刘逸准：怀州武陟（今河南武陟南）人，官至宣武节度使，赐名全谅。传见《旧唐书》卷一百四十五、《新唐书》卷一百五十一。㊼正臣：刘正臣，官至平卢节度使。事附《旧唐书》卷一百四十五《刘全谅传》、《新唐书》卷一百五十一。

## 【校记】

［1］以宏判度支：原无此句。据章钰校，乙十六行本、乙十一行本、孔天胤本皆有此句，张瑛《通鉴校勘记》同，今据补。

## 【语译】

四月十一日乙未，德宗贬中书侍郎、同平章事窦参为郴州别驾，贬窦申为锦州司户。任命尚书左丞赵憬、兵部侍郎陆贽同为中书侍郎、同平章事。赵憬，是赵仁本的曾孙。

张滂向班宏要以前盐铁事务的账簿，班宏不给他。张滂和班宏共同选择各道盐铁巡院的官员，两人所选择的人没有一个是重合的，以致巡院官缺员很多。张滂对德宗说："这样下去，盐铁转运事务必定会荒废，我就罪责难逃了。"四月二十二日丙午，德宗下令班宏、张滂分别掌管各地的财税事务，仿效大历年间第五琦、刘晏分管的旧例。

四月二十八日壬子，吐蕃军队侵犯灵州，毁坏了水口的支渠，破坏了当地的屯

之，遣神策六军二千戍定远、怀远城[60]，吐蕃乃退。

陆贽请令台省长官各举其属[61]，著其名于诏书，异日[62]考其殿最[63]，并以升黜举者[64]。五月戊辰[65]，诏行贽议。

未几，或言于上曰："诸司[66]所举皆有情故[67]，或受货赂，不得实才。"上密谕[68]贽："自今除改，卿宜自择，勿任诸司。"贽上奏，其略曰："国朝[69]五品以上，制敕[70]命之，盖宰相商议奏可[71]者也。六品以下则旨授[72]，盖吏部铨材署职[73]，诏旨画闻而不可否者也[74]。开元中，起居、遗、补、御史等官犹并列于选曹[75]。其后幸臣专朝[76]，舍佥议而重己权[77]，废公举而行私惠，是使周行庶品[78]，苟不出时宰[79]之意，则莫致[80]也。"又曰："宣行[81]以来，才举十数[82]，议其资望，既不愧于班行[83]，考其行能，又未闻于阙败[84]。而议者遽以腾口[85]，上烦圣聪[86]。道之难行，亦可知矣。请使所言之人指陈其状，某人受贿，某举有情，付之有司，核其虚实[87]，谬举者必行其罚，诬善者亦反其辜[88]。何必贷其奸赃，不加辩诘[89]，私其公议[90]，不出主名[91]，使无辜[92]见疑，有罪获纵[93]，枉直同贯，人何赖焉[94]！又，宰相不过数人，岂能遍谙多士[95]。若令悉命群官[96]，理须展转询访[97]，是则变公举为私荐，易明扬以暗投[98]，情故必多，为弊益甚。所以承前命官，罕不涉谤[99]。虽则秉钧不一，或自行情，亦由私访所亲，转为所卖[100]。其弊非远，圣鉴明知[101]。"又曰："今之宰相则往日台省长官，今之台省长官乃将来之宰相，但是职名暂异，固非行举顿殊[102]。岂有为长官之时则不能举一二属吏，居宰相之位则可择千百具僚[103]！物议悠悠，其惑斯甚[104]。盖尊者领其要[105]，

田。德宗下诏命令河东、振武两镇救援灵州，还派了神策六军二千人去戍守定远城和怀远城，吐蕃军队这才撤退。

陆贽请求下令御史台和中书、门下、尚书三省的长官各自推举自己的属官，把他们的名字登录在诏书上，日后考察属官的政绩优劣，并以此来升迁或贬黜举荐者。五月十四日戊辰，德宗下诏推行陆贽的建议。

不久，有人对德宗说："各个部门所推举的属官都是有私情或原先有各种关系的，有的部门官员还接受了贿赂，得不到有真实才干的人。"德宗暗中告诉陆贽说："从今以后授职和改官，你应亲自去选择，不要交给各部门。"陆贽上奏德宗，大意是说："本朝五品以上的官员，都是皇上下诏令任命的，这是因为这些官员都是先由宰相们商议后上奏皇上，然后由皇上来批准的。六品以下的官员，则是皇上批转公文来授予的，先由吏部来权衡选择，量才授职，皇上的诏旨只写一个'闻'字而不写可否字样。开元年间，起居郎及起居舍人、拾遗、补阙和御史等官职，还是与其他官员一起由吏部铨选上报的。此后宠臣专擅朝政，抛开众议而一味加重自己的权力，放弃出于公心的推举而专行私心的小惠，这样才使宰相奏任官员的办法遍及各级官员选拔，如果没有当时宰相的同意，那就不能得到任命。"又说："自从推行由各部门长官推举属官的办法以来，总共才推举出十几个人，评议他们的资历和声望，既不逊于朝中同僚，考察他们的德行和能力，也没有听说有什么因失误而把事情做坏的情况。而说三道四的人突然间议论纷纷，搅扰陛下的视听。正确的办法难以施行的情况也就可想而知了。臣请求让那些说三道四的人指出、陈述具体情况，究竟哪个人是接受了贿赂，哪个人被推举是因为有私情，把他们交给主管部门，审核事情的真假，对谬加推举的人一定要实行惩罚，而对诬陷好人的人，也要反过来治他的罪。为什么一定要宽容那些奸佞与贪赃的人而不加分辨与追究呢？如果把公论变成了私议，不揭示举告人的姓名，使无辜的人受到怀疑，而有罪的人得到放纵，曲直同例，那么人们还能有什么依靠呢！再者，宰相不过几个人，哪里能够一一了解众多的士人。如果全让宰相来任命朝廷百官，那么他理应反复探询访查，但这样一来，则又把公开举用变成了私下推荐，把察举贤良换成了暗中投靠，其中私情和种种关系一定很多，造成的弊端更加严重。所以，沿用先前的那种方式来任命官员，相关的人很少有不受到指责的。虽然宰相把握选人标准不一，有的会私自送人情，但也有由于私访自己所亲近的人，反而被这些人蒙骗出卖了的。这样的弊端距今不远，圣明的皇上稍加鉴察，便会明白。"又说："如今的宰相，就是往日中央各部门的长官，如今中央各部门的长官就是将来的宰相，二者之间只是职衔暂时不同，原本并非在推举任用官员上立刻就有了巨大差别。哪有在担任部门长官之时，不能够推举一两个属下的官吏，而在位居宰相之后，就可以选择、任命成百上千个各种职任官员的道理呢！人们议论纷纷，最大的疑惑就在这里。说起来，地位尊贵的人统领

卑者任其详[106]，是以人主择辅臣，辅臣择庶长[107]，庶长择佐僚[108]，将务得人，无易于此。夫求才贵广，考课贵精。往者则天[109]欲收人心，进用不次[110]，非但人得荐士，亦得自举其才。然而课责[111]既严，进退皆速，是以当代谓知人之明，累朝赖多士之用[112]。"又曰："则天举用之法伤易而得人，陛下慎简之规太精而失士[113]。"上竟追前诏不行[114]。

【段旨】

以上为第二段，写陆贽拜相，建言台省长官推举部属升迁，不由宰相包办，因遭物议，未能推行。

【注释】

㊽乙未：四月十一日。㊾郴州：州名，治所郴县，在今湖南郴州。㊿锦州：州名，治所卢阳县，在今湖南麻阳苗族自治县西南。[51]赵憬（公元七三五至七九六年）：字退翁，天水陇南（今甘肃陇西县东南）人，历任湖南观察使、给事中、尚书左丞，官终宰相。传见《旧唐书》卷一百三十八、《新唐书》卷一百五十。[52]仁本：赵仁本，太宗时任殿中侍御史，高宗朝官至同东西台三品。后为右相许敬宗所构陷，降为尚书左丞，罢知政事。传见《旧唐书》卷八十一。[53]旧簿：往年财务账簿。[54]巡院：官署名，唐于诸道设置盐铁巡院，主持该道盐铁事务，隶属于盐铁转运使。[55]丙午：四月二十二日。[56]如大历故事：大历元年（公元七六六年），分天下财赋置转运、盐铁二使，东都畿内、河南、淮南、江东、江西、湖南、荆南、山南东道，以转运使刘晏领之，京畿、河东、剑南、山南西道，以判度支第五琦领之。事见本书卷第二百二十四代宗大历元年（公元七六六年）。[57]壬子：四月二十八日。[58]水口：水名，当在灵州境内。[59]营田：屯田。[60]定远怀远城：皆城名。定远城在今宁夏平罗南。怀远城即怀远县城，在今宁夏银川。[61]属：属官。[62]异日：他日。[63]殿最：犹言优劣。考核政绩上等为最，下等为殿。[64]升黜举者：所举得人，则升举荐之人；所举非人，则黜降举主。[65]戊辰：五月十四日。[66]诸司：各主管部门，指台省长官。[67]有情故：有人情请托，弄虚作假。[68]密谕：暗中晓示。[69]国朝：本朝，即唐朝。[70]制敕：诏书。[71]宰相商议奏可：唐制，五品以上官员，是通过诏书来任命的，先由宰相商议后上奏，皇帝认可，下诏任命。[72]旨授：由皇上批转公文授官。[73]铨材署职：权衡选取，量才授职。[74]诏旨画闻而不可否者也：六品以下的官员由批转的圣旨授官，也就是由吏部铨选人才，署任职务，圣上在诏旨上写一个"闻"字，

事物的纲要，地位居下的人负责具体事务，所以君王选择辅佐自己的宰辅大臣，宰辅大臣选择各部门的长官，各部门的长官再选择佐官、僚属，如果努力想要得到合适的人员，没有比这更好的办法。说到寻求人才，贵在选择范围广泛，而考核官员的优劣，贵在标准精细。以前则天皇太后当政时期，想要收买人心，提拔任用官员不拘资历、等级，不但人人可以推荐有才能之士，个人也可以自荐才干和能力。但是那时对官员的考核、督责严格，官员的升迁和降废也很迅速，所以当时的人都认为则天皇太后有知人之明，以后几朝都依靠她选拔出来的众多士人为朝廷效力。"又说："则天皇太后选用人才的办法失误之处在于升迁降废过于轻易，但得到了人才，而陛下慎重选择人才的规矩过于精细，反而失去有才能之士。"德宗最终还是追回了以前颁布的诏令，不再实行下去。

---

而不写可否字样。⑮开元中二句：谓在开元年间起居郎及起居舍人、拾遗、补阙、御史，皆由吏部铨选上报。选曹，指由吏部铨选。⑯幸臣专朝：宠臣专擅朝政。⑰舍佥议而重己权：抛开众人的议论而加重自己的权力。佥，众。⑱是使周行庶品：这样一来，使宰相奏任官员的办法遍及各级官员。⑲时宰：当时宰相。⑳莫致：不能任命。指任人授官，如果不经过当时宰相同意，就不能任命。㉑宣行：指由各台省长官各举其属的办法举荐官员。㉒才举十数：才举荐十几个人。㉓班行：班列；同僚。㉔阙败：过失。㉕遽以腾口：突然间众口沸腾，议论纷纷。㉖上烦圣聪：向上打扰皇上的视听。㉗核其虚实：核实反映情况的真假。㉘反其辜：指对诬告的人，反过来也要治他的罪。㉙何必贷其奸赃二句：为什么一定要宽大那些奸佞与贪赃的人，而不加以分辨与追究呢。贷，宽大。奸赃，指奸佞贪赃的人。辨诘，问难、追究。辨，通"辨"。㉚私其公议：对贪官污吏不审理追究，依靠揭举揭发定案，等于是把公论变成了私议。陆贽不赞成这种办法。㉛不出主名：不揭出举告人的姓名。主名，举告者之名。此指诬告人之名。㉜无辜：无罪的人。指被诬告的人。㉝有罪获纵：有罪的人得到放纵。㉞枉直同贯二句：对无理与有理的人都一样对待，人们还有什么依靠。枉，无理。直，正直、有理。贯，例。㉟遍谙多士：一一了解众多的士人。㊱群官：百官。㊲展转询访：反复的询问访求。㊳是则变公举为私荐二句：这样一来，便将公开举用变成私下推荐，将察举贤良换成了暗中投靠。明扬，指公开推荐的察举制度，而不是请托。㊴所以承前命官二句：因此，沿用过去宰相议选的办法任命官员，很少有不受指责的。谤，指责。㊵虽则秉钧不一四句：意谓虽然宰相也有把握标准不一，有的还会送人情，但也由于私访自己的亲故，反而被他们出卖了。秉钧不一，指也有宰相把握标准不一的。秉，把持、掌握。行情，徇私作弊。卖，指被蒙蔽捉弄。㊶其弊非远二句：这样的弊端，并不是很久以前的事，圣明的皇上

察视一下就可明白。⑩职名暂异二句：谓台省长官与宰相只是职衔的暂时区别，本来并不是在推举任用官员上立刻就有天差地别。行举，指任用与举荐官员。⑩具僚：各种职任的官员。⑭物议悠悠二句：众人的议论纷纷，人们最大的疑惑就在这里。⑩尊者领其要：地位尊贵的人统领事物的纲要。⑩卑者任其详：在下位的人负责具体事宜。⑩是以人主二句：谓因此人主要选择宰相，宰相要选择各部门的长官。庶长，众官之长。⑩佐僚：部门长官的下属官员。⑩则天：指武则天皇太后。⑩进用不次：不依官阶破格选用

【原文】

癸酉⑮，平卢节度使李纳薨，军中推其子师古⑯知留后。

六月，吐蕃千余骑寇泾州，掠田军⑰千余人而去。

岭南节度使奏："近日海舶珍异，多就安南市易，欲遣判官就安南收市⑱，乞命中使一人与俱。"上欲从之。陆贽上言，以为"远国商贩，惟利是求，缓[2]之斯来⑲，扰之则去。广州素为众舶所凑，今忽改就安南，若非侵刻过深，则必招携失所⑳，曾不内讼㉑，更荡上心。况岭南、安南，莫非王土，中使、外使，悉是王臣，岂必信岭南而绝安南，重中使以轻外使！所奏望寝不行"。

秋，七月甲寅朔㉒，户部尚书判度支班宏薨。陆贽请以前湖南观察使李巽㉓权判度支，上许之。既而复欲用司农少卿裴延龄㉔。贽上言，以为"今之度支，准平㉕万货，刻吝则生患，宽假则容奸。延龄诞妄小人，用之交骇物听㉖。尸禄㉗之责，固宜及于微臣㉘；知人之明，亦恐伤于圣鉴"。上不从，己未㉙，以延龄判度支事。

河南、北，江，淮，荆，襄，陈，许㉚等四十余州大水，溺死者二万余人，陆贽请遣使赈抚。上曰："闻所损殊少，即议优恤，恐生奸欺。"贽上奏，其略曰："流俗之弊，多徇谄谀，揣所悦意则侈其言㉛，

人才。⑪课责：对官员的考核与督责。⑫是以当代谓知人之明二句：因此，当代认为武则天有知人之明，以后连续几代都依赖她选出的众多士人为朝廷效力。⑬则天举用之法伤易而得人二句：意谓武则天用人，失误之处在于升降过于容易，但能够得到人才；陛下慎重选择人才的规矩过于精细，反而失去了有能之士。伤，伤害，引申为失误、弊端。易，太随便，指随便任用与罢退，即前文进退皆速。慎简，慎重地简选人才。⑭上竟追前诏不行：指德宗最终还是追回前令，不让台省长官举荐属官。

【语译】

五月十九日癸酉，平卢节度使李纳去世，军中将士推举李纳的儿子李师古主持留后事务。

六月，吐蕃的一千多名骑兵侵犯泾州，掳掠了一千多名屯田军士后离去。

岭南节度使上奏说："近来装载珍异物品的海上货船大多开往安南进行交易，我打算派判官到安南去收购，请陛下派一名宫中的宦官使者与判官一起去。"德宗打算批准。陆贽上奏，认为"远方各国商贩，追求的只是赢利，宽待他们，他们就会前来交易，骚扰他们，他们就会离开。广州素来是各国商船集中的地方，如今商船突然改道前往安南，如果不是这里的官员对他们侵害剥夺过于厉害，那就一定是对这些商贩的招引安抚方法失当，这些官员不去反省自责，反倒来迷惑陛下的心志。更何况岭南、安南，都是陛下的国土，宫中的宦官使者和在当地的使者，都是陛下的臣子，怎么能只相信在岭南进行交易，而拒绝在安南进行交易，只重视宫中的宦官使者，而轻视在当地负责交易的使者！希望陛下将此奏议搁置起来，不予施行"。

秋，七月初一日甲寅，户部尚书判度支班宏去世。陆贽请求任命前湖南观察使李巽暂时代理判度支，德宗同意了。但不久德宗又想任用司农少卿裴延龄主管度支事务。陆贽上奏，认为"如今的度支一职，负责均平各种货物的价格，如果苛刻悭吝则容易产生祸患，如果过于宽大纵容也会姑息养奸。裴延龄是个夸诞虚妄的小人，如果任用他，会使舆论震惊。尸位素餐之责本来就应有我这个卑微小臣一份，但说到知人之明，恐怕也会有损于陛下的明鉴"。德宗没有听从，初六日己未，任命裴延龄负责度支事务。

黄河南北、江、淮、荆、襄、陈、许等四十多个州大水泛滥，有两万多人被淹死，陆贽奏请朝廷派使者前去赈济安抚。德宗说："听说遭受的损失很少，如果立即商议加以优厚抚恤的话，恐怕会产生奸邪欺诈之事。"陆贽上奏，大意是说："流俗的弊端，多半是去营求谄媚阿谀，揣测上头心里喜欢什么就夸大其词，估计上头不喜

度所恶闻则小其事，制备⑬失所，恒病于斯。”又曰：“所费者财用，所收者人心。苟不失人，何忧乏用！”上许为遣使，而曰：“淮西贡赋既阙，不必遣使。”贽复上奏，以为“陛下息师含垢，宥彼渠魁⑬，惟兹下人，所宜矜恤。昔秦、晋仇敌，穆公犹救其饥⑬；况帝王怀柔⑬万邦，唯德与义，宁人负我，无我负人⑬”。八月，遣中书舍人京兆奚陟⑬等宣抚诸道水灾。

以前青州刺史李师古为平卢节度使。

韦皋攻吐蕃[3]维州⑬，获其大将论赞热。

**【段旨】**

以上为第三段，写陆贽奏请对国际贸易不宜征税，又奏请德宗赈济灾民。

**【注释】**

⑮癸酉：五月十九日。⑯师古：李纳长子，继任淄青节度使。传见《旧唐书》卷一百二十四、《新唐书》卷二百十三。⑰田军：屯田士兵。⑱收市：收买。⑲斯来：就来。斯，就。⑳招携失所：招引安抚失当。㉑内讼：内省；自责。㉒甲寅朔：七月初一日。㉓李巽（公元七四六至八〇九年）：字令叔，赵州赞皇（今河北赞皇）人，历仕德宗、顺宗、宪宗三朝，官至吏部尚书、盐铁转运使。传见《旧唐书》卷一百二十三、《新唐书》卷一百四十九。㉔裴延龄（公元七二七至七九六年）：河中河东（今山西永济）人，官至户部侍郎、判度支。传见《旧唐书》卷一百三十五、《新唐书》卷一百六十七。㉕准平：即平准。平抑物价。㉖交骇物听：震惊舆论。㉗尸禄：尸位素餐；受禄而不尽职。㉘微臣：小臣。陆贽自喻。㉙己未：七月初六日。㉚荆，襄，陈，许：皆州名。荆州，治所江陵，在今湖北荆州。襄州，治所襄阳，在今湖北襄阳。陈州，治所宛丘，在今河南周口市淮阳区。许州，治所长社，在今河南许昌。㉛侈其言：夸大其词。㉜制

**【原文】**

陆贽上言，以边储不赡⑬，由措置失当，蓄敛乖宜⑭。其略曰：“所

欢听的就大事化小，朝廷制定事宜以预做准备而往往失当，问题就经常出在这里。”又说：“朝廷派使者前去赈抚，所花费的是钱财，所收获的却是人心。如果不失去人心，那又何必担心会缺乏用度呢！”德宗答应给受灾地区派出使者，却说：“淮西地区既然不向朝廷缴纳赋税，就不必向那里派遣使者了。”陆贽再次上奏，认为“陛下含垢忍辱停止用兵，宽恕了在那里作恶的最大头目，而对那些平民百姓，更应该怜悯抚恤。从前秦国、晋国是敌对之国，秦穆公尚且还救济晋国的饥荒；何况帝王招抚、安定万邦，所凭借的唯有恩德和仁义，宁可别人辜负我，也不能让我辜负别人”。八月，德宗派中书舍人京兆人奚陟等去宣抚各道遭受水灾的人们。

德宗任命前青州刺史李师古为平卢节度使。

西川节度使韦皋进攻吐蕃的维州，擒获了吐蕃军的大将论赞热。

---

备：制定事宜以预先准备。制备失所二句，谓朝廷制定事宜以预做准备而往往失当，问题就经常出在这里。⑬渠魁：大头目；首领。指淮西节度使吴少诚。⑭秦、晋仇敌二句：事见《左传》僖公十五年。晋饥，秦输之粟。秦饥，晋闭之籴。晋又饥，秦穆公复输之粟，曰：“吾怨其君，而矜其民。”⑮怀柔：招抚。⑯宁人负我二句：《三国志·武帝纪》裴注引孙盛《杂记》载，曹操东归，误杀故人吕伯奢，既而凄怆曰：“宁我负人，毋人负我。”陆贽此奏反其意而用之。⑰奚陟（公元七四四至七九九年）：字殷卿，亳州（今安徽亳州）人，官至刑、吏二部侍郎。为官公正，所任称职。传见《旧唐书》卷一百四十九、《新唐书》卷一百六十四。⑱攻吐蕃维州：代宗广德元年（公元七六三年），维州没入吐蕃。

## 【校记】

［2］缓：张敦仁《通鉴刊本识误》作“绥”，于义较长。［3］吐蕃：原无此二字。据章钰校，乙十六行本、乙十一行本、孔天胤本皆有此二字，张敦仁《通鉴刊本识误》、张瑛《通鉴校勘记》同，今据补。

---

## 【语译】

陆贽上奏，认为边疆粮食等储备不充足，是由安排处置失当，粮食的储蓄和征收不合时宜造成的。奏疏的大意是说：“所谓安排处置失当，是指戍边的士兵不直接

谓措置失当者，戍卒不隶于守臣，守臣[141]不总[142]于元帅。至有一城之将，一旅之兵，各降中使监临[143]，皆承别诏委任[144]。分镇[145]亘千里之地，莫相率从，缘边列十万之师，不设谋主[146]。每有寇至，方从中覆[147]，比蒙征发赴援，寇已获胜罢归。吐蕃之比中国，众寡不敌，工拙不侔[148]，然而彼攻有余，我守不足。盖彼之号令由将，而我之节制在朝[149]，彼之兵众合并，而我之部分离析故也。所谓蓄敛乖宜者，陛下顷设[150]就军、和籴之法以省运，制与人加倍之价以劝农，此令初行，人皆悦慕。而有司竞为苟且[151]，专事纤啬[152]，岁稔[153]则不时敛藏，艰食[154]则抑使收籴。遂使豪家贪吏反操利权[155]，贱取于人以俟公私之乏。又有势要[156]、近亲[157]、羁游之士[158]，委贱籴于军城，取高价于京邑，又多支絺[159]纻[160]充直[161]。穷边寒不可衣，鬻无所售，上既无信于下，下亦以伪应之，度支物估转高[162]，军城谷价转贵。度支以苟售[163]滞货为功利，军城[4]以所得加价为羡余。虽设巡院，转成囊橐[164]。至有空申簿帐[165]，伪指囷仓[166]，计其数则亿万有余，考其实则百十不足。”

又曰：“旧制以关中用度之多，岁运东方租米，至有斗钱运斗米之言。习闻见而不达时宜者，则曰‘国之大事，不计费损，虽知劳烦，不可废也’。习近利[167]而不防远患者，则曰‘每至秋成之时，但令畿内和籴[168]，既易集事[169]，又足劝农’。臣以两家之论，互有长短，将制国用，须权重轻。食不足而财有余，则弛于积财而务实仓廪[170]；食有余而财不足，则缓于积食而啬用[171]货泉[172]。近岁关辅屡丰，公储委积[173]，足给数年。今夏江、淮水潦[174]，米贵加倍，人多流庸[175]。关辅以谷贱伤

隶属于守边的将领，而守边的将领也不由元帅统领。乃至出现同一城池的将领、同一编制的军队，朝廷分别派遣宦官使者去监军，这些监军都是受不同的诏旨被委任的。朝廷划分的守边各军镇横跨千里，但彼此间不相统属，沿边布防着十万大军，但没有设立一个主持谋略的人物。每当有入侵之敌到来的时候，才从朝中降旨，等到朝廷征发的军队前去救援的时候，入侵之敌则已得胜回师了。吐蕃与大唐相比，我众敌寡，军力的优劣也根本不相匹敌，然而吐蕃发动进攻似乎尚有余力，而我们进行防守却总感到力量不足。原因在于敌军的号令由前线将领发布，而我军的指挥调度由朝廷控制；敌军的兵力能合并使用，而我军各部却是分散的。所谓粮食的储蓄和征收不合时宜，是指陛下不久前实行的让边军屯田，然后由当地官府就地加价收购粮食供应驻军的办法，这样可以节省运输费用，并规定收购屯田所得的粮食价钱加倍，以奖劝农耕。这个法令刚开始实行的时候，人人都很高兴向往。但主管部门马虎应付，专做细微吝啬之事，在丰收年景不按时收购、储藏粮食，而在粮食匮乏的时候，则采取强制手段收粮。这样就让那些有钱有势的家庭、贪官污吏反倒操纵了财利权柄，在粮食丰收的时候，他们低价从人们手中收购粮食储存起来，等到官府和百姓缺粮时再高价卖出。另外，那些权势之家、达官贵人身边亲近之人、四处游食之人，托人用低价在边防军镇收购粮食，再运往京城以高价出售，又多半用葛布、麻布向边防军镇的人支付粮价。在贫穷的边防军镇天气寒冷，这些葛麻之布既不能做御寒的衣服，想要卖掉却又无处可卖。上边既然失信于下边，下边也用虚假的东西来应付上边，于是度支抬高了换粮物品的价格，而边防军镇的粮价也在上涨。度支以不正当手段出售滞销货物牟利，而军城也以所得到的粮食的加价部分当作盈余。虽说度支在各地设立了负责监察的巡院，实际上巡院反倒成了填不满的大口袋。甚至有在账簿上凭空申报账目、谎报粮仓的现象，统计他们所报的数目似乎过亿过万，但核实起来则还不到百分之十。”

陆贽又说：“过去的制度规定，因关中地区用度多，每年都要从东部地区运送粮食到关中来，运费很贵，甚至有一斗米的运费要一斗钱的说法。那些习惯于所闻所见而不懂得现实需要的人，就说‘这是国家的大事，不应当计较费用和损耗，虽然也知道运粮劳累麻烦，但依然认为不能废止’。那些习惯于只顾及眼前利益，而不预防长远祸患的人，就说‘每到秋天收获季节，只要让京畿地区的官府去收购粮食，就既容易把事情办成，又能够奖劝农耕’。我觉得这两种人的议论，各有长短，要保障国家的用度，必须权衡轻重。在粮食不足而钱财有盈余的时候，就应该放缓积聚钱财，而致力于充实仓库的粮食储备；在粮食有余而钱财不足的时候，那就应该放缓储积粮食，而节约钱币。近年来，关中地区屡获丰收，公家的粮储堆积，足够供应好几年的用度。而今年夏天，江东、淮南地区洪涝成灾，米价翻倍，人们流离在外，以替人帮工为生。关中地区因谷价太低而伤害了农夫，官府原本应该提高粮价

农，宜加价以籴而无钱；江、淮以谷贵人困，宜减价以粜[176]而无米。而又运彼所乏，益此所余，斯所谓习见闻而不达时宜者也。今江、淮斗米直百五十钱，运至东渭桥，僦直[177]又约二百，米糙且陈[178]，尤为京邑所贱。据市司[179]月估，斗粜三十七钱。耗其九而存其一[180]，馁彼人而伤此农，制事若斯，可谓深失矣。顷者每年自江、湖、淮、浙运米百一十万斛，至河阴[181]留四十万斛，贮河阴仓[182]，至陕州[183]又留三十万斛，贮太原仓[184]，余四十万斛输东渭桥。今河阴、太原仓见米[185]犹有三百二十余万斛，京兆诸县斗米不过直钱七十，请令来年江、淮止运三十万斛至河阴，河阴、陕州以次运[186]至东渭桥，其江、淮所停运米八十万斛[187]，委转运使每斗取八十钱于水灾州县粜之，以救贫乏，计得钱六十四万缗，减僦直六十九万缗。请令户部先以二十万缗付京兆，令籴米以补渭桥仓之缺数，斗用百钱以利农人[188]；以一百二万六千缗付边镇，使籴十万人一年之粮，余十万四千缗以充来年和籴之价。其江、淮米钱、僦直并委转运使折市[189]绫、绢、纯[190]、绵以输上都，偿先贷户部钱。”

九月，诏西北边贵籴以实仓储，边备浸充。

---

【段旨】

以上为第四段，写陆贽上奏调整边防驻军，充实国家粮食储备。

【注释】

[139]赡：足。[140]蓄敛乖宜：粮食的储蓄和征收办法不合时宜。[141]守臣：守边大臣。[142]总：统领。[143]各降中使监临：对各城各军都派宦官监察。[144]承别诏委任：指中使监军按不同的诏旨被委任。[145]分镇：划分的各个军镇。[146]谋主：主谋人物。[147]方从中覆：才从朝中降旨。[148]工拙不侔：优劣不等。[149]我之节制在朝：我军的指挥调度由朝廷控制。[150]顷

收粮却没有钱；江东、淮南地区因为粮价太贵而人多困窘，官府应该降低粮价卖粮却又没有库存的米。朝廷反而要把江、淮地区所缺乏的粮食运到关中来，增加了关中地区原本有余的粮食储存，这就是所谓习惯于所见所闻而不懂得现实需要的人的做法啊。现在江东、淮南地区一斗米值一百五十钱，再运到关中的东渭桥，工钱运费每斗米又需约二百钱，运来的米既粗糙，而且还是陈米，在京城人的眼里尤其不值钱。据掌管市场物价的市司每月上报的估价看，运来的米的卖价每斗大约三十七钱。米运到关中，损耗了成本的十分之九，而仅存十分之一，让江、淮地区的人挨饿，同时又伤害了关中地区的农夫，如此办事，可以说是重大失误了。以往每年从江东、两湖、淮南、两浙地区运出粮米一百一十万斛，运到河阴留下四十万斛，贮存在河阴仓内，运到陕州又留下三十万斛，贮存在太原仓内，其余的四十万斛运到东渭桥。如今河阴仓、太原仓现存的粮米还有三百二十多万斛，京兆府各县每斗米价不过七十钱，请陛下下令明年江东、淮南地区只运三十万斛粮米到河阴仓，河阴仓和陕州的太原仓按顺序将这三十万斛粮米运抵东渭桥，而把江东、淮南地区停运朝廷的其余八十万斛粮米，交给转运使以每斗米收取八十钱的价格在受水灾的州县贴钱出售，以救济那里贫困缺粮的百姓，估计此项可以收得钱六十四万缗，又减省了运输那八十万斛米所需要的工钱运费六十九万缗。这笔钱，请陛下让户部先把二十万缗钱交给京兆府，让他们在关中地区购粮以补充东渭桥仓库存粮的缺额，每斗用一百钱购进，这样可使种田的百姓得利。再把一百零二万六千缗钱交给各边镇，让他们购买十万名将士一年所需的粮食。剩下的十万四千缗钱，用作来年购买粮食的款项。在江东、淮南等地出售粮米所得的钱和节省下来转运粮米的工钱运费，一并交给转运使折价购买绫、绢、絁、绵，运到首都长安来，以抵偿先前从户部借的钱。”

九月，诏令西北边镇用高价购粮以充实仓储，使边镇的粮食储备渐渐充裕起来。

---

设：不久前制定的办法。此李泌所建议，由边兵屯田，政府出钱在屯田边军中就地加价购粮，既劝农，又省运费以充边储。事见本书卷第二百三十二德宗贞元三年（公元七八七年）。⑮¹苟且：马虎应付，不做长远打算。⑮²专事纤啬：专做细微吝啬之事。⑮³岁稔：丰年。⑮⁴艰食：粮食匮乏年份。⑮⁵反操利权：反而操纵了财利的权柄。⑮⁶势要：权势之家。⑮⁷近亲：身边亲近之人。⑮⁸羁游之士：游食之人。⑮⁹絺：细葛布。⑯⁰纻：纻麻。指麻布。⑯¹直：价值。又有四句，意谓势要、近亲、游食等人，委托军镇低价收购粮食，再运往京城高价出售，又多半用葛布、麻布来支付粮价。⑯²度支物估转高：指度支规定提高换粮物品的价格。⑯³苟售：采用不正当的手段出售。度支以苟售二句，谓度

支利用不正当手段出售滞销货物得利，军城把粮食加价部分当作盈余。(164) 虽设巡院二句：虽然设有巡院监察，实际上巡院倒成了填不满的大口袋。巡院，巡回访察诸使征收及转运的监察机关，刘晏所置。囊橐，口袋，喻藏奸纳污之所。(165) 空申簿帐：凭空申报账目。即伪造收支账簿。(166) 囷仓：粮仓。(167) 习近利：习惯于只顾眼前利益。(168) 和籴：政府以平价收购粮食以从军用，称和籴。(169) 集事：办成事。(170) 弛于积财而务实仓廪：指国家放慢积聚钱财，而致力于充实仓库的粮食储备。弛，放慢。(171) 啬用：节约使用。(172) 货泉：钱币。(173) 公储委积：公家的粮储堆积。(174) 潦：通“涝”。(175) 流庸：流亡在外，为人佣作。(176) 粜：卖粮。(177) 僦直：运费。(178) 米糙且陈：米糙，指米磨碾不精。且陈，而且是陈粮。江南水涝，所征之米，多往年陈粮。米粗而陈，售价更低。(179) 市司：官署名，掌市场物价，按月奏闻。(180) 耗其九而存其一：耗费了米价的十分之九而仅得十分之一。江南米一斗为钱一百五十，加运价二百，合计三百五十，在京师售出只值三十七钱，是耗

---

【原文】

冬，十一月壬子朔[191]，日有食之。

吐蕃、云南日益相猜，每云南兵至境上，吐蕃辄亦发兵，声言相应，实为之备。辛酉[192]，韦皋复遗云南王书，欲与共袭吐蕃，驱之云岭[193]之外，悉平吐蕃城堡，独与云南筑大城于境上，置戍[194]相保，永同一家。

右庶子姜公辅久不迁官，诣陆贽求迁。贽密语之曰：“闻窦相屡奏拟，上不允，有怒公之言。”公辅惧，请为道士。上问其故，公辅不敢泄贽语，以闻参言为对。上怒参归怨于君，己巳[195]，贬公辅为吉州[196]别驾[197]，又遣中使责参。

庚午[198]，山南西道节度使严震奏败吐蕃于芳州[199]及黑水堡[200]。

初，李纳以棣州蛤蜾[201]有盐利，城而据之。又戍德州之南三汊城[202]，以通田绪之路。及李师古袭位，王武俊以其年少，轻之。是月，引兵屯德、棣，将取蛤蜾及三汊城，师古遣赵镐将兵拒之。上遣中使

其九而存其一也。⑱河阴：县名，县治在今河南郑州西北。⑱河阴仓：建于河阴的粮仓。漕运自江淮湖运河而入于此，再转运至太原仓。⑱陕州：州名，河阴仓在其东，太原仓在其西。陕州是节制漕运黄河段的重要军镇，治所陕县，在今河南三门峡市陕州区。⑱太原仓：仓名，隋代所置常平仓，在陕州西。⑱见米：现存粮米。见，通“现”。⑱以次运：按站转运。⑱停运米八十万斛：指停止向京师运送，而调出八十万斛至水灾区按平价出售。⑱斗用百钱以利农人：斗米原价七十，现增至百钱收购，故曰利农。⑱折市：折合市价购买。⑲绝：粗绸。

【校记】

［4］军城：据章钰校，乙十六行本、乙十一行本、孔天胤本皆作“军司”。

【语译】

冬，十一月初一日壬子，发生日食。

吐蕃与云南越来越相互猜忌，每当云南的军队到达边境地区，吐蕃立即也发兵，说是与云南军队互相接应，实际上是防备云南军队。十一月初十日辛酉，西川节度使韦皋又给云南王异牟寻写了封信，表示打算与云南王一起袭击吐蕃，把吐蕃人赶到云岭以外去，悉数荡平吐蕃人的城堡，只与云南王在边境上共同修筑一座大城，设置营垒，相互保护，永远如同一家人那样相待。

右庶子姜公辅长久没有升官，便到宰相陆贽那里请求升迁。陆贽悄悄地告诉姜公辅说：“听说窦宰相多次上奏打算让你升迁，但是皇帝不答应，还说了些对你很生气的话。”姜公辅听后很害怕，请求辞官去做道士。德宗问他这样做的原因，姜公辅不敢泄露陆贽所说的话，就回答说是听到窦参这样说的。德宗对窦参把臣下的怨恨归到君王身上的做法十分生气，十一月十八日己巳，把姜公辅贬为吉州别驾，又派宦官使者去斥责窦参。

十一月十九日庚午，山南西道节度使严震上奏说在芳州和黑水堡一带打败了吐蕃人。

当初，李纳因棣州蛤蜊这个地方有煮盐之利，便在此筑城据守。又在德州之南的三汉城派兵戍守，以使与魏博镇田绪联络之路得以畅通。等到李师古继承其父李纳之位为平卢节度使之后，王武俊因李师古年轻，很轻视他。于是在这个月，率军屯驻在德州和棣州，准备攻取蛤蜊和三汉城，李师古派赵镐率兵抵御。德宗派宦官

谕止之，武俊乃还。

初，刘怦薨，刘济在莫州，其母弟澭[203]在父侧，以父命召济而以军府授之。济以澭为瀛州[204]刺史，许他日代己。既而济用其子为副大使[205]，澭怨之，擅通表朝廷，遣兵千人防秋。济怒，发兵击澭，破之。

左神策大将军柏良器[206]募才勇之士以易[207]贩鬻者[208]，监军窦文场恶之。会良器妻族[209]饮醉，寓宿宫舍[210]，十二月丙戌[211]，良器坐[212]左迁[213]右领军[214]。自是宦官始专军政。

**【段旨】**

以上为第五段，写云南与吐蕃离心，河北诸镇之间争利矛盾，宦官始专军政。

**【注释】**

⑲壬子朔：十一月一日。⑲辛酉：十一月十日。⑲云岭：山名，主峰在今云南大理西北。⑲戍：营垒。⑲己巳：十一月十八日。⑲吉州：州名，治所庐陵，在今江西吉安。⑲别驾：官名，州刺史佐吏，掌理州务。⑲庚午：十一月十九日。⑲芳州：州名，治所常芳，在今甘肃迭部东南。高宗上元二年（公元六七五年）已陷没于吐蕃。⑳黑水堡：戍镇名，在今四川松潘境。⑳蛤蟝：城名，淄青节度使李纳置，在今山东惠民南。胡三省注云："'蟝'，恐当作'垛'。"⑳三汊城：李纳置于德州南（今山东德州市陵城区）

**【原文】**

**九年（癸酉，公元七九三年）**

春，正月癸卯[215]，初税茶[216]。凡州、县产茶及茶山外要路[217]皆估其直，什税一，从盐铁使张滂之请也。滂奏："去岁水灾减税，用度不足，请税茶以足之。自明年以往，税茶之钱，令所在别贮，俟有水旱，

使者去晓谕制止，王武俊这才退回。

当初，节度使刘怦去世的时候，刘济在莫州，刘济的同母弟弟刘澭在父亲身边，以父亲的遗命召回刘济，把主持节度使军府的大权交给了他。刘济任命刘澭为瀛州刺史，许诺日后让刘澭代替自己担任节度使。不久，刘济任用自己的儿子担任军府副大使，刘澭于是对刘济心怀怨恨，自作主张上表朝廷，派遣一千兵马去防秋。刘济十分愤怒，发兵攻打刘澭，打败了他。

左神策大将军柏良器召募有才能又勇敢的人来替代军中的买卖人，监军窦文场十分厌恶这种做法。正好柏良器妻子的族人喝醉了酒，寄宿在宫中禁军值宿的房舍中，十二月初五日丙戌，柏良器受牵连获罪，降职担任右领军。从此宦官又开始掌管军事大权。

---

黄河上的军戍城，名曰三汊，以交通魏博田绪。⑳③ 澭：刘澭，刘怦次子，刘济同母弟，归唐后官至秦州刺史。传见《旧唐书》卷一百四十三、《新唐书》卷一百四十八。⑳④ 瀛州：州名，治所在今河北河间。⑳⑤ 副大使：节度使之副，节度使缺位即代为留后。河朔三镇及淄青，均以子为副大使，节度使也就成了世袭之职。刘济许以弟刘澭代节镇而用子为副大使，自食其言，故刘澭怒而归款于朝廷。⑳⑥ 柏良器：字公亮，魏州（今河北大名）人，官至右领军卫大将军。传见《新唐书》卷一百三十六。⑳⑦ 易：代替。⑳⑧ 贩鬻者：做买卖的商人。当时政治腐败，商人贿赂宦官，挂名神策军，柏良器募才勇之士以取代之。⑳⑨ 妻族：妻家族人，一般指妻兄弟。㉑⓪ 寓宿宫舍：住宿在宫中禁军值宿的房舍中。㉑① 丙戌：十二月初五日。㉑② 坐：牵连受罪。㉑③ 左迁：降职。㉑④ 右领军：十六卫之一，为南衙诸卫。南衙禁军为仪仗之设，充位而已，权在北衙禁军，故柏良器由北衙神策军调南衙为左迁。

---

**【语译】**

**九年（癸酉，公元七九三年）**

春，正月二十四日癸卯，朝廷开始征收茶税。凡是产茶的州、县和茶山外运茶的交通要道都要派人估算茶叶的价值，征收十分之一的税钱，这是德宗依从盐铁使张滂的奏请后决定的。张滂上奏说："去年因遭受水灾而减少了朝廷的税收，以致用度不足，请求征收茶税来补足。从明年以后，征收茶税所得的钱，让各地另外储存，

以代民田税。”自是岁收茶税钱四十万缗，未尝以救水旱也。

滂又奏：“奸人销[218]钱为铜器以求赢[219]，请悉禁铜器。铜山听人开采[220]，无得私卖[221]。”

二月甲寅[222]，以义武留后张昇云[223]为节度使。

初，盐州既陷[224]，塞外无复保障，吐蕃常阻绝灵武，侵扰鄜坊。辛酉[225]，诏发兵三万五千人城[226]盐州，又诏泾原、山南、剑南各发兵深入吐蕃以分其势。城之二旬而毕，命盐州节度使杜彦光[227]戍之，朔方都虞候杨朝晟戍木波堡[228]，由是灵武、银夏[5]、河西获安。

上使人谕陆贽，以“要重之事，勿对赵憬[229]陈论，当密封手疏以闻”；又“苗粲[230]以父晋卿往年摄政，尝有不臣之言[231]，诸子皆与古帝王同名[232]，今不欲明行斥逐，兄弟亦各除外官，勿使近屯兵之地”；又“卿清慎[233]太过，诸道馈遗，一皆拒绝，恐事情不通[234]，如鞭靴[235]之类，受亦无伤[236]”。

贽上奏，其略曰：“昨臣所奏，惟赵憬得闻，陛下已至劳神，委曲防护[237]。是于心膂[238]之内，尚有形迹之拘[239]，迹同事殊[240]，鲜克以济[241]。恐爽[242]无私之德，且伤不吝之明[243]。”又曰：“爵人必于朝，刑人必于市[244]，惟恐众之不睹，事之不彰。君上行之无愧心[245]，兆庶[246]听之无疑议，受赏安之无怍色[247]，当刑居之无怨言，此圣王所以宣明典章，与天下公共者也。凡是谮诉[248]之事，多非信实之言，利于中伤，惧于公辩。或云岁月已久，不可究寻；或云事体有妨[249]，须为隐忍；或云恶迹未露，宜假他事为名；或云但弃其人，何必明言责辱。词皆近于情理，意实苞于矫诬[250]，伤善售奸，莫斯为甚。若晋卿父子实有大罪，则当公议典宪[251]；若被诬枉，岂令阴受播迁[252]？夫听讼辨谗，必求情辨迹。情见迹著，辞服理穷，然后加刑罚焉。是以下无冤人，上无谬听。”又

等有水旱之灾时，用以代替百姓的田税。”从此每年征收茶税钱四十万缗，但是从来没有用它来救济过水灾和旱灾。

张滂又上奏说：“奸邪之人销毁铜钱来制造铜器以获取盈利，请下令禁止制造和销售一切铜器。产铜的矿山听任人们去开采，但他们不能私自售卖所采得的铜。”

二月初五日甲寅，任命义武军留后张昇云为义武军节度使。

当初，盐州被吐蕃人攻陷之后，塞外地区便不再有安全保障，吐蕃人经常阻断通往灵武的道路，侵扰鄜坊。二月十二日辛酉，德宗下诏派三万五千兵马到盐州筑城，又诏令泾原、山南、剑南各军镇派兵深入吐蕃境内以分散吐蕃的军势。盐州筑城历时二十天完成，下令盐州节度使杜彦光戍守盐州城，朔方军的都虞候杨朝晟戍守木波堡，从此灵武、银夏和河西地区才获得安宁。

德宗派人告谕宰相陆贽说，“重要的事情，不要当着宰相赵憬的面陈说讨论，应当写成奏章密封起来呈报”；又说“苗粲因为其父苗晋卿当年代国君处理过国政，曾经有过一些不符合臣道的言论，而且苗晋卿的几个儿子都与古代的帝王同名，如今朕不想公开驱走苗粲，让他的几个兄弟也都各自到外地去任职，不要让他们靠近屯驻军队的地区”；又说“卿清廉谨慎也太过分了，各道赠送的物品，卿一概都拒收，只怕在事理人情上也讲不通，像马鞭、皮靴之类，卿接受了也没有什么妨害”。

陆贽上奏德宗，大意是说：“昨日臣上奏的事情，只因让赵憬知道了，陛下就已经很劳神，辗转曲折地设法对赵憬加以防范。这说明陛下在亲近的心腹宰臣中，行为举止方面尚有某种拘束，表面上一样，遇事却区别对待，这样做很少能把事情办好。只怕会失去陛下大公无私的圣德，而且还会损伤陛下不吝改过的英明。”又说：“授人爵位一定要在朝廷上举行，加刑于人一定要在市集中执行，所担心的只是大家没有看到，事情未能彰显。君王实行赏罚问心无愧，天下亿万百姓知道后也没有疑问和异议，受赏的人心安理得地接受，并无惭愧之色，受刑的人接受惩处也没有怨言，这样做的目的是圣明的君王要向天下宣明朝廷的制度法令，让天下的人共同遵行啊。凡是暗中诋毁攻讦的事情，说的多半不是真实的，这种进谗只利于中伤，而最怕进行公开辩论。在进谗的时候，有的会说时间久远，难以再去追究了；有的会说此事因有各种妨碍，必须克制忍耐，不宜公开；有的会说恶行还没有显露，最好找别的借口来加以处治；有的会说只需屏退此人就可以了，何必公开他的罪行加以斥责羞辱呢？这些说法似乎都近情近理，心里实际上却包藏着欺诈诬陷。伤害善良的人，施展阴谋诡计，没有比这更厉害的了。如果苗晋卿父子确实犯有大罪，那就应当公开审议，按法论处；如果他们是被诬陷冤枉的，怎么能让他们不明不白地受外放迁徙的惩处呢？说到听理诉讼，辨别是否谗言，一定要寻求其实情，辨识其形迹。如果实情清晰、形迹昭著，此人就无话可说而又无理可辩，然后再对他施以刑罚。这样下面就不会有被冤枉的人，在上位的人也不会误信谗言了。”又说：“负有监

曰："监临[253]受贿，盈尺有刑[254]。至于士吏之微，尚当严禁，矧[255]居风化之首[256]，反可通行！贿道一开，展转滋甚，鞭靴不已，必及金玉。目见可欲[257]，何能自窒于心[258]！已与交私[259]，何能中绝其意[260]！是以涓流[261]不绝，溪壑成灾矣！"又曰："若有所受，有所却，则遇却者疑乎见拒而不通矣；若俱辞不受，则咸知不受者乃其常理，复何嫌阻[262]之有乎！"

【段旨】

以上为第六段，写陆贽上奏德宗，宰相议事要透明，惩罚臣下要按制度，主政的长官，尤其是宰相不得收礼，防微杜渐以拒贪。

【注释】

㉑⑤癸卯：正月二十四日。㉑⑥初税茶：始征茶税。榷茶之税，建中三年（公元七八二年）赵赞始倡其议，令成于张滂，以救水旱之名而征之。㉑⑦要路：交通要道。㉑⑧销：销毁。㉑⑨赢：赢利。㉒⓪听人开采：铜山任凭人去开采。㉒①无得私卖：开采铜山所得铜不得私卖而输于官。㉒②甲寅：二月初五日。㉒③张昇云：义武节度使张孝忠之子，父死为留后，见上卷。㉒④盐州既陷：事见本书卷第二百三十二德宗贞元二年（公元七八六年）。盐州城在今陕西定边，灵武在其西，鄜坊在其东，故盐州陷落，既阻绝灵武之路，又侵扰鄜坊之民。㉒⑤辛酉：二月十二日。㉒⑥城：筑城。㉒⑦杜彦光：《旧唐书》卷一百四十六下《吐蕃传下》、《新唐书》卷一百五十六《韩游瓌传》与卷二百十六《吐蕃传下》皆作"杜彦光"，而《旧唐书》卷十三《德宗纪下》、卷一百四十四《杜希全传》又作"杜希先"，未知孰是。㉒⑧木波堡：戍镇名，在今甘肃环县东南。㉒⑨赵憬：字退翁，时为中书侍郎、同中书门下平章事，与陆贽议政常相左，故德宗云尔。传见《旧唐书》卷一百三十八、《新唐书》卷一百五十。㉓⓪苗粲：肃宗朝左相苗晋卿之子，时为给事中。传见《新唐书》卷一百四十。㉓①不臣之言：不合臣道之言。㉓②诸子皆与古帝王同名：苗晋卿有十子，其中有苗发、苗丕、苗坚、苗垂。古帝王有周武王姬发、魏文帝曹丕、前秦苻坚、后燕慕容垂，故云苗氏诸子与古帝王同名，德宗忌之。㉓③清慎：清廉谨慎。㉓④事情不通：拒之太过，人情

察临视责任的官员接受了贿赂，受贿财物只要满了一尺就要受刑法制裁。对于那些地位低微的官吏，尚且应严禁受贿，何况是位居端正风尚教化首要职位的宰相，怎么反而可以接受贿赂呢！受贿之路一旦打开，发展下去就会越来越严重，不会停止在马鞭、皮靴这类小物件上，一定会涉及金玉之类的财物。眼睛看到了足以引起欲念之物，又怎么能把欲念压抑在心中而不去伸手呢！已经与行贿的人私下交往了，又怎么能中途拒绝他的请托呢！所以不阻断行贿的涓涓细流，贪欲发展就必然要成灾了！”又说：“如果臣对别人的馈赠有的接受，有的拒绝，那么遭到拒绝的人就会怀疑自己因被拒绝，要办的事情办不成了；如果全都不予接受，那么他们就都知道不接受馈赠是常理，又怎么会认为臣有从中阻碍的嫌疑来呢！”

---

上讲不通。㉟鞭靴：马鞭和皮靴。㊱受亦无伤：接受了也没有什么妨害。㊲委曲防护：辗转曲折地多方提防。㊳心膂：心脏与脊梁骨。此喻亲近的腹心之臣。㊴形迹之拘：行为举止还有某种拘束。此为对德宗亲此疏彼猜忌心的委婉批评。㊵迹同事殊：表面一样，遇事对待不同。㊶鲜克以济：少能成功。㊷爽：失。㊸伤不吝之明：损伤不吝改过的英明。不吝，指“改过不吝”，语出《尚书·仲虺之诰》。㊹爵人必于朝二句：授人爵位一定要在朝廷上宣布，加刑于人一定要在闹市中执行。㊺君上行之无愧心：君主要问心无愧地实行赏罚。㊻兆庶：天下万民。㊼怍色：惭愧的脸色。㊽谮诉：暗中进谗言。㊾事体有妨：因有各种妨碍，事体不宜公开。这是进谗者以莫须有罪名加害于人时，往往借此为遁词，不让事情落实以售其奸。㊿意实苞于矫诬：心里实际上包藏着欺诈诬陷。苞，通“包”。(251)公议典宪：公开审议按法律论处。典宪，典章、法令。(252)播迁：流离迁徙。不明不白地降职外放，实质相当于流放播迁。(253)监临：指负有监察临视责任的官员。(254)盈尺有刑：监临官受贿，财物长度满一尺，要受刑法制裁。(255)矧：况。(256)风化之首：指宰相。(257)可欲：足以引起欲念之物。(258)自窒于心：自己把可欲压抑在心中。窒，堵塞、压抑。(259)交私：私下交通，指受贿。(260)何能中绝其意：怎能中途拒绝行贿人的请托呢。(261)涓流：细小水流。(262)嫌阻：阻碍之嫌疑。

## 【校记】

［5］灵武、银夏：原无“武银”二字。据章钰校，乙十六行本、乙十一行本、孔天胤本皆有此二字，张敦仁《通鉴刊本识误》、张瑛《通鉴校勘记》同，今据补。

---

【原文】

初，窦参恶左司郎中李巽，出为常州[263]刺史。及参贬郴州，巽为湖南观察使。汴州节度使[264]刘士宁遗参绢五十匹，巽奏参交结藩镇。上大怒，欲杀参。陆贽以为参罪不至死，上乃止。既而复遣中使谓贽曰："参交结中外[265]，其意难测，社稷事重，卿速进文书处分[266]。"贽上言："参朝廷大臣，诛之不可无名。昔刘晏之死，罪不明白，至今众议为之愤邑，叛臣得以为辞[267]。参贪纵[268]之罪，天下共知，至于潜怀异图，事迹暧昧。若不推鞫[269]，遽加重辟[270]，骇动不细[271]。窦参于臣无分[272]，陛下所知，岂欲营救其人，盖惜典刑不滥。"三月，更贬参驩州[273]司马，男女皆配流。

上又命理其亲党，贽奏："罪有首从[274]，法有重轻，参既蒙宥，亲党亦应末减[275]。况参得罪之初，私党并已连坐，人心久定，请更不问。"从之。上又欲籍其家赀[276]，贽曰："在法，反逆者尽没其财，赃污者止征所犯，皆须结正[277]施刑，然后收籍[278]。今罪法未详，陛下已存惠贷[279]。若簿录其家[280]，恐以财伤义。"时宦官左右恨参尤深，谤毁不已。参未至驩州，竟赐死于路。窦申杖杀，货财、奴婢悉传送[281]京师。

海州[282]团练使[283]张昇璘，昇云之弟，李纳之婿也，以父大祥[284]归于定州[285]，尝于公座骂王武俊，武俊奏之。夏，四月丁丑[286]，诏削其官，遣中使杖而囚之。定州富庶，武俊常欲之，因是遣兵袭取义丰[287]，掠安喜、无极[288]万余口，徙之德、棣。昇云闭城自守，屡遣使谢之，乃止。

上命李师古毁三汉城，师古奉诏。然常招聚亡命，有得罪于朝廷者，皆抚而用之。

**【语译】**

当初，宰相窦参厌恶左司郎中李巽，把他外放出朝去担任常州刺史。等到窦参被贬职到郴州时，李巽正担任湖南观察使。汴州节度使刘士宁送给窦参五十匹绢，李巽向德宗上奏说窦参与藩镇结交。德宗大怒，打算杀了窦参。陆贽认为窦参所犯罪过不至于要处死，德宗这才罢休。不久，德宗又派宫中的宦官使者对陆贽说："窦参结交朝廷和地方的官员，他的意图难以揣测，国家社稷的事情最为重要，你赶快进呈公文提出处治意见。"陆贽上奏说："窦参是朝廷的大臣，诛杀他不能没有名义。从前刘晏被处死，罪状并没有说清楚，至今大家在议论中，还为他的死愤愤不平，那些反叛的臣子也才能以此作为借口。窦参贪赃纵容之罪，是天下人都知道的，至于心中暗藏不轨的图谋，其事实含混不清。如果不加审讯，仓促施以重刑处死，造成的惊动绝不会小。窦参与臣并无私人情分，这是陛下所知道的，臣哪里是要营救此人，只是爱护朝廷的刑法，不愿其被滥用。"三月，德宗把窦参再次贬职为驩州司马，家中的男女都被发配流放。

德宗又命陆贽惩处窦参的亲信党羽，陆贽上奏说："罪行有首恶和从犯之别，法律有重惩和轻罚之分，窦参既然已蒙陛下宽恕，他的亲信党羽也应该从轻论处或减刑。何况在窦参被判罪之初，其私党都已受牵连而获罪，现在人心安定已久，请陛下不要再追究了。"德宗采纳了这个建议。德宗又想没收窦参的家产，陆贽说："按照法律规定，对叛逆的人，要全部没收他的财产，对贪赃纳贿的人，只没收他犯罪所得部分，这都必须在定案判决、实施刑罚之后，才能没收其家产。现在窦参的罪行和适用的法律都不明确，陛下对窦参已经施恩宽大。如果登记造册没收了他的家产，恐怕会因为这些财产而伤害了道义。"当时德宗身边的宦官对窦参恨得尤其厉害，不断地毁谤窦参。窦参还没到达驩州，在半路上就被德宗赐死了。窦申被乱棍打死，窦参的财产和奴婢全部由驿站车马递送到京城长安。

海州团练使张昇璘，是易定节度使张昇云的弟弟、李纳的女婿，因为父亲去世两周年要举行大祥之祭而回到了定州。他曾在公开场合辱骂王武俊，王武俊将此事上奏朝廷。夏，四月二十九日丁丑，德宗下诏削去张昇璘官职，派宫中的宦官使者对张昇璘施以杖刑，并将他囚禁了起来。定州很富庶，王武俊一直想得到它，因此派兵袭击并攻占了义丰，掠走安喜、无极两县一万多人，把他们迁到德州和棣州。张昇云紧闭城门，防守自卫，多次派使者去向王武俊谢罪，王武俊这才罢休。

德宗命令李师古拆毁三汊城，李师古执行了诏令。但他经常召集一些逃亡的人，其中还有对朝廷犯有罪行的人，李师古都招抚、任用他们。

【段旨】

以上为第七段，写德宗信谗，违制处死已贬宰相窦参。

【注释】

㉖③常州：州名，治所在今江苏常州。㉖④汴州节度使：即宣武节度使，以其驻节汴州，故名。㉖⑤中外：中央和地方官吏。㉖⑥进文书处分：呈进公文，提出处治意见。㉖⑦叛臣得以为辞：指平卢节度使李正己多次上表请朝廷宣布刘晏被诛的罪状。事见本书卷第二百二十六德宗建中二年（公元七八一年）。㉖⑧贪纵：贪赃放纵。㉖⑨推鞫：审问。㉗⓪重辟：重刑，指死刑。㉗①不细：不小。㉗②分：契分；相交情分。㉗③驩州：州名，唐武德五

【原文】

五月甲辰[289]，以中书侍郎赵憬为门下侍郎、同平章事，义成节度使贾耽为右仆射，右丞卢迈[290]守本官，并同平章事。迈，翰之族子也。憬疑陆贽恃恩[291]，欲专大政，排己置之门下[292]，多称疾不豫[293]事，由是与贽有隙。

陆贽上奏论备边六失，以为："措置乖方，课责亏度，财匮于兵众，力分于将多，怨生于不均，机失于遥制。

"关东[294]戍卒，不习土风[295]，身苦边荒[296]，心畏戎虏。国家资奉若骄子[297]，姑息如倩人[298]。屈指计归，张颐待哺[299]。或利王师之败，乘扰攘而东溃[300]；或拔弃[301]城镇，摇远近之心。岂惟无益，实亦有损。复有犯刑谪徙者[302]，既是无良[303]之类，且加怀土之情，思乱幸灾，又甚戍卒。可谓措置乖方矣。

"自顷[304]权移于下，柄失于朝[305]。将之号令，既鲜克[306]行之于军；国之典常[307]，又不能施之于将。务相遵养[308]，苟度岁时。欲赏一有功，翻虑[309]无功者反仄[310]；欲罚一有罪，复虑[311]同恶者忧虞[312]。罪以隐忍而

年（公元六二二年）置，治所安人县，在今越南义安省演州西安城。贞观元年（公元六二七年）改为演州，天宝元年（公元七四二年）改置日南郡，乾元元年（公元七五八年）复改为驩州。㉗④首从：首恶与从犯。㉗⑤末减：从轻论罪或减等处刑。㉗⑥籍其家赀：没收其家财入官。㉗⑦结正：结案判定。㉗⑧收籍：籍没家产。㉗⑨惠贷：施恩宽大。㉘⓪簿录其家：即上文的收籍，就是登录其家财于文簿，抄家没收。㉘①传送：用官家驿站车马递送。㉘②海州：州名，治所在今江苏连云港市西南。㉘③团练使：官名，掌所部军事，位于节度使、观察使之下。㉘④大祥：父母去世两周年的祭礼。㉘⑤定州：州名，治所在今河北定州。㉘⑥丁丑：四月二十九日。㉘⑦义丰：县名，县治在今河北安国。㉘⑧安喜、无极：皆县名，安喜县治在今河北定州，无极县治在今河北无极。

【语译】

五月二十七日甲辰，德宗任命中书侍郎赵憬为门下侍郎、同平章事，任命义成军节度使贾耽为右仆射，右丞卢迈仍任原职，但也都一并担任同平章事。卢迈，是卢翰的族侄。赵憬怀疑陆贽依仗德宗的恩宠，想独揽朝廷大政，所以排挤自己，把自己安置在门下省任职，于是经常称病而不参与政事，从此与陆贽有了嫌隙。

陆贽向德宗上奏，概论边疆防备的六大问题，认为："边疆防备安排部署失当；考课督责有违法度；财税被军队耗尽；将领众多而分散了兵力；待遇不均而使士卒生怨；朝廷遥控而使战机丧失。

"从潼关以东征调到京城西北去戍守边疆的士卒，不习惯当地的环境，身处荒寒的边地深以为苦，对外族敌人心生畏惧。国家出资供养他们，就像对待娇生惯养的儿子一样；姑息、宽容他们，就像对待女婿一样。他们却扳着手指头计算回家的日期，张着嘴等着别人给自己喂食。他们有的从朝廷军队战败中获利，乘着混乱向东边故乡方向溃逃；有的离去放弃戍守的城镇，动摇远近各地的人心。安排这种人戍边，哪里只是无益，实际上还有害。还有一些触犯刑法被贬谪、流放戍边的人，本来就不是什么善良之辈，再加上他们有怀念故土的情绪，所以他们希望发生变乱而幸灾乐祸的心情，又比一般戍边的士卒更显严重。这可以说是边疆防备安排部署失当了。

"近来权力下移，朝廷失去了掌控威权。将领的号令，很少能在军中执行；国家的法令，又不能在将领身上施行。上下相互姑息，苟且安度时日。想要奖赏一个有功之人，反而要考虑那些无功之人会不会动荡不安；想要惩罚一个有罪之人，却又要担心与他同样有罪过之人会不会忧虑不安。有人犯罪，却要克制忍耐而不敢公开，

不彰，功以嫌疑[313]而不赏，姑息之道，乃至于斯。故使忘身效节[314]者获诮[315]于等夷[316]，率众先登者取怨于士卒，偾[317]军蹙国[318]者不怀于愧畏，缓救失期者自以为智能。此义士所以痛心，勇夫所以解体[319]。可谓课责亏度矣。

"虏[320]每入寇，将帅递相推倚[321]，无敢谁何[322]，虚张贼势上闻，则曰兵少不敌。朝廷莫之省察，唯务征发益师，无裨[323]备御之功，重增供亿[324]之弊。闾井[325]日耗，征求日繁，以编户[326]倾家破产之资，兼有司榷盐[327]税酒[328]之利，总其所入，岁以事边。可谓财匮于兵众矣。

"吐蕃举国胜兵之徒[329]，才当中国十数大郡而已，动则中国惧其众而不敢抗，静则中国惮其强而不敢侵，厥理何哉[330]？良以中国之节制多门[331]，蕃丑之统帅专一故也。夫统帅专一，则人心不分，号令不贰，进退可齐，疾徐[332]如意，机会靡愆[333]，气势自壮。斯乃以少为众，以弱为强者也。开元、天宝之间，控御西北两蕃[334]，唯朔方、河西、陇右三节度[335]。中兴以来[336]，未遑外讨，抗两蕃[337]者亦朔方、泾原、陇右、河东四节度而已。自顷分朔方之地，建牙拥节[338]者凡三使[339]焉，其余镇军，数且四十，皆承特诏委寄[340]，各降中贵[341]监临，人得抗衡，莫相禀属[342]。每俟边书告急，方令计会用兵[343]，既无军法下临，惟以客礼相待。夫兵，以气势为用者也。气聚则盛，散则消，势合则威，析则弱。今之边备，势弱气消，可谓力分于将多矣。

"理戎[344]之要，在于练核优劣之科[345]，以为衣食等级之制，使能者企及[346]，否者息心[347]，虽有厚薄之殊，而无觖望[348]之衅。今穷边之地，长镇[349]之兵，皆百战伤夷之余[350]，终年勤苦之剧，然衣粮所给，唯止当身[351]，例为妻子所分，常有冻馁之色。而关东戍卒，怯于应敌，懈于服

有人立功，因为担心会有不利后果而不敢奖赏，姑息的风气，竟到了如此地步。所以使得奋不顾身、效忠尽节的人反而受到同辈的嘲讽，率领众人带头冲锋陷阵的人却受到士兵们的怨恨，打了败仗丧失国土的人竟毫无羞愧和恐惧，拖延救援以致误期的人竟自以为明智能干。这就是忠义之士所以痛心、勇敢之人所以斗志涣散的原因。这可以说是考课督责有违法度了。

“寇虏每次入侵，将帅们彼此推诿，无人敢于查问追究，他们虚张敌人的声势上报朝廷，声称己方兵力太少无法抵挡。朝廷对此不去仔细调查，只是一味地增派军队，这样做根本无助于增强防备抵御的效果，反而有严重增加供应负担的弊端。村庄百姓的资财日益消耗，官府的索求却日益增多，把户籍百姓倾家荡产上交的钱财，再加上主管部门专卖食盐和征酒税所得的钱，全部合在一起，每年都拿来用在边防开支上。这可以说是全国的财税都被军队耗尽了。

“吐蕃全国能够拿起武器当兵的人，只相当于大唐十几个大郡而已，但他们一有出兵行动，我们大唐就畏惧他们人马众多而不敢抵抗，在他们没有出兵行动的时候，我们大唐又害怕他们强大而不敢主动进攻，其道理何在呢？这实在是因为我们大唐军队的指挥调度出自多个部门，而吐蕃军队的统帅却可以全权指挥的缘故。由统帅全权指挥，人心就不会分散，号令统一，军队的进退整齐划一，行动的快慢都能按统帅的意志进行，这样战机就不会错失，军队的气势自然就雄壮了。这就是把少化为多、把弱化为强的做法啊。开元、天宝年间，朝廷控制西北吐蕃、突厥两族胡人，只有朔方、河西、陇右三个节度使。自从国家中兴以来，朝廷还来不及对外讨伐，抗御吐蕃、回纥两族胡人的也只是朔方、泾原、陇右、河东四个节度使而已。近年来朝廷把朔方地区分成几块，在那里建立军府、拥有旌节的共有三个节度使，其他地区的军镇数量将近四十个，主帅都是接受特别诏旨委任的，陛下又各派宫中宦官前去监督，他们彼此间地位相当，互不统属。每当边疆文书告急，朝廷才下令让他们商量如何用兵，朝廷既然并无军法颁下确定主从，他们彼此也只能以宾客之礼相待。说到用兵，所靠的是气势。士气凝聚，军力就壮盛，士气四散，军力就消减。兵势相合，军力就威猛，兵势分离，军力就削弱。如今朝廷的边疆防备，兵势弱而士气消，这可以说是将领众多而分散了兵力。

“治理军队最重要的，在于精心考核将士优劣的类别，以此作为区分相应衣食待遇等级的依据，使能干的将士可以够上较高的等级，而没有多少能力的将士则不会存有奢望，虽然彼此的待遇有厚薄的不同，但不会有因怨恨不满而产生的争端。如今穷困的边塞地区，长期在那里戍守的将士，都是经历许许多多战事而遍体伤痕的幸存者，终年辛勤劳苦已至极点，但供给他们的衣粮，仅能满足本人需要，只是这些东西通常要被家中的妻儿老小分去一部分，所以他们常常不免受冻挨饿。而从关东地区调来戍边的士兵，害怕迎击来敌，懒于服事效劳，但朝廷供给他们的衣粮，比长期戍

劳，衣粮所颁，厚逾数等[352]。又有素非禁旅[353]，本是边军，将校诡为媚词[354]，因请遥隶神策，不离旧所，唯改虚名[355][6]，其于廪赐之饶，遂有三倍之益。夫事业未异而给养有殊，苟未忘怀，孰能无愠！可谓怨生于不均矣。

"凡欲选任将帅，必先考察行能，可者遣之，不可者退之，疑者不使，使者不疑。故将在军，君命有所不受[356]。自顷边军去就，裁断多出宸衷[357]。选置戎臣[358]，先求易制，多其部[359]以分其力，轻其任[360]以弱其心。遂令爽于军情亦听命[361]，乖于事宜亦听命[362]。戎虏驰突，迅如风飙，驲书[363]上闻，旬月方报。守土者以兵寡不敢抗敌，分镇者以无诏不肯出师，贼既纵掠退归[364]，此乃[365]陈功告捷。其败丧则减百而为一[366]，其捃获[367]则张百而成千。将帅既幸于总制在朝，不忧罪累[368]；陛下又以为大权由己，不究事情。可谓机失于遥制矣。

"臣愚谓宜罢诸道将士防秋之制，令本道但供衣粮[369]，募戍卒愿留及蕃汉子弟以给[370]之。又多开屯田，官为收籴。寇至则人自为战，时至[371]则家自力农[372]，与夫倏来忽往者，岂可同等而论哉！又宜择文武能臣为陇右、朔方、河东三元帅，分统缘边[373]诸节度使，有非要者，随所便近而并之[374]。然后减奸滥虚浮之费[375]以丰财[376]，定衣粮等级之制以和众[377]，弘[378]委任之道以宣其用，悬赏罚之典以考其成。如是，则戎狄威怀[379]，疆埸[380]宁谧[381]矣。"上虽不能尽从，心甚重之。

---

【段旨】

以上为第八段，写陆贽上奏论边防体制六大失误，德宗只是赞赏，而没有认真采纳。

边的士兵要优厚好几等。又有一些原来并非禁军，本是戍边的部队，因他们的将领虚情假意地向上面说些逢迎取悦的话，乘机请求遥遥隶属于神策军，尽管没有离开驻守的旧地，只是改变了虚假的边军名号，而所得朝廷供给之丰厚赏赐，竟比原先增加了三倍之多。所要做的事并没有变化，朝廷所供给养却大有不同，如果他们并未对此现象毫不介意的话，那谁又能不心怀愤怒呢！这可以说是怨恨产生于待遇不均了。

“凡是要选拔任命将帅，必须先考察他的品行、能力，合格的人就派去任职，不合格的人便摒弃不用，让人有所怀疑的人就不要任用，对任用的人就不要怀疑。所以说将帅在作战的军队中，对君王的命令有的可以不接受。近年来边军将领的更换任命，多数决定都出自陛下的心意。选拔任用武将时，首先要求他要容易被控制，然后多置番号以分散他的兵力，降低他的职任以削弱他的心气。这样一来，将帅们对朝廷的指挥即使不符合军情也会听命，即使背离了事理也会听命。胡虏飞马来袭，迅疾如同暴风，边镇用驿马向朝廷上报军情，十天半月才有回复。在当地守卫的将领因为兵少而不敢抗敌，分镇戍守的将帅因为没有诏命而不肯出兵，等到敌人放肆抢掠后退了回去，边将这才向朝廷报功告捷。说到自己兵败损失时会把一百缩减为一，说到自己有所俘获时则把一百夸大成一千。将帅们庆幸指挥、调度的大权在朝廷，不必担忧战败获罪累及自身；陛下又认为大权操在自己手中，对这类事的实情也不便深究。这可以说是朝廷遥控而致使战机丧失了。

“臣下愚昧，认为应该废除调派各道将士去京城西边防秋的制度，命令各道只提供衣服和粮食，在戍边士兵中招募自愿留下的人以及其他胡族、汉族人的子弟，供给他们衣服和粮食。同时又让他们多多地垦荒种田，官府向他们收购收获的粮食。虏寇入侵的时候，他们人人各自都会起来抗击，农时到了，家家各自都会致力于农事，这与那种一会儿来一会儿又走、不断调防的士兵怎么可以相提并论呢！另外，应该选择在文韬武略方面能干的大臣分别担任陇右、朔方、河东三地的元帅，分别统领沿边各节度使，对不重要的边防军镇，就近合并到其他军镇中。然后削减那些用不正当手段虚报滥支的费用，以充裕财政经费；制定供应衣粮的等级制度，以使军队和谐；弘扬朝廷委任将帅的正道，以显示对他们的重用；公布奖惩的标准，以考核他们的成绩。这样做了，胡虏就会畏威而归顺，边疆也就会宁静了。”德宗虽然未能完全听从陆贽的建议，但内心对陆贽十分推重。

---

## 【注释】

㉘⑨甲辰：五月二十七日。㉙⓪卢迈：字子玄，河南府（今河南洛阳）人，历任谏议大夫、给事中，以守尚书右丞本官，并同平章事。德宗兴元年间宰相卢翰之族子。传见《旧唐书》卷一百三十六、《新唐书》卷一百五十。㉙①恃恩：依仗恩宠。㉙②排己置之门

下：将自己排挤到门下省。[293]豫：参与。[294]关东：泛指潼关以东广大中原地区。[295]土风：当地环境。此指关东戍卒不熟悉边地环境。[296]边荒：边地荒寒，缺衣少食。[297]骄子：娇生惯养的儿子。[298]倩人：女婿。[299]张颐待哺：张开嘴巴等待喂饭。比喻骄兵懒惰而需索多。[300]东溃：向东逃散。[301]拔弃：离去放弃。[302]犯刑谪徙者：触犯刑法而被流放戍边的人。[303]无良：不良。[304]自顷：近来。[305]柄失于朝：朝廷失去了权柄。[306]鲜克：很少能够。[307]典常：常法；常制。[308]务相遵养：上下互相姑息。[309]翻虑：反而考虑。[310]反仄：即反侧，动荡不安。[311]复虑：还要考虑。[312]忧虞：忧虑不安。[313]嫌疑：被怀疑会有某种行为产生。[314]效节：效忠尽节。[315]诮：嘲讽。[316]等夷：同辈。[317]偾：败。[318]蹙国：丧失国土。[319]解体：人心涣散。[320]虏：泛指周边各少数民族。德宗时，主要指吐蕃。[321]递相推倚：互相推诿。[322]无敢谁何：没人敢查问。[323]无裨：无补。[324]供亿：供应。[325]闾井：乡村。[326]编户：有户籍的平民。[327]榷盐：专卖食盐。[328]税酒：征酒税。[329]举国胜兵之徒：全国能够拿起武器当兵的人。[330]厥理何哉：其道理何在。厥，其。[331]良以中国之节制多门：大唐军队要接受许多部门的指挥调度，以致政令不一。良，实在是。[332]疾徐：快慢。[333]靡愆：不失。[334]两蕃：指吐蕃、突厥两邦。[335]三节度：指防御西北的三个节度使。朔方节度使，镇灵州（今宁夏灵武西南）；河西节度使，镇甘州（今甘肃张掖）；陇右节度使，镇鄯州（今青海海东市乐都区）。[336]中兴以来：指肃宗平定安史之乱以来。[337]两蕃：中兴以来两蕃，北则回纥，西则吐蕃。[338]建牙拥节：建立军府拥有旌节，指节度使。[339]三使：指分朔方置河中、振武、邠宁三节度使。事见本书卷第二百二十五代宗大历十四年（公元七七九年）。[340]委寄：委任。[341]中贵：指宦官。[342]人得抗衡二句：指中贵监军与节镇统帅，互相抗衡，没有隶属。[343]计会用兵：议谋盘算用兵方略。[344]理

---

【原文】

韦皋遣大将董勔等将兵出西山[382]，破吐蕃之众，拔堡栅五十余。

丙午[383]，门下侍郎、同平章事董晋罢为礼部尚书。

云南王异牟寻遣使者三辈，一出戎州[384]，一出黔州[385]，一出安南[386]，各赍生金[387]、丹砂[388]诣韦皋，金以示坚，丹砂以示赤心，三分皋所与书[389]为信，皆达成都。异牟寻上表请弃吐蕃归唐，并遗皋帛书，自称唐故[7]云南王孙、吐蕃赞普义弟日东王[390]。皋遣其使者诣长安，并上表贺。上赐异牟寻诏书，令皋遣使慰抚之。

戎：治军。㉞⑤练核优劣之科：精细地考核优劣的等级。㉞⑥企及：赶上；够得上。㉞⑦息心：不存奢望。㉞⑧觖望：怨望。㉞⑨长镇：长期戍边。㉟⓪百战伤夷之余：百战后遍体鳞伤的幸存者。㉟①当身：本身。㉟②厚逾数等：给予关东的优厚粮饷超过边兵好几倍。㉟③素非禁旅：本来不是禁军。㉟④诡为媚词：耍花招编造逢迎之词。㉟⑤唯改虚名：只是更改了一个虚假的名称。㉟⑥将在军二句：语出《孙子·九变》，原文作“将受命于君……君命有所不受”。㉟⑦宸衷：皇帝的心意。㉟⑧戎臣：武将。㉟⑨多其部：多置军队番号。㊱⓪轻其任：降低他的职任。㊱①爽于军情亦听命：不符合军情的命令也要听从。爽，失。与下句乖字为同义互文。㊱②乖于事宜亦听命：违反实际的事情也要遵守。乖，违离。㊱③驲书：驿马传递的公文。㊱④纵掠退归：放纵士兵抢掠以后退还。㊱⑤此乃：这才。㊱⑥减百而为一：把败亡的损失隐瞒下来，减少到百分之一。㊱⑦捃获：收获。㊱⑧罪累：罪责累及自身。㊱⑨令本道但供衣粮：停止关东各道秋季派兵戍边的防秋制度，让各道只是提供衣服与口粮。㊲⓪给：供给。㊲①时至：农时到来。㊲②力农：致力农事。㊲③缘边：沿边。㊲④有非要者二句：对无必要设置节度使的地区，就近予以合并。非要，不重要、不必要。陆贽所言，要裁撤合并一些边防军镇。㊲⑤奸滥虚浮之费：用不正当手段虚报滥支的费用。㊲⑥丰财：增加财政经费。㊲⑦和众：使军队谐和。㊲⑧弘：弘扬；扩大。㊲⑨威怀：畏威而归顺。㊳⓪疆埸：边疆。㊳①宁谧：宁静。

## 【校记】

［6］虚名：原作“旧名”。据章钰校，乙十六行本、乙十一行本、孔天胤本皆作“虚名”，张敦仁《通鉴刊本识误》、张瑛《通鉴校勘记》同，今据改。

---

## 【语译】

西川节度使韦皋派大将董勔等率军攻击西山，打败了吐蕃军队，攻克堡垒、营栅五十多座。

五月二十九日丙午，门下侍郎、同平章事董晋被罢免，降任礼部尚书。

云南王异牟寻派出三批使者，一批走戎州，一批走黔州，一批走安南，各自都带着金矿石和丹砂到韦皋那里去，用金矿石表明归顺朝廷意志坚决，用丹砂表示对朝廷的一片赤心，又把韦皋写给他的三封书信分别交给三批使者作为凭证，这三批使者最终都到达了成都。异牟寻上表朝廷，请求与吐蕃断绝关系而归附唐朝，同时还在绢帛上给韦皋写了封信，自称是大唐故云南王之孙、吐蕃赞普的义弟日东王。韦皋派人送云南王的使者前往长安，并且上表朝廷表示祝贺。德宗赐给异牟寻诏书，并且让韦皋派使者去抚慰云南王。

贾耽、陆贽、赵憬、卢迈为相，百官白事，更让[391]不言。秋，七月，奏请依至德故事[392]，宰相迭秉笔[393]以处政事，旬日一易，诏从之。其后日一易之。

剑南、西山诸羌女王汤立志、哥邻王董卧庭、白狗王罗陀忽、弱水王董辟和、南水王薛莫庭、悉董王汤悉赞、清远王苏唐磨、咄霸王董邈蓬及逋租王，先皆役属吐蕃，至是各帅众内附。韦皋处之于维、保、霸州[394]，给以耕牛种粮。立志、陀忽、辟和入朝，皆拜官，厚赐而遣之。

癸卯[395]，户部侍郎裴延龄奏："自判度支以来，检责[396]诸州欠负钱[397]八百余万缗，收诸州抽贯钱[398]三百万缗，呈样物[399]三十余万缗，请别置欠负[400]耗剩[401]季库[402]以掌之，染练物[403]则别置月库以掌之。"诏从之。欠负皆贫人无可偿，徒存其数者；抽贯钱给用随尽；呈样、染练皆左藏[404]正物。延龄徙置别库，虚张名数以惑上。上信之，以为能富国而宠之，于实无所增也，虚费吏人簿书[405]而已。

京城西污湿地生芦苇数亩，延龄奏称长安、咸阳有陂泽数百顷，可牧厩马[406]。上使有司阅视，无之，亦不罪也。

左补阙权德舆[407]上奏，以为："延龄取常赋支用未尽者充羡余以为己功。县官先所市物，再给其直，用充别贮。边军自今春以来并不支粮。陛下必以延龄孤贞独立[408]，时人丑正[409]流言，何不遣信臣覆视，究其本末，明行赏罚。今群情众口喧于朝市[410]，岂京城士庶皆为朋党邪！陛下亦宜稍回圣虑而察之。"上不从。

八月庚戌[411]，太尉、中书令、西平忠武王李晟薨。

冬，十月甲子[412]，韦皋遣其节度巡官[413]崔佐时赍诏书诣云南，并自为帛书答之。

十一月乙酉[414]，上祀圜丘[415]，赦天下。

贾耽、陆贽、赵憬、卢迈四人担任宰相，朝廷百官上报事情，他们互相推让，不发表意见。秋，七月，他们上奏德宗请求依照至德年间的旧例，宰相轮流执笔处理政事，每十天一轮换，德宗下诏批准了。后来又改成每天一轮换。

居住在剑南、西山的各部羌人，有女王汤立志、哥邻王董卧庭、白狗王罗陀忽、弱水王董辟和、南水王薛莫庭、悉董王汤悉赞、清远王苏唐磨、咄霸王董邈蓬以及逋租王等部落，早先都从属于吐蕃并受其驱使，到这时候都各自率领部众归附唐朝。韦皋把他们安置在维州、保州、霸州，给他们提供耕牛和粮种。汤立志、罗陀忽、董辟和进京朝见，都被封赐官职，朝廷给了他们十分优厚的赏赐，让他们回去了。

七月二十七日癸卯，户部侍郎裴延龄上奏说："自从我负责度支事务以来，检查追收各州拖欠应上缴朝廷的钱八百多万缗，收取各州的抽贯钱三百万缗，以及各州呈献给陛下的贡品样物三十多万缗，请求另外设置季库，以掌管所收各州拖欠的钱和损耗后剩余的钱物，经过染色煮练的丝织品再另设月库来掌管。"德宗下诏批准这个奏请。欠钱的都是无力偿还的穷人，只是在账上留下了一个数字而已；抽贯钱随收随用，都已用尽；呈献的贡品样物、染色煮练的丝织品原本就是国家左藏中应收藏的物品。裴延龄把这些东西转存在别的仓库里，不过是空洞地罗列一些名目数字来蒙骗德宗罢了。德宗却相信裴延龄，认为他能使国家富裕起来，对他十分宠信，但实际上朝廷并没有任何收入增加，只是白白地耗费官吏的精力和浪费一些账簿而已。

京城长安西边一片污秽的湿地里长了几亩芦苇，裴延龄却上奏说长安、咸阳附近有数百顷沼泽地，可以放牧皇家马厩中的马。德宗派有关部门去查看，根本就没有这数百顷沼泽，但德宗也没有治裴延龄的罪。

左补阙权德舆上奏，认为："裴延龄把正常征收上来的赋税中没有用完的部分充当盈余，作为自己的功劳。官府先购买物品，再付给买东西的钱，以此充当需另外储存的所谓盈余物品。从今年春天以来，还没有给守边的军队支付过口粮。陛下一定以为裴延龄孤直忠贞、独守节操，但当前的人，无论是奸邪，还是正直，都对裴延龄有许多议论，陛下何不派一位忠诚可靠的臣下去核实查看，探究事情的本末，公开实行赏罚。如今群情激愤，在朝廷、街市上对他议论纷纷，难道京城的官吏和百姓都结成朋党了吗？陛下也应该稍微改变一下对裴延龄的看法，好好观察一下。"德宗没有采纳。

八月初四日庚戌，太尉、中书令、西平忠武王李晟去世。

冬，十月十八日甲子，韦皋派他的节度巡官崔佐时带着德宗的诏书前往云南，韦皋自己也在绢帛上写了一封回信给云南王异牟寻。

十一月初十日乙酉，德宗在圜丘祭天，大赦天下。

【段旨】

以上为第九段，写云南王遣使入朝，德宗宠信佞臣户部侍郎裴延龄。

【注释】

㉜西山：山名，即大雪山，在今四川马尔康西部。㉝丙午：五月二十九日。㉞戎州：州名，治所僰道，在今四川宜宾。㉟黔州：州名，治所彭水，在今重庆市彭水苗族土家族自治县。㊱安南：指道经安南都护府。㊲生金：未经炼制的黄金。㊳丹砂：朱砂矿。㊴三分皋所与书：韦皋于贞元五年（公元七八九年）十二月、七年六月和八年十一月三次致函云南，如今，云南王异牟寻派三批使者回报韦皋，各携一份以为凭信。㊵义弟日东王：吐蕃以云南王为义弟，事见本书卷第二百一十六玄宗天宝十载（公元七五一年）。封日东王，事见本书卷第二百二十六代宗大历十四年（公元七七九年）。㊶更让：互相推让。㊷依至德故事：事见本书卷第二百一十九肃宗至德元载(公元七五六年)。㊸迭秉笔：轮流执笔。即宰相轮流在政事堂执政，处理公文。㊹保霸州：皆州名，保州治所在今四川理县北，霸州治所在今四川汶川县西北。㊺癸卯：七月二十七日。㊻检责：检查督责，即查收。㊼欠负钱：拖欠官府的赋税钱。㊽抽贯钱：按一定比例抽取的商业税

【原文】

刘士宁既为宣武节度使，诸将多不服。士宁淫乱残忍，出畋[416]辄数日不返，军中苦之。都知兵马使李万荣[417]得众心，士宁疑之，夺其兵权，令摄汴州事。十二月乙卯[418]，士宁帅众二万畋于外野[419]。万荣晨入使府，召所留亲兵千余人，诈之曰：“敕征大夫入朝，以吾掌留务[420]，汝辈人赐钱三十缗。”众皆拜。又谕外营兵，皆听命。乃分兵闭城门，使驰白士宁曰：“敕征大夫，宜速即路[421]，少或迁延，当传首以献。”士宁知众不为用，以五百骑逃归京师。比至东都，所余仆妾而已。至京师，敕归第行丧[422]，禁其出入。

淮西节度使吴少诚闻变，发兵屯鄾城[423]，遣使问故，且请战。万荣以言戏[424]之，少诚惭而退。

钱。㊹㊾ 样物：贡品样物。㊿⓪ 欠负：指征收的欠负钱。㊿① 耗剩：指上交来的耗损盈余。㊿② 季库：按季入库，称季库。下文“月库”，即按月入库。㊿③ 染练物：经过煮练和染色的布帛。㊿④ 左藏：太府寺有左、右藏，均为国家财货总库。左藏收纳钱货、绢帛、杂彩，全国赋调上贡中央皆入左藏。㊿⑤ 虚费吏人簿书：白白地浪费管理人员和账簿。㊿⑥ 厩马：皇家马苑中的马。厩，马棚。㊿⑦ 权德舆（公元七五八至八一八年）：字载之，天水略阳（今甘肃秦安东北）人，历任中书舍人、礼部侍郎、宰相，官终山南西道节度使。有文集五十卷行于世。传见《旧唐书》卷一百四十八、《新唐书》卷一百六十五。㊿⑧ 孤贞独立：孤直忠贞，独守节操。㊿⑨ 丑正：指奸邪与正直的人。丑，奸邪，丑陋。㊿⑩ 朝市：朝廷与市肆。㊿⑪ 庚戌：八月初四日。㊿⑫ 甲子：十月十八日。㊿⑬ 巡官：官名，节度、观察、团练、防御诸使，其属下皆有巡官，位于判官、推官之下，衙推之上。㊿⑭ 乙酉：十一月初十日。㊿⑮ 上祀圜丘：德宗在天坛祭天。

【校记】

［7］故：原无此字。据章钰校，乙十六行本、乙十一行本、孔天胤本皆有此字，今据补。

【语译】

刘士宁担任宣武军节度使以后，众将中很多人都不服。刘士宁肆行淫乱，为人残忍，他出城打猎，往往几天不回，军中将士深以为苦。宣武军的都知兵马使李万荣受到将士们的拥护，刘士宁猜疑他，剥夺了他的兵权，让他去代管汴州事务。十二月初十日乙卯，刘士宁率二万将士到野外打猎。李万荣清晨进入节度使军府，召集刘士宁留下来的亲兵一千多人，欺骗他们说：“皇上下敕征召刘大夫入京朝见，让我掌管留后事务，你们这些人每人赏赐三十缗钱。”大家全都下拜。李万荣又晓谕外营中的士兵，他们也都表示听命。李万荣于是分派兵力，关闭城门，又派人骑马跑去告诉刘士宁说：“皇上下敕征召大夫，大夫应该速速上路，如果稍有拖延，我就要将大夫头颅传送到京城去了。”刘士宁知道部众不为自己所用，带着五百名骑兵逃回京城长安。等到达东都洛阳时，身边所剩下的只有仆人和姬妾了。到了京城长安，德宗下敕让刘士宁回自家住宅为父亲刘玄佐服丧，禁止他随便出入。

淮西节度使吴少诚听说宣武军发生内变，发兵屯驻郾城，派使者去质问李万荣驱逐刘士宁的缘故，并且向李万荣挑战。李万荣用言语嘲讽了吴少诚，吴少诚惭愧地退走了。

上闻万荣逐士宁，使问陆贽。贽上奏，以为今军州已定，宜且遣朝臣宣劳，徐察事情，冀免差失[425]。其略曰："今士宁见逐，虽是众情，万荣典军[426]，且非朝旨。此安危强弱之机也，愿陛下审之慎之。"上复使谓贽："若更淹迟[427]，恐于事非便。今议除一亲王充节度使，且令万荣知留后，其制即从内出[428]。"贽复上奏，其略曰："臣虽服戎角力谅匪克堪[429]，而经武伐谋[430]或有所见。夫制置之安危由势，付授[431]之济否[432]由才。势如器焉，惟在所置，置之夷地[433]则平；才如负[434]焉，唯在所授，授逾其力则踣[435]。万荣今所陈奏，颇涉张皇[436]，但露[437]徼求[438]之情，殊无退让之礼。据兹鄙躁[439]，殊异循良。又闻本是滑人[440]，偏厚当州[441]将士，与之相得，才止三千，诸营之兵已甚怀怨。据此颇僻[442]，亦非将材。若得志骄盈，不悖则败。悖则犯上，败则偾军[443]。"又曰："苟邀[444]则不顺，苟允[445]则不诚，君臣之间，势必嫌阻[446]。与其图之于滋蔓[447]，不若绝之于萌芽。"又曰："为国之道[448]，以义训人[449]，将教事君，先令顺长[450]。"又曰："方镇之臣，事多专制，欲加之罪，谁则无辞！若使倾夺之徒便得代居其任，利之所在，人各有心，此源潜滋[451]，祸必难救。非独长乱之道，亦关谋逆之端[452]。"又曰："昨逐士宁，起于仓卒[453]，诸郡守将固非连谋，一城师人亦未协志。各计度于成败之势，回遑[454]于逆顺之名，安肯捐躯与之同恶！"又曰："陛下但选文武群臣一人命为节度，仍降优诏，慰劳本军。奖万荣以抚定之功，别加宠任；褒将士以辑睦[455]之义，厚赐资装。揆[456]其大情，理必宁息。万荣纵欲跋扈，势何能为！"又曰："傥后事有愆素[457]，臣请受败桡[458]之

德宗得知李万荣驱逐了刘士宁，派人去询问陆贽如何处理。陆贽上奏，认为如今宣武军和下属各州已经安定，应该暂且派朝廷大臣前去宣旨慰劳，一步步观察事态的发展，希望这样可避免差错失误。奏疏的大意是说："如今刘士宁被逐，虽然符合军中众人的情绪，但是李万荣掌管宣武军府，并非朝廷的旨意。这是关系国家安危强弱的关键之事，希望陛下处理时要十分仔细、十分慎重。"德宗又派人对陆贽说："如果再迟迟不做处理，恐怕对事情不利。现在商议任命一位亲王去担任节度使，暂且让李万荣掌管留后事务，这份制书马上就要从内廷发出了。"陆贽再次上奏，奏疏的大意是说："臣虽然身穿戎装上阵，与人以武力决胜负，确实难以胜任，但是在整治武备，以谋略胜敌方面，也许还有一些见地。处理一件事所带来的安或危取决于形势，授予一个人官职的成功与否取决于所任用者的才能。形势就像是一件器物，就看你放在什么地方，放在平地就会很平稳；人的才能就像是背东西，就看你给他背多大重量，给他背的重量超过了他的力气，他就会跌倒。李万荣现在所上奏的表章，内容颇见猖狂，只是显露了他要求任命的急迫心情，而毫不懂谦让的礼节。从他这种鄙陋浮躁来看，他绝非奉公守法之人。又听说他原本是滑州人，偏爱厚待本州的将士，与他相处得好的将士，才只三千人，而各营的士兵对他早已怀有很大的怨气。从他这种不公正的做法来看，他也并非将才。如果他的欲望得到满足，就会骄横自满，不是做出悖逆的事情，也会出战自取失败。悖逆就会犯上，出战失败就会损失朝廷的军队。"又说："臣下不该要求却要求了，那是不顺从；君王不该答应却答应了臣下的要求，那是不真诚。这样在君臣之间，势必会带来猜疑和隔阂。与其在这种现象滋长蔓延后采取对策，不如在其萌芽时期就予以铲除。"又说："治理天下的正确原则在于以道义教诲人，而要教人尊事君王，就得先让他顺从长上。"又说："掌握一方军镇的大臣，处理事情大多专断独行，如果想要给他们加上一些罪名，在谁的身上找不到借口呢！如果让那些夺取上司权力的人很方便地就能取代上司的位置，既然有利可图，人们就会各怀此心，这种念头暗中滋长，所引起的祸患一定难以挽救。这不仅是助长动乱的做法，也牵涉到造成谋逆的发端。"又说："日前驱逐刘士宁的事件，事起突然，各郡守将原本就没有合谋，汴州城内的军队也并未与李万荣同心。他们各自在盘算成败的形势，徘徊在叛逆作乱还是顺从朝廷两种名义之间，他们怎么肯舍弃性命而与李万荣一起来叛逆呢！"又说："陛下只需要在朝廷文武群臣中选择一个人任命他为宣武军节度使，再下一道嘉奖的诏令，慰劳宣武军将士。奖赏李万荣有安抚、稳定本军之功，对他另加恩宠任用；褒扬宣武军将士深识和睦之理，赐给他们丰厚的物资装备。经过这样处理，对宣武军的基本情况做一估计，按理说他们一定会安宁平定下来。李万荣即便想骄横跋扈，从形势看又能有什么作为！"又说："假若以后事态的发展超出预想而出现了问题，臣愿承受失败受挫之罪。"德宗没有采纳陆贽的建议。

罪。"上不从。壬戌[459]，以通王谌[460]为宣武节度大使，以万荣为留后。

丁卯[461]，纳故驸马都尉郭暧女为广陵王淳[462]妃。淳，太子之长子。妃母，即升平公主也。

---

【段旨】

以上为第十段，写德宗姑息宣武都知兵马使李万荣驱逐主帅而委任他为留后。

【注释】

⑯畋：打猎。⑰李万荣：原为宣武节度使刘玄佐部将。玄佐死，子士宁继任。李万荣逐士宁，遂被任为节度使。不久病死。传见《新唐书》卷二百十四。⑱乙卯：十二月初十日。⑲外野：野外。⑳掌留务：掌管留后事务。㉑即路：就路；上路。㉒行丧：即服丧。父死，子服丧三年。刘玄佐贞元八年卒，士宁此时尚在服丧期中。㉓郾城：县名，县治在今河南郾城。㉔戏：嘲讽。㉕冀免差失：希能免于差错失误。㉖典军：指掌宣武军务。㉗淹迟：迟缓；拖延。㉘从内出：从内廷发出。㉙服戎角力谅匪克堪：披挂戎装去战斗，确实不能胜任。㉚经武伐谋：整治武备，以谋略胜敌。㉛付授：指授任、授官。㉜济否：成功与失败。㉝夷地：平地。㉞负：背负重物。㉟踣：跌倒。㊱张

---

【原文】

十年（甲戌，公元七九四年）

春，正月，剑南、西山羌、蛮二万余户来降。诏加韦皋押近界羌、蛮及西山八国[463]使。

崔佐时至云南所都羊苴咩城[464]，吐蕃使者数百人先在其国，云南王异牟寻尚不欲吐蕃知之，令佐时衣牂柯服[465]而入。佐时不可，曰："我大唐使者，岂得衣小夷之服！"异牟寻不得已，夜迎之。佐时大宣诏书[466]，异牟寻恐惧，顾左右失色。业已归唐，乃歔欷[467]流涕，俯伏受诏。郑回密见佐时教之[468]，故佐时尽得其情，因劝异牟寻悉斩吐蕃使者，去吐蕃所立之号，献其金印[469]，复南诏旧名，异牟寻皆从之，仍刻

十二月十七日壬戌，德宗任命通王李谌为宣武军节度大使，任命李万荣为留后。

十二月二十二日丁卯，德宗为广陵王李淳聘娶已故驸马都尉郭暧的女儿为妃子。李淳，是皇太子的长子。这位妃子的母亲就是升平公主。

---

皇：张狂；猖狂。㊲露：显露。㊳徼求：要求。㊴鄙躁：指李万荣行为鄙陋浮躁。㊵滑人：李万荣为滑州匡城（今河南长垣西南）人，与刘玄佐同乡里。㊶当州：本州。㊷颇僻：偏颇不公正。㊸偾军：使军队倾覆。㊹苟邀：不应求而求之。㊺苟允：不应应允而允之。㊻嫌阻：嫌疑隔阂。㊼滋蔓：滋长蔓延。㊽为国之道：治理国家的原则。㊾以义训人：用道义教诲人。㊿先令顺长：先让他顺从长上。451此源潜滋：这种念头暗中滋长。452亦关谋逆之端：还牵涉谋逆的发端。谋逆，指朱泚称帝一类逆谋。453仓卒：仓促；突然。454回遑：彷徨；徘徊。455辑睦：和睦；和谐。456揆：揣度；估量。457愆素：超出原先估计的失误。458败桡：失败受挫。桡，同“挠”。459壬戌：十二月十七日。460通王谌：李谌，德宗第三子。传见《旧唐书》卷一百五十、《新唐书》卷八十二。461丁卯：十二月二十二日。462广陵王淳：李淳，或作“李纯”。德宗太子李诵之长子。德宗死，李诵继位，是为顺宗。李淳册为太子。永贞元年（公元八〇五年），顺宗禅位于太子，是为宪宗。

---

【语译】

**十年（甲戌，公元七九四年）**

春，正月，剑南、西山一带的羌族、蛮族部落二万多户前来归降。德宗下诏加封西川节度使韦皋为掌管靠近边界的羌族、蛮族以及西山一带部落事务的八国使。

崔佐时到达云南都城羊苴咩城时，吐蕃派出的使者几百人先已在那里，云南王异牟寻还不想让吐蕃人知道崔佐时来了，让崔佐时穿牂柯部落的衣服进入羊苴咩城。崔佐时不同意，说：“我是大唐的使者，怎么能穿蛮夷小国的衣服呢!”异牟寻迫不得已，只好在夜晚出来迎接崔佐时。崔佐时大声宣读诏书，异牟寻内心恐惧，望着身边的人，脸色都变了。但他已经归顺了大唐，于是抽泣着流下了眼泪，跪伏在地上接受了诏书。崔佐时这样做都是云南国相郑回暗中去见他时教他的，所以崔佐时对云南王的情况完全了解，于是劝说异牟寻把吐蕃派来的使者全部杀掉，去除吐蕃授予的封号，献出吐蕃授予的金印，恢复南诏的旧名称，异牟寻全都听从了，还刻了

金契以献。异牟寻帅其子寻梦凑等与佐时盟于点苍山[470]神祠。

先是，吐蕃与回鹘争北庭[471]，大战，死伤甚众，征兵万人于云南。异牟寻辞以国小，请发三千人，吐蕃少之[472]，益至五千，乃许之。异牟寻遣五千人前行，自将数万人踵其后，昼夜兼行，袭击吐蕃，战于神川[473]，大破之，取铁桥[474]等十六城，虏其五王，降其众十余万。戊戌[475]，遣使来献捷。

瀛州刺史刘澭为兄济所逼，请西捍陇坻[476]，遂将部兵千五百人、男女万余口诣京师，号令严整，在道无一人敢取人鸡犬者。上嘉之，二月丙午[477]，以为秦州刺史、陇右经略军[478]使，理普润[479]。军中不击柝[480]，不设音乐。士卒病者，澭亲视之，死者哭之。

乙丑[481]，义成节度使李融[482]薨。丁卯[483]，以华州刺史李复[484]为义成节度使。复，齐物[485]之子也。复辟[486]河南尉[487]洛阳卢坦[488]为判官。监军薛盈珍数侵军政，坦每据理以拒之。盈珍常曰："卢侍御所言公，我固不违也。"

横海节度使程怀直入朝，厚赐遣归。

夏，四月庚午[489]，宣武军乱，留后李万荣讨平之。先是，宣武亲兵三百人素骄横，万荣恶之，遣诣京西防秋，亲兵怨之。大将韩惟清、张彦琳诱亲兵作乱，攻万荣，万荣击破之。亲兵掠而溃，多奔宋州，宋州刺史刘逸准[490]厚抚之。惟清奔郑州，彦琳奔东都。万荣悉诛乱者妻子数千人。有军士数人呼于市曰："今夕兵大至，城当破。"万荣收斩之，奏称刘士宁所为。五月庚子[491]，徙士宁于郴州[492]。

钦州[493]蛮酋黄少卿[494]反，围州城，邕管[495]经略使孙公器[496]奏请发岭南兵救之。上不许，遣中使谕解之。

金质的契约献给朝廷。异牟寻带着儿子寻梦凑等人与崔佐时在点苍山的神庙中订立盟约。

此前，吐蕃与回鹘争夺北庭，双方大战，吐蕃的兵马死伤很多，于是向云南征兵万人。异牟寻以自己国小人少而推辞，请求只派三千人，吐蕃嫌少，增加到五千人，吐蕃才答应了。异牟寻派这五千兵马在前面行进，自己率数万兵马紧随其后，日夜兼程，寻找战机袭击吐蕃，双方在神川交战，异牟寻大败了吐蕃军队，攻占了铁桥等十六座城池，俘虏了吐蕃的五位王公，招降了他们十几万部众。正月二十四日戊戌，异牟寻派使者到朝廷传送捷报。

瀛州刺史刘澭受他的哥哥刘济逼迫，向朝廷请求到西边去守卫陇坻地区，于是率领部下士兵一千五百人，以及男女家眷一万多人前往京城长安，军纪严明，沿途没有一个人敢去抢掠百姓鸡狗的。德宗大加称赞。二月初三日丙午，德宗任命刘澭为秦州刺史、陇右经略军使，治所在普润。刘澭的军中不击柝巡夜报更，也不设置音乐歌舞。士兵中有生病的人，刘澭会亲自去探视，士兵死了，他也会去哭吊。

二月二十二日乙丑，义成军节度使李融去世。二十四日丁卯，德宗任命华州刺史李复为义成军节度使。李复，是李齐物的儿子。李复征召河南尉洛阳人卢坦担任判官。义成军的监军薛盈珍屡次干涉军中事务，卢坦每次都据理予以拒绝。薛盈珍常常对人说："卢侍御的话出于公心，我自然不能违背他。"

横海军节度使程怀直入京朝见，德宗给予他丰厚的赏赐，让他回去了。

夏，四月二十八日庚午，宣武军发生变乱，留后李万荣率兵平定。此前，因原宣武军亲兵三百人素来骄横，李万荣很厌恶他们，便派他们到京城西边去防秋，这些亲兵对李万荣心怀怨恨。大将韩惟清、张彦琳引诱亲兵们起来作乱，攻打李万荣，李万荣带人把他们打败了。这些亲兵一边抢掠一边溃散，多数人都逃奔到宋州，宋州刺史刘逸准对他们很优厚地予以安抚。韩惟清逃到了郑州，张彦琳逃到了东都洛阳。李万荣把作乱者的妻子儿女几千人全都杀掉了。有几个军士在街市高喊道："今天晚上军队会大批到达，汴州城一定会被攻下来。"李万荣把这几个人抓起来杀了，上奏朝廷说这一切都是刘士宁指使干的。五月二十八日庚子，朝廷把刘士宁迁到了郴州。

钦州西原黄洞蛮的酋长黄少卿起来造反，包围了钦州城，邕管经略使孙公器上奏朝廷，请求调派岭南的军队前去救援。德宗没有答应，派遣宫中的宦官使者去晓谕劝解造反的人。

【段旨】

以上为第十一段，写云南王附唐，大败吐蕃军。李万荣讨平宣武兵变。

【注释】

⑯西山八国：即上文羌女王、哥邻、白狗、南水、悉董、清远、咄霸、逋租等八国。弱水最小，不在八国数中。⑯羊苴咩城：南诏都城，在今云南大理。⑯衣牂柯服：穿牂柯族的衣服，让唐使装扮成夷人。牂柯，指牂柯蛮，居于今贵州思南、瓮安、黄平一带。⑯大宣诏书：崔时佐大声宣读诏书，让吐蕃使者知道，皆郑回教之。⑯歔欷：抽泣。⑱郑回密见佐时教之：郑回时为南诏执政清平官，他劝导异牟寻归唐，事见本书卷第二百三十二德宗贞元三年（公元七八七年）。崔佐时不衣牂柯服，大声宣读诏书，皆是郑回暗中教导的。⑲献其金印：将吐蕃所赐金印献呈唐使。玄宗天宝十一载（公元七五二年）四月，南诏王阁罗凤臣于吐蕃，吐蕃命阁罗凤为赞普钟，号称东帝，给以金印。⑰点苍山：山名，在今云南大理。⑰争北庭：事见上卷德宗贞元五年、六年。⑰少之：以三千人为少。⑰神川：水名，即今云南之金沙江。⑰铁桥：即铁桥城，在今云南香格里拉西南。城北有铁桥跨金沙江，是南诏、吐蕃间交通要道。⑰戊戌：正月二十四日。⑰陇坻：又称陇阪，在今陕西陇县、宝鸡与甘肃清水县、张家川回族自治县之间，北入沙漠，南止渭河，为关中平原西部屏障。⑰丙午：二月初三日。⑰陇右经略军：军

【原文】

陆贽上言："郊礼赦下[497]已近半年，而窜谪者[498]尚未沾恩。"乃为三状拟进[499]。上使谓之曰："故事，左降官[500]准赦量移[501]，不过三五百里。今所拟稍似超越，又多近兵马及当路州县[502]，事恐非便。"贽复上言，以为："王者待人以诚，有责怒而无猜嫌[503]，有惩沮而无怨忌[504]。斥远以儆[505]其不恪[506]，甄恕[507]以勉其自新；不儆则浸及威刑[508]，不勉而复加黜削[509]。虽屡进退，俱非爱憎[510]。行法乃暂使左迁[511]，念材而渐加进叙[512]，又知复用，谁不增修[513]！何忧乎乱常，何患乎蓄憾[514]！如或以其

镇名，贞元三年置，以秦州刺史兼任陇右经略军使。治所普润，在今陕西麟游西北万家城村。⑲理普润：以普润为治所。理，治也。⑳柝：敲击以报更的木梆。㉑乙丑：二月二十二日。㉒李融：恒山王李承乾五世孙，官至义成节度使。传见《旧唐书》卷九十九。㉓丁卯：二月二十四日。㉔李复：字初阳，历任岭南节度使、宗正卿、华州刺史、义成节度使。传见《旧唐书》卷一百十二、《新唐书》卷七十八。㉕齐物：李齐物，字道用，唐高祖五世孙。历官京兆尹、太子太傅，兼宗正卿，传同李复。㉖辟：征召；举用。㉗河南尉：河南府尉，掌府中军事。㉘卢坦（公元七四八至八一七年）：字保衡，洛阳（今河南洛阳）人，历任御史中丞、宣歙池观察使、户部侍郎、判度支，终官剑南东川节度使。传见《旧唐书》卷一百五十三、《新唐书》卷一百五十九。时为节度判官，寄禄侍御史，故下文薛盈珍称为“卢侍御”。㉙庚午：四月二十八日。㊿刘逸准：怀州武陟（在今河南武陟）人，事刘玄佐为牙将，刘士宁用为宋州刺史。官至宣武节度使，赐名刘全谅。传见《旧唐书》卷一百四十五、《新唐书》卷一百五十一。㊾庚子：五月二十八日。㊾郴州：州名，治所郴县，在今湖南郴州。㊾钦州：州名，治所在今广西钦州东北。㊾黄少卿：西原黄蛮洞酋长。㊾邕管：方镇名，玄宗天宝十四载（公元七五五年）置邕管经略使，领邕、贵、横、钦等十三州，后有变动。治所邕州，在今广西南宁。㊾孙公器：潞州涉县（今河北涉县）人，祖孙逖，玄宗朝任考功员外郎、集贤修撰、中书舍人等职。其所选贡士，如颜真卿、李华、萧颖士等皆一时名士。公器官至福州刺史、邕管经略使。传附《旧唐书》卷一百九十中、《新唐书》卷二百二《孙逖传》。

【语译】

陆贽上奏说：“陛下举行郊祀大礼颁下赦令至今已近半年，但被贬谪流放的人还没蒙受到大赦的恩泽。”于是写了三道奏状打算进呈。德宗派使者对陆贽说：“按照旧制，对降职远徙的官吏，允许根据赦令酌情向内地迁移，但距离不超过三五百里。现在你拟定的方案似乎稍微超出了这个界限，而且安置的地点又多半靠近驻扎军队的处所和进京交通要道上的州县，这样做恐怕不太妥当。”陆贽再次上奏，认为：“君王以真诚待人，对人可以斥责发怒，但不要猜疑；可以因人犯错误而予以惩罚，但不要结下怨恨。把人斥退到边远之地，用以警告他们没有恪尽职守，对他们再行考察予以宽恕，是为了鼓励他们改过自新；不加以警告，就会使臣下逐渐触犯刑法；不加以鼓励，就会使臣下再遭贬黜。虽然对臣下多次进用或贬黜，但都不是出于个人的爱憎。因必须依法办事而暂时让臣下降职，又因爱惜人才而逐渐对他加以提拔任用。降职的人知道还能再被起用，那谁还不努力加强修养呢！这样做又何必发愁会打乱常规，又何必担心会留下遗憾呢！如果因为臣下被贬黜，就觉得他们是奸邪

贬黜，便谓奸凶，恒处防闲之中[515]，长从摈弃[516]之例，则是悔过者无由自补[517]，蕴才者终不见伸[518]。凡人之情，穷则思变，含凄贪乱[519]，或起于兹。今若所移不过三五百里，则有疆域不离于本道，风土反恶于旧州[520]。徒有徙家之劳，实增移配之扰[521]。又，当今郡府，多有军兵，所在封疆，少无馆驿，示人疑虑，体又非弘[522]。乞更赐裁审[523]。”

上性猜忌，不委任臣下，官无大小，必自选而用之，宰相进拟[524]，少所称可[525]。及群臣一有谴责，往往终身不复收用。好以辩给取人[526]，不得敦实[527]之士。艰于进用[528]，群材滞淹[529]。贽上奏谏，其略曰：“夫登进[530]以懋庸[531]，黜退以惩过。二者迭用[532]，理如循环[533]。进而有过则示惩，惩而改修则复进，既不废法，亦无弃人，虽纤介必惩[534]，而用材不匮。故能使黜退者克励以求复，登进者警饬[535]而恪居[536]，上无滞疑，下无蓄怨[537]。”又曰：“明主不以辞尽人[538]，不以意选士[539]。如或好善而不择所用，悦言而不验所行，进退随爱憎之情，离合[540]系异同之趣，是由舍绳墨[541]而意裁曲直[542]，弃权衡[543]而手揣重轻，虽甚精微，不能无谬。”又曰：“中人以上，迭有所长[544]。苟区别得宜，付授当器[545]，各适其性，各宣其能，及乎合以成功，亦与全才无异。但在明鉴大度[546]，御之有道[547]而已。”又曰：“以一言称惬为能[548]而不核虚实，以一事违忤[549]为咎而不考忠邪，其称惬则付任逾涯[550]，不思其所不及，其违忤则罪责过当，不恕其所不能，是以职司之内无成功，君臣之际无定分[551]。”上不听。

凶恶之人，永远把他们置于防备猜疑之中，长期成为被排斥抛弃之人，这就会让悔过的人无从自己弥补过失，让身怀才华的人始终没有施展的机会。人之常情是，如果走投无路了就会想到要有所变化，身处凄苦之境就喜欢图谋作乱，有的变乱也许就发生在这种情况下。现在，如果对降职远徙的官吏内移不能超过三五百里，那就有可能仍然没有离开原先所远徙的州道，甚至风土环境反而比原来的还要恶劣。这样空有迁徙家室之慰，实际上却增加了内移被发配官员的烦扰。另外，现在的郡府，大多驻有军队，他们所在的州县境内，很少没有驿站馆舍，如果让人看到朝廷的怀疑顾虑如此之重，显得国家的法制实在不够宽宏。恳请陛下对这一事情再加审核裁定。”

德宗生性喜欢猜忌，不肯把权力交给臣下，官员的官职无论大小，一定要亲自去挑选任命，宰相呈进的所拟用的官员名单，很少有被德宗认可的。群臣中一旦有人犯有过失受到谴责，往往终生不会再被起用。德宗喜欢以能言善辩作为选取人才的标准，所以选不到敦厚实在的人士。这种敦实之士难以得到提拔，使得许多人才都被积压。陆贽对此上奏劝说德宗，大意是说：“对官员进用提拔，是为了奖励他们立下的功劳；对官员贬黜斥退，是为了惩罚他们所犯的罪过。这两种方式交替使用，其道理就如同转圜，周而复始。进用提拔的官员如果有了罪过，就要对他作出惩罚，惩罚之后如果能改过自新，修养德行，那么就再度进用，这样做既不会使法令废弛，也不会弃失人才，即使对官员细小的过失都要惩处，而需要的人才却不会匮乏。所以，这样可以使被贬黜斥退的官员懂得自励以求重新起用，受重用提拔的官员则时刻自警自励而恪尽职守。这样在上位者就不会有拘执和疑虑，在下位者不会有蓄积的怨气。”又说：“圣明的君主不会只依据言辞来使用人才，也不会用主观的臆想去选拔士人。如果因为个人喜好就不加选择地去任用他，因为一个人说的话动听就不去检验他的所作所为，官职的升降随个人的爱憎进行，与人疏远或亲近都取决于爱好是否与自己相同，这好比是放弃了木匠用以取直的工具绳线、墨斗而凭个人的心意来判断曲直，抛掉了称量的秤锤秤杆而凭手中掂量的感觉来估计轻重，这样做即便十分精细，也不会没有差错。”又说：“中等才能以上的人，各有所长。如果能恰当分辨出他们各自才能之所长，委任的官职与他们的才能相当，适合他们各自的性情，能分别发挥他们各自的才能，等到把大家的力量结合起来成就了一番事业，他们所发挥的作用也与一个才能全面的人没有差别。这些只在于要善于鉴识而又胸襟豁达，并驾驭有方罢了。”又说：“因为他一句话说得自己称心快意就觉得他有才能，而不去核查他才能的虚实；因为他一件事办得违背了自己的心意就觉得他有罪过，而不去考察他是忠诚还是奸邪。对话说得让自己称心快意的人，就交给他超越他能力极限的重任，而不去考虑这是他所不能胜任的；对办事违背自己心意的人，对他的惩罚往往超过合适的限度，而不能宽恕他在这一事情上实际上是无能为力的，这样就使得人们在职务范围内无法成就事功，而使君臣之间也没有确定的责任。”德宗听不进陆贽的劝说。

【段旨】

以上为第十二段，写陆贽上奏德宗，建议惩罚官吏应给予自新机会，用人要考核实际才能，不能只凭巧言善辩，德宗不听。

【注释】

497 郊礼赦下：指贞元九年（公元七九三年）十一月十日德宗祀圜丘，赦天下。498 窜谪者：被贬谪流放的人。499 乃为三状拟进：于是写了三道奏状，打算上呈。500 左降官：左迁降职官。501 准赦量移：允许被贬远徙之官，遇赦移徙近地。移，徙。502 当路州县：进京的要道州县上。503 有责怒而无猜嫌：君王可以发怒斥责臣下，但不要猜疑。有，可以。504 有惩沮而无怨忌：君王可以惩罚臣下，处治他们败坏事功的罪行，但不要怨恨。怨忌，结下仇怨。505 儆：警告。506 不恪：不恪尽职守。507 甄恕：进行考察而加以宽恕。508 不儆则浸及威刑：不加警告就会使臣下逐渐触犯刑法。浸，逐渐。509 不勉而复加黜削：不加鼓励就会使臣下再次受到贬黜。勉，劝勉、鼓励。510 虽屡进退二句：君王虽然对臣下多次进用或贬黜，都不是出于个人的爱与恨。511 行法乃暂使左迁：执行法规而使臣下暂时降职。左迁，降职。512 念材而渐加进叙：爱惜人才而逐渐加以提拔任用。513 又知复用二句：降职的人知道还能再起用，谁还不努力加强修养呢。增修，加强修养，争取上进。514 何忧乎乱常二句：何必发愁会打乱了常规，何必担心会留下遗憾。515 恒处防闲之中：永远把他们置于防备猜疑之中。恒，长期、永远。防闲，防备猜疑。516 长从摈弃：长期被排斥抛弃。517 自补：自我弥补；自新。518 蕴才者终不见伸：使怀有才华

【原文】

贽又请均节财赋[552]，凡六条：

其一，论两税之弊。其略曰："旧制赋役之法，曰租、调、庸[553]。丁男[554]一人受田百亩，岁输粟二石，谓之租。每户各随土宜出绢若绫[555]若絁[556]共二丈，绵[557]三两，不蚕之土输布二丈五尺，麻三斤，谓之调。每丁岁役，则收其庸，日准[558]绢三尺，谓之庸。天下为家，法制均一。虽欲转徙，莫容其奸[559]。故人无摇心[560]，而事有定制。及羯胡乱华[561]，黎庶云扰[562]，版图堕于避地[563]，赋法坏于奉军[564]。

的人始终没有施展的机会。伸，展开，指个人才能伸展，得到任用的机会。⑤19 含凄贪乱：身处凄苦之境就喜欢图谋作乱。⑤20 旧州：还是原来的州，指被贬所之州。上文今若所移三句，意谓现在如果内迁被贬官员不得超过三五百里，那就有的仍留在所贬的本道本州疆域内，甚至风土环境比原来的还要恶劣。⑤21 徒有徙家之劳二句：空有迁徙家室之慰，实际增加了迁徙流配的骚扰。徒，只、空、白白地。移配，指内移流人。移，内移。配，被发配的流人。⑤22 体又非弘：指国家法制不够宽宏。⑤23 乞更赐裁审：请求皇上再予以裁断审核。⑤24 进拟：进呈所拟用的官员人选。⑤25 称可：批准认可。皇帝认同则批曰“可”。⑤26 以辩给取人：用口才敏捷为标准选取人才。⑤27 敦实：敦厚实在。⑤28 艰于进用：难于提拔。⑤29 滞淹：滞留；积压。⑤30 登进：进用；提升。⑤31 懋庸：奖励功绩。⑤32 迭用：交替使用。⑤33 理如循环：这道理就如同转圜，周而复始。⑤34 纤介必惩：细小的过失必定惩处。⑤35 警饬：警惕整饬。⑤36 恪居：恪尽职守。⑤37 上无滞疑二句：在上位者没有拘执和疑虑，在下位者没有积蓄的怨气。⑤38 不以辞尽人：不应依据言辞来使用人才。⑤39 不以意选士：不要用主观的臆想去选拔士人。⑤40 离合：指疏远或亲近。⑤41 舍绳墨：丢废法度标准。绳墨，木匠用以取直的墨线工具，喻法度标准。⑤42 意裁曲直：以个人意志来评断是非曲直。⑤43 权衡：秤重量的工具。权，秤砣。衡，秤杆。⑤44 迭有所长：互有所长。⑤45 付授当器：委任的官职与其才能相当。⑤46 明鉴大度：善于鉴识，胸襟豁达。⑤47 御之有道：驾驭有方。⑤48 以一言称惬为能：因为一句话中意就认为有才能。称惬，使人称心快意。⑤49 违忤：违背自己心意。⑤50 付任逾涯：交给的重任，超过了他能力的极限。涯，边远、极限。⑤51 定分：固定的名分。此指确定的责任。

## 【语译】

陆贽又上奏请求平均赋税、节省财用，一共有六条论述。

其一，论述实行两税法的弊病。其大意是说：“本朝以前制定的赋税徭役之法，称作租、调、庸。成年男子每人可以得到田地一百亩，每年要向朝廷交纳粮食二石，这个称为租。每户分别根据本地出产的物品，向朝廷交纳绢或绫或绝共二丈，另交丝绵三两，不养蚕的地方交纳布二丈五尺，另交麻三斤，这个称为调。每个成年男子每年要为国家服徭役，则是采取征收佣金以雇人代替的办法，每天以交纳绢三尺为代役的标准，这个称为庸。天下如同一家，法制均平统一。即使有人辗转迁移，也无处容他偷奸耍滑逃避租、调、庸。所以当时的人没有动荡不安的心思，而办事也都有固定的规矩。后来羯胡安禄山、史思明搅乱我中华，百姓如云般扰动难安，户籍簿册和地图都在转移避难中遭到损毁，征收赋税的办法也因为大量供应军需而遭到破坏。

建中之初，再造百度[565]，执事者[566]知弊之宜革而所作兼失其原，知简之可从而所操不得其要。凡欲拯其弊，须穷致弊之由，时弊则但理其时，法弊则全革其法，所为必当，其悔乃亡[567]。兵兴以来，供亿无度，此乃时弊，非法弊也。而遽更租、庸、调法，分遣使者，搜擿[568]郡邑，校验簿书[569]，每州取大历中一年科率[570]最多者以为两税定额[571]。夫财之所生，必因人力。故先王之制赋入，必以丁夫[572]为本。不以务穑[573]增其税，不以辍稼[574]减其租，则播种多[575]。不以殖产厚其征[576]，不以流寓免其调[577]，则地著固[578]。不以饬励重其役[579]，不以窳怠蠲其庸[580]，则功力勤[581]。如是，故人安其居，尽其力矣。两税之立，惟以资产为宗[582]，不以丁身为本，曾不寤资产之中，有藏于襟怀囊箧，物虽贵而人莫能窥[583]，其积于场圃囷仓[584]，直虽轻而众以为富[585]。有流通蕃息之货[586]，数虽寡而计日收赢[587]；有庐舍器用之资[588]，价虽高而终岁无利。如此之比，其流实繁[589]，一概计估算缗[590]，宜其失平长伪[591]。由是务轻资而乐转徙者[592]，恒脱于徭税[593]，敦本业而树居产者，每困于征求[594]。此乃诱之为奸，驱之避役，力用不得不弛[595]，赋入不得不阙。复以创制之首[596]，不务齐平[597]，供应有烦简之殊，牧守有能否之异，所在徭赋，轻重相悬，所遣使臣，意见各异，计奏一定，有加无除[598]。又大历中供军[599]、进奉[600]之类，既收入两税，今于两税之外，复又并存，望稍行均减，以救凋残[601]。”

其二，请二税以布帛为额[602]，不计钱数。其略曰：“凡国之赋税，必量人之力，任土之宜，故所入者惟布、麻、缯[603]、纩[604]与百谷而已。

在建中初年，重新建立各种制度，主持其事的人知道弊端应该革除，但所制定的新的制度把原有制度的优点都丢掉了，知道政令简明，人们容易遵从，但所制定的新的制度却没有抓住要害。凡是想要纠正弊病，必须彻底弄清产生弊病的根源，如果是当时形势造成的弊病，那么只需要针对当时形势加以治理，如果是法令不当造成的弊病，那么就需要全部更改这种法令，采取措施一定要得当，这样就不会有悔恨。自从发生战争以来，对军队的供应没有限度，这是时势造成的弊病，而不是法令本身造成的弊病。主持朝政的人却匆忙改变租庸调这种征收办法，向各地分别派遣使者，搜刮郡县，查点检验征收赋税的簿籍，在每个州里，选择大历年间税率最高的一年作为实行两税法的基本定额。说起来，财富的产生，一定要依靠人力。所以先王们在制定征收赋税数额时，一定要以成年男子为主体。不会因为一个人努力耕种而增加他的赋税，也不会因为一个人停种庄稼就减免他的田租，这样人们耕种田地就会多。不会因为一个人扩充了产业而加重对他征税，也不会因为一个人流寓他乡而免除他应交的户调，这样人们就会牢牢地附着在一地。不会因为一个人勤勉自励而加重他的劳役，也不会因为一个人懒惰懈怠而免除他纳庸，这样人们就会辛勤劳作。采取了上述措施，人们就会安心居住在一地，尽力做好自己应做的事了。设立两税法之后，只以人们的资产作为征税的依据，不以成年男丁的数量作为征税的主体，竟然不懂得在资产中，有的可以藏在怀中或箱袋之中，东西虽然贵重，别人却无法看到，而堆积在场院、田圃、仓库中的，价值虽然低廉，但人们认为他很富有。有的是便于流通产生利息的财货，数量虽少，但能够按日数收取利息；也有房屋、器具用品这一类的资产，价值虽高，但终年都不会产生利息。诸如此类，各种情况确实很多，一律对它们统计估价折算成需纳税的钱，自然会有失公平，而助长欺伪。从此那些致力于细软轻便的财货而乐于辗转迁徙的人，就经常逃脱国家的徭役和赋税，那些勤勉于农事而在故土置办产业的人，每每被征税服役弄得困苦不堪。这样做，是在诱使别人去做奸诈的事，促使他们去逃避劳役，于是劳役的使用不得不有所松弛，赋税的征收不得不有所缺乏。再加上创立新制之初，不去努力追求均一、公平，以至各地的供应有烦琐与简便的差别，而各地州县长官也有能干与否的不同，各地的徭役、赋税，轻重相差悬殊，朝廷派去征税的使臣，意见也各不相同，他们根据自己的估计上奏朝廷后额度一旦确定，其数量只有增加而没有减少的。另外，大历年间征收的供军与进奉之类，既然都已归入两税之中，而现在在两税之外，却又恢复这两种税，希望陛下能逐渐地予以公平削减，以救济处于凋零残破中的百姓。”

其二，请求征收两税时以布帛作为额定物，不再以钱数来计算。其大意是说：“大凡国家征收赋税，一定要估量百姓的承受能力，依据当地适宜出产什么来规定应缴纳的物品，因此国家征收的只有布、麻、丝织品、丝绵和各种谷物而已。以前的

先王惧物之贵贱失平，而人之交易难准，又定泉布之法，以节轻重之宜[605]，敛散弛张，必由于是[606]。盖御财[607]之大柄，为国之利权[608]，守之在官，不以任下。然则谷帛者，人之所为也；钱货者，官之所为也。是以国朝著令，租出谷，庸出绢，调出缯、纩、布，曷尝有禁人铸钱而以钱为赋者也！今之两税，独异旧章[609]，但估资产为差[610]，便以钱谷定税，临时折征杂物[611]，每岁色目[612]颇殊，唯计求得之利宜，靡论[613]供办之难易。所征非所业，所业非所征[614]。遂或增价以买其所无，减价以卖其所有，一增一减，耗损已多。望勘会[615]诸州初纳两税年绢布，定估[616]比类[617]当今时价，加贱减贵[618]，酌取其中[619]，总计合税之钱，折为布帛之数[620]。”又曰：“夫地力之生物[621]有大限[622]，取之有度，用之有节，则常足。取之无度，用之无节，则常不足。生物之丰败由天，用物之多少由人。是以圣王立程[623]，量入为出，虽遇灾难，下无困穷。理化[624]既衰，则乃反是，量出为入，不恤所无。桀用天下而不足，汤用七十里而有余[625]，是乃用之盈虚在节与不节耳[626]。”

其三，论长吏[627]以增户、加税、辟田为课绩[628]。其略曰：“长人[629]者罕能推忠恕易地[630]之情，体[631]至公徇国[632]之意。迭行小惠[633]，竞诱奸氓[634]。以倾夺[635]邻境为智能，以招萃逋逃[636]为理化。舍彼适此者[637]既为新收而有复[638]，倏往忽来者[639]又以复业而见优[640]。唯怀土安居，首末不迁者，则使之日重，敛之日加[641]。是令地著之人恒代惰游[642]赋役，何异驱之转徙，教之浇讹[643]！此由牧宰[644]不克弘通[645]，各私所部之过也。”又曰：“立法齐人[646]，久无不弊[647]。理之者若不知维御损益之宜，则巧伪

君王害怕物品的价钱高低会有失公平，人们在交易中难以把握标准，又制定了钱币制度来调节物品交易中价钱的高低使之适宜，财货的聚集与流散，废弛与兴盛，一定要遵守价钱高低适宜平衡的规律。驾驭财货之权，属于国家的财政大权，只能由官府掌管，不能交给普通人去办理。谷物、布帛之类的物品，是百姓生产出来的；而钱币则是由官府铸造的。所以本朝的法令明确规定：用谷物交田租，用绢交庸税，用丝织品、丝绵和布交调税，何曾有过既禁止人们私铸钱币而又用钱来交赋税的事呢！现在实行的两税，独独与以往的制度不同，这种办法只估算资产来定下不同的等级，按其钱谷数量确定税金，再临时换算为所征的其他杂物，每年的名目差别很大，官府只考虑自己征收起来有利方便，而根本不管备办这些物品的难易。官府所征收的物品不是百姓所生产的，百姓所生产的又不是官府所要征收的。于是百姓有时要加价买进他们不生产的东西，降价卖出他们所生产的物品，这样一加价、一减价，百姓的耗损就已经很多了。希望陛下能下令审核各州最初交纳两税那一年的绢和布的数量，切实估价，并与现今的时价比较，价格偏低就加一些，价格偏高就减一些，斟酌选取一个适中的价格，然后统计总共需要纳税的钱额，再折算成布和帛的数额。”陆贽又说：“土地肥力所能生长出产的农作物在数量上是有极限的，索取这些出产物有一定的限度，消费它也有节制，那么它就能经常充足。如果索取它没有限度，消费起来不知节制，那么它就会经常缺乏。这些出产物的丰收或歉收由老天决定，消费这些物品的多少由人来控制。因此圣明的君王建立章程，估量收入的多少以确定支出的多少，这样，即使遇到灾难，百姓也不会困穷。而治理和教化衰败以后，做法就与此相反，通过估量支出的多少来制定征收的数额，完全不考虑百姓根本拿不出这么多。夏桀使用全天下出产的物品却仍然感觉不足，商汤只使用方圆七十里出产的物品却还有盈余，这就说明使用物品是有盈余还是有亏虚，在于节制还是不节制罢了。”

其三，论述用增加户口、增加税收、广开田地作为考核主事长官政绩的标准。其大意是说：“担任长吏的人很少能够推行尽心做事、推己及人及仁爱之道，变换地位设身处地为百姓着想的，也很少能够体现公正无私、为国献身的精神。他们不断施加小恩小惠，争相引诱奸民。把排挤争夺相邻地境看作是富有智谋才能，把招集逃亡人口看作是善于治理地方教化百姓。那些离开原居住地而迁移到新地的人，既然成了新收纳的人户，就可以免除赋税和徭役，那些忽来忽去的人，又因为是回归故业而在征收赋税方面受到优待。只有那些依恋故土，安心定居，自始至终没有外迁的人户，对他们的役使却日益沉重，对他们征收的赋税也日益增加。这样做就是让长期定居于一地的百姓总是代替那些懒惰游走的人承担赋役，这和驱赶人们辗转迁徙、唆使人们浮薄诈伪有什么不同！这都是由于州县长官不能具有宏大通达的见识，各自只关心自己所掌管地区的政绩而造成的过错啊。”陆贽又说：“设立法令治理百姓，时间长了没有不产生弊端的。负责治理的官员如果不知道掌控驾驭并随着时

萌生，恒因沮劝[648]而滋矣。请申命有司[649]，详定考绩[650]。若当管之内[651]，人益阜殷[652]，所定税额有余，任其据户口均减，以减数多少为考课等差[653]。其当管税物通比[654]，每户十分减三者为上课[655]，减二者次焉，减一者又次焉。如或人多流亡，加税见户[656]，比校[657]殿罚[658]亦如之。”

其四，论税限迫促[659]。其略曰：“建官立国，所以养人[660]也；赋人取财，所以资国[661]也。明君不厚其所资而害其所养，故必先人事[662]而借其暇力[663]，先家给[664]而敛其余财[665]。”又曰：“蚕事方兴，已输缣税[666]；农功未艾，遽敛谷租[667]。上司之绳责既严，下吏之威暴愈促，有者急卖而耗其半直[668]，无者求假[669]而费其倍酬[670]。望更详定征税期限。”

其五，请以税茶钱置义仓[671]以备水旱。其略曰：“古称九年、六年之蓄[672]者，率土臣庶[673]通为之计耳，固非独丰公庾[674]，不及编氓[675]也。近者有司奏请税茶，岁约得五十万贯[676]，元[677]敕令贮户部，用救百姓凶饥。今以蓄粮，适副前旨[678]。”

其六，论兼并之家[679]，私敛[680]重于公税。其略曰：“今京畿之内，每田一亩，官税五升，而私家收租殆[681]有亩至一石[682]者，是二十倍于官税也。降及中等，租犹半之[683]。夫土地王者之所有，耕稼农夫之所为，而兼并之徒，居然[684]受利。”又曰：“望凡所占田，约所条限[685]，裁减租价，务利贫人。法贵必行，慎在深刻[686]，裕其制[687]以便俗，严其令以惩违，微损有余[688]，稍优不足[689]。损不失富[690][8]，优可赈穷[691]。此乃古者[9]安富恤穷[692]之善经，不可舍也。”

势的变化而适当地对法令有所废止和增加，就会使取巧诈伪的事情萌生，那些原本为了沮恶劝善的措施会被常常利用，而让取巧诈伪之事滋长起来。请陛下下令各主管部门，详细制定考核政绩的办法。如果在官员所辖区域内，人口增加，百姓富足，完成朝廷所定税额之后还有盈余，那就听凭官员根据户口数量，平均减少每户应交的税额，以每户减少数额的多少来确定考核政绩等级的不同。在官员所辖区域之内，把各种赋税全部加起来通盘加以比较，每户比原来减少税额十分之三的，官员的政绩是上等，每户能够减少十分之二的，官员的政绩向下降一等，每户能够减少十分之一的，官员的政绩再向下降一等。如果人口很多都流亡了，对现存户口增加赋税的，官员考核政绩成为劣等并要受罚，其等次也依照上述办法实行。"

其四，论述收税期限过于紧迫急促。其大意是说："建立国家，设置百官，是为了教养百姓；向百姓征收赋税财物，是为了供给国家的用度。贤明的君王不会为了增加国家的用度，而损害所教养的百姓，所以一定会先办好百姓的事情，然后借用百姓的余力，一定会先让百姓家庭富足，然后才征收他们多余的财物。"陆贽又说："养蚕的事刚刚开始，就已经要百姓交纳缣帛税；农事还没有结束，官府就急忙来征收谷租了。既然上级官员的督责十分严厉，那么下级官吏对百姓施威施暴，催逼也就更加急迫，百姓家中还存有一些物品的，为了交税就急忙出卖，以致损失了一半的价值，家中没有物品可卖的，就要向别人借贷交税，以致日后要加倍偿还。希望陛下重新审定征税的期限。"

其五，请求用征收的茶叶税钱设置义仓，以防备水旱灾害。其大意是说："古代所谓国家需要有九年、六年的粮食储蓄，是把全国的官员百姓合在一起加以考虑的，原本就不是说只是要公家的粮仓充足，而不包括编户平民。近来主管部门上奏请求征收茶叶税，每年大概可以征得税钱五十万缗，陛下原先敕令把这笔钱存在户部，用以救济百姓遇到的灾荒。现在用这笔钱购买粮食储存起来，正好也符合陛下先前所下的旨意。"

其六，论述兼并穷人土地的豪民之家，他们收取的田租竟重于官府征收的赋税。其大意是说："现在京城周边地区，每种一亩田，官府征的税是粮食五升，而豪民之家收的田租，差不多有每亩高达粮食一石的，这是官府征税的二十倍。等而下之的中等田地的田租，也有半石之多。说起来，土地是君王所有的，耕种收获的事是农夫们在承担，但是，兼并穷人土地的豪民之家，居然坐收利益。"陆贽又说："希望对一切被占有的田地，都要制定一个限制性的条款，裁减田租的数量，务必让穷人得到好处。法令制度的可贵在于必须执行，需要慎重的是不能过于苛刻严峻，法令制度应适度地宽松以方便普通人，法令制度又要严厉以惩罚违法的人，对富裕人家的利益应微加减损，而对贫穷人家则应稍有照顾。富裕人家受一点损失并不会影响他们的富足，而对贫穷人家的照顾则可以赈济贫穷。这是古代安定富人而照顾穷人的好办法，是不能舍弃的啊。"

## 【段旨】

以上为第十三段，写陆贽上奏建言均平赋税与节用开支六条议案。

## 【注释】

552 均节财赋：平均赋税，节省财用。553 租、调、庸：按田亩所征之税叫租，按户所征之赋叫调，按丁所征之役以钱物折代叫庸。租调庸是伴随均田制实行的赋役制度。554 丁男：成人男子。唐制，二十一至五十九岁为丁男。555 绫：轻薄的绸。556 絁：粗绸。557 绵：丝絮。558 准：标准。每天交纳三尺绢为标准代役，称为庸。559 虽欲转徙二句：因天下一家，法令均一，即使有人想辗转迁徙，也无处容他偷奸耍滑，逃避租庸调。560 摇心：动荡不安之心。561 羯胡乱华：指胡人安禄山、史思明叛乱。562 云扰：如云般扰动不安。563 版图堕于避地：指唐玄宗幸蜀，避于一隅，因而使户籍簿册与地图遭到破坏。564 赋法坏于奉军：因供应军需而使正常的税法受到破坏。565 再造百度：重新建立各种制度。566 执事者：指主持变革法度的宰相杨炎。567 其悔乃亡：即没有悔恨。语见《周易·革卦·彖辞》："革而当，其悔乃亡。"568 搜擿：搜刮。569 校验簿书：核实校验赋役簿籍。570 科率：税率。571 两税定额：杨炎实行两税法，确定定额。事见本书卷第二百二十六德宗建中元年（公元七八〇年）。572 丁夫：即丁男。573 务穑：尽力务农；努力耕种。574 辍稼：停止种地。575 则播种多：这样耕种田地多。576 不以殖产厚其征：不因产业扩大而加重征税。殖产，增殖产业。厚，加重税额。577 不以流寓免其调：不因流寓他乡而免收户调。578 则地著固：这样人们就牢固地附着在一地。579 不以饬励重其役：谓不因勤勉自励而加重劳役。饬励，勤勉自励。580 不以窳怠蠲其庸：谓也不因懒惰懈怠而免除纳庸。窳怠，懒惰懈怠。581 功力勤：指农民致力于辛勤劳作。582 宗：根本；依据。583 曾不寤三句：意谓人们竟不想一想，在资产之中，有的可以收藏在怀里、口袋里或箱子里，物品虽然贵重，但人们无法查看。寤，通"悟"，懂得、明白。窥，查看。指商贾囤积宝货而深藏，人们无法查看。584 积于场圃囷仓：指农人耕田而积谷，屯储于场院、田圃和谷仓中的收获物。场圃，堆积收获农作物的场院。囷，储粮的围屯。仓，粮仓。585 直虽轻而众以为富：价值很低廉而人们认为他很富有。直，通"值"。586 流通蕃息之货：便于流通与增值的财货。蕃息，生息、增值。例如钱币，可放贷而增值。587 计日收赢：按日收取利息。赢，利息。588 庐舍器用之资：房屋和器用等固定资产。589 如此之比二句：诸如此类，情况实在繁多。比，类。流，品类。590 计估算缗：统计估算，折其纳税的缗钱。591 失平长伪：失去公平，助长欺伪。592 务轻资而乐转徙者：专门致力于细软的财货而乐于辗转迁徙的人。即商人。轻资，金银珠宝布帛等细软货物。593 恒脱于徭税：经常逃脱徭役和赋税。由于商人转徙无常，有钱却逃避了徭役和税收。594 困于征求：受困于征税服役。595 弛：指徭役的运用松弛。596 创制之首：立法之初。597 齐平：指立法制度整齐划一而公平。⑸有加无除：只有增加，没有减除。指朝廷征求，总是就高不就低。⑸供军：供应军用的专税。⑽进奉：进贡皇上的专征。⑽凋残：凋零残破。⑽额：税收额定物。⑽缯：丝织品总称。⑽纩：丝绵。⑽又定泉布之法二句：又制定了钱币制度，用来调节交易中的价钱高低，使之适宜。泉布，即钱币。⑽敛散弛张二句：货物的聚积与流散，废弛与兴盛，必定遵守价钱高低适宜平衡的规律。⑽御财：控制财货；治理财利。⑽利权：财政大权。⑽旧章：旧的法度。⑽差：等级。⑾折征杂物：将钱谷之价折合成所征的其他杂物。杂物，指国家所征各种土产。⑿色目：指所征杂物的种类、名目。⒀靡论：不论；不管。⒁所征非所业二句：国家所征收的不是农民所生产的，农民所生产的不是国家所要征收的。业，生产之业。⒂勘会：审核。⒃定估：切实估价。⒄比类：比照。⒅加贱减贵：有的地方布帛太贱应加价定估，有的地方太贵要减价定估。⒆酌取其中：斟酌取适中的平价。⒇折为布帛之数：将以钱计征的税额折算成征收布帛的总额。㉑生物：生长出产的农作物。㉒大限：极限。㉓立程：建立章程。此指征税限额。㉔理化：治理国家，教化人民。㉕汤用七十里而有余：商汤王只用七十里地方的物资还有剩余。《孟子·公孙丑上》孟子说："王者不待大，汤以七十里。"㉖用之盈虚在节与不节耳：使用物资是否有盈余或亏虚，在于有无节制罢了。㉗长吏：主事的长官。㉘课绩：考核科目的成绩。㉙长人：长吏。㉚易地：变化所处的地位，交换位置。指长官变换位置站在平民位置考虑问题。㉛体：体现。㉜至公徇国：大公无私为国献身。㉝迭行小惠：不断施加小恩小惠。㉞奸氓：奸民。㉟倾夺：倾，排挤。夺，争夺。㊱招萃逋逃：招集流亡。㊲舍彼适此者：离开原居住地而迁到新地的人。彼，指原居住地。此，指新居地。㊳复：免除赋税徭役。㊴倏往忽来者：迁徙无定的流民。㊵复业而见优：恢复故业而受到优待。这是一项鼓励归农土著的政策，优待新编户、复故业的人，往往被游民钻空子。㊶唯怀土安居四句：意谓只有那些依恋故土安心定居，自始至终都不迁徙的人，对他们的役使一天天加重，征收的赋税也一天天加多。㊷惰游：懒惰游走之人。㊸浇讹：浮薄诈伪。㊹牧宰：泛指州县长官。州官称牧，县官称宰。㊺不克弘通：不能具有宏大通达的见识。不克，不能。㊻齐人：治民。㊼久无不弊：时间一久，没有不产生弊端的。㊽沮劝：阻止恶行，勉励善事。㊾申命有司：向主管部门发布命令。㊿详定考绩：详细制定考核成绩的办法。(651)当管之内：辖境之内。(652)人益阜殷：人口增加，百姓富足。(653)以减数多少为考课等差：以减少老百姓负担的税额多少来评定考绩的等差。(654)通比：全盘比较；全面衡量。指把征收的各种税额全部加起来与以往做比较。(655)上课：考绩上等。(656)加税见户：在现成户口上增加税收。见，通"现"。(657)比校：考核。(658)殿罚：考绩劣等而受罚。殿，最末等。(659)论税限迫促：议论征税限期紧迫急促的问题。(660)养人：养民。(661)资国：供给国用。(662)先人事：首先安排好人事，即做好老百姓的事。(663)借其暇力：借用他的余力。暇，空闲的、多余的。指老百姓的余力。(664)家给：家家丰给。(665)敛其余财：征收他多余的财物。(666)蚕事方兴二句：养蚕的事刚刚开始，就已经要百姓交纳缣帛之税。㉗农功未艾二句：农活还没有结束，就急忙征收谷租。㉘耗其半直：损失一半价值，即半价售出。㉙求假：告债；借贷。㉚费其倍酬：花费高出一倍的价钱来偿还。即借高出本钱一倍的高利贷。㉛义仓：储粮备荒的公共粮仓。㉜九年、六年之蓄：语见《礼记·王制》，"三年耕必有一年之食，九年耕必有三年之食"，"以三十年之通制国用，量入以为出"，"国无九年之蓄曰不足；无六年之蓄曰急；无三年之蓄曰国非其国也"。㉝率土臣庶：全国的官员百姓。㉞公庾：公家粮仓。㉟编氓：编户平民。㊱贯：缗。五十万贯，即五十万缗。㊲元：原。㊳今以蓄粮二句：现在用茶税这笔钱来储备粮食，正好符合立茶税时所下的旨意。㊴兼并之家：占有大量土地的豪民之家。㊵私敛：指地主所收的田租。㊶殆：差不多。㊷一石：为十斗，一百升。官税每亩五升，是私租的二十分之一，即百分之五。㊸降及中等二句：降低田租至中等土地，私租还保有一半，即半石。㊹居然：竟然。㊺望凡所占田二句：希望对一切被占有的田地，规定一个限制性的条款。约，制定。㊻深刻：苛刻严峻。㊼裕其制：法令制度要有宽松精神。裕，宽松。㊽损有余：抑制富有的人。语出《老子》第七十七章："天之道损有余而补不足。"㊾稍优不足：略微照顾一下贫穷人家的利益。㊿损不失富：意谓损伤一点富有人家的收入，并不影响他们的富足。⑤①优可赈穷：照顾一下贫穷人家却可以赈济困穷。⑤②安富恤穷：安定富人，照顾贫穷。语出《周礼·地官·司徒》："以保息六养万民：一曰慈幼，二曰养老，三曰振穷，四曰恤贫，五曰宽疾，六曰安富。"

## 【校记】

［8］损不失富：原误作"失不损富"。据章钰校，乙十六行本、乙十一行本皆作"损不失富"，张敦仁《通鉴刊本识误》、张瑛《通鉴校勘记》同，今据校正。［9］古者：此二字原无。据章钰校，乙十六行本、乙十一行本皆有此二字，张敦仁《通鉴刊本识误》同，今据增。

## 【研析】

本卷专题研析陆贽，评说陆贽拜相、不收礼品、上奏边防积弊、均节财赋，以及各种超前思想的建议。陆贽是一个优秀的政治家。

第一，陆贽拜相。德宗贞元八年（公元七九二年）四月十一日，德宗罢李泌所荐宰相窦参，陆贽入相。早在德宗蒙尘奉天、山南之时，陆贽就很受器重。当时政务艰难而繁重，德宗狼狈，六神无主，引陆贽为翰林，事无巨细都依靠陆贽筹办谋划。德宗从奉天逃往山南，君臣二人行止都在一起。有一天，两人在山路上失散，德宗像丢了魂一样，整夜涕泣不眠，悬赏千金寻找陆贽。第二天，陆贽赶到，德宗大喜，太子以下都来庆贺。但是陆贽好直谏，德宗只是依靠陆贽办事，表面亲近，内心不喜欢，所以陆贽只有宰相之实，而无宰相之名，时人称之为内相。嗣后李泌入相，陆贽受冷落。李泌病重，德宗要李泌推荐继任者，李泌推荐窦参。窦参贪渎，又阴狡自用，被德宗罢官，一时没有更好的人选，勉强用陆贽为相。李泌为何没有推荐陆贽，因为陆贽不被推荐，明摆着是不用陆贽。以李泌之明，为何推荐非人。德宗认为窦参不宜为相，李泌两次力荐，窦参才被任职为宰相。李泌固执地推荐一个不称职的宰相，是否用此办法给陆贽留相位呢，这是一个谜，史不细载，如今是无法考究了。总之，陆贽迟迟才被拜相，德宗只是借陆贽的声望来稳定政局罢了，所以对陆贽的建议很少采纳。

第二，陆贽不收礼品。德宗贪财，求索诸道进奉。地方进奉，稍带一点土特产给宰相，也在情理之中。陆贽一概不受。君贪臣廉，德宗在面子上很不好受，就手诏陆贽说："卿太廉洁谨慎，不通人情，像马鞭、靴子之类小物品，收一点有什么关系。"陆贽上奏说："按法律，各监察官和各部门长官，接受贿赂折合成一尺布，就要受到惩罚，而位居移风化俗首要职位的宰相，怎么可以受贿呢？接受贿赂之门一打开，那就不是皮鞭、靴子这类小东西，送金送玉的都来了。接受了贿赂，怎么能拒绝别人的请托呢！如果不阻断行贿的涓涓细流，那就会泛滥成溪成壑而为灾了。"陆贽词严义正，很不合德宗心意，难怪德宗念念不忘卢杞了。

第三，陆贽上奏边防积弊。吐蕃与大唐相比，敌寡我众，策略敌低我高，势力相差悬殊，敌弱我强。但是吐蕃进攻，总有余力，大唐防守，疲于奔命，这是什么原因呢？陆贽总结边防积弊有六。其一，边疆防备部署不当。沿边军镇各守一方，绵延千里的边防，没有统一的指挥。不仅神策军与地方军队互不统属，而且同一座城，同一个编制的军队，朝廷却分别派宦官去监军，按不同的诏书委任，命令不一，边将手脚被绑束。其二，考核赏罚没有法度。有功不得奖，有罪不受罚，姑息怠惰，军队丧失战斗力。其三，边兵过多，耗尽财税。特别是关东士兵到西北防秋，水土不服，军无斗志。战斗一来，就败溃东逃。其四，将领众多，兵力分散。其五，神策军与地方兵待遇不均而使士卒心怀怨恨，涣散斗志。其六，朝廷遥控兵权而使战机丧失。每当敌人入侵，要由朝廷商议对策，调派援兵。等到朝廷命令到达，援兵到来，敌人早已大掠而去。陆贽建议，废除每年由各道派兵防秋的制度，下令各道只供应衣服和粮食，招募自愿兵戍守，带家属屯田边地，官府供给衣粮，屯兵生产的粮食由政府收购。这样，戍边兵士，农忙耕种，敌人入侵，拿起武器抗击。设立统一指挥的将领，严格考核制度，奖有功，罚有罪。这样一来，胡人异族就会畏惧大唐而不敢入侵，边疆就会安然无事了。陆贽奏议的核心是取消监军与朝廷遥控，德宗自然不会答应。陆贽的办法虽好，只是空谈。

第四，陆贽上奏均节财赋六条。战争期间，施行各种苛捐杂税，搜刮民财以足军用，尚可理解。战争结束，各种苛捐杂税成了惯例，民贫财尽，应当立即刹车，停止搜刮，使民休养生息。陆贽上奏提出均节财赋六条建议。其一，改进两税法，消除其弊端。其二，请求两税征收布帛，不征钱币。其三，不以户口增加、税额增加、垦田多为官吏考核标准，而改为征税总额不变，每户减少纳税多少为考核标准。每户比原来减税十分之三的为上等，减税十分之二的为中等，减税十分之一的为下等。人口逃亡流散的地区，官吏考核为劣等。其四，放宽收税时限，不要过于急促。其五，征收的茶叶税，专用于购粮，设置义仓，以备水旱之灾。其六，限制土地兼并，限制富人收取田租。陆贽的六条建议，有的不合时宜。陆贽留恋租庸调制度，批评两税制度，不合时宜，租庸调制度已经一去不复返，两税法以财户多少征税是时代的进步，不可否定。苛捐杂税应当免除，但与两税法无关，不应混为一谈。有的无法操作，例如以减少每户税收为考绩之法，只能是一种理想。限制土地兼并，限制田租，历朝历代都没有行通。陆贽的均节财赋六条建议，流于空论。

陆贽确实是一位忧国忧民的宰相。他时时处处都在关心民瘼，关心社会，不停地上奏德宗提建议。陆贽主张国际贸易不征税，招徕外商，繁荣经济；陆贽主张及时赈济灾民，防止民众流失；陆贽主张由各级行政长官推荐人才，反对宰相包办，实质是反对德宗包办用人；陆贽主张用人要考核实绩，不能只凭巧言；陆贽还主张要给受惩罚的人留一条自新之路，珍惜人才。今天来看，陆贽有许多超前的思想，可以说他是一个有思想的政治家。

# 卷第二百三十五　唐纪五十一

起阏逢阉茂（甲戌，公元七九四年）六月，尽上章执徐（庚辰，公元八〇〇年），凡六年有奇。

**【题解】**

本卷记事起公元七九四年六月，迄公元八〇〇年，凡六年又七个月，当唐德宗贞元十年六月到贞元十六年。此时期是德宗的晚年政治，陆贽被逐，朝中再无贤相，德宗贪婪本性表现无遗。德宗还京施行两大弊政：一是宠信宦官，不断加重护军中尉军权，宦官权倾朝野，为唐代后期皇权受制于家奴埋下祸根；二是聚敛财货，大盈库向户部索要巨资，又向藩镇求索贡奉，开宫市强夺民财。德宗回报地方贡奉，滥授加官，所用多为奸佞，裴延龄、李齐运等大受诟病。淮西吴少诚反叛，德宗竟用一个被士兵逐走的夏绥银宥节度使韩全义为帅，官军惨败可想而知。这时只有一个叫阳城的谏官，平时慎言慎行，危难时挺身而出，阳城为陆贽辩护，揭发奸人裴延龄，被贬外任，造福一方。韩弘镇宣武，尽诛倡乱者，安定了一镇。而德宗放任诸镇监军为所欲为，各地兵变不断。个别官吏的清廉，无补昏君带来的满朝混浊。

**【原文】**

**德宗神武圣文皇帝十**

**贞元十年（甲戌，公元七九四年）**

六月壬寅朔[①]，昭义节度使李抱真薨。其子殿中侍御史缄[②]与抱真从甥元仲经谋，秘不发丧，诈为抱真表，求以职事[③]授缄。又诈为其父书，遣裨将陈荣诣王武俊假货财[④]。武俊怒曰："吾与乃公[⑤]厚善，欲同奖王室[⑥]耳，岂与汝同恶邪！闻乃公已亡，乃敢不俟朝命而自立，又敢告我，况有求也！"使荣归，寄声质责缄[⑦]。

昭义步军都虞候王延贵[⑧]，汝州梁人也，素以义勇闻。上知抱真已薨，遣中使第五守进往观变，且以军事委王延贵。守进至上党[⑨]，缄称抱真有疾不能见。三日，缄乃严兵[⑩]诣守进。守进谓之曰："朝廷

【语译】

**德宗神武圣文皇帝十**

**贞元十年（甲戌，公元七九四年）**

六月初一日壬寅，昭义军节度使李抱真去世。他的儿子寄禄殿中侍御史李缄与李抱真的外甥元仲经密谋，不公布李抱真去世的消息，伪造了李抱真的奏表，请求朝廷把节度使的职位授给李缄。李缄又伪造他父亲的书信，派裨将陈荣到王武俊那里去借钱财。王武俊愤怒地说："我与你父亲交情深厚，我们只是想要共同辅佐朝廷罢了，怎么能与你共同作恶呢！听说你父亲已经去世，你竟敢不等候朝廷的任命便自立为节度使，又竟敢来告诉我，还求我帮助！"王武俊打发陈荣回去，要陈荣带口信质问、责备李缄。

昭义军步军都虞候王延贵，是汝州梁县人，素来以重义气和勇敢而闻名。德宗知道李抱真已经去世，便派宫中的宦官使者第五守进前去昭义军观察事态的变化，并且把昭义军的军中事务交给王延贵掌管。第五守进到了上党，李缄谎称李抱真病重不能来见。过了三天，李缄才警卫森严地到第五守进那里去。第五守进对李缄说：

已知相公捐馆[11]，令王延贵权知军事，侍御宜发丧行服[12]。”缄愕然，出谓诸将曰：“朝廷不许缄掌事，诸君意如何？”莫对。缄惧，乃归发丧，以使印[13]及管钥[14]授监军。守进召延贵，宣口诏令视事[15]，趣缄赴东都[16]。元仲经出走[17]，延贵悉归罪于仲经，捕斩之。诏以延贵权知昭义军事。

云南王异牟寻遣其弟凑罗楝献地图、土贡及吐蕃所给金印，请复号南诏[18]。癸丑[19]，以祠部郎中袁滋[20]为册南诏使，赐银窠金印[21]，文曰“贞元册南诏印”。滋至其国，异牟寻北面跪受册印，稽首再拜，因与使者宴，出玄宗所赐银平脱马头盘二以示滋。又指老笛工、歌女曰：“皇帝所赐《龟兹乐》[22]，惟二人在耳。”滋曰：“南诏当深思祖考，子子孙孙尽忠于唐。”异牟寻拜曰：“敢不谨承使者之命！”

赐义武节度使张昇云名茂昭。

御史中丞穆赞[23]按度支吏赃罪[24]，裴延龄欲出之[25]。赞不从，延龄谮之，贬饶州[26]别驾。朝士畏延龄侧目[27]。赞，宁[28]之子也。

韦皋奏破吐蕃于峨和城[29]。

秋，七月壬申朔[30]，以王延贵为昭义留后，赐名虔休。

昭义行军司马、摄洺州刺史元谊闻虔休为留后，意不平，表请以磁、邢、洺别为一镇。昭义精兵多在山东[31]，谊厚赉以悦之。上屡遣中使谕之，不从。

临洺守将夏侯仲宣以城归虔休，虔休遣磁州刺史马正卿督裨将石定蕃等将兵五千击洺州，定蕃帅其众二千叛归谊，正卿退还。诏以谊为饶州刺史，谊不行。虔休自将兵攻之，引洺水以灌城。

黄少卿陷钦、横、浔、贵等州，攻孙公器于邕州。

九月，王虔休破元谊兵，进拔鸡泽[32]。

“朝廷已经知道李相公去世了，下令王延贵暂时管理军中事务，侍御史最好还是发丧，为你父亲着丧服守孝。”李缄大吃一惊，出门对各位将领说：“朝廷不让我掌管军中事务，各位意见如何？”各位将领都不回答。李缄害怕了，于是回去发丧，把节度使的印信和府库的钥匙都交给了监军。第五守进召见王延贵，宣布德宗的口头诏旨，命令王延贵上任治事，催促李缄前往东都洛阳。元仲经出逃，王延贵把所有罪过全都归到元仲经身上，逮捕后杀了元仲经。德宗下诏让王延贵暂时代理昭义军的军中事务。

云南王异牟寻派他的弟弟凑罗楝进京献上云南地图、土产贡品和吐蕃人给他的金质印信，请求恢复南诏这一称号。六月十二日癸丑，德宗任命祠部郎中袁滋为册封南诏的使者，赐给异牟寻以银作底座的金印，印文刻着“贞元册南诏印”。袁滋到了南诏，异牟寻面朝北方下跪接受了朝廷的册封和赐给的印信，磕头再拜，然后设宴招待使者，拿出当年玄宗皇帝所赐的两个银平脱马头盘给袁滋看。又指着已经年老的吹笛人和歌女说：“皇帝当年所赐的《龟兹乐》乐班，只有这两个人还在了。”袁滋说：“南诏应该深思祖先们与唐朝的关系，子子孙孙都要对唐朝竭尽忠诚。”异牟寻下拜行礼说：“我怎敢不恭谨地接受使者的教导呢！”

德宗赐义武军节度使张昇云改名为张茂昭。

御史中丞穆赞查办度支部门官吏的贪赃罪行，裴延龄想为他们开脱罪责。穆赞不同意，裴延龄在德宗面前诬陷穆赞，穆赞被贬职为饶州别驾。朝中官员害怕裴延龄，都不敢正眼看他。穆赞，是穆宁的儿子。

西川节度使韦皋上奏说在峨和城打败了吐蕃人。

秋，七月初一日壬申，德宗任命王延贵为昭义军留后，赐名为王虔休。

昭义军行军司马、代理洺州刺史元谊听说王虔休担任了节度使留后，心中愤愤不平，向朝廷上奏表，请求把磁州、邢州、洺州划出来另外设一个军镇。昭义军的精锐兵马大多驻扎在太行山东边的磁州、邢州、洺州，元谊用丰厚的赏赐来取悦这些军队。德宗多次派宫中的宦官使者前去晓谕开导，但元谊没有听从。

临洺的守城将领夏侯仲宣率领全城归附了王虔休，王虔休派磁州刺史马正卿督统裨将石定蕃等人率军五千攻打洺州，石定蕃却带着部下两千人叛变，投奔了元谊，马正卿只得率军退了回去。德宗下诏任命元谊为饶州刺史，元谊不去赴任。王虔休亲自率军攻打元谊，还引来洺水淹灌洺州城。

黄少卿攻占了钦、横、浔、贵等州，又在邕州向邕管经略使孙公器发起进攻。

九月，王虔休打败了元谊的兵马，进而攻下了鸡泽县。

**【段旨】**

以上为第一段，写昭义军节度使李抱真死后，洺州刺史不听朝命发动叛乱。

**【注释】**

①壬寅朔：六月初一日。②缄：即李缄，李抱真子，寄禄殿中侍御史。抱真死欲袭节度使，不果，归东都私第。传附《李抱真传》，见《旧唐书》卷一百三十二、《新唐书》卷一百三十八。③求以职事：请求朝廷授给昭义节度使之职任。④假货财：借用钱财。⑤乃公：你父亲。乃，汝、你。公，犹翁。⑥同奖王室：共同辅佐朝廷。⑦寄声质责缄：寄声，口头带信。指王武俊托陈荣带口信质问责备李缄所为不义。⑧王延贵：原名延贵，赐名虔休，汝州梁（今河南汝州）人，官至昭义节度使。传见《旧唐书》卷一百三十二、《新唐书》卷一百四十七。⑨上党：县名，潞州治所，亦为昭义军节镇。县治在今山西长治。⑩严兵：指警卫森严。⑪捐馆：弃其馆舍而逝。死亡的委婉说法。捐，弃也。⑫行服：服丧服守孝。⑬使印：节度使之印。⑭管钥：府库钥匙。⑮宣口诏令视

---

**【原文】**

裴延龄奏称官吏太多，自今缺员请且勿补，收其俸以实府库。上欲修神龙寺，须五十尺松，不可得，延龄曰："臣近见同州㉝一谷木数千株，皆可八十尺。"上曰："开元、天宝间㉞求美材于近畿犹不可得，今安得有之？"对曰："天生珍材，固待圣君乃出，开元、天宝何从得之！"

延龄奏："左藏库司多有失落，近因检阅，使置簿书，乃于粪土之中得银十三万两，其匹段杂货㉟百万有余。此皆已弃之物，即是羡余㊱，悉应移入杂库以供别敕支用㊲。"太府少卿㊳韦少华不伏㊴，抗表㊵称："此皆每月申奏见在之物㊶，请加推验㊷。"执政请令三司详覆㊸。上不许，亦不罪少华。延龄每奏对，恣为诡谲㊹，皆众所不敢言，亦未尝闻者，延龄处之不疑。上亦颇知其诞妄，但以其好诋毁人㊺，冀闻外事，故亲厚之。

事：宣达口谕，让王延贵主持军务。口诏，口头诏令。视事，上任办事。⑯趣缄赴东都：催促李缄回东都洛阳私宅。趣，通"促"。⑰出走：出逃。⑱复号南诏：恢复南诏称号。夷语"诏"即为王。⑲癸丑：六月十二日。⑳袁滋：字德深，陈郡汝南（今河南汝南县西）人，宪宗朝宰相，官终湖南观察使。其时任礼部第二司祠部郎中。传见《旧唐书》卷一百八十五下、《新唐书》卷一百五十一。㉑银窠金印：以银作底座的金印。㉒《龟兹乐》：乐舞名。据《新唐书》卷二十一《礼乐志十一》载，该乐舞演奏时，有弹筝、竖箜篌、琵琶、五弦、横笛、笙、箫、觱篥、答腊鼓、都昙鼓、侯提鼓、鸡娄鼓、腰鼓、齐鼓、檐鼓、贝，皆一、铜钹二。舞者四人。㉓穆赞：字相明，怀州河内（今河南沁阳）人，宪宗时官至宣歙观察使。传见《旧唐书》卷一百五十五、《新唐书》卷一百六十三。㉔赃罪：贪赃之罪。㉕出之：开脱罪责。㉖饶州：州名，治所在今江西鄱阳。㉗侧目：畏惧而不敢正眼相看的样子。㉘宁：即穆宁，穆赞父，天宝末起兵讨安禄山，官至太子右庶子。与穆赞同传。㉙峨和城：峨和县城，在今四川松潘。㉚壬申朔：七月初一日。㉛山东：指磁、邢、洺三州地，在太行山之东。㉜鸡泽：县名，属洺州，县治在今河北鸡泽南。

【语译】

裴延龄上奏说官吏人数太多，从现在起官吏中如果有缺员，请暂且不要补充，把他的俸禄收回以充实府库。德宗打算修建神龙寺，需要五十尺高的松树，但是无法弄到，裴延龄说："我最近见到同州的一个山谷里有松树几千棵，都高约八十尺。"德宗说："开元、天宝年间在京城近郊寻找上好的树材尚且找不到，现在怎么会有呢？"裴延龄回答说："天生的珍贵树材，原本就是要等有了圣君才会出现的，开元、天宝年间到哪里去弄到这些呢！"

裴延龄上奏说："左藏库掌管的财物多有遗失，最近因前往检查，让他们把财物登记造册，竟然在肮脏的垃圾中找到白银十三万两，其他如布帛杂货等价值百万有余。这些都是已经丢掉了的东西，可以算作额外收入，应该把它们全部移入杂库，以供陛下额外的颁敕支用。"太常府少卿韦少华不认同这种说法，上奏表驳斥裴延龄说："这些都是每月申报上奏的现存库藏物品，请加审核检验。"主持政务的宰相请求德宗下令御史台等三司会同详加复查。德宗没有答应，但也没有给韦少华加罪。裴延龄每次上奏和回答德宗的提问，总是任意编造些奇异荒唐的事，都是大家所不敢说也从没有听说过的，裴延龄却毫不犹豫地说了起来。其实德宗也很清楚他说的那些事荒诞虚妄，但因为裴延龄喜欢说别人的坏话，德宗又想多听到些外边的事，所以就亲近他、厚待他。

群臣畏延龄有宠，莫敢言，惟盐铁转运使张滂、京兆尹李充、司农卿李铦以职事相关[46]，时证其妄[47]。而陆贽独以身当之，日陈其不可用[48]。十一月壬申[49]，贽上书极陈延龄奸诈，数其罪恶。其略曰："延龄以聚敛为长策[50]，以诡妄[51]为嘉谋，以掊克敛怨为匪躬[52]，以靖谮服谗为尽节[53]，总典籍之所恶以为智术[54]，冒圣哲之所戒以为行能[55]，可谓尧代之共工[56]，鲁邦之少卯[57]也。迹其奸蠹[58]，日长月滋，阴秘者固未尽彰，败露者尤难悉数。"又曰："陛下若意其负谤[59]，则诚宜亟为辩明[60]。陛下若知其无良[61]，又安可曲加容掩[62]！"又曰："陛下姑欲保持，曾无诘问[63]。延龄谓能蔽惑[64]，不复惧思[65]。移东就西，便为课绩[66]；取此适彼，遂号羡余。愚弄朝廷[67]，有同儿戏。"又曰："矫诡之能[68]，诬罔之辞[69]，遇事辄行，应口便发，靡日不有[70]，靡时不为，又难以备陈也。"又曰："昔赵高指鹿为马[71]，臣谓鹿之与马，物理犹同；岂若延龄掩有为无，指无为有！"又曰："延龄凶妄[72]，流布寰区[73]。上自公卿近臣，下逮舆台贱品[74]，喧喧谈议[75]，亿万为徒[76]，能以上言，其人有几[77]！臣以卑鄙，任当台衡[78]，情激于衷[79]，虽欲罢而不能自默也。"书奏，上不悦，待延龄益厚。

十二月，王虔休乘冰合度壕[80]，急攻洺州。元谊出兵击之，虔休不胜而返，日暮冰解，士卒死者太半。

中书侍郎、同平章事陆贽以上知待之厚，事有不可，常力争之。所亲或规其太锐[81]，贽曰："吾上不负天子，下不负所学，他无所恤[82]。"裴延龄日短贽于上。赵憬之入相也，贽实引之，既而有憾[83]于贽，密以贽所讥弹[84]延龄事告延龄，故延龄益得以为计[85]。上由是信延龄而不直贽。贽与憬约至上前极论延龄奸邪，上怒形于色，憬默而无言。壬

群臣因裴延龄深受恩宠而对他有所畏惧，没有人敢指出裴延龄所言不实，只有盐铁转运使张滂、京兆尹李充、司农卿李铦因为职务内所管事务与裴延龄相关，所以时常指证裴延龄所言虚妄。宰相陆贽挺身而出，与裴延龄对抗，每天都向德宗陈说裴延龄不可任用。十一月初三日壬申，陆贽上书德宗，极力陈说裴延龄奸邪狡诈，历数裴延龄的罪恶。其大意说："裴延龄把搜刮钱财当作最好的策略，把诡诈虚妄当作最好的计谋，把苛敛民财、积聚怨恨当作尽忠而不顾自身，把专事诬陷、进献谗言当作尽臣节，他汇集典籍中记载的恶行作为自己的智谋权术，敢于违反圣贤先哲的告诫作为自己的品行才能，可以说他就是尧时的共工、春秋时期鲁国的少正卯。考察裴延龄的奸恶行为，每天每月都在滋长，他那些隐秘的事情自然尚未完全显露，而已经败露了的事情更是难以全部数说。"陆贽又说："陛下如果认为裴延龄蒙受诽谤，那么实在应该赶快为他分辩明白。陛下如果知道他不好，那又怎么可以曲意容忍、掩饰呢！"陆贽又说："陛下如果暂时想要保全裴延龄，对他一直不加责问、裴延龄就会自以为能够蒙蔽、迷惑陛下，不再有所戒惧而进行反省。他把东边的东西移放到西边，就成了自己的政绩；把这里的东西拿到了那里，就称作是额外收入。愚弄朝廷，就像儿戏一样。"陆贽又说："裴延龄虚伪诡诈的才能，诬蔑不实的言辞，一遇到事情就能施展出来，随口就能讲出来，这种情形没有哪一天没有，没有哪一刻不做，又难以一一陈述了。"陆贽又说："从前赵高在秦二世面前指鹿为马，臣觉得鹿和马，还可以说是同一类东西；哪里像裴延龄把有的掩盖起来说成没有，把不存在的东西说成是存在的呢！"陆贽又说："裴延龄之凶恶虚妄，已经传遍天下。上自公卿近臣，下至普通百姓乃至身份低贱的人，都对裴延龄议论纷纷，人数简直有亿万之多，但能够向陛下陈说的，又有几人！臣以卑微之身，位居宰相之职，心绪激荡胸怀，虽然不想说，但又觉得不能就这样沉默下去啊。"这份奏疏奏上后，德宗很不高兴，对裴延龄反而更好了。

十二月，王虔休趁水面全都结上冰的时候率军越过护城河，猛攻洺州。元谊出兵迎战，王虔休不能获胜而退了回去，傍晚时分河冰融解了，王虔休的士兵大半被淹死。

中书侍郎、同平章事陆贽因为皇帝赏识他，待他很好，如果遇到事情有不该这么做的，常常竭力争辩。跟陆贽亲近的人有时规劝他言辞不要太锋芒毕露了，陆贽说："只要我对上不辜负天子，对下不辜负自己平生的所学，其他的就没有什么可顾及的了。"裴延龄每天在德宗面前说陆贽的坏话。赵憬当初担任宰相的时候，实际上是陆贽引荐了他，不久，他因为改任门下侍郎而怨恨陆贽，暗中把陆贽在德宗面前讥刺、抨击裴延龄的事告诉裴延龄，所以裴延龄更加便于设计应对之策。德宗由此也更信任裴延龄，而不觉得陆贽说得是有道理的了。陆贽与赵憬相约到德宗面前去极力论说裴延龄的奸诈邪恶，德宗满脸怒色，赵憬沉默着一句话都不说。十二月戌[86]，贽罢为太子宾客[87]。

初，勃海[88]文王钦茂卒，子宏临早死，族弟元义立。元义猜虐，国人杀之，立宏临之子华屿，是为成王，改元中兴。华屿卒，复立钦茂少子嵩邻，是为康王，改元正历。

**【段旨】**

以上为第二段，写德宗宠信佞臣裴延龄，陆贽被罢相。陆贽贞元八年四月拜相，任职两年又八个月罢相。

**【注释】**

㉝同州：今陕西大荔。㉞开元、天宝间：唐玄宗开元、天宝年间。开元为唐代盛世，裴延龄故意抑彼扬此来讨好德宗。㉟匹段杂货：各种布帛绸缎。㊱羡余：额外收入。㊲以供别敕支用：拿来供皇上额外的颁敕支用。㊳太府少卿：官名，太府寺次官。太府寺与司农寺分掌金谷之事。京都四市、左藏、右藏、常平署等，均属太府寺。㊴不伏：不服，不认同裴延龄的说法。伏，“服”之借字。㊵抗表：针对裴延龄的奏章，直言驳斥，写成表章上奏。㊶此皆每月申奏见在之物：这些都是每月申报上奏的现存库物。即并非弃于粪土之中的羡余。㊷推验：审核检验。㊸执政请令三司详覆：主持政务的宰相请求三司会同详加复查。三司，指由中书省、门下省、御史台联合组成的合议庭。㊹恣为诡谲：任意编造奇异荒唐之事。㊺好诋毁人：喜欢说人坏话。㊻职事相关：职内事务与裴延龄有联系。裴氏掌判度支，为主要财政大臣，而张滂、李充、李铦三人亦分掌财务，故职事相关。㊼时证其妄：三人时常指证裴延龄虚妄。㊽陆贽独以身当之二句：陆贽独自挺身而出与裴延龄对抗，每天都向德宗陈说他不可任用。㊾壬申：十一月初三日。㊿长策：最好的策略。51诡妄：诡诈虚妄。52以掊克敛怨为匪躬：以搜刮民财、聚集怨恨当作尽忠而不顾自身。掊克，巧取豪夺，苛敛民财。匪躬，尽忠不是为自己打算。53以靖谮服谗为尽节：以专事诬陷、进献谗言当作尽臣节。靖谮，致力于谮言。靖，治，引申为专力、致力。服谗，进献谗言、打小报告。服，事、从事、致力于。靖与服，皆同义互文。54总典籍之所恶以为智术：汇总书籍中记载的恶行用来作为

二十三日壬戌，陆贽被免去宰相而改任太子宾客。

当初，勃海国的文王钦茂去世，其子宏临早已死去，由同族的堂弟元义继位。元义生性猜忌暴虐，勃海国的人杀了元义，拥立宏临的儿子华屿为王，他就是勃海国的成王，年号改为中兴。华屿死后，又拥立钦茂的小儿子嵩邻为王，他就是勃海国的康王，年号改为正历。

---

自己的智谋权术。55 冒圣哲之所戒以为行能：敢于违反圣贤哲人的告诫作为自己的品行才能。冒，违犯、反其道而行之。56 共工：传说尧时的奸人。57 少卯：少正卯，春秋时鲁国邪佞人，孔子当司寇时杀之。58 迹其奸蠹：考察他的奸恶行为。迹，追寻其迹，即考察、调查。59 负谤：蒙受诽谤。60 宜亟为辩明：应当赶快替裴延龄分辩明白。亟，赶快、立即。61 无良：不是一个善良的人。62 安可曲加容掩：怎么可以替裴延龄曲意容忍掩饰。63 诘问：责问。64 蔽惑：指蒙蔽迷惑皇上。65 惧思：有所戒惧而反省。66 课绩：考核官吏的成绩。67 愚弄朝廷：愚惑玩弄朝廷。68 矫诡之能：虚伪和诡诈的才能。69 诬罔之辞：诬蔑不实的言辞。70 靡日不有：没有哪一天没有。71 赵高指鹿为马：秦朝宦官赵高为了欺罔秦二世，控制朝臣，故意把鹿说成马，强使群臣随声附和。事见本书卷第八秦二世三年（公元前二〇七年）。72 凶妄：凶恶虚妄。73 流布寰区：流传到全宇宙、全国。74 舆台贱品：底层的平民百姓。舆，古代制车的匠人，又指官奴。台，在台下服役的官奴。这里舆、台皆泛指普通平民。贱品，贱类。75 喧喧谈议：吵吵嚷嚷议论纷纷。76 亿万为徒：意谓在全国范围内谴责裴延龄罪恶的人有千千万万。亿，小数十万为亿，大数万万为亿。这里亿万，泛言其多。77 其人有几：谓敢于进言皇上揭发裴延龄罪恶的人却没有几个。78 台衡：喻宰辅大臣。台，三台星。衡，玉衡，北杓三星。皆位于紫微宫帝座前。79 情激于衷：心绪激荡于胸怀。80 乘冰合度壕：因水面冰冻而越过护城河。冰合，整个水面结冰。81 太锐：太尖锐，即锋芒毕露。82 他无所恤：其他的就没有什么可顾及的。83 有憾：有矛盾而不满。贞元九年（公元七九三年）赵憬以中书侍郎左迁为门下侍郎，他怀疑是陆贽排挤他，因而怀恨。事见上卷贞元九年。84 讥弹：讥刺抨击。85 益得以为计：更加便于设计应对之策。86 壬戌：十二月二十三日。87 太子宾客：东宫属官，掌侍从规谏太子，为闲散官。88 勃海：国名，武后时靺鞨人大祚荣所建，初号震国，唐玄宗册拜为勃海郡王，代宗升为勃海王。

---

【原文】

十一年（乙亥，公元七九五年）

春，二月乙巳[89]，册拜嵩邻为忽汗州都督、勃海王。

陆贽既罢相，裴延龄因谮京兆尹李充、卫尉卿张滂、前司农卿李铦党于贽。会旱，延龄奏言："贽等失势怨望，言于众曰：'天下旱，百姓且流亡，度支多欠诸军刍粮，军中人马无所食，其事奈何[90]！'以动摇众心，其意非止[91]欲中伤臣而已。"后数日，上猎苑中，适有神策军士诉云："度支不给马刍。"上意延龄言为信，遽还宫。夏，四月壬戌[92]，贬贽为忠州[93]别驾，充为涪州[94]长史，滂为汀州[95]长史，铦为邵州[96]长史。

初，阳城自处士征为谏议大夫[97]，拜官不辞。未至京师，人皆想望风采[98]，曰："城必谏诤死职下。"及至，诸谏官纷纷言事细碎，天子益厌苦之。而城方与二弟及客日夜痛饮，人莫能窥其际[99]，皆以为虚得名耳。前进士河南韩愈[100]作《争臣论》以讥之，城亦不以屑意[101]。有欲造城[102]而问者，城揣知其意，辄强与酒。客或时先醉仆席上[103]，城或时先醉卧客怀中，不能听客语。及陆贽等坐贬，上怒未解，中外[104]惴恐，以为罪且不测[105]，无敢救者。城闻而起曰："不可令天子信用奸臣，杀无罪人！"即帅拾遗[106]王仲舒[107]、归登[108]、右补阙熊执易[109]、崔邠[110]等守延英门[111]，上疏论延龄奸佞，贽等无罪。上大怒，欲加城等罪。太子为之营救，上意乃解，令宰相谕遣之。于是金吾将军[112]张万福[113]闻谏官伏阁谏，趋往至延英门，大言贺[114]曰："朝廷有直臣，天下必太平矣！"遂遍拜城与仲舒等，已而连呼："太平万岁！太平万岁！"万福，武人，年八十余，自此名重天下。登，崇敬之子也。时朝夕相延龄，阳城曰："脱以延龄为相，城当取白麻[115]坏之，恸哭于庭。"有李繁者，泌之子也。城尽疏延龄过恶，欲密论之。以繁故人子，使之缮写，繁径以告延龄。延龄先诣上，一一自解。疏入，上以为妄，不之省[116]。

【语译】

**十一年（乙亥，公元七九五年）**

春，二月初七日乙巳，德宗册封嵩邻为忽汗州都督、勃海王。

陆贽被罢免相位后，裴延龄乘机诬陷京兆尹李充、卫尉卿张滂、前任司农卿李铦与陆贽结党营私。正好这时天旱，裴延龄上奏说："陆贽等人失去权势后心怀怨恨，曾经对众人说：'天下干旱，百姓都快要流亡了，度支拖欠各军许多粮草，军中的将士与马匹都没有吃的，这样下去该怎么办才好！'他们用这些话来动摇人心，其用意不仅是想中伤臣一个人而已。"过了几天，德宗在禁苑中打猎，正好有个神策军的士兵上诉说："度支不发给我们马料。"德宗觉得裴延龄说的那些确有其事，于是急忙回宫。夏，四月二十五日壬戌，德宗把陆贽贬为忠州别驾，把李充贬为涪州长史，把张滂贬为汀州长史，把李铦贬为邵州长史。

当初，阳城从一个普通士人被征聘为谏议大夫，他对任命并不推辞。人还没有到京城，人们对他都十分仰慕，渴望一睹他的风度神采，并认为："阳城必定会向皇帝直言规劝，拼死尽职的。"等到阳城到了京城后，各位谏官在朝堂上纷纷进言，说的都是些琐碎事情，德宗对此更加厌烦苦恼。阳城却正与他的两个弟弟以及客人们日夜畅饮，没有人能看透他的心思，都认为他是徒有虚名而已。前进士河南人韩愈写了一篇《争臣论》来讥讽阳城，阳城对此也毫不介意。有想登门拜访阳城而探问他心意的人，阳城揣摩到来客的心思，就强行邀客人饮酒。有时是来客先醉倒在酒席上，有时是阳城先醉了，躺在客人的怀中，无法听到客人在说什么。等到后来陆贽等人获罪被贬，德宗的怒气仍未消解，朝廷内外的人都心怀恐惧，认为罪不可测，没有人敢出面营救。阳城听说之后起身说道："不能让天子相信任用奸臣，杀害无罪之人！"立即带领拾遗王仲舒、归登、右补阙熊执易、崔邠等人守候在延英门外，向德宗上疏论说裴延龄奸邪谄媚，陆贽等人无罪。德宗大怒，打算对阳城等人治罪。太子出面营救阳城等人，德宗的怒气才有所缓解，让宰相前去晓谕并打发他们离开。这时金吾将军张万福听说谏官们跪在殿外劝谏德宗，急忙赶到延英门，大声祝贺道："朝廷中有正直的大臣，天下就一定会太平了！"于是一个个地向阳城、王仲舒等人下拜，接着又连声高呼："太平万岁！太平万岁！"张万福，是一员武将，年龄已有八十多岁，从此以后，他们的名声为天下人所推重。归登，是归崇敬的儿子。当时德宗随时都可能任命裴延龄为宰相，阳城说："如果任命裴延龄为宰相，我就会把写在白麻纸上的任命诏书拿过来毁掉，在朝廷上痛哭一场。"有一个叫李繁的人，是已故宰相李泌的儿子。阳城写奏疏罗列了裴延龄的所有过失和罪恶，打算秘密弹劾裴延龄。因为李繁是老朋友的儿子，就让他誊抄一遍，李繁却把这件事径直告诉了裴延龄。裴延龄于是先到德宗那里，一一自我辩解。阳城的奏疏进呈后，德宗觉得阳城弹劾的内容虚妄不实，根本不看。

【段旨】

以上为第三段，写谏议大夫阳城，平时装糊涂，在危急时刻挺身而出，犯颜揭发裴延龄奸佞，疏救陆贽。

【注释】

⑧⑨乙巳：二月初七日。⑨⓪其事奈何：这样下去怎么办才好。事，事势。⑨①非止：不仅仅是到此为止。意谓陆贽不仅仅是中伤裴延龄，其意在动摇社稷。⑨②壬戌：四月二十五日。⑨③忠州：州名，治所临江县，在今重庆市忠县。⑨④涪州：州名，治所涪陵，在今重庆市涪陵。⑨⑤汀州：州名，治所长汀，在今福建长汀。⑨⑥邵州：州名，治所邵阳，在今湖南邵阳。⑨⑦阳城自处士征为谏议大夫：阳城为李泌所荐。事见本书卷第二百三十三德宗贞元四年（公元七八八年）。⑨⑧风采：风度神采。⑨⑨人莫能窥其际：没有人能够看透他的心思。⑩⓪韩愈（公元七六八至八二四年）：唐文学家、哲学家，字退之，河南河阳（今河南孟州南）人，自谓郡望昌黎，世称韩昌黎。贞元中进士，时为监察御史。历仕德宗、顺宗、宪宗、穆宗四朝，好直谏，数度遭贬。终官吏部侍郎。有《韩昌黎文集》行于世。传见《旧唐书》卷一百六十、《新唐书》卷一百七十六。⑩①不以屑意：毫不介

---

【原文】

丙寅[117]，幽州奏破奚[118]王啜利等六万余众。

回鹘奉诚可汗卒，无子，国人立其相骨咄禄为可汗。骨咄禄本姓跌跌氏，辩慧有勇略，自天亲[119]时典兵马用事，大臣诸酋长皆畏服之。既为可汗，冒姓药葛罗氏，遣使来告丧。自天亲可汗以上子孙幼稚者，皆内之阙庭[120]。

五月丁丑[121]，以宣武留后李万荣、昭义左司马领留后王虔休皆为节度使。

甲申[122]，河东节度使李自良[123]薨。戊子，监军王定远奏请以行军司马李说[124]为留后。说，神通之五世孙也。

庚寅[125]，遣秘书监[126]张荐[127]册拜回鹘可汗骨咄禄为腾里逻羽录没密施合胡禄毗伽怀信可汗。

癸巳[128]，以李说为河东留后，知府事。说深德王定远，请铸监军

意。⑩造城：登门拜访阳城。⑩醉仆席上：醉倒在酒席上。⑩中外：朝廷内外。⑩罪且不测：加罪不可测度，意谓罪至死。⑩拾遗：又称左拾遗，与右补阙均为谏官。左拾遗隶门下省，右补阙隶中书省。拾遗、补阙均可上封事驳议，也可当皇帝之面言得失，称为廷争。⑩王仲舒：历任德、顺、宪、穆四朝，终官江西观察使。传见《旧唐书》卷一百九十下、《新唐书》卷一百六十一。⑩归登：历仕玄、肃、代、德四朝，礼学家归崇敬之子。代宗大历年间举孝廉高第，贞元初策贤良为右拾遗，宪宗时官至工部尚书。传见《旧唐书》卷一百四十九、《新唐书》卷一百六十四。⑩熊执易：两《唐书》无传。以上四人因疏论裴延龄奸而知名于世。⑩崔邠：官至吏部侍郎。传见《旧唐书》卷一百五十五、《新唐书》卷一百六十三。⑪守延英门：守候在延英殿门疏救陆贽。延英门在宣政殿门西上阁门之西，门之左即为延英殿。⑫金吾将军：禁军十六卫之一左右金吾卫将领。⑬张万福：时为右金吾将军。传见《旧唐书》卷一百五十二、《新唐书》卷一百七十。⑭大言贺：大声祝贺。⑮白麻：唐制诏书用白、黄两种麻纸书写，重大事件用白麻书写，如册立皇后太子、施赦、讨伐、任免宰相三公等皆用白麻。下白麻诏书，先宣示于朝。阳城声言，若德宗委任裴延龄为相，他要当众撕毁诏书。⑯不之省：不阅视，束之高阁。

---

**【语译】**

四月二十九日丙寅，幽州向朝廷上奏说打败了奚王啜利等人的部众六万多人。

回鹘的奉诚可汗去世，没有儿子，回鹘国的人拥立相国骨咄禄为可汗。骨咄禄本姓跌跌氏，聪慧而富辩才，勇敢而有谋略，从天亲可汗时开始掌管兵马处理政事，回鹘的大臣和各部落的酋长都畏惧而服从他。骨咄禄当上可汗之后，冒用前可汗的姓氏药葛罗氏，派使者到朝廷来报丧。还把天亲可汗以前可汗们年幼的子孙全部都送到朝廷来。

五月十一日丁丑，德宗任命宣武军留后李万荣、昭义军左司马兼留后王虔休各为本军节度使。

十八日甲申，河东节度使李自良去世。二十二日戊子，河东监军王定远上奏朝廷请求任命行军司马李说为留后。李说，是李神通的五世孙。

二十四日庚寅，德宗派秘书监张荐去册封回鹘可汗骨咄禄为腾里逻羽录没密施合胡禄毗伽怀信可汗。

二十七日癸巳，德宗任命李说为河东军镇留后，掌管河南府事务。李说深深感印，从之[1]。监军有印自定远始。

秋，七月丙寅朔⑫⑨，阳城改国子司业⑬⓪，坐言裴延龄故也。

王定远自恃有功于李说，专河东军政，易置诸将。说不能尽从，由是有隙。定远以私怒拉杀大将彭令茵，埋马矢中⑬①，将士皆愤怒。说奏其状，定远闻之，直诣说，拔刀刺之，说走免。定远召诸将，以箱贮敕⑬②及告身⑬③二十余通示之曰："有敕，令说诣京师，以行军司马李景略⑬④为留后，诸君皆迁官。"众皆拜。大将马良辅窃视箱中，皆定远告身及所受敕也，乃麾众曰："敕告皆伪，不可受也。"定远走登乾阳楼⑬⑤，呼其麾下，莫应，逾城而坠，为枯枿⑬⑥所伤而死。

八月辛亥⑬⑦，司徒兼侍中北平庄武王马燧薨。

闰月戊辰⑬⑧，元谊以洺州诈降。王虔休遣裨将将二千人入城，谊皆杀之。

九月丁巳⑬⑨，加韦皋云南安抚使。

横海节度使程怀直不恤士卒，猎于野，数日不归。怀直从父兄怀信⑭⓪为兵马使，因众心之怨，闭门拒之，怀直奔归京师。冬，十月丁丑⑭①，以怀信为横海留后。

南诏攻吐蕃昆明城⑭②，取之，又虏施、顺二蛮王⑭③。

**【段旨】**

以上为第四段，写阳城直谏被贬官，河东监军王定远跋扈自毙。

**【注释】**

⑪⑦丙寅：四月二十九日。⑪⑧奚：东胡之一，居于今辽宁西部与内蒙古东部一带，在唐幽州之北。⑪⑨天亲：回鹘天亲可汗。⑫⓪内之阙庭：送交给唐朝。内，通"纳"。⑫①丁丑：五月十一日。⑫②甲申：五月十八日。⑫③李自良：曾为马燧军候，有战功。德宗解除马燧兵权，以自良代燧，自良辞让，乃授右龙武大将军，以检校工部尚书充河东节度使，有政绩。传见《旧唐书》卷一百四十六、《新唐书》卷一百五十九。⑫④李说：唐高祖从弟淮安王李神通第五代孙，官至河东节度使。传见《旧唐书》卷一百四十六、《新唐书》卷七十

激王定远，请求朝廷铸造监军的印信，德宗听从了。监军有印信是从王定远开始的。

秋，七月初一日丙寅，阳城改任国子监的司业，这是因为阳城上疏弹劾裴延龄的缘故。

王定远仗着自己对李说有功，独揽河东镇的军权，重新安排了众将的职务。对此李说不能全都依从，由此两人间的关系出现了裂痕。王定远因私事生怒而击杀了大将彭令茵，把他的尸体埋在马粪中，将士们都很愤怒。李说把这件事上奏给了朝廷，王定远听说以后，径直闯到李说那里，拔刀刺向李说，李说赶紧逃走，这才免于一死。王定远召集众将，把放在箱子里的皇帝的敕书和赐官的委任文书二十多件通通拿出来给大家看，说："皇帝有敕书，令李说前往京城，任命行军司马李景略为留后，各位将军都升官晋级。"众人全都下拜。大将马良辅偷偷看了一下箱子里的东西，发现都是王定远的委任书和所受的敕书，于是就召集众人说："敕书和委任书都是假的，我们不能接受啊。"王定远见此情形立刻逃了出去，登上乾阳楼，呼喊他的部下，但没有一个人响应，王定远在翻越城墙出逃时摔了下来，被枯树桩戳伤而死。

八月十七日辛亥，司徒兼侍中北平庄武王马燧去世。

闰八月初四日戊辰，元谊诈称以洺州归降王虔休。王虔休派裨将率二千名军士进入洺州城，元谊把这些人全都杀了。

九月二十三日丁巳，德宗加封西川节度使韦皋为云南安抚使。

横海军节度使程怀直不体恤士兵，在野外打猎，一连几天都不回城。程怀直的堂兄程怀信担任兵马使，利用将士们心中的怨恨，关闭城门，不让程怀直进城，程怀直只得逃回京城长安。冬，十月十四日丁丑，德宗任命程怀信为横海军留后。

南诏进攻吐蕃的昆明城，占领了该城，又俘虏了施、顺这两个部落的蛮王。

---

八。⑫⑤庚寅：五月二十四日。⑫⑥秘书监：秘书省长官，掌著作、图籍。⑫⑦张荐：历官左拾遗、秘书监，至工部侍郎，三次出使回鹘、吐蕃。传见《旧唐书》卷一百四十九、《新唐书》卷一百六十一。⑫⑧癸巳：五月二十七日。⑫⑨丙寅朔：七月初一日。⑬⓪国子司业：国子监（京师太学）副长官，从四品下。阳城为谏议大夫，正五品上，改国子司业是左迁。⑬①埋马矢中：埋在马粪堆中。⑬②敕：皇帝手诏。⑬③告身：赐官的委任文书。⑬④李景略：原为朔方节度使李怀光巡官，不从怀光反唐，为河东节度使马燧所救。⑬⑤乾阳楼：晋阳宫城南门楼。⑬⑥枯枿：枯树桩。⑬⑦辛亥：八月十七日。⑬⑧戊辰：闰八月初四日。⑬⑨丁巳：九月二十三日。⑭⓪怀信：程怀直堂兄，夺怀直横海节镇，初为留后，一年后转为节度使。传见《新唐书》卷二百十三。⑭①丁丑：十月十四日。⑭②昆明城：在今四川盐源。⑭③施、顺二蛮王：施蛮居于铁桥城西北，在今云南香格里拉西。顺蛮居于施蛮之南。

【校记】

[1]从之：原无此二字。据章钰校，乙十六行本、乙十一行本、孔天胤本皆有此二字，张敦仁《通鉴刊本识误》、张瑛《通鉴校勘记》同，今据补。

【原文】

十二年（丙子，公元七九六年）

春，正月庚子⑭，元谊、石定蕃等帅洺州兵五千人及其家人万余口奔魏州，上释不问，命田绪安抚之。

乙丑⑮，以浑瑊、王武俊并兼中书令。

己巳⑯，加严震、田绪、刘济、韦皋并同平章事⑰。天下节度、观察使，悉加检校官⑱以悦其意。

三月甲午⑲，韦皋奏降西南蛮高万唐等二万余口。

乙巳⑳，以闲厩、宫苑使李齐运㉑为礼部尚书，户部侍郎裴延龄为户部尚书，使职如故㉒。齐运无才能学术，专以柔佞㉓得幸于上，每宰相对罢，则齐运次进决其议㉔。或病卧家，上欲有所除授，往往遣中使就问之。

丙辰㉕[2]，韶王暹㉖薨。

魏博节度使田绪尚嘉诚公主㉗，有庶子三人，季安最幼，公主子之㉘，以为副大使。夏，四月庚午㉙，绪暴薨，左右匿之，使季安领军事，年十五。乙亥⑳，发丧，推季安为留后㉛。

庚辰㉜，上生日。故事，命沙门㉝、道士讲论于麟德殿㉞。至是始命以儒士参之。四门博士㉟韦渠牟㊱嘲谈辩给㊲，上悦之，旬月迁右补阙，始有宠。

五月丙申㊳，邠宁节度使张献甫暴薨，监军杨明义请都虞候杨朝晟权知留后。甲辰㊴，以朝晟为邠宁节度使。

【语译】

## 十二年（丙子，公元七九六年）

春，正月初七日庚子，元谊、石定蕃等人带着洺州的军队五千人及其家属一万多人投奔魏州，德宗没有追究他们的罪过，命令魏博节度使田绪安抚他们。

乙丑日，德宗任命浑瑊、王武俊一起兼任中书令。

己巳日，德宗加封严震、田绪、刘济、韦皋全都为同平章事。全国各地的节度使、观察使，全都加封检校官，以使他们心中高兴。

三月初二日甲午，韦皋上奏说降服了西南蛮高万唐等二万多人口。

三月十三日乙巳，德宗任命闲厩、宫苑使李齐运为礼部尚书，任命户部侍郎裴延龄为户部尚书，仍兼任原有的判度支使。李齐运并无才能和学问，专门以柔媚谄媚取得了德宗的宠爱，每当宰相回答完德宗的提问，接着就让李齐运进言以裁断是非。有时候李齐运卧病在家，德宗打算任命什么人，往往派宫中的宦官使者到他家里去询问他的意见。

二十四日丙辰，韶王李暹去世。

魏博节度使田绪娶嘉诚公主为妻，田绪有三个庶出的儿子，田季安年龄最小，嘉诚公主把田季安当成自己的儿子，帮助他当上了魏博节度副使。夏，四月初九日庚午，田绪突然去世，亲信们把消息隐瞒下来，让田季安统领军中事务，当时田季安才十五岁。十四日乙亥，他们才发丧，推举田季安为节度留后。

四月十九日庚辰，是德宗的生日。按照以前的惯例，要让僧人、道士在麟德殿讲经论道。到这时，开始让儒学之士也参与进来。四门博士韦渠牟在讲论中语言诙谐，机敏而口才很好，德宗很喜欢韦渠牟，过了一个多月，就提升他为右补阙，他开始受到宠信。

五月初六日丙申，邠宁节度使张献甫突然去世，监军杨明义请求朝廷任命都虞候杨朝晟暂时代理留后之职。十四日甲辰，德宗任命杨朝晟为邠宁节度使。

【段旨】

以上为第五段，写德宗对地方各道诸使滥授加官，在朝中则又偏爱巧言令色之徒李齐运、裴延龄等。六部长官置于宰相之上，荒悖如此。

【注释】

⑭庚子：正月初七日。⑮乙丑：正月甲子朔，无乙丑。乙丑，应为二月初三日。⑯己巳：在乙丑日之后，当为二月初七日。⑰加严震、田绪句：加，加官。严震，山南西道节度使。田绪，魏博节度使。刘济，幽州节度使。韦皋，西川节度使。并加官同平章事，带宰相衔。⑱检校官：地方节镇带台省官，并不在中央任职称检校官。⑲甲午：三月初二日。⑳乙巳：三月十三日。㉑闲厩宫苑使李齐运：太宗子蒋王李恽之孙。闲厩使掌宫马，宫苑使掌宫苑，二职为李齐运所兼。㉒使职如故：仍兼原有的判度支使。㉓柔佞：

【原文】

六月乙丑[170]，以监句当左神策窦文场、监句当右神策霍仙鸣皆为护军中尉[171]，监左神威军使张尚进[172]、监右神威军使焦希望皆为中护军。初，上置六统军[173]，视六尚书[174]，以处节度使罢镇[175]者，相承[176]用麻纸写制。至是文场讽宰相比统军降麻[177]。翰林学士郑絪[178]奏言："故事惟封王命相用白麻，今以命中尉，不识[179]陛下特以宠文场邪，遂为著令[180]也？"上乃谓文场曰："武德、贞观时[181]，中人不过员外将军同正耳，衣绯[182]者无几。自辅国[183]以来，堕坏制度。朕今用尔，不谓无私。若复以麻制宣告天下，必谓尔胁我为之矣！"文场叩头谢。遂焚其麻，命并统军自今中书降敕[184]。明日，上谓絪曰："宰相不能违拒[185]中人，朕得卿言方悟耳。"是时窦、霍势倾中外，藩镇将帅多出神策军，台省清要亦有出其门者矣。

宣武节度使李万荣病风，昏不知事，霍仙鸣荐宣武押牙刘沐可委军政。辛巳[186]，以沐为行军司马。

柔媚谄谀。⑭次进决其议：在宰相之后进言裁断是非。⑮丙辰：三月二十四日。⑯韶王暹：德宗弟。⑰嘉诚公主：代宗女。⑱公主子之：嘉诚公主养以为子。⑲庚午：四月初九日。⑳乙亥：四月十四日。⑯¹推季安为留后：军中因季安为公主子，故推为留后，朝廷因授节度使。田季安传见《旧唐书》卷一百四十一、《新唐书》卷二百十。⑯²庚辰：四月十九日。⑯³沙门：和尚。⑯⁴麟德殿：大明宫内殿名。⑯⁵四门博士：四门馆学博士教官，正七品上。⑯⁶韦渠牟：巧佞人，官至太常卿。传见《旧唐书》卷一百三十五、《新唐书》卷一百六十七。⑯⁷嘲谈辩给：善于诙谐，机敏有口才。⑯⁸丙申：五月初六日。⑯⁹甲辰：五月十四日。

【校记】

［2］丙辰：原误作“丙子”。三月无丙子。据章钰校，乙十六行本、乙十一行本皆作“丙辰”，当是，今据改。

【语译】

六月初六日乙丑，德宗任命监句当左神策窦文场、监句当右神策霍仙鸣都担任护军中尉，任命监左神威军使张尚进、监右神威军使焦希望都担任中护军。当初，德宗设置六军的统军职务，类似于朝廷中的六部尚书，以安置被免去了军镇节度使职务的人，按照流传下来的习惯要用麻纸书写委任他们的文书。至此，窦文场暗示宰相要比照统军给他们颁发用白麻纸书写的委任文书。翰林学士郑细上奏说：“按照惯例，只有封王、任命宰相用白麻纸书写委任文书，现在要用白麻纸来任命护军中尉，不知陛下是要特别用来表示对窦文场的恩宠呢，还是要就此定下来成为法令？”德宗于是对窦文场说：“本朝武德、贞观年间，宫中宦官的职位不过是与员外将军同品级而已，能穿绯色朝服的人没有几个。自从李辅国以来，这一制度受到了毁坏。朕现在任用你，不能说没有私情。如果再用白麻纸书写委任文书公告天下，那么天下的人一定会说是你胁迫朕这样做的了！”窦文场向德宗磕头谢罪。于是德宗把白麻纸写的委任文书烧了，下令从今以后连同统军在内都由中书省颁下敕书加以任命。第二天，德宗对郑细说：“宰相都不能违背、拒绝宦官们的要求，朕听了你的话以后这才醒悟过来。”此时窦文场、霍仙鸣的权势压倒朝廷内外的官员，各藩镇的将帅大多出自神策军，朝廷各台省的重要官员也有出自他们两人门下的。

宣武节度使李万荣中风，昏迷不醒，不能处理军镇事务，霍仙鸣推荐宣武军的押牙官刘沐可以受委任来处理军镇事务。六月二十二日辛巳，德宗任命刘沐为行军司马。

宣歙观察使刘赞⑱卒。

初，上以奉天窘乏，故还宫以来，尤专意聚敛。藩镇多以进奉市恩⑱，皆云“税外方圆⑱”，亦云“用度羡余”，其实或割留常赋，或增敛百姓，或减刻吏禄⑲[3]，或贩鬻蔬果，往往私自入，所进才什一二。李兼⑲在江西有月进，韦皋在西川有日进。其后常州刺史济源裴肃⑲以进奉迁浙东观察使，刺史进奉自肃始。及刘赞卒，判官严绶⑲掌留务，竭府库以进奉，征为刑部员外郎，幕僚进奉自绶始。绶，蜀人也。

【段旨】

以上为第六段，写德宗还京两大弊政：其一，宠信宦官，加重护军中尉权势，倾动朝野；其二，聚敛财货，向藩镇求索贡奉。两大弊政，留下无穷后患。

【注释】

⑰乙丑：六月初六日。⑰护军中尉：分左、右，以宦官窦文场、霍仙鸣分领之。德宗以窦、霍护驾山南功，始置中尉以宠之，仿西汉谒者随何下淮南拜中尉故事。从此，护军中尉成为唐代宦官最权重的幸臣。中尉下又置中护军。⑰张尚进：与下文焦希望同为神策军左右中护军，宦官。两人传见《新唐书》卷二百七。⑰六统军：即左右羽林、左右龙武、左右神武六军统军。统军，官名，设置统军事见本书卷第二百二十九德宗兴元元年（公元七八四年）。⑰视六尚书：比同六部尚书。⑰罢镇：免除节度使之职。⑰相承：相沿。⑰比统军降麻：即任命护军中尉与中护军，也比照六军统军的任命用白麻纸书写诏书。⑰郑絪：字文明，德宗时为翰林学士、中书舍人，宪宗时拜宰相，出为岭南、河中节度使，文宗时入为御史大夫。传见《旧唐书》卷一百五十九、《新唐书》卷一百六十五。⑰不识：不知。⑱著令：定着为法令。⑱武德、贞观时：指唐高祖、唐太宗时。武

【原文】

李万荣疾病，其子迺为兵马使。甲申⑲，迺集诸将，责李湛、伊娄说、张丕⑲以不忧军事，斥之外县。上遣中使第五守进至汴州，宣慰

宣歙观察使刘赞去世。

当初，德宗在奉天城时曾财用窘迫匮乏，所以回京还宫以后，尤其着意于聚敛财物。各地藩镇大多用进献财物的办法来换取德宗的恩宠，这种进献都被称为“税外方圆”，也称作“用度羡余”。实际上，这种进献的来源，有的是截留正常上缴的赋税，有的是增加对百姓的搜刮，有的是削减、克扣官吏们的俸禄，有的是贩卖蔬菜瓜果而得的。这些所得往往进入官员自己的腰包，所进献的不过是所得数量的十分之一二。李兼在江西任职时每月都向德宗进献，韦皋在西川任职时则每天都向德宗进献。后来，常州刺史济源人裴肃通过进献而升任浙东观察使，刺史向德宗进献即是从裴肃开始的。刘赞去世后，判官严绶掌管留后事务，竭尽府库中的财物来向德宗进献，此后被征召入朝担任刑部员外郎，幕僚向德宗进献是从严绶开始的。严绶，是蜀地人。

---

德，唐高祖年号。贞观，唐太宗年号。⑱衣绯：穿红色三品官服。⑱辅国：指李辅国，宦者，本名静忠，更名护国，再改名辅国。曾事高力士，为肃宗所倚重。代宗立，辅国有定策功，握有兵权，愈跋扈，帝畏之，尊为尚父。传见《旧唐书》卷一百八十四、《新唐书》卷二百八。⑱中书降敕：通过中书省宣布皇帝敕书，不用白麻。⑱违拒：违抗。⑱辛巳：六月二十二日。⑱刘赞：刘知幾之孙，官至宣歙观察使。传见《旧唐书》卷一百三十六、《新唐书》卷一百三十二。⑱市恩：换取恩宠。⑱税外方圆：巧立名目在税外加征的贡奉钱。意谓折则成方，转则成圆，在常税之外转折而致货财。⑲减刻吏禄：削减官吏俸禄。⑲李兼：时任江西观察使。⑲裴肃：宣宗朝宰相裴休之父，因进奉由刺史迁浙东观察使。传附《旧唐书》卷一百七十七《裴休传》。⑲严绶：历宣歙、荆南、山南三镇观察使、节度使。传见《旧唐书》卷一百四十六、《新唐书》卷一百二十九。

【校记】

［3］吏禄：原误作“利禄”。据章钰校，乙十六行本、乙十一行本皆作“吏禄”，当是，今据校正。

---

【语译】

李万荣病情加重，他的儿子李迺担任兵马使之职。六月二十五日甲申，李迺召集众将，当众斥责李湛、伊娄说、张丕，说他们不关心军事，把他们贬斥到汴州城以外的县里去了。德宗派宫中的宦官使者第五守进到汴州，宣抚慰劳刚结束，军士

始毕，军士十余人呼曰：“兵马使勤劳无赏，刘沐何人，为行军司马！”沐惧，阳中风[196]，舁出[197]。军士又呼曰：“仓官刘叔何给纳有奸！”杀而食之。又欲斫守进，迺止之。迺又杀伊娄说、张丕。都虞候匡城邓惟恭[198]与万荣乡里相善，万荣常委以腹心，迺亦倚之。至是惟恭与监军俱文珍谋，执迺，送京师。秋，七月乙未[199]，以东都留守董晋同平章事，兼宣武节度使，以万荣为太子少保[200]，贬迺虔州[201]司马。丙申[202]，万荣薨。

邓惟恭既执李迺，遂权军事，自谓当代万荣，不遣人迎董晋。晋既受诏，即与傔从[203]十余人赴镇，不用兵卫。至郑州[204]，迎者不至。郑州人为晋惧，或劝晋且留观变。有自汴州出者，言于晋曰：“不可入。”晋不对，遂行。惟恭以晋来之速，不及谋；晋去城十余里，惟恭乃帅诸将出迎。晋命惟恭勿下马，气色甚和，惟恭差自安[205]。既入，仍委惟恭以军政。

初，刘玄佐增汴州兵至十万，遇之厚，李万荣、邓惟恭每加厚焉。士卒骄，不能御[206]，乃置腹心之士，幕于公庭庑下[207]，挟弓执剑以备之，时劳赐酒肉。晋至之明日，悉罢之。

戊戌[208]，韩王迥[209]薨。

壬子[210]，诏以宣武将士邓惟恭等有执送李迺功，各迁官赐钱[211]，其为迺所胁[212]，邀逼制使者[213]，皆勿问。

八月己未朔[214][4]，日有食之。

己巳[215]，以田季安为魏博节度使。

丙子[216]，以汝州刺史陆长源[217]为宣武行军司马。朝议以董晋柔仁多可[218]，恐不能集事[219]，故以长源佐之。长源性刚刻，多更张旧事[220]。晋初皆许之，案成[221]则命且罢，由是军中得安。

丙戌[222]，门下侍郎、同平章事赵憬薨。

初，上不欲生代节度使[223]，常自择行军司马以为储帅[224]。李景略为河东行军司马，李说忌之。回鹘梅录[225]入贡，过太原，说与之宴，梅

中就有十几个人呼喊道："兵马使勤勉劳苦，朝廷却没有奖赏，刘沐是什么人，竟要担任行军司马！"刘沐非常害怕，假装中风病倒，被抬了出去。军士们又呼喊道："仓官刘叔何在物品发放收纳上有舞弊贪污！"大家上前杀了刘叔何，还吃了他的肉。军士们又打算砍杀第五守进，李迺制止了他们。李迺又杀了伊娄说、张丕。都虞候匡城人邓惟恭与李万荣是同乡，关系很好，李万荣常把他当成心腹，李迺也很依赖他。到了这时候，邓惟恭与监军俱文珍谋划，把李迺抓了起来，押送到京城。秋，七月初六日乙未，德宗任命东都留守董晋为同平章事，兼任宣武军节度使，任命李万荣为太子少保，把李迺贬为虔州司马。初七日丙申，李万荣去世。

邓惟恭把李迺抓起来以后，便代理军镇事务，自以为应当代替李万荣担任节度使，所以没有派人前去迎接董晋。董晋受诏以后，立即带着十多个随从赶赴军镇，没有使用军队护卫。到了郑州，迎接的人没有到来。郑州的人都替董晋感到害怕，有的人劝董晋暂且留下以观察事态的发展。有从汴州城出来的人，对董晋说："您不可进入汴州城。"董晋没有回答，便出发了。因为董晋来得很快，邓惟恭还来不及谋划；董晋一行离汴州城还有十几里的时候，邓惟恭才带着众将出城迎接。董晋让邓惟恭不必下马，其神态面色也十分平和，邓惟恭这才稍稍安下心来。董晋入城就职以后，仍然把军政大事交给邓惟恭处理。

当初，刘玄佐把汴州的军队增加到十万人，对待他们很优厚，李万荣、邓惟恭掌权之后常常对他们更加优待。士兵们因此骄纵起来，无法控制，于是李万荣等安排亲信的士兵，在官署的走廊下扎下帐篷，带着弓、拿着剑以做防备，还经常赐酒肉给这些警卫的士兵加以慰劳。董晋到任的第二天，就把这些警卫士兵全都撤走了。

七月初九日戊戌，韩王李迥去世。

二十三日壬子，德宗下诏：因为宣武军的将士邓惟恭等人有把李迺抓起来送到京城的功劳，所以分别提升官职，颁赐赏钱，对那些受李迺胁迫，拦截、威逼朝廷使者的人，一概不加追究。

八月初一日己未，发生日食。

十一日己巳，德宗任命田季安为魏博节度使。

八月十八日丙子，德宗任命汝州刺史陆长源为宣武军的行军司马。朝中的意见认为董晋柔和仁慈，别人有所要求大多迁就赞同，恐怕难以把事情办好，所以派陆长源去协助他。陆长源为人刚直、严厉，往往改变旧例。董晋在开始时都答应下来，但等新的方案制定出来以后，董晋就会命令先暂停执行，这样军中才得以安定。

二十八日丙戌，门下侍郎、同平章事赵憬去世。

当初，德宗不打算在各军镇节度使生前就确定继任的人，所以经常自己挑选各军镇的行军司马，以作为节度使去世后准备继任的人选。李景略担任河东镇的行军司马，节度使李说对李景略十分讨厌。回鹘的梅录来向朝廷进贡，路过太原，李说

录争坐次[226]，说不能遏。景略叱之，梅录识其声，趋前拜之，曰："非丰州李端公[227]邪！"又拜，遂就下坐。座中皆属目于景略。说益不平，乃厚赂中尉窦文场，使去之。会有传回鹘将入寇者，上忧之，以丰州当虏冲，择可守者，文场因荐景略。九月甲午[228]，以景略为丰州都防御使。穷边气寒，土瘠民贫。景略以勤俭帅众，二岁之后，储备完实，雄于北边。

卢迈得风疾，庚子[229]，贾耽私忌[230]，宰相绝班[231]，上遣中使召主书[232]承旨[233]。

丙午[234]，户部尚书、判度支裴延龄卒。中外相贺，上独悼惜之。

壬子[235]，吐蕃寇庆州。

冬，十月甲戌[236]，以谏议大夫崔损[237]、给事中赵宗儒[238]并同平章事。损，玄暐之弟孙也，尝为裴延龄所荐，故用之。

十一月乙未[239]，以右补阙韦渠牟为左谏议大夫。上自陆贽贬官，尤不任宰相，自御史、刺史、县令以上，皆自选用，中书行文书而已。然深居禁中，所取信者裴延龄、李齐运、户部郎中王绍、司农卿李实、翰林学士韦执谊[240]及渠牟，皆权倾宰相，趋附盈门。绍谨密无损益，实狡险掊克。执谊以文章与上唱和，年二十余，自右拾遗召入翰林。渠牟形神恌躁[241]，尤为上所亲狎[242]。上每对执政，漏不过三刻[243]，渠牟奏事率至六刻，语笑款狎往往闻外，所荐引咸不次迁擢[244]，率皆庸鄙之士。

宣武都虞候邓惟恭内不自安，潜结将士二百余人谋作乱。事觉，董晋悉捕斩其党，械惟恭送京师。己未[245]，诏免死，汀州[246]安置。

设宴招待，梅录在宴会上与人争座位的上下，李说无法制止。李景略对此大声呵斥，梅录听出是李景略的声音，连忙快步向前下拜道："这不是丰州的李端公吗！"并再次向李景略下拜，然后就坐了下座。满座的人都把目光移向了李景略。这样李说心中更加愤愤不平，于是用重礼贿赂护军中尉窦文场，让他把李景略调走。正好当时有传言说回鹘人将要入侵，德宗对此十分忧虑，认为丰州正在回鹘人入侵的要道上，需要选择一位可以担当防守重任的人，窦文场乘机向德宗推荐了李景略。九月初六日甲午，德宗任命李景略为丰州都防御使。丰州地处边塞，天气寒冷，土地贫瘠，百姓穷困。李景略引导众人克勤克俭，两年以后，这里的各项储备完善充实，称雄于北部边塞。

宰相卢迈得了中风病，九月十二日庚子，是宰相贾耽亲人的忌日，这一天宰相中无人值班，德宗派中使召低级官员主书来承接诏令。

十八日丙午，户部尚书、判度支裴延龄去世。朝廷内外的人都互相祝贺，只有德宗一个人悼念、痛惜他。

二十四日壬子，吐蕃人侵犯庆州。

冬，十月十七日甲戌，德宗任命谏议大夫崔损、给事中赵宗儒一起担任同平章事。崔损，是崔玄時弟弟的孙子，曾经得到裴延龄的推荐，所以德宗任用了他。

十一月初八日乙未，任命右补阙韦渠牟为左谏议大夫。德宗从陆贽被贬职以后，对宰相尤其不信任，从御史、刺史、县令以上的官员，都亲自挑选、任用，中书省不过是颁发委任文书而已。但德宗深居宫中，所信任的人是裴延龄、李齐运、户部郎中王绍、司农卿李实、翰林学士韦执谊以及韦渠牟，他们都权势很大，甚至超过了宰相，投靠、依附他们的人挤满门庭。王绍为人谨慎周密，无所兴革。李实狡诈阴险，工于搜刮。韦执谊用文辞与德宗唱和，年龄不过二十来岁，就从右拾遗的职位上被召进翰林院。韦渠牟形貌神态轻佻浮躁，特别受德宗亲昵。德宗每次与主理朝政的大臣谈论政事，时间不会超过三刻，但遇韦渠牟上奏事情时间一般都要长达六刻，亲昵的谈笑声往往连外边都能听到，韦渠牟所引荐的人都能破格迁升，但都是些平庸鄙俗的人。

宣武军都虞候邓惟恭内心深感不安，暗中联络二百多名将士阴谋作乱。事情被发觉，董晋把邓惟恭的党羽全都抓起来杀了，把邓惟恭套上刑具押送京城。己未日，德宗下诏免邓惟恭一死，流放到汀州安置。

---

**【段旨】**

以上为第七段，写宣武镇的动荡。

【注释】

⑭ 甲申：六月二十五日。⑮ 李湛、伊娄说、张丕：皆宣武大将。李万荣病，故忌杀诸将。⑯ 阳中风：假装中风病倒。⑰ 舁出：抬出。⑱ 邓惟恭：宣武大将都虞候，与李万荣同乡里，故得亲任。传见《新唐书》卷二百十四。据传，李迺欲杀李湛、伊娄说、张丕等未果。万荣死，是夜邓惟恭与监军俱文珍共谋执李迺械送京师，杖死于京兆府，与此记载略异。⑲ 乙未：七月初六日。⑳ 太子少保：此为加官，检校太子少保。㉑ 虔州：州名，治所在今江西赣州。㉒ 丙申：七月初七日。㉓ 傔从：随从。㉔ 郑州：在汴州西一百五十里。㉕ 差自安：自己稍稍安下心来。㉖ 御：控制。㉗ 幕于公庭庑下：在官府走廊里扎下卫队的帐篷。㉘ 戊戌：七月初九日。㉙ 韩王迥：德宗弟。㉚ 壬子：七月二十三日。㉛ 迁官赐钱：升官并颁赏钱。㉜ 胁：强力胁迫。㉝ 邀遏制使者：那些拦截威逼朝廷使者的人。制使，钦差使者。㉞ 己未朔：八月初一日。㉟ 己巳：八月十一日。㊱ 丙子：八月十八日。㊲ 陆长源：字泳，吴（今江苏苏州）人，为宣武行军司马，董晋死后继任留后。欲以法绳骄兵，仅八日为乱兵所杀。传见《旧唐书》卷一百四十五、《新唐书》卷一百五十一。㊳ 多可：遇事多迁就赞同。㊴ 集事：把事情办好。㊵ 多更张旧事：往往改变惯例。㊶ 案成：改变旧制度的新方案制定出来。㊷ 丙戌：八月二十八日。㊸ 生代节度使：在节度使生前就确定继任的人。㊹ 自择行军司马以为储帅：行军司马辅佐军政，平时训练士卒，战时申明攻守之法，负责器械、粮备、军籍、赏赐，其权往往重于副使。德宗自择节镇，多以行军司马代之。㊺ 梅录：即“梅录大将军”，回纥高级将领名号。梅

---

【原文】

十三年（丁丑，公元七九七年）

春，正月壬寅㊼，吐蕃遣使请和亲。上以吐蕃数负约，不许。

上以方渠㊽、合道㊾、木波㊿皆吐蕃要路，欲城之，使问邠宁节度使杨朝晟“须几何[251]兵？”对曰：“邠宁兵足以城之，不烦他道。”上复使问之曰：“向城盐州，用兵七万，仅能集事。今三城尤逼虏境，兵当倍之，事更相反，何也？”对曰：“城盐州之众，虏皆知之。今发本镇兵，不旬日至塞下，出其不意而城之。虏谓吾众亦不减七万，其众未

录，加在官名前的美称。㉖争坐次：争上座，即争首席。㉗李端公：唐人呼侍御为端公。李景略前拜侍御史，领丰州刺史。梅录入朝路过丰州，为李景略所折服。事见本书卷第二百三十三德宗贞元六年（公元七九〇年）。㉘甲午：九月初六日。㉙庚子：九月十二日。㉚私忌：父母、祖父母、曾祖父母死日为私忌。㉛绝班：无人值班。㉜主书：官名，尚书省主书，从八品下，中书省主书，从七品上，值勤官员。㉝承旨：承接诏令。㉞丙午：九月十八日。㉟壬子：九月二十四日。㊱甲戌：十月十七日。㊲崔损：崔玄暐之弟崔升之孙，德宗朝备员宰相，柔顺帝意，在位八年。传见《旧唐书》卷一百三十六、《新唐书》卷一百六十七。㊳赵宗儒（公元七四六至八三二年）：字秉文，历仕德、顺、宪、穆、敬、文诸朝，出为方镇，入为台省。传见《旧唐书》卷一百六十七、《新唐书》卷一百五十一。㊴乙未：十一月初八日。㊵韦执谊：京兆（今陕西西安）人，顺宗朝官至宰相。传见《旧唐书》卷一百三十五、《新唐书》卷一百六十八。㊶形神佻躁：形貌神态轻佻浮躁。㊷亲狎：亲昵。㊸漏不过三刻：德宗与宰相大臣论政事，每次不过三刻。古代用铜壶滴漏记时，每昼夜为一百刻。㊹不次迁擢：不按台阶迁升，即破格晋升。㊺己未：十一月戊子朔，无己未。己未，应为十二月初二日。㊻汀州：州名，治所在今福建长汀。

【校记】

［4］己未朔：原误作“乙未朔”。〖按〗八月己未朔，无乙未，严衍《通鉴补》改作“己未朔”，当是，今据改。

【语译】

**十三年（丁丑，公元七九七年）**

春，正月十五日壬寅，吐蕃派使者来请求和好。德宗因吐蕃曾多次背弃约定，没有答应。

德宗认为方渠、合道、木波等地都是吐蕃东向的要道，打算在那里筑城防守，于是派使者去问邠宁节度使杨朝晟“筑城需要多少兵力?”杨朝晟回答说:“邠宁现有的兵力就足以在那里筑城，不用烦劳其他地方了。”德宗又派使者问他道:“前不久在盐州筑城，动用兵力七万，才刚能把事情办成。如今要建的这三座城更加逼近吐蕃边境，需要动用的兵力应该比修盐州城翻倍才是，而你说的情况却正好相反，这是什么道理?”杨朝晟回答说:“在盐州筑城的军队的数量，吐蕃人都知道。如今我调派本镇的兵马，用不了十天就能到达边塞附近，出其不意地筑城。吐蕃人会觉得我们的兵力也不会少于七万，而他们的兵马还没有调集起来，就不敢轻易来侵犯我们。

集，不敢轻来犯我。不过三旬，吾城已毕，留兵戍之，虏虽至，无能为也。城旁草尽，不能久留，虏退则运刍[252]粮[253]以实之，此万全之策也。若大集诸道兵，逾月始至。虏亦集众而来，与我争战，胜负未可知，何暇筑城哉！”上从之。

二月，朝晟分军为三，各筑一城。军吏曰：“方渠无井，不可屯军。”判官孟子周曰：“方渠承平之时，居人成市，无井何以聚人乎！”命浚眢井[254]，果得甘泉。三月，三城成。夏，四月庚申[255]，杨朝晟军还至马岭[256]，吐蕃始出兵追之，相拒数日而去。朝晟遂城马岭而还，开地[257]三百里，皆如其素[258]。

庚午[259]，义成节度使李复薨。庚辰[260]，以陕虢观察使姚南仲[261]为义成节度使。监军薛盈珍方大会，闻之，言曰：“姚大夫书生，岂将才也！”判官卢坦私谓人曰：“姚大夫外虽柔，中甚刚，监军侵之，必不受，军府之祸，自此始矣，吾恐为所留[262]。”遂自他道潜去。南仲果以牒请之[263]，不遇，得免[264]。既而盈珍与南仲有隙，幕府多以罪贬，有死者。

吐蕃赞普乞立赞卒，子足之煎立。

六月壬午[265]，韦皋奏吐蕃入寇，嶲州刺史曹高仕破之于台登城[266]下。

光禄少卿同正[267]张茂宗[268]，茂昭之弟也，许尚义章公主[269]。未成婚，茂宗母卒，遗表请终嘉礼[270]，上许之。秋，八月癸酉[271]，起复[272]茂宗左卫将军同正。左拾遗义兴蒋乂[273]上疏谏，以为兵革之急，古有墨衰从事者，未闻驸马起复尚主也。上遣中使谕之，不止，乃特召对于延英[274]，谓曰：“人间[275]多借吉成婚[276]者，卿何执此之坚？”对曰：“婚姻、丧纪，人之大伦，吉凶不可渎[277]也。委巷之家[278]，不知礼教，其女孤贫无恃，或有借吉从人，未闻男子借吉娶妇者也。”太常博士[279]韦彤[280]、

不超过三十天，我方的城堡就已修筑好了，留下兵力戍守，吐蕃人即便来了，也不能把我们怎么样了。城堡附近的草被吃光以后，吐蕃的兵马就不能久留，敌人退走之后，我们就立即把马料、军粮等运进城堡去充实储备，这是一个周到稳妥、万无一失的办法。如果大规模地调集各地兵力，一个月以后他们才会到达。敌人也会调集他们的兵马来，与我们交战，谁胜谁负还不知道，哪里还有时间来筑城呢！”德宗采纳了杨朝晟的意见。

二月，杨朝晟把部下军队一分为三，各修筑一座城堡。军中的小吏说：“方渠那里没有水井，无法屯驻军队。”判官孟子周说：“方渠在太平的时候，有很多人定居，形成了一个市集，没有水井怎么能聚集人口呢！”于是下令疏淘枯井，果然涌出了甘泉。三月，三座城堡都修好了。夏，四月初五日庚申，杨朝晟的军队撤回到马岭时，吐蕃才派出军队来追，与杨朝晟的军队对峙了几天后就离开了。杨朝晟于是在马岭又筑起一座城堡，然后回到邠宁。杨朝晟在那一带拓展土地三百里，完全实现了预期的计划。

四月十五日庚午，义成军节度使李复去世。二十五日庚辰，德宗任命陕虢观察使姚南仲担任义成军节度使。监军薛盈珍正召集众将商议事情，听到这一消息后，说：“姚大夫是书生，哪里会是将帅之才呢！”判官卢坦私下对人说：“姚大夫表面虽然显得柔弱，骨子里却很刚强，监军如有冒犯，他一定不会忍受，军府的祸乱，从此就要开始了，我担心要被姚大夫留用。”于是走另外一条路悄悄离开了义成军。姚南仲果然发出公文请卢坦留任，但没有遇上卢坦，所以卢坦得以免被征召。不久，薛盈珍与姚南仲间的关系产生了裂痕，许多幕僚都获罪被贬，甚至有为此而丧命的。

吐蕃的赞普乞立赞死了，儿子足之煎继任。

六月二十八日壬午，韦皋上奏说吐蕃入侵，嶲州刺史曹高仕在台登城打败了吐蕃。

光禄少卿同正张茂宗，是义武军节度使张茂昭的弟弟，已经获准娶德宗之女义章公主为妻。还没有成婚时，张茂宗的母亲去世了，她去世前留下表章奏请德宗让她儿子与公主完成婚礼，德宗答应了。秋，八月二十日癸酉，德宗起用在居丧期间的张茂宗为左卫将军同正。担任左拾遗的义兴人蒋乂上疏劝谏德宗，认为在军情危急时，古代有身穿黑麻丧服上战场的，但没有听说驸马在居丧期间起用来聘娶公主的。德宗派中使去开导他，但他依然为此事劝谏不止。于是德宗特地把他召到延英殿来，对他说：“民间往往有在居丧期间借吉成婚的，你为什么如此坚决地上疏劝谏呢？”蒋乂回答说：“婚姻和丧事，是人世最重要的伦理，吉礼和凶礼是不可以亵渎的。居住在僻陋曲折小巷中的贫苦人家，不懂得礼仪教化，家中孤苦贫困而无依无靠的女孩子，也许有在居丧期间借吉嫁人的，但没有听说男子在居丧期间借吉娶妻的。”太常博士韦彤、裴堪又上疏劝谏。德宗很不高兴，命令赶紧定下公主下嫁的日裴堪复上疏谏。上不悦，命趣[281]下嫁之期。辛巳[282]，成婚。

九月己丑[283]，中书侍郎、同平章事卢迈以病罢为太子宾客。

---

【段旨】

以上为第八段，写邠宁节度使杨朝晟用智计筑边城，不战而推进边塞数百里，有力地抑制了吐蕃势力。德宗违礼嫁公主。

【注释】

㉔⑦壬寅：正月十五日。㉔⑧方渠：县名，县治在今甘肃环县。㉔⑨合道：镇名，在今甘肃环县西南。㉕⑩木波：堡名，在今甘肃环县东南。㉕①几何：几多；多少。㉕②刍：马料。㉕③粮：军粮。㉕④浚眢井：疏浚枯井。㉕⑤庚申：四月初五日。㉕⑥马岭：县名，县治在今甘肃环县东南。㉕⑦开地：拓地；扩展土地。㉕⑧皆如其素：完全实现了预期的计划。㉕⑨庚午：四月十五日。㉖⑩庚辰：四月二十五日。㉖①姚南仲（公元七二九至八〇三年）：华州下邽（今陕西渭南）人，四迁御史中丞，出镇陕虢、义成二镇，终官尚书右仆射。传见《旧唐书》卷一百五十三、《新唐书》卷一百六十二。㉖②留：留任。㉖③南仲果以牒请之：姚南仲果然发出公文请卢坦留任。㉖④不遇二句：由于公文迟到没遇上卢坦，卢坦得以免

---

【原文】

冬，十月，淮西节度使吴少诚擅开刀沟入汝[284]，上遣中使谕止之，不从。命兵部郎中卢群[285]往诘之。少诚曰："开此水，大利于人。"群曰："君令臣行，虽利，人臣敢专乎！公承天子之令而不从，何以使下吏从公之令乎！"少诚遽为之罢役。

十二月，徐州节度使张建封入朝。先是，宫中市外间物，令官吏主之，随给其直[286]。比岁以宦者为使，谓之宫市[287]，抑买人物，稍不如本估[288]。其后不复行文书，置白望[289]数百人于两市及要闹坊曲，阅人所卖物[290]，但称宫市，则敛手付与[291]，真伪不复可辩，无敢问所从来[292]及

期。二十八日辛巳，张茂宗与义章公主成婚。

九月初七日己丑，中书侍郎、同平章事卢迈因病被免去宰相职务，改任太子宾客。

---

被征召。㉖⑤壬午：六月二十八日。㉖⑥台登城：嶲州治所在今四川西昌，台登城在州城之北。㉖⑦光禄少卿同正：官名，光禄寺掌祭祀及朝会供馔，长官为卿，次官为少卿，员外官称同正。高宗时，始于员外置同正员。㉖⑧张茂宗：义武节度使张孝忠次子，茂昭之弟。敬宗时终官左龙武统军。传见《旧唐书》卷一百四十一、《新唐书》卷一百四十八。㉖⑨义章公主：德宗女。㉗⓪嘉礼：完婚。㉗①癸酉：八月二十日。㉗②起复：守丧期间被起用，称起复、夺情。㉗③蒋乂：字德源，常州义兴（今江苏宜兴南）人，历官左拾遗、起居舍人、秘书监。传见《旧唐书》卷一百四十九、《新唐书》卷一百三十二。㉗④特召对于延英：唐中叶以后，召对宰辅之臣，乃开延英殿，今蒋乂以左拾遗召对延英，属于特例。㉗⑤人间：民间。㉗⑥借吉成昏：丧为凶礼，婚为吉礼，在丧期中成婚称为借吉。㉗⑦渎：亵渎；轻视。㉗⑧委巷之家：贫民家庭。委巷，弯曲小巷。委，曲。㉗⑨太常博士：太常寺属官，定员四人，掌祭祀及大礼司仪。㉘⓪韦彤：传见《新唐书》卷二百。㉘①趣：催促。㉘②辛巳：八月二十八日。㉘③己丑：九月初七日。

---

【语译】

冬，十月，淮西节度使吴少诚擅自开凿刀沟，与汝水相连，德宗派宫中宦官使者去劝阻，但吴少诚没有听从。于是又命兵部郎中卢群前去责问吴少诚。吴少诚说："开凿刀沟这条水渠，对百姓十分有利。"卢群说："君王下令臣子执行，即使有利，做臣子的敢擅自行事吗！你接到天子的命令却不听从，那你又如何让部下将吏听从你的命令呢！"吴少诚听后赶快把这项工程停了下来。

十二月，徐州节度使张建封入京朝见。此前，宫中采买外面的物品，都是让官吏来主持其事，采买中随物按价付钱。近年来改由宦官作为采买的使者，称之为宫市，压低价钱购买别人的物品，逐渐低于本钱。后来，再也不拿宫中采买的文书，在长安东、西两市和各繁华热闹场所、大街小巷安置几百个白望人，到处察看百姓们出卖的物品，只要声称是宫廷采买，百姓就只得拱手把东西相送，人们无法分辨这些采买人是真是假，不敢询问他们从哪里来，也不敢讨论价钱的高低，这些人大

论价之高下者，率用直百钱物买人直数千物[293]，多以红紫染故衣[294]败缯[295]，尺寸裂而给之，仍索进奉门户[296]及脚价钱[297]。人将物诣市[298]，至有空手而归[299]者。名为宫市，其实夺之。商贾有良货，皆深匿[300]之。每敕使出，虽沽浆[301]卖饼者皆撤业闭门。尝有农夫以驴负柴，宦者称宫市取之，与绢数尺，又就索门户[302]，仍邀驴送柴至内[303]。农夫啼泣，以所得绢与之[304]，不肯受，曰："须得尔驴[305]。"农夫曰："我有父母妻子，待此然后食[306]。今以柴与汝，不取直而归[307]，汝尚不肯，我有死[308]而已！"遂殴[309]宦者。街吏擒以闻[310]。诏黜宦者[311]，赐农夫绢十匹。然宫市亦不为之改，谏官御史数谏，不听。建封入朝，具奏之[312]，上颇嘉纳，以问户部侍郎判度支苏弁[313]。弁希[314]宦者意，对曰："京师游手万家，无土著生业[315]，仰宫市取给。"上信之，故凡言宫市者皆不听。

【段旨】

以上为第九段，写德宗兴宫市之弊。

【注释】

㉘④开刀沟入汝：开凿刀沟渠，与汝水相连。汝水，淮水支流，在河南境内流经宝义、襄城、上蔡、汝南等地。吴少诚镇蔡州，治所即今河南汝南。刀沟渠当在汝南境。㉘⑤卢群：字载初，范阳（今北京城区西南）人，官至郑滑节度使。传见《旧唐书》卷一百四十、《新唐书》卷一百四十七。㉘⑥随给其直：随物按价付钱。㉘⑦宫市：宫廷采办。㉘⑧抑买人物二句：压价购买人们的物品，逐渐低于本钱。本估，本钱、成本、原价。估，价也。㉘⑨白望：使人于市中左选右挑，白取其物，不给本价。㉙⓪阅人所卖物：到处查看别人所卖的物品。㉙①敛手付与：拱手相送。㉙②无敢问所从来：没人敢问宫市购货人从哪里来。㉙③率用直百钱物买人直数千物：他们大都用价值一百钱的物品换取人家价值数千钱的物品。率，大体、大都。直，价值。㉙④以红紫染故衣：用红色、紫色给旧衣染上色彩

都用价值百钱的物品换取别人价值几千钱的物品，还多半用重新染了红色、紫色的旧衣服和变质的丝帛，按照尺寸撕下来给卖主充抵价款，还要索取所谓的进奉门户钱和脚夫钱。人们带着物品到市场上去卖，甚至有两手空空回家去的。名义上是宫市，实际上是在抢夺物品。商人们有了好的货物，都深深藏好。每当宫中使者出来的时候，即使是卖茶水、卖饼食的人，都不做生意而关上了门。曾经有一个农夫用驴子驮着柴火去卖，宦官声称宫中要采买，拿走了柴火，给了农夫几尺绢充抵价款，又向农夫索要进奉门户钱，还拦下驴子让农夫送柴火进宫。农夫哭了起来，把所得的几尺绢又退还给宦官，但宦官不肯接受，说："必须得到你的驴子。"农夫说："我还有父母和妻儿，全家都要靠这头驴子干活吃饭。现在我把柴火送给你，不收柴火钱就回去，你还不肯，那我只有一死了！"于是殴打了这个宦官。管理街市的小吏把农夫抓起来并上报朝廷。德宗下诏黜免了这个宦官，赏赐给农夫十匹绢。但是，宫中宦官们的采买也并没有因此而改变，谏官、御史们多次上谏，德宗都不听。张建封入京朝见，把宫市的情况详细上奏，德宗很是赞许并听了进去，于是就此事来询问户部侍郎、负责度支事务的苏弁。苏弁一味迎合宦官们的心思，回答说："京城里闲荡而不务正业的有上万户人家，他们没有固定的住所和职业，都依靠宫市来养活家小。"德宗信了苏弁的话，所以后来凡是有关取消宫市的劝谏，一概不听。

---

冒充新衣。故衣，旧衣。㉙⑤败缯：变质的丝帛。㉙⑥进奉门户：索取进奉门户钱，即收取入门费。㉙⑦脚价钱：脚力费，即运送费。㉙⑧将物诣市：带货物到市场上去。㉙⑨空手而归：即货物被宫市宦官所夺。㉚⓪深匿：深深隐藏起来。㉚①沽浆：卖茶水。㉚②索门户：即上文索以进奉门户钱。凡入宫经由门户皆要抽钱。㉚③仍邀驴送柴至内：还拦下驴子让农夫把柴送到宫内。㉚④与之：退还给宦官。㉚⑤须得尔驴：必须得到你的驴。㉚⑥待此然后食：依靠这头驴子干活吃饭。㉚⑦不取直而归：不收柴的本钱而空手回去。㉚⑧死：指拼命而死。㉚⑨殴：殴打。㉛⓪街吏擒以闻：管理街市的小吏捉拿农夫并报告到内廷。街吏，指金吾左右街使下面的小吏。㉛①诏黜宦者：下诏废免了强取农夫柴薪的宦官。㉛②具奏之：将宫市扰民的情况详细报告德宗。㉛③苏弁：字符容，由奉天主簿累官至户部侍郎判度支，终官滁州刺史。传见《旧唐书》卷一百八十九下、《新唐书》卷一百三。㉛④希：迎合。㉛⑤无土著生业：没有固定住所和为生的职业。

---

【原文】

十四年（戊寅，公元七九八年）

春，二月乙亥[316]，名申、光、蔡军曰彰义[317]。

夏，闰五月庚申[318]，以神策行营节度使韩全义[319]为夏、绥、银、宥节度使。全义时屯长武城[320]，诏帅其众赴镇。士卒以夏州碛卤[321]，又盛夏，不乐徙居。辛酉[322]，军乱，杀大将王栖岩，全义逾城走[323]。都虞候高崇文[324]诛首乱者，众然后定。崇文，幽州人也。丙子[325]，以崇文为长武城都知兵马使，不降敕，令中使口宣授之[326]。

秋，七月壬申[327]，给事中、同平章事赵宗儒罢为右庶子[328]，以工部侍郎郑余庆[329]为中书侍郎、同平章事。

八月，初置左、右神策统军。时禁军戍边，禀赐优厚[330]，诸将多请遥隶神策军，称行营，皆统于中尉，其军遂至十五万人。

京兆尹吴凑[331]屡言宫市之弊，请委之府县[5]。宦者言凑屡奏宫市，皆右金吾都知赵洽、田秀嵓之谋也。丙午[332]，洽、秀嵓坐流天德军[333]。

九月丙申[334]，以陕虢观察使于頔[335]为山南东道节度使。

丁卯[336]，杞王倕[337]薨。

彰武[338]节度使吴少诚遣兵掠寿州霍山[339]，杀镇遏使谢详，侵地五十余里，置兵镇守。

太学生薛约师事司业阳城，坐言事，徙连州[340]，城送之郊外。上以城党罪人，己巳[341]，左迁城道州[342]刺史。城治民如治家，州之赋税不登[343]，观察使数加诮让[344]，城自署其考[345]曰："抚字心劳，征科政拙，考下下[346]。"观察使遣判官督其赋[347]，至州，城先自囚于狱。判官大惊，驰入，谒城于狱，曰："使君何罪！某奉命来候安否耳！"留一二日未去，城不复归[348]。馆门外[349]有故门扇横地，城昼夜坐卧其上[350]。判官不自安，辞去。其后又遣他判官往按[351]之，他判官载妻子中道逸去[352]。

【语译】

**十四年（戊寅，公元七九八年）**

春，二月二十四日乙亥，朝廷把申州、光州、蔡州命名为彰义军。

夏，闰五月十一日庚申，德宗任命神策行营节度使韩全义为夏、绥、银、宥四州节度使。韩全义当时屯驻在长武城，德宗下诏命令韩全义率领部众前往新的镇所就任。士兵们认为夏州是多沙石的盐碱之地，又时当盛夏，都不乐意迁过去。十二日辛酉，军中发生叛乱，叛乱者杀了大将王栖岩，韩全义翻越城墙逃走。都虞候高崇文诛杀带头叛乱的人，将士们这才安定下来。高崇文，是幽州人。二十七日丙子，德宗任命高崇文为长武城都知兵马使，不下颁敕令，让宫中宦官使者口头宣布任命，授予高崇文新职。

秋，七月二十五日壬申，给事中、同平章事赵宗儒被免去宰相职务，降任右庶子，德宗任命工部侍郎郑余庆为中书侍郎、同平章事。

八月，开始设置左、右神策军统军一职。当时中央禁军戍守边疆，所得供给和赏赐十分优厚，地方军镇的将领们很多都请求虽然离得很远但也要隶属于神策军，称为行营，这些人都受神策军护军中尉统领，这样神策军的数量就增加到了十五万人。

京兆尹吴凑屡次上奏宫市的弊病，请求把宫中购买外面物品的事情交给府县。宦官们对德宗说吴凑屡次上奏议论宫市，都是右金吾都知赵洽、田秀嵓的主意。八月二十九日丙午，赵洽和田秀嵓获罪被流放到天德军。

九月丙申日，德宗任命陕虢观察使于頔为山南东道节度使。

二十一日丁卯，杞王李倕去世。

彰武军节度使吴少诚派兵去抢掠寿州的霍山县，杀了这里的镇遏使谢详，侵占土地五十多里，派兵镇守。

太学生薛约拜国子监司业阳城为师，因为向朝廷言事而获罪，被流放到连州，阳城在长安城的郊外送他。德宗认为阳城与有罪的人结党，九月二十三日己巳，把阳城降职为道州刺史。阳城治理道州百姓就像治理自己的家一样，道州的赋税不能按数征收上来，湖南观察使多次加以申斥，阳城为自己的考绩写下评语说："抚育百姓，心力劳苦，征收赋税，政绩拙劣，考核等级为下下。"观察使派判官到道州来督促阳城征收赋税，判官到了州里，阳城先把自己关进监狱。判官大吃一惊，急忙跑去，在监狱中谒见阳城，说："使君你有什么罪呢！我不过是奉命前来问候你是否平安罢了！"判官在道州停留了一二天还没离开，阳城便不回府舍。招待客人的馆舍门外有一扇旧门板横在地上，阳城白天黑夜就在这扇旧门板上或坐或卧。判官内心感到很不安，便告辞回去了。后来，观察使又派其他判官到道州去查办阳城，这个判官半路上带着妻儿老小逃跑了。

冬，十月丁酉[353]，通王谌[354]薨。

庚子[355]，夏州节度使韩全义奏破吐蕃于盐州[356]西北。

明州[357]镇将栗锽杀刺史卢云，诱山越[358]作乱，攻陷浙东州县[359]。

---

【段旨】

以上为第十段，写韩全义不武，就任夏绥银宥节度使为士兵所逐，为讨吴少诚兵败张本。阳城为官，在朝危言直行，外任为官，造福一方。

【注释】

[316]乙亥：二月二十四日。[317]彰义：方镇名，即淮西。肃宗至德元载（公元七五六年）置，代宗大历十四年（公元七七九年）赐号淮宁军，至是改彰义军。治所蔡州。[318]庚申：闰五月十一日。[319]韩全义：家贫寒，起于卒伍，以巧佞事宦者窦文场，累迁夏绥银宥节度使。传见《旧唐书》卷一百六十二、《新唐书》卷一百四十一。[320]长武城：长武城在邠州，在今陕西长武西北。[321]夏州碛卤：夏州地方为沙碛盐碱地。夏州治所朔方城，为夏绥银宥四州节度使镇所，在今内蒙古乌审旗南。[322]辛酉：闰五月十二日。[323]逾城走：翻城墙逃走。史言韩全义懦弱无御众的才略。[324]高崇文（公元七四五至八〇九年）：宪宗时官至邠宁节度使。传见《旧唐书》卷一百五十一、《新唐书》卷一百七十。[325]丙子：闰五月二十七日。[326]令中使口宣授之：派中使宣谕口诏任命高崇文为长武城都知兵马使。史言德宗信重宦官而轻诏命。[327]壬申：七月二十五日。[328]右庶子：东宫属官，掌侍从启奏。[329]郑余庆（公元七四五至八二〇年）：字居业，荥阳（今河南荥阳东北）人，仕德、顺、宪、穆四朝。出镇山南、凤翔两镇。终官太子少师。传见《旧唐书》卷一百五十八、《新唐书》卷一百六十五。[330]禀赐优厚：所得供给和赏赐优厚。禁军禀给为地方军的三倍。[331]京兆尹吴凑：京兆尹，京师行政长官。吴凑，唐肃宗吴皇后之弟，故敢屡言宫市之弊，宦官不便加罪，而以巡警京都的金吾都知赵洽、田秀嵓二人为替罪羊。[332]丙午：

---

【原文】

十五年（己卯，公元七九九年）

春，正月甲寅[360]，雅王逸[361]薨。

二月丁丑[362]，宣武节度使董晋薨。乙酉[363]，以其行军司马陆长源冬，十月二十一日丁酉，通王李谌去世。

二十四日庚子，夏州节度使韩全义上奏说在盐州西北打败了吐蕃人。

镇守明州的将领栗锽杀了明州刺史卢云，引诱山越人发动叛乱，攻陷了浙江东道的不少州县。

---

八月二十九日。㉝坐流天德军：获罪流放天德军。天德军，边防军镇，故城在今山西大同东北。㉞丙申：九月丁未朔，无丙申，疑为丙寅，九月二十日。㉟于頔：字允元。传见《旧唐书》卷一百五十六、《新唐书》卷一百七十二。㊱丁卯：九月二十一日。㊲杞王倕：唐肃宗第十子。㊳彰武：胡三省注，“当作‘彰义’”。㊴寿州霍山：寿州所属霍山县，县治在今安徽霍山。德宗兴元元年（公元七八四年）寿州别置观察使。㊵连州：州名，治所桂阳，在今广东连州。㊶己巳：九月二十三日。㊷道州：州名，治所营道，在今湖南道县西。㊸赋税不登：赋税收不上来。㊹诮让：申斥。㊺城自署其考：阳城自己给自己写上考绩鉴定。㊻抚字心劳三句：此为阳城自我调侃的考评语。意谓抚育百姓，心力劳苦，征收赋税，政绩拙劣，考绩为下下等。抚字，抚养。㊼督其赋：督责征税。㊽城不复归：判官不离州，阳城就不回归府舍。㊾馆门外：判官所居馆门之外。㊿故门扇横地二句：即阳城在判官下榻的馆门外放一块旧门板，日夜睡在门板上。故门扇，旧门板。(351)按：查办。(352)中道逸去：半路逃走。(353)丁酉：十月二十一日。(354)通王谌：德宗第三子。(355)庚子：十月二十四日。(356)盐州：州名，治所九原，在今陕西定边。(357)明州：州名，治所鄮县，在今浙江宁波。(358)山越：古代越人后裔，喜居于山林，史称山越，为当地主要的土著居民。(359)攻陷浙东州县：攻破浙江东道许多州县。

## 【校记】

［5］请委之府县：原无此句。据章钰校，乙十六行本、乙十一行本、孔天胤本皆有此句，张敦仁《通鉴刊本识误》同，今据补。张瑛《通鉴校勘记》此句“府县”作“州县”。

---

## 【语译】

### 十五年（己卯，公元七九九年）

春，正月初九日甲寅，雅王李逸去世。

二月初三日丁丑，宣武军节度使董晋去世。十一日乙酉，德宗任命宣武军的行

为节度使。长源性刻急，恃才傲物[364]。判官孟叔度轻佻淫纵[365]，好慢侮[366]将士，军中皆恶之。董晋薨，长源知留后[367]，扬言曰："将士弛慢[368]日久，当以法齐之[369]耳！"众皆惧。或劝之发财以劳军[370]，长源曰："我岂效[6]河北贼，以钱买健儿求节钺邪[371]！"故事，主帅薨，给军士布以制服[372]。长源命给其直[373]。叔度高盐直，下布直[374]，人不过得盐三二斤。军中怨怒，长源亦不为之备。是日，军士作乱，杀长源、叔度，脔食之，立尽[375]。监军俱文珍以宋州刺史刘逸准久为宣武大将，得众心，密书召之。逸准引兵径入汴州，乱众乃定。

以常州[376]刺史李锜[377]为浙西观察使、诸道盐铁转运使。锜，国贞之子也。闲厩、宫苑使李齐运受其赂数十万，荐之于上，故用之。锜刻剥以事进奉[378]，上由是悦之。

庚辰[379]，浙东观察使裴肃擒栗锽于台州[380]，送京师[7]，斩之。

己丑[381]，以刘逸准为宣武节度使，赐名全谅。

三月甲寅[382]，吴少诚遣兵袭唐州[383]，杀监军邵国朝、镇遏使张嘉瑜，掠百姓千余人而去。

戊午[384]，昭义节度使王虔休薨。戊辰[385]，以河阳、怀州节度使[386]李元淳为昭义节度使。

夏，四月癸未[387]，以安州刺史伊慎为安、黄等州节度使[8]。

癸巳[388]，山南西道节度使严震薨。

南诏异牟寻遣使与韦皋约共击吐蕃，皋以兵粮未集，请俟他年[389]。

山南西道都虞候严砺[390]谄事严震，震病，使知留后，遗表荐之。秋，七月乙巳[391]，以砺为山南西道节度使。

军司马陆长源为节度使。陆长源秉性严厉、急躁，自负其才，傲慢待人。判官孟叔度为人轻佻，淫乱放纵，喜欢轻慢、欺侮军中的将士，将士们都憎恨他。董晋去世后，陆长源主持留后事务，扬言道："将士军纪松弛、懒散已久，该用军法来整顿一下了！"大家都很害怕。有人劝陆长源发放钱财来慰劳将士，陆长源说："我难道要效法黄河北边的贼人，用钱来收买将士以求朝廷任命我为节度使吗！"按以前的惯例，军中的主帅去世后，要给军士发放布匹以制作丧服。陆长源下令改为发放与布等值的食盐之类物品。孟叔度于是抬高盐价，压低布价，每名士兵不过只得到两三斤盐。军中将士心中充满了怨恨、愤怒，陆长源对此也没有做什么防备。这一天，军士们起来作乱，杀了陆长源、孟叔度，把他们切成肉块来吃，顷刻吃尽。监军俱文珍觉得宋州刺史刘逸准长期担任宣武军的大将，深得人心，便暗中派人送信召他前来。刘逸准带兵径直进入汴州，叛乱的士兵这才被平定下来。

德宗任命常州刺史李锜为浙西观察使和各道盐铁转运使。李锜，是李国贞的儿子。担任闲厩、宫苑使的李齐运接受李锜贿赂的钱多达几十万缗，于是把李锜推荐给德宗，所以德宗任用了他。李锜侵夺盘剥百姓，搜刮财物，以向德宗进献，德宗因此非常喜欢李锜。

二月初六日庚辰，浙东观察使裴肃在台州擒获叛乱的栗锽，押送京城，把他杀了。

十五日己丑，德宗任命刘逸准为宣武军节度使，赐名为刘全谅。

三月初十日甲寅，吴少诚派兵袭击唐州，杀了监军邵国朝和镇遏使张嘉瑜，掳掠了一千多名百姓才回去。

十四日戊午，昭义军节度使王虔休去世。二十四日戊辰，德宗任命河阳、怀州节度使李元淳为昭义军节度使。

夏，四月初九日癸未，德宗任命安州刺史伊慎为安州、黄州等州节度使。

十九日癸巳，山南西道节度使严震去世。

南诏王异牟寻派使者到西川来，与韦皋相约一起进攻吐蕃，韦皋以兵马、粮草尚未聚集为由，请等到来年。

山南西道都虞候严砺对严震谄媚奉迎，严震病了以后，便让严砺主持留后事务，去世前留下表章向朝廷推荐严砺。秋，七月初三日乙巳，德宗任命严砺为山南西道节度使。

---

**【段旨】**

以上为第十一段，写宣武军换帅再度发生兵变。浙西观察使李锜、山南西道节度使严砺，不择手段上爬，德宗所用非人。

【注释】

㊱甲寅：正月初九日。㊲雅王逸：代宗第二十子。㊳丁丑：二月初三日。㊴乙酉：二月十一日。㊵傲物：傲视别人；看不起别人。㊶轻佻淫纵：为人轻佻，淫乱放纵。㊷慢侮：轻慢欺侮。㊸知留后：代理留后。㊹弛慢：指军纪松弛懒散。㊺以法齐之：用法整顿弛慢。㊻发财以劳军：发放钱财来慰劳全军。㊼我岂效河北贼二句：此为陆长源的豪言。意谓我怎能效法河北诸贼帅，用钱财收买勇士向朝廷求索节度使之位呢。健儿，勇士。节钺，符节和大斧，方镇大臣持有的凭证，象征专擅一方的权力。㊽给军士布以制服：发给军士布匹用以制作丧服。实即以制丧服为名义，犒赏士兵。㊾给其直：发给价值相当于布匹的食盐等物。㊿高盐直二句：提高盐价，压低布价。(375)脔食之二句：切成肉块吞食，顷刻吃尽。(376)常州：州名，治所晋陵，在今江苏常州。(377)李锜：肃宗末河中节度使、都统处置使李国贞之子。以贪残贿赂得为浙西观察使，迁镇海军节度使，宪宗元和二年（公元八〇七年）谋反，被部属所杀。传见《旧唐书》卷一百十二、《新唐书》

【原文】

八月丙申(392)[9]，陈许节度使曲环薨。乙未(393)，吴少诚遣兵掠临颍，陈州刺史上官涚知陈许留后，遣大将王令忠将兵三千救之，皆为少诚所虏。九月[10]丙午(394)，以涚为陈许节度使，少诚遂围许州(395)。涚欲弃城走，营田副使(396)刘昌裔(397)止之，曰："城中兵足以办贼，但闭城勿与战，不过数日，贼气自衰。吾以全制其弊，蔑不克矣(398)。"少诚昼夜急攻，昌裔募勇士千人凿城出击(399)少诚，大破之，城由是全。昌裔，兖州(400)人也。少诚又寇西华(401)，陈许大将孟元阳(402)拒却之。陈许都知兵马使安国宁与上官涚不叶，谋翻城应少诚，刘昌裔以计斩之。召其麾下，人给二缣，伏兵要巷(403)，见持缣者悉斩之，无得脱者。

庚戌(404)[11]，宣武节度使刘全谅薨。军中思刘玄佐之恩，推其甥都知兵马使匡城韩弘(405)为留后。弘将兵，识其材鄙勇怯(406)，指顾必堪其事(407)。

丙辰(408)，诏削夺吴少诚官爵，令诸道进兵讨之。

卷二百二十四上。㊸㊷⁸ 锜刻剥以事进奉：李锜苛酷地刻剥百姓用来进奉皇上。㊸㊷⁹ 庚辰：二月初六日。㊸⁸⁰ 台州：州名，治所临海，在今浙江临海。㊸⁸¹ 己丑：二月十五日。㊸⁸² 甲寅：三月初十日。㊸⁸³ 唐州：州名，治所在今河南泌阳。㊸⁸⁴ 戊午：三月十四日。㊸⁸⁵ 戊辰：三月二十四日。㊸⁸⁶ 河阳怀州节度使：即河阳节度使。㊸⁸⁷ 癸未：四月初九日。㊸⁸⁸ 癸巳：四月十九日。㊸⁸⁹ 请俟他年：请等到来年。韦皋未知南诏是否真心助唐，故以兵粮未集为辞，不贸然与之合兵。㊸⁹⁰ 严砺：梓州盐亭（今四川盐亭）人，官至山南西道节度使，贪残无比，人不堪其苦。传见《旧唐书》卷一百十七、《新唐书》卷一百四十四。㊸⁹¹ 乙巳：七月初三日。

【校记】

［6］效：原无此字。据章钰校，乙十六行本、乙十一行本、孔天胤本皆有此字，张敦仁《通鉴刊本识误》同，今据补。［7］送京师：原无此三字。据章钰校，乙十六行本、乙十一行本、孔天胤本皆有此三字，张瑛《通鉴校勘记》同，今据补。［8］夏四月癸未以安州刺史伊慎为安黄等州节度使：原无此二十字，今据章钰《通鉴校宋记》增补。

【语译】

八月二十五日丙申，陈许节度使曲环去世。二十四日乙未，吴少诚派兵抢掠临颍，陈州刺史上官涚主持陈许节度使留后事务，派大将王令忠率三千兵马前去救援，这些人都被吴少诚所俘虏。九月初五日丙午，德宗任命上官涚为陈许节度使，吴少诚于是带兵围攻许州城。上官涚打算丢下许州城逃跑，营田副使刘昌裔制止上官涚，说："城中兵力足以打败敌人，只要紧闭城门，不与他们交战，过不了几天，敌人的气焰自然就会衰减。我们以全盛的兵力来攻击疲惫的敌人，没有不取胜的。"吴少诚日夜猛攻，刘昌裔招募一千名勇士凿穿城墙出击，把吴少诚的军队打得大败，许州城因此得以保全。刘昌裔是兖州人。吴少诚又侵犯西华县，陈许节度使大将孟元阳率军抵御，击退了吴少诚。陈许都知兵马使安国宁与上官涚关系不好，图谋在许州城内造反以策应吴少诚，刘昌裔用计杀了安国宁。并召集安国宁的部下，每人发给细绢两匹，同时在他们必经的街巷中设下伏兵，见到手拿细绢的士兵就全都杀掉，结果这些人没有一个能逃脱的。

九月初九日庚戌，宣武军节度使刘全谅去世。军中将士思念刘玄佐的恩德，推举他的外甥、担任都知兵马使的匡城人韩弘为节度使留后。韩弘带兵，能识别部下才能的大小，是勇敢还是怯懦，凡是委派调遣的人一定能胜任所承担的工作。

九月十五日丙辰，德宗下诏剥夺吴少诚的官职和爵位，命令各道进军讨伐吴少诚。

辛酉㊴，以韩弘为宣武节度使。先是，少诚遣使[12]与刘全谅约共攻陈许，以陈州归宣武。使者数辈犹在馆，弘悉驱出斩之。选卒三千，会诸军击少诚于许下。少诚由是失势。

冬，十月乙丑㊵，邕王謜㊶薨。太子之子也，上爱而子之，及薨，谥曰文敬太子。

山南东道节度使于頔、安黄节度使伊慎、知寿州事王宗与上官涗、韩弘进击吴少诚，屡破之。十一月壬子㊷，于頔奏拔吴房、朗山㊸。

十二月辛未㊹，中书令、咸宁王浑瑊薨于河中。瑊性谦谨，虽位穷将相，无自矜大之色。每贡物必躬自阅视，受赐如在上前㊺，由是为上所亲爱。上还自兴元，虽一州一镇有兵者，皆务姑息。瑊每奏事，不过㊻，辄私喜曰："上不疑我。"故能以功名终。

六州党项㊼自永泰㊽以来居于石州，永安镇将㊾阿史那思暕侵渔不已，党项部落悉逃奔河西㊿。

诸军讨吴少诚者既无统帅，每出兵，人自规利，进退不壹。乙未[421]，诸军自溃于小溵水[422]，委弃器械资粮，皆为少诚所有。于是始议置招讨使。

吐蕃众五万分击南诏及巂州，异牟寻与韦皋各发兵御之，吐蕃无功而还。

---

**【段旨】**

以上为第十二段，写朝廷大发兵征讨淮西吴少诚。诸镇官兵不设统帅，溃败于小溵水。

二十日辛酉，德宗任命韩弘为宣武军节度使。此前，吴少诚派使者与刘全谅相约共同攻打陈许地区，事成之后把陈州划归宣武军。吴少诚派出的几批使者这时还在宣武军的馆舍中，韩弘把他们全部赶出来杀了。韩弘还挑选了三千名士兵，与各道的军队会合，在许州城下向吴少诚发起进攻。吴少诚从此势力大受削弱。

冬，十月乙丑日，邕王李謜去世。李謜是太子的儿子，德宗很喜欢他，把他当自己的儿子一样对待，他去世后，德宗赐谥号为文敬太子。

山南东道节度使于頔、安黄节度使伊慎、主持寿州事务的王宗与上官涚、韩弘等人率军进击吴少诚，屡次把他打败。十一月十二日壬子，于頔上奏说攻下了吴房和朗山。

十二月初二日辛未，中书令、咸宁王浑瑊在河中府去世。浑瑊生性谦虚谨慎，虽然位居作为臣子顶点的将相之位，但毫无骄矜自大的神色。每次向德宗进贡物品，一定要亲自察看，接受德宗的赏赐，虽身在外地，但就像在德宗的面前一样诚惶诚恐，因此他深得德宗的亲近和宠爱。德宗从兴元府还朝以后，对一州一镇手中握有兵权的人所上奏的事，都一味姑息。但浑瑊每次奏事，德宗总是把奏章留在宫中不转发下去，浑瑊私下对此高兴地说道："皇上不怀疑我。"所以浑瑊能够保持功名直到去世。

六州党项部落从永泰年间以来一直居住在石州，永安镇将阿史那思暕对他们不停侵扰掠夺，于是党项部落全都逃到黄河以西去了。

各道军队讨伐吴少诚，没有一个共同的统帅，每次出兵，大家都各自谋求私利，军队的进退不能统一。十二月二十六日乙未，各路兵马在小溵水自我溃散了，丢下的器械、粮食，都被吴少诚拿去了。从这时开始，朝廷才商议设置招讨使。

吐蕃的军队五万人分头攻打南诏和巂州，异牟寻和韦皋各自发兵抵御，吐蕃人一无所获，退了回去。

---

【注释】

㊴㊇ 丙申：八月二十五日。㊴㊈ 乙未：八月二十四日。㊴㊉ 丙午：九月初五日。㊴㊄ 许州：州名，治所在今河南许昌。㊴㊅ 营田副使：官名，主管屯田的副长官。㊴㊆ 刘昌裔：字光后，太原阳曲（在今山西阳曲西南）人，官至陈许节度使。传见《旧唐书》卷一百五十一、《新唐书》卷一百七十。㊴㊇ 蔑不克矣：没有不取胜的。㊴㊈ 凿城出击：从城墙穿洞出击。㊵⓪ 兖州：州名，治所瑕丘县，在今山东济宁市兖州区。两《唐书》刘昌裔本传皆云太原阳曲人，此言兖州，当另有所据。㊵① 西华：县名，陈州巡县，县治在今河南西华西。㊵② 孟元阳：宪宗时官至河阳节度使。传见《旧唐书》卷一百五十一、《新唐书》卷一百七十。㊵③ 要巷：交通必经的街巷。㊵④ 庚戌：九月初九日。㊵⑤ 韩弘：滑州匡城（今河南

长垣）人，历仕德宗、宪宗两朝，终官河中节度使。传见《旧唐书》卷一百五十六、《新唐书》卷一百五十八。406 识其材鄙勇怯：能识别部下有才与无才，勇敢与懦弱。407 指顾必堪其事：委派调遣的人一定能胜任他承担的工作。408 丙辰：九月十五日。409 辛酉：九月二十日。410 乙丑：十月辛未朔，无乙丑。疑"十月"二字衍文。乙丑，九月二十四日。411 邕王謜：本太子李诵（即唐顺宗）之子，德宗孙，德宗爱而子之。412 壬子：十一月十二日。413 吴房、朗山：皆县名，淮西蔡州巡县。吴房县治在今河南遂平，朗山县治在今河南确山县。414 辛未：十二月初二日。415 受赐如在上前：虽然身在外地，受到德宗赏赐如同在德宗跟前一样诚惶诚恐。416 不过：唐制，节镇奏事，凡经皇帝称可者，皆转发中书、门下二省。浑瑊奏事，德宗表示赞同后，留中不再下达二省，称为不过。浑瑊认为这是德宗对他的信任，完全相信他的奏事。417 六州党项：即野利越诗、野利龙儿、野利厥律、儿黄、野海、野窣等六部党项，原居于庆州、夏州等六州。自永泰以后移居于石州。石州治所在今山西吕梁市离石区，大河之东。418 永泰：代宗的第二个年号（公

【原文】

## 十六年（庚辰，公元八〇〇年）

春，正月乙巳[423][13]，恒冀、易定、陈许、河阳四军与吴少诚战，皆不利而退。夏绥节度使韩全义本出神策军，中尉窦文场爱厚之，荐于上，使统诸军讨吴少诚。二月乙酉[424]，以全义为蔡州四面行营招讨使，十七道兵皆受全义节度。

宣武军自刘玄佐薨，凡五作乱[425]，士卒益骄纵，轻其主帅。韩弘视事数月，皆知其主名[426]。有郎将刘锷，常为唱首。三月，弘陈兵牙门[427]，召锷及其党三百人，数之以"数预于乱，自以为功"，悉斩之，血流丹道[428]。自是至弘入朝二十一年[429]，士卒无一人敢讙呼于城郭者。

义成监军薛盈珍为上所宠信，欲夺节度使姚南仲军政，南仲不从，由是有隙。盈珍谮其幕僚马总[430]，贬泉州[431]别驾。福建观察使柳冕[432]谋害总以媚盈珍，遣幕僚宝鼎薛戎[433]摄泉州事，使按致总罪。戎为辩析其无辜，冕怒，召戎，囚之，使守卒恣为侵辱。如此弥月，徐诱之使诬总，戎终不从，总由是获免。冕，芳之子也。

元七六五至七六六年）。⑲永安镇将：唐置永安镇将于石州，控制六州党项。⑳河西：地区名，指今陕北黄河西岸地区。㉑乙未：十二月二十六日。㉒小溵水：溵又作濦。颍水东至今河南临颍西，分为大、小二溵水，小溵水在大溵水之北，东流至郾城东入大溵水，久湮。官军溃于小溵水，当在临颍一带。此为官军的后勤基地。

## 【校记】

［9］丙申：原无此二字。据章钰校，乙十六行本、乙十一行本、孔天胤本皆有此二字，张敦仁《通鉴刊本识误》、张瑛《通鉴校勘记》同，今据补。［10］九月：原无此二字。据张敦仁《通鉴刊本识误》，当有此二字，今据补。［11］庚戌：原误作"庚辰"。张敦仁《通鉴刊本识误》作"庚戌"，当是，今据校正。九月壬寅朔，无庚辰。［12］遣使：原无此二字。据章钰校，乙十六行本、乙十一行本、孔天胤本皆有此二字，张敦仁《通鉴刊本识误》同，今据补。

## 【语译】

### 十六年（庚辰，公元八〇〇年）

春，正月初六日乙巳，恒冀、易定、陈许、河阳四镇的军队与吴少诚交战，全都不利而退回。夏绥节度使韩全义原本出自神策军，护军中尉窦文场十分喜欢他，对他很好，并把他推荐给德宗，让他统帅各军讨伐吴少诚。二月十七日乙酉，德宗任命韩全义为蔡州四面行营招讨使，十七个军镇的兵马都受韩全义调度指挥。

宣武军从刘玄佐去世以后，总共有五次作乱，士兵们越来越骄横放纵，轻视他们的主帅。韩弘上任主政几个月以后，掌握了为首作乱的人的名字。有一名郎将叫刘锷，经常倡导作乱。三月，韩弘在军府的牙门外布置重兵，把刘锷及其党羽三百人招来，历数他们多次参与作乱，还自以为有功，把他们全都杀了，血流染红了道路。从此以后，直到韩弘入朝，在这二十一年中，没有一个将士敢在城内外喧哗呼叫的。

义成军的监军薛盈珍受到德宗的宠信，想夺取节度使姚南仲统军的大权，姚南仲不肯答应，于是两人间的关系有了裂痕。薛盈珍诬陷姚南仲的幕僚马总，把他贬为泉州别驾。福建观察使柳冕企图陷害马总以讨好薛盈珍，派幕僚宝鼎人薛戎去代理主持泉州事务，让他调查罗织马总的罪名。薛戎为马总辩解，认为马总无罪，柳冕大怒，召回薛戎，把他囚禁起来，还让看守监狱的士兵肆意侵犯侮辱他。这样过了一个多月，柳冕又慢慢诱导薛戎，让他诬陷马总，薛戎始终不答应，马总因此得

盈珍屡毁南仲于上，上疑之。盈珍又[14]遣小吏程务盈乘驿诬奏南仲罪。牙将曹文洽亦奏事长安，知之，晨夜兼行，追及务盈于长乐驿㊹，与之同宿，中夜㊺，杀之，沈盈珍表于厕中，自作表雪南仲之冤，且首专杀㊻之罪，亦作状白南仲㊼，遂自杀。明旦，门不启㊽，驿吏排㊾之入，得表、状㊿于文洽尸旁。上闻而异之，征盈珍入朝。南仲恐盈珍谗之益深，亦请入朝。夏，四月丙子㊶，南仲至京师，待罪于金吾㊷，诏释之，召见。上问："盈珍扰㊸卿邪？"对曰："盈珍不扰臣，但乱陛下法耳。且天下如盈珍辈，何可胜数！虽使羊、杜㊹复生，亦不能行恺悌之政㊺，成攻取之功也。"上默然，竟不罪盈珍，仍使掌机密。

盈珍又言于上曰："南仲恶政，皆幕僚马少微赞之也。"诏贬少微江南官，遣中使送之，推坠江中㊻而死。

---

【段旨】

以上为第十三段，写韩弘镇宣武尽诛唱乱者，一方始安。德宗放纵各镇中使监军为所欲为，义成军监军薛盈珍罪恶昭著，德宗释而不问。

【注释】

㊸乙巳：正月初六日。㊹乙酉：二月十七日。㊺凡五作乱：贞元八年（公元七九二年）刘玄佐卒，至贞元十四年，七年之间，总计有五次兵变。贞元八年玄佐卒时，汴兵拒吴凑而立其子士宁，此其一；接着李万荣逐士宁，贞元十年，韩惟清等乱，此其二；贞元十二年李万荣死，其子迺以兵乱，此其三；董晋入汴，邓惟恭复谋乱，此其四；贞元十四年，董晋卒，兵又乱，杀留后陆长源，此其五。㊻主名：为首闹兵变的人名。㊼牙门：节镇衙门。㊽血流丹道：流血染红了道路。㊾二十一年：韩弘贞元十五年主汴，至宪宗元和十四年（公元八一九年）入朝，凡二十一年。㊿马总：字会元，扶风（今陕西扶风）人，历官岭南都护、桂管观察使，以及淮西、忠武、天平等节度使。传见《旧唐书》卷一百五十七、《新唐书》卷一百六十三。㊶泉州：州名，治所在今福建泉州。㊷柳冕：字敬叔，肃宗朝史官、集贤殿学士柳芳之子。传见《旧唐书》卷一百四十九、《新唐

免一劫。柳冕，是柳芳的儿子。

薛盈珍屡次在德宗面前诋毁姚南仲，德宗开始对姚南仲有了怀疑。薛盈珍又派一名小吏程务盈乘驿车去朝廷诬奏姚南仲有罪。义成军的牙将曹文洽也要到长安城去奏事，知道了这件事，便日夜兼程，在长安城附近的长乐驿追上了程务盈，与他一起住宿，半夜时分，把程务盈杀了，把薛盈珍诬陷姚南仲的奏表沉入厕所之中，自己写了一份奏表为姚南仲洗雪冤枉，并且自首了擅自杀死程务盈的罪过，还写了一份状文把事情经过禀告姚南仲，然后自杀。第二天早上，曹文洽住的房门打不开，驿站的官吏撞开门进去，在曹文洽的尸体旁发现了曹文洽写的奏表和状文。德宗听说这件事后，感到很惊异，征召薛盈珍入京朝见。姚南仲担心薛盈珍会变本加厉地诬陷自己，也请求入京朝见。夏，四月初八日丙子，姚南仲到了京城，在金吾仗院内等候德宗治罪，德宗下诏开释了姚南仲，并且召见他，德宗问："薛盈珍干扰了你吗？"姚南仲回答说："薛盈珍没有干扰我，只是扰乱了陛下的法度而已。而且，天下像薛盈珍这样的人，哪里能数得过来！即便是晋朝的羊祜、杜预这种贤臣复活，也不能推行和乐平易的政治，成就开疆拓土的功业啊。"德宗默不作声，但最终还是没有治薛盈珍的罪，继续让薛盈珍掌管机密事务。

薛盈珍又对德宗说："姚南仲政绩恶劣，都是幕僚马少微在帮助他。"德宗下诏把马少微贬到江南为官，并派宫中宦官使者押送，使者把马少微推落到长江中淹死了。

---

书》卷一百三十二。㊸薛戎：字符夫，河中宝鼎（今山西万荣西南）人，官至浙东观察使。传见《旧唐书》卷一百五十五、《新唐书》卷一百六十四。㊹长乐驿：在长安城东浐水西岸。㊺中夜：半夜。㊻专杀：擅自杀人。㊼作状白南仲：写下情由禀报姚南仲。㊽门不启：门不开。㊾排：撞开馆门。㊿表状：表，指上奏朝廷的奏章。状，指写给姚南仲的报告。441丙子：四月初八日。442待罪于金吾：在金吾仗院等候治罪。唐制，凡内、外官待罪者，皆诣金吾仗院。金吾仗院在西京大明宫丹凤门内，含元殿前，分左、右。443扰：干扰政事。444羊、杜：西晋名将羊祜、杜预。445恺悌之政：和乐平易的政治。恺悌，语出《诗经·旱麓》："恺悌君子，福禄攸降。"《左传》僖公十二年传引用为："《诗》曰：'恺悌君子，神所劳矣。'"446江中：长江中。

## 【校记】

［13］乙巳：原无此二字。据章钰校，乙十六行本、乙十一行本、孔天胤本皆有此二字，张敦仁《通鉴刊本识误》、张瑛《通鉴校勘记》同，今据补。［14］又：原作"乃"。据章钰校，乙十六行本、乙十一行本、孔天胤本皆作"又"，义长，今据改。

【原文】

黔中㊼观察使韦士宗㊽，政令苛刻。丁亥㊾，牙将傅近等逐之，出奔施州㊿。

新罗王敬则(451)卒。庚寅(452)，册命其嫡孙俊邕为新罗王。

韩全义素无勇略，专以巧佞货赂结宦官得为大帅，每议军事，宦者为监军者数十人坐帐中争论，纷然莫能决而罢。天渐暑，士卒久屯沮洳之地(453)，多病疫，全义不存抚[15]，人有离心。五月庚戌(454)，与吴少诚将吴秀、吴少阳(455)等战于溵南(456)广利原，锋镝才交，诸军大溃。秀等乘之，全义退保五楼(457)。少阳，沧州清池人也。

山南东道节度使于頔因讨吴少诚，大募战士，缮甲厉兵，聚敛货财，恣行诛杀，有据汉南之志，专以慢上陵下为事。上方姑息藩镇，知其所为，无如之何。頔诬邓州(458)刺史元洪赃罪，朝廷不得已流洪端州(459)，遣中使护送至枣阳(460)。頔遣兵劫取归襄州，中使奔归。頔表洪责太重，上复以洪为吉州(461)长史，乃遣之。又怒判官薛正伦，奏贬峡州(462)长史。比敕下，頔怒已解，复奏留为判官。上一一从之。

---

【段旨】

以上为第十四段，写官军招讨使韩全义无勇无谋，被吴少诚叛军大败于溵水南。山南东道节度使于頔以讨逆为名大募战士以图割据，德宗姑息不问。

【注释】

(447)黔中：方镇名，代宗大历十二年（公元七七七年）置黔中观察使。治所黔州，在今重庆市彭水苗族土家族自治县。(448)韦士宗：原名韦士伋，贞元十六年改名士宗，又名士及。(449)丁亥：四月十九日。(450)施州：州名，治所清江县，在今湖北恩施。(451)敬则：《旧唐书》卷一百九十九上、《新唐书》卷二百二十《东夷传》皆作“敬信”。(452)庚寅：四月

## 【语译】

黔中观察使韦士宗，实施政令严厉刻薄。四月十九日丁亥，牙将傅近等赶走了他，他逃到施州去了。

新罗王敬则去世。二十二日庚寅，德宗册封敬则的嫡孙俊邕为新罗王。

韩全义平素无勇无谋，专门靠花言巧语奉承和行贿与宦官结上关系，才得以担任统摄各路兵马的大帅，每次讨论军事时，担任监军的宦官几十人坐在大帅帐中争论，意见纷纷，没有谁能做出决断，只好作罢。天气渐渐炎热起来，士兵们长期屯驻在低洼潮湿之地，很多人得了瘟疫，韩全义不加抚恤，人们逐渐产生了背离之心。五月十三日庚戌，朝廷各军在溵水南面的广利原与吴少诚的将领吴秀、吴少阳等人的军队交战，双方才一交锋，朝廷各军就纷纷溃散。吴秀等人乘胜进击，韩全义只得退守到五楼。吴少阳，是沧州清池县人。

山南东道节度使于頔利用讨伐吴少诚之机，大规模招募士兵，修整铠甲兵器，搜刮百姓的钱财，肆无忌惮地实施诛杀，有占据汉水以南地区的意图，专门做些轻慢朝廷、欺凌属下的事情。德宗这时对各军镇正一味姑息，虽然知道于頔的所作所为，但也没采取什么措施来对付。于頔诬陷邓州刺史元洪贪赃受贿，朝廷迫不得已，把元洪流放到端州，派宫中的宦官使者护送元洪到枣阳。于頔派兵把元洪抢回到襄州，护送的宫中宦官使者逃回长安。于頔上表称对元洪的责罚太重，德宗只得又把元洪改贬为吉州长史，于頔这才放元洪走。于頔又对判官薛正伦心怀愤怒，上奏朝廷把薛正伦贬为峡州长史。等到朝廷批准的敕令颁下时，于頔的怒气已消，他又上奏让薛正伦继续留任判官。德宗对此都一一依从。

---

二十二日。㊺㊸ 沮洳之地：低洼潮湿之地。㊺㊹ 庚戌：五月十三日。㊺㊺ 吴少阳：沧州清池（今河北沧州东南）人，吴少诚养弟。少诚死，吴少阳杀其子，自称留后，朝廷遂命为淮西节度使。传见《旧唐书》卷一百四十五、《新唐书》卷二百十四。㊺㊻ 溵南：溵水之南。㊺㊼ 五楼：地名，在今河南商水县西南。㊺㊽ 邓州：州名，治所在今河南邓州。㊺㊾ 端州：州名，治所在今广东肇庆。㊻⓪ 枣阳：县名，县治在今湖北枣阳。㊻① 吉州：州名，治所在今江西吉安。㊻② 峡州：州名，治所在今湖北宜昌。

## 【校记】

［15］全义不存抚：原无此句。据章钰校，乙十六行本、乙十一行本皆有此句，张敦仁《通鉴刊本识误》同，今据补。孔天胤本亦有此句，“抚”作“恤”。

【原文】

徐、泗、濠节度使张建封镇彭城十余年[463]，军府称治。病笃，累表[16]请除代人。辛亥[464]，以苏州[465]刺史韦夏卿[466]为徐、泗、濠行军司马。敕下，建封已薨。夏卿，执谊之从祖[467]兄也。徐州判官郑通诚知留后，恐军士为变，会浙西兵过彭城，通诚欲引入城为援。军士怒，壬子[468]，数千人斧库门，出甲兵擐执之，围牙城，劫建封子前虢州参军愔[469]令知军府事，杀通诚及大将段伯熊等数人，械系监军。上闻之，以吏部员外郎李鄘[470]为徐州宣慰使[471]。鄘直抵其军，召将士宣朝旨，谕以祸福，脱监军械，使复其位，凶党不敢犯。愔上表称兵马留后，鄘以非朝命，不受[472]，使削去，然后受之以归[473]。

灵州破吐蕃于乌兰桥[474]。

丙寅[475]，韦士宗复入黔中[476]。

湖南观察使河中吕渭[477]奏发永州[478]刺史阳履赃贿，履表称所敛物皆备进奉。上召诣长安，丁丑[479][17]，命三司使鞫之[480]，诘其物费用所归[481]。履曰："已市马进之矣[482]。"又诘马主为谁？马齿几何？对曰："马主，东西南北之人，今不知所之。按礼，齿路马有诛[483]，故不知其齿[484]。"所对率如此。上悦其进奉之言，释之，但免官而已。

丙戌[485]，加淄青节度使李师古同平章事。

徐州乱兵为张愔表求旄节，朝廷不许。加淮南节度使杜佑[486]同平章事，兼徐、濠、泗节度使，使讨之。佑大具舟舰，遣牙将孟准为前锋。济淮而败，佑不敢进。泗州刺史张伾[487]出兵攻埇桥[488]，大败而还。朝廷不得已除愔徐州团练使，以伾为泗州留后，濠州刺史杜兼[489]为濠州留后，仍加佑兼濠泗观察使。

【语译】

徐、泗、濠三州节度使张建封镇守彭城十多年，军府事务治理有方。他病势沉重，多次上表朝廷请求任命代替自己职务的人。五月十四日辛亥，德宗任命苏州刺史韦夏卿为徐、泗、濠三州行军司马。朝廷的敕令颁下时，张建封已经去世。韦夏卿，是韦执谊的堂兄。徐州判官郑通诚主持留后事务，担心军中将士叛变，恰逢浙西的军队路过彭城，郑通诚打算把他们迎进城来作为外援。军中将士对此十分愤怒，十五日壬子，几千名将士用斧头劈开军械库大门，拿出铠甲兵器，全副武装，包围了军府所在的牙城，劫持张建封的儿子前任虢州参军张愔，让他来主持军府事务，还杀了郑通诚和大将段伯熊等人，给监军戴上刑具关押起来。德宗听到这件事后，任命吏部员外郎李鄘为徐州宣慰使。李鄘径直来到军中，召集将士们宣布朝廷的旨意，讲清何者为祸何者为福以开导他们，并把监军身上的刑具卸下来，让他官复原职，那伙参与叛乱的将士不敢冒犯李鄘。张愔上表自称兵马留后，李鄘因张愔的兵马留后职务不是朝廷任命的，不接受他的奏表，让他削去兵马留后的称谓，然后才收下他的奏表，回到朝廷。

灵州的唐军在乌兰桥击败吐蕃人。

五月二十九日丙寅，黔中观察使韦士宗重又回到黔中。

湖南观察使河中人吕渭上奏朝廷，告发永州刺史阳履贪赃受贿，阳履上表声称自己所搜刮的钱物都是准备进贡的。德宗召阳履前来长安。丁丑日，德宗命御史台等三司会审阳履，查问他搜刮的钱物都到哪里去了。阳履回答说："已经买马进献给皇帝了。"又问阳履卖马的人是谁？马的年龄有多大？阳履回答说："卖马的主人，东西南北的人都有，现在不知道他们到哪里去了。《礼记》上说：打听君王御用马的年龄要受诛杀，所以我不知道那些马的年龄。"阳履的回答大多如此。德宗喜欢阳履所说的是用来进贡的话，把他释放了，仅仅是免去了他的官职而已。

六月十九日丙戌，德宗加封淄青节度使李师古同平章事。

徐州叛乱的士兵为张愔向朝廷上表请求授给他节度使的旌节，朝廷没有答应。德宗加封淮南节度使杜佑同平章事，并兼任徐、濠、泗节度使，让他率军讨伐徐州。杜佑大规模置备舰船，派牙将孟准担任前锋。但孟准渡淮水交战失败，杜佑不敢贸然前进。泗州刺史张伾出兵攻打埇桥，被打得大败而回。朝廷迫不得已只好任命张愔为徐州团练使，又任命张伾为泗州留后，任命濠州刺史杜兼为濠州留后，仍然加授杜佑兼任濠泗观察使。

【段旨】

以上为第十五段，写徐泗濠军镇因换帅而引发动乱，德宗不得已任命张愔为留后，杜佑只为名义观察使。

【注释】

㊸张建封镇彭城十余年：贞元四年（公元七八八年）德宗置徐泗濠节度使，以张建封为节镇，至此十二年。㊹辛亥：五月十四日。㊺苏州：州名，治所吴县，在今江苏苏州。㊻韦夏卿：字云客，翰林学士韦执谊堂兄。授徐泗濠行军司马，因徐州军乱，召还为吏部侍郎。官至东都留守。传见《旧唐书》卷一百六十五、《新唐书》卷一百六十二。㊼从祖：叔祖或伯祖。㊽壬子：五月十五日。㊾愔：即张愔，张建封子，以荫补虢州参军。建封死后，徐州军拥为留后，德宗宣慰失效，割濠、泗分治，以张愔为徐州留后，不久进为武宁军节度使，领徐一州。传附《旧唐书》卷一百四十、《新唐书》卷一百五十八《张建封传》。㊿李鄘：字建侯，性刚直，德宗拜为宣慰使。顺宗时进御史中丞，宪宗时为京兆尹，以检校礼部尚书为凤翔、陇右节度使，后又为淮南节度使。传见《旧唐书》卷一百五十七、《新唐书》卷一百四十六。[471]宣慰使：朝廷派出大臣巡抚灾区或乱兵地区恢复秩序的特使，全称宣慰安抚使，省称宣慰使，或安抚使。[472]不受：李鄘不接受张愔自署“兵马留后”的奏表。[473]受之以归：李鄘接受张愔删去“兵马留后”的奏表回到朝廷。[474]乌兰桥：浮桥名，在今甘肃靖远西北黄河上。[475]丙寅：五月二十九日。[476]韦士宗复入黔中：本年四月为牙将傅近所逐，出奔施州。[477]吕渭：字君载，河中府（今山西永济

---

【原文】

兼，正伦五世孙也，性狡险强忍[490]。建封之疾亟也，兼阴图代之，自濠州疾驱至府。幕僚李藩[491]与同列入问建封疾，出见之，泣曰：“仆射[492]疾危如此，公宜在州防遏。今弃州此来，欲何为也！宜速去，不然，当奏之。”兼错愕[493]出不意，遂径归。建封薨，藩归扬州[494]。兼诬奏藩于建封之薨摇动军情，上大怒，密诏杜佑使杀之。佑素重藩，怀诏旬日[495]不忍发，因引藩论佛经曰：“佛言果报[496]，有诸？”藩曰：“有之。”佑曰：“审如此[497]，君宜遇事无恐。”因出诏示藩。藩神色

西）人，官至礼部侍郎，终官潭州刺史兼湖南观察使。传见《旧唐书》卷一百三十七、《新唐书》卷一百六十。㊽永州：州名，治所零陵县，在今湖南永州市零陵区。㊾丁丑：五月戊戌朔，无丁丑。下文有丙戌，上下对照，疑丁丑前脱“六月”二字。丁丑，六月初十日。㊿命三司使鞫之：命中书、门下、御史台三司会审阳履。[481]诘其物费用所归：责问阳履搜刮的物资费用到哪里去了。[482]市马进之矣：买成马匹进奉皇帝了。[483]齿路马有诛：语出《礼记·曲礼上》。依据《礼记》，打听君主用马的年龄应判死罪，阳履引此拒绝回答三司的会审。路马，为天子拉路车之马，即御马。[484]不知其齿：不知道马的年龄。[485]丙戌：六月十九日。[486]杜佑（公元七三五至八一二年）：字君卿，京兆万年（今陕西西安）人，历任岭南、淮南等节度使，入为宰相。顺宗时任度支盐铁使。精通典故，著《通典》行于世。传见《旧唐书》卷一百四十七、《新唐书》卷一百六十六。[487]张伾：本为泽潞将，以功迁泗州刺史。传见《旧唐书》卷一百八十七下、《新唐书》卷一百九十三。[488]埇桥：即符离桥，在今安徽宿县城南，跨古汴水上，当江、淮运路要冲。[489]杜兼：字处弘，太宗、高宗时宰相杜正伦五世孙。宪宗时官至河南尹。传见《旧唐书》卷一百四十六、《新唐书》卷一百七十二。

## 【校记】

［16］累表：原无此二字。据章钰校，乙十六行本、乙十一行本、孔天胤本皆有此二字，张敦仁《通鉴刊本识误》、张瑛《通鉴校勘记》同，今据补。［17］丁丑：严衍《通鉴补》改作“丁卯”。丁卯，五月三十日。

---

## 【语译】

杜兼，是杜正伦的五世孙子，生性狡黠阴险，强悍残忍。张建封病重时，杜兼暗中图谋取代张建封的职务，从濠州急速骑马赶到军府。军府幕僚李藩与同班官员进去问候张建封的病情，出来见到杜兼，哭着对杜兼说：“张仆射病情危急成这样，你应该在本州加强防备，现在你丢下本州事务跑到这里来，打算干什么呢！你应该速速离去，不然的话，我就要上奏朝廷了。”杜兼仓促间大吃一惊，感到出乎意料，于是就径直回濠州去了。张建封去世后，李藩回到扬州。杜兼向朝廷上奏，诬告李藩在张建封去世时动摇军心，德宗大怒，秘密颁诏令给杜佑，让他杀了李藩。杜佑一向很看重李藩，怀揣诏令十多天，不忍心再打开，于是找借口请李藩前来讨论佛经说：“佛家说因果报应，有这种事吗？”李藩说：“有这种事情。”杜佑说：“果真如此的话，你最好遇到什么事情都不要恐慌。”于是拿出诏令给李藩看。李藩神色不变，

不变，曰："此真报也[498]。"佑曰："君慎勿出口，吾已密论[499]，用百口保君[500]矣!"上犹疑之，召藩诣长安，望见藩仪度安雅，乃曰："此岂为恶者邪!"即除秘书郎[501]。

新罗王俊邕卒，国人立其子重熙。

秋，七月，吴少诚进击韩全义于五楼，诸军复大败，全义夜遁，保溵水县[502]城。

卢龙节度使刘济弟源为涿州刺史，不受济命，济引兵击擒之。

九月癸卯[503]，义成节度使卢群薨。甲戌[504][18]，以尚书左丞[505]李元素[506]代之。贾耽曰："凡就军中除节度使，必有爱憎向背，喜惧者相半，故众心多不安。自今愿陛下只自朝廷除人，庶无他变。"上以为然。

中书侍郎、同平章事郑余庆与户部侍郎、判度支于頔素善[507]，頔所奏事，余庆多劝上从之。上以为朋比[508]，庚戌[509]，贬余庆郴州[510]司马，頔泉州司户。頔，頔之兄也。

癸丑[511]，吴少诚进逼溵水数里置营，韩全义复帅诸军退保陈州。宣武、河阳兵私归本道，独陈许将孟元阳、神策将苏光荣帅所部留军溵水。全义以诈诱昭义将夏侯仲宣、义成将时昂、河阳将权文变[512]、河中将郭湘等斩之，欲以威众。全义至陈州，刺史刘昌裔登城谓之曰："天子命公讨蔡州，今乃来此，昌裔不敢纳，请舍于城外。"既而昌裔赍牛酒入全义营犒师，全义惊喜，心服之。己未[513]，孟元阳等与吴少诚战，杀二千余人。

庚申[514]，以太常卿齐抗为中书舍人、同平章事。

癸亥[515]，以张愔为徐州留后。

冬，十月，吴少诚引兵还蔡州。先是，韦皋闻诸军讨少诚无功，上言："请以浑瑊、贾耽为元帅[516]，统诸军。若重烦元老[517]，则臣请以精锐万人下巴峡，出荆楚，以翦凶逆。不然，因其请罪而赦之，罢两河诸军以休息公私，亦策之次也。若少诚一旦罪盈恶稔[518]，为麾下所杀，

说道："这是真正的报应啊。"杜佑说："你千万不要把这件事说出去，我已秘密奏报皇上分辩陈说，用我全家百人性命来为你担保！"但德宗还是怀疑李藩，就召李藩前来长安，远远看去，李藩的仪容风度安详高雅，德宗于是说："这难道会是作恶的人吗！"当即任命李藩担任秘书郎。

新罗王俊邕去世，新罗国人拥立俊邕的儿子重熙为王。

秋，七月，吴少诚在五楼进击韩全义，韩全义统领的各军又一次大败，韩全义率军连夜逃走，退守溵水县城。

卢龙节度使刘济的弟弟刘源担任涿州刺史，不服从刘济的命令，刘济率军进击，抓获了刘源。

九月初八日癸卯，义成军节度使卢群去世。甲戌日，德宗任命尚书左丞李元素去代替卢群的职务。贾耽说："凡是在本军镇中挑选任命节度使，此人一定会有好恶向背，军中喜欢他的和惧怕他的各占一半，所以军心大多不安。从今以后，希望陛下只从朝廷内选拔任命节度使，这样也许才不会发生其他变故。"德宗觉得贾耽说得很有道理。

中书侍郎、同平章事郑余庆与户部侍郎、兼负责度支事务的于頔两人关系一向很好，于頔所上奏的事情，郑余庆大多劝德宗依从。德宗觉得他们两人拉帮结派，九月十五日庚戌，德宗把郑余庆贬为郴州司马，把于頔贬为泉州司户。于頔，是于頔的哥哥。

九月十八日癸丑，吴少诚进逼到离溵水县城只有几里远的地方扎营，韩全义又率领各军退守陈州。宣武军和河阳军的兵马私自回到本道去了，只有陈许镇的将领孟元阳、神策军的将领苏光荣率领部下留驻在溵水县。韩全义使用欺骗手段引诱昭义军的将领夏侯仲宣、义成军的将领时昂、河阳军的将领权文变、河中军的将领郭湘等人来陈州，把他们都杀了，打算借此威慑各军。韩全义到了陈州，陈州刺史刘昌裔登上城墙对韩全义说："天子命令您讨伐蔡州，您现在却来到这里，我不敢让你们进城，请在城外扎营住宿吧。"不久，刘昌裔又带着牛肉和酒进入韩全义的军营慰劳将士，韩全义又惊又喜，内心对刘昌裔十分佩服。二十四日己未，孟元阳等人与吴少诚的军队交战，杀了吴少诚军两千多人。

九月二十五日庚申，德宗任命太常卿齐抗为中书舍人、同平章事。

二十八日癸亥，德宗任命张愔为徐州留后。

冬，十月，吴少诚率军回到蔡州。在此之前，韦皋听说各军讨伐吴少诚没有成功，上奏德宗说："请求任命浑瑊、贾耽为元帅，统领各军。如果陛下不想烦劳元老大臣，那么我请求率领精锐将士一万人顺巴峡而下，东出荆楚以翦除那些凶恶叛逆之徒。否则的话，就乘吴少诚请罪之机而赦免他，撤回黄河、淮河一带征讨的各军，让官府和百姓都能得到休息，这也可以作为次一等的策略。如果吴少诚一旦恶贯满则又当以其爵位授之，是除一少诚，生一少诚，为患无穷矣。”贾耽言于上曰：“贼意盖亦望恩贷⑲，恐须开其生路⑳。”上从之。会少诚致书币于监官军者求昭洗㉑，监军奏之。戊子㉒，诏赦少诚及彰义将士，复其官爵。

己丑㉓，河东节度使李说薨。甲午㉔，以其行军司马郑儋为节度使。上择可以代儋者，以刑部员外郎严绶尝以幕僚进奉，记其名，即用为河东[19]行军司马。

吐蕃数为韦皋所败，是岁，其曩贡、腊城等九节度婴、笼官马定德帅其部落来降。定德有智略，吐蕃诸将行兵，皆禀其谋策，常乘驿计事。至是以兵数不利，恐获罪，遂来奔。

---

【段旨】

以上为第十六段，写德宗讨叛无恒心、少信心，吴少诚兵败上书朝廷宽大，德宗借势发布赦令，朝廷征讨淮西，无功而终。

【注释】

⑷⑼⓪性狡险强忍：生性狡黠阴险，强悍残忍。491李藩：字叔翰，时为张建封幕僚。宪宗时官至宰相。传见《旧唐书》卷一百四十八、《新唐书》卷一百六十九。492仆射：张建封加官检校尚书右仆射，故称。493错愕：吃惊不知所措。494藩归扬州：李藩家在扬州。495旬日：十日。496果报：因果报应。497审如此：指真有因果报应。498此真报也：这是真正的报应啊。语意双关，指杜兼挟嫌报私仇。499密论：秘密上奏分辩陈说。500用百口保君：用全家为你担保。百口，言其多，满门的代用语。501秘书郎：秘书省属官，定员四人，分掌图书经史子集。502溵水县：县治在今河南商水县。503癸卯：九月初八日。504甲戌：九月丙申朔，无甲戌。甲戌，十月初九日。505尚书左丞：尚书省佐吏，分左、右，职掌省内礼仪，弹劾御史所举不当。506李元素：代卢群为义成（郑滑）节度使。宪宗时召为御史大夫，终官户部尚书、判度支。传见《旧唐书》卷一百三十二、《新唐书》卷一百四十七。507素善：一向友好。508朋比：拉帮结派；互相勾结。509庚戌：九月十五日。510郴州：州名，治所在今湖南郴州。511癸丑：九月十八日。512权文变：《旧唐书》

盈，被部下杀了，那么又得把官职爵位授给杀吴少诚的那个人，这样是除掉一个吴少诚，又生出另一个吴少诚，造成的祸患就没完没了了。”贾耽对德宗说：“叛贼的内心其实也希望陛下能对他们开恩宽大，恐怕需要给他们开放一条生路。”德宗采纳了这一主张。正好吴少诚给朝廷军队的监军送去书信和礼物，希望洗刷冤屈，监军把此事上奏德宗。二十三日戊子，德宗下诏赦免了吴少诚和彰义军的将士，恢复吴少诚的官职爵位。

十月二十四日己丑，河东节度使李说去世。二十九日甲午，德宗任命河东军的行军司马郑儋为节度使。德宗又要选择能够替代郑儋职务的人，因为刑部员外郎严绶曾以幕僚的身份向朝廷进贡，德宗记住了他的名字，就任命严绶为河东军的行军司马。

吐蕃多次被韦皋打败，这一年，吐蕃曩贡、腊城等九节度婴和笼官马定德率领他们的部众向韦皋投降。马定德有智有谋，吐蕃各将用兵，都采用他的谋略计策，他常常坐在驿车中筹划事情。到这时，因用兵多次失利，担心获罪，所以前来投降。

---

卷一百六十二《韩全义传》、《新唐书》卷二百十四《吴少诚传》作“权文度”。⑬己未：九月二十四日。⑭庚申：九月二十五日。⑮癸亥：九月二十八日。⑯先是四句：浑瑊死于去年十二月，韦皋上言在浑瑊未死之前，故云“先是”。⑰重烦元老：不愿烦劳元老大臣。元老，对浑瑊、贾耽的尊称。⑱罪盈恶稔：即罪恶满盈。稔，熟，亦满盈之意。⑲恩贷：开恩宽大。⑳开其生路：留一条生路。㉑昭洗：洗刷冤屈。㉒戊子：十月二十三日。㉓己丑：十月二十四日。㉔甲午：十月二十九日。

## 【校记】

［18］甲戌：严衍《通鉴补》改作“甲辰”。甲辰，九月初九日。［19］河东：原无此二字。据章钰校，乙十六行本、乙十一行本、孔天胤本皆有此二字，今据补。

## 【研析】

本卷研析三事：陆贽罢相、阳城谏诤、德宗还京兴弊政。

第一，陆贽罢相。陆贽于贞元八年四月拜相，到贞元十年十二月罢相，任职两年又八个月。不久，再贬为忠州别驾。德宗自逐陆贽出京，不再设用宰相。十年无赦，陆贽死于贬所。

户部侍郎、判度支裴延龄，是一个不懂财务的奸佞小人，他是由奸相卢杞、窦参提拔起来的奸臣。裴延龄的奸佞之术，青出于蓝而胜于蓝，卢杞、窦参皆不能望其项背。裴延龄造假账，声称国库年年有余额，另造新库储藏余额以供德宗挥霍。裴延龄转移库藏，甲库转乙库，乙库转丙库，转移中扣出白银布帛，妄称从垃圾中拾得，另立杂库供德宗调用。裴延龄还对德宗说："《礼经》上说，天下财赋都是天子的私产。财赋分为三份，一份供宗庙，一份充宾客，一份为庖厨生活费用。"德宗说："经义如此，为什么没人对朕说过?"裴延龄说："愚儒不通经术，只有臣一人懂得，陛下有事问臣就对了。"对如此狂愚之言，德宗只迷惑地点头而已。德宗要造神龙寺，发愁找不到五十尺长的松木，裴延龄说："同州有一座山谷，有数千株长八十尺的松木。"德宗说："开元、天宝时要找这样的松木，都是到岚州、胜州采购，近处并没有这等松木。"裴延龄说："高大树木是圣君出现才生长，开元、天宝时不配有这样的高大树木。"裴延龄的荒诞大多如此，德宗对他却宠遇日隆。群臣敢怒不敢言，只有陆贽一个人揭露裴延龄奸佞，德宗反以为陆贽妒忌，更加信任裴延龄。陆贽左右亲近的人劝陆贽不要太露锋芒，陆贽说："我上不辜负天子，下不辜负平生所学，其他的事顾不上了。"于是上了一道痛陈裴延龄的奏章，德宗十分恼怒，罢了陆贽的相位。裴延龄乘机妄奏陆贽怨望，有非常举动。德宗为了耳根清净，当然不察虚实，贬陆贽出京，远放为忠州别驾。

忠州刺史李吉甫，是陆贽当政时被贬的。陆贽的亲人为陆贽捏了一把冷汗，陆贽也有愧对之心。李吉甫却用宰相礼迎接陆贽，两人成了好朋友，陆贽的安全得到了保障。公理自在人心。陆贽伴昏君，是他的不幸；陆贽能得善终，则是有幸。

第二，阳城谏诤。阳城，字亢宗。家贫不能得书，自求为集贤院抄书手，偷读官书，昼夜不出房，苦读六年，自学成才，成为通儒，隐居于中条山。李泌为相，荐为著作郎，不就。德宗以谏议大夫征召，阳城不再推辞。人们寄予厚望，都认为阳城会极言时务，恐怕要死在谏臣职位上。阳城到京，整日与宾客饮酒，不过问政事，人们大失所望。等到陆贽遭贬，裴延龄不能容卫尉卿张滂、京兆尹李充、前司农卿李铦等耿正财务大臣，被诬为陆贽同党亦遭贬，事态还在扩大有兴大狱之势。这时阳城拍案而起，说："不可令天子信用奸臣，杀无罪人。"阳城为首与左拾遗王仲舒、归登、右补阙熊执易、崔邠等守延英门，上疏痛陈裴延龄奸恶，陆贽无罪。阳城被降职，最终亦被贬出京。不久，裴延龄死，朝野相庆，只有德宗一个人哀痛。

德宗是一个昏君，却又有一些小聪明。昏愚如三国蜀汉阿斗刘禅，安于昏愚，还好治理，德宗昏而好自用，难以侍候。危难时用忠臣，这是德宗之明，他知道只有忠臣才能救驾；安定下来，德宗就只信用奸佞，排斥忠良，因为奸佞在位，皇帝才可为所欲为。所以德宗安定时，唐王朝就是一个危邦。昏君与奸佞一个鼻孔出气，忠贞之臣就要遭殃。所以孔子说："天下有道则见，无道则隐。"又说："邦有道，危言危行；邦无道，危行言逊。"德宗是一个无道之君，所以阳城学成而归隐，以待天下清。李泌亲自造访阳城，推荐他为著作郎，阳城不就征。召他为谏官，阳城立即上道，到了任上却无所事事。实际上阳城是在韬晦，他已经修养到“邦无道，危行言逊”的境界。可是到了最关键的时刻，阳城挺身而出，弹劾奸臣，大造声势，阻止了裴延龄拜相，化解了大案的发生。鸡毛蒜皮的事，阳城不去争辩。大是大非，阳城当仁不让。人们这才看清了阳城就征谏议大夫的意义了。

第三，德宗还京兴弊政。德宗返回京师，没有吸取蒙尘的教训，反而变本加厉推行弊政。总其要，有三大弊政。其一，宦官专军权。朱泚之乱，李怀光反叛，并不是他们手中有军权，而是君不君，御臣不以道，忠奸不分，才搬起石头砸自己的脚。猜忌良将，是导致骄兵悍将叛乱的根源。昏君总是反向吸取经验和教训，德宗返京，更加猜忌功臣宿将，李晟等被解除兵权，而宦官却被授以兵权。公元七八四年，德宗使宦官窦文场、霍仙鸣监左、右神策军，公元七九六年，提升二人直接任左、右神策军中尉。从此，宦官掌军权，为唐代后期宦官挟兵权主宰废立的局面奠定了基础，贻害无穷。其二，信用奸佞，斥逐忠良。皇帝亲理小事，直接用人，一个县令的任免，德宗都要亲自过问，而对一州一镇拥有兵权的悍将，德宗却一味姑息，要留后给留后，要节度给节度，用兵河北时的进取心，一丝也不复存在。其三，贪进奉，兴宫市。李泌为相，岁入大盈库一百万缗，希望德宗罢进奉。德宗不但不罢进奉，反而变本加厉又兴起了宫市。所谓宫市，就是宫廷采购。德宗派宦官到京师市场上采购宫中用品，用一百文钱强买价值几千文的物品，或者用宫中霉烂之物在市场上强行换取价贵质好的物品。宫市，实质就是用皇上的招牌明火执仗抢夺平民百姓的财物。国家最高领袖都在贪财，怎么能有一个廉洁的政府呢？

总上三大弊政，活画出德宗猜忌功臣、信用奸佞、贪婪财货、愚而好自用的一副昏君嘴脸。

# 卷第二百三十六　唐纪五十二

起重光大荒落（辛巳，公元八〇一年），尽旃蒙作噩（乙酉，公元八〇五年），凡五年。

**【题解】**

本卷记事起公元八〇一年，迄公元八〇五年，凡五年，当唐德宗贞元十七年到唐顺宗永贞元年。此时期为德宗、顺宗、宪宗交接之际，五年间朝廷轮番有三个皇帝在位。浙东判官齐总巧取盘剥百姓资财进奉，德宗诏命升迁齐总为衢州刺史，给事中许孟容封还诏命，受到德宗嘉奖，这是德宗晚年闪烁的一丝霞光。其间顺宗皇帝于永贞元年正月二十六日即位，八月初九日退位，在位不足八个月，任用王叔文、王伾施行一场改革，史称永贞革新。顺宗得中风病不能说话，王叔文等受器重主政，赦天下，蠲免积欠，罢进奉，罢宫市，取缔五坊小儿，减盐价，平反和量移前朝被贬大臣，召回陆贽和阳城。又起用老将范希朝为左右神策、京西诸城行营节度使，欲夺宦官军权，遭到宦官和反对派大臣的反扑，他们釜底抽薪，拥立顺宗长子李纯即位，是为宪宗。顺宗退位为太上皇。宪宗全面贬逐永贞革新之臣，王叔文被贬杀，王伾病死。同一天被贬的名士大臣柳宗元、刘禹锡等八人为地方州司马，史称八司马。宪宗忌惮太上皇而尽逐先帝之臣，从此开了一个恶例，其后继位的皇帝均把自己用的人当作私党，把先帝用的人当作异己，不分功过是非，一概斥逐。军镇换帅，事故层出不穷，刘南金之死与来希皓之让，反映出弱肉强食的军纪风气。

**【原文】**

## 德宗神武圣文皇帝十一

### 贞元十七年（辛巳，公元八〇一年）

春，正月甲寅[①]，韩全义至长安，窦文场为掩其败迹。上礼遇甚厚。全义称足疾，不任朝谒[②]，遣司马崔放入对。放为全义引咎[③]，谢无功。上曰："全义为招讨使，能招来少诚，其功大矣，何必杀人然后为功邪！"闰月甲戌[④]，归夏州。

韦士宗既入黔州[⑤]，妄杀长吏，人心大扰。士宗惧，三月，脱身亡走。夏，四月辛亥[⑥]，以右谏议大夫裴佶[⑦]为黔州观察使。

五月壬戌朔[⑧]，日有食之。

朔方邠、宁、庆节度使[⑨]杨朝晟防秋于宁州[⑩]，乙酉[⑪]，薨。

【语译】

**德宗神武圣文皇帝十一**

**贞元十七年（辛巳，公元八〇一年）**

春，正月二十一日甲寅，韩全义到了长安，窦文场为韩全义遮掩战败的痕迹。德宗用隆重的礼仪接待韩全义。韩全义说自己脚有病，不能承受上朝拜谒，派遣司马崔放入朝回答德宗的问题。崔放替韩全义承担军败的过失，以没有战绩向德宗谢罪。德宗说："韩全义为招讨使，能够招来吴少诚，这个功劳就很大了，何必杀人之后才是有功劳呢！"闰正月十一日甲戌，韩全义回到夏州。

韦士宗回到黔州以后，妄自杀害高级官吏，人心大乱。韦士宗害怕了，三月，脱身逃走。夏，四月二十日辛亥，德宗任命右谏议大夫裴佶为黔州观察使。

五月初一日壬戌，发生日食。

朔方邠、宁、庆三州节度使杨朝晟在宁州保护秋收，二十四日乙酉去世。

初，浑瑊遣兵马使李朝寀将兵戍定平[12]。瑊薨，朝寀请以其众隶神策军，诏许之。

杨朝晟疾亟，召僚佐谓曰："朝晟必不起，朔方命帅多自本军，虽徇众情[13]，殊非国体。宁州刺史刘南金，练习军旅，宜使摄行军[14]，且知军事[15]，比朝廷择帅，必无虞矣。"又以手书授监军刘英倩，英倩以闻。军士私议曰："朝廷命帅，吾纳之，即命刘君，吾事之。若命帅于他军，彼必以其麾下来，吾属被斥矣，必拒之。"

己丑[16]，上遣中使往察军情，军中多与[17]南金。辛卯[18]，上复遣高品[19]薛盈珍赍诏诣宁州。六月甲午[20]，盈珍至军，宣诏曰："朝寀所将本朔方军，今将并之，以壮军势，威戎狄，以李朝寀为使，南金副之，军中以为何如?"诸将皆奉诏。

丙申[21]，都虞候史经言于众曰："李公命收弓刀而送甲胄[22]二千。"军士皆曰："李公欲内[23]麾下二千为腹心，吾辈妻子其可保乎!"夜，造刘南金，欲奉以为帅[24]，南金曰："节度使固我所欲，然非天子之命则不可，军中岂无他将乎!"众曰："弓刀皆为官所收，惟军事府[25]尚有甲兵，欲因以集事。"南金曰："诸君不愿朝寀为帅，宜以情告敕使。若操甲兵，乃拒诏也。"命闭门不内。军士去，诣兵马使高固[26]。固逃匿，搜得之。固曰："诸君能用吾言则可。"众曰："惟命。"固曰："毋杀人，毋掠金帛。"众曰："诺。"乃共诣监军，请奏之。众曰："刘君既得朝旨为副帅，必挠吾事。"诈称监军命，召计事，至而杀之。

戊戌[27]，制以李朝寀为邠宁节度使。是日，宁州告变者至，上追还制书，复遣薛盈珍往诇[28]军情。壬寅[29]，至军，军中以高固为请，盈珍即以上旨命固知军事。或传戊戌制书至邠州，邠军惑，不知所从[30]，奸人乘之，且为变。留后孟子周悉内精甲于府廷，日飨[31]士卒，内以悦众心，外以威奸党[32]。邠军无变，子周之谋也。

李锜既执天下利权[33]，以贡献固主恩，以馈遗结权贵[34]，恃此骄纵，

当初，浑瑊派遣兵马使李朝寀率兵戍守定平县。浑瑊去世后，李朝寀请求让自己的部队隶属于神策军，德宗下诏同意了。

杨朝晟病得很厉害，召集幕僚佐吏说："我的病肯定好不了了，对朔方军任命主帅，大多选自本军，虽然这样顺从了大家的意愿，但实在是不合国家的体制。宁州刺史刘南金，熟悉军伍战事，最好让刘南金代理行军司马职务，暂时管理军中事务，等待朝廷选派主帅，一定不会有事情发生。"杨朝晟又亲自写一封信给监军刘英倩，刘英倩上报了朝廷。军中的将士私下议论说："朝廷任命主帅，我们接受，即使任命刘南金，我们也奉侍他。如果任命主帅于其他军镇，他一定会带他的部下过来，我们就被排斥了，我们一定要抵制。"

五月二十八日己丑，德宗派遣中使去邠宁观察军中的形势，军中大多亲附刘南金。三十日辛卯，德宗又派遣高品级宦官薛盈珍带着诏书前往宁州。六月初三日甲午，薛盈珍到了邠宁军，宣布诏书说："李朝寀率领的军队原本属于朔方军，现在准备与邠宁军合并，以壮军势，威镇戎狄。现任命李朝寀为节度使，刘南金做副手，军中将士觉得怎么样呢?"各位将领都接受了诏令。

六月初五日丙申，都虞候史经对大家说："李朝寀命令收缴弓箭刀剑，还要送去两千套甲胄。"将士们都说："李朝寀打算收纳自己的部下两千人作为心腹，我们的妻儿老小还能保得住吗!"夜里，他们到刘南金的家中，想拥立刘南金担任主帅，刘南金说："节度使固然是我想得到的，但不是天子任命的我就不担任，难道军中没有别的将领可以拥戴吗!"大家说："弓箭刀剑都被官员收缴了，只有军事府还有铠甲兵器，我们想借军府中的武器起事。"刘南金说："大家不希望李朝寀担任主帅，应该把这一情况报告给陛下派来的使者。如果操持甲兵，那就是拒绝诏令了。"刘南金下令关门不让他们进来。将士们离去，前往兵马使高固家里。高固逃跑，藏了起来，将士们寻找到了他。高固说："大家能听我的话，那么我就答应。"大家说："唯命是从。"高固说："不要杀人，不要抢掠钱财。"大家说："好。"于是一起前往监军那里，请求把这一事情奏报朝廷。将士们说："刘南金既然得到诏书担任副帅，一定会阻挠我们的事情。"于是谎称监军命令，召刘南金来商议事情，刘南金到来后就被杀死了。

六月初七日戊戌，德宗颁发制书任命李朝寀担任邠宁节度使。就在这一天，报告宁州将士叛乱的人到了朝廷，德宗追回制书，又派薛盈珍前去宁州侦察军中的情况。十一日壬寅，薛盈珍到了军中，军中将士请求朝廷任命高固为节度使，薛盈珍立即以德宗旨意命令高固掌管军中事务。有人把初七日戊戌朝廷颁发制书的消息传到了邠州，邠州的军队迷惑，不知道该怎么办，奸邪之人乘机煽动，将要发生变乱。留后孟子周将精锐的铠甲兵都安置在官署的院子中，每天宴赏士兵，对内让将士们高兴，对外借以威慑那些准备作乱的奸人。邠州的军队没有发生变乱，是因为孟子周的计策。

李锜掌握全国财权后，利用向宫廷进贡钱财来巩固德宗对他的恩宠，利用贿赂

无所忌惮，盗取县官财㉟，所部官属无罪受戮者相继。浙西布衣崔善贞诣阙上封事㊱，言宫市、进奉及盐铁之弊，因言锜不法事。上览之，不悦，命械送锜。锜闻其将至，先凿坑于道旁。己亥㊲，善贞至，并锁械内坑中，生瘗之㊳。远近闻之，不寒而栗。锜复欲为自全计，增广兵众，选有材力善射者谓之挽强㊴，胡、奚杂类谓之蕃落㊵，给赐十倍他卒。转运判官卢坦屡谏不悛㊶，与幕僚李约㊷等皆去之。约，勉之子也。

己酉㊸，以高固为邠宁节度使。固，宿将㊹，以宽厚得众，节度使忌之，置于散地㊺，同列多轻侮之。及起为帅，一无所报复，由是[1]军中遂安。

丁巳㊻，成德节度使王武俊薨。

秋，七月戊寅㊼，吐蕃寇盐州。

辛巳㊽，以成德节度副使王士真㊾为节度使。

---

**【段旨】**

以上为第一段，写邠宁换帅发生兵变，宁州刺史刘南金守法而少谋被乱兵杀害。诸道盐铁转运使李锜骄纵不法。

**【注释】**

①甲寅：正月二十一日。②不任朝谒：不能承受上朝拜谒。③引咎：承担军败的过失。④甲戌：闰正月十一日。⑤韦士宗既入黔州：韦士宗为黔州观察使，为政苛酷，被牙将傅近所逐，寻又复入。事见上卷贞元十六年四月、五月。⑥辛亥：四月二十日。⑦裴佶：字弘正，历任中书舍人、尚书右丞、吏部侍郎等职。时以右谏议大夫出任黔州观察使。传见《旧唐书》卷九十八、《新唐书》卷一百二十七。⑧壬戌朔：五月初一日。⑨朔方邠、宁、庆、节度使：部分朔方兵屯驻邠州，所以此处“邠”上冠以朔方军号。实际上，节度使杨朝晟只统邠、宁、庆三州。⑩宁州：州名，治所在今甘肃宁县。⑪乙酉：五月二十四日。⑫定平：县名，县治在今甘肃正宁西南。⑬徇众情：顺从大家的意愿。⑭摄行军：代理行军司马。⑮知军事：暂时管理军务。⑯己丑：五月二十八日。⑰与：亲附。⑱辛卯：五月三十日。⑲高品：高品级的官员。唐内侍省有高品一千九百六十六人。⑳甲午：六月初三日。㉑丙申：六月初五日。㉒李公命收弓刀

结交权贵，凭借着这些，骄横放纵，毫无顾忌，盗取官家钱财，所辖官属无罪被杀的人前后相继。浙西的平民崔善贞进京向德宗秘密上奏，谈到宫廷采买、向宫廷进贡以及经营盐铁的弊端，乘机说了李锜不守法纪的事情。德宗看了这份奏章后，很不高兴，下令将崔善贞戴上械具押送给李锜。李锜听说崔善贞即将到来，事先在路边挖了一个坑。六月初八日己亥，崔善贞被押送到李锜那里，崔善贞连同械具被放入坑中活埋了。远近各地的人听说这事，不寒而栗。李锜又采取保全自己的计策，增加兵员，挑选力大善射的人，称他们叫挽强，挑选胡、奚各族人，称他们为蕃落，赏赐十倍于其他的士兵。转运判官卢坦多次劝阻他，但李锜不肯改变，于是卢坦与李锜的幕僚李约等人都离开了李锜。李约，是前宰相李勉的儿子。

六月十八日己酉，德宗任命高固为邠宁节度使。高固是一员老将，因待人宽厚，得到大家的拥护，以前的节度使嫉妒他，把他安排在闲散的职位，很多同级官员都轻视欺侮高固。等到高固被起用为节度使，全无报复，邠宁军中于是安定下来。

六月二十六日丁巳，成德军节度使王武俊去世。

秋，七月十八日戊寅，吐蕃人侵犯盐州。

二十一日辛巳，德宗任命成德军节度副使王士真为节度使。

---

而送甲胄：意谓李朝寀命邠州兵收缴弓刀而送甲胄，等于是解除了邠州军的武装，故生疑。李公，指宁州刺史李朝寀。收弓刀，收缴弓箭刀枪。甲胄，衣甲和头盔。㉓ 内：通“纳”。㉔ 奉以为帅：拥立为节度使。㉕ 军事府：指知军事刘南金所掌府库。㉖ 高固：德宗朝官至邠宁庆节度使，宪宗时为右羽林统军。传见《旧唐书》卷一百五十二、《新唐书》卷一百七十。㉗ 戊戌：六月初七日。㉘ 诇：探察。㉙ 壬寅：六月十一日。㉚ 邠军惑二句：薛盈珍已命高固知宁州军事，而又传诏命李朝寀为节度使，故留邠之军疑惑，不知所从。㉛ 飨：宴赏。㉜ 威奸党：威慑欲作乱的那一伙奸人。㉝ 执天下利权：贞元十五年（公元七九九年）李锜为诸道盐铁转运使，掌天下财权，事见上卷。㉞ 以贡献固主恩二句：用进奉来巩固恩宠，用贿赂来结交权贵。贡献，向皇帝进奉。馈遗，以赠礼名义贿赂权贵。㉟ 盗取县官财：盗窃官家财物。㊱ 上封事：越过中书省直接上奏皇帝的秘密奏章。㊲ 己亥：六月初八日。㊳ 生瘗之：活埋崔善贞。㊴ 挽强：以此为军号，言其能力挽强弓。㊵ 蕃落：蕃营。在战争中被俘的胡、奚人，发配为官奴，李锜收养之以为己用。㊶ 不悛：不改。㊷ 李约：李勉之子。李勉事肃、代、德三朝，贞元中为相。㊸ 己酉：六月十八日。㊹ 宿将：老将。㊺ 置于散地：安置在闲散职务上。㊻ 丁巳：六月二十六日。㊼ 戊寅：七月十八日。㊽ 辛巳：七月二十一日。㊾ 王士真：王武俊之子。父死，继为成德节度使。传见《旧唐书》卷一百四十二、《新唐书》卷二百十一。

【校记】

［1］由是：此二字原无。据章钰校，十二行本、乙十一行本皆有此二字，今据补。

【原文】

己丑[50]，吐蕃陷麟州[51]，杀刺史郭锋[52]，夷其城郭[53]，掠居人及党项部落而去。锋，曜之子也。

僧延素为虏所得。虏将有徐舍人[54]者，谓延素曰："我英公[55]五代孙也。武后时，吾高祖建义不成[56]，子孙流播异域，虽代居禄位典兵，然思本之心不忘，顾宗族大，无由自拔耳。今听汝归。"遂纵之。

上遣使敕韦皋出兵深入吐蕃以分其势，纾北边患[57]。皋遣将将兵二万分出九道，攻吐蕃维、保、松[58]州及栖鸡、老翁城[59]。

河东节度使郑儋暴薨，不及命后事，军中喧哗，将有他变。中夜，十余骑执兵召掌书记[60]令狐楚[61]至军门，诸将环[62]之，使草遗表。楚在白刃之中，操笔立成。楚，德棻之族也[63]

八月戊午[64]，以河东行军司马严绶为节度使。

九月，韦皋奏大破吐蕃于雅州[65]。

左神策中尉窦文场致仕，以副使杨志廉代之。

韦皋屡破吐蕃，转战千里，凡拔城七，军镇五，焚堡百五十，斩首万余级，捕虏六千，降户三千，遂围维州及昆明城[66]。

冬，十月庚子[67]，加皋检校司徒兼中书令，赐爵南康郡王。南诏王异牟寻虏获尤多，上遣中使慰抚之。

戊午[68]，盐州刺史杜彦先弃城奔庆州[69]。

【语译】

七月二十九日己丑，吐蕃攻陷麟州，杀了刺史郭锋，把麟州城夷为平地，掳掠百姓和党项部落后离去。郭锋，是郭曜的儿子。

僧人延素被吐蕃人俘虏。吐蕃军队中有一个将领徐舍人，对延素说："我是英国公李勣的五世孙。武则天称帝时，我的高祖徐敬业起兵反抗武氏的义举没有成功，子孙们都逃亡流散到异国他乡。我们虽然世世代代身居高位，掌握兵权，但思念故土之心从未泯灭，因为顾及宗族庞大，没有途径脱离而已。现今允许你回归。"于是就释放了延素。

德宗派遣使者去命令韦皋出兵深入吐蕃境内，分散吐蕃的兵力，缓解北方的危难。韦皋派遣将领率二万兵马，分九路出兵，进攻吐蕃的维州、保州、松州以及栖鸡城、老翁城。

河东节度使郑儋突然去世，没来得及安排后事，军中喧哗，即将发生变乱。半夜时分，十几名骑兵手拿兵器，召掌书记令狐楚来到军府门内，各位将领把令狐楚围在中间，让令狐楚假借郑儋的名义起草临终表章。令狐楚在刀锋之中，提笔就把遗表写好了。令狐楚，是令狐德棻的同族人。

八月二十八日戊午，德宗任命河东行军司马严绶担任节度使。

九月，韦皋向朝廷奏报说在雅州大败吐蕃。

左神策军护军中尉窦文场退休，德宗任命左神策军中尉副使杨志廉接替窦文场。

韦皋多次打败吐蕃，转战千里，共攻取城池七座、军镇五处，焚毁城堡一百五十个，斩获首级一万多，捕获敌人六千，招降吐蕃三千户，进而包围了维州和昆明城。

冬，十月十一日庚子，德宗加授韦皋检校司徒兼任中书令，赐爵南康郡王。南诏王异牟寻抓获吐蕃人尤为众多，德宗派遣中使进行慰抚。

十月二十九日戊午，盐州刺史杜彦先抛弃盐州城，逃往庆州。

**【段旨】**

以上为第二段，写唐西北州郡屡遭吐蕃侵犯，由于南诏归附唐朝，韦皋在西南深入吐蕃，多次大获全胜。

**【注释】**

㊿己丑：七月二十九日。(51)麟州：州名，州城在今陕西神木北。(52)郭锋：唐中兴功臣郭子仪之孙，父郭曜。(53)夷其城郭：平毁城墙。(54)徐舍人：吐蕃将。自称唐初开国功臣李勣第五代孙。武则天称帝，李勣子徐敬业起兵反抗，兵败，子孙流窜异域。(55)英公：李勣本姓徐，即徐勣，字茂公，封英国公，赐姓李。(56)吾高祖建义不成：指徐敬业起兵反抗武则天失败。(57)纾北边患：缓解北方的危难。纾，缓解。吐蕃攻盐州、麟州，当长

---

**【原文】**

## 十八年（壬午，公元八〇二年）

春，正月，骠王摩罗思那遣其子悉利移入贡。骠国(70)在南诏西南六千八百里，闻南诏内附而慕之，因南诏入见，仍献其乐。

吐蕃遣其大相兼东鄙五道节度使论莽热将兵十万解维州之围，西川兵据险设伏以待之。吐蕃至，出千人挑战，虏悉众追之，伏发，虏众大败，擒论莽热，士卒死者太半。维州、昆明竟不下，引兵还。乙亥(71)，皋遣使献论莽热，上赦之。

浙东观察使裴肃既以进奉得进，肃卒[2]，判官齐总代掌后务，刻剥以求媚又过之。三月癸酉(72)，诏擢总为衢州(73)刺史。给事中(74)长安许孟容(75)封还诏书(76)，曰："衢州无他虞，齐总无殊绩，忽此超奖，深骇群情(77)。若总必有可录，愿明书劳课(78)，然后超资改官，以解众疑。"诏遂留中(79)。己亥(80)，上召孟容，慰奖之。

秋，七月辛未(81)，嘉王(82)府谘议高弘本正牙(83)奏事，自理逋债。乙亥(84)，诏"公卿庶僚自今勿令正牙奏事，如有陈奏，宜延英门请对"。议者以为"正牙奏事，自武德(85)以来未之或改，所以达群情，讲(86)政事。弘本无知，黜之可也，不当因人而废事"。

安之北。㊳维、保、松：皆州名。在今四川成都西北，本唐疆域，安史之乱后没入吐蕃。维州治所薛城，在今四川理县东北。保州治所天宝军城，在今四川理县北。松州治所嘉城，在今四川松潘。㊴栖鸡、老翁城：两城在维州之东，茂州境内。㊵掌书记：节度使属官，掌表奏书檄。㊶令狐楚：字悫士，宪宗时官至宰相。传见《旧唐书》卷一百七十二、《新唐书》卷一百六十六。㊷环：包围。㊸德棻之族也：胡三省注云，“令狐德棻事太宗，疑‘族’字下有‘孙’及‘曾、玄’等字”。令狐德棻为唐初史臣，仕太宗、高宗两朝。传见《旧唐书》卷七十三、《新唐书》卷一百二。㊹戊午：八月二十八日。㊺雅州：州名，治所在今四川雅安。㊻昆明城：城名，在今四川盐源。㊼庚子：十月十一日。㊽戊午：十月二十九日。㊾盐州刺史句：盐州刺史杜彦先弃城跑往庆州，是被吐蕃所逼。盐州筑城至此仅八年。盐州治所在今陕西定边。庆州地处盐州之南，治所在今甘肃庆阳。

【语译】

### 十八年（壬午，公元八〇二年）

春，正月，骠国国王摩罗思那派遣他的儿子悉利移进京朝贡。骠国在南诏西南六千八百里，听说南诏归附朝廷后很羡慕，随着南诏进京朝见，还献上了他们的音乐。

吐蕃赞普派遣他的大相国兼东部边境五道节度使论莽热率领十万兵力解救韦皋对维州的包围，韦皋的西川兵马占据险要位置，设下埋伏，等待吐蕃人。吐蕃的军队来到后，韦皋派出一千人挑战，吐蕃使用全部兵力追赶这一千士兵，埋伏的西川兵发起攻击，吐蕃军队大败，西川兵擒获了论莽热，吐蕃士兵死去大半。韦皋最后没有攻下维州城和昆明城，带兵返回。正月十八日乙亥，韦皋派遣使者将论莽热进献给朝廷，德宗赦免了论莽热。

浙东观察使裴肃因为向朝廷进贡，得以升迁职务，裴肃死后，判官齐总代理留后事务，比裴肃更加苛刻地搜刮钱财，进献朝廷，讨好德宗。三月十七日癸酉，德宗下诏提升齐总为衢州刺史。给事中长安人许孟容封还诏书，说：“衢州没有别的忧患，齐总没有什么特别的政绩，陛下突然作超级奖拔，使大家心里深为震惊。如果齐总确实有可以记录的成绩，希望明确地写出他的劳绩和考课，然后再破格改授官职，以消除大家心中的疑惑。”于是任命齐总的诏书被搁置在宫中。己亥日，德宗召见许孟容，慰抚奖励他。

秋，七月十七日辛未，嘉王李运府谘议高弘本在正殿奏事，说是自己偿还欠债。二十一日乙亥，德宗诏令“从今以后，公卿与僚属不要到正殿奏事，如果有事奏报，最好到延英门奏对”。讨论此事的人认为“在正殿奏事，从武德年间以来没有改变，以此来了解下情，谋划政事。高弘本无知，免他职就行了，不应当因为一个人而废除了这一制度”。

淮南节度使杜佑累表求代。冬，十月丁亥[87]，以刑部尚书王锷[88]为淮南副节度使兼行军司马。

己酉[89]，鄜坊节度使王栖曜[90]薨。中军将何朝宗谋作乱，夜，纵火。都虞候裴玢[91]潜匿不救火，旦，擒朝宗，斩之。以同州刺史刘公济为鄜坊节度使，以玢为行军司马。

【段旨】

以上为第三段，写西川节度使韦皋再次大败吐蕃。给事中许孟容封还对奸佞之臣齐总的任命诏书，受到德宗嘉奖。

【注释】

⑦⓪骠国：古国名，又称朱波，在今缅甸伊洛瓦底江流域。是年国王雍光遣其弟舒难陀由南诏介绍来长安献乐，德宗封舒难陀为太仆卿，遣还。⑦①乙亥：正月十八日。⑦②癸酉：三月十七日。⑦③衢州：州名，为当时的大州，治所在今浙江衢州。⑦④给事中：官名，门下省要职，职掌封驳及人事审议。⑦⑤许孟容：字公范，京兆长安（今陕西西安西）人，为郎中，累迁给事中，敢正言。宪宗时官至吏部侍郎。传见《旧唐书》卷一百五十四、《新唐书》卷一百六十二。⑦⑥封还诏书：给事中复审诏书，凡执行的写上“读”字，宣示于朝；凡不当的则封合退回宫中，并上奏原委。⑦⑦深骇群情：使大家心里深为震惊。⑦⑧明书劳课：明确地写出劳绩与考课。⑦⑨诏遂留中：奖拔齐总的诏书被搁置。⑧⓪己亥：三月丁巳朔，无己亥。疑为乙亥，三月十九日。⑧①辛未：七月十七日。⑧②嘉王：代

【原文】

## 十九年（癸未，公元八〇三年）

春，二月丁亥[92]，名安黄军曰奉义[93]。

己亥[94]，安南牙将王季元逐其观察使裴泰，泰奔朱鸢[95]。明日，左兵马使赵匀斩季元及其党，迎泰而复之。

甲辰[96]，杜佑入朝。三月壬子朔[97]，以佑检校司空、同平章事，以王锷为淮南节度使。

淮南节度使杜佑多次上表请求派人代替自己的职务，冬，十月初四日丁亥，德宗任命刑部尚书王锷担任淮南节度副使，兼任行军司马。

十月二十六日己酉，鄜坊节度使王栖曜去世。中军将何朝宗谋划叛乱，夜里，放起火来。都虞候裴玢躲藏不救火，第二天早上，裴玢抓获何朝宗，杀了他。德宗任命同州刺史刘公济为鄜坊节度使，任命裴玢为行军司马。

---

宗子李运。⑧③正牙：正殿。⑧④乙亥：七月二十一日。⑧⑤武德：唐高祖年号（公元六一八至六二六年）。此代指唐高祖。⑧⑥讲：谋划。⑧⑦丁亥：十月初四日。⑧⑧王锷：字昆吾，本湖南团练营将，为嗣曹王李皋所荐，先后任容管经略使、岭南节度使，善聚敛，私财富于公藏，贿赂权要。终河东节度使。传见《旧唐书》卷一百五十一、《新唐书》卷一百七十。⑧⑨己酉：十月二十六日。⑨⓪王栖曜：濮州濮阳（今河南濮阳西南）人，贞元初拜左龙武大将军，出镇鄜坊，卒于镇。传见《旧唐书》卷一百五十二、《新唐书》卷一百七十。⑨①裴玢：本西域人，五代祖裴纠为疏勒国王，唐高祖时来朝，拜鹰扬大将军，留居京师不愿归，子孙遂为京兆人。裴玢官至鄜坊、山南西道节度使，为政清廉，军民安业。传见《旧唐书》卷一百四十六、《新唐书》卷一百十。

## 【校记】

［2］肃卒：此二字原脱，今据张敦仁《通鉴刊本识误》校补。〖按〗《新唐书》卷一百六十二《许孟容传》云："浙东观察使裴肃诿判官齐总暴敛以厚献，厌天子所欲。会肃卒，帝擢总自大理评事兼监察御史为衢州刺史。"齐总代掌留后事务、诏擢齐总为衢州刺史，均在裴肃去世之后。

---

## 【语译】

### 十九年（癸未，公元八〇三年）

春，二月初六日丁亥，把安黄军改名叫奉义军。

二月十八日己亥，安南的牙将王季元驱逐安南观察使裴泰，裴泰跑到朱鸢县。第二天，安南的左兵马使赵匀杀了王季元和他的同党，把裴泰迎接回来恢复原职。

二月二十三日甲辰，杜佑回京朝见德宗。三月初一日壬子，德宗任命杜佑为检校司空、同平章事，任命王锷为淮南节度使。

鸿胪卿[98]王权请迁献、懿二祖[99]于德明、兴圣庙[100]，每禘祫[101]，正太祖[102]东向之位。从之[103]。

乙亥[104]，以司农卿李实兼京兆尹。实为政暴戾，上爱信之。实恃恩骄傲，许人荐引[105]，不次拜官，及诬谮斥逐，皆如期而效[106]，士大夫畏之侧目。

夏，四月，泾原节度使刘昌奏请徙原州治平凉[107]。从之。

乙亥[108]，吐蕃遣其臣论颊热入贡。

六月辛卯[109]，以右神策中尉副使孙荣义为中尉，与杨志廉皆骄纵招权[110]，依附者众，宦官之势益盛。

壬辰[111]，遣右龙武大将军薛伾[112]使于吐蕃。

陈许节度使上官涚薨，其婿田偁欲胁其子使袭军政。牙将王沛，亦涚之婿也，知其谋，以告监军范日用，讨擒之。乙未[113]，以陈许行军司马刘昌裔为节度使。沛，许州人也。

自正月不雨至于秋七月。

己未[114]，中书侍郎、同平章事齐抗以疾罢为太子宾客。

---

**【段旨】**

以上为第四段，写吐蕃与唐朝廷互相遣使通好。宦官为神策军中尉，朝官依附者众，势力益炽。

**【注释】**

⑨② 丁亥：二月初六日。⑨③ 名安黄军曰奉义：当时伊慎为安黄军节度使，因伊慎为朝廷屡建战功，德宗特意下诏改安黄为奉义军，仍统安州、黄州，以示荣宠。事见《旧唐书》卷一百五十一、《新唐书》卷一百七十伊慎本传。⑨④ 己亥：二月十八日。⑨⑤ 朱鸢：县名，在今越南境内。⑨⑥ 甲辰：二月二十三日。⑨⑦ 壬子朔：三月初一日。⑨⑧ 鸿胪卿：鸿胪寺主官，掌外事接待与凶丧之仪。⑨⑨ 献、懿二祖：献祖李熙，唐高祖第五世祖；懿祖李天赐，李熙之子，高祖第四世祖。唐建立后追尊为皇帝，进庙号。⑩⓪ 德明、兴圣庙：

鸿胪卿王权请求把献祖宣皇帝、懿祖光皇帝的神主移到德明皇帝、兴圣皇帝的祠庙中，每次合祭列祖列宗时，就将太祖的神主牌位安放在朝正东方向的位置上。德宗听从了这一建议。

三月二十四日乙亥，德宗任命司农卿李实兼任京兆尹。李实施政残暴凶狠，德宗却喜欢他、相信他。李实依恃皇帝的恩宠，骄横傲慢，答应为他人向皇帝引荐，让他人破格升官，以及诬陷、毁谤、贬斥、流放他人，都能按期奏效，所以朝廷文武百官对李实十分害怕。

夏，四月，泾原节度使刘昌上奏朝廷请求把治所从原州迁到平凉。德宗听从了。

五月二十六日乙亥，吐蕃派遣大臣论颊热进京朝贡。

六月十二日辛卯，德宗任命右神策军中尉副使孙荣义为右神策军护军中尉，孙荣义与杨志廉都骄纵揽权，依附他们的人很多，宦官的势力更加壮大。

十三日壬辰，德宗派遣右龙武大将军薛伾出使吐蕃。

陈许节度使上官涚去世，他的女婿田偁想胁持上官涚的儿子，让他承袭军事大权。牙将王沛，也是上官涚的女婿，知道田偁的阴谋，把这一事情报告了监军范日用，范日用派兵讨伐，活捉了田偁。六月十六日乙未，德宗任命陈许行军司马刘昌裔担任节度使。王沛，是许州人。

从正月不下雨，一直到秋天的七月。

七月十一日己未，中书侍郎、同平章事齐抗因为病重，被免去宰相职务，改任太子宾客。

---

玄宗天宝二年（公元七四三年），尊古代贤臣皋陶为德明皇帝，尊唐始祖晋时西凉武昭王李暠为兴圣皇帝，并立庙京师。⑩禘祫：隆重地合祭祖先众神于太庙之礼。⑩太祖：李虎，唐高祖之祖。唐德宗建中二年（公元七八一年）祫祭太庙，太祖的灵位已正东向，而献、懿二祖仍藏于西夹室。事见本书卷第二百二十七建中二年（公元七八一年）。至是，献、懿二祖皆移位庙中。⑩从之：鸿胪卿王权奏请将献、懿二祖的神主迁到德明皇帝、兴圣皇帝神主的庙中，每当合祭祖先大礼时，将太祖的神主安置在朝正东的方向上，德宗一一依从。⑩乙亥：三月二十四日。⑩许人荐引：应许为人荐引。⑩如期而效：按期奏效。⑩徙原州治平凉：原州旧治在平高县（今宁夏固原），今移至平凉县（今甘肃平凉）。⑩乙亥：五月二十六日。⑩辛卯：六月十二日。⑩招权：揽权。⑪壬辰：六月十三日。⑪薛伾：胜州刺史薛涣之子，官至鄜坊观察使。传见《旧唐书》卷一百四十六。⑪乙未：六月十六日。⑪己未：七月十一日。

【原文】

初，翰林待诏王伾[115]善书，山阴王叔文[116]善棋，俱出入东宫，娱侍太子。伾，杭州人也。叔文谲诡多计，自言读书知治道，乘间常为太子言民间疾苦。太子尝与诸侍读[117]及叔文等论及宫市事，太子曰："寡人方欲极言之。"众皆称赞，独叔文无言。既退，太子自留叔文，谓曰："向者君独无言，岂有意邪？"叔文曰："叔文蒙幸太子，有所见，敢不以闻。太子职当视膳问安[118]，不宜言外事。陛下在位久，如疑太子收人心，何以自解？"太子大惊，因泣曰："非先生，寡人无以知此。"遂大爱幸，与王伾相依附[119]。叔文因为太子言："某可为相，某可为将，幸异日用之。"密结翰林学士韦执谊及当时朝士有名而求速进者陆淳[120]、吕温[121]、李景俭[122]、韩晔、韩泰、陈谏[123]、柳宗元[124]、刘禹锡[125]等，定为死友[126]。而凌凖[127]、程异[128]等又因其党以进，日与游处，踪迹诡秘，莫有知其端者。藩镇或阴进资币，与之相结。淳，吴人，尝为左司郎中。温，渭[129]之子，时为左拾遗[130]。景俭，瑀[131]之孙，进士及第。晔，滉之族子。谏，尝为侍御史。宗元、禹锡，时为监察御史。

左补阙[132]张正一上书，得召见。正一与吏部员外郎王仲舒、主客员外郎[133]刘伯刍[134]等相亲善，叔文之党疑正一言己阴事，令执谊反谮正一等于上，云其朋党，游宴无度。九月甲寅[135]，正一等皆坐远贬，人莫知其由。伯刍，迺之子也。

盐夏节度判官崔文先权知盐州，为政苛刻。冬，闰十月庚戌[136]，部将李庭俊作乱，杀而脔食之。左神策兵马使李兴乾戍盐州，杀庭俊以闻。

丁巳[137]，门下侍郎、同平章事崔损薨。

十一月戊寅朔[138]，以李兴乾为盐州刺史[139]，得专奏事，自是盐州不隶夏州。

十二月庚申，以太常卿[140]高郢[141]为中书侍郎，吏部侍郎郑珣瑜[142]为门下侍郎，并同平章事。珣瑜，余庆[143]之从父兄弟[144]也。

【语译】

当初，翰林待诏王伾擅长书法，山阴人王叔文擅长下棋，两人都出入东宫，陪侍太子娱乐。王伾，是杭州人。王叔文诡计多端，自己说读过书，了解治国之道，经常乘机向太子谈论民间疾苦。太子曾经与各位侍读和王叔文等人讨论到宫市的事情，太子说："我正准备向父皇极力劝谏这一事情。"大家都表示赞同，只有王叔文不作声。大家退下去后，太子亲自把王叔文留下来，对他说："刚才只有你不说话，难道有什么想法吗？"王叔文说："我承蒙殿下爱幸，要是有什么见解，岂敢不告诉殿下。太子的职责应该是省视陛下的饮食，问候陛下是否安好，不适宜谈论宫廷外边的事情。陛下在位的时间很长久了，如果怀疑太子收买人心，那怎么解释呢？"太子大惊，哭着说："不是先生提醒，我无从知道这个道理。"于是对王叔文大加宠信，王叔文与王伾相互依托。王叔文乘机对太子说："某某可以担任宰相，某某可以担任将帅，希望殿下将来任用他们。"王叔文暗中结交翰林学士韦执谊，以及当时在朝廷中有名望而寻求尽快提升的官员陆淳、吕温、李景俭、韩晔、韩泰、陈谏、柳宗元、刘禹锡等人，约定为生死相依的朋友。而凌準、程异等人又靠这一帮人得以进用，天天与王叔文等人一起游玩、相处，他们行踪诡秘，没有人能知道他们在干什么。军镇节帅有的暗中进献钱财，与他们结交。陆淳是吴人，曾任左司郎中。吕温，是吕渭的儿子，当时任左拾遗。李景俭，是汉中王李瑀的孙子，进士及第。韩晔，是韩滉族侄。陈谏曾任侍御史。柳宗元、刘禹锡，当时任监察御史。

左补阙张正一上书，得到德宗的召见。张正一与吏部员外郎王仲舒、主客员外郎刘伯刍等人亲密友好，王叔文的同伙怀疑张正一在德宗面前说了他们的秘事，便让韦执谊在德宗面前反诬张正一等人，说张正一等人拉帮结伙，交游宴饮没有节制。九月初六日甲寅，张正一等人都获罪贬职远地，人们不知道其中的因由。刘伯刍，是刘迺的儿子。

盐夏节度判官崔文先代理盐州军政事务，为政苛刻。冬，闰十月初三日庚戌，部将李庭俊叛乱，杀了崔文先，剁成碎块吃了。左神策军兵马使李兴乾戍守盐州，杀了李庭俊，把此事奏报朝廷。

初十日丁巳，门下侍郎、同平章事崔损去世。

十一月初一日戊寅，德宗任命李兴乾为盐州刺史，可以单独向朝廷上奏事情，从此，盐州不再隶属夏州。

十二月十三日庚申，德宗任命太常卿高郢为中书侍郎，吏部侍郎郑珣瑜为门下侍郎，一并担任同平章事。郑珣瑜，是郑余庆的堂兄弟。

建中初，敕京城诸使及府县系囚，每季终委御史巡按，有冤滥者以闻，近岁，北军移牒而已⑭⑤。监察御史崔薳遇下严察，下吏欲陷之⑭⑥，引以入右神策军。军使以下骇惧，具奏其状。上怒，杖薳四十，流崖州⑭⑦。

京兆尹嗣道王实⑭⑧务征求以给进奉⑭⑨，言于上曰："今岁虽旱而禾苗甚美。"由是租税皆不免，人穷至坏屋卖瓦木、麦苗以输官。优人成辅端为谣嘲之⑮⓪，实奏辅端诽谤朝政，杖杀之。

监察御史韩愈上疏，以"京畿百姓穷困，应今年税钱及草粟等征未得者，请俟来年蚕麦"。愈坐贬阳山⑮①令。

---

【段旨】

以上为第五段，写王叔文、王伾受到太子宠信，联结成一股新兴政治势力。监察御史韩愈直谏缓征贫民赋税，被贬为县令。

【注释】

⑪⑤王伾：杭州人，初待诏翰林，东宫侍读。顺宗即位后为左散骑常侍，出入宫中为王叔文言事。王叔文败，贬开州司马，死于贬所。传见《旧唐书》卷一百三十五、《新唐书》卷一百六十八。⑪⑥王叔文（公元七五三至八〇五年）：越州山阴（今浙江绍兴）人，德宗时侍读东宫。顺宗即位，为翰林学士。叔文为永贞革新主将，罢贪官京兆尹李实及宫市，停止盐铁使月进钱及地方进奉。执政一百四十六天而失败，贬渝州司户，次年被害。传见《旧唐书》卷一百三十五、《新唐书》卷一百六十八。⑪⑦侍读：唐太宗时，为晋王李治置侍读。李治为太子后，沿袭未改。其后或置或罢，无常员，职掌讲习经学。⑪⑧太子职当视膳问安：指太子之职责是尽孝为先，省视饮食，问候平安。⑪⑨相依附：相互依托。⑫⓪陆淳：字伯冲，吴郡（今江苏苏州）人，顺宗立，任给事中，赐名质。传见《旧唐书》卷一百八十九下、《新唐书》卷一百六十八。⑫①吕温：官至刑部郎中。传见《旧唐书》卷一百三十七、《新唐书》卷一百六十。⑫②李景俭：字宽中，累官谏议大夫。传见《旧唐书》卷一百七十一、《新唐书》卷八十一。⑫③韩晔、韩泰、陈谏：韩晔，贞元中宰相韩滉之族子，有俊才，官至司封郎中。王叔文败，贬饶州司马。韩泰，字安平，官至

建中初年，德宗敕令对京城各使以及各府县拘押的囚犯，在每个季度末派御史巡查，有冤枉和错误的情况要向朝廷奏报，近年来，北军只发一道公文而已。监察御史崔薳对待下属极为严厉苛刻，下属官吏们想陷害他，引诱他进入右神策军。神策军使以下的官员对崔薳的到来十分震惊，详细向皇帝奏报了情况。德宗大怒，打了他四十军棍，流放崖州。

任京兆尹的嗣道王李实一味地征收财赋来向德宗进贡，对德宗说："今年虽然干旱，但是禾苗长得很好。"因此不减免租税，老百姓穷到了拆毁房屋、卖掉屋瓦和木料以及麦苗向官府交纳赋税的地步。演戏的人成辅端作了一首歌谣来嘲讽这件事，李实上奏说成辅端诽谤朝政，用杖刑杀了成辅端。

监察御史韩愈上疏，以为"京畿一带的百姓穷困，对今年没能征收上来的税钱以及牧草、谷物等，请求等明年蚕茧出来和麦子熟了再征收"。韩愈获罪贬为阳山县令。

---

户部郎中。王叔文败，贬虔州司马。陈谏，官至河中少尹。王叔文败，贬台州司马。三人同传，见《旧唐书》卷一百三十五、《新唐书》卷一百六十八。⑫④柳宗元（公元七七三至八一九年）：唐代著名文学家、哲学家，字子厚，河东解（今山西运城解州镇）人，永贞革新主将之一，任礼部员外郎。王叔文败，贬永州司马。传见《旧唐书》卷一百六十、《新唐书》卷一百六十八。⑫⑤刘禹锡（公元七七二至八四二年）：唐代文学家、哲学家，字梦得，洛阳人，支持王叔文革新，为监察御史。王叔文失败，贬朗州司马。传见《旧唐书》卷一百六十、《新唐书》卷一百六十八。⑫⑥死友：生死相依之友。⑫⑦凌準：翰林学士。王叔文败，贬连州司马，卒于贬所。传见《旧唐书》卷一百三十五、《新唐书》卷一百六十八。⑫⑧程异：京兆长安（今陕西西安西）人，贞元末任监察御史。王叔文败，贬郴州司马。元和初复起用，官至御史大夫、盐铁使。传见《旧唐书》卷一百三十五、《新唐书》卷一百六十八。⑫⑨渭：即吕渭，见上卷贞元十六年。⑬⓪时为左拾遗：指吕温在贞元末任左拾遗。⑬①瑀：李瑀，为睿宗子宁王李宪之子。⑬②左补阙：谏官，隶门下省。⑬③主客员外郎：礼部第四司主客司副主官。主客司掌诸王朝见之礼。⑬④刘伯刍：兵部侍郎刘迺之子，字素之。官至刑部侍郎、左散骑常侍。传见《旧唐书》卷一百五十三、《新唐书》卷一百六十。⑬⑤甲寅：九月初六日。⑬⑥庚戌：闰十月初三日。⑬⑦丁巳：闰十月初十日。⑬⑧戊寅朔：十一月初一日。⑬⑨以李兴乾为盐州刺史：据《旧唐书》卷十三《德宗纪》下，李兴乾由盐州兵马使升为刺史。胡三省注云兴乾出于神策军，宦官因其有定乱之功而崇奖之。⑭⓪太常卿：太常寺主官。唐九寺中，以太常卿职位最高，掌祭祀医

卜。⑭高郢：字公楚，卫州（今河南卫辉）人，德宗贞元末拜相。宪宗朝官拜兵部尚书。传见《旧唐书》卷一百四十七、《新唐书》卷一百六十五。⑭郑珣瑜：字符白，郑州荥泽（今河南郑州北）人。传见《新唐书》卷一百六十五。⑭余庆：郑余庆。贞元十四年（公元七九八年）为相，十六年被贬。传见《旧唐书》卷一百五十八、《新唐书》卷一百六十五。⑭从父兄弟：堂兄弟。⑭北军移牒而已：只向北军发一道公文而已。御史畏惧宦官，不敢复入北军按囚，仅移文北司，牒取系囚姓名及案由，应付了事。⑭陷之：设置圈套

【原文】

二十年（甲申，公元八〇四年）

春，正月丙戌[152]，天德军都防御团练使、丰州刺史李景略卒。初，景略尝宴僚佐，行酒者误以醯[153]进。判官京兆任迪简[154]以景略性严，恐行酒者得罪，强饮之，归而呕血，军士闻之泣下。及李景略卒，军士皆曰判官仁者，欲奉以为帅。监军抱置别室，军士发扃[155]取之。监军以闻，诏以代景略。

吐蕃赞普死，其弟嗣立。

夏，四月丙寅[156]，名[157]陈许军曰忠武。

左金吾大将军李昇云将禁兵镇咸阳，疾病，其子政谭与虞候上官望等谋效山东藩镇，使将士奏摄父事。六月壬子[158]，昇云卒。甲寅[159]，诏追削昇云官爵，籍没其家。

昭义节度使李长荣薨，上使中使以手诏[160]授本军大将，但军士所附者即授。时大将来希皓为众所服，中使将以手诏付之。希皓言于众曰："此军取人，合是希皓[161]，但作节度使不得。若朝廷以一束草来，希皓亦必敬事[162]。"中使言："面奉进止[163]，只令此军取大将拔与节钺[164]，朝廷不别除人[165]。"希皓固辞[166]。兵马使卢从史[167]其位居四，潜与监军相结，起出伍[168]曰："若来大夫不肯受诏，从史请且句当[169]此军。"监军曰："卢中丞若如此，此亦固合圣旨。"中使因探怀取诏以授之。从史捧诏，再拜舞蹈[170]。希皓亟回挥同列，北面称贺。军士毕集，更无一

陷害崔薳。⑭崖州：州名，治所金城，在今海南海口东南。⑭嗣道王实：唐高祖子道王李元庆四世孙李实，受封嗣道王。为京兆尹，贪墨残忍。顺宗即位，贬死虢州。传见《旧唐书》卷一百三十五、《新唐书》卷一百六十七。⑭务征求以给进奉：是年京师旱，李实仍一味征收财赋以为贡献。⑮为谣嘲之：将李实刻剥百姓的事编成歌谣加以嘲讽。⑮阳山：县名，县治在今广东阳山县。

【语译】

**二十年（甲申，公元八〇四年）**

春，正月初十日丙戌，天德军都防御团练使、丰州刺史李景略去世。当初，李景略曾经宴请僚属佐吏，倒酒的人误把醋当酒送上桌来。判官京兆府人任迪简因为李景略性情严厉，害怕倒酒的人获罪，强使自己喝了下去，回去后吐血，军中将士听说这件事后都哭了。李景略去世后，军中将士都说判官任迪简仁慈，想拥立为主帅。监军把任迪简抱起安置在另外的屋里，将士们打开门闩，把任迪简接出来。监军把这件事报告给朝廷，德宗下诏任命任迪简接替李景略的职务。

吐蕃的赞普死了，赞普的弟弟继位。

夏，四月二十二日丙寅，改名陈许军为忠武军。

左金吾大将军李昇云率领禁军镇守咸阳，得了重病，他的儿子李政諲与虞候上官望等人谋划仿效山东地区军镇，让将士们上奏朝廷以李政諲代理父亲的职位。六月初九日壬子，李昇云去世。十一日甲寅，德宗下诏追夺李昇云的官职爵位，抄没李昇云的家产。

昭义军节度使李长荣去世，德宗派遣中使带着亲笔诏书准备授予昭义军中的大将，只要将士们所拥戴的，就授予主帅一职。当时，大将来希皓被大家所信服，使者准备把委任诏书交给来希皓。来希皓对大家说："在本军中挑选主帅，应该是我来希皓，但我不能做节度使。如果朝廷拿草人来做节度使，我来希皓也一定恭敬地侍奉它。"中使说："我当面奉皇上旨意，只让在本军选择大将，提升为节度使，朝廷不再另外任命别的人。"来希皓坚决推辞。兵马使卢从史在军中位居第四，暗中与监军勾结，这时从同班官员中站出来说："如果来大夫不肯接受诏命，那就请让我卢从史暂时管理这支军队。"监军说："卢中丞如果这样做，这也当然符合圣旨。"中使于是就从怀中掏出诏书送给卢从史。卢从史捧着诏书，拜了又拜，施行舞蹈礼仪。来希皓赶忙转身指挥同班将士，面朝北方表示祝贺。将士们全部集合起来，大家没有表

言。秋，八月己未，诏以从史为节度使。

九月，太子[171]始得风疾，不能言。

【段旨】

以上为第六段，写天德军、昭义军换帅，从本镇遴选众所服者，平稳顺利没有兵变。昭义大将来希皓谦让，为史所称。

【注释】

⑫丙戌：正月初十日。⑬醯：醋。⑭任迪简：京兆万年（今陕西西安西）人，历任丰州刺史、天德军使、易定节度使。传见《旧唐书》卷一百八十五下、《新唐书》卷一百七十。⑮发扃：打开门闩。⑯丙寅：四月二十二日。⑰名：改名。改陈许军为忠武军。⑱壬子：六月初九日。⑲甲寅：六月十一日。⑳手诏：德宗的亲笔手谕。㉑此军

【原文】

**顺宗至德弘道大圣大安孝皇帝[172]**

**永贞元年[173]（乙酉，公元八〇五年）**

春，正月辛未朔[174]，诸王、亲戚入贺德宗，太子独以疾不能来。德宗涕泣悲叹，由是得疾，日益甚。凡二十余日，中外不通[175]，莫知两宫[176]安否。

癸巳[177]，德宗崩，苍猝[178]召翰林学士郑䌹、卫次公[179]等至金銮殿草遗诏。宦官或曰："禁中议所立尚未定[180]。"众莫敢对。次公遽言曰："太子虽有疾，地居冢嫡[181]，中外属心。必不得已，犹应立广陵王[182]。不然，必大乱。"䌹等从而和[183]之，议始定。次公，河东人也。太子知人情忧疑，紫衣麻鞋[184]，力疾出九仙门[185]，召见诸军使，人心粗安。

甲午[186]，宣遗诏于宣政殿[187]，太子缞服见百官。丙申[188]，即皇帝位于太极殿[189]。卫士尚疑之，企足引领[190]而望之，曰："真太子也！"乃喜而泣。

示异议。秋，八月十七日己未，德宗下诏任命卢从史为节度使。

九月，太子开始得了中风病，不能说话。

---

取人二句：意谓只在本军中选拔，应当是我来希皓。此军，本军。取人，指选任节度使。合，应当。⑯若朝廷以一束草来二句：如果朝廷用一个草人来做节度使，我也一定恭敬地侍奉他。来希皓表明服从朝命所委署的任何人。⑯面奉进止：我当面接受圣上旨意。⑯拔与节钺：提升为节度使。节与钺，象征节度使权力，给予节钺，即授予节度使。⑯不别除人：不另外任命别人。⑯固辞：坚决推辞。⑯卢从史：继李长荣为昭义节度使。后阴与王承宗通谋，贬死。传见《旧唐书》卷一百三十二、《新唐书》卷一百四十一。⑯起出伍：从同班官员中站起来。⑯句当：办理；管理。⑰再拜舞蹈：再拜，拜了两次。舞蹈，是一种下对上的礼仪。⑰太子：即顺宗李诵。

---

**【语译】**

**顺宗至德弘道大圣大安孝皇帝**

**永贞元年（乙酉，公元八〇五年）**

春，正月初一日辛未，各位亲王、皇室的亲戚都进宫向德宗皇帝祝贺新年，只有太子因为生病不能来。德宗流泪悲叹，从此得了病，一天比一天加重。总共有二十多天，内宫与外朝断绝了联系，外面的人都不知道德宗与太子是否平安。

正月二十三日癸巳，德宗驾崩，宫廷匆匆忙忙召来翰林学士郑𬘡、卫次公等人到金銮殿草拟德宗遗诏。有宦官说："宫廷商议册立谁还没有确定。"大家都不敢答话。卫次公急忙说道："太子虽然患了病，但他位居嫡长子，朝廷内外人心所向。万不得已的时候，还是应该册立太子的长子广陵王。如果不这样做，一定会大乱。"郑𬘡等人马上附和卫次公的意见，这样册立谁的事才定下来。卫次公是河东人。太子知道人心疑虑，便身穿紫衣，脚穿麻鞋，支撑着病体，走出九仙门，召见禁军的各位军使，人心大体安定下来。

正月二十四日甲午，在宣政殿宣布德宗遗诏，太子身穿孝服接见文武百官。二十六日丙申，太子在太极殿即皇帝位。宫廷的卫士还在怀疑，提起脚跟，伸着脖子，仔细观望，说："这真的是太子殿下！"于是都高兴得哭起来。

时顺宗失音[191]，不能决事[192]，常居宫中施帘帷，独宦者李忠言、昭容牛氏[193]侍左右，百官奏事，自帷中可其奏。自德宗大渐[194]，王伾先入，称诏召王叔文，坐翰林中使决事。伾以叔文意入言于忠言，称诏行下，外初无知者。以杜佑摄冢宰[195]。二月癸卯[196]，上始朝百官于紫宸门[197]。

己酉[198]，加义武节度使张茂昭同平章事。

辛亥[199]，以吏部郎中韦执谊为尚书左丞、同平章事。王叔文欲掌国政，首引执谊为相，己用事于中[200]，与相唱和[201]。

壬子[202]，李师古发兵屯西境以胁滑州。时告哀使[203]未至诸道，义成牙将有自长安还得遗诏者，节度使李元素以师古邻道，欲示无外[204]，遣使密以遗诏示之。师古欲乘国丧侵噬邻境，乃集将士谓曰："圣上万福，而元素忽传遗诏，是反也，宜击之。"遂杖元素使者，发兵屯曹州，且告假道于汴[205]。宣武节度使韩弘使谓曰："汝能越吾界而为盗邪？有以相待，无为空言！"元素告急。弘使谓曰："吾在此，公安无恐。"或告："翦棘夷道[206]，兵且至矣，请备之。"弘曰："兵来，不除道也。"不为之应。师古诈穷变索[207]，且闻上即位，乃罢兵。元素表请自贬，朝廷两慰解之[208]。元素，泌之族弟也。

吴少诚以牛皮鞋材[209]遗师古，师古以盐资少诚，潜过宣武界，事觉，弘皆留，输之库[210]，曰："此于法不得以私相馈。"师古等皆惮之。

辛酉[211]，诏数京兆尹道王实残暴掊敛[212]之罪，贬通州长史。市井欢呼，皆袖瓦砾遮道[213]伺之[214]，实由间道获免。

---

**【段旨】**

以上为第七段，写德宗崩，顺宗即位。宣武军韩弘威震一方，李师古、吴少诚不敢因国丧而轻举妄动。

当时，顺宗不能说话，不能处理朝廷事务，经常住在宫中，悬挂帘幕，只有宦官李忠言和昭容牛氏服侍左右，百官奏事，顺宗从帘幕中批准奏章。自从德宗病情垂危以来，王伾首先进入内廷，声称有诏召王叔文，让王叔文坐在翰林院中处理朝政。王伾把王叔文的意思告诉李忠言，以诏令的形式颁布，起初朝廷中无人知道这一点。委任杜佑为百官之首。二月初三日癸卯，顺宗开始在紫宸门接受朝廷文武百官的朝见。

二月初九日己酉，顺宗加授义武军节度使张茂昭为同平章事。

十一日辛亥，顺宗任命吏部郎中韦执谊为尚书左丞、同平章事。王叔文想执掌国家大政，首先推韦执谊为宰相，自己在内廷当权，与韦执谊相互配合。

二月十二日壬子，李师古发兵屯驻在本道西部边境，威胁滑州。当时告哀使没有到达各道，义成军有一个得到德宗遗诏内容的牙将从长安回来，节度使李元素因为李师古统领相邻的道，为了表示不把李师古当外人，派遣使者秘密地把德宗的遗诏内容告诉了李师古。李师古却想乘国丧之机吞噬邻道的土地，于是就召集将士，对他们说："皇上万寿无疆，而李元素突然传布遗诏，这是反叛朝廷，我们应该攻打他。"于是就用棍棒打李元素的使者，发兵屯驻曹州，并且派人去汴州向韩弘借路。宣武军节度使韩弘派人对李师古说："你能越过我的边界去做坏事吗？我等着你，可不是说空话！"李元素向韩弘告急。韩弘派使者对李元素说："我在这里，你安心，不用害怕。"有人告诉韩弘说："李师古铲除荆棘，平整道路，军队马上就要到了，请防备他。"韩弘说："如果军队前来，就不清除道路了。"韩弘不做防备。李师古机变诈谋用尽，而且又听说顺宗即位，这才停止出兵。李元素上表朝廷请求将自己贬职，朝廷对双方劝慰宽解。李元素，是李泌的族弟。

吴少诚把做靴子的牛皮赠送给李师古，李师古用食盐资助吴少诚，他们的物品偷偷经过宣武军境内时被发现了，韩弘把这些东西全部扣留，送缴国库，说："按照国法规定，这些东西不能私下互相赠送。"李师古等人都害怕韩弘。

二月二十一日辛酉，顺宗下诏历数京兆尹道王李实残暴地聚敛百姓财物的罪过，把他贬职为通州长史。长安街市欢呼，人们都拿着砖头瓦块拦路等着他，李实走小路才得以脱身。

---

**【注释】**

⑰² 顺宗至德弘道大圣大安孝皇帝：德宗长子，讳诵。唐朝第十代皇帝，公元八〇五年在位，不足一年。顺宗任用王叔文革新政治，宦官俱文珍勾结权贵发动政变，立顺宗太子李纯即位，是为宪宗。永贞革新半道夭折。⑰³ 永贞元年：是年为贞元二十一年，八

月始改元永贞。⑭辛未朔：正月初一日。⑮中外不通：内宫与外朝失去了联系，因德宗不能上朝。⑯两宫：指德宗与东宫太子。⑰癸巳：正月二十三日。⑱苍猝：同“仓猝”，匆忙地。⑲卫次公：字从周，河中府河东县（今山西永济）人，历官翰林学士、中书舍人、兵部侍郎，出镇陕虢、淮南。传见《旧唐书》卷一百五十九、《新唐书》卷一百六十四。⑱禁中议所立尚未定：当时权在禁军中尉，由宦官把持。所谓禁中还没有商量定皇位继承人，实际上是宦官们尚未议定人选。⑱冢嫡：嫡长子。⑱广陵王：太子长子李纯，即顺宗李诵长子。⑱和：附和；赞同。⑱紫衣麻鞋：紫衣非丧服，而麻鞋为丧鞋。当时事急，太子着丧服未毕而出宫劳军。⑱九仙门：在宫内西苑东北角。禁军列营在九仙门外。⑱甲午：正月二十四日。⑱宣政殿：大明宫内第二大殿，位于含元殿之北。⑱丙申：正月二十六日。⑱太极殿：西内正前殿。⑲企足引领：抬起脚后跟，伸长脖子。⑲失音：无法讲话。⑲决事：处理朝事。⑲昭容牛氏：牛昭容，史失其名。昭容，后妃之号，九嫔之一。⑲大渐：病危。⑲摄冢宰：冢宰，周代官名，为佐天子、总百官

【原文】

壬戌[215]，以殿中丞[216]王伾为左散骑常侍[217]，依前翰林待诏，苏州司功[218]王叔文为起居舍人、翰林学士。

伾寝陋，吴语[219]，上所亵狎[220]。而叔文颇任事自许[221]，微知文义，好言事，上以故稍敬之，不得如伾出入无阻。叔文入至翰林，而伾入至柿林院[222]，见李忠言、牛昭容计事。大抵叔文依伾，伾依忠言，忠言依牛昭容，转相交结。每事先下翰林，使叔文可否，然后宣于中书[223]，韦执谊承而行之。外党则韩泰、柳宗元、刘禹锡[3]等主采听外事[224]。谋议唱和，日夜汲汲如狂，互相推奖，曰伊、曰周、曰管、曰葛[225]，僴然自得[226]，谓天下无人。荣辱进退，生于造次[227]，惟其所欲，不拘程式[228]。士大夫畏之，道路以目[229]。素与往还者[230]，相次拔擢[231]，至一日除数人。其党或言曰：“某可为某官。”不过一二日，辄已得之。于是叔文及其党十余家之门，昼夜车马如市。客候见叔文、伾者，至宿其坊中饼肆[232]酒垆[233]下，一人得千钱，乃容之[234]。伾尤阘茸[235]，专以纳贿为事，

之职。唐代仿周制，于天子驾崩后置“摄冢宰”，为百官之首，代新即位的皇帝在服丧期间总揽国事。⑲⑥癸卯：二月初三日。⑲⑦紫宸门：在宣政殿北。门内为紫宸殿，即内衙之正殿。⑲⑧己酉：二月初九日。⑲⑨辛亥：二月十一日。⑳⓪用事于中：在内廷（翰林学士院）当权。⑳①与相唱和：互相配合。⑳②壬子：二月十二日。⑳③告哀使：朝廷派出宣谕皇帝驾崩的特使。⑳④欲示无外：李师古淄青节度使，李元素郑滑节度使，两镇相邻。李元素不把李师古当外人，故将所得德宗驾崩消息告知他。⑳⑤假道于汴：借道汴州。汴州，宣武节度使镇所，在淄青与义成之间。⑳⑥翦棘夷道：指李师古铲除荆棘，平整道地，做进兵准备。夷，平整、削平。⑳⑦诈穷变索：指李师古机谋诈变的手腕用完了。穷与索同义，尽也。⑳⑧朝廷两慰解之：朝廷对双方劝慰宽解。⑳⑨牛皮鞋材：制作牛皮鞋的材料。即牛皮。㉑⓪输之库：送缴国库。㉑①辛酉：二月二十一日。㉑②掊敛：掊克聚敛。㉑③遮道：拦截道路。㉑④伺之：等待他。此言京兆民众痛恨李实，皆袖藏瓦砾乱石，等在道路上拦击他。

---

**【语译】**

二月二十二日壬戌，顺宗任命殿中丞王伾为左散骑常侍，仍然担任翰林待诏，任命苏州司功王叔文为起居舍人、翰林学士。

王伾相貌丑陋，一口吴地乡音，是顺宗亲近宠幸的人。而王叔文以擅长处理朝政自许，稍懂文章义理，喜欢谈论政事，顺宗因为这个缘故，对王叔文稍有敬重，王叔文不像王伾那样通行无阻地出入宫禁。王叔文进入翰林院，而王伾进入柿林院，得以见到李忠言和牛昭容，与他们商议事情。大体上是王叔文依附王伾，王伾依附李忠言，李忠言依附牛昭容，互相辗转交结。朝廷中的每件事情先下交翰林院，让王叔文裁断，然后向中书省宣布处理意见，韦执谊接受后照着执行。他们在宫廷外的同党则是韩泰、柳宗元、刘禹锡等人，主持搜集朝廷上的情报。他们商议事情一唱一和，日夜急切奔竞，像疯子一样，互相抬举推赞，说谁是伊尹、谁是周公、谁是管仲、谁是诸葛亮，他们昂首挺胸自鸣得意，认为天下无人可及。他们给人的荣辱升降，产生于仓促之间，他们想做什么就做什么，不受规章制度的约束。士大夫害怕他们，在道路上以目示意。一向同他们交往的人，一个接一个地被提拔，甚至一天任命几个人。他们的同党有人说：“某某可以担任某官。”不超过一两天，那人就已经得到了那个官职。于是王叔文及其同党十几家的门口，昼夜车马如市。等候晋见王叔文、王伾的客人，甚至有的住到他们那条街坊的饼店、酒坊中，每个人要交一千钱住宿费，店家才收留他们。王伾尤其卑下猥琐，专以纳贿为事，制作了一个

作大匮贮金帛，夫妇寝其上。

甲子㉓⑥，上御丹凤门，赦天下；诸色逋负，一切蠲免㉓⑦；常贡之外，悉罢进奉㉓⑧。贞元之末政事为人患者，如宫市㉓⑨、五坊小儿㉔⓪之类，悉罢之。

先是，五坊小儿张捕鸟雀于闾里者，皆为暴横以取人钱物，至有张罗网于门不许人出入者，或张井上使不得汲者，近之，辄曰："汝惊供奉鸟雀。"即痛殴之，出钱物求谢乃去。或相聚饮食于酒食之肆，醉饱而去，卖者或不知，就索其直㉔①，多被殴詈㉔②。或时留蛇一囊为质㉔③，曰[4]："此蛇所以致鸟雀而捕之者，今留付汝，幸善饲之，勿令饥渴。"卖者愧谢求哀，乃携挈而去。上在东宫，皆知其弊，故即位首禁之。

乙丑㉔④，罢盐铁使月进钱。先是，盐铁月进羡余㉔⑤而经入益少㉔⑥，至是罢之。

三月辛未㉔⑦，以王伾为翰林学士。

德宗之末，十年无赦，群臣以微过谴逐者皆不复叙用，至是始得量移㉔⑧。壬申㉔⑨，追㉕⓪忠州别驾陆贽、郴州别驾郑余庆、杭州刺史韩皋、道州刺史阳城赴京师。

贽之秉政也，贬驾部员外郎李吉甫㉕①为明州长史，既而徙忠州刺史。贽昆弟门人咸以为忧，至而吉甫忻然以宰相礼事之。贽初犹惭惧，后遂为深交。吉甫，栖筠㉕②之子。韦皋在成都，屡上表请以贽自代。贽与阳城皆未闻追诏而卒。

---

**【段旨】**

以上为第八段，写永贞革新，顺宗罢进奉，罢宫市，取缔五坊小儿，平反和量移前朝贬逐之臣。

大柜子存放金帛，夫妻俩就睡在那个柜子上。

二月二十四日甲子，顺宗在丹凤门宣布大赦天下；各种拖欠的租税，一概免除，正常贡品之外，停止全部进贡；在贞元末年一些给百姓带来灾祸的措施，如宫市和五坊小儿等名目，全部撤除。

在此之前，在乡里张网捕捉鸟雀的五坊小儿们，都用残暴蛮横的手段来索取百姓的钱物，甚至有的在人家门前张网，不许人出入，有的在水井上张网，让人不得取水，人靠近了，就说："你惊跑了供奉宫廷的鸟雀。"马上就痛打那人，那人拿出钱财来谢罪，五坊小儿们这才离去。五坊小儿们有时候在饭店酒馆相聚吃喝，酒醉饭饱而去，卖家有的不知道他们的身份，就上去向他们索要酒饭钱，多半被他们打骂。有的留下一袋蛇做抵押，对店家说："这些蛇是用来诱捕鸟雀的饵，现在把它们交给你，希望好好地饲养，不要让它们饥渴。"店家害怕得连忙赔罪求饶，他们才提着蛇袋离去。顺宗在东宫时，对这些弊病全都知道，所以继位之后首先加以禁止。

二月二十五日乙丑，顺宗下令废除盐铁使的月进钱。在此之前，盐铁使每月都向朝廷进献额外收入，但正常赋税日益减少，到这时，下令废止。

三月初二日辛未，顺宗任命王伾为翰林学士。

德宗末年，十年没有大赦，朝廷群臣因为小小过失被贬斥流放的人，全都不再任用，到现在才得以甄别内迁。三月初三日壬申，顺宗召忠州别驾陆贽、郴州别驾郑余庆、杭州刺史韩皋、道州刺史阳城回到京城长安。

陆贽在主持朝政时，把驾部员外郎李吉甫贬职为明州长史，不久，李吉甫调任忠州刺史。陆贽的兄弟和门人为此忧虑，到了忠州之后，李吉甫很高兴地用对待宰相的礼节对待陆贽。陆贽起初还感到又惭愧又恐惧，后来两人便成了交情很深的朋友。李吉甫，是李栖筠的儿子。西川节度使韦皋在成都，多次上表朝廷请求让陆贽代替自己的职位。陆贽和阳城都没有听到皇帝下诏将他们召回京城的消息就去世了。

---

**【注释】**

㉑⑤壬戌：二月二十二日。㉑⑥殿中丞：殿中省佐贰官，从五品上。殿中省掌天子生活庶务，如皇帝膳食、医药、服御、住所、铺设、辇舆等，皆由殿中省职掌。㉑⑦左散骑常侍：隶门下省，掌侍从规谏。㉑⑧司功：州佐吏，全称司功参军，掌考选。王叔文起自苏州司功。㉑⑨伾寝陋二句：王伾形貌丑陋，只会说家乡吴地土话。吴语，泛指古吴国地方语，即江苏、浙江土语。王伾杭州人，古时属吴地。㉒⑩亵狎：亲近宠幸。㉒①任事自许：

自认为能办大事。[222]柿林院：宫内院名。[223]宣于中书：向中书省宣布。[224]主采听外事：柳宗元等人主持搜集朝廷上的情报。外，宫外，指朝廷。[225]日夜汲汲三句：意谓王叔文之党夜以继日地急切奔竞像疯子一般，互相抬举推赞，称某是伊尹、是周公、是管仲、是诸葛亮。汲汲，急急趋进的样子。[226]倜然自得：昂扬而自鸣得意。倜然，刚强豪壮的样子。[227]荣辱进退二句：荣华、屈辱、晋升、贬斥，产生在仓促之间。造次，匆忙迫促。[228]惟其所欲二句：想干什么就干什么，不受规章制度的约束。[229]道路以目：人们只能在道路上以目示意，喻敢怒而不敢言。语出《国语·周语》："国人莫敢言，道路以目。"韦昭注云："不敢发言，以目相眄而已。"[230]素与往还者：一向与他们相交的人。[231]相次拔擢：一个接一个被提升。[232]饼肆：饼店；卖饼之家。[233]酒垆：卖酒之家；酒店。[234]一人得千钱二句：饭店、酒店，每人每天收一千钱，才允许留宿。[235]阘茸：猥琐卑下。阘，踏板，喻低下。茸，细绒毛，喻细小。[236]甲子：二月二十四日。[237]诸色逋负二句：各种各样的拖欠租税，一概免除。[238]常贡之外二句：按例正常贡品之外，停止一切进奉。[239]宫市：宫中市买外面货物。最初，宫市由官吏主持，买入物品，付货主适当的价钱。后来改由宦官主持，随意掠取长安两市物品，甚至不付一钱，商贾有良货，皆深藏不露。详

**【原文】**

丙戌[253]，加杜佑度支及诸道盐铁转运使。以浙西观察使李锜为镇海[254]节度使，解其盐铁转运使。锜虽失利权而得节旄，故反谋亦未发。

戊子[255]，名徐州军曰武宁，以张愔为节度使。

加彰义节度使吴少诚同平章事。

以王叔文为度支、盐铁转运副使。先是叔文与其党谋，得国赋在手，则可以结诸用事人[256]，取军士心[257]，以固其权。又惧骤使重权[258]，人心不服，藉[259]杜佑雅有会计之名，位重而务自全，易可制，故先令佑主其名[260]，而自除为副以专之[261]。叔文虽判两使，不以簿书为意，日夜与其党屏人窃语，人莫测其所为。

以御史中丞武元衡[262]为左庶子。德宗之末，叔文之党多为御史，元衡薄[263]其为人，待之莽卤[264]。元衡为山陵仪仗使[265]，刘禹锡求为判

见上卷贞元十三年十二月。㉔⓪ 五坊小儿：五坊，一曰雕坊，二曰鹘坊，三曰鹞坊，四曰鹰坊，五曰狗坊。此皆养猎鹰、猎犬等供皇上出游助兴之物，扰民伤财，亦罢之。小儿，对给役健儿的称呼。㉔① 就索其直：到他们那里索取酒饭钱。㉔② 殴詈：打骂。㉔③ 质：抵押品。留下一袋蛇作抵押品。㉔④ 乙丑：二月二十五日。㉔⑤ 羡余：正税之外的杂税；额外收入。实际乃截割正税以为羡余。㉔⑥ 经入益少：归入国库的正常税收日益减少。㉔⑦ 辛未：三月初二日。㉔⑧ 量移：遇赦酌量甄别内迁或还京。㉔⑨ 壬申：三月初三日。㉕⓪ 追：召被贬诸大臣还京师。陆贽贬见上卷贞元十一年；阳城贬见贞元十四年；郑余庆贬见贞元十六年；韩皋为京兆尹，贞元十四年贬抚州司马，未几徙杭州。㉕① 李吉甫：字弘宪，宪宗朝宰相，着有《元和郡县图志》行于世。传见《旧唐书》卷一百四十八、《新唐书》卷一百四十六。㉕② 栖筠：历官给事中、浙西观察使，代宗朝为御史大夫。

【校记】

［3］刘禹锡：原无此三字。据章钰校，十二行本、乙十一行本、孔天胤本有此三字，张敦仁《通鉴刊本识误》同，今据补。［4］曰：原脱，据上下文义补。

【语译】

三月十七日丙戌，顺宗加授杜佑为度支和诸道盐铁转运使。任命浙西观察使李锜为镇海节度使，解除了他的盐铁转运使职务。李锜虽然失去了赋税财政大权，却得到了节度使的旌节，所以他反叛朝廷的谋划没有爆发。

三月十九日戊子，顺宗把徐州军改名为武宁军，任命张愔为节度使。

顺宗加授彰义军节度使吴少诚为同平章事。

顺宗任命王叔文为度支、盐铁转运副使。在这以前，王叔文和他的同党策划，如果把国家赋税控制在手中，那么就可以用它来结交各部门当权人物，取得军心，以此来巩固自己的权力。但又害怕突然间掌握重权，朝野内外，人心不服，就借助杜佑向来就有的擅长理财的名声，他地位很高，追求自我保全，容易控制，所以先让杜佑在名义上做主管，而任命自己为副职来专擅财政实权。王叔文虽然身兼度支、盐铁转运两使的职位，但对财务账目并不放在心上，日夜与他的同党避开别人，暗中商谈，别人都弄不清楚他们在干什么。

顺宗任命御史中丞武元衡为左庶子。德宗末年，王叔文的同党大多担任御史职务，武元衡鄙视他们的为人，对待他们很粗鲁。武元衡担任皇陵仪仗使时，刘禹锡

官，不许。叔文以元衡在风宪[266]，欲使附己，使其党诱以权利。元衡不从，由是左迁。元衡，平一之孙也。

侍御史窦群奏屯田员外郎[267]刘禹锡挟邪乱政，不宜在朝。又尝谒叔文，揖之曰："事固有不可知者。"叔文曰："何谓也？"群曰："去岁李实怙恩挟贵[268]，气盖一时。公当此时，逡巡路旁，乃江南一吏[269]耳。今公一旦复据其地[270]，安知路旁无如公者乎！"其党欲逐之。韦执谊以群素有强直名[271]，止之。

上疾久不愈，时扶御殿[272]，群臣瞻望而已，莫有亲奏对者。中外危惧[273]，思早立太子。而王叔文之党欲专大权，恶闻之。宦官俱文珍、刘光琦、薛盈珍皆先朝任使旧人，疾叔文、忠言等朋党专恣，乃启上召翰林学士郑䌹、卫次公、李程[274]、王涯[275]入金銮殿，草立太子制。时牛昭容辈以广陵王淳英睿，恶之；䌹不复请，书纸为"立嫡以长"字呈上，上颔之[276]。癸巳[277]，立淳为太子，更名纯。程，神符五世孙也。

贾耽以王叔文党用事，心恶之，称疾不出，屡乞骸骨。丁酉[278]，诸宰相会食中书[279]。故事，宰相方食，百寮无敢谒见者。叔文至中书，欲与执谊计事，令直省[280]通之。直省以旧事[281]告，叔文怒，叱[282]直省。直省惧，入白。执谊逡巡惭赧[283]，竟起迎叔文，就其阁[284]语良久。杜佑、高郢、郑珣瑜皆停箸以待[285]，有报者云："叔文索饭，韦相公已与之同食阁中矣。"佑、郢心知不可，畏叔文、执谊，莫敢出言。珣瑜独叹曰："吾岂可复居此位！"顾左右，取马径归，遂不起[286]。二相[287]皆天下重望，相次归卧[288]。叔文、执谊益无所顾忌，远近大惧。

要求做判官，他没有答应。王叔文因为武元衡担任御史中丞，想让武元衡依附自己，就让同党以权力、利益去诱惑武元衡。武元衡不听从，因此就被降职。武元衡，是武平一的孙子。

侍御史窦群上奏朝廷说屯田员外郎刘禹锡以邪乱政，不适宜在朝廷。窦群又曾谒见王叔文，对王叔文行礼说："事情本来就有不能知晓的。"王叔文问："你说的是什么意思?"窦群回答说："去年，李实依恃恩宠尊贵的地位，一时间，气焰压倒了众人。你在那个时候，徘徊在仕途之侧，才是江南的一名小吏罢了。现在你一下子占有恩宠尊贵的地位，怎么知道在仕途之侧没有像你这样的人呢!"王叔文的同党想把窦群贬职流放。韦执谊认为窦群一向有刚强耿直的名声，阻止了他们。

顺宗的病长久好不起来，不时让人扶持登上大殿，群臣远远瞻望而已，没有人能与顺宗亲自奏对政事。宫中与外朝百官深为担忧，大家想尽早册立太子。但王叔文的同党们想专擅大权，不喜欢听册立太子的话。宦官俱文珍、刘光琦、薛盈珍都是先朝受重用的旧人，痛恨王叔文、李忠言等结成朋党专断横行，于是启奏顺宗召翰林学士郑絪、卫次公、李程、王涯进入金銮殿，草拟册立太子的制书。当时牛昭容等人因为广陵王李淳英明睿智，就讨厌李淳。郑絪不再禀问，在纸上写了"册立嫡长子"几个字呈献给顺宗，顺宗点头认可。三月二十四日癸巳，册立李淳为太子，改名为李纯。李程，是李神符的五世孙。

宰相贾耽因为王叔文的同党掌权，心里讨厌他们，声称有病，不出家门，多次请求退休。三月二十八日丁酉，各位宰相在中书省共餐。以前的惯例，宰相们正在吃饭的时候，朝廷百官没有敢去拜见的。这一天，王叔文到了中书省，想与韦执谊商量事情，让中书省中值班的人去通报。值班的人将这一惯例告诉王叔文，王叔文很生气，呵斥值班的人。值班的人害怕了，进去告诉韦执谊。韦执谊迟疑徘徊，脸色羞红，最后还是起身迎接王叔文，到王叔文办公房里说了很久。杜佑、高郢、郑珣瑜都放下筷子等待韦执谊，有人来通报说："王叔文要吃饭，韦相公已经与王叔文在办公房里一起吃饭了。"杜佑、高郢心里都知道这件事是不可以的，但害怕王叔文、韦执谊，不敢说什么。只有郑珣瑜一个人叹息道："我岂能再在这个位子上坐下去呢!"看了看左右的人，牵马径直回家去了，于是不再入阁办公。贾耽、郑珣瑜两位宰相都是德高望重的人物，相继归家隐退。王叔文和韦执谊更加无所顾忌，朝廷内外的人大为恐惧。

---

**【段旨】**

以上为第九段，写王叔文、王伾等专权用事。

## 【注释】

[253]丙戌：三月十七日。[254]镇海：德宗置镇海军于润州（今江苏镇江市），后移治杭州。[255]戊子：三月十九日。[256]结诸用事人：交结各部门的当权人物。[257]取军士心：取得军心。[258]惧骤使重权：度支、盐铁转运，利权所在，王叔文起于小吏，遽领使职，自知其骤，心内恐惧不安。[259]藉：借重；依靠。[260]主其名：挂名任度支盐铁使。[261]专之：专擅财政实权。[262]武元衡：字伯苍，曾祖载德，武则天族弟。祖父武平一，武后时避事隐嵩山，中宗时官至考功员外郎。元衡在德宗时官至御史中丞，遭王叔文忌贬。后宪宗元和二年（公元八〇七年）拜相，出为西川节度使。传见《旧唐书》卷一百五十八、《新唐书》卷一百五十二。[263]薄：鄙视；看不起。[264]待之莽卤：指武元衡对待王叔文态度粗鲁，随随便便，不以为意。[265]山陵仪仗使：官名，主管皇陵仪卫。[266]风宪：指御史中丞之职。[267]屯田员外郎：官名，工部第二司次官。屯田司掌全国屯田及京师文武职田。[268]怙

## 【原文】

夏，四月壬寅[289]，立皇弟谔为钦王，诚为珍王；子经为郯王，纬为均王，纵为溆王，纾为莒王，绸为密王，总为郇王，约为邵王，结为宋王，缃为集王，绿为冀王，绮为和王，绚为衡王，纁为会王，绾为福王，纮为抚土，绲为岳王，绅为袁王，纶为桂王，繟为翼王。

乙巳[290]，上御宣政殿，册太子。百官睹太子仪表，退皆相贺，至有感泣者，中外大喜。而王叔文独有忧色，口不敢言，但吟杜甫题诸葛亮祠堂诗曰："出师未捷身先死，长使英雄泪满襟。"闻者哂[291]之。

先是，太常卿杜黄裳[292]为裴延龄所恶，留滞台阁[293]，十年不迁[294]；及其婿韦执谊为相，始迁太常卿。黄裳劝执谊帅群臣请太子监国，执谊惊曰："丈人甫[295]得一官，奈何启口议禁中事！"黄裳勃然曰："黄裳受恩三朝[296]，岂得以一官相买乎！"拂衣起出。

戊申[297]，以给事中陆淳为太子侍读，仍更名质。韦执谊自以专权，恐太子不悦，故以质为侍读，使潜伺太子意，且解之。及质发言，太

恩挟贵：依恃恩宠尊贵的地位。怙、挟，皆凭恃、依仗之意。㉖⑨江南一吏：指王叔文不过是苏州司功，一个州吏罢了。㉗⓪据其地：占有恩宠尊贵的地位。㉗①强直名：刚强耿直的名声。㉗②时扶御殿：不时让人扶着登上大殿。㉗③中外危惧：宫中及外朝百官深为担忧。㉗④李程：字表臣，唐宗室襄邑王李神符五世孙。敬宗时官至宰相，出镇河东、河中、宣武、山南东道等节度使。传见《旧唐书》卷一百六十七、《新唐书》卷一百三十一。㉗⑤王涯：字广津，宪宗、文宗两朝宰相。与李训谋诛宦官，事败被腰斩。传见《旧唐书》卷一百六十九、《新唐书》卷一百七十九。㉗⑥颔之：点头赞同。㉗⑦癸巳：三月二十四日。㉗⑧丁酉：三月二十八日。㉗⑨会食中书：在中书省共餐。㉘⓪直省：中书省的值班吏员。㉘①旧事：即故事、惯例。指宰相会食时不接见百官。㉘②叱：呵斥。㉘③逡巡慚赧：迟疑徘徊，脸色羞红。㉘④阁：办公房中。㉘⑤停箸以待：放下筷子等待韦执谊。箸，筷子。㉘⑥遂不起：于是不入阁办公。㉘⑦二相：指贾耽、郑珣瑜二相。㉘⑧相次归卧：相继归家隐退。

---

## 【语译】

夏，四月初三日壬寅，册立顺宗皇帝的弟弟李谔为钦王，李诚为珍王；册立皇子李经为郯王，李纬为均王，李纵为溆王，李纾为莒王，李绸为密王，李总为郇王，李约为邵王，李结为宋王，李缃为集王，李綀为冀王，李绮为和王，李绚为衡王，李纁为会王，李绾为福王，李纮为抚王，李绲为岳王，李绅为袁王，李纶为桂王，李纆为翼王。

四月初六日乙巳，顺宗登上宣政殿，册立太子。文武百官目睹太子仪表，退朝以后，都互相祝贺，甚至有感动得哭泣的，朝野内外非常高兴。而王叔文一个人面有忧色，口里不敢说什么，只是吟诵杜甫题写的诸葛亮祠堂诗中的句子：“出师未捷身先死，长使英雄泪满襟。”听到的人都嘲笑王叔文。

在此之前，太常卿杜黄裳遭到权臣裴延龄的憎恨，滞留在侍御史的职位上，十年没有升迁。等到他的女婿韦执谊做了宰相，才升任太常卿。杜黄裳劝韦执谊率领群臣请求太子监理国政，韦执谊惊讶地说：“岳丈大人刚刚才得到一个官职，怎么一开口就谈论宫禁中的事情呢！”杜黄裳勃然大怒，说：“我杜黄裳蒙受三朝恩典，怎么能给一个官职就收买了我呢！”说完将衣袖一甩，起身离开了。

四月初九日戊申，顺宗任命给事中陆淳为太子侍读，把陆淳的名字改为陆质。韦执谊自己觉得专揽朝政，恐怕太子不满，所以让陆质担任侍读，让陆质暗中窥伺太子的想法，并且加以劝解。等到陆质就事情发表意见时，太子生气地说：“陛下让

子怒曰:“陛下令先生为寡人讲经义耳，何为预他事!”质惶惧而出。

五月辛未[298]，以右金吾大将军范希朝[299]为左、右神策京西诸城镇行营节度使。甲戌[300]，以度支郎中[301]韩泰为其行军司马。王叔文自知为内外所憎疾，欲夺取宦官兵权以自固，藉希朝老将，使主其名，而实以泰专其事。人情不测其所为，益疑惧。

辛卯[302]，以王叔文为户部侍郎，依前充度支、盐铁转运副使。俱文珍等恶其专权，削去翰林之职。叔文见制书大惊，谓人曰:“叔文日时[303]至此商量公事，若不得此院职事[304]，则无因而至矣。”王伾即为疏请[305]，不从。再疏，乃许三五日一入翰林，去学士名。叔文始惧。

六月己亥[306]，贬宣歙巡官[307]羊士谔为汀州[308]宁化尉。士谔以公事至长安，遇叔文用事，公言其非。叔文闻之，怒，欲下诏斩之，执谊不可，则令杖煞[309]之，执谊又以为不可，遂贬焉。由是叔文始大恶执谊，往来二人门下者皆惧。

先时，刘辟[310]以剑南支度副使[311]将韦皋之意[312]于叔文，求都领[313]剑南三川[314]，谓叔文曰:“太尉使辟致微诚[315]于公，若与某三川，当以死相助；若不与，亦当有以相酬[316]。”叔文怒，亦将斩之，执谊固执不可。辟尚游长安未去，闻贬士谔，遂逃归。执谊初为叔文所引用，深附之，既得位，欲掩其迹，且迫于公议，故时时为异同，辄使人谢叔文曰:“非敢负约，乃欲曲成兄事耳。”叔文诟怒，不之信，遂成仇怨。

癸丑[317]，韦皋上表，以为“陛下哀毁成疾[318]，重劳万机[319]，故久而未安，请权令皇太子亲监庶政[320]，候皇躬痊愈，复归春宫[321]。臣位兼将相，今之所陈，乃其职分”。又上太子笺[322]，以为“圣上远法高宗，亮阴不言[323]，委政臣下，而所付非人。王叔文、王伾、李忠言之徒，辄当重任，赏罚任情[324]，堕纪紊纲[325]，散府库之积[326]以赂权门[327]，树置心腹，遍于贵位[328]，潜结左右，忧在萧墙[329]。窃恐倾太宗盛业，危殿下家

先生为我讲解经书义理而已，为什么要干预其他事情呢!”陆质恐惧地退下了。

五月初三日辛未，顺宗任命右金吾大将军范希朝为左、右神策军京西各镇的行营节度使。初六日甲戌，顺宗任命度支郎中韩泰为范希朝的行军司马。王叔文自知被朝廷内外的人所憎恨，想要夺取宦官的兵权来加强自己的地位，借范希朝是军中老将的名义，让他做挂名的主管，实际上让韩泰专擅军中大权。人们心里摸不透王叔文想干什么，更加怀疑害怕。

五月二十三日辛卯，顺宗任命王叔文为户部侍郎，和以前一样充任度支、盐铁转运副使。宦官俱文珍等人憎恨王叔文专揽大权，削去了他的翰林职务。王叔文看到削职制书后大惊，对人说:“我每日每时到翰林院商量国事，如果得不到翰林院的职务，那就没有理由去那里了。”王伾马上就替王叔文上疏请求留为翰林学士，顺宗不答应。王伾再次上疏，这才允许王叔文三五天去翰林院一趟，削除了王叔文翰林院学士的头衔。王叔文开始恐惧起来。

六月初二日己亥，贬宣歙巡官羊士谔为汀州宁化县尉。羊士谔因为公事来到长安城，碰上王叔文主政，就公开抨击王叔文。王叔文得知这一消息后，十分恼怒，想让顺宗下诏杀了羊士谔，宰相韦执谊不同意，王叔文又要下令用棍棒打死羊士谔，韦执谊还是不同意，于是王叔文就把羊士谔贬职。从此，王叔文开始十分痛恨韦执谊，往来于王、韦二人门下的人都很恐惧。

此前，刘辟以剑南支度副使的身份奉韦皋之命，把韦皋的意图转达给王叔文，要求统领剑南三川地区，刘辟对王叔文说:“韦太尉让我向您致以谦微的诚意，如果将剑南三川地区给我韦某统领，我当以死相助；如果不给的话，我也自当有办法加以回报。”王叔文很生气，也准备杀了刘辟，韦执谊坚决不同意。刘辟还在长安城内活动，没有离开，听说贬了羊士谔的职，就逃回去了。韦执谊最初是被王叔文推荐而被顺宗任用的，十分依附王叔文，得到宰相职位后，想掩盖这层关系的痕迹，而且迫于公众舆论的压力，所以就经常与王叔文的意见不同，事后就派人去向王叔文道歉说:“我不敢违背我们之间的约定，只是想用曲折的方法来成全仁兄的大事。”王叔文怒气冲冲地辱骂，不相信韦执谊，于是两人成了仇敌。

六月十六日癸丑，韦皋上表，认为“陛下哀痛毁了身体，得了病，国家万机加重了烦劳，所以身体很久未能安康，请陛下暂时让皇太子亲自监理朝政，等候皇上身体完全好了，再让皇太子回到东宫去。臣位兼将领和宰相之职，现在所陈奏的，完全是自己分内的事情”。他又向太子奏上笺表，认为“圣上遥仿高宗皇帝，守丧不说话，将政事委任臣下，但所托付的人选不合适。王叔文、王伾、李忠言之徒，轻易地承担处理朝廷大政的重任，他们奖赏和惩罚任凭个人好恶，败坏法纪，扰乱政纲，拿出国库中积储的钱财贿赂权贵，培植心腹党羽，把持了各个重要位置，暗中勾结皇帝身边的人，祸患就在宫室之内。臣私下担心他们倾毁了太宗的江山大业，

邦。愿殿下即日奏闻，斥逐群小，使政出人主，则四方获安”。皋自恃重臣，远处西蜀，度王叔文不能动摇，遂极言其奸。俄而[330]荆南节度使裴均[331]、河东节度使严绶笺表继至，意与皋同，中外皆倚以为援，而邪党震惧。均，光庭之曾孙也。

---

【段旨】

以上为第十段，写王叔文与韦执谊交恶，革新派发生内讧而势分，王叔文刚愎自用，内结怨于众朝臣，外受韦皋等重镇之逼，危如累卵，朝不保夕。

【注释】

㉘⑨ 壬寅：四月初三日。㉙⓪ 乙巳：四月初六日。㉙① 哂：嘲笑。㉙② 杜黄裳：字遵素，京兆（今陕西西安）人，宪宗朝拜宰相，出为河中节度使。传见《旧唐书》卷一百四十七、《新唐书》卷一百六十九。㉙③ 台阁：汉代指尚书台，后泛指中央政府机构。㉙④ 十年不迁：杜黄裳自佐朔方军入朝为侍御史，十年未能升迁。㉙⑤ 甫：刚刚。㉙⑥ 三朝：指肃、代、德三朝。㉙⑦ 戊申：四月初九日。㉙⑧ 辛未：五月初三日。㉙⑨ 范希朝：字致君，河中府虞乡县（今山西永济）人，历官振武、朔方、河东节度使。传见《旧唐书》卷一百五十一、《新唐书》卷一百七十。㉚⓪ 甲戌：五月初六日。㉚① 度支郎中：户部第二司度支主官。㉚② 辛卯：五月二十三日。㉚③ 日时：每日每时。㉚④ 此院职事：这个院的职务。指翰林院学士。㉚⑤ 王伾即为疏请：王伾上疏替王叔文请求留为翰林学士。㉚⑥ 己亥：六月初二日。㉚⑦ 巡官：节度使、观察使之佐吏，掌巡察事务。㉚⑧ 汀州：州名，治所在今福建长汀。㉚⑨ 杖煞：用刑杖打死。煞，“杀”之借字。㉛⓪ 刘辟：宪宗初任剑南西川节度使，胁制朝廷求三川都统，被朝

---

【原文】

王叔文既以范希朝、韩泰主京西神策军，诸宦者尚未寤。会边上诸将各以状辞中尉[332]，且言方属希朝，宦者始寤兵柄为叔文等所夺，乃大怒，曰：“从其谋，吾属必死其手！”密令其使归告诸将曰：“无以兵属人。”希朝至奉天，诸将无至者。韩泰驰归白之，叔文计无所出，

危及殿下的家国。希望殿下立即将此事向皇帝奏报，驱逐这帮小人，使政令掌握在君王手中，那么天下就会获得安宁”。韦皋自恃是朝廷重臣，远在西蜀，预料王叔文不能动摇自己的地位，于是极力将王叔文的奸邪之事说出来。不久，荆南节度使裴均、河东节度使严绶的笺表相继到了朝廷，内容与韦皋的相同，朝廷内外的人都依靠他们作为援助，而王叔文的邪奸之党因此受震动而恐惧。裴均，是裴光庭的曾孙。

---

廷用兵讨杀。传见《旧唐书》卷一百四十、《新唐书》卷一百五十八。⑪ 支度副使：唐制，天下边镇皆有支度使，度计军资粮仗。副使为其副官。⑫ 将韦皋之意：奉持剑南西川节度使韦皋的意图。将，奉持。⑬ 都领：总领。⑭ 剑南三川：剑南东川、西川及山南西道三镇。⑮ 致微诚：致以谦微的诚意。⑯ 亦当有以相酬：也有办法加以回报。⑰ 癸丑：六月十六日。⑱ 哀毁成疾：哀痛亲人谢世而成重病。⑲ 重劳万机：国家万机加重了烦劳。⑳ 皇太子亲监庶政：由皇太子亲自监理国政。监，因皇帝生病或出巡，由太子代理国政称监国。庶政，众多的事务。㉑ 春宫：东宫。此句谓待顺宗病愈，皇太子重回东宫。㉒ 笺：上呈太子的奏章。㉓ 远法高宗二句：远仿殷代的高宗，守丧不说话。高宗，殷朝中兴之主武丁。他居丧时三年不言。亮阴，又作“谅阴”“凉阴”，天子守丧的草庐。此为对顺宗哑病的委婉语，说他效法高宗不说话。㉔ 赏罚任情：奖惩任凭个人好恶。㉕ 堕纪紊纲：败坏法纪，扰乱纲常。㉖ 积：积储之财。㉗ 权门：权贵。㉘ 遍于贵位：把持了各个重要位置。㉙ 潜结左右二句：指王叔文等暗中交结太子的左右人员，恐怕祸患就要在宫室之内发生。韦皋暗示太子，王叔文等要废立太子以挑拨之。萧墙，语出《论语·季氏》孔子之言。季氏欲伐颛臾，孔子说：“吾恐季孙之忧，不在颛臾，而在萧墙之内也。”萧墙是鲁君所用屏风。㉚ 俄而：不久。㉛ 裴均：字君齐，玄宗朝宰相裴光庭之曾孙。宪宗时入为尚书右仆射、判度支，终官山南节度使。为政荒纵，谄事宦官。传见《新唐书》卷一百八。

---

**【语译】**

王叔文任用范希朝、韩泰主管京西神策军后，各个宦官还没有醒悟过来。适逢守卫边疆的将领各自用公文向护军中尉辞别，而且都说将要隶属于范希朝，宦官们这才意识到兵权被王叔文等人夺走了，于是大怒，说：“如果让他们的计谋得逞，那我们这些人肯定死在他们手里！”于是秘密下令各军的使者回去告诉各位将领说：“不要让军队归属于别人。”范希朝到了奉天，各位将领没有到来的。韩泰骑马赶回朝廷，把事

唯曰："奈何！奈何！"

无几，其母病甚。丙辰[333]，叔文盛具酒馔[334]，与诸学士及李忠言、俱文珍、刘光琦等饮于翰林。叔文言曰："叔文母病，以身任国事之故，不得亲医药，今将求假归侍[335]。叔文比竭心力[336]，不避危难，皆为朝廷之恩。一旦去归[337]，百谤交至[338]，谁肯见察[339]以一言相助乎？"文珍随其语辄折[340]之，叔文不能对，但引满相劝，酒数行而罢。丁巳[341]，叔文以母丧去位。

秋，七月丙子[342]，加李师古检校侍中。

王叔文既有母丧，韦执谊益不用其语。叔文怒，与其党日夜谋起复[343]，必先斩执谊而尽诛不附己者，闻者恟惧。

自叔文归第，王伾失据[344]，日诣宦官及杜佑[345]请起叔文为相，且总北军[346]。既不获，则请以为威远军[347]使、平章事，又不得，其党皆忧悸不自保。是日，伾坐翰林中，疏三上，不报[348]，知事不济，行且卧[349]，至夜，忽叫曰："伾中风矣！"明日，遂舆归不出[350]。己丑[351]，以仓部郎中、判度支案陈谏[352]为河中少尹[353]。伾、叔文之党至是始去。

癸巳[354]，横海军节度使程怀信薨，以其子副使执恭[355]为留后。

乙未[356]，制以积疢[357]未复，其军国政事权令皇太子纯句当[358]。时内外共疾王叔文党与专恣，上亦恶之，俱文珍屡启上请令太子监国，上固厌倦万机，遂许之。又以太常卿杜黄裳为门下侍郎，左金吾大将军袁滋[359]为中书侍郎，并同平章事。俱文珍等以其旧臣，故引用之。又以郑珣瑜为吏部尚书，高郢为刑部尚书，并罢政事。太子见百官于东朝堂，百官拜贺。太子涕泣，不答拜。

八月庚子[360]，制"令太子即皇帝位，朕称太上皇，制敕称诰"。

辛丑[361]，太上皇徙居兴庆宫[362]，诰改元永贞，立良娣王氏为太上皇后。后，宪宗之母也。

壬寅[363]，贬王伾开州[364]司马，王叔文渝州[365]司户。伾寻病死贬所。明年，赐叔文死。

情告诉了王叔文，王叔文拿不出计策来，只是说："这该怎么办！这该怎么办！"

不久，王叔文的母亲病得很厉害。六月十九日丙辰，王叔文备办丰盛的酒食，在翰林院与各位学士以及李忠言、俱文珍、刘光琦等人宴饮。王叔文说道："我的母亲病了，因为我承担着处理国家大事的重任，不能够亲自侍奉汤药，现在将告假回家侍奉母亲。我王叔文近来竭尽心力，不避危难，都是因为身受朝廷的恩典。要是我一旦离开朝廷返回家乡，各种毁谤纷至沓来，谁能体察我，以一言相助呢？"俱文珍跟着他的话头一一驳斥，王叔文不能回答，只是给各人斟满酒杯劝大家喝酒，酒过几巡就散席了。二十日丁巳，王叔文因为母亲去世而离职。

秋，七月初九日丙子，顺宗加授李师古检校侍中。

王叔文遭遇母丧之后，韦执谊更加不采用他的意见。王叔文很生气，与同党日夜策划起家任职，扬言一定要先斩了韦执谊，把不依附自己的人全部杀死，听说这事的人都极为害怕。

自从王叔文回家后，王伾失去了依靠，天天前往宦官和杜佑那里请求起用王叔文为宰相，并且统领神策军。没有达到目的后，就请求任命王叔文为威远军使、平章事，又没有如愿。他们的同党都担惊受怕，感到不能自我保全。这一天，王伾坐在翰林院中，三次上疏，顺宗没有回复，王伾知道事情成功不了，急得坐卧不安，到了夜晚，忽然叫喊说："我中风了！"第二天，就用轿抬着返回家中，不再出门。七月二十二日己丑，顺宗任命仓部郎中、判度支案陈谏为河中府少尹。王伾、王叔文的党羽到这时开始散去。

七月二十六日癸巳，横海军节度使程怀信去世，顺宗任命程怀信的儿子节度副使程执恭为留后。

七月二十八日乙未，顺宗下制书说，因为旧病没有康复，军事国事暂时让皇太子李纯代理。当时朝野内外都痛恨王叔文的党羽们独断专行，顺宗对此也很厌恶，俱文珍多次上奏顺宗，请求让太子监理国政，顺宗本来就厌倦了日理万机，于是就同意了。顺宗又任命太常卿杜黄裳为门下侍郎，左金吾大将军袁滋为中书侍郎，两人一同担任同平章事。俱文珍等人因为他们是前朝旧臣，所以就推荐给顺宗任用他们。顺宗又任命郑珣瑜为吏部尚书，高郢为刑部尚书，同时罢免了他们的宰相职权。太子在东朝堂接见百官，百官向太子参拜祝贺。太子哭泣流泪，不回大臣们的礼。

八月初四日庚子，顺宗制书说："让太子即皇帝位，朕称太上皇，制书、敕令称为诰。"

初五日辛丑，太上皇移居兴庆宫，下诰书改年号为永贞，册立良娣王氏为太上皇后。太上皇后，是宪宗皇帝的生母。

八月初六日壬寅，宪宗把王伾贬为开州司马，把王叔文贬为渝州司户。王伾不久病死在被贬的地方。第二年，宪宗赐王叔文死。

【段旨】

以上为第十一段，写王叔文因母丧离职，革新派倒了支柱。顺宗禅位宪宗，王叔文等立即遭斥逐。永贞革新历八个月而失败。

【注释】

㉜以状辞中尉：用公文向中尉辞别。中尉，神策军护军中尉，由宦官担任，权倾天下。㉝丙辰：六月十九日。㉞盛具酒馔：备办了丰盛的酒食。㉟求假归侍：告假回家侍奉母亲。㊱比竭心力：近来竭尽心力。㊲一旦去归：一旦离开朝廷，回到家乡。㊳百谤交至：各种各样的诽谤纷纷到来。㊴见察：体谅我；看到我的内心苦衷。㊵折：抢白；驳斥。㊶丁巳：六月二十日。㊷丙子：七月初九日。㊸起复：守丧去职称丁忧，不居丧

【原文】

乙巳[366]，宪宗即位于宣政殿[367]。

丙午[368]，升平公主[369]献女口五十。上曰："上皇不受献，朕何敢违。"遂却之。

庚戌[370]，荆南献毛龟二，上曰："朕所宝惟贤，嘉禾、神芝，皆虚美耳，所以《春秋》不书祥瑞。自今凡有嘉瑞，但准令申有司[371]，勿复以闻[372]。及珍禽奇兽，皆毋得献。"

癸丑[373]，西川节度使南康忠武王韦皋薨。皋在蜀二十一年[374]，重加赋敛，丰贡献以结主恩，厚给赐以抚士卒，士卒婚嫁死丧，皆供其资费，以是得久安其位而士卒乐为之用，服南诏，摧吐蕃。幕僚岁久官崇者则为刺史，已复还幕府，终不使还朝[375]，恐泄其所为故也。府库既实，时宽其民，三年一复[376]租赋，蜀人服其智谋而畏其威，至今画像以为土神，家家祀之。

支度副使刘辟自为留后。

朗州武陵[377]、龙阳[378]江涨[379]，流万余家。

壬午[380]，奉义节度使伊慎入朝。

而任职称起复。㉞失据：失去依靠。㉟诣宦官及杜佑：登宦官及杜佑之门。时杜佑为首相。㊱总北军：总领禁军。㊲威远军：禁军名，肃宗时所置，德宗时隶鸿胪卿，宪宗以后以宦官为使，统领禁军。㊳不报：不回复，即不批准。㊴行且卧：坐卧不宁。行，站立。卧，坐下。㊵舆归不出：用轿抬着返回家中，不出门上朝。㊶己丑：七月二十二日。㊷陈谏：王叔文之党。㊸河中少尹：河中府尹之下置少尹二人，从四品下，掌二府州之事。㊹癸巳：七月二十六日。㊺执恭：即程执恭。历官横海、邠宁节度使。㊻乙未：七月二十八日。㊼疢：病。㊽句当：办理。㊾袁滋：建中初已在朝，历官校书郎、侍御史、工部员外郎。袁滋后出镇剑南东、西川、山南东道、荆南等节度使，终官湖南观察使。传见《旧唐书》卷一百八十五下、《新唐书》卷一百五十一。㊿庚子：八月初四日。(361)辛丑：八月初五日。(362)兴庆宫：在皇城东外郭城兴庆坊。(363)壬寅：八月初六日。(364)开州：州名，治所开江，在今重庆市开州区。(365)渝州：州名，治所巴县，在今重庆市巴南区。

---

【语译】

八月初九日乙巳，宪宗在宣政殿即皇帝位。

初十日丙午，升平公主进献女子五十人，宪宗说："太上皇不接受进献，朕怎么敢违背。"于是拒绝了进献的五十名女子。

十四日庚戌，荆南向宫廷进献了两个长毛的乌龟，宪宗说："朕所宝贵的只有贤才，嘉禾、神芝，都是空有美名而已，因此《春秋》不记载祥瑞。从今以后，凡是有什么美好的瑞兆，只准申报有关部门，不要再报告给朝廷。另外，珍禽奇兽，都不得向朝廷进献。"

八月十七日癸丑，西川节度使南康忠武王韦皋去世。韦皋在蜀地二十一年，加重对老百姓征收赋税，向朝廷进献丰厚，用来加强君主的恩宠，用厚重的赏赐来安抚士卒，士卒家里的婚嫁死丧，韦皋都向他们提供钱财资助，因此，韦皋能够长时间安稳地坐在官位上，而士卒乐意为韦皋效力，他得以招服南诏，打垮吐蕃。幕僚在幕府内时间长了，官位高了，就外放他们去做刺史，做了一任刺史以后还是回到幕府来，始终不让他们返回朝廷，这是因为担心他们会泄露自己在这里干了些什么。仓库充实以后，经常宽免百姓，隔三年就免征一年的租赋，蜀人佩服韦皋的智谋，而又害怕韦皋的威权，至今还画韦皋的像当作土神，家家祭祀。

西川支度副使刘辟自己担任留后职务。

朗州的武陵、龙阳江水上涨，冲没了一万多户人家。

壬午日，奉义节度使伊慎入朝晋见。

辛卯[380]，夏绥节度使韩全义入朝。全义败于溵水而还，不朝觐而去。上在藩邸，闻其事而恶之。全义惧，乃请入朝。

刘辟使诸将表求节钺，朝廷不许。己未[382]，以袁滋为剑南东、西川、山南西道安抚大使。

度支奏裴延龄所置别库，皆减正库之物别贮之。请并归正库，从之。

辛酉[383]，遣度支、盐铁转运副使潘孟阳[384]宣慰江、淮，行视租赋、榷税利害[385]，因察官吏否臧、百姓疾苦。

癸亥[386]，以尚书左丞郑余庆同平章事。

九月戊辰[387]，礼仪使奏："曾太皇太后沈氏[388]岁月滋深，迎访理绝[389]。按晋庾蔚之议，寻求三年之外，俟中寿[390]而服之。伏请以大行皇帝[391]启攒宫日[392]，皇帝帅百官举哀，即以其日为忌[393]。"从之。

壬申[394]，监修国史韦执谊奏，始令史官撰《日历》[395]。

己卯[396]，贬神策行军司马韩泰为抚州刺史，司封郎中韩晔为池州刺史，礼部员外郎柳宗元为邵州刺史，屯田员外郎刘禹锡为连州刺史。

冬，十月丁酉[397]，右仆射、同平章事贾耽薨。

戊戌[398]，以中书侍郎、同平章事袁滋同平章事，充西川节度使。征刘辟为给事中。

舒王谊[399]薨。

太常议曾太皇太后谥曰睿真皇后[400]。

山人[401]罗令则自长安如普润，矫称太上皇诰，征兵于秦州刺史刘澭，且说澭以废立。澭执送长安，并其党杖杀之。

己酉[402]，葬神武孝文皇帝[403]于崇陵[404]，庙号德宗。

十一月己巳[405]，祔[406]睿真皇后、德宗皇帝主于太庙。礼仪使杜黄裳等议，以为"国家法周制，太祖犹后稷，高祖犹文王，太宗犹武王，皆不迁。高宗在三昭三穆之外，请迁主于西夹室"。从之。

壬申[407]，贬中书侍郎、同平章事韦执谊为崖州司马。执谊以尝与王叔文异同，且杜黄裳婿，故独后贬。然叔文败，执谊亦自失形势[408]，知祸将至，虽尚为相，常不自得，奄奄无气[409]，闻人行声，辄惶悸失色，

辛卯日，夏绥节度使韩全义入朝晋见。韩全义在溵水战败返回，没有朝见德宗便离去了。那时宪宗还是藩王，听到这事后痛恨韩全义。韩全义害怕了，于是请求进京入朝。

刘辟让各位将领上表朝廷为自己请求节度使的旌节，朝廷没有答应。八月二十三日己未，宪宗任命袁滋为剑南东川、西川和山南西道的安抚大使。

度支上奏裴延龄以前所设置的别库，都是把正库的钱扣减下来另外贮存其中，请求把这些东西归藏正库，宪宗听从了。

二十五日辛酉，宪宗派遣度支、盐铁转运副使潘孟阳宣抚江、淮，巡视租税和各项专卖物品的利弊得失，顺便考察官员们的好坏、百姓的疾苦。

二十七日癸亥，宪宗任命尚书左丞郑余庆为同平章事。

九月初二日戊辰，礼仪使上奏说："曾太皇太后沈氏失踪时间很久了，按理寻访应当停止。根据晋朝庾蔚之的说法，寻找亲人三年以后还没有找到的话，便等到亲人八十岁寿辰的时候，为亲人服丧。请在大行德宗皇帝开启攒宫的日子，由皇帝率朝廷文武百官前去哭祭致哀，就把这一天定为曾太皇太后沈氏的忌日。"宪宗听从了这个意见。

九月初六日壬申，监修国史的韦执谊上奏后，开始下令史官编撰《日历》。

十三日己卯，贬神策军行军司马韩泰为抚州刺史，司封郎中韩晔为池州刺史，礼部员外郎柳宗元为邵州刺史，屯田员外郎刘禹锡为连州刺史。

冬，十月初二日丁酉，右仆射、同平章事贾耽去世。

初三日戊戌，宪宗任命中书侍郎、同平章事袁滋带同平章事职衔，充任西川节度使。征召刘辟担任给事中。

舒王李谊去世。

太常寺商议给曾太皇太后沈氏立谥号为睿真皇后。

平民罗令则从长安去往普润，假称太上皇的诰命，向秦州刺史刘澭征调军队，并且劝说刘澭废掉宪宗。刘澭抓住罗令则送往长安，连同他的同党一并用棍棒打死。

十四日己酉，葬神武孝文皇帝于崇陵，庙号为德宗。

十一月初四日己巳，将睿真皇后和德宗的神主安置在太祖庙中合祭。礼仪使杜黄裳等人建议，认为"国家效法周朝的制度，太祖犹如后稷，高祖犹如周文王，太宗犹如周武王，他们的神主都不能迁替。高宗在三昭三穆之外，请将高宗的神主迁移到西夹室中去"。宪宗听从了。

十一月初七日壬申，贬中书侍郎、同平章事韦执谊为崖州司马。韦执谊因为曾经与王叔文意见不同，而且是宰相杜黄裳的女婿，所以独自最后贬职。但王叔文失败后，韦执谊也自然失去了原来的权势，知道祸难即将降临，虽然还担任着宰相，但经常坐卧不宁，无精打采，听到行人走路的声音，就惊恐失色，

以至于贬。

戊寅[410]，以韩全义为太子少保，致仕。

刘辟不受征，阻兵自守。袁滋畏其强，不敢进。上怒，贬滋为吉州刺史。

复以右庶子武元衡为御史中丞。

朝议谓王叔文之党或自员外郎出为刺史，贬之太轻[411]。己卯[412]，再贬[413]韩泰为虔州司马，韩晔为饶州司马，柳宗元为永州司马，刘禹锡为朗州司马。又贬河中少尹陈谏为台州司马，和州刺史凌準为连州司马，岳州刺史程异为郴州司马。

回鹘怀信可汗卒，遣鸿胪少卿孙杲临吊，册其嗣为腾里野合俱录毗伽可汗。

十二月甲辰[414]，加山南东道节度使于頔同平章事。

以奉义节度使伊慎为右仆射。

己酉[415]，以给事中刘辟为西川节度副使、知节度事。上以初嗣位，力未能讨故也。右谏议大夫韦丹[416]上疏，以为"今释辟不诛，则朝廷可以指臂而使者，惟两京耳。此外谁不为叛！"上善其言。壬子[417]，以丹为东川节度使。丹，津之五世孙也。

辛酉[418]，百官请上上皇尊号曰应乾圣寿太上皇；上尊号曰文武大圣孝德皇帝。上许上上皇尊号而自辞不受。

壬戌[419]，以翰林学士郑絪为中书侍郎、同平章事。

以刑部郎中杜兼为苏州刺史。兼辞行[420]，上书称李锜且反，必奏族臣[421]；上然之[422]，留为吏部郎中[423]。

---

**【段旨】**

以上为第十二段，写宪宗即位，葬德宗，调整太庙祖宗神位，全面贬逐永贞革新之臣，被贬重臣为司马者八人，故史有八司马之称。

这种情况一直持续到被贬职。

十一月十三日戊寅，宪宗任命韩全义为太子少保，韩全义退休。

刘辟不接受朝廷的征召，利用军队自守。袁滋畏惧刘辟的势力强大，不敢前去西川。宪宗很生气，把袁滋贬为吉州刺史。

宪宗又任命右庶子武元衡为御史中丞。

朝廷大臣商议认为王叔文的党羽有的从员外郎外放出去任刺史，所贬太轻。十一月十四日己卯，朝廷再次贬韩泰为虔州司马，韩晔为饶州司马，柳宗元为永州司马，刘禹锡为朗州司马。又贬河中府少尹陈谏为台州司马，和州刺史凌準为连州司马，岳州刺史程异为郴州司马。

回鹘怀信可汗去世，宪宗派遣鸿胪寺少卿孙杲去吊唁，册封怀信可汗的儿子为滕里野合俱录毗伽可汗。

十二月初九日甲辰，宪宗加授山南东道节度使于頔为同平章事。

宪宗任命奉义节度使伊慎为右仆射。

十二月十四日己酉，宪宗任命给事中刘辟为西川节度副使，主理节度使的事务。这是因为宪宗刚刚继位，没有力量去讨伐刘辟的缘故。右谏议大夫韦丹上疏，认为"现在放了刘辟，不加惩治，那么朝廷能够指挥的，只有东京洛阳、西京长安而已。两京之外，谁不想反叛朝廷呢！"宪宗觉得韦丹说得很好。十七日壬子，宪宗任命韦丹为东川节度使。韦丹，是韦津的五世孙。

十二月二十六日辛酉，文武百官请求给太上皇顺宗上尊号为应乾圣寿太上皇，给宪宗上尊号为文武大圣孝德皇帝。宪宗同意给太上皇顺宗上尊号，但自己却拒绝，不接受尊号。

十二月二十七日壬戌，宪宗任命翰林学士郑絪为中书侍郎、同平章事。

宪宗任命刑部郎中杜兼为苏州刺史。杜兼向皇帝辞行时，上书说李锜将要造反，一定上奏灭我的全家。宪宗觉得杜兼说得对，把杜兼留在朝廷担任吏部郎中。

---

**【注释】**

㊱⑥乙巳：八月初九日。㊱⑦即位于宣政殿：时德宗大行在殡，太上皇在兴庆宫，故宪宗不在正殿即位。正殿在太极宫太极殿。宣政殿在大明宫前殿含元殿后。㊱⑧丙午：八月初十日。㊱⑨升平公主：代宗女，下嫁郭子仪之子郭暧。其女为宪宗郭皇后。㊲⓪庚戌：八月十四日。㊲①但准令申有司：只准申报主管部门。有司，指礼部，掌祥瑞。㊲②勿复以闻：不要再上奏朝廷。㊲③癸丑：八月十七日。㊲④皋在蜀二十一年：德宗贞元元年（公元七八五年），韦皋代张延赏镇蜀，至此二十一年。㊲⑤幕僚岁久官崇者三句：此三句谓

韦皋对供职多年而幕僚之位已高的人，如判官、巡官等，外任为刺史，期满仍还镇为幕僚，不推荐到朝廷。㊀376 三年一复：每三年免征一年。377 武陵：县名，朗州治所，在今湖南常德。378 龙阳：县名，县治在今湖南汉寿。与武陵均濒洞庭湖岸。379 江涨：长江水涨泛滥。380 壬午：八月丁酉朔，无壬午。壬午，九月十六日。381 辛卯：八月亦无辛卯。辛卯，九月二十五日。382 己未：八月二十三日。383 辛酉：八月二十五日。384 潘孟阳：刘晏外孙，官至左散骑常侍。传见《旧唐书》卷一百六十二、《新唐书》卷一百六十。385 利害：利弊。386 癸亥：八月二十七日。387 戊辰：九月初二日。388 曾太皇太后沈氏：代宗皇后，德宗母，宪宗的曾祖母，故尊为曾太皇太后。安史之乱，沈皇后没入贼，德宗屡访不获。389 迎访理绝：迎访多年不获，按理应当停止。390 中寿：八十岁。古人以一百岁为上寿，八十岁为中寿，六十岁为下寿。391 大行皇帝：指德宗。皇帝死未葬称大行皇帝。392 启攒宫日：开启攒宫之日，即下葬之日。皇帝死，未葬之前，先殡，架木屋盖棺，称攒宫。393 为忌：作为忌日。忌日，死难之日。394 壬申：九月初六日。395《日历》：史官按日记载的大事记称《日历》。396 己卯：九月十三日。397 丁酉：十月初二日。398 戊戌：十月初三日。399 舒王谊：代宗第三子昭靖太子李邈之子，德宗之侄，因李邈早死，德宗养之为子。400 睿真皇后：德宗之母，代宗沈皇后。因访寻不获，至是发丧立忌日而议谥号。401 山人：山野之人，即布衣平民。402 己酉：十月十四日。403 神武孝文皇帝：孝文，《新唐书》卷七《德宗纪》作"圣文"。404 崇陵：在京兆云阳县，即今陕西泾阳北云阳镇。405 己巳：十一月初四日。406 祔：后死者合祭于先祖。此指睿真皇后、德宗神主奉入太祖庙，享受祭礼。407 壬申：十一月初七日。408 自失形势：自然失去了原来的权势。409 奄奄无气：无精打采。410 戊寅：十一月十三日。411 朝议谓王叔文之党二句：员外郎为六部各司副司长，从六品。州刺史，上州从三品，中、下州正四品下。故朝议以员外郎贬州刺史为轻。朝议，朝廷讨论、评议。412 己卯：十一月十四日。413 再贬：第二次贬官。韩泰，神策行军司马，贬抚州刺史，再贬为虔州司马；韩晔，司封郎中，贬为池州刺史，再贬为饶州司马；柳宗元，礼部员外郎，贬为邵州刺史，再贬为永州司马；刘禹锡，屯田员外郎，贬为连州刺史，再贬为朗州司马。以上四人为再贬。陈谏，仓部郎中，出为河中府少尹，贬为台州司马；凌準，翰林学士，出为和州刺史，贬为连州司马；程异，监察御史，出为岳州刺史，贬为郴州司马。以上三人，见王叔文失势，见机先出，至是亦遭贬黜。加上韦执谊贬崖州司马，共八司马。王叔文、王伾与八司马，史称"二王八司马"。414 甲辰：十二月初九日。415 己酉：十二月十四日。416 韦丹：字文明，京兆万年（今陕西西安东）人，颜真卿外孙，有政声。传见《新唐书》卷一百九十七。417 壬子：十二月十七日。418 辛酉：十二月二十六日。419 壬戌：十二月二十七日。420 辞行：京官外任，向皇帝辞行谢恩。421 必奏族臣：谓李锜一定上奏胁制朝廷族诛杜兼。422 上然之：宪宗认为杜兼说得对。423 留为吏部郎中：留下杜兼，升迁为吏部郎中。郎中为六部各司的长官。吏部为六部之首，同官尊于他部。杜兼从刑部郎中转吏部郎中是升迁，因其直言而嘉之。

【研析】

本卷研析永贞革新和八司马之贬。

第一，永贞革新。公元八〇五年，唐顺宗永贞元年。正月二十三日，德宗崩，二十六日皇太子李诵即位，是为唐顺宗。当年八月初九日，顺宗禅位皇太子李纯，是为唐宪宗。顺宗即位时，已得中风病，口不能言，在位只有八个月。一个不能说话而在位又只有几个月的皇帝，却干了一件惊天动地的大事，改革德宗弊政，吹响了反宦官、反割据的号角，虽然失败了，但这场革新的政治运动在中唐，乃至在中国政治史上产生了深远影响，史称永贞革新。主持革新的领袖人物为王伾、王叔文，赞助革新的有韦执谊、韩晔、韩泰、陈谏、柳宗元、刘禹锡、凌準、程异等八人。革新失败，十人全都遭贬，都为远州司马。史又称永贞革新为二王八司马之变。

永贞革新的最高目的是打击宦官和藩镇割据。顺宗为皇太子二十余年，亲身参加奉天保卫战，经历过艰难困苦，对宦官专权和藩镇割据深恶痛绝，对宦官祸国的认识尤深，“未尝以颜色假借宦官”。所以顺宗即位伊始，立即引用王伾、王叔文等人推行改革。永贞革新首先从革除弊政入手，罢进奉、罢宫市、取缔五坊小儿、平反和量移前朝被贬大臣，召陆贽、阳城还京。不过陆贽、阳城还没有等到还京追诏，永贞革新就失败了，陆贽最终死于贬所忠州。

藩镇割据与宦官专政是革新最要害的两个课题。西川节度使韦皋在王叔文当政后，派刘辟到京师威胁利诱王叔文，要求朝廷授命韦皋兼任东川和山南节度使，想领有剑南三川，即西川、东川、山南广大地盘，扩张割据势力。王叔文毫不假借，下令斩杀刘辟，刘辟狼狈逃跑。为了铲除宦官专权，王叔文起用朔方老将范希朝为左右神策、京西诸城镇行营节度使，以韩泰为行军司马，接管宦官手中的兵权。此举被宦官觉察，密令各镇诸将抗拒范希朝、韩泰，事情未果。宦官集团立即发动反扑，与藩镇勾结，内外攻击革新派。西川节度使韦皋、荆南节度使裴均、河东节度使严绶，纷纷上表朝廷施压，称顺宗久病，防止王叔文等奸人窃国，要求立太子，让皇太子监国。许多守旧官僚站到宦官集团一边，四月初六日立皇太子，八月初九日皇太子李纯即位，顺宗禅让。宦官集团首领是俱文珍，他釜底抽薪，用宫廷政变废了顺宗，永贞革新宣告失败。

俱文珍发动的宫廷政变，以和平手段冠冕为“禅让”，实质已开了唐代宦官挟兵权擅废立的恶例。

第二，八司马之贬。被打为王叔文同党遭贬的八司马是：贬韦执谊为崖州司马，贬韩晔为饶州司马，贬韩泰为虔州司马，贬陈谏为台州司马，贬柳宗元为永州司马，贬刘禹锡为朗州司马，贬凌準为连州司马，贬程异为郴州司马。研析八司马之贬，旨在说明永贞革新失败的原因。

永贞革新失败最根本的原因是基础薄弱。表现在两个方面：其一，是顺宗不幸得病，中风相当严重，口不能言，皇帝权威大打折扣，宦官集团发动宫廷政变也以此为借口；其二，是革新集团缺少有名望的文武重臣，也许德宗的猜忌影响了太子，让太子过于谨慎，未与朝中大臣结缘，只在太子侍读宾友小圈子中培植革新势力，可以说是先天不足。二王八司马资望都不高。王伾，翰林待诏；王叔文，太子侍书；韦执谊，吏部郎中；韩泰，户部郎中；陈谏、柳宗元、刘禹锡、程异，监察御史；凌凖，侍御史；韩晔，无职名。由于革新集团成员资望低，他们主政后官位也不高。王伾为左散骑常侍；王叔文为户部侍郎、判度支盐铁转运副使；韩晔，尚书省司封郎中；韩泰，神策行营节度使行军司马，未到任；陈谏，河中少尹；柳宗元，礼部员外郎；刘禹锡，屯田员外郎；程异，虞部员外郎；凌凖，翰林学士；只有韦执谊入相，为中书令。这样一个班底，运转不了朝廷行政机构，只好采取非常手段。革新集团的主将是王叔文，他只能入翰林决策，由王伾入居宫中柿林院，再通过宦官李忠言、嫔妃牛昭容与顺宗联系。新政推行，由王叔文决断，王伾转授，韦执谊在中书省为文诰执行。如此运转，极容易被攻击为朋党。根基薄弱是革新集团的致命伤。此外，王叔文躁急，夺宦官兵权，为时太早，甚至与韦执谊发生内讧；策略也不周密，王叔文胸无韬略，既没有去争取太子，也没有利用韦皋做策略性联盟。关键时候，王叔文又丁母忧，革新派倒了大将，没有了主心骨，失败也就是必然的了。